HISTOIRE
DE LA COLONISATION
FRANÇAISE

Tome premier

DU MÊME AUTEUR

Haïti, république caraïbe, Paris, 1974 (épuisé).

Toussaint Louverture. De l'esclavage au pouvoir, Paris, 1979 (épuisé).

La route des esclaves. Négriers et bois d'ébène au XVIIIᵉ siècle, Paris, 1980.

Édition du *Voyage d'un Suisse dans différentes colonies de l'Amérique*, de Girod de Chantrans (1785), Paris, 1980.

Histoire des Antilles et de la Guyane (direction et collaboration, ouvrage collectif), Toulouse, 1982.

Nègres et Juifs au XVIIIᵉ siècle. Le racisme au siècle des Lumières, Paris, 1984, couronné par l'Académie française, prix Broquette-Gonin.

Histoire des médecins et pharmaciens de la marine et des colonies du XVIIᵉ siècle à nos jours (direction et collaboration, ouvrage collectif), préface de François Jacob, Toulouse, 1985.

Vaudou, sorciers, empoisonneurs, de Saint-Domingue à Haïti, Paris, 1987.

Toussaint Louverture. Un révolutionnaire noir d'Ancien Régime, Paris, 1989.

Toussaint Louverture d'après le général de Kerverseau, Port-au-Prince, 1991.

PIERRE PLUCHON

HISTOIRE DE LA COLONISATION FRANÇAISE

Tome premier

LE PREMIER EMPIRE COLONIAL

Des origines à la Restauration

FAYARD

À la mémoire de mon ami Victor Nguyen (1936-1986)

« La Nation française ne peut être renfermée dans l'enclos de l'Europe, il faut qu'elle s'étende jusqu'aux parties du Monde les plus éloignées, il faut que les Barbares éprouvent à l'avenir la douceur de sa domination, et se polissent à son exemple. »

François CHARPENTIER
de l'Académie française
(*Relation de l'établissement de la Compagnie française pour le commerce des Indes orientales*, 1666.)

Avant-propos *

La colonisation est un rapport de force qui oppose plusieurs acteurs. Le peuple dominateur, qui vient imposer sa loi et sa culture dans une contrée où il est étranger. Le peuple dominé, qui, s'il n'est pas exterminé, résiste jusqu'à la soumission, dans l'ombre de laquelle ses traditions se cachent et survivent en partie. La nature, même dans les atours les plus beaux, déroute par son climat éprouvant, ses ressources alimentaires inhabituelles et sa pathologie meurtrière : souvent la maladie livre les combats les plus funestes, les plus longs, traversant les siècles.

Les relations entre les maîtres et les assujettis, indigènes, ou transportés, comme dans le cas des esclaves fournis par la traite africaine, se familiarisent, tout en conservant une rigidité hiérarchique jamais abolie. Elles s'interpénètrent pour engendrer, à terme, des comportements inédits où dominateur et dominé se fondent tout en restant différents. Le rapport de force initial, sans jamais s'effacer complètement, donne le jour à un métissage, où des patries et des sociétés nouvelles, issues de la colonisation, trouvent un fonds culturel commun, même quand les composantes sociales s'en défendent. Ainsi, l'Amérique ibérique n'est plus européenne, sans pour autant être nègre ou indienne. Elle présente un visage original dont les traits évoquent, tantôt l'ascendance hispano-portugaise, tantôt la filiation africaine, ou encore l'héridité asiatique.

La colonisation a pour moteurs, la recherche des métaux précieux, la maîtrise de régions qui procurent de la richesse et de la puissance, et l'enseignement du vrai Dieu, que Jésus-Christ a révélé. Avant tout,

---

* Aux premières lignes de ce livre, je veux rendre hommage à la mémoire de deux universitaires exemplaires, Gabriel Debien (†) et Charles Carrière (†), historiens éminents et amis vrais, et avoir une pensée pour ceux de ma famille qui ont servi le roi, l'empereur et la République dans les colonies.

les possessions d'outre-mer sont donc filles de la volonté de puissance des nations maritimes, plus que de la passion du Christ, ou de la curiosité d'explorer le monde. Le partage de la planète, auquel l'Espagne et le Portugal procèdent dans les dernières heures du xvᵉ siècle, est remis en cause par les Pays-Bas. A la charnière des xvıᵉ et xvııᵉ siècles, ils se soulèvent contre l'Espagne et tournent la fermeture de Lisbonne en se taillant une chaîne de possessions dans l'empire colonial portugais, un temps annexé à l'immense domaine madrilène. La France, en compagnie de l'Angleterre, apparaît la dernière sur la scène coloniale à la fin du xvıᵉ siècle et surtout au xvııᵉ siècle. Pourquoi le royaume a-t-il pris tant de retard ? Malgré la vocation maritime que lui assigne la géographie et qu'illustre l'étendue de ses côtes (environ 2 500 km), la France ne possède pas, à la différence de l'Italie, une capitale thalassocratique, où se forment le grand négoce, aux ambitions tournées vers le large, et les pilotes à l'esprit audacieux et conquérant. Elle a été paralysée, ensuite, par sa lutte contre les Habsbourg, par les guerres de Religion et la Fronde. Grâce à Henri IV puis à Mazarin, elle recouvre une pleine autonomie d'agir au-delà des mers.

La nation, affranchie de la menace hispano-autrichienne, s'emploie, en quelques années, à rattraper le temps perdu. Colbert, reprenant certains projets de François Iᵉʳ, l'y invite d'une main ferme, mais réussit de manière incomplète. Ce demi-succès donne un empire extérieur au roi, mais ouvre des hostilités avec l'Angleterre, qui ne s'éteindront qu'au xıxᵉ siècle. Autant dire que l'expansion de la France organise un conflit qui se joue et se jouera sur mer, et paradoxalement sur les champs de bataille continentaux, où la Grande-Bretagne coalise tout ou partie de l'Europe tant contre le roi que contre la Révolution.

La colonisation française, partie intégrante de la politique étrangère, inscrite en lettres majuscules dans la vie économique de la seconde partie du xvıııᵉ siècle, liée au destin des armées navales et du grand commerce maritime, présente dans l'histoire des idées, ne recueille — par un phénomène étrange — que le mépris des historiens. Les serviteurs de Clio estiment avoir tout dit quand ils ont affirmé que le Français est un paysan, étranger à toute vocation maritime et coloniale. Les institutions emboîtent le pas : le musée des Colonies devient une galerie d'art ; les Archives coloniales de l'Ancien Régime sont installées dans la campagne aixoise, loin de celles, complémentaires, de la Marine et de l'Armée, rassemblées au château de Vincennes, et des fonds coloniaux que conserve la Bibliothèque nationale.

Comment expliquer cette attitude, inconcevable de la part des autres nations colonisatrices d'Europe ? Vraisemblablement parce que la colonisation a été l'œuvre de marginaux qui ne représentaient pas les ambitions de la classe dirigeante. D'Henri IV à Napoléon, jamais une personnalité du grand négoce maritime, c'est-à-dire colonial au XVIIIᵉ siècle, jamais un mandataire du capitalisme industriel ou commercial n'ont été appelés à siéger au gouvernement, peuplé de non-producteurs : magistrats, administrateurs, hommes du système fisco-financier, ouvert, sur le tard, à la haute noblesse, et enfin à Necker, banquier mi-allemand mi-suisse, ami des Anglais !

« Le labourage et le pastourage, voilà les deux mamelles de la France, les vraies mines et trésors du Pérou », disait Sully au roi Henri qui, contrairement à son ministre, voulait un destin français au-delà des mers. Le Gascon est mal suivi par ses successeurs qui, au réflexe terrien, ajouteront un tropisme continental, oubliant que la Hollande et l'Angleterre tirent partie de leur puissance de l'outre-mer.

La monarchie, paradoxe singulier, mesure la valeur de ses possessions, à la fin de la guerre de Sept Ans, en 1763, quand au traité de Paris elle abandonne son empire territorial d'Amérique septentrionale, et ses ambitions en Inde. Alors les dirigeants du royaume, qui ont sauvé les îlots antillais du naufrage, se consolent de conserver ce petit domaine commercial dont la production permettra bientôt à la France de dominer le trafic international des sucres et des cafés. Dès lors, la dimension de l'empire, la préoccupation de créer des établissements dans les immensités où la stratégie le commande et où une géopolitique en formation y invite, laissent les ministres français indifférents, à l'exception de Sartine et de Castries, sinon hostiles, comme Vergennes. Versailles, qui croit avoir emprunté à l'ennemi, sa méthode — ce commerce tant envié ! — vit dans une euphorie aveugle, rejetant l'ambition des conquêtes diversifiées. Or, les Anglais préparent l'ère prochaine qui les confirme dans leur protectorat sur l'Amérique ibérique, leur livre la domination de l'Asie et de l'Australie, leur ouvre les portes de l'Afrique. Ils entrent dans l'avenir, qui n'appartient plus au sucre, mais au coton, dont ils font l'axe de la révolution industrielle. Napoléon voudra redresser la barre. Il était bien tard, et pour réussir, il lui fallait anéantir les marchands de Londres. Il échoue — près du but — après les rois. La nation se retrouve en 1815, dans ses limites continentales, comme Sully l'eût aimée : entre propriétaires terriens, notables de la routine. Mais les temps ont changé. Désormais, la France devra se soumettre à la loi internationale de l'Angleterre — jusqu'à la Seconde Guerre mondiale — et subir deux assauts terribles d'une Allemagne encore vagissante, mais aussi peuplée qu'elle.

PREMIÈRE PARTIE

De l'empire territorial à l'empire commercial

La genèse de la colonisation moderne

La colonisation française s'inscrit dans un mouvement européen où quelques nations, du XIᵉ au XIXᵉ siècle, s'élancent à la conquête du monde, résolues à de longues dominations.

Les colonies franco-normandes : la Sicile et l'Angleterre

Le développement des connaissances léguées par l'Antiquité s'accompagne de phénomènes de conquête et de colonisation qu'engendrent des invasions d'un type original. Ainsi en est-il des déferlements normands et arabes. Tandis qu'aux VIIᵉ et VIIIᵉ siècles, la petite cohorte arabe, charriant derrière elle la masse des peuples qu'elle bouscule sur son passage, se lance sur les chemins de l'Asie et assiège l'Europe par le sud, les belles brutes blondes de Scandinavie entament, à partir du IXᵉ siècle, une carrière prodigieuse. Ces Vikings, qui se partagent en Suédois, Norvégiens et Danois, encerclent rapidement l'Europe de la meute de leurs drakkars, tout en s'implantant en Islande, au Groenland et en touchant le rivage américain. Parmi ces hommes du Nord, certains, les plus familiers de la Seine et de son estuaire, aspirent à une stabilité que la monarchie souhaite avec force. Ce double vœu est exaucé en 911. Par le traité de Saint-Clair-sur-Epte, Charles le Simple immobilise le chef Rollon, ses troupes et ses gens dans la province qui deviendra la Normandie. Les terribles blonds aux yeux bleus, hors quelques incartades où ressurgit leur atavisme, se changent en enfants de France et en fils de l'Église. Malgré le temps qui passe, ces nouveaux sujets ne perdent rien de leur vaillance. Les Vikings avaient sévi très tôt dans l'ancienne mer romaine : devenus sujets du roi de France, ils commencent à y faire parler d'eux au XIᵉ siècle, et pour près de deux cents ans. L'expansion arabo-islamique n'a jamais complètement empêché les pèlerinages chrétiens en Terre sainte : en 1016, près de quatre-vingts ans avant qu'Urbain II et Pierre l'Ermite ne prêchent la première croisade, une quarantaine de chevaliers normands, en route pour Jérusalem, se trouvent enfermés dans Salerne, port voisin d'Amalfi au sud de Naples, que les infidèles assiègent. Ils se battent, découragent l'ennemi qui abandonne la partie et se retire. Cet événement modeste marque le départ d'une aventure coloniale. Les Normands prennent l'habitude de chevaucher vers l'Italie méridionale, où ils s'engagent comme mercenaires auprès des seigneurs locaux, que de continuels conflits opposent : certains, comme Rainolf d'Aversa, réussissent même à se faire reconnaître un fief. Alors que leur participation apparaît de plus en plus indispensable au succès des combinaisons et entreprises politiques régionales, arrivent, en 1031, deux ou trois frères d'Hauteville, nés quelque part entre Saint-Lô et Coutances. Ces petits aventuriers nordiques, contrairement à la foule de leurs compatriotes, voient grand et concrétisent leurs folles ambitions avec une rude énergie et une téméraire habileté. En soixante ans, avec la compréhension active du pape, ils arrachent l'Italie du Sud à Byzance (1059), puis envahissent la Sicile qu'ils soustraient à la domination arabe, de manière définitive, en 1091 ! Désormais, ils portent les titres ensoleillés et enviés de roi de Sicile et de duc de Pouille et de Calabre. Ce qu'on appellera le royaume des Deux-Siciles est né. Il figurera sur les cartes politiques jusqu'en 1860, date à laquelle, comme le prince de Lampedusa l'a raconté dans son roman *Le Guépard,* il tombe sous les coups de Garibaldi. Les Hauteville s'effacent dès la fin du XIIᵉ siècle, au profit de leurs cousins Hohenstaufen, empereurs germaniques, auxquels succéderont les maisons d'Aragon, d'Anjou, de Habsbourg, de Bourbon et de Savoie, sans oublier l'entracte Bonaparte et Murat.

Les Normands gouvernent et administrent la Sicile sous l'emprise de la séduction. À leurs yeux, ici, tout est différent, tout est neuf, et eux-mêmes se transforment. Ces sauvages blonds, échappés des grisailles monotones du nord, découvrent le soleil, le jeu des couleurs marines, respirent les effluves tièdes des orangers, citronniers et cannes à sucre, goûtent aux saveurs étrangères de l'huile d'olive ou du safran, et s'endorment au balancement paresseux des dattiers. Le dépaysement va plus loin, affectant les choses, mais aussi les gens. L'île se déploie comme un caravansérail bariolé, où civilisations d'Occident et d'Orient se côtoient et se fréquentent, sous l'autorité tolérante du souverain chrétien, le « roi des Césars », comme l'écrit Ibn Basroum, quand il évoque Roger II. Les sujets de langue d'oïl, italienne ou provençale écoutent les offices dans des édifices romans, les Grecs se rendent dans les églises orthodoxes qu'illuminent de sompteuses mosaïques, les musulmans écoutent leurs imams commenter le Coran dans les mosquées, et les juifs se réunissent dans les synagogues pour y lire le Talmud. En une époque où souffle le vent des guerres saintes, la Sicile, oasis insulaire, propose les convergences et la paix, ce qui ne l'empêche pas de combattre l'Infidèle en Terre sainte et en Afrique du Nord, ou même le Byzantin ! Par sa diversité religieuse, par son cosmopolitisme ethnique — que le fameux Frédéric II de Hohenstaufen réduira en déportant les Arabes dans les Pouilles et en commandant aux juifs de porter barbe et rouelle jaune —, par les échanges fructueux de deux cultures — comme en Espagne —, mais qui ailleurs s'affrontent, la jeune monarchie affirme sa spécificité. Elle se détache de sa Normandie originelle pour se créer son cadre de vie propre, elle se « créolise », et, à mi-chemin de deux mondes, invente l'État moderne, adopte l'Inquisition tout en ouvrant ses riches bibliothèques à une élite multiple. La fidélité aux racines s'exprime dans les églises romanes, les perceptions nouvelles et métissées, dans la construction de palais féeriques, et dans la jouissance des délices et des troubles du premier exotisme, « où les oranges mûres semblent un feu sur les branches d'émeraude ». L'île fortunée des Normands préfigure les émotions chaudes que les tropiques révéleront quelques siècles plus tard aux Français des Antilles et des Indes.

En même temps qu'ils colonisent la Sicile, les Franco-Normands tournent les yeux vers l'Angleterre. À la mort du roi danois Knut le Grand, qui régnait sur une confédération nordique rassemblant le Danemark, la Norvège, la Suède méridionale et l'Angleterre, les Anglo-Saxons se dégagent de l'emprise septentrionale, et Édouard le Confesseur, venant de Normandie où il avait passé vingt-cinq ans d'exil, monte sur le trône. Pour se maintenir, il fait appel aux Normands, leur ouvrant sa cour, les laissant exploiter des terres du royaume. Il s'éteint en 1066. Le 29 septembre, Guillaume de Normandie, qui avait débarqué sur la côte orientale, apparaît au sud, à Pevensey, et le 14 octobre, l'emporte sur son concurrent anglais, à Hastings. Guillaume, renversant tout sur son chemin, marche sur Douvres et Canterbury, reçoit la soumission de la noblesse, force les portes de Londres où il entre et se fait couronner. L'occupation et la pacification ne se font pas sans mal ; des soulèvements embrasent toutes les provinces, et ne sont définitivement brisés que cinq ans plus tard, en 1071. « Mais la rancœur des Anglais, devenus majorité opprimée dans leur propre pays, observe John Gillingham, s'exprime dans bien des témoignages et ces années d'insécurité devaient marquer profondément l'histoire à venir, car elles signifiaient que l'Angleterre n'avait pas seulement acquis une nouvelle dynastie, elle devait se plier à une nouvelle classe dominante, à une culture et à une langue nouvelles. Aucune autre conquête européenne, sans doute, n'affecta si douloureusement les vaincus. » La rude et longue victoire normande, que les historiens britanniques considèrent comme une odieuse calamité, un désastre national marque le début d'une ère nouvelle. Comme en Sicile, les nouveaux venus imposent leur élite, leur culture et leur manière de commander. Guillaume organise une solide armée anglo-normande, épure et soumet l'Église, élimine les nobles à la fidélité douteuse et donne des fiefs à ses compatriotes, bref crée une géographie politique qui lui permet de centraliser le pouvoir entre ses mains. Il en arrive, en 1086, à ordonner que l'on dresse un inventaire complet des droits et des biens de chacun, enquête exceptionnelle dans l'histoire du Moyen Âge, à laquelle on donne le nom de *Domesday Book*. Sous cette ferme impulsion, la civilisation de l'oral fait place à celle de l'écrit : les archives se multiplient et le XIIIe siècle léguera à lui seul plusieurs dizaines de milliers de documents soigneusement rédigés. La langue parlée en France s'impose à la cour, à la classe dirigeante, à l'administration, à la justice, et même à la poésie et à la chanson. Les arts roman puis gothique s'épanouissent, parfois sous la direction d'architectes et d'artistes arrivés de Normandie ou de chez le Capétien, dont les nouveaux rois d'Angleterre sont les vassaux par le biais du duché normand.

L'Angleterre est entrée dans l'orbite culturelle et politique de la monarchie française. À travers de longues convulsions, elle ne commencera à s'en dégager qu'à partir du traité de Paris, conclu par Saint Louis en 1259 et au terme duquel la famille angevine des Plantagenêt, qui a succédé aux Normands, renonce à la Normandie, à l'Anjou et au Poitou. Dès lors, et malgré des retournements de situation, l'aristocratie s'anglicise peu à peu : dans ses intérêts économiques, dans sa culture et sa langue. Avant la fin du XIVe siècle, l'usage du français cède du terrain, et le parler des Anglo-Saxons s'impose dans tous les milieux. Parallèlement, à la francophobie des uns répond l'anglophobie des autres. La guerre de Cent Ans, en gestation depuis Philippe Auguste, éclate en 1337 pour ne finir qu'en 1453. Conflits et malentendus opposeront sans cesse les deux nations, dans les siècles qui les attendent. Cette hargne de l'ancienne assujettie fera dire à Clemenceau, toujours incisif : « L'Angleterre est une colonie française qui a mal tourné ! » L'occupation anglaise du royaume des lys n'engendrera pas une colonisation. Princes français, les monarques d'outre-Manche n'imposeront pas à leurs sujets continentaux le dialecte saxon. Cette longue présence n'imprimera rien, tout au plus un certain snobisme à Bordeaux, où tout nom britannique prétend à l'aristocratie et où l'on cultive, dans un certain milieu, le goût des prénoms qui fleurent bon la Tamise.

La France du XIIe au XVe siècle :
croisades, guerre de Cent Ans et Peste noire

Les XIIe et XIIIe siècles expriment la vigueur de la foi, l'essor démographique, et le développement économique sous le signe d'un précapitalisme affirmé. Ces deux siècles correspondent à l'épanouissement d'un axe reliant la Méditerranée à la Baltique, animé, sur mer par les convois génois et plus modestement vénitiens, faisant voile vers Bruges, et par les navires de la Hanse ; sur terre, ils organisent les foires champenoises de Provins, Lagny, Troyes, Bar-sur-Aube, où se rencontrent les hommes d'affaires génois, vénitiens, florentins, lucquois, français, flamands et allemands. Le XIVe siècle est marqué par le refroidissement du climat, le retour des famines, la Peste noire qui, de 1347 à 1380, réduit la population de l'Europe occidentale de 73 à 43 millions d'habitants : malheurs qu'accompagnent la baisse des prix et le ralentissement de l'activité économique. Le tableau de la France porte des couleurs encore plus sombres : la guerre de Cent Ans débute en 1337, les foires de Champagne déclinent, le grand commerce délaisse les routes centrales, pour s'établir à la périphérie du royaume, à Chalon-sur-Saône, à Genève, à Lyon, et emprunter, soit les cols du Saint-Gothard ou du Brenner à l'est, soit l'Atlantique à l'ouest. Le XVe siècle se projette de manière inégale sur une toile de fond inchangée. La Flandre, Londres, l'Allemagne des ports et des mines, les grands centres commerciaux d'Italie et les escales ibériques tirent leur épingle du jeu. La France n'en termine avec la guerre de Cent Ans qu'en 1453, époque à partir de laquelle, malgré le conflit bourguignon de Louis XI, elle connaît une reprise démographique et économique, à l'unisson de l'Europe. Mais quel retard sur les grands concurrents ! Alors que les Portugais s'installent en Afrique et aux Indes, que les Espagnols ont commencé la conquête de l'Amérique, qu'Anvers, supplantant Bruges, devient la capitale du commerce international, le rivage français de l'Atlantique s'enferme dans les horizons étroits du cabotage. Le royaume accumule un retard d'autant plus dommageable que le progrès technique, en partie dissimulé par le malheur des épidémies, des guerres, des famines et des luttes sociales, a poursuivi sa course. On connaît la lettre de change et le chèque depuis le XIIIe siècle ; apparaissent ensuite les sociétés commerciales et les banques qui effectuent dépôts, prêts et virements. Entrent aussi en usage le journal, la comptabilité en partie double et l'assurance. Au sein de l'Europe affairée, italo-espagnole, belgo-hollandaise, allemande et anglaise, la concentration des capitaux s'opère dans les grands ports, les cités d'affaires, les villes minières, bref, comme le souligne Jacques Heers, le grand capitalisme, qui va donner aux Européens les moyens de conquérir et de dominer le monde naît avant 1500. Il est l'enfant du Moyen Âge, comme l'imprimerie, et comme les « grandes découvertes », qu'une navigation hauturière, destinée à ne subir aucun vrai bouleversement jusqu'au XIXᵉ siècle, autorise.

Les États francs d'Orient

Poussée par la foi, par l'expansion générale, animée d'esprit chevaleresque et d'idéal populaire, l'Europe médiévale et occidentale se croise et lance ses guerriers et ses populations par terre et par mer à l'assaut de Jérusalem, prisonnière de l'infidèle. À ces causes s'ajoutent bientôt les intérêts politiques et commerciaux de Venise, de Gênes, de la Catalogne et de l'ambitieuse Sicile franco-normande. Les divisions religieuses et ethniques de l'ennemi facilitent le succès de la première croisade (1096-1099). Allant à pied, assistés des flottes vénitiennes et génoises, les chrétiens s'emparent de la Terre sainte, ils entrent dans Jérusalem, le 15 juillet 1099, créant plusieurs États coloniaux : comté d'Édesse (1098), comté d'Antioche (1098), royaume de Jérusalem (1099), comté de Tripoli (1109). Ces lointaines appropriations orientales, qui échouent dans leur tentative d'annexion d'Alep et de Damas, exposent leur vulnérabilité. Or l'adversaire se raidit, et, au long des ans, s'unit. En 1144, Édesse tombe : la levée d'une deuxième croisade ne procure aucun résultat. En 1187, Saladin défait les croisés à Hattin et Jérusalem capitule. Une troisième croisade ne réussit qu'à sauver la côte, de Tyr à Jaffa, et à garantir la liberté de pèlerinage à Jérusalem. Les autres croisades, jusqu'à la huitième et dernière, envahissent l'empire byzantin, le répartissent entre coalisés, tout en se faisant jeter à la mer par des musulmans de plus en plus rassemblés. La chute de Saint-Jean-d'Acre, en 1291, sonne le glas de la colonisation franque en Orient. Pendant deux cents ans, toutefois, la Terre sainte, comme l'Angleterre et la Sicile, est dotée d'institutions et de langues étrangères. Le peuplement, largement constitué de Français, une centaine de milliers, est partagé en gens d'Europe et « poulains », les futurs créoles de l'Ancien Régime. À travers ces deux groupes s'opposent déjà les caractères et les manières de voir. Les Francs se regroupent d'abord dans les villes, puis le mouvement de construction des forteresses se développant, s'installent dans les campagnes et gèrent des domaines. Ils incitent à la culture de la canne à sucre, de la vigne, de l'olivier. Ayant créé des *colonies commerciales*, ils exportent huile, savon, sucre, soies, épices et produits de luxe, et importent draps et armes. Ces échanges, malgré leur importance, ne révolutionnent pas l'économie du Moyen Âge, même s'ils enrichissent Vénitiens, Génois, Pisans, Provençaux et Catalans.

Les États latins, coloniaux dans leur éloignement, leur passion du soleil, leur goût du luxe, des parfums et des couleurs, dans leur adhésion à un mode de vie, le sont aussi dans leur régime social, fondé sur la ségrégation. Les deux communautés, que la religion oppose, coexistent, mais ne semblent guère mêler leur sang. Cette aventure, apparemment décousue, n'a-t-elle eu pour seule conséquence que d'introduire l'abricot dans le Midi ? Il ne faut point railler. Les Français ont appris la distance, la durée, le plaisir immense de conquérir, de maîtriser et d'exploiter les terres de soleil, de découvrir la plantation, les denrées et produits nouveaux, et de s'enrichir vite en commerçant. Ils ont savouré les joies de la puissance, ils ont succombé au charme de Byzance. Désormais, pour l'Européen, pour le Français, la colonie ensoleillée ou tropicale représente l'action, la propriété immédiate, le profit plus facile et le plaisir exotique : un art de vivre pour maîtres. Sinon, l'avenir préférera les ordres missionnaires, jésuites, dominicains, aux ordres militaires fortunés et prestigieux. Mais jamais ne seront oubliés les chrétiens d'Orient, dont la France a longtemps assuré la protection, transmuant cette tradition religieuse en un caractère de sa politique étrangère.

Le modèle vénitien : capitalisme d'État,
comptoirs et colonies de plantation

Après la victoire remportée par Saladin à Hattin, et la chute de Jérusalem, la chrétienté, à l'appel d'Innocent VIII, avait organisé la quatrième croisade. Les croisés sollicitent Venise de les transporter en Palestine ; en guise de contribution, ils s'emparent du port de Zara, sur l'Adriatique, et, un an plus tard, en 1204, prennent Byzance. Après un temps, Vénitiens et Francs s'accordent : à l'Empire byzantin succède un empire latin, tandis que les Vénitiens se taillent ce que l'on considère comme le seul véritable ensemble colonial qu'ait connu le Moyen Âge, ouvrant à la cité italienne, malgré l'impitoyable hostilité de Gênes, trois siècles de richesse et de puissance.

Les possessions vénitiennes se composent de la péninsule égéenne, d'îles et de places de la Méditerranée, obéissant à un éparpillement stratégique. Dans la Méditerranée du Sud, Venise, illustration du capitalisme d'État, colonise longuement la Crète, du XIIIe au XVIIIe siècle, et Chypre, de 1489 à 1571, qu'elle acquiert de la famille royale franque des Lusignan qui y régnait depuis 1192. Dans la mer Égée, elle gouverne les Cyclades, et étend son pouvoir à l'immense Eubée, dont elle fait sien le port de Nègrepont. Cet empire colonial, à la fois vaste et divisé, assure à la Sérénissime la position dominante qu'elle a tenue au Moyen Âge. Par sa situation stratégique, il ouvre au cul-de-sac de l'Adriatique une gerbe de voies commerciales, dont il peut veiller à la sûreté. Vers l'ouest, en passant au sud de la Sicile, prend naissance la route de la Flandre. Vers le sud, brille Alexandrie, tandis qu'à l'est, la Syrie offre ses ports et l'Arménie cilicienne son comptoir de Lajazzo, enfin la Crimée, puissamment assiégée, propose ses cités maritimes, notamment Cetatea-Alba et La Tana. Les territoires qu'occupe Venise ont une triple vocation militaire, commerciale, et parfois agricole. Ils permettent à la République de surveiller les axes maritimes, constituant autant de bases d'intervention navales contre des concurrents, prêts à se muer en agresseurs : ils ne manquent pas, à commencer par Gênes. Gardiennes de la mer et de sa paix, les possessions vénitiennes, toujours placées à des nœuds de communications, forment aussi des lieux d'échanges privilégiés. Cetatea-Alba vend du blé, de la cire et du miel, l'Asie Mineure de l'alun et du mastic, la Syrie et l'Égypte fournissent, quant à elles, les marchandises précieuses : épices, coton, soie, que l'on achète aussi à La Tana. Enfin, les colonies de la Sérénissime, au moins certaines d'entre elles, organisent un système de mise en valeur agricole, assuré par des seigneurs vénitiens et leurs vassaux indigènes, comme en Eubée et en Crète. Ces colonies de plantation ont pour objet de satisfaire les besoins de la métropole en vin, blé, sucre de canne, huile et bois. Venise a conduit et exploité cette vague de colonisation, qui expirera en 1669, sans prétendre mener une mission civilisatrice. À ses yeux, les colonies, qu'elles soient plantations ou comptoirs, ne produisent que pour enrichir la métropole, pour alimenter le négoce sur lequel les gros bénéfices se réalisent. La ville des canaux, où se mirent les palais bâtis sur pilotis, a dispensé son enseignement d'action ultra-marine pendant plusieurs siècles à l'Occident européen qui, prenant le relais, l'appliquera à son tour sur la plupart des terres neuves du globe.

La leçon génoise : capitalisme privé et marine hauturière

Face au capitalisme d'État des Vénitiens, avec lequel le colbertisme présente un lien de parenté frappant, Gênes pratique le capitalisme privé avec un succès égal. Les Génois, toujours en concurrence avec Venise, quand ce n'est pas en guerre, possèdent eux aussi des comptoirs en Crimée, en Syrie et imposent leur protectorat à certaines îles de l'Asie Mineure. Ils se procurent également épices, alun, mastic, soies, coton, sucre, blé, vin et bois.

Gênes se singularise en pratiquant un commerce hardi et actif avec l'Afrique du Nord, la Provence, la Catalogne, Valence et Cadix, en cinglant vers Lisbonne, Bruges, Anvers, Sandwich et Southampton. Et, partout des colonies italiennes s'implantent, des réseaux d'affaires se nouent et prospèrent. Alors que Venise administre un empire colonial, Gênes gère un lacis de dépôts et de succursales, mais sans négliger ses intérêts en Méditerranée orientale, en Crimée et mer d'Azov, elle sait se fixer en Méditerranée occidentale, à Majorque, Barcelone, Valence, fonder un centre commercial et bancaire à Cadix — Colomb en profitera — et dès lors se lancer puissamment vers le grand large. L'ascension atlantique commence à Lisbonne montant vers la Hollande et l'Angleterre. La navigation océanique est née, et désormais l'axe reliant la Méditerranée à la Baltique s'inscrit sur les cartes et sur les tablettes du trafic international. L'ouverture de cette voie maritime, qui met l'Orient au contact de la Hanse, à partir de la fin du XIIIᵉ siècle, porte vers les cités du Nord le précieux alun, le pastel d'Italie, les fruits, vins, cochenille, huile et savons, chargés en Espagne, tandis que les draps hollandais puis anglais prennent le chemin inverse. Les Génois enseignent aux puissances de l'Europe occidentale la navigation atlantique et aussi le capitalisme avec son équipage de techniques bancaires et comptables. Cette effervescence, qui anime Bruges, Anvers, Londres, les ports hanséatiques et l'Allemagne, qui, outre l'Italie, galvanise l'Espagne, où le complexe Cadix-Séville s'érige en capitale de l'or et en carrefour marchand de premier rang, prépare les moyens des grandes découvertes et des conquêtes coloniales. Gênes, pendant les XIVᵉ et XVᵉ siècles, met ses hommes et sa science au service de pays plus vastes qu'elle, et qui, une fois formés, domestiqueront les courses transocéaniques et le commerce international. Parmi ces nations élues, la France ne figure pas. Si les Génois ont leurs habitudes en Provence, ils ignorent malheureusement les ports nationaux de l'Atlantique, à l'exception de la Normandie, mais à une échelle modeste. Le royaume des routes et des foires, de la Peste noire et de la guerre de Cent Ans reste en marge du mouvement des hardiesses nautiques et capitalistes, comme s'il renonçait aux grands projets. Indubitablement la leçon ligure, qui a formé les quatre premières puissances maritimes et coloniales de notre temps — le Portugal, l'Espagne, la Hollande et l'Angleterre — a manqué à la France. Car ce n'est pas par la vertu d'une Renaissance subite que l'Europe a été prise d'un appétit insatiable. Au contraire, les instruments de l'ambition et de la maîtrise européennes ont été réunis et affinés lors de l'envolée économique médiévale des XIVᵉ et XVᵉ siècles, essor suscité et pour ainsi dire partagé entre quelques grands pôles par les Italiens. La côte océanique française, n'héberge aucune de ces places internationales et limite son activité au cabotage.

Un mauvais Moyen Âge, dans le domaine des échanges par mer, et un capitalisme chétif, malgré l'effort trop unique de Jacques Cœur, affaiblissent l'esprit français, qui, obsédé par la frontière continentale, n'admettra jamais complètement la nécessité d'une marine puissante — civile et militaire — pour soumettre, administrer et exploiter un empire colonial. Parti avec retard, le Français, peu confiant en lui, méfiant vis-à-vis de ses compatriotes, s'acharnera à imiter ses rivaux heureux : imitation formelle et donc vaine. Le Moyen Âge des xivᵉ et xvᵉ siècles, qui marginalise l'économie française où les foires s'étiolent et que les routes évitent, qui partage la richesse du commerce maritime entre les Italiens, les Hollandais, les Allemands et les Anglais, sans oublier les Ibériques, s'achève en apothéose, malgré le spectre de la peste, actif jusqu'à la fin du xviiᵉ siècle. C'est à la fois lentement et brusquement la révélation des Indes et de l'Amérique, la découverte de la géographie du monde, et au cœur de ce triomphe médiéval et chrétien se cache le relativisme, ami de la raison et des sciences conquérantes, ennemi de la foi et de l'absolutisme.

Le partage du monde : Portugal et Espagne

L'essor économique de la Méditerranée occidentale cache pour une part un repli stratégique, lié à des bouleversements asiatiques qui provoquent, à leur tour, une réaction en chaîne. Vers 1360, les Ming dominent brusquement la Chine : l'empire mongol, garant de la sécurité commerciale, s'effondre. Au xivᵉ siècle, les Ottomans islamisés soumettent les Grecs et les peuples de l'Europe orientale, tardant jusqu'en 1453 pour s'emparer de Constantinople. Ces changements violents n'interrompent pas définitivement les échanges entre l'Europe et l'Orient, mais les affaiblissent et incitent les Italiens et les Ibériques à davantage exploiter leur aire géographique et à pousser plus loin leur connaissance du monde océanique. Or, l'apparition et l'utilisation de la boussole et du navire à gouvernail, dont la caravelle sera une illustration brillante au xiiiᵉ siècle, ne peuvent qu'accroître la navigation hauturière et la tentation d'explorer : c'est la prise de possession de Madère et des Canaries, dont les Espagnols se feront définitivement reconnaître la propriété par Lisbonne, en 1479 (traité d'Alcaçovas). La dynastie d'Aviz, portée au pouvoir par la bourgeoisie d'affaires (1385), et régnant sur un Portugal entièrement libéré des musulmans, poursuit son expansion en toute quiétude. En 1427, les Açores tombent à leur tour. Et dans toutes ces îles atlantiques, points d'appui maritimes inestimables, la canne à sucre venue d'Orient, passée en Sicile, à Majorque, dans l'Algarve et le Sud espagnol, pousse, se généralise, préparant, dans l'ignorance, l'Amérique des plantations.

Les économies métropolitaine et insulaire, dont l'appétit grandit, sentent de façon de plus en plus aiguë l'attraction de l'Afrique qui, au Maghreb, produit du blé et dans son sous-continent noir fournit or et esclaves. L'accès direct à des productions plus considérables, voilà qui paraît impératif : d'où, en 1415, l'occupation de Ceuta, au Maroc, en face de Gibraltar et la reconnaissance lente et progressive du littoral africain. Cette entreprise, si elle ne draine pas encore cet or réparateur des essoufflements que cause l'anémie monétaire, envoie ses premiers captifs noirs vers le port de Lagos, inaugurant ainsi la traite altantique qui, à partir du xvie siècle, se consacrera complètement à l'Amérique. En 1475, le golfe de Guinée est visité jusqu'au Gabon, un peu plus bas que l'Ogoué. Pareillement l'archipel du Cap-Vert et les îles Fernando Poo, Príncipe, São Tomé et Anobon entrent dans les frontières du monde connu. Nouvel arrêt pendant quelques années : la méridionale Lagos cède son principat atlantique à Lisbonne, l'exploitation de l'Afrique s'organise et se développe à la côte de l'Or, autour de la petite république fortifiée de La Mine. Nègres, or et maniguette, espèce de poivre africain, sont déchargés sur les quais de la capitale, quand le mouvement de découverte reprend son souffle. En 1487, Dias quitte le Tage sous un soleil d'août. Au mois de février de l'année suivante, il double le cap de Bonne-Espérance sans le soupçonner et mouille à quelque cinq cents kilomètres au-delà : l'Afrique est contournée. Au même moment, un autre Portugais, Covilhã lève le voile derrière lequel se cachent ces terres et ces produits d'Asie qui incendient les imaginations européennes. De 1487 à 1493, il descend la mer Rouge, foule le sol indien à Cannanore, Goa, monte vers Sūrat, va toucher Ormuz, rebrousse chemin et file vers l'Afrique orientale qu'il longe en curieux jusqu'à Sofala, en face de Madagascar.

À peine l'éternel contentieux du partage des nouveaux mondes entre Lisbonne et Madrid est-il résolu par le traité de Tordesillas (1494), que Vasco de Gama prend la mer, réunissant pour la première fois les connaissances atlantiques de ses prédécesseurs. Il met au point, dès ce voyage, la route des épices en utilisant remarquablement les vents et les courants. L'expédition, partie du port lusitanien au début du mois de juillet 1497, fait voile vers les Canaries, les îles du Cap-Vert, et à cette hauteur amorce une large *volta* qui l'approche du Brésil d'où elle est renvoyée vers le cap de Bonne-Espérance. Après plusieurs escales africaines, c'est la traversée de Malindi (Kenya) à Calicut et Goa, sous la conduite du pilote arabe Ahmad ibn Mâjin. Puis le retour, à Lisbonne, le 10 juillet 1499. Ensuite, l'aventure cède le pas aux habitudes. La navigation vers les Indes est chose acquise aux premiers jours du xvie siècle. De même, le commerce direct des épices entre dans les mœurs. Davantage, l'Asie tout entière s'ouvre à la curiosité portugaise que l'or africain permet de satisfaire. Mais déjà les Lusitaniens rencontrent des navires de France et des autres pays de l'Europe septentrionale, qui cabotent sur le littoral du continent noir et du Brésil, annonciateurs de rivalités prochaines et dures.

Pour aller de Ceuta à Calicut par le cap de Bonne-Espérance, en 1498, les Portugais s'étaient livrés à un patient labeur de quatre-vingt-trois ans. Les Espagnols, à l'inverse, découvrent l'Amérique, croyant qu'il s'agit de l'Asie, dès leur première tentative, en 1492. Deux résultats aussi contrastés relèvent-ils du hasard, de la chance ? Non. Celui qui va franchir la mer océane et offrir un monde nouveau à la colonisation européenne n'est pas n'impore qui. Christophe Colomb, l'auteur de l'exploit, a été formé à deux écoles éminentes : Gênes et Lisbonne. Après de nombreux déboires, l'Espagne, qui chasse les musulmans et les juifs, prête enfin l'oreille au Génois qui la sollicite depuis longtemps. Isabelle et Ferdinand lui accordent un « contrat d'engagement » aux clauses fabuleuses : les capitulations de Santa Fé (avril 1492). Colomb réussit dans son entreprise et revient à Palos, le 15 mars 1493.

Première conséquence du voyage du Génois : une redistribution du monde. Le Portugal perd son monopole sur la totalité des Indes à découvrir que lui avait octroyé Calixte III, le 13 mars 1456, dans sa bulle *Usque ad Indos*. À la demande de la cour madrilène, le pape espagnol Alexandre VI, dans la bulle *Inter Coetera* habilement anti-datée du 4 mai 1493, accorde aux souverains catholiques les terres situées à cent lieues à l'ouest de la dernière des Açores. Le Portugal réclame tant et si fort que la ligne de démarcation est repoussée de 170 lieues vers l'ouest, par le traité de Tordesillas que Lisbonne et Madrid concluent le 7 juin 1494 : le Brésil tombe aux mains des Portugais. Deuxième conséquence du périple du nouveau vice-roi. Dans l'immédiat l'expédition se clôt sur un constat d'échec. Le Découvreur n'a trouvé sur sa route que des hommes pauvres et nus, et quelques menus objets d'or. Devant cette rareté du métal précieux, il ne reste plus qu'à coloniser comme cela se fait depuis longtemps déjà aux îles atlantiques. Dès sa deuxième entreprise, qui l'éloigne d'Espagne, le 25 septembre 1493, Colomb, à la tête de 17 navires et de près de 1 500 hommes, cingle vers Haïti à laquelle il a donné le nom d'Hispaniola, la Petite Espagne. Arrivé dans la lointaine possession antillaise, il établit un système de colonisation que caractérisent deux institutions : le *repartimiento* et l'*encomienda*. D'un mot, les Indiens sont partagés entre les maîtres venus d'outre-Atlantique, les *encomenderos*. Réduits en esclavage, frappés par le choc microbien, soumis à un rythme de travail qu'ils n'avaient jamais connu, les indigènes de l'Amérique meurent massivement, au point que, dès 1501, les rois autorisent l'importation de captifs africains. D'ores et déjà la colonisation européenne du Nouveau Monde a pris le visage qu'elle conservera pendant quatre siècles. Un régime servile, alimenté par la traite négrière, qui permet d'exploiter aux meilleures conditions les plantations et les gisements de minerais, voire de diamants, comme au Brésil.

Les conquêtes américaines de l'Espagne excitent la curiosité ambitieuse des autres nations du Vieux Monde. L'Angleterre d'Henri VII, le premier des Tudor, tout en développant ses industries drapières, lance une politique navale nationale pour se soustraire à la domination de la Hanse et des Italiens, et pour profiter de l'expansion des échanges qui marque la fin du xvᵉ siècle. Dans ce climat de volonté de puissance xénophobe, Giovanni Caboto, Génois devenu Vénitien, quitte Lisbonne pour Londres où il devient amiral d'Angleterre et prend le nom de John Cabot. En 1497, grâce à des capitaux de Bristol, il réédite l'exploit de Colomb, mais à une latitude beaucoup plus élevée : il aborde à l'île de Cap-Breton après avoir aperçu Terre-Neuve, cherchant la route du nord-ouest vers les Indes des épices. Les Portugais à leur tour se manifestent. En 1500, Cabral mouille à l'île de Vera Cruz ou de Santa Cruz, c'est-à-dire au Brésil, dont il prend possession. Au même moment, de 1500 à 1502, les frères Corte-Real longent le Sud du Groenland, découvrent le Labrador et explorent les côtes de Terre-Neuve. Peu après, à partir de 1504, à défaut d'une campagne française officielle, Bretons, Normands et Basques s'en vont chaque année pêcher les morues à la *Terre-Neusfve*.

La fin d'un temps : de l'Eurasie antique au monde planétaire

Les découvertes et les prises de possession des Portugais et des Espagnols précipitent le bouleversement de la géographie économique et politique de l'Europe. Le monopole égypto-vénitien des épices brisé, les routes de la mer Noire fermées : la Méditerranée et ses grands ports italiens et espagnols déclinent. Les cités de l'Atlantique, longtemps contraintes à partager la puissance, occupent maintenant le devant de la scène, en partie d'ailleurs grâce à la banque italienne. Mais le mouvement s'accélère ; ainsi, Bruges s'efface discrètement devant Anvers.

Les pères de cette révolution porteuse de modernité, hommes de psychologie médiévale, poursuivent leur action. Après la *Reconquista* réussie de l'Espagne sur l'Islam, ils mettent la même ardeur à la conquête d'horizons neufs, parfois peuplés de mahométans. Point d'orgue de cet éclatement du monde, immédiatement maîtrisé par les deux grandes puissances transocéaniques de l'heure : la première circumnavigation. Magellan, Portugais naturalisé Espagnol, l'entreprend en 1519. Il contourne l'Amérique du Sud, entame la traversée de la mer Pacifique, mais est tué aux Philippines. Le Lombard Pigafetta, plus heureux, termine ce tour du monde en septembre

1522, et en publie la relation. En seulement trente ans, les Européens, pour la première fois dans l'histoire, ont reconnu le globe dans sa quasi-totalité. Avides de métaux précieux et d'épices, ils se forgent aussi les moyens de dominer et d'exploiter les terres, les hommes et les richesses qui, hier, appartenaient à la légende. Ces décennies prodigieuses portent les Portugais et les Espagnols au premier plan, organisent la suprématie de l'Europe atlantique, au détriment de la Méditerranée et de la Baltique. Mais à peine Lisbonne et Séville s'élèvent-elles, que déjà Anvers s'affirme comme la capitale du commerce international, auquel l'Angleterre manifeste la volonté ferme de participer. La France, quant à elle, reste étrangère à la frénésie qui secoue ses voisins. Elle mène ses campagnes exotiques sous le soleil de l'Italie, et sa stratégie donne la priorité à la Méditerranée.

Le Grand Moyen Âge, qui a formé les découvreurs, les chefs de la conquête et, en arrière-plan, les grands hommes d'affaires capitalistes d'Italie, d'Allemagne et de Hollande, ne meurt pas dans une lente agonie, mais dans l'explosion des énergies. Progressivement, et non à une heure dite, la société va changer. L'irruption de pays et de peuples nouveaux fait évoluer les esprits, d'autant qu'elle s'associe à une connaissance, déjà très ancienne, mais de plus en plus complète de l'Antiquité. Une transformation de l'intelligence et de l'esthétique, qu'accompagne un renouvellement de la croyance morale et religieuse, ouvre aux Européens les portes de la Renaissance et de la Réforme. On apprend tout à la fois l'individualisme et la certitude d'appartenir à la race la plus audacieuse et la plus féconde de la terre : on entre dans l'âge moderne. L'Europe inaugure la première hégémonie mondiale, triomphe auquel jamais un peuple n'avait atteint dans l'histoire de l'humanité. Les découvertes, préface presque systématique à la colonisation, ne sont pas filles du hasard, mais résultent d'un nouvel intérêt de l'héritage antique, enrichi de relations récentes. La *Géographie* de Ptolémée, en rétrécissant la circonférence du globe, rapproche l'Asie de l'Europe, invitant le navigateur à traverser l'Atlantique. Pierre d'Ailly, dans son *Imago Mundi* (1483), sollicitait la même démarche. Aussi N. Broc peut-il écrire : « Le Nouveau Monde est né bien avant 1492 de la combinaison des conceptions théoriques des savants et de l'expérience des voyageurs. À la limite on pourrait affirmer que Colomb, Gama, Magellan [...] n'ont fait que vérifier les hypothèses avancées par les savants bien longtemps avant eux. Ainsi, la conquête intellectuelle de la terre aurait précédé sa conquête matérielle de plus d'un demi-siècle. » La nouvelle configuration du monde, par ailleurs, n'a été supposée ni à Lisbonne ni à Cadix. « C'est dans l'humanisme italien du Quattrocento qu'il faut rechercher l'étincelle qui a tout déclenché. » Éternel retour à l'Italie. Élèves modestes mais déterminés les marins français suivent les découvreurs jusqu'au littoral de leurs nouveaux empires.

CHAPITRE PREMIER

Le xvie siècle : hostilités anglaise, hollandaise et française au partage ibérique du monde

Grâce aux Italiens, surtout aux Génois, présents dans tous les ports atlantiques, sauf en France, les monarchies de l'Occident européen ont appris les moyens et les objets de la colonisation. Que réclame l'accomplissement d'une action coloniale ? D'abord, une marine de commerce pour assurer les trafics. Ensuite, des armées navales pour mener les opérations de débarquement de troupes, de protection des possessions et des voies maritimes. Enfin, outre une volonté politique, un capitalisme commercial privé ou public, capable de financer des entreprises de dimension internationale, utilisant les techniques modernes de la comptabilité, de la lettre de change, et la vieille procédure du prêt à intérêt. Quant à la finalité des établissements coloniaux, elle se résume dans le commerce, auquel Venise, par exemple a ajouté le peuplement, ici ou là.

Des croisades aux grandes découvertes et à la formation des empires portugais et espagnol, le monde européen a subi des hauts et des bas, qui expliquent aussi bien ses lenteurs que ses explosions.

Le xvie siècle français : une époque contrastée

Le xvie siècle, celui de la formation des empires portugais et espagnol, ainsi que des premières tentatives ultra-marines des Valois, de l'Angleterre et des Pays-Bas, présente un visage double. Jusqu'aux années 1560, le redressement démographique et économique, en cours depuis la moitié du siècle précédent, se poursuit. À la mort d'Henri II, le pays achève de récupérer le déficit humain, infligé par la Peste noire : une croissance séculaire de récupération le rétablit au niveau qu'il atteignait vers 1300. Toutefois, cette renaissance, qui consacre Lyon comme la première cité commerciale et financière de la nation, ne touche pas les ports de l'Atlantique, qui demeurent en marge du trafic international. Mais la seconde partie du siècle est placée sous le signe de la stagnation : le climat se refroidit, les rendements agricoles ne progressent plus, la population s'immobilise à un plafond de 18 millions d'habitants. Enfin, un phénomène marque ce temps : la hausse des prix, provoquée davantage par la mauvaise qualité des récoltes que par l'introduction des métaux précieux américains sur le marché européen. Cette hausse des prix, qui favorise les sociétés industrielles et commerciales où les profits et l'investissement croissant, ébranle l'économie essentiellement agricole de la France : bourgeois et nobles remembrent les terres à leur profit. Et de manière complémentaire, le réflexe de placer son argent dans l'achat de rentes mobilières plutôt que dans le financement d'opérations à risques, mais de forte rentabilité, a tendance à se propager, au point qu'il deviendra un trait du caractère national. Ce comportement se révèle d'autant plus regrettable que le temps est au capitalisme commercial et industriel dans l'Italie de la banque, du drap, de la soie et de l'alun, dans la Flandre de la nouvelle draperie, de la houille et des hauts-fourneaux, du lin, du papier, dans l'Allemagne des grands banquiers, de l'or, de l'argent, du cuivre, du zinc, du soufre et du pastel, dans la Baltique du fer, des céréales et des bois, dans l'Angleterre des lainages, du cuivre, de l'étain et de la houille, des hauts-fourneaux et du fer. En France, il n'y a aucun port comparable à Séville, où se concentre le commerce américain, ni même à Lisbonne, encore moins à Anvers, capitale de la redistribution des produits coloniaux et centre drapier. Aucun capitaliste comparable aux Allemands Fugger, Welser, alliés aux Thurzo et aux Peutinger, ni aux Höchstetter, Seiler et Neidhardt ; personne de comparable, non plus, aux Italiens Médicis, Salviati, Guadagni, Grimaldi, Strozzi, Del Bene ou Peruzzi. À Lyon, haut-lieu du capitalisme dans le royaume, les étrangers font la loi : Italiens, qui financent le célèbre armateur dieppois Ango ; Allemands, dont le plus connu, Hans Kléberger, accepte des lettres de naturalité ; et sans ces hommes, le roi ne peut décider aucune grande entreprise. Aussi, la France, isolée de la vitalité capitaliste qui stimule et modernise les économies voisines, suit-elle les vieux chemins de la tradition : elle vend infatigablement ses vins, ses blés et son sel. Par bonheur, il s'agit là des trois principaux produits du commerce européen de l'époque.

Si, à la prospérité du premier demi-siècle, a succédé la crise du second, les conflits, extérieurs puis intérieurs, ont pesé d'un poids onéreux, paralysant surtout le XVIe siècle français. Les hostilités entre l'Empire et la France dureront quarante ans. Une clause du traité de Crépy (1544) interdit au roi d'armer pour les deux Indes, prescription plus formelle qu'effective. Et à la paix du Cateau-Cambrésis (1599), si Henri II conserve Saint-Quentin, Calais, Metz, Toul et Verdun, il renonce à l'Italie et pousse jusquà restituer toutes ses possessions au duc de Savoie. Désormais, la monarchie rassemble son énergie pour lutter contre la Réforme et pour consolider ses frontières, notamment au nord et au nord-est. Alors commencent conflits religieux, luttes civiles, batailles autour du pouvoir et pour le pouvoir. Henri III, le dernier Valois, se débarrasse des Lorrains, et s'allie avec Henri de Navarre qu'il désigne pour lui succéder, en 1589. Après quelques années d'hésitations et de combats, le Béarnais se convertit en 1593, se fait couronner à Chartres et peut enfin entrer dans Paris, le 22 mars 1594. L'édit de Nantes (avril 1598) apaise les huguenots, et le traité de Vervins, les Espagnols. La guerre, désorganisant les finances, alourdissant la fiscalité, et divisant les Français pendant le second demi-siècle, empêche le royaume de regarder plus loin que l'Europe, parfois même plus loin que ses frontières. Une captivité contre laquelle le capitalisme commercial et maritime de la nation réagit, à sa mesure, établissant des relations commerciales régulières avec les mondes nouveaux, en violation des monopoles de Madrid et de Lisbonne. Mais le négoce, aux lisières d'un État en crise, ne peut entrer en concurrence vive avec les Ibériques, qu'assistent financiers italiens et germaniques. Néanmoins armateurs, banquiers français et associés existent, et comme les Anglais et les Hollandais, jettent les bases de projets nationaux aux dépens du privilège hispano-portugais.

Les empires ibériques : épices, sucres et mines

Chez les Portugais, l'exploration et la colonisation, même si le capital privé y participe, sont avant tout une affaire d'État. À ce petit peuple d'un million d'habitants, ces longues et grandes entreprises coûteront cher : morts par dizaines de milliers, émigrants plus nombreux encore. « Le Portugal, observe J. Meyer, a construit son empire en sacrifiant 10 % de la population totale (et, en réalité plus de 35 % de la population masculine). » Le domaine lusitanien, gigantes- que monarchie océane, s'étend de l'Atlantique aux mers des Indes et au Pacifique : côte américaine, de l'Amazone au Rio de la Plata ; côte occidentale d'Afrique, avec les ports de l'or, Arguin et surtout Saint-Georges de la Mine, ses postes de Ceuta, Loanda, Benguela, et ses relais insulaires, des Açores à Sainte-Hélène, à l'exception des Canaries espagnoles ; côte orientale de l'Afrique, avec les escales de Sofala, Mozambique, Quiloa et Mélinde ; à l'orient, l'île de Socotora, les comptoirs de Mascate, en Arabie, d'Ormuz, au sortir du golfe Persique. L'Empire des Indes proprement dit, bâti sur la ruine du commerce arabe, établit ses bases à Diu, chez le Grand Moghol, à Goa, Calicut, Cochin, à Ceylan, Malacca, Macao ; il impose son protectorat aux îles de la Sonde qui produisent les fameuses épices. Le Portugal organise l'exploitation économique de son patrimoine afro-asiatique en adoptant un système et en mettant en place deux administrations. Le système est celui du capitalisme d'État ou royal, mais assez souple pour entendre l'appel de la nécessité ou d'une conjoncture plus ou moins claire. Ainsi, le monarque accorde-t-il des licences d'importation à des particuliers, parmi lesquels on remarque ses créanciers, ou propose-t-il à des personnalités du royaume ou de l'étranger de financer avec lui des armements, dont ensemble ils partageront les bénéfices. Ce jeu de procédures fait du monarque le « roi du poivre », l'un des grands capitalistes de son temps, et de l'État un agent défaillant : Lisbonne abandonne la distribution des épices en Europe à Anvers puis à Amsterdam, et cède même l'armement à des fermiers. Certes, le Trésor perçoit des droits, mais le capitalisme d'État des Portugais ressemble à celui des Vénitiens : tout à la fois, il travaille à l'enrichissement de la nation et d'une oligarchie. À l'arrivée des convois, dans la capitale, le souverain crée la *Casa da Mina* et la *Casa da India,* sortes de compagnies à privilèges, qui, avec les dérogations que l'on sait, reçoivent le monopole du commerce, la première avec l'Afrique, la seconde avec l'Asie. Cette administration commerciale centrale supervise la chaîne des comptoirs ou factoreries qui constituent l'administration commerciale locale ou coloniale. Elle a la haute main non seulement sur les chargements, les convois, mais aussi sur le recrutement des soldats des colonies, sur les escadres destinées à protéger les navires marchands et les ports d'exportation. Cette construction ne présente aucune originalité : elle reprend celle que Gênes et Venise avaient adoptée dans la Méditerranée et dans la mer Noire. Le souverain, quant à lui, est représenté par un vice-roi, qui réside à Goa, et qu'entourent des gouverneurs, souvent plus portés à se laisser corrompre qu'à réprimer une fraude toujours prospère.

Que fournit l'Afrique portugaise ? De l'ivoire, de la maniguette, un mauvais poivre, des esclaves et de l'or. Pendant le premier quart du XVIe siècle, Saint-Georges de la Mine livre environ une dizaine de tonnes du fabuleux métal, puis cesse. L'or du Mozambique, du Monomotapa, contrairement à celui de Guinée, ne prend pas le chemin de Lisbonne, mais des Indes orientales, où il finance les achats portugais. Au total, le continent noir fournit entre 100 et 150 tonnes d'or aux Portugais : soit la moitié de la production américaine, et 7 à 8 % des trésors du Nouveau Monde, note Pierre Chaunu. La traite des Noirs, que réclame la mise en valeur de l'Amérique, est familière : elle est estimée à près de 280 000 personnes, dont une partie fut déportée par les Portugais, soit au Brésil, soit dans les colonies espagnoles. L'Afrique, malgré son or occidental et oriental aux quantités appréciables, malgré le commerce des esclaves, appelé à un développement puissant, ne représente pas l'interlocuteur privilégié du Portugal : ce rôle appartient aux Indes, d'Ormuz et de la côte du Malabar jusqu'aux Moluques, avec lesquelles se pratique le commerce des épices. Quelles denrées se cachent derrière ces divines épices qui excitent les appétits de tant de peuples ? En fait, plusieurs espèces. Sur une production totale, de l'ordre de 10 tonnes par an, on compte : près de 7,5 t de poivre ; 1,5 t de noix de muscade et autant de clous de girofle, 310 000 kg de gingembre, 155 000 de cannelle fine et 125 000 de macis. Alors que les métaux précieux d'Amérique sont exportés à 75 % vers l'Espagne, 8 % des aromates sont acheminés vers le Portugal, le trafic traditionnel arabo-vénitien, un moment ébranlé, reprend son souffle, et en véhicule 13 à 14 % ; le reste est consommé sur place ou utilisé pour le commerce régional. La dispersion des Indes portugaises, chapelet de comptoirs fortifiés et d'escadres de protection, le bénéfice tiré des chargements, environ de 5 pour 1, font de cet empire de la mer, le ventre mou du système lusitanien ; il exacerbe les convoitises étrangères, d'autant qu'à l'abri des factoreries, l'Asie se dissimule, toujours insoumise. En effet, l'Orient portugais se caractérise par une crise chronique, engendrée par une immigration et une implantation trop faibles, et par un état de guerre quasi permanent contre les sultanats. Ne pouvant coloniser les Indes mais seulement y entretenir un négoce, les Portugais, grands mangeurs d'or et d'argent, se tournent vers le Brésil, qu'ils avaient négligé. En 1532, le « capitalisme d'État » lusitanien fait appel à l'initiative privée : il découpe le sol en fiefs héréditaires géants qu'il confie à des capitaines-donataires. Globalement, cette organisation échoue. Alors, en 1548, le roi rachète la capitainerie de Bahia, y nomme un chef qui, en 1577, prend le titre de gouverneur général. Le Brésil moderne se dégage de sa gangue sous la poigne ferme de Tomé da Souza, avant de poursuivre sa carrière coloniale. Malgré une naissance sans fracas, ce territoire apparaît rapidement dans la vie économique portugaise. Pendant la première moitié du siècle, il approvisionne sa métropole en *brésillet*, bois rouge aux qualités tinctoriales, et en bois précieux, comme le jacaranda qui est une sorte de palissandre. Dans la seconde moitié du XVIᵉ siècle, les apports de plus en plus considérables de la traite négrière et le succès de l'immigration blanche, soit 30 000 esclaves et près de 20 000 Européens, permettent au Brésil de supplanter les îles atlantiques (Madère, São Tomé) dans la production du sucre. Le nombre des moulins à sucre passe de 60 à 131 de 1570 à 1583, offrant à Lisbonne 180 000 arrobes de sucre en 1570, 350 000 en 1580, et 1 200 000 en 1600. Sur la terre américaine, les Portugais construisent un empire colonial d'occident, prêt à relayer celui des Indes, tandis qu'ils ne manifestent aucune ambition impériale en Afrique.

Alors qu'il atteint sa plus grande expansion, l'Empire portugais disparaît de la carte du monde. Conséquence de mariages avec la famille de Charles Quint qu'un coup de force vient aider, Philippe II entre dans Lisbonne en 1580 et annexe la vieille monarchie maritime, qu'il réduit à l'état de vice-royauté. Désormais le Madrilène, maître de ses colonies et de celles de ses voisins, auxquelles s'ajoutent les Philippines et les Moluques, longtemps disputées entre les deux peuples ibériques, exerce un pouvoir mondial, que l'échec de l'Invincible Armada, en 1588, limitera définitivement.

Les premiers temps de l'exploration et de la colonisation de l'Amérique déçoivent les conquérants espagnols. Quelques perles et un peu d'or font cruellement sentir que ces terres américaines, momentanément impossibles à contourner, ne sont qu'un barrage sur la route qui mène aux îles des épices. Et l'on envie les Portugais qui, chaque année, reçoivent quatre à cinq *naves* chargées de poivre et autres précieuses denrées. La découverte du Pacifique derrière l'isthme de Panama par Balboa (1513), les campagnes de Cortés, de Pizarro et de ses lieutenants, les reconnaissances maritimes, la prise de possession d'un continent, infiniment moins peuplé qu'on ne le dit, et des domaines à tailler et à s'approprier apaisent les premières désillusions. Des Espagnols en grand nombre, de 250 000 à 300 000, s'engagent dans l'aventure au XVIᵉ siècle. Leur champ d'action n'a pas de limites : outre les Antilles, il s'étend sur la Californie, couvre le Venezuela et se répand sur toute l'Amérique du Sud, cernant soigneusement le Brésil. Dans cette colonie de peuplement, le comptoir n'a pas sa place, où l'activité économique, outre le commerce, prend la forme de l'exploitation minière, agricole avec les plantations, ou encore animale avec les *haciendas*. Si la découverte du Nouveau Monde doit beaucoup au capital privé, elle n'en est pas moins, comme la colonisation, une affaire d'État. L'administration des Indes occidentales est assurée par deux vice-royautés. La première, celle de la Nouvelle-Espagne, a son siège à Mexico et compte cinq *audiencias* ou « gouvernements » : *Manille* pour les Philippines et les Mariannes, *Santo-Domingo* pour les Antilles, *Mexico* pour le Mexique central, *Guadalajara* pour la Nouvelle-Galice et le Nord du Mexique, *Guatemala* pour l'Amérique centrale. La seconde, celle de la Nouvelle-Castille ou du Pérou, a Lima pour capitale et regroupe cinq *audiencias : Panama* pour l'Amérique centrale, *Bogota* pour la Nouvelle-Grenade, une partie de la Colombie et le Venezuela, *Quito* pour l'Équateur, *Lima* pour le Pérou et le Chili, *Charcas* pour la Bolivie et les territoires de la Plata. L'administration centrale des Indes occidentales s'inspire du modèle portugais tout en s'en différenciant, car l'Amérique espagnole, contrairement aux Indes lusitaniennes, n'est pas un éparpillement de ports sans arrière-pays : elle forme un bloc compact, soumis à une mise en valeur intérieure constante, mais dont bien sûr des escales et des têtes de pont aménagent les échanges avec la mère patrie. La *Casa de Contratacion* de Séville, créée en 1503, assume la gestion commerciale de l'Amérique, dans le cadre d'un monopole institué exclusivement au profit de la métropole. Quant aux compétences d'administration générale et de contrôle des vices-royautés, au lieu d'être attribuées à la *Casa*, comme à Lisbonne, elles sont confiées au Conseil des Indes, fondé en 1524. Pour mieux marquer la spécificité d'une structure élaborée de manière pragmatique, le Conseil des Indes n'est pas établi à Séville, capitale du commerce, mais à Madrid, sous la main du roi. Cette Amérique du XVIe siècle, aux 120 000 Blancs, aux 250 000 esclaves noirs, que 6 000 navires relient à la métropole, est devenue lentement indispensable à l'Espagne et à l'Europe par ses chargements d'or et surtout d'argent. Lentement, car jusqu'à la moitié du siècle la production de métaux précieux, sans être négligeable, ne l'emporte pas sur celle des mines du Vieux Continent. Brusquement, en 1575, les modestes filons argentifères mexicains de Zacatecas et Guanajuato s'effondrent devant l'exploitation du Potosí. Ces mines, situées dans la cordillère andine, à 4 000 mètres d'altitude, découvertes en 1545 n'atteignent leur rendement prodigieux qu'au moment où elles peuvent utiliser le mercure et appliquer la technique de l'amalgame. Selon E. J. Hamilton, les quantités d'or et d'argent envoyées en Espagne, sans tenir compte de la fraude, seraient les suivantes. De 1503 à 1570 : 112,2 tonnes d'or et 1 509,7 d'argent ; de 1571 à 1600, quand les mines de Potosí fonctionnent à plein : 40,9 tonnes d'or et 5 529,1 d'argent. La diffusion, depuis Séville, de cette abondance de métaux précieux entraîne le quadruplement des prix, une certaine reprise économique qu'altère l'inflation, le développement du crédit et du capitalisme. L'exploitation de l'Amérique, maintenant indispensable à la vie économique de l'Europe, nécessite une main-d'œuvre nombreuse et peu coûteuse : les Blancs revenant trop cher, en particulier parce que la mortalité les frappe massivement, les Espagnols reproduisent outre-mer la société servile du Maghreb et des îles à plantations de l'Atlantique. On met les Indiens à la corvée et l'on intensifie la traite des Noirs et leur réduction en esclavage dans les mines comme sur les plantations.

Au moment même où le Potosí entre en exploitation, l'Espagne, qui néanmoins conservera son empire intact jusqu'au XIXe siècle, aborde une période de turbulences et de concurrences.

Ambitions anglaises, hollandaises et françaises

La découverte du Nouveau Monde déplace le centre de gravité européen de la Méditerranée vers l'Atlantique, pousse l'Angleterre à devenir une puissance maritime, et par là à se préoccuper d'exploration et de colonisation. Ainsi, est-elle présente mais discrète, dans la mer des Antilles, pendant la première moitié du XVIᵉ siècle. La flotte d'Henri VIII compte déjà 53 navires, et, sous Élisabeth, son tonnage s'élève à 7 000 tonneaux. Cette marine neuve a pour mission de défendre le royaume, notamment dans son commerce lainier, mais elle a aussi pour vocation, avivée par la Réforme, d'être prête à attaquer l'empire colonial espagnol, tout en menant des expéditions de découverte. L'initiative des Tudor déborde le cadre de l'État : marchands et pêcheurs emboîtent le pas et préparent les moyens de l'expansion maritime. Londres, Bristol, Plymouth rassemblent des capitaux et équipent des bateaux. Dès 1551, Windham établit des comptoirs sur la côte de Guinée. Les Hawkins, père et fils, s'y approvisionnent en captifs qu'ils vont vendre en contrebande sur le littoral de l'Amérique. De l'interlope à la course et à la piraterie, il n'y a qu'un pas que les « Chiens de Mer » d'Élisabeth franchissent hâtivement et goulûment. Hawkins, Drake, Oxenham sévissent dans la mer des Antilles à partir de 1562. Tantôt, ils se contentent de commercer au mépris des lois, tantôt, à la tête de véritables escadres, ils lancent des coups de main sur les riches ports coloniaux, prélevant des rançons et chargeant leurs bâtiments de denrées exotiques, dont le sucre, qu'ils rapportent dans leur patrie. Ces actions, que leur audace a fait entrer dans la légende, contrarient les Espagnols mais ne menacent jamais les convois de métaux précieux.

Ces travaux pratiques américains forment les marins d'Élisabeth aux expéditions lointaines. Ainsi, Frobisher pénètre dans l'arctique canadien (1576-1577), Davis longe le Groenland, le Labrador, découvre les îles Falkland et fait plusieurs voyages aux Indes orientales, les corsaires Drake et Cavendish font le tour du monde, pillant en route les côtes du Chili et du Pérou, enfin Raleigh tente de fonder des établissements en Virginie et aux Guyanes. Ces prouesses sont riches de promesses pour un avenir proche, même si pour l'heure les Anglais n'exploitent régulièrement que les parages de Terre-Neuve, où ils pêchent la morue. Les succès des Hawkins, des Drake, le désastre de l'Invincible Armada, la glorieuse descente d'Howard et d'Essex, qui s'emparent de l'or des galions à Cadix en 1596, affermissent la vocation maritime de l'Angleterre face à l'Espagne. Si aucune colonie ne s'est encore enracinée outre-mer, tout se met en place pour y réussir. Ainsi, le commerce s'organise-t-il pour exploiter de nouveaux marchés : compagnies de Moscovie (1556), de l'Est ou de la Baltique (1559), du Levant (1581) ; enfin, la Compagnie des Indes orientales (1600), qui participe de la volonté d'une expansion non seulement commerciale mais aussi coloniale.

La Réforme protestante, en s'infiltrant aux Pays-Bas, exacerbe les relations avec le maître catholique et espagnol, Philippe II. En 1572, les Provinces-Unies, partie septentrionale de l'héritage bourguignon de Charles Quint, se soulèvent : l'indépendance est acquise peu après, en 1581. Dans cette tourmente, Anvers perd son sceptre de capitale du commerce international, qu'à la suite d'un intermède génois (1580-1620), Amsterdam relève et conservera pendant tout le XVIIe siècle. Pendant que les Hollandais se libèrent, les Portugais se soumettent à la tutelle madrilène. Privés du sel de Setúbal, les « Gueux de Mer », qui ont appris les routes transocéaniques quand ils servaient l'Espagne, arment leur première flotte indépendante à destination des salines d'Araya, sur le rivage de l'actuel Venezuela, en 1599. Cette contrainte installe les marins des Provinces-Unies au cœur de la mer des Antilles, ce dont les Ibériques pâtiront au cours du XVIIIe siècle. Parallèlement à l'entreprise américaine, les négociants d'Amsterdam envoient une expédition en Asie. En 1595-1597, Van Houtman et De Keyser, empruntant l'itinéraire portugais, doublent le cap de Bonne-Espérance et abordent à Java d'où ils reviennent avec une précieuse cargaison d'informations. Aussitôt après, de 1598 à 1601, Van Noort contourne l'Amérique du Sud, passe aux Philippines et aux îles de la Sonde, avant de rentrer au port, ayant bouclé le tour de la terre. Ces navigateurs font des adeptes, et des *compagnies Van Verre*, autrement dit du lointain, se créent pour aller traiter aux îles des épices. Oldenbarnevelt, Grand Pensionnaire de la jeune République, fédère ces efforts concurrents dans une seule et puissante société, la Compagnie réunie des Indes orientales (1602). Cet établissement, au capital des six millions et demi de florins, reçoit le monopole du commerce au-delà du cap de Bonne-Espérance et du détroit de Magellan.

En quelques années, la modeste Hollande, familière du cabotage européen, du nord au sud du continent sans oublier l'Angleterre, bonne élève du commerce international, qu'il soit italien, portugais ou espagnol, met vite à profit les leçons qu'enseigne l'expérience de ses prédécesseurs. Sous la houlette du pouvoir politique des élites négociantes, elle s'engage dans une entreprise ambitieuse. Plus rapide que le royaume anglais, la Hollande se donne les moyens d'entrer en force sur la scène coloniale, que les Ibériques monopolisent en invoquant les bulles pontificales.

La monarchie française du XVIe siècle est paralysée par la guerre continentale de Deux Cents Ans qui, à partir du mariage de Jeanne la Folle d'Espagne et de Philippe le Beau de Habsbourg-Bourgogne, oppose la France à la maison d'Autriche. Ces hostilités interminables se compliquent de la dissension protestante ; aussi le royaume n'a-t-il guère le temps de mettre en œuvre une politique maritime et coloniale, d'autant qu'elle échoue dans sa stratégie de rupture de l'étau habsbourgeois ; Madrid et Vienne gardent toutes les frontières. Cependant, François Ier et ses successeurs manifestent leur intérêt pour les problèmes de l'outre-mer, et leur action recouvre plusieurs formes. D'abord, ils repoussent le partage du monde décidé par la papauté, affirment la liberté des mers et défendent que la souveraineté sur des pays neufs découle, non de la découverte, mais de l'occupation permanente. Ensuite, les souverains laissent libre cours à l'initiative privée, l'encouragent en sous-main et parfois la patronnent, lui donnant ainsi le caractère officiel, d'une mission nationale.

Les entreprises des ports français s'élancent vers les mers et les terres interdites sous la protection de la doctrine royale que, dans une phrase célèbre, François Ier avait vivement résumée devant l'ambassadeur d'Espagne qui reprochait au monarque la présence de navires de ses sujets dans les eaux américaines. « Le soleil luit pour moi comme pour les autres, s'était-il écrié, et je voudrais bien voir l'article du Testament d'Adam qui m'exclut du partage. » Aussi le traité de Crépy (1544) et la trêve de Vaucelles (1556), qui interdisent aux Français d'armer pour les deux Indes, seront-ils ignorés des armateurs qui poursuivront leurs activités clandestines. Le Jacques Cœur du xvie siècle, homme de hardiesse et de vision, a nom Jean Ango. Ce descendant d'une vieille famille du négoce rouennais règne sur Dieppe, où il reçoit François Ier avec faste, mais surtout d'où il lâche ses bateaux à l'assaut du monopole ibérique. C'est la piraterie, qu'illustre Jean Fleury, audacieux capitaine qui, en 1522, capture les trois caravelles chargées par Cortés des plus magnifiques trésors mexicains. C'est l'exploration, que représente Verrazano, qui, financé par les colonies italiennes de Lyon et de Rouen ainsi que par le puissant vicomte de Dieppe, visite la côte orientale des futurs États-Unis. C'est enfin la tentative avortée d'organiser le commerce des épices, qui mena les frères Parmentier à Sumatra, où ils moururent au mois de décembre 1529, et d'où leurs hommes perdant le *Sacre* ramenèrent la *Pensée* en piteux état et sans cargaison précieuse. De nombreux ports du royaume s'enrichissent en pratiquant la grande pêche à la morue et à la baleine. De la Normandie au pays de Labourd, on grée des bâtiments qui cinglent vers le large. Dès 1504, les Bretons fréquentent les parages de Terre-Neuve, où Basques et Normands se rendent aussi. En 1508, Ango père envoie l'un de ses capitaines, Thomas Aubert, dans cette régon poissonneuse. Celui-ci rapporte de son expédition, qui a dû le conduire sur la côte américaine, des pelleteries et, plus étrange, quelques Indiens.

Découvreurs français : Paulmier, Verrazano, Cartier

Les marins français savent naviguer, mais ne savent pas inventer les routes nouvelles, encore qu'ils suivent au plus tôt les itinéraires des découvreurs. La révélation qu'a faite, en 1669, Villaut de Bellefond dans ses *Relations des costes d'Afrique appelées Guinée,* d'après laquelle un Dieppois nommé Jean Cousin aurait découvert le cap de Bonne-Espérance et le Brésil peu avant les Portugais reste toujours à prouver. Le témoignage le plus ancien de l'exploration française demeure le récit du capitaine honfleurais Paulmier de Gonneville, qui décrit le séjour involontaire d'un équipage normand au Brésil, en 1504. Mais déjà, le voyage avait pour objet d'acheter des « épices et autres raretés » aux Indes orientales. *L'Espoir* aborde précisément le 6 janvier 1504 à la hauteur de São Francisco do Sul. Gonneville entre en rapport avec la tribu guarani du lieu, et, sans attendre Montaigne et les philosophes du xviiiᵉ siècle, invente le « bon sauvage ». Les Indiens sont « gens simples, ne demandant qu'à mener joyeuse vie sans grand travail ; vivant de chasse et de pêche, et de ce que leur terre donne d'elle même, et de quelques légumes et racines qu'ils plantent. » Hommes et femmes, « allant demi-nus », redoutent, admirent et aiment les Européens : « ils se seraient volontiers mis en quartiers, leur apportant à foison de la viande et des poissons, des fruits et des vivres, et de ce qu'ils voyaient être agréable aux chrétiens, comme peaux, plumes, et racines à teindre ». Vient le départ, le temps de quitter ce paradis terrestre et de prendre la mer. À l'escale suivante, Paulmier et ses compagnons apprennent le relativisme. Vers Pôrto Seguro, ils rencontrent le « méchant sauvage », celui de Cook et de l'Europe civilisatrice du xixᵉ siècle, en la personne de Tupiniquin et de Tupinamba. Les premiers sont « rustres », mais aussi « cruels mangeurs d'hommes ». Les seconds assaillent « traîtreusement » les Français descendus à terre pour y faire de l'eau et du bois. Malgré la déception de voir surgir une humanité vilaine et mauvaise, les Normands observent que les Tupiniquin « n'ont entre eux ni roi ni maîtres : au moins n'en ont-ils rien remarqué ». Une notation qui, reprise et amplifiée par les esprits sceptiques et réformistes, révolutionnera les idées d'une Europe profondément convaincue de la vérité et de la réalité des principes aristocratique et hiérarchique. Que Paulmier fût le premier Français à avoir touché le Brésil, on l'ignore, mais toujours est-il qu'il a participé à ouvrir la voie à de nombreux capitaines qui désormais vont trafiquer chez les Indiens, achetant du brésillet, ainsi que des bois précieux.

Financé par les négociants italiens de Lyon à la tête desquels se trouve Guadagni, banquier de François Iᵉʳ, aidé par les Florentins de Rouen, dont les Rucellai, et aussi par Ango, Verrazano quitte la Normandie en 1523. Fort de l'intérêt, de la protection et de l'assistance matérielle du roi, il veut découvrir le passage qui aurait permis d'aller en Chine par l'ouest. Il ne le trouve évidemment pas, mais explore la côte orientale de l'Amérique du Nord, que les Espagnols ignoraient, leurs connaissances s'arrêtant à la Floride. Comme Gonneville, le navigateur rencontre de bons et de mauvais sauvages. Aux environs de Newport, les « indigènes sont fort généreux et donnent tout ce qu'ils possèdent. [...] Nous les croyons fort affectionnés et serviables avec leurs proches ». Aux alentours de Portland, le Florentin, tout comme Paulmier, mais contrairement aux idéologues pour qui la nature est l'état sain et pur par excellence, ne dissimule pas la face méchante du sauvage. Les Indiens de la seconde escale sont « cruels et vicieux » et d'une grande « barbarie ». Ils répondent aux prévenances de l'équipage par des « démonstrations de mépris et d'impudeur que peuvent concevoir les plus viles créatures ». Enfin, chez l'Italien, comme déjà chez le Normand, une observation qui, point de départ des systématisations libertine et philosophique, met en cause les fondements de la société traditionnelle. En effet, il semble à Verrazano que les Indiens « n'avaient aucune loi ni aucune croyance, qu'ils ne connaissaient ni cause première ni premier moteur. [...] Nous croyons, qu'ils n'ont aucune religion et qu'ils vivent en toute liberté par suite de leur totale ignorance ». Dieu, l'État, l'ordre social ne seraient-ils que conventions ignorées de la nature, et donc contraintes inventées par la civilisation chrétienne ? Une interrogation à bouleverser les esprits et à renverser les colonnes du temple ! François Ier, pris dans l'engrenage des guerres d'Italie (on est à un an de Pavie) ne donne pas suite au rapport du navigateur (1524), ni à ses projets de voyage ou de colonisation de la « Francesca », dont il avait fouillé le littoral.

En 1533, le roi de France sollicite de Clément VII une interprétation libérale de la bulle d'Alexandre VI qui partageait le monde entre l'Espagne et le Portugal. Le pontife acquiesce et déclare que la décision du Borgia « ne concernait que les continents connus et non les terres ultérieurement découvertes par les autres couronnes ». Dès l'année suivante, et pour la première fois, le roi finance une expédition à laquelle il assigne pour but de découvrir, dans la région de Terre-Neuve, « certaines îles et pays où l'on dit qu'il se doit trouver grand quantité d'or et autres riches choses », ainsi qu'un passage vers la Chine. Point n'est question, comme l'a observé Ch.-A. Julien, de convertir les sauvages ni même de coloniser : car ce ne sont pas de vastes possessions qui intéressent le monarque et ses banquiers, mais un commerce immédiatement fructueux.

Le 20 avril 1534, un inconnu, un pilote malouin du nom de Jacques Cartier, quitte son port natal, conscient du poids de sa nomination et de la confiance du souverain. Il commence une difficile aventure en trois épisodes qui s'abîmera dans l'insuccès dans les années 1541-1543. Au cours du premier voyage (1534), il explore le golfe du Saint-Laurent, plante une croix fleurdelysée sur la falaise de Gaspé pour marquer la souveraineté de son maître, et rentre à Saint-Malo, accompagné de deux Indiens. Malgré ce résultat décevant, François Ier n'abandonne pas sa quête de l'or : Cartier repart à la tête de trois navires, le 19 mai 1535. Il remonte le Saint-Laurent jusqu'à la hauteur de l'actuel Montréal, cherchant vainement le royaume de Saguenay qu'on lui dit déborder d'or, de rubis et d'autres richesses. Encore un retour décevant, auquel le roi, bataillant avec Charles Quint au sujet de la Savoie, n'a pas le temps de prêter attention. La paix revient en 1538, et aussitôt l'affaire ressurgit. Cartier propose au Valois l'organisation d'une troisième expédition, non plus pour débusquer des trésors, mais pour établir une colonie. Le projet est agréé, en 1540, malgré l'hostilité impériale et les manigances portugaises. Le 17 janvier 1541, le monarque nomme Jean-François de La Rocque, seigneur de Roberval, gentilhomme languedocien converti au protestantisme, lieutenant-général, chef, ducteur et capitaine de l'entreprise ; le Malouin l'assistera en qualité de maître pilote des vaisseaux. Il s'agit d'organiser, au nom du roi, les pays du Canada (région de Québec) et Ochelaga (région de Montréal), « et autres circonjacents », en un mot de mettre en pratique la théorie de l'occupation effective, en peuplant, et en bâtissant « villes et forts, temples et églises ». Cependant, François Iᵉʳ n'oubliait pas les mines du Saguenay, au contraire, la prise de possession des terres de l'Amérique du Nord lui apparaît-elle comme le moyen le plus sûr de mettre la main dessus et de les exploiter.

Le 23 mai 1541, Cartier, précédant Roberval, s'éloigne des côtes de France avec ses cinq navires qui emportent huit à neuf cents personnes, parmi lesquelles des condamnés, ce qui ne signifie pas nécessairement des criminels. Il débarque les nouveaux colons quatre lieues en amont de la Québec contemporaine, les laissant à leur installation. Une nouvelle fois, il remonte le Saint-Laurent. Et, une fois encore, il ne trouve ni pierres ni métaux précieux. Alors, il revient sur ses pas et fait ériger le fort de Charlesbourg-Royal. Puis, son chef n'arrivant pas, le Malouin fait voile vers la France. Au début du mois de juin 1542, il rencontre Roberval à Terre-Neuve, après quoi, il reprend la mer et entre dans Saint-Malo, le 7 septembre suivant ; la guerre avec Charles Quint avait repris peu avant, au mois de juillet. Au Canada, Roberval s'emploie à compléter les fortifications de Charlesbourg, qu'il rebaptise Francy-Roy, et pas plus que le Breton ne réussit à fouler le sol du Saguenay, cet Eldorado du nord. En 1543, un an avant de signer le traité de Crépy, François Iᵉʳ est obligé d'envoyer une expédition de secours vers le Saint-Laurent. Cartier, le « fondateur du Canada », ne laisse derrière lui que le souvenir gênant et vite effacé d'un échec retentissant et misérable. La postérité lointaine, qui verra en lui le précurseur de l'organisateur heureux et efficace que fut Champlain, le réhabilitera.

Les expéditions de Jacques Cartier, malgré le courage qu'elles réclamèrent et les souffrances qu'elles coûtèrent, n'appartiennent pas au livre de l'aventure. La grande pêche utilisait depuis longtemps — dès les premières années du xviᵉ siècle certainement, et peut-être dans les dernières années du xvᵉ siècle — la route qu'a empruntée le

Malouin. À son premier voyage, l'homme est vieux pour l'époque : la quarantaine bien entamée ! S'il est le contemporain de François Ier, il a déjà 33 ans quand naît Ronsard. Le Breton regarde le paysage canadien, non avec les yeux de la science, qui dit-on caractérise la Renaissance, mais avec ceux de la tradition héritée du Moyen Âge. Il se confond en cela avec la foule des découvreurs et explorateurs, à l'exception de Verrazano, esprit que l'Italie a formé à la recherche systématique de la connaisssance. Mais, si les trois récits qu'il nous a légués reflètent une manière de percevoir les choses à un certain moment, l'émerveillement qu'ils contiennent traduit peut-être aussi le désir de se faire valoir et celui de convaincre le roi et les banquiers. Les rives du Saint-Laurent, artère du futur Canada : « Toute cette terre est couverte et pleine de bois de plusieurs sortes, et force vignes, excepté à l'entour des peuples, laquelle ils ont défrichée pour faire leur demeure et labour. Il y a grand nombre de grands cerfs, daims, ours et autres bêtes. Nous y avons vu les pas d'une bête qui n'a que deux pieds, laquelle nous avons suivie longuement sur le sable et la vase, laquelle a les pieds de cette façon, grands d'une paume et plus. Il y a force loirs, castors, lapins, écureuils, rats, lesquels sont d'une grosseur surprenante, et autres sauvagines. [...] Il y a aussi grand nombre d'oiseaux, savoir : grues, outardes cygnes, oies sauvages, blanches et grises, canes, canards, merles, mauvis, tourterelles, ramiers, chardonnerets, tarins, serins, linottes, rossignols, passe-reaux, et autres oiseaux comme en France. [...] Cedit fleuve est plus abondant de toutes sortes de poissons qu'on n'ait jamais vu de mémoire d'homme ni ouï-dire ; car depuis le commencement jusqu'à la fin vous y trouverez, selon les saisons, la plupart des sortes et espèces de poissons de la mer et de l'eau douce. » Suit alors une énumération impressionnante : baleines, marsouins, maquereaux, mulets, bars, sandres, grosses anguilles, éperlans, lamproies, sau-mons, brochets, truites, carpes, brêmes et infinité d'autres. Dans ce merveilleux se cache une arrière-pensée pratique : la promesse de l'abondance aux colons qui viendraient s'établir. La propagande par les enjolivements.

Un accent d'étrange et de fantastique glisse sous la plume du navigateur. Un seigneur indien, qui a visité le Saguenay, patrie de l'or, des rubis et autres richesses, « dit avoir vu d'autres pays, où les gens ne mangent point et n'ont point de fondement et ne digèrent point ; mais font seulement de l'eau par la verge. De plus, il dit avoir été dans un autre pays de Picquenyans, et dans un autre où les gens n'ont qu'une jambe, et autres merveilles, longues à raconter. » Propos communs de la Renaissance, où la modernité fuit également l'Indien et le Français. Quant aux indigènes du lieu, les uns montrent de la gentillesse, les autres de la méchanceté. « Ces gens-là se peuvent appeler sauvages, car ce sont les plus pauvres gens qui puissent être au monde ; car tous ensemble ils n'avaient pas la valeur de cinq sous, leurs barques et leurs filets de pêche exceptés. Ils sont tous nus, sauf une petite peau, dont ils couvrent leur nature, et quelques vieilles peaux de bêtes qu'ils jettent sur eux en travers. » À ce premier portrait, Roberval ajoutera une touche. « Ils sont blancs, mais vont tout nus : et s'ils étaient vêtus à la façon de nos Français, ils seraient aussi blancs et auraient aussi bon air. » Comme quoi, différences raciales et hiérarchies sociales se confondraient : un thème que les métis de toute couleur exploiteront à leur avantage. Le Malouin s'accommode de la population américaine par nécessité et résignation. Que de vices ne lui reproche-t-il pas ? Ils sont larrons, traîtres et méchants. Pis, « ce peuple n'a aucune croyance en Dieu qui vaille. » De surcroît, il « vit quasi en communauté de biens, un peu comme les Brésiliens. » Enfin, les Indiens « gardent l'ordre du mariage, sauf que les hommes prennent deux ou trois femmes ». Le navigateur a trop les pieds sur terre pour tirer de ces observations une utopie à prétention philosophique. Il tire la leçon du rapport de forces qui s'étale sous ses yeux, dans les termes que sa culture lui propose. « De ce que nous avons connu et pu comprendre de ce peuple, il me semble qu'il serait aisé à dompter, de la façon et la manière que l'on voudrait. Dieu, dans sa sainte miséricorde, y veuille porter son regard. Amen. » Dans cette contrée d'incroyants, de communistes, de polygames, bref, d'individus perdus dans les ténèbres, il s'impose d'apporter d'urgence les secours de la religion, les bienfaits de la sujétion et de la colonisation.

Établir une colonie dans un pays tempéré ou chaud pose des problèmes nombreux et longs à résoudre. Mais le Canada échappe aux catégories des climats doux ou torrides. Si l'été, le blé y mûrit comme en France, l'hiver étend des rigueurs inconnues. Cartier en fait la douloureuse expérience à la fin de l'année 1535 et au début de l'année 1536, au havre de Sainte-Croix, à proximité de la future Québec. « Depuis la mi-novembre jusqu'au quinzième jour d'avril, nous avons été continuellement enfermés dans les glaces, lesquelles avaient plus de deux brasses d'épaisseur, et sur la terre il y avait la hauteur de quatre pieds de neige et plus, tellement qu'elle était plus haute que les bords de nos navires ; lesquelles ont duré jusqu'au jour dit, de sorte que nos breuvages étaient tous gelés dans les futailles. Et dans nos navires, tant en bas qu'en haut, la glace était contre les bords à quatre doigts d'épaisseur. Et tout le fleuve était gelé, autant qu'il contient de l'eau douce, jusqu'au-dessus d'Hochelaga (Montréal). » À l'évidence, la route de Terre-Neuve n'a pas conduit le Breton vers la côte la plus hospitalière. Verrazano aura vainement exploré le littoral des États-Unis d'aujourd'hui, de ce que la Couronne anglaise appelait les Treize Colonies du XVIIᵉ siècle à la guerre d'Indépendance d'Amérique. Avec Cartier, que suivra Champlain, la France fait le mauvais choix, consacrant ses efforts à une aire d'action ingrate plutôt qu'à des terres accueillantes. Pour l'heure, la faillite des premières expéditions interrompt l'aventure des lys au Canada pour plus d'un demi-siècle.

Les désastreux affrontements franco-ibériques

La déconfiture canadienne ne suspend pas les relations de la France avec les mondes nouveaux. Les ports du royaume les poursuivent au travers des errements traditionnels, grâce à la pêche en Amérique du Nord, par l'intermédiaire de l'interlope, ou des corsaires en temps de guerre, sur les côtes d'Afrique et du Brésil, ainsi que dans la mer des Antilles prise dans ses dimensions les plus vastes.

La contrebande, la course ou la piraterie se heurtent au monopole ibérique, que François Ier avait reconnu dans le traité de Crépy. Les Français ne respectent pas leur engagement, aussi Espagnols et Portugais organisent-ils une véritable police de l'Atlantique, mais insuffisamment efficace. Alors, à la trêve de Vaucelles, Henri II et Philippe II s'accordent sur un compromis qui ne protège pas les intérêts coloniaux de Lisbonne. Les choses suivent leur cours, l'interlope prospère. L'exotisme est à la mode en Normandie : Gonneville, qui a ramené Essoméricq de son aventure brésilienne, donne sa fille en mariage à l'Américain ; dans les villes apparaissent des motifs ornementaux qui évoquent l'Afrique et les Indes ; et à Dieppe, la sculpture de l'ivoire, appelée à un grand et brillant avenir, prend un essor remarqué. Cet engouement pour les nations lointaines s'extériorise dans une fête brésilienne, que la ville de Rouen offre à Henri II et à Catherine de Médicis en 1550. Une cinquantaine d'Indiens « tous nus », des singes et des perroquets animent une reconstitution de village tropical sous les yeux admiratifs du public. La simulation d'un combat entre Sauvages, armés d'arcs et de flèches, arrache des cris d'enthousiasme. Il existe une tradition brésilienne en France, déjà cinquantenaire, qui, ajoutée à une volonté d'expansion au-delà des mers, porte la terre des Indiens à l'ordre du jour. Mais à cet instant le conflit religieux s'allume dans le royaume, tandis qu'au Brésil même, jusque-là négligé par Lisbonne, Jean III reprend les choses en main grâce à l'énergie de Tomé de Souza.

Dans un climat de tension, engendré par l'assaut protestant contre la monarchie catholique qui dégénérera bientôt en guerre civile, Durand de Villegagnon quitte Le Havre, le 12 juillet 1555, à destination du Brésil, où l'on juge que l'occupation portugaise est insuffisante. Il emmène sur ses deux navires un groupe hétéroclite de colons, où catholiques et protestants se côtoient. Le commandeur de Malte, après maintes péripéties, entre dans la baie de Guanabara (Rio de Janeiro), le 10 novembre. Contrairement à toute attente, il ne s'établit pas sur la côte, mais s'enferme dans une petite île, dont il organise la défense, et à laquelle il donne le nom de Fort-Coligny. Très vite, la maladie décime la petite colonie et la dispute la divise. Villegagnon, personnage complexe, entretient dans le royaume de bonnes relations tant avec le parti catholique qu'avec la faction protestante, et, au Brésil, paraît vouloir aménager un refuge à l'intention de « tous ceux qui s'y voudraient retirer pour éviter les persécutions ». Mais sous le prétexte de soumettre ses compagnons aux exigences de la morale, il fait venir des affidés de Calvin, répudiant ainsi toute vocation éventuelle à la tolérance. De Malte atlantique, l'*île aux Français* devient une nouvelle Genève. Le commandeur suit un chemin déroutant. Alors qu'il semble avoir rallié la Réforme, le voilà qui recouvre l'ardeur de sa première foi, et qui, renonçant à son projet de colonisation, se déchaîne contre l'hérésie. Les esprits s'échauffent, la révolte sourd, les désertions se multiplient. En 1559, alors que les Genevois s'en étaient retournés chez eux, Villegagnon rentre en France brusquement. Pourquoi ? Vraisemblablement pour se disculper de tout ralliement au calvinisme, et probablement aussi pour recruter des renforts que les jésuites auraient encadrés. Cette démarche intervient à un mauvais moment — avènement de François II et conjuration d'Amboise — et, surtout, elle vient trop tard. En effet, le 16 mars 1560, Mem de Sà, gouverneur portugais du Brésil, s'emparait du Fort-Coligny et rendait grâces à Dieu de lui avoir donné la victoire sur les hérétiques. La colonie de la *France antarctique* était définitivement rayée de la carte, et les vainqueurs s'attelaient aussitôt à la construction de la ville de Rio de Janeiro. Heureusement, le souvenir de cette malaventure, ainsi que celui de la découverte du Brésil et des Brésiliens nous ont été transmis, notamment, par l'œuvre du cordelier André Thevet et du huguenot Jean de Léry.

Derrière cette expédition nationale — comme le seront les deux tentatives de colonisation en Floride — se tient un homme à la personnalité et à l'action mal connues : Gaspard de Coligny, sire de Châtillon. Ce brillant officier est élevé par Henri II à la dignité d'amiral de France, en 1552. Devenu proche conseiller de la cour, Coligny encourage ouvertement une politique d'expansion vers les nouveaux continents. Il poursuit en cela la stratégie de François Ier, qui ne voulait pas être exclu du « Testament d'Adam ». En Floride, il va ouvrir un deuxième front, qui ne se réduit pas à une diversion, dans le conflit qui oppose la France à l'Espagne pour encore un siècle. Jusque-là l'amiral se conduit en loyal serviteur du roi, mais bientôt les choses se compliquent. Il considère le développement de l'hérésie avec compréhension et sympathie, avant de passer à la Réforme dans les années 1559-1560, dont il devient l'un des chefs, réclamant la liberté publique des cultes. Les guerres de Religion commencent à embraser la France en 1562, avec de-ci de-là des moments de répit jusqu'à l'édit de Nantes. Ainsi, de temps à autre, Coligny prend les armes contre son souverain et parfois reçoit des subsides étrangers. Pour être une tête politique, l'amiral n'en est pas moins un rebelle et un traître. Calvin avant les Valois ! D'où une politique coloniale ambiguë, dont on ne sait plus très bien si elle sert les intérêts du royaume, ou ceux du parti protestant, ou les deux réunis. C'est, semble-t-il, cette dernière hypothèse qu'adopte le pasteur Jean de Léry dans son *Histoire d'un voyage fait en la terre du Brésil*. Dans la préface, il assure que le voyage de Villegagnon fut préparé « pour établir le pur service de Dieu, tant entre les Français qui s'y étaient retirés, que parmi les Sauvages habitant en ce pays-là », affirmant, au sujet du sire de Châtillon « qu'il y ait jamais eu capitaine français et chrétien, qui tout à une fois ait étendu le règne de Jésus-Christ roi des rois, et seigneur des seigneurs, et les limites de son prince souverain en pays si lointain ». Faire du prosélytisme protestant, tout en servant un roi, dont les huguenots contestent l'autorité, relève du funambulisme : la Saint-Barthélemy fut au bout.

Renonçant, au moins momentanément, à croiser le fer avec le Portugal, à cause de l'anéantissement des plans de Villegagnon, Coligny adopte une stratégie coloniale anti-espagnole. Sur ses ordres, le Dieppois et protestant Jean Ribault quitte sa Normandie pour la Floride, où la présence, et encore moins l'occupation madrilène n'ont pas un caractère permanent, le 18 février 1562. Le 1er mai, c'est l'entrée dans la Saint-John's River, et la prise de possession symbolisée par l'érection d'une colonne de pierre aux armoiries de France. Après une brève reconnaissance et une prise de contact encourageante avec les Indiens, Ribault et son second, René de Laudonnière également huguenot, réunissent une trentaine de volontaires dans une île, en un emplacement qu'ils appellent Charlesfort, puis partent pour la France, le 11 juin, afin d'y recruter des renforts. À leur arrivée, le royaume est déchiré par la guerre religieuse. Ribault se bat aux côtés de ses coreligionnaires, refuse de servir son roi en Amérique pour se rapprocher d'Élisabeth Ire, avant de s'en séparer définitivement. Pendant ce temps, à la Floride, la situation s'avilit. Refus de cultiver la terre — comme au Brésil —, brouilles avec les Indiens, mutinerie, et finalement retour improvisé sur une mauvaise embarcation que les Anglais capturent. Cette première expédition se dissout lamentablement. Coligny ne cède pas sous le coup de ce revers. Au contraire, l'édit d'Amboise (19 mars 1563) ramenant la paix pour un temps, il revigore son dessein initial : établir une colonie française dans une région tropicale de l'Amérique d'où, en liaison avec notre flibuste déjà active, il serait possible de menacer les convois de galions. L'amiral confie, en 1564, la responsabilité de trois navires et de trois cents hommes à Laudonnière. Celui-ci entre dans la Saint-John's River (ou rivière de May, du mois de la découverte), le 25 juin 1564. Une deuxième fois, les colons refusent leurs efforts à la mise en valeur du pays. Ils consentent à construire le fort de la Caroline, mais sitôt après s'abandonnent aux vieux démons : disputes avec les Indiens, révoltes, tentatives malheureuses de piraterie, famine, revendications d'un départ immédiat pour la France. À ce moment s'ouvre le troisième acte de cette pièce difficile. Ribault, dépêché par Coligny, débarque le 28 août 1565 entouré non seulement de soldats, mais encore de paysans, d'artisans, de femmes et d'enfants. Enfin, les éléments constitutifs d'une colonie sont réunis. C'est compter sans Philippe II d'Espagne qui est aux aguets. Le souverain madrilène a confié, dès le mois de mars, la mission d'extirper l'hérésie française à un nouveau gouverneur général de la Floride, Menéndez de Avilés. Les ordres sont exécutés avec célérité et brutalité. Le 20 septembre, le fort de la Caroline est enlevé. Une cinquantaine de femmes et d'enfants ont la vie sauve, mais 132 hommes sont massacrés. Les survivants sont mis à mort à Matanzas, ou bien ailleurs. Jean Ribault lui-même, si fier de son titre de lieutenant du roi en « Neufve France », est exécuté.

Menéndez a triomphé. Seuls quelques Français échappent au carnage : les uns se retirent parmi les tribus, les autres, un petit nombre, réussissent à gagner l'Europe, parmi eux Laudonnière. Le fort de la Caroline est rebaptisé San Mateo. La colonisation française de la Floride meurt, noyée dans le sang, avant que d'avoir vu le jour. En 1568, néanmoins, les Français apparaissent une dernière fois sur ce littoral où ils ont laissé tant des leurs : le coup de main de la vengeance. Dominique de Gourgues, capitaine gascon, mort catholique, mais peut-être protestant lors de sa descente, ou tout au moins entouré de réformés, se jette sur les forts San Gabriel et San Estebàn et laisse sa troupe châtier, sans pitié, les Espagnols de leurs « inhumaines cruautés et penderies ». Après Verrazano, Cartier, Thevet et Léry, l'aventure lointaine et politique de la Floride n'est pas sans donner naissance à des témoins particuliers. En 1563, Jean Ribault publie à Londres *La complète et véridique découverte de la Terra Florida, concernant la nature et mœurs merveilleusement étranges de ce peuple et les merveilleux trésors et commodités de ce pays.* Ce texte, écrit en français par un homme qui a dépassé la quarantaine — nos explorateurs sont vieux —, puis édité en anglais, appartient au Moyen Âge par de nombreux côtés : la perpétuelle recherche et découverte de pays édéniques, la féerie du Paradis rencontré et de l'or à exploiter. En 1586, Basanier, gentilhomme français mathématicien, divulgue une *Histoire notable de la Floride située ès Indes Occidentales,* qui contient les voyages de Laudonnière et de Gourgues.

L'idée coloniale fait son chemin. Ainsi, en 1569, Montluc, homme de toutes les guerres de son temps, insiste auprès du roi : plutôt que de renouveler les croisades en Terre sainte, « il vaudrait mieux s'exercer comme fait le roi d'Espagne aux nouveaux mondes ». Le maréchal sait de quoi il parle. Son fils n'a-t-il pas emprunté, en 1566, l'itinéraire qui conduit au « Royaume des Nègres » ? En effet, le jeune capitaine, « se voyant inutile en France, pour n'être courtisan, et ne sachant nulle guerre étrangère où s'employer, conçut une entreprise sur mer pour tirer [aller] en Afrique et conquérir quelque chose : et pour cet effet, suivi d'une belle noblesse volontaire [car il avait plus de trois cents gentilshommes] et d'un nombre des meilleurs soldats et capitaines qu'il put recruter, s'embarqua à Bordeaux, avec six navires aussi bien équipés qu'il était possible. Je ne veux pas m'arrêter plus longuement sur le dessein de cette entreprise, en laquelle il perdit la vie, ayant été emporté d'une mousquetade en l'île de Madère, où il fit descente pour faire aiguade ; et parce que les insulaires ne voulaient permettre de rafraîchir ses vaisseaux, il fallut courir aux mains à leur perte et ruine. » Ce Gascon catholique, encouragé et défendu par le très protestant Coligny, voulait créer, selon Ch.-A. Julien, « une base africaine qui pût permettre d'intercepter le trafic des épices ». Le maréchal, père du héros infortuné, garde le silence sur l'objet précis de l'expédition. « Le dessein de mon fils n'était pas de rompre rien avec l'Espagnol, mais je voyais bien qu'il était impossible qu'il ne donnât là ou au roi de Portugal ; car, à voir et ouïr ces gens, on dirait que la mer est à eux. » Rien de plus sur cette affaire, qui se termine quand même par le sac de Funchal, « parce que peut-être la Reine [Catherine de Médicis] la renouera quelque jour ». Dans l'immédiat, les deux souverains ibériques se plaignent vivement à la cour de France. Charles IX et sa mère désavouent vivement les auteurs des violences de Madère. Mais quand le roi pardonne, en mai 1567, Sébastien de Portugal rompt les pourparlers de mariage avec Marguerite de Valois. Singulière étrangeté, la France ne rééditera pas avant le XIXe siècle une tentative d'implantation en Afrique, aussi massive.

Quelques années après la mort du capitaine de Montluc, Catherine de Médicis croit faire pression sur Madrid en revendiquant ses droits à la couronne du Portugal, devenu vice-royauté espagnole en 1580. Philippe II ne prête aucune attention à ces prétentions abusives. Alors, la reine mère, en 1582, commande à son cousin Philippe Strozzi d'aller occuper Madère, les îles du Cap-Vert, les Açores et le Brésil, avec l'arrière-pensée de troquer ce butin contre le mariage du duc d'Anjou avec une infante, qui aurait apporté les Pays-Bas en dot. L'amiral, un titre de vice-roi en poche et à la tête d'une soixantaine de navires et de quelque 6 000 soldats, dont 1 200 gentilshommes, s'empare de São Miguel des Açores, mais aussitôt après est anéanti par la flotte du marquis de Santa Cruz. L'année suivante, Aymar de Chaste, commandeur de l'île de Malte, suivi de près de 3 000 hommes, est battu lui aussi par Santa Cruz. La France échoue chaque fois qu'elle s'en prend au monopole colonial ibérique, que ce soit au Brésil, à la Floride, à Madère ou aux Açores. Cette incapacité à ouvrir une brèche dans l'empire mondial de Philippe II, s'aggrave d'autant plus que les dissensions intérieures, où l'Espagne soutient les catholiques et Londres les protestants, donnent une liberté d'action complète à l'ambition des Hollandais et des Anglais. Malgré ces déboires paralysants, l'objet de la colonisation, bien qu'il n'ait jamais été absent des esprits par le passé, se précise. Selon Jean Ribault, il faut que « la France puisse un jour, par le moyen de nouvelles découvertes, connaître des régions nouvelles et y gagner (par un trafic assidu) de riches et inestimables commodités. » Les Français se doivent de conquérir « pour l'honneur et le mérite de leurs rois et princes et aussi pour en tirer grand profit et avantage pour leurs États », ainsi que « pour procurer à nombre de gens, vivant bestialement et dans l'ignorance de Jésus-Christ, quelque connais-sance de ses lois et ordonnances sacrées ». Avec Laudonnière, sous la plume de Basanier, les motivations expriment l'individuel, sans toutefois exclure le collectif. « Il est quelquefois bon, voire expédient, explique-t-il, d'envoyer des hommes découvrir l'aisance et la commo-dité des terres étrangères : mais en telle sorte, que le pays duquel ces troupes sortent, ne demeure affaibli ni privé de ses forces ; en sorte aussi que la troupe envoyée soit de si juste nombre, qu'elle ne puisse être rompue par les étrangers. » Enfin, en 1566, Le Challeux fait parler le petit peuple, tous ceux que le grand départ avait fait rêver et que l'expérience a brisés. Beaucoup de sincérité dans la désillusion, dans l'amertume : « Quand non contents de notre vocation, nous sommes emportés de nos désirs, nous faisons ce que le Seigneur nous défend, voire aussi ce qui n'est aucunement nécessaire. Car qu'avait affaire l'artisan de quitter sa boutique, le père de famille sa chère femme, ses doux enfants, son pays, ses biens vrais et propres pour en aller chercher de faux et étranges, tâchant à prendre les ombres et se laissant traîner d'aveugles fureurs ? »

Bilan colonial français du xvie siècle

Les malheurs canadiens — difficultés avec les tribus, froid, scorbut qui décime une expédition de Cartier et celle de Roberval —, les misères brésiliennes et floridiennes — équivoque religieuse, impi-toyable réaction des Ibériques —, ont débouché sur des catastrophes qu'aucune possession ultra-marine ne compense. Cependant derrière ce solde négatif, les raisons d'espérer ne manquent pas. Sur le plan international, Portugais et Espagnols sont contestés dans leur mono-pole, mais la concurrence reste ouverte, ne souffrant d'aucune menace de domination prochaine de la part de l'Angleterre et des Provinces-Unies. Rien n'est encore joué, la France n'a pas abattu ses dernières cartes. Au contraire, pendant ce xvie siècle difficile, elle apprend la mer et la marine. Elle pêche et fait commerce très loin de ses ports. Elle commerce frauduleusement sur les côtes d'Afrique, du Brésil, de l'Amérique espagnole, mène flibuste et traite négrière dans la mer des Antilles ; enfin, elle est présente dans la Méditerranée. La France a aussi découvert l'exploration des terres nouvelles, et, peut-être plus par souci de tenir son rang noblement que par préoccupation de participer à l'élaboration de la nouvelle géopolitique mondiale, elle invente la théorie de l'occupation effective et affirme sa volonté d'expansion. Elle sait tirer les leçons de ses déboires. Si le drame de la Floride marque la fin du xvie siècle colonial français, il bouleverse la nature des motivations qui incitent à la conquête et aux établissements humains. Désormais, on ne cherche plus or, argent, pierres précieuses, comme en exploitent les Espagnols, mais on pense aux cultures et au commerce de ces denrées et produits chers, comme le sucre, qui font la fortune des îles atlantiques et du Brésil.

L'incapacité de la monarchie à réaliser un projet de colonisation, ses difficultés continentales, guerres étrangères et de Religion, attribuent à la France un bilan colonial apparemment maigre. Si l'État est paralysé ou échoue dans ses tentatives, si Ango, après le succès, sombre dans l'infortune, tous les ports de l'Atlantique et de la Manche ne demeurent pas inactifs, pétrifiés par quelque malédiction. Michel Mollat a montré qu'à Rouen, en 1477-1478, sur un total de 469 navires entrés, plus d'une centaine venaient d'Espagne et du Portugal où ils avaient chargé des articles exotiques : produits tinctoriaux, sucre et épices. Dès les premières années du xvie siècle, l'industrie rouennaise fabrique des tissus de couleurs vives pour les pacotilles et l'approvisionnement des colonies, dont des navires espagnols viennent prendre livraison. Les places maritimes de l'Atlantique et de la Manche, bien placées sur la route qui mène de Séville et Lisbonne aux Pays-Bas, ne se contentent pas d'emplir les navires étrangers de leurs draps, elles passent à l'action. Bretons et Normands se rendent aux Canaries, aux Açores, à Madère, au Maroc, rapportant sucre, mélasses et dattes : un trafic à grands risques mais à gros profits. Les Rouennais, dans les années 1526-1527, renouent avec la tradition abandonnée de Paulmier de Gonneville : tout comme les Dieppois, les Honfleurais et les Bretons, ils envoient des bâtiments vers le Brésil d'où ils reviennent avec des cargaisons de bois rouge que les drapiers utilisent pour la teinture de leurs draps « écarlate ». Ce mouvement maritime s'amplifie et s'étend : on arme pour la Guinée, l'Afrique orientale, l'Inde et, vers une région proche du Brésil, la mer des Antilles. Des statistiques précises, constituées avec patience par Philippe Barrey, révèlent que, derrière les malheurs où le conflit religieux plonge et déchire la France, les armateurs ne s'abandonnent pas aux plaintes ni aux lamentations, et loin de cesser leurs activités, au contraire, les multiplient. Ainsi Le Havre envoie-t-il 115 navires au Maroc, de 1568 à 1610 : soit en 42 ans, une moyenne annuelle proche de 3 armements ! De 1571 à 1610, le port normand arme : 147 bâtiments pour l'Afrique et le Pérou*, 80 pour le Brésil, 81 pour l'Afrique et le Brésil, 7 pour le Brésil et le Pérou et 48 pour le Pérou : soit, en 39 ans, un trafic afro-américain de 363 navires, qui représente une moyenne annuelle supérieure à 9 armements ! Malgré les déchirements qui affaiblissent la nation et annihilent le roi, la France atlantique est présente sur toutes les routes maritimes et sur les côtes de tous les continents. Comme J.-P. Moreau l'a montré dernièrement, les capitaines français ont sillonné la mer des Antilles pendant tout le XVIe siècle. Un point très encourageant, car il ne peut y avoir de colonies sans marine de haute mer. Le royaume possède les armateurs et les marins, indispensables à toute expansion au-delà des mers. Saura-t-il les utiliser ? La France parisienne réussira-t-elle à faire siennes l'intelligence et la vigueur d'une France maritime qui veut sa part de grand commerce, donc de colonies ? Le roi, dans le cadre d'un projet politique national de colonisation, préférera-t-il aider et stimuler les ports, dont aucun n'atteint les dimensions d'une métropole commerciale, mais où le capitalisme lyonnais et parisien investissent, ou voudra-t-il soumettre leur activité à sa domination ? Le dirigisme économique, corollaire de l'absolutisme politique, tolérera-t-il que le grand commerce maritime se développe dans un régime de liberté, fût-il orienté comme pendant la Renaissance ? Telles sont les questions qui se posent.

---

* Le Pérou désigne les Antilles.

CHAPITRE II

Empire colonial de Colbert
et premières victoires anglaises

Quand, en 1580, Philippe II, arguant de ses droits à la succession au trône portugais, s'approprie la monarchie maritime, il met la main, à la fois sur le commerce de Lisbonne — 700 navires l'an, dont 200 appartiennent à la Hanse et les autres à l'Angleterre et à la France —, sur le trafic des épices, et sur le gigantesque empire colonial lusitanien. Ce faisant, Madrid devient la capitale de l'État le plus énorme et le plus riche du monde. En France, la guerre civile dévaste toujours les provinces, mais grâce au sens politique d'Henri III et au propre talent d'Henri IV, elle s'achève avant que le siècle ne ferme ses portes. En 1598, dix ans après la défaite de l'Invincible Armada, le Bourbon ajoute à la pacification intérieure la cessation des hostilités avec l'Espagne. Le traité de Vervins, toutefois, n'ouvre pas les mondes nouveaux à l'appétit national. Reprenant une clause verbale et secrète du traité du Cateau-Cambrésis (1559), il confirme qu'au-delà de la ligne des Amitiés, sorte de longitude passant par les Canaries, les navires français pourront être saisis comme pirates. Malgré cette menace, une soixantaine de ports de pêche normands, bretons et basques arment pour Terre-Neuve et ses parages, parmi lesquels Rouen, Saint-Malo, Nantes, La Rochelle et Bordeaux font figure de grands centres. Sur les côtes canadiennes, les Français, malgré la situation intérieure et internationale, continuent, depuis Cartier et Roberval, la traite des fourrures avec les Indiens, remontant le Saint-Laurent même après Québec. Jacques Noël et Étienne Chaton de La Jannaye, descendants et héritiers de Cartier, obtiennent d'Henri III (1588) qu'il leur renouvelle le privilège de commerce qui avait été accordé au célèbre Malouin. Mesure qui fut aussitôt rapportée, à la demande des armateurs du grand port de la Manche. Des velléités, qui annoncent un avenir plus décidé, se font jour dans le domaine jusque-là si malheureux de la colonisation. Ainsi, le marquis de La Roche, un Breton, reçoit-il, le 3 janvier 1578, une commission où Henri III le nomme « Vice-Roy ès-dites Terres-

Neufves ». Il se fait confirmer dans sa qualité de lieutenant-général de l'Acadie, du Canada et des pays circonvoisins par Henri IV, l'année où est signé le traité de Vervins. À cette occasion est fondée la Compagnie du Canada et de l'Acadie. Cette société, que dirige La Roche, ressemble à celle qui avait été créée pour Roberval, et préfigure les grandes compagnies du xviie siècle et de la Régence, disposant de véritables compétences étatiques, comme celles de faire la guerre, de promulguer des règlements, de concéder des terres en fiefs, d'organiser le commerce, même à son profit exclusif. Cette entreprise, qui n'avait pas les moyens de son ambition, s'effondre sans avoir jamais pris vie. Toutefois, elle est le signe d'une volonté constante, profonde et redoublée d'expansion.

Le xviie siècle français : désordres, puissance, épuisement

Depuis la paix du Cateau-Cambrésis, l'annexion du Portugal et de son empire par Madrid, l'Europe et notamment la nation française déchirée vivent à l'heure des Habsbourg. Avec le début du xviie siècle la prépondérance espagnole amorce un lent déclin. Les Provinces-Unies vont obtenir la reconnaissance de leur indépendance, et les « rouliers des mers » se tailler un précieux domaine colonial : les Portugais vont recouvrer leur liberté (1640) et une grande partie de leurs possessions. Enfin, Anglais et Français dressent la tête et, comme les Hollandais, se posent en rivaux. Le monde sera européen, mais ne sera pas exclusivement espagnol. Ravaillac a fait entrer Henri IV dans la légende en l'assassinant. En effet, le roi s'apprêtait alors à entrer en guerre contre l'Empire. Il reviendra à Louis XIII et à Richelieu de lutter contre l'étreinte meurtrière de Madrid et de Vienne. Il leur incombera aussi de réduire les troubles protestants que soutiennent les Anglais. Dans une Europe secouée par l'agitation politique et religieuse, la guerre de Trente Ans oppose successivement les Habsbourg, les Danois, les Suédois et les Français. Louis XIII et Richelieu remportent une victoire posthume. La régente et Mazarin imposent les traités de Westphalie (1648) qui, en faisant de la France la garante des libertés germaniques, réalisent le vœu de la monarchie depuis François Ier : l'équilibre européen, c'est-à-dire, la prépondérance française. Après une Fronde périlleuse, l'Espagne est à son tour vaincue : le traité des Pyrénées (1659) marque la fin de l'hégémonie madrilène et l'avènement de la prédominance parisienne.

Mazarin, esprit ouvert et subtil pourtant, établira l'Angleterre dans l'Inde, à Bombay, et au Brésil, en poussant au mariage de Charles II Stuart avec une Bragance, en organisant l'alliance de Londres et de

Lisbonne contre Madrid, oubliant l'avenir colonial français. Le souci de pondérer les forces en Europe, tout en augmentant la puissance territoriale française, écarte la marine et l'expansion au-delà des mers des premières préoccupations et des financements urgents. Le choix continental fait loi. Louis XIV lui-même, dont la vision politique a souvent manqué de hauteur, avant que n'éclate la guerre de Succession d'Espagne, colle à la glèbe du sillon creusé par les traités de Westphalie et des Pyrénées. Quand en 1668, il négocie le partage espagnol avec l'empereur, quels territoires se réserve-t-il ? Les Pays-Bas, la Franche-Comté, la Navarre, Naples, la Sicile, et outre-mer... les présides d'Afrique et les Philippines orientales ! Étrange parti, quand l'essentiel de l'effort colonial porte sur l'Amérique ! Malgré une politique continentale, où la conquête s'allie à la recherche de la plus grande sûreté, malgré l'obsession du partage de l'Espagne européenne, qui cachera trop longtemps au Bourbon les puissants et multiples intérêts que l'empire colonial madrilène réunit, Colbert réussira non seulement à construire la plus grande marine de l'histoire nationale, mais aussi à organiser le premier grand ensemble colonial français des Temps Modernes. En 1683, quand le grand commis s'éteint, et que son fils Seignelay entreprend de rendre la flotte opérationnelle, les possessions existent dans leurs plus grandes dimensions. La dislocation commencera sa besogne quelques années plus tard. La situation internationale, en effet, malgré une guerre de Dévolution aisée, une guerre de Hollande difficile mais payante, bascule le jour où les Hanovre succèdent aux Stuart sur le trône d'Angleterre (1714). Dès lors, les Anglais se coalisant avec les Autrichiens entament une seconde guerre de Cent Ans. Contre la ligue d'Augsbourg, puis pour la succession d'Espagne, la France vit les vingt-cinq dernières années du règne de Louis XIV dans un déchaînement périlleux d'hostilités où elle perdra son rôle dominant au profit de l'Angleterre et de l'Autriche.

Dans ce XVIIe siècle tourmenté, où l'idée impériale disparaît à tout jamais, où même l'alliance des Habsbourg s'affaiblit à cause de la fragilité dynastique madrilène, où les États nourris de nationalisme politique et économique imposent leur réalité, que représente la France regardée de l'intérieur et comparée aux pays qui l'entourent ? La démographie, pendant le premier tiers du siècle, donne le sentiment d'un renouveau fécond, avant de s'enfoncer dans la grisaille d'une stagnation, secouée de crises climatiques et épidémiques, de l'approvisionnement et des prix. Le royaume, avec sa bonne vingtaine de millions d'habitants, figure en tête du palmarès européen. Les Habsbourg de Vienne recensent huit millions de sujets, ceux de Madrid six, Londres réunit cinq millions d'Anglais, trois d'Irlandais et un d'Écossais, tandis que le Danemark et la Suède, alliée nordique de la France, ne rassemblent que trois millions d'habitants, et les Provinces-Unies, nouvelle grande puissance, deux seulement. Le poids du nombre permettra à Louis XIV de mener sa politique étrangère ambitieuse. Mais les grandes mortalités, qui interdisent la progression de la démographie nationale, invitent ceux qui sont las des accidents climatiques, des pestes, des guerres, des conflits religieux, des disettes et de la cherté des prix, à l'émigration au-delà des mers. Cela dans un cadre proportionnel au flux global des Français vers les colonies, qui, jusqu'en 1815, doit évoluer entre 150 et 200 000 personnes, à condition de ne pas omettre les militaires. Mouvement très limité quand on le compare aux migrations des autres métropoles européennes : deux millions de départs en Espagne, quelque 1 800 000 en Angleterre, 1 500 000 au Portugal. Au-dessous du seuil français, ne subsiste que la Hollande dont le nombre d'expatriations tourne autour des cent mille. L'économie française repose essentiellement sur l'agriculture. La France économique du XVIIe siècle, Pierre Goubert la caractérise brièvement : « un terroir agricole riche et varié, un retard technique considérable, une fortune nationale importante, mais dormante. » Colbert voudra exploiter au mieux ces gisements de richesses. Cette brute de travail, fascinée par l'insolente fortune des Provinces-Unies — Amsterdam ne devient-elle pas la capitale du monde des affaires de 1650 à 1780 ! —, et voulant imposer au royaume le modèle hollandais, met la France en règlements, pour échouer, en partie. Ce résultat, que les guerres expliquent partiellement, est attribué généralement à l'idéologie mercantiliste du ministère, à défaut de l'imputer à une pénurie des métaux précieux qui n'a jamais duré qu'une dizaine d'années (1646-1655), au temps de Mazarin. Vouloir opposer protectionnisme et liberté du commerce est un faux problème. Les États, qui clament le plus fort leur attachement à la théorie du libre-échange, sont ceux qui en appellent à l'intervention gouvernementale pour fermer les frontières, dès que leurs intérêts sont trop sérieusement menacés.

Les nouvelles puissances coloniales : Hollande et Angleterre

Les Hollandais ont beaucoup appris au contact des Ibériques. Ils s'inspirent de leur modèle pour mieux réussir dans l'aventure où ils s'engagent. Ils ont compris que les grandes marines du large permettent la conquête des vastes empires coloniaux. Or ne sont-ils pas déjà, et le devenant chaque jour davantage, les « rouliers des mers » ? Ils ont appris que l'exploitation de possessions lointaines réclame un puissant outil de gestion. À cette fin, ils ont créé la Compagnie des Indes orientales, en 1602, sur l'initiative du Grand Pensionnaire Van Oldenbarnevelt, puis, en 1621, sous l'impulsion du négociant anversois Usselinx, la Compagnie des Indes occidentales, au capital de sept millions de florins. Mais où les Néerlandais vont-ils porter le fer ? La situation internationale le leur indique. Dans le domaine exotique de ce Portugal que l'Espagne a annexé. Ainsi, feront-ils d'une pierre deux coups. Ils attaqueront des colonies affaiblies, désorientées par la domestication de leur métropole, et, par là même donneront un deuxième front à leur guerre d'indépendance contre le monarque madrilène. Les événements les aident : 1588 sonne le désastre de l'Armada. La route portugaise à laquelle Van Linschotten, en 1582, et Houtman, en 1592 et 1595, se sont familiarisés, est de plus en plus fréquentée par les Hollandais qu'attire l'Asie. De 1598 à 1602, 65 navires, envoyés en 14 flottes, l'empruntent. La trêve de Douze-Ans, suspendant les hostilités entre l'Espagne et les Provinces-Unies, est alors signée (1609). La Compagnie des Indes orientales voit dans cette paix une occasion inespérée de livrer sans risque une guerre géo-économique de vaste envergure. En 1600, les Néerlandais touchent le Japon, où ils seront les seuls Européens à posséder un comptoir, et explorent systématiquement les côtes asiatiques pour s'assurer le contrôle des passages et sites stratégiques. Ils s'établissent aux Moluques, bousculant les Portugais et aussi les Anglais, à Java et à Sumatra, fondent Batavia, l'Amsterdam de l'Extrême-Orient. Tenant l'Insulinde, ils participent nécessairement à ce large mouvement d'échanges qui relie l'Inde, la Chine et le Japon. Se substituant méthodiquement aux Portugais, insuffisamment nombreux et peut-être trop créolisés, ils s'installent à Mazulipatam, à Sūrat, Negapatam, Calicut, Ceylan, patrie de la cannelle et des pierres précieuses, à Malacca et au Cap ! Ils dominent la mer des Indes jusqu'au Pacifique, où, après Houtman, Tasman va reconnaître la Nouvelle-Guinée et le littoral septentrional de l'Australie, à quoi il ajoute la découverte de la Nouvelle-Zélande et de la Tasmanie.

L'Empire hollandais d'Asie ressemble à celui des Lusitaniens en ce qu'il est une espèce de thalassocratie, d'entrelacs de comptoirs éloignés les uns des autres, mais il s'en différencie par son architecture, qui s'appuie sur un noyau dur et cohérent — îles de la Sonde et Moluques —, et par son économie, qui ne repose pas sur le seul paiement de droits, mais sur la nationalisation sévère des cultures et des marchés, et ce île par île, afin d'obtenir les plus forts prix de vente. Les Néerlandais veillent aussi à conserver intact — contrairement aux Portugais — leur monopole sur les épices fines (noix de muscade, clous de girofle, macis et cannelle), dont le rapport est élevé, alors que celui du poivre connaît des défaillances. Faible poste à l'exportation vers l'Europe du XVIIe siècle qui les découvre : le thé et le café. Au contraire, une rubrique est en plein essor, celle des textiles, cotonnades indiennes et soies de Chine et du Bengale. Enfin, d'autres articles apparaissent dans les cargaisons, que la mode louis-quatorzienne adopte aussitôt : la laque, la porcelaine, et plus généralement les chinoiseries qui submergeront le XVIIIᵉ siècle. Si les Provinces-Unies s'enrichissent en vendant à l'Europe poivre et épices — encore que le commerce vénéto-arabe ait repris après seulement quelques années d'interruption — tissus et autres précieusetés, elles trouvent le pactole dans l'immense marché régional dont elles occupent le centre, le fameux commerce d'Inde en Inde. Mais pour faire valoir ce réseau aux innombrables ramifications, il faut des métaux précieux : argent d'Amérique, or et argent de la contrée. La Compagnie des Indes orientales, en imposant son protectorat militaro-marchand sur l'Insulinde et les Moluques, en exploitant des liaisons commerciales hautement rentables, est devenue, comme le disait H. Hauser, une des grandes puissances du monde. Les Portugais sont anéantis : en Asie, ils ne conservent que Goa et Macao ; en Afrique orientale, soumis à la double pression des Arabes et des Hollandais, ils doivent battre en retraite de Mogadishu jusqu'au cap Delgado et se cantonnent dans la région du Zambèze, se maintenant à Mozambique et à Sofala.

Les Néerlandais vont-ils se consacrer exclusivement à la gestion de leur empire asiatique ? Non, les girofliers d'Amboine, le macis et la noix muscade de Banda, la cannelle de Ceylan, le sucre et le café de Java, sans compter les cotonnades, soieries et porcelaines ne leur suffisent pas, ils rêvent des horizons américains. N'en ont-ils pas les moyens ? En 1609, ils créent la Banque d'Amsterdam, qui fait tout à la fois dépôt, change et paiement, car cette métropole qui règne sur le commerce international reçoit beaucoup de l'argent extrait des mines américaines. Ils mettent en œuvre — la trêve de Douze-Ans venant à expiration et n'étant par renouvelée — la Compagnie des Indes occidentales, et pressent les événements. Forts de 23 navires et du sens tactique de Piet Heyn, en 1624, ils s'emparent de Bahia qu'ils pillent, amassant un magnifique butin, près de 4 000 barriques de sucre et du brésillet. Ils courent aux Antilles, où s'illustrent Cornelius Schouten, Pieter Ita et surtout Piet Heyn qui, en 1628, capture, dans la baie de Matanzas, à Cuba, quatre navires dont la cargaison fut estimée à 15 millions de florins. La Compagnie des Indes occidentales, après quelque six ans de pillage, constatant qu'elle ne parvient pas à détourner, à son profit, la circulation des convois de métaux précieux, modifie sa stratégie. Elle poursuit ses actions d'interlope dans la mer antillaise, mais — comme la Compagnie des Indes orientales s'était fixé pour but de s'adjuger le commerce du poivre, des épices et autres produits précieux — elle décide de s'engager dans la culture et le trafic du sucre, et par voie de conséquence dans la traite négrière. Où frapper ? Là où l'attaque ne se heurtera pas à une défense invincible : le lieu le plus propice au succès des armes protestantes se désigne de lui-même, il appartient encore au Portugal catholique — mais absorbé par l'Espagne —, c'est le Brésil. Le 13 février 1630, l'amiral Loncq, à la tête de 35 vaisseaux et de bâtiments plus légers, portant de plus de 7 000 marins et soldats, arrive en vue de Recife. Il s'en rend maître, un mois plus tard, et fortifie une ville que les Portugais ont réduite en cendres avant de l'abandonner. En 1635, la Compagnie a accompli la première étape de la formation de sa colonie du Pernambouc. Recife est reconstruite, et ses alentours sont débarrassés des Lusitaniens qui voulaient y entretenir une guérilla avec le concours des Indiens. Parallèlement, les Hollandais, en 1637, chassent les Portugais de la Côte-de-l'Or, faisant du fort d'El-Mina leur grand centre négrier, prennent Gorée et plusieurs îles atlantiques ainsi que l'Angola et divers comptoirs. Le dispositif pour une colonisation du Brésil réformé se met en place : bientôt, on pourra produire sucre et tabac à deux mois d'Amsterdam, alors que les denrées de l'Insulinde se trouvent à six mois. L'heure de la phase décisive vient. Le 23 janvier 1637, Jean Maurice de Nassau, petit-neveu du célèbre Taciturne, entre à Recife pour y exercer les fonctions de gouverneur général de la possession. Pendant les sept ans de son commandement, le développement lié du Brésil et de l'Afrique des Néerlandais atteint son sommet. La colonie, partagée en sept capitaineries, rapporte une trentaine de millions de florins par an. Son départ, en 1644, marque le début d'une rapide dégradation, qu'expliquent à la fois le manque de vision de la Compagnie mais aussi le regain d'énergie du Portugal, qui se libère de l'Espagne en 1640 et confie la couronne aux Bragance. Ceux-ci reconquièrent l'Angola, l'île de São Tomé et, au mois de janvier 1654, reçoivent la capitulation de Recife.

C'en est fini du grand empire américain d'Amsterdam. Toutefois, les restes ne sont pas méprisables. Certes, la Nouvelle-Hollande qui s'étendait de l'estuaire de l'Hudson à la baie de la Delaware, où s'élèvera New York, est abandonnée aux Anglais, nouveaux protecteurs militaires et économiques des Portugais contre l'Espagne et les Provinces-Unies. Ainsi, pendant que Lisbonne se construit un avenir de satellite sous la tutelle exigeante de Londres, les « rouliers des mers » se font reconnaître, en 1667, lors de la paix de Breda, la possession du Surinam et de plusieurs îles des Antilles qu'ils utiliseront comme bases d'un interlope prolifique : Curaçao, Bonaire, Aruba, Saint-Eustache, Saba et une partie de l'île de Saint-Martin, l'autre étant occupée par les Français. Les Hollandais se sont taillé un empire commercial qui va de l'Asie à la mer des Antilles, sous l'œil stratégique du Cap. Toutefois, les Stuart restaurés — ennemis subtils de la France —, après deux dernières guerres contre les Provinces-Unies (1665-1674), préparent l'Angleterre à une domination solitaire de l'Atlantique, ainsi que son intrusion dans le commerce d'Asie et d'Europe. Mais dans un immédiat durable, Amsterdam, avec ses compagnies, sa Bourse et sa Banque, ses quais et ses entrepôts, est le ventre de l'Europe. Admirablement placée à l'intersection des commerces du Nord et du Sud, elle redistribue pêle-mêle l'argent et les harengs, les bois, les grains, les minerais et les étoffes de laine, les épices, le sucre, le café, les cotonnades, les soieries et les porcelaines. Cette métropole du capitalisme, du commerce international, ne réussit pas que dans la gestion de biens matériels, elle sait aussi gouverner son Siècle d'or qu'illuminent des Hals, des Ruysdael, des Rembrandt, et aussi des Grotius, des Boerhaave, des Spinoza ou des Huygens.

Les Portugais ont relativement bien résisté au cyclone qui voulait les abattre. Révisant leur stratégie, ils abandonnent la lointaine Asie pour enfin mettre le Brésil en valeur : ils ne seront pas déçus. Ils consolident en même temps leur implantation en Afrique — indispensable fournisseuse de main-d'œuvre servile —, tant en Angola qu'au Mozambique, dans les îles atlantiques que dans les comptoirs négriers.

L'Angleterre, pendant le xvie siècle des Tudor, ne cherche plus de satisfactions territoriales et économiques en France, mais affirme ses ambitions face au continent par le jeu de la diplomatie et de la guerre, soucieuse de profits et de possessions lointaines. Après les victoires des « Chiens de mer », la défaite de l'Invincible Armada, l'Angleterre, pendant le xviie siècle des Stuart, des révolutions, de Cromwell et des premiers Hanovre, malgré les bouleversements politiques et la peste, s'engage pleinement dans la voie tracée. Grâce à la croissance de sa démographie, à l'expansion de son économie et de son commerce, que vont servir un protectionnisme dynamique et une agressivité finalement impériale, elle gagne son pari : celui d'une première redistribution des richesses mondiales, à la suite d'un effort de guerre, sur mer notamment, de tous les instants. Guerres contre l'Espagne (1624-1630, 1655-1660), contre les Provinces-Unies (1651-1654, 1665-1667, 1672-1674), contre la France (1627-1630, 1688-1697), contre la France et l'Espagne (1700-1714). Le développement de l'économie et celui du commerce, dont les échanges avec les colonies font partie, sans oublier la volonté de contrôle du Parlement, expliquent l'apparition d'institutions de crédit ou d'échanges, utiles à toutes les formes d'entreprises. Une loi crée en 1694, pendant la guerre de la Ligue d'Augsbourg, la Banque d'Angleterre qui, à la suite d'une réorganisation en 1697, fonctionne comme un établissement privé, faisant du dépôt et du crédit, escomptant les lettres de change, et comme une banque d'État, exerçant le privilège d'émettre des billets, d'acheter et de vendre des monnaies. Dans les mêmes conditions et avec les mêmes compétences, la Banque d'Écosse est fondée en 1695. Tout comme à Amsterdam, une Bourse des valeurs opère à Londres, recevant et exécutant les ordres des négociants. L'Angleterre se lance dans l'aventure coloniale au début du xviie siècle , non seulement par volonté politique, mais aussi sous la pression de la croissance démographique, dont la concentration des terres aggrave les effets, et des conflits politico-religieux. La stratégie anglaise, retenant les schémas portugais et hollandais, prend pour centre l'Atlantique à partir duquel elle trace deux axes, l'un vers l'Amérique, l'autre vers l'Asie. L'Amérique représente la pièce maîtresse de la construction. Sur le magnifique littoral que Verrazano avait reconnu pour le compte de la France, l'Angleterre établit, de 1607 à 1680, ces Treize Colonies à partir desquelles les États-Unis contemporains se sont bâtis. Ce bloc, dans son sud tropical, produit le fameux tabac de Virginie, du riz, du maïs, pratique l'élevage, et au nord abonde en céréales, bétail et fourrures. Mais Londres ne fuit pas la mer des Antilles où ses aventuriers, corsaires, négriers, pirates et flibustiers ont hardiment dépouillé l'Espagnol. Ainsi, les Anglais occupent les Bermudes, les Bahamas, une partie du Honduras et encore plusieurs petites îles, mais ce sont là des positions stratégiques plus que des terres où cultiver la canne à sucre et aménager des plantations. Pour participer au riche commerce sucrier, que domine le Brésil, ils se fixent à la Barbade (1625) et à la Jamaïque (1655) sans que l'Espagne puisse réagir. La Barbade produit d'abord du tabac, atteignant sa plus grande exportation en 1638, après quoi, tournant le dos à sa première orientation, elle se consacre à peu près exclusivement à la canne. Selon l'Anglais Ligon, qui vécut dans cette île de 1647 à 1650, cette politique au revirement spectaculaire est imputable à l'œuvre sucrière qu'accomplissent les Hollandais du Brésil, et dont sont informés les planteurs de la Barbade.

La culture de la canne et la fabrication du sucre, qu'Italiens, Espagnols et Portugais avaient empruntées aux Arabes, se propagent aux Antilles, carrefour achalandé des Amériques, grâce aux Néerlandais et aux marranes qui les entourent.

Ayant appris le secret des techniques, les Anglais, qui au début ne livraient que de méchantes moscouades, vendent bientôt du sucre blanc. Profitant du conflit lusitano-hollandais, ils poussent leur production au plus fort et parviennent à l'emporter sur le Brésil. L'explosion sucrière de la Barbade, que des prix chers ne trahissent pas jusque dans les années 1675, transfère le monopole du sucre aux Antilles pour un siècle et demi, tandis qu'avec le régime de la plantation, l'émigration européenne augmente, et la traite négrière — avec l'esclavage pour corollaire — grandit au galop. Ce besoin d'une main-d'œuvre — la Barbade passe de 50 Noirs en 1629, à 33 000 en 1675 — conduit l'Angleterre à s'intéresser davantage à l'Afrique à y ouvrir des comptoirs et à y bâtir des forts, dont le plus célèbre est celui de Cap Coast.

L'Angleterre, qui s'est imposée sur les marchés nouveaux du tabac et du sucre, ne songe pas pour autant à tout jouer sur l'Amérique et à faire une impasse sur l'Asie. Au contraire, elle se manifeste dans la mer des Indes, mais ne débarque pas en force, comme dans le Nouveau Monde. Elle essuie un grave échec à Amboine, où les Hollandais massacrent ses ressortissants qui se préparaient au commerce des épices. Chassés des Moluques, écartés de l'Insulinde, notamment de Bantam (1693), les Britanniques préférant éviter les heurts frontaux avec les Provinces-Unies, mieux implantées qu'eux dans cette partie du monde, reviennent sur leurs pas et adaptent leur stratégie aux circonstances. Ils ouvrent un comptoir à Sūrat (1616) sur la côte occidentale de l'Inde, aident la Perse à expulser les Portugais d'Ormuz (1622) afin de capter le commerce local de la soie, s'installent à Madras (1639) sur la côte orientale de l'Inde, et dans les factoreries bengalaises d'Hougli, Patna, Cassimbazar et Balassor. Ils obtiennent le droit de commercer au Bengale, l'Inde riche en 1644, reçoivent Bombay (1661) qui fait partie de la dot de la princesse de Bragance, épouse de Charles II. Ils tiennent négoce à Mazulipatam, à partir de 1662, et enfin acquièrent Calcutta (1690), port du Bengale qui garde les bouches du Gange. Dans ce xviiᵉ siècle finissant, les positions les plus importantes, pour contrôler le commerce de l'Inde ou éventuellement mener une politique d'intervention, échappent à la France. D'entrée de jeu, les Anglais ont pris la bonne mesure : depuis Bombay et Calcutta, ils enferment dans leurs mains les clefs de la puissance et de la richesse du sous-continent.

À qui attribuer l'expansion anglaise du xviiᵉ siècle ? Au gouvernement ? Au capitalisme commercial ? Le pouvoir a agi par la force pour enlever la Jamaïque à l'Espagne, et chasser la république des Provinces-Unies de l'Amérique continentale, en lui prenant New-Amsterdam et le Surinam. L'Angleterre est le régime des classes capitalistes, issu des troubles politiques aux fortes incidences sociales, consacré comme tel par la dictature de Cromwell, et par la Glorieuse Révolution de 1688-1689, qui chasse définitivement les Stuart et assure la prééminence du Parlement sur la Couronne. Elle édifie son aire coloniale d'abord par l'occupation effective, ensuite par une politique étrangère nationaliste, qui, au nom de l'équilibre européen, vise à interdire la domination de quiconque, Hollandais ou Franco-Espagnols. Cette diplomatie qui, par le moyen d'alliances continentales, oblige l'ennemi à conduire la guerre sur deux fronts, terrestre et maritime, devient systématique à partir du renvoi de Jacques II, de la guerre de la ligue d'Augsbourg. Elle s'institutionnalise après la formation des Treize Colonies et l'apogée de la Barbade. En effet, les conflits qui, avec la Hollande, n'avaient eu qu'une portée commerciale, vont se doubler, avec la France, d'un objectif naval et colonial. Les techniques de colonisation anglaise présentent peu de caractères communs avec celles qu'utilisent les Ibériques et les Hollandais. Des chartes sont accordées à des sociétés, ou des concessions confiées à des personnalités, ou encore, et généralement pour résoudre des difficultés susceptibles de compromettre l'avenir, la Couronne érige des territoires en colonies royales. De nombreuses compagnies s'emploient à actionner ce bouillonnement, mais aucune n'approche les dimensions de la célèbre Compagnie néerlandaise des Indes

Orientales. Compagnies de Plymouth et de Londres pour l'Amérique du Nord, deux Compagnies des Indes orientales qui finiront par fusionner en 1711-1718, la Compagnie des Marchands, commerçant en Afrique, qui précède la Compagnie royale d'Afrique et monopolisera la traite négrière anglaise et espagnole, la Compagnie de l'Hudson, etc. À l'échelon gouvernemental, les affaires coloniales sont traitées par un organisme spécialisé à partir de 1634, et qui, après plusieurs réorganisations, prendra le nom de *Board of Trade* (Bureau du Commerce).

Premier réveil colonial français : Henri IV

Dès l'avènement d'Henri IV, la monarchie reprend sa stratégie de combat contre Madrid, d'autant que les Espagnols ont absorbé le Portugal : elle épaule l'insurrection des Provinces-Unies contre Philippe III. Alliée aux Hollandais et aux Anglais, au nord, au duc de Savoie, aux Suisses et aux Grisons, au sud, elle menace l'Espagne aux Pays-Bas et en Italie; coalisée avec les protestants allemands, elle intimide les Habsbourg de Vienne. Le Gascon, après avoir dépouillé le duc de Savoie, du Gex et du Bugey, se prépare à la guerre contre la maison d'Autriche quand il est assassiné. Pour abaisser Madrid, le roi avait cherché l'alliance de l'Angleterre. Sully a exposé le plan de son maître à Jacques Ier Stuart en 1603. « Le premier des moyens secrets est de travailler à enlever les Indes à la maison d'Autriche (...) cette entreprise serait facile à exécuter en mettant seulement sur pied trois flottes de huit mille hommes chacune. » L'Angleterre fournirait les vaisseaux, les Provinces-Unies l'artillerie et les munitions, et la France l'argent et les soldats. « La seule convention à faire serait de partager également les pays conquis. » Un projet européen et colonial qui ne séduit pas le Stuart, décidé à mener une politique d'expansion outre-mer au seul profit de Londres. De son côté, Henri IV accueille avec ferveur la création par des Bretons de la Compagnie du Canada et de l'Acadie en 1598, nomme le marquis de La Roche son lieutenant général dans ces deux pays, que Cartier et Roberval, ont racontés aux Français. Le roi, malgré l'échec de cette tentative, et malgré la désapprobation de Sully, n'en continue pas moins à s'intéresser à cette action lointaine. Ainsi, il accorde le privilège du commerce sur le Saint-Laurent à l'important armateur malouin Dupont-Gravé, à qui La Roche avait délégué ses pouvoirs, et à Chauvin de Tonnetuit, capitaine de navire et huguenot de Dieppe (1599). L'année suivante, en 1600, cette modeste société normande, à participation rochelaise, fonde le petit port de Tadoussac, au confluent du Saint-Laurent et du Saguenay, où l'on traite les pelleteries. Chauvin meurt en 1601, et

Aymar de Chastes, gouverneur du port de Dieppe, lui succède. Dès 1602, Dupont-Gravé, qui veut développer son trafic de fourrures, complète son association en s'entourant de négociants de Rouen, Saint-Malo, Dieppe et La Rochelle : c'est la Compagnie du Canada ou de la Nouvelle-France. On décide alors un voyage de reconnaissance, préparatoire à l'envoi de colons, et, sur la demande d'Aymar de Chastes, un officier saintongeais d'une trentaine d'années, Samuel Champlain, accompagne Dupont-Gravé. Pêches, fourrures aux profits appréciés, et volonté de s'implanter outre-Atlantique inspirent la politique des ports du Ponant. Champlain quitte Honfleur le 15 mars 1603. Le 26 mai, il jette l'ancre devant Tadoussac, puis remonte le Saint-Laurent, dépasse le site où s'élèvera Montréal, apprend l'existence de lacs dont l'un conduirait peut-être à la Chine, enfin c'est le retour par Gaspé et Cap-Breton, et l'arrivée au Havre, au mois de septembre. Sitôt débarqué, il court rendre compte au roi, et avant que l'année ne soit écoulée, livre au public le récit de son voyage sous le titre : *Des Sauvages*. Que contient ce document ? Un tableau des mœurs des Indiens, qui « sont la plupart gens qui n'ont point de loi », mais qui croient « véritablement, qu'il y a un dieu, qui a créé toutes choses » ; une description géographique favorable, mais sans grandiloquence, constatant sagement que plus on va « en avant et plus le pays est beau » ; bref, l'évocation encourageante par un homme de terrain d'une contrée au sol fertile, aux forêts abondantes, au réseau fluvial déployé, aux côtes poissonneuses, aux mines certaines.

Le Béarnais reçoit Champlain, écoute avec satisfaction son jugement sur les terres qu'il a visitées, « ce pays est encore meilleur qu'aucun autre que j'eusse vu », et remplace M. de Chastes décédé par un gentilhomme saintongeais et protestant, Pierre de Monts qu'il nomme son lieutenant général pour l'Acadie. Il exclut la pêche de ce privilège de dix ans, et, profitant de l'occasion qui s'offre à lui, accorde la liberté du culte aux huguenots, tout en ordonnant que les indigènes seront catéchisés par des missionnaires catholiques. Par ailleurs, la Compagnie est remaniée : à la formation de son capital de 90 000 livres concourent encore Saint-Malo, Rouen, La Rochelle, et pour la première fois Saint-Jean-de-Luz. Dans les premiers mois de 1604, Dupont-Gravé, Champlain, M. de Monts — qui avait naguère accompagné Chauvin au Nouveau Monde — et Jean de Poutrincourt, nouveau venu originaire de Picardie, prennent la mer. Malgré les explorations et l'installation de Poutrincourt en Acadie, où est fondé le Port-Royal, cette campagne se solde par un échec. Chacun rentre en France pour s'y refaire des forces, dès 1605. La chance n'est pas au rendez-vous : en juillet 1607, le monopole commercial de M. de Monts est révoqué, et l'assassinat d'Henri IV (1610) contraint les Poutrincourt père et fils à renoncer à une association avec Dujardin et Duquesne, deux négociants réformés de Dieppe, et à s'allier avec les jésuites Biard et Massé, sous l'œil de la très catholique marquise de

Guercheville, qui a racheté à M. de Monts ses droits sur l'Acadie. Cette malheureuse colonie, avant de voir les Poutrincourt renoncer définitivement à son gouvernement (1614), est anéantie en 1613 par le forban anglais Argall, qui s'appuie sur l'ambition des Stuart à exercer leur souveraineté non jusqu'à la latitude 40, mais 45, sous laquelle se trouve la moitié méridionale de l'Acadie. M. de Monts avait conservé son gouvernement sur le Canada : aussi, en janvier 1608, une expédition peut-elle partir vers le Saint-Laurent. Champlain, muni des pleins pouvoirs de son compatriote saintongeais, construit les premières bâtisses de Québec, tandis que son associé, l'infatigable Dupont-Gravé, achète et empile les fourrures. Nouveau retour, en 1609, nouvel entretien avec le roi. Champlain embarque (il comptera 24 traversées à la fin de sa vie !), accourt à Paris pour sauver la Compagnie, exposer son action et défendre son projet.

Henri IV a ranimé la route canadienne et en a grand mérite. Malgré la situation de la France, dépourvue de forces navales, malgré une politique étrangère continentale et les besoins du redressement intérieur, il affirme sa volonté de ne pas rester à l'écart du redéploiement colonial que Hollandais et Anglais engagent. Il ne cède pas à Sully qui dit : « Les choses qui demeurent séparées de notre corps par des terres ou des mers étrangères ne nous seront jamais qu'à grande charge et à peu d'utilité ». Ou encore : « Nous ne pouvons conserver de telles conquêtes, comme disproportionnées au naturel des Français que je reconnais, à mon grand regret, n'avoir ni la persévérance, ni la prévoyance requises, mais qui ne portent ordinairement leur vigueur, leur esprit et leur courage qu'à la conservation de ce qui les touche de proche en proche. » Cette reprise du dessein canadien éclaire certains faits qui incitent à la réflexion. La Nouvelle-France semble s'inscrire dans le droit-fil des soucis non pas politiques mais religieux, de Coligny, « nostre Caton », comme l'appelait Agrippa d'Aubigné, son coreligionnaire : elle donne le sentiment d'être l'entreprise de huguenots où les catholiques, sans faire tapisserie, tiennent les seconds rôles. Champlain, opposera-t-on, n'était pas un hérétique. Incontestablement, mais il n'appartient pas au petit groupe des argentiers, il n'en est que l'agent zélé. Plus grave, les calvinistes français, par leurs alliances avec le monde protestant, étranger et rival, font douter qu'ils travaillent sincèrement à la plus grande gloire de la France. Une inquiétude que les affaires du Brésil et de Floride avaient allumée. Sinon, outre les difficultés naturelles déjà affrontées par Cartier et Roberval, une menace nouvelle se fait jour dans ces premières années du XVIIᵉ siècle : l'hostilité d'une Angleterre pourtant pourvue des territoires les plus enviables, ayant pour prétexte la contestation des limites acadiennes. Enfin, dans le domaine spécifique de la méthode appliquée à l'expansion, l'avenir se profile, incertain, au travers d'incertitudes et de contradictions. Les compagnies privées, composées de négociants, perçoivent le Canada comme une région d'élection pour la traite des pelleteries et la pêche de la morue, où elles n'ont besoin que de menus établissements. Au contraire, les hommes du roi, Monts, Champlain, Poutrincourt, sans mépriser le commerce, mettent au premier rang la reconnaissance de la contrée, sa prise de possession, son peuplement et sa mise en valeur. Cette divergence, fâcheuse par elle-même, se complique, dès la première genèse coloniale, du conflit entre sociétés à monopole et commerce libre, sur lequel vient se greffer l'inévitable interlope. Dans cette confusion, comment ne pas remarquer que le mouvement français de débordement au-delà des mers, n'est pas le fruit de l'initiative gouvernementale conduisant des impulsions collectives, mais résulte de l'aventure d'individus à la forte personnalité, de marginaux, que le pouvoir se contente d'agréer par l'octroi d'un titre, d'une délégation. Une technique qui, si elle manque de vision et d'ambition, a le mérite de la gratuité !

Sous le règne d'Henri IV encore, des Français s'intéressent à établir leur patrie dans cette Amérique méridionale dont leurs compatriotes fréquentent les côtes depuis un siècle. En 1594, trente-quatre ans après l'anéantissement de la colonie fondée par Villega-gnon, deux capitaines, Jacques Riffault et Charles des Vaux tentent désespérément de créer une petite communauté française dans l'île de Maragnan, au sud des bouches de l'Amazone, à l'endroit de l'actuelle ville de São Luis. Les deux hommes, contraints et forcés rentrent en France, le second après avoir séjourné quelque temps parmi les tribus sauvages. Rapport est fait au roi, qui se montre favorable à une nouvelle initiative, d'autant que le mythe de l'Eldorado et la légende de Manoa, ville où abonderaient pierres précieuses et fabuleux métaux, excitent les esprits. Sans attendre, le huguenot La Ravar-dière part en 1604 à la recherche de Manoa qu'il situe sur les rives de l'Orénoque. Il entre dans la baie de l'Oyapoc, et, remontant vers le nord, prend possession de l'île de Cayenne. À son retour, le monarque le nomme son lieutenant-général pour les territoires qui s'étirent de l'Amazone à l'Orénoque. La Ravardière s'associe alors avec François de Razilly qu'accompagnent ses frères Claude et Isaac. François s'adresse à Charles de Bourbon, époux de sa cousine la comtesse de Soissons. Selon un manuscrit français, déposé aux archives de Turin, que Maurice Pianzola a publié, le comte prêta l'oreille au projet de son parent « et s'employa à persuader la reine qu'elle y devait contribuer tant pour les considérations de l'honneur de pouvoir arborer les armes françaises aux Indes, comme aussi de l'utile, disant qu'il était un canal pour donner cours aux plus mauvaises humeurs de l'État et que plusieurs s'amutinaient et demandaient des pensions qui accourraient à cette nouveauté. Il fit en sorte que la reine donna deux mille pistoles au comptant et cinq mille en fausses assignations pour y attirer d'autres. De plus, elle fit délivrer de l'artillerie de l'arsenal et en fit fondre quantité dans le jardin de M. le Comte, telle qu'il l'a faut pour les vaisseaux. M. le Comte fournit la plus grande partie des armes, entre autres il leur donna force beaux mousquets qu'il avait fait faire par un excellent ouvrier qui était alors à lui, lequel a des rares secrets pour les faire porter fort loin avec peu de poudre. » Grâce à l'aide de Charles de Bourbon, François réunit aisément les concours financiers qui lui étaient nécessaires, dont celui de Nicolas de Harlay. Les préparatifs enfin terminés, La Ravardière et Razilly, qui se partagent le commandement de l'expédition, quittent Cancale, le 19 mars 1612, au nom de la régente, à la tête de trois navires. Arrivés à l'île Maragnan, ils construisent le fort Saint-Louis, explorent l'Amazone dans son amont. L'année suivante, François de Razilly accompagné de quelques Indiens, fait voile vers la France pour y demander des secours contre une éventuelle attaque portugaise et pour ramener des paysans et artisans afin de conduire une politique de colonisation et d'expansion. Tandis que les Indiens maragnans prêtent serment de fidélité au nom de leur nation à l'enfant Louis XIII, des renforts ibériques prennent la mer, porteurs d'un ordre de Philippe III, roi d'Espagne et du Portugal, exigeant pour la conservation du Brésil, « de la Nouvelle-Espagne et du Pérou, qu'on chasse les Français de toute cette région avant qu'ils ne se renforcent et que le remède ne devienne plus difficile à trouver ». En novembre 1615, La Ravardière capitule : il est enfermé au Brésil, puis au Portugal, avant d'être libéré en 1621. Un demi-millier des siens rentrent, les autres s'égaillent dans les tribus brésiliennes. C'en est fini de la première France équinoxiale, de la stratégie de prise à revers des futurs Venezuela et Colombie, et de marche à couvert sur le Pérou, victimes du mariage espagnol de Louis XIII et d'Anne d'Autriche.

François de Razilly, cofondateur de la colonie de Maragnan, où il n'a pu revenir, pour des raisons politiques et financières, n'hésite pas, dès 1615, dans une invocation à Louis XIII, précédant la *Suite de l'histoire des choses plus mémorables advenues en Maragnan ès années 1613 et 1614* d'Yves d'Évreux, à lancer un appel frémissant en faveur de l'entreprise coloniale. L'expédition brésilienne, « cette belle action si bien commencée » s'est achevée, s'insurge-t-il, par « une signalée perte, qui sert aujourd'hui de fable à toutes les nations étrangères, et de douleur à tous vos bons sujets. Desquelles illusions, quand il plaira à Votre Majesté de s'en relever par les salutaires avis de personnages d'honneur, reconnus pour être zélés à l'accroissement de la gloire de Dieu et à celui de votre royaume, je lui offre encore ma vie et celle de mes frères, et ce peu de pratique et d'expérience qui est en nous, pour faire reconnaître par tous les coins de ce nouveau monde qu'il n'y a point en la chrétienté un monarque aussi grand et puissant qu'un Roi de France, quand il veut employer, je ne dis pas sa puissance, mais seulement son autorité. »

Henri IV, malgré ses échecs, a rallumé l'ambition coloniale de la

France ; Marie de Médicis, aussi, malgré une politique contradictoire vis-à-vis de l'Espagne. Toutefois le bilan global du Béarnais et de la Florentine présente un solde négatif. L'Acadie s'effondre sous les coups d'une Angleterre protestante (1613), après avoir subi, comme le Canada, la tutelle conjointe des huguenots français et hollandais notamment. De même le Brésil amazonien, brèche dangereuse et explosive au cœur du dispositif lusitano-espagnol de l'Amérique méridionale, est sûrement colmatée par les Ibériques de Philippe III, qui appellent les sujets du Roi Très-Chrétien, les « lutheranos ». Toutefois le réveil, que plusieurs voix annoncent comme une nécessité impérieuse, n'est pas étouffé. Quatre ans avant François de Razilly, en 1611, Lescarbot, publiant son *Histoire de la Nouvelle France*, apostrophe le royal fils du Béarnais et lui indique la voie où le devoir l'attend. « Sire, il y a deux choses principalement qui coutumièrement invitent les rois à faire des conquêtes ; le zèle du nom de Dieu, et l'accroissement de leur gloire et grandeur. [...] Le feu roi d'heureuse mémoire votre père, ayant dessein de rendre toute la terre chrétienne, avait laissé à vos jeunes exercices et occupations l'établissement du royaume français esdites provinces d'outre-mer, ainsi que je le lui ai ouï dire, parlant au sieur de Poutrincourt. » Les théoriciens eux-mêmes ne restent pas à l'écart et certains prennent le parti de la conquête coloniale. C'est le cas, par exemple d'Antoine de Montchrétien. Ce huguenot, par définition ennemi de l'Espagne et jaloux de ses richesses, après avoir mené une vie de dramaturge en Angleterre et visité les Provinces-Unies, rentre en France, convaincu de l'importance supérieure de l'industrie, du commerce international et partant des colonies. Tout en se lançant dans les affaires, et avant de se faire assassiner, il prend le temps d'écrire son célèbre *Traicté d'Œconomie politique*, qui paraît en 1615, précédé d'une dédicace à Louis XIII et à sa mère, Marie de Médicis. Dans cet ouvrage nourri à l'éthique protestante, que Max Weber voudra abusivement identifier à l'esprit du capitalisme, Montchrétien enseigne le réalisme politique, la volonté de puissance, qu'il allie dans une communion des intérêts spirituels et temporels. « Le désir de régner, la convoitise des richesses, l'appétit de vengeance, l'ambition de gloire, la nécessité et la contrainte quelquefois, ont poussé les peuples hors de leurs sièges ; comme aussi je ne sais quel destin ou, pour mieux dire, certain décret de la providence divine qui transporte les royaumes comme il lui plaît. » Après cette autorisation, pour ne pas dire cette invitation à « aller faire connaître le nom de Dieu, notre créateur, à tant de peuples barbares, privés de toute civilité, qui sont prêts de s'assujettir » pour qu'on les mette dans le chemin du salut, le moraliste fait constat et donne conseil.

Un atout déterminant au service du royaume : son poids démographique. « Vous avez un avantage, Sire, que nul prince du monde n'a comme vous : que votre France seule peut noyer et couvrir d'hommes ; mais de quels hommes ? d'hommes invincibles et d'armes non soutenables, tout le monde. » Afin de concrétiser cette ambition mondiale, « il faut donc changer de méthode et de lieux pour acquérir le glorieux titre de conquérant à bonnes enseignes. » Quelle stratégie d'occupation adopter ? La géopolitique l'indique. « Vous avez, Sire, deux grands chemins ouverts à l'acquisition de la gloire : l'un qui vous porte directement contre les Turcs et mécréants, desquels la force s'affaiblit de jour en jour à mesure que leurs ordres s'abâtardissent, et l'autre qui s'ouvre largement aux peuples qu'il vous plaira envoyer dans ce nouveau monde, où vous pouvez planter et provigner de nouvelles Frances. » Cette carte de l'action, orientée à l'est vers la Barbarie, l'Égypte, le Proche-Orient et au-delà les Indes et l'Asie, disposée à l'ouest vers les Amériques et leurs îles, ne se modifiera pas jusqu'à la fin de l'Ancien Régime : l'heure de l'Afrique sonnera au XIXᵉ siècle. Dans l'immédiat, c'est vers l'Amérique que le huguenot porte son regard. Montchrétien n'élude pas le délicat problème des moyens de réaliser le programme qu'il propose. D'abord, le roi doit disposer d'une forte marine — de guerre et de commerce —, entretenir des ports vastes et protégés, et dans les territoires conquis, envoyer et faire prospérer de « belles peuplades », plus nécessaires que des garnisons pour conserver des possessions nouvelles. Le travail de ces bras transplantés créera des richesses complémentaires de celles que produit la métropole, et enflammera le commerce. Henri IV ne laisse pas d'empire derrière lui, mais lègue à son fils des hommes pressés de mettre en cause la domination mondiale de l'Espagne, impatients de suivre l'exemple des Provinces-Unies et de l'Angleterre dont les ambitions coloniales se matérialisent rapidement.

Richelieu colonial : grands projets, maigre bilan

La France de la première moitié du XVIIᵉ siècle, celle des traités de Westphalie et des Pyrénées, déchiffre les événements sous des éclairages complémentaires. Ainsi, derrière la guerre de Trente Ans, dont on ne peut contester le caractère continental, se cache néanmoins un conflit colonial et commercial. En effet, ces hostilités non seulement débouchent sur la reconnaissance des Provinces-Unies et de l'empire colonial qu'elles se sont approprié en de courtes décennies, mais aussi sur l'irruption de l'Angleterre aux Antilles et en Amérique septentrionale, dont l'Acte de navigation de Cromwell réserve le trafic à la seule métropole. En un mot, de longs combats essentiellement terrestres ont favorisé la naissance de deux puissances maritimes. Richelieu, malgré une conjoncture qui l'enchaîne aux frontières, apporte une attention soutenue aux affaires navales. Les années passant, il donne au roi une flotte qui compte une soixantaine de vaisseaux et des chefs, qui, tels Sourdis, archevêque de Bordeaux, et Brézé s'illustrent contre les Espagnols. Deux ans après son entrée au Conseil, le cardinal obtient, en 1626, d'être nommé grand maître et surintendant général du Commerce et de la Navigation, c'est-à-dire ministre des Marines militaire et marchande, ainsi que du trafic. Le Poitevin, nourri aux réflexions de Montchrétien et d'Isaac de Razilly, notamment, fait vite sa religion. Pour le passé : « Ceux qui ont gouverné l'État ci-devant, se sont moqués de la navigation. » Pour l'avenir : « Quiconque est maître de la mer a un grand pouvoir sur terre. » En conclusion, l'accession à la puissance, qui est un tout où se mêlent le politique, le militaire, l'économie, et le colonial à plusieurs titres, exige une force navale et une marine commerciale nombreuse. Ce précepte, qui deviendra le dogme de tous les gouvernements français, ne connaîtra que de trop rares applications. Peut-être parce que les compatriotes de M. de Luçon ont de la peine à admettre que « les vrais titres » à la « domination » sur mer « sont la force et non la raison ». La pensée de Montchrestien, de Razilly et de Richelieu s'inscrit, dans la tradition anti-espagnole affirmée depuis François Ier, illustrée par l'action de Coligny au Brésil et en Floride, et s'enrichit d'une méfiance nouvelle à l'égard des Provinces-Unies et de l'Angleterre. Il s'agit donc de frapper l'ennemi, voire le concurrent dans la source coloniale de sa prospérité, dans ses positions stratégiques lointaines. Mais pour mener une telle politique, il faut se donner une marine puissante et aussi transformer l'organisation du commerce.

Ces propos, le cardinal ne cesse de les répéter. En 1627, devant l'Assemblée des notables, il explique à son auditoire que « l'Espagne n'est redoutable et n'a étendu sa monarchie au Levant et ne reçoit ses richesses d'Occident que par sa puissance sur mer ; que le petit État de messieurs des Pays-Bas ne fait résistance à ce grand royaume que par ce moyen ; que l'Angleterre ne supplée à ce qui lui fait défaut, et n'est considérable que par cette voie ; que ce royaume [la France] étant destiné comme il l'est de toutes forces de mer, en est impunément offensé par nos voisins, qui tous les jours font des lois et ordonnances nouvelles contre nos marchands, les assujettissent de jour en jour à des impositions et à des conditions inouïes et injustes ». Richelieu invite ses compatriotes à prendre exemple sur les Hollandais, « une poignée de gars réduits à un coin de la Terre où il n'y a que des eaux et des prairies », ainsi que sur les Anglais et les Génois. Pour enrichir l'État « dans la paix par le commerce », et « pour le rendre maître de la mer », il faut, dit le prélat, « voir comme nos voisins s'y gouvernent, faire de grandes Compagnies, et pour ce que chaque petit marchand trafique à part et de son bien, et partant pour la plupart, en de petits vaisseaux et assez mal équipés, ils sont la proie des corsaires et des princes nos alliés, parce qu'ils n'ont pas les reins assez forts, comme aurait une grande compagnie, de poursuivre leur justice jusqu'au bout ; que ces compagnies seules ne se voient pas néanmoins suffisantes, si le roi de son côté n'était armé d'un bon nombre de vaisseaux... » Dans l'esprit du chef du Conseil, l'action coloniale, loin de prétendre à l'autonomie, s'insère dans une politique globale tenant compte des aspects intérieurs et extérieurs, politiques, militaires, économiques, qui a pour fin de donner la puissance à l'État et la prospérité à la nation. Discours magistral, que l'échec laissera intact pour le plus grand bonheur de Colbert. Au-delà des mers, comment la colonisation évolue-t-elle ? Au Canada, d'abord. Champlain, rentré en France après l'assassinat d'Henri IV, fonde, en accord avec M. de Monts, une nouvelle Compagnie du Canada ou de la Nouvelle-France (1612), où il associe des Rouennais et des Malouins, que Charles de Bourbon, comte de Soissons, consent à patronner avec le titre de lieutenant général. Par malchance, il meurt aussitôt : son neveu, le prince de Condé accepte de le remplacer, recevant la dignité de vice-roi, et gardant le Saintongeais comme son représentant. La société obtient pour onze ans le privilège de la traite en amont de Québec, et, bien qu'elle compte plusieurs huguenots en son sein, elle s'engage à interdire l'exercice public du culte protestant dans la colonie. La restauration du monopole commercial provoque la colère des ports, notamment de La Rochelle, exclue de l'entreprise, et entraîne un regain de l'interlope. Malgré les cris, Champlain tient bon, mais échoue dans ses tentatives de placer sur le même plan colonisation de peuplement et commerce dans l'esprit des associés. La situation se complique à plaisir : en 1616, le huguenot Condé abandonne sa vice-royauté à son beau-frère, le duc de Montmorency, amiral de France. Celui-ci, soucieux de tirer profit du trafic des fourrures canadiennes, favorise la création, en 1620, d'une compagnie dont deux calvinistes normands tiennent les rênes fermement, Emmery et Guillaume de Caen, qui entrent en concurrence avec Champlain ! Les ports protestent contre l'octroi de cet étrange privilège : c'est le cas de Dieppe, Rouen, Nantes, La Rochelle, Saint-Jean-de-Luz, etc. Finalement, les deux compagnies s'accordent et fusionnent, tandis que Montmorency, poussé par le cardinal, cède sa charge à son neveu, le duc de Ventadour, en 1625. La confusion est générale et s'étend partout : dans l'Ouest en effervescence, les armées royales marchent sur la Bretagne, et se heurtent aux protestants assemblés autour des Rohan, alors que La Rochelle s'érige en capitale et bastion de l'hérésie. Mais à cette époque aussi, Richelieu entre au Conseil et expose ses conceptions devant l'Assemblée des notables.

Comment le cardinal va-t-il réagir aux appels de Champlain, dont jusque-là le pouvoir a peu écouté les thèses en faveur de la colonisation de peuplement, préférant accorder son attention aux pelleteries et aux pêches, ainsi qu'à l'hypothétique découverte d'un isthme menant au Japon et à la Chine ? Le prélat, les yeux fascinés par le modèle néerlandais, espère réunir les ports du Ponant dans un ensemble, à vocation universelle. En 1626, il fonde la *Compagnie des Cent Associés du Morbihan*. En réalité, ce projet grandiose sombre, à peine l'encre séchée, sous les coups conjugués des puissances étrangères voisines, des armateurs jaloux de leur indépendance et des Bretons qui ne veulent pas se fondre dans un organisme royal. Face à une telle opposition, la sympathie des négociants nationaux de faible envergure ne suffit pas. Toujours en 1626, Richelieu tente de séduire le parti dévot, auquel appartient le vice-toi, duc de Ventadour : il interdit les colonies aux hérétiques et fonde une deuxième compagnie universelle : *la Nacelle de Saint-Pierre fleurdelysée*. Nouvelle déconfiture. Le Poitevin ne se décourage pas. Il se débarrasse du mystique Ventadour, et, en 1627, crée une société spécialisée, la *Compagnie des Cent Associés de la Nouvelle-France*, qui est habilitée à agir de la Floride au Cercle arctique et de Terre-Neuve au grand lac dit Mer Douce et au-delà. L'objet n'est plus à l'échelle de la terre, mais vise à acquérir la Nouvelle-France au Roi en y envoyant des colons. Paris, Calais, Le Havre, Rouen, Dieppe, Bordeaux, Brouage, Lyon, Bayonne répondent positivement aux invites gouvernementales, tandis que la Bretagne garde le silence, et que les Rochelais ne sont pas conviés. Richelieu contrôle la Compagnie de l'intérieur, entouré d'hommes dévoués comme Isaac de Razilly, son lointain parent, dit le Borgne, futur premier capitaine de la marine du Ponant, le maréchal d'Effiat, surintendant des Finances, « où il apprit à voler ceux qui l'ont suivi », ironise Tallemant des Réaux, l'intendant de Mauvoy, le zélé Champlain, etc. Il concède un monopole de quinze ans à ses associés, et confirme l'interdiction des colonies aux réformés. Cette dernière instruction a été fort critiquée, car elle aurait empêché le peuplement de la Nouvelle-France et la formation d'un empire français cohérent et solide. On peut douter du poids de cet argument, et même soutenir que, si aujourd'hui les Québécois parlent français et entretiennent au fond de leur cœur un patriotisme courageux, c'est dans leur religion, le catholicisme — différenciateur du milieu hérétique ambiant — qu'il faut chercher l'explication, davantage que dans leur nation originelle. La conjoncture internationale dessert la grande entreprise du cardinal. Les Anglais entrent en guerre contre la France et secourent La Rochelle assiégée — écho des temps où sir Walter Raleigh guerroyait aux côtés de Coligny — et au moment même où l'Amsterdam française se rend (1628), l'Acadie est envahie et Québec menacée. Une escadre anglaise, conduite par les cinq frères Kirke, Écossais par leur père, mais Dieppois par leur mère, et huguenots comme Jacques Michel, leur second, et plusieurs autres Français de leurs compagnons, entre dans le Saint-Laurent et le bloque. Au mois de juillet 1629, Champlain, contraint à la capitulation, est transporté à Londres. Il apprend que par le traité de Suze, conclu le 24 avril 1629 et ratifié le 16 septembre suivant, l'Angleterre promet la restitution de l'Acadie et du Canada à la France : rétrocession que consacrera le traité de Saint-Germain-en-Laye (29 mars 1632). En 1633, le Saintongeais repart pour Québec, où il meurt en 1635. Malgré le déclin et la ruine de la marine, sitôt après la mort de Louis XIII et de Richelieu, qui entraînent un quasi-abandon de la colonie, celle-ci toujours numériquement faible, vit repliée sur elle-même, trouvant des forces pour survivre dans l'action de personnalités énergiques et de groupes entreprenants, et enfin dans la foi et l'autorité des jésuites. Le 24 février 1663, la *Compagnie de la Nouvelle-France*, rétrécie à la *Compagnie des Habitants*, depuis 1645, remet la possession et le commerce des pelleteries à Louis XIV qui, depuis la disparition de Mazarin (9 mars 1661), a décidé d'être son propre Principal ministre et de gouverner par lui-même. Quant à l'Acadie, dont Isaac de Razilly avait pris le commandement en 1632 et qu'il assurera jusqu'à son décès en 1635, après avoir été le théâtre des rivalités et traîtrises de deux huguenots français Latour et Le Borgne, elle est reprise par les Anglais qui ne la rendront qu'en 1667.

Le cardinal applique le système des compagnies spécialisées aux Antilles. En 1626, il participe, sur la demande de deux capitaines de marine et flibustiers, les sieurs de Roissey et d'Esnambuc, à la formation d'une société « pour faire habiter & peupler les Isles de Saint-Christophe & la Barbade, & autres situées à l'entrée du Pérou », ainsi que pour y trafiquer et négocier les productions de ces îles. Bien que Saint-Christophe soit le berceau de la colonisation française aux Antilles, la compagnie qui porte son nom va d'épreuves en difficultés, incapable d'approvisionner les colons transplantés, qui, en violation de la charte, préfèrent vendre leurs tabacs aux navires étrangers plutôt qu'à ceux de leurs directeurs. Pour bien affirmer le caractère exclusif du commerce, et aussi pour peupler et exploiter d'autres îles voisines, Richelieu, en 1635, remplace la première société par la *Compagnie des Isles de l'Amérique*. Les résultats sont immédiats. Au cours de cette même année 1635, sont occupées la Guadeloupe, la Martinique et la Dominique ; puis, brutalement, en 1648, la Compagnie, croulant sous les dettes, est liquidée : les îles sont vendues à des seigneurs propriétaires. Le mouvement d'expansion se poursuit : les Français se fixent définitivement à la Tortue, célèbre repaire de flibustiers, d'où ils chasseront les Espagnols de cette partie occidentale de Saint-Domingue, qui permettra à la France du XVIIIe siècle de dominer le marché mondial des sucres et des cafés. En 1664, constatant la faillite successive des petites compagnies et des fiefs insulaires, Louis XIV, poussé par Colbert, rachète les possessions antillaises et les concède à la *Compagnie des Indes occidentales* qu'il vient de constituer. Aux Antilles, comme à la Nouvelle-France, Richelieu a échoué. Les compagnies qu'il essaie de calquer sur celles des Néerlandais et dont il attend des bénéfices pour le commerce national — et pour sa caisse personnelle — ne produisent que des déconvenues. Pis, au sujet des Antilles, le cardinal a vu faux. Qu'écrit-il ? « Quant à l'Occident, il y a peu de commerce à faire [...] il y a peu à espérer de ce côté-là, si par une puissante guerre on ne se rend maître des lieux que le roi d'Espagne occupe maintenant. Les petites îles de Saint-Christophe et autres situées à la tête des Indes peuvent rapporter quelque tabac, quelques pelleteries et autres choses de peu de conséquence. » Propos désarçonnants à deux points de vue : le succès sucrier des îles atlantiques et les débuts encore modestes de la Barbade autorisaient des hypothèses plus optimistes ; par ailleurs, après l'expérience de Coligny à la Floride, comment n'avoir pas mesuré l'intérêt militaire des Antilles pour donner l'assaut contre l'empire espagnol d'Amérique ? On est saisi d'un doute : le souci de l'argent immédiat ne cache-t-il pas, par instants, à M. de Luçon, la préoccupation de puissance où le politique et l'économique sont indissolublement fondus ?

Dans la revue générale des régions à coloniser, à laquelle il procède, le cardinal écartera-t-il l'Amérique méridionale ? Non. Si les capitaines français ne nourrissent plus de visées sur la funeste « Terre des Perroquets », ou Brésil, ils ne renoncent pas à fonder un établissement sur la côte des Guyanes. En 1626, le sieur de Chantail, Lyonnais et compagnon d'Esnambuc à Saint-Christophe, plante une petite colonie sur les rives du Sinamary ; Chambault et les siens se joignent à lui. Au même moment Isaac de Razilly remet au cardinal un mémoire dans lequel il lui demande de « planter des colonies », notamment en Guyane, car « l'or et l'argent ne croissent pas en France ». En esprit réaliste, en mercantiliste convaincu, le marin développe son argumentation. Un État ne peut subsister sans métaux précieux, « car aucun roi ne peut faire aucune armée pour s'opposer à ceux qui l'attaquent, sans payer ses soldats ; tellement que par nécessité, il faut en avoir, ce qui ne se peut faire que par le moyen de la mer. Et tout ainsi que les mines d'or et d'argent sont dans l'Amérique et qu'il faut passer douze cents lieues de mer pour venir dans l'Europe ; donc le roi, qui sera le plus fort sur la mer, sera maître de cet or et argent, et par conséquent, au siècle d'à présent, quiconque l'a, a tant d'hommes qu'il désire, de quoi il peut conquérir les royaumes et empires, comme a fait le roi d'Espagne ». À ce discours, nourri aux enseignements de l'histoire, le principal ministre ne cache pas sa réticence : il n'en a pas fini avec la rébellion protestante de La Rochelle, et il a entamé la lutte continentale contre les Habsbourg en envahissant la Valteline. Le 10 décembre 1626, il écrit à Razilly : « Pour l'entreprise que vous me proposez, nous en parlerons particulièrement ensemble, ne voulant pas donner conseil au Roi de hasarder ses vaisseaux. » Réponse polie du chef à un collaborateur trop politique pour lui commander de se taire. Peu après, en 1628, Hautépine se fixe à l'embouchure du Cononama, où deux ans plus tard, Legrand et ses hommes le rallient. Le nombre des expéditions et la concentration appréciable des colons déterminent les Rouennais à constituer, en 1633, la *Compagnie du Cap Nord*, à laquelle Richelieu accorde monopole, de l'Amazone à l'Orénoque. L'affaire végète, aussi le Principal ministre change-t-il d'interlocuteur, et devient-il le protecteur d'une seconde *Compagnie du Nord* qu'anime le capitaine Jacob Bontemps (1638). Quelques groupes s'embarquent, mais dans le désordre. À la fin de 1643 seulement, le premier gouverneur, Poncet de Brétigny, arrive à Cayenne. Dès l'année suivante l'expédition s'achève dans un désastre sanglant, largement imputable à Brétigny que son titre et le climat avaient exalté. Une nouvelle fois la méthode des compagnies a échoué. Mais le cardinal s'intéresse encore moins à la Guyane qu'aux Antilles : à l'exception du Canada, encore que toujours en friche, le Poitevin est-il acquis à l'expansion coloniale ? Au lieu de s'interroger sur la validité de sa stratégie, il préfère ignorer sa faillite. Mazarin, fidèle à son prédécesseur, continue dans la même voie et connaît le même insuccès : débâcle d'une première *Compagnie parisienne de la France Équinoxiale, formée en 1651.*

M. de Luçon avait parlé trop vite. Il ne parvient pas à bâtir cette puissante compagnie dont il avait expliqué et détaillé les multiples avantages. Au contraire, il ne se lasse pas d'instituer une foule de petites sociétés, dont il avait dénoncé avec talent les faiblesses et la fatidique impuissance ! En 1634, le voilà qui octroie aux Rouennais le privilège du trafic au Sénégal et au cap Vert, ainsi que sur la Gambie, et qui concède aux Malouins un monopole identique sur les rivages de Sierra Leone jusqu'au cap Lopez. Enfin, en 1635, il donne à une société parisienne l'exploitation des côtes africaines entre le cap Blanc et le Sénégal, d'une part, et entre la Gambie et la Sierra Leone, d'autre part. L'irruption de ces trois entreprises, chargées de commercer sur le littoral noir, de la Mauritanie au Gabon, plus qu'elle ne traduit la puissance et l'ambition organisée du négoce national, marque l'entrée officielle de la France dans la traite négrière. En 1659, Saint-Louis, future capitale du Sénégal, était fondée, illustration discrète, à l'image de la modestie de l'action du royaume. Une fois encore, le cardinal, comme dans le cas des Antilles, n'a aucune prescience de l'avenir, grave défaut pour un homme d'État. Il ne discerne pas l'ampleur et les bénéfices de la traite des esclaves, qui pourtant se forme déjà, et ne voit qu'un troc sagement rémunérateur, « en ce qu'on y porte que de la quincaillerie, des canevas [toiles écrues], et de méchantes toiles, et on en tire de la poudre d'or, que les nègres donnent en échange ».

Les Indes à la réputation fabuleuse — éclat des pierreries, somptuosité des soieries brocardées, parfums et rapports des épices —, ce monde de merveilles où les Provinces-Unies se sont emparées d'un empire en quelques années, et où l'Angleterre s'agrippe avec opiniâtreté, laisse-t-il Richelieu indifférent ? Relativement, mais par contrainte diplomatique. Déjà au Brésil, le cardinal a manifesté de la prudence, se rabattant sur la Guyane, pour ne pas contrarier ses alliés contre l'Espagne, les Hollandais, qui ont établi une colonie ambitieuse autour de Recife. En Asie, il agit pareille-ment, reconnaissant de manière implicite, et pour un temps du moins, que c'est là une chasse gardée des Néerlandais. Finalement, il ne sort de sa circonspection qu'à propos du Canada, des Antilles et de Cayenne, ne craignant pas d'entrer en lice et de se poser en concurrent. De surcroît, il tient compte des enseignements d'un proche passé. Il n'oublie pas qu'en 1604, Henri IV avait créé une *Compagnie des Indes orientales*, dont il avait confié la direction à un Hollandais et à un Français. Non contents que leur tutelle sur le grand commerce national à vocation coloniale soit ainsi sanctionnée, les états généraux avaient refusé leur collaboration, et surtout déclaré qu'ils s'empareraient de tout navire français qui s'aventurerait dans la mer des Indes. Dès lors, seuls quelques bateaux, partis de Normandie ou de Bretagne, cinglèrent vers les Indes et l'Insulinde, mais sans résultats notables. Les Néerlandais interdisant la route maritime vers les lointains orients, les capitaines découvrent l'intérêt de Madagascar et des Mascareignes où ils peuvent se fournir en eau, viandes et bois, guetter une proie ou prendre quelque temps de retraite. En 1618, Montmorency, inspirateur malheureeux du Poitevin, fonde une *Compagnie des Indes orientales* qui échoue, mais Dieppois et Malouins, aidés par des gens de Paris, Laval et Vitré se lancent à leur tour. De petits comptoirs apparaissent et un troc se forme, assurant des retours de cuirs et de bois rares. En 1642, le capitaine Rigault, soumet au Principal ministre le projet de création d'une Compagnie des Indes orientales. Plan aussitôt approuvé, car il prépare l'avenir sans heurter les intérêts hollandais. Les associés reçoivent le privilège « d'envoyer seuls en l'île de *Madagascar* et autres îles adjacentes, pour là y ériger colonies et commerce ». Le Rochelais et huguenot Pronis se rend vers son domaine dans l'heure, jetant l'ancre devant la petite île de Sainte-Luce, où Dieppois et Rouennais mouillaient traditionnellement. Ensuite, il s'établit dans un lieu qu'il baptise Fort-Dauphin, à partir duquel partent des missions de reconnaissance. Pronis épouse une Malgache, une femme antanosy, union qui n'empêchera pas les indigènes de se soulever, comme s'étaient révoltés des catholiques, ce qui était moins dangereux : il les avait déportés à l'île de Bourbon, alors déserte. En 1648, il est remplacé par Flacourt, dont le frère utérin, Pierre de Beausse siège parmi les associés. Le nouveau chef fait construire un fort, organise des cultures, explore l'intérieur, prend possession de Bourbon, et, dès la fin de la Fronde, rentre en France, en 1655, pour s'y concerter avec le duc de La Meilleraye, cousin germain de feu le cardinal-duc, désireux de prendre la succession de la Compagnie. Bien que le maréchal ne réussisse pas à convaincre ses coassociés de se laisser dépouiller, il ne renonce pas à son dessein, et, en 1660, Flacourt repart, mais meurt en route, à la

hauteur de Lisbonne, au cours de l'attaque de trois pirates barbaresques. Pronis, qui gouvernait momentanément la colonie, s'éteint à
son tour, et les chefs qui lui succèdent, Desperriers, Gueston et
Chammargou se révèlent incapables d'entretenir des relations paisibles avec les Malgaches ni d'arracher leurs compagnons au dénuement. Le duc de La Meilleraye, malgré ses efforts et sa constance,
meurt sans avoir redressé la situation. Les colons vivent dans la
misère et l'abandon, tandis que la Compagnie, la dernière qu'ait
parrainée Richelieu, tombe en décrépitude.

Le cardinal, qui a bénéficié des enseignements de doctrinaires
mercantilistes ou de conseillers favorables à une politique volontariste
— Montchrétien, Razilly, Lescarbot, Laffemas — a-t-il fait autre
chose que de concevoir une action commerciale et coloniale ? N'a-t-il
été dans ce domaine qu'un théoricien parmi une poignée d'esprits
cherchant les moyens de construire la grandeur et la puissance du
royaume ? On a envie de répondre par l'affirmative, au risque
d'égratigner la légende du grand homme, définitivement statufié par
la Troisième République. Richelieu manie parfaitement les idées
fières, trace admirablement les perspectives grandioses : il pense
noblement. Ce gentillâtre du Poitou, devenu duc et pair de France,
ayant le pas sur les princes, escorté d'une garde, tel le roi, conçoit en
aristocrate, en seigneur : il voit grand. Mais le solde de ces belles
architectures avoue des échecs répétés, de l'erreur et de la timidité
dans la vision. Le prélat avait fustigé les petites sociétés et loué les
grandes compagnies. Or, après son ministériat et celui de Mazarin,
quel bilan peut-on dresser dans ce domaine ? Aucune grande
compagnie à la manière hollandaise n'a été édifiée ! Car on ne peut
ranger dans cette catégorie un établissement comme celui de la
Nouvelle-France, toujours anémique, et au capital squelettique de
300 000 livres. Néanmoins, le surintendant à la Navigation n'exhale
aucune plainte. Le commerce avec le Canada, qu'il inscrit à égalité
aux côtés de celui d'Afrique, lui procure même de la satisfaction. Ce
trafic « des pelleteries de Canada, juge-t-il, est d'autant plus utile que
l'on n'y porte point d'argent et qu'on le fait en contr'échange des
denrées, qui ne dépendent que de l'art des ouvriers comme étuis,
ciseaux, couteaux, canifs, aiguilles, épingles, serpes et cognées,
montres, cordons de chapeaux, aiguillettes et toutes autres merceries
du Palais ». L'inventaire de cette pacotille surprend sous la plume
altière du cardinal, qui, décidément s'arrange de peu. En fait, ces
lignes résument une conception sous-mercantiliste des colonies. Les
possessions lointaines sont assimilées à des comptoirs de commerce
où l'on se livre à des opérations de troc sans qu'il en coûte un écu aux
réserves métalliques du royaume.

Richelieu, à défaut de grandes compagnies, lègue-t-il à la France
des colonies populeuses ? Non. En 1642, les Antilles ne comptent que
5 000 Français et le Canada à peine 300 ! Le prêche de Lescarbot,

écrit avec passion en 1611, et reflétant l'esprit de nombre de gens réfléchis, est-il resté sans écho ? L'auteur de l'*Histoire de la Nouvelle-France* clamait aux maîtres de l'État : « Rien ne sert de rechercher et de découvrir des pays nouveaux, au péril de tant de vies, si on ne tire fruit de cela. Rien ne sert de qualifier une Nouvelle-France, pour être un nom en l'air et en peinture seulement. [...] Il faut donc premièrement fonder la République, si l'on veut faire quelque avancement ès terres de la mer qui portent le nom de France, et y envoyer des colonies françaises pour civiliser des peuples qui y sont, et les rendre chrétiens par leur doctrine et exemple. » Et, Lescarbot de marteler la première exigence à satisfaire : « Surtout peupler, cultiver et faire habiter lesdites terres le plus promptement, soigneusement et dextrement, que le temps, les lieux et commodités le pourront permettre. » Le cardinal adhère à ces vues. On inscrit dans les chartes de compagnies à privilèges et dans les commissions des représentants du roi l'obligation de peupler les possessions. Mais on reste dans le formel. Aucune propagande gouvernementale pour inciter au départ, aucune déportation massive à la façon des Anglais qui se débarrassent de leurs dissidents en Amérique septentrionale et d'une multitude de catholiques, notamment irlandais, dans leurs îles antillaises. Logique avec lui-même, M. de Luçon laisse faire les compagnies, oubliant le sage avertissement de son cousin Isaac de Razilly. « Tout ce que je trouve fâcheux des marchands, observe le commandeur, c'est qu'ils ne sont pas propres à dresser des colonies, d'autant qu'ils veulent toujours un profit présent, et ne regardant ce qui arrivera dans dix ans. » Il faut nuancer l'assentiment de Richelieu à la colonisation de peuplement. Il ne s'agit pas dans son esprit de transplanter des hommes et des femmes pour élargir les frontières du royaume, mais pour produire et faire entrer leurs productions dans le circuit commercial au plus grand bénéfice de la métropole. La colonisation est subordonnée au commerce conformément à l'exemple de la Hollande. En effet, c'est « la navigation » qui a rendu la patrie des « rouliers des mers », si célèbre et si puissante par toutes les parties du monde », et c'est grâce à elle que cette nation « fournit presque à tout le reste de l'Europe la plus grande partie de ce qui lui est nécessaire ». Dans ces conditions, l'émigration devrait-elle être proportionnelle aux richesses introduites sur le marché ? En Amérique, à Madagascar et autres pays de ce genre, vraisemblablement. En Asie, non. Et, à ce propos encore, le *Testament politique* apporte la lumière. « Pour faire un bon établissement, il faudrait avoir en Orient 2 ou 3 vaisseaux commandés par des personnes de condition, prudentes et sages, avec patentes et pouvoir nécessaire pour traiter avec tous les princes et faire alliance avec tous les peuples de tous côtés, ainsi qu'ont fait les Portugais, les Anglais et les Flamands. » Ici, l'on ne se propose plus de conquérir pour civiliser, mais avec plus de lucidité de nouer des relations d'échanges fructueuses dans les limites garanties d'un comptoir. Donc, dans l'hypothèse de la mer des Indes, point d'appétit de conquêtes, mais instauration subreptice d'un drain commercial. Quoi qu'il en soit, le Principal ministre a doublement échoué, qu'il s'agisse d'occupation de peuplement ou de grand négoce aux rivages des soies et des épices.

Richelieu ajoute à son passif colonial, la défaillance de cette « prévoyance nécessaire » que le *Testament* réclame. Il ne parie pas sur les Antilles : or à la mort de Mazarin leur population s'élève à 11 000 habitants (celle du Canada s'envolant à 3 000), et elles produisent des denrées prometteuses. Cette absence de politique antillaise surprend d'autant plus que les petites îles constituent d'excellentes bases pour assaillir les grandes, et pour prendre pied sur la Terre-Ferme, comme Usselinx, le fondateur de la compagnie hollandaise des Indes Occidentales l'y invite. Le prélat refuse. Dans sa lutte contre la maison d'Autriche, il ne cherche pas à ouvrir un deuxième front, colonial, américain ; il reste sur la défensive, se contentant d'une stratégie navale visant à protéger les côtes de la métropole, à tenir la Méditerranée et à provoquer une hypothétique stérilisation de la richesse minière que Madrid tire du Nouveau Monde. Si l'Espagne redoute la flotte française « cette appréhension, dis-je, l'obligera à être si puissante sur la mer et à tenir ses garnisons si fortes que la plus grande partie du revenu des Indes se consommera en frais pour conserver le tout. » Un raisonnement simpliste, en conclusion d'erreurs d'appréciation, de fautes de jugement aux conséquences lourdes. Le Grand Cardinal n'a pas conduit une véritable politique coloniale, parce qu'il n'est pas parvenu, ou n'a pas cherché à rassembler le commerce français autour d'un vaste projet d'expansion au-delà des mers. Et là, on peut encore faire reproche à Richelieu. Il veut créer et actionner de fausses compagnies privées à coups d'instructions administratives, tout placer sous « l'autorité du roi » ; il ne s'entoure que d'affairistes venus de la finance, d'officiers, ou encore de religieux, mais ne recrute pas de conseillers dans le négoce. Au lieu de favoriser la synergie des armateurs et des colonisateurs, il construit des sociétés universelles puis spécialisées, où il place la coterie de ses collaborateurs, ne résolvant jamais le problème crucial des moyens en capitaux. Le Principal ministre fait une mauvaise analyse de la société des États européens où il cherche modèle. Il ne comprend pas que le succès de la Compagnie néerlandaise des Indes orientales tient au fait que les Provinces-Unies sont une république de marchands, un État capitaliste, comme Gênes, Venise et déjà l'Angleterre, une structure sociale et politique, un destin que ces puissances portent en elles, et que la fermeture des ports ibériques par Philippe II a affermi.

Si dans les domaines du commerce et de la colonisation le cardinal a annoncé un programme qui est resté pour ainsi dire lettre morte, au moins a-t-il pressenti que l'ennemi des lendemains ne sera plus l'Espagne, mais l'Angleterre. Rappelant que jamais un grand État ne doit courir le risque de recevoir une injure s'il ne peut prendre sa revanche, il conclut : « Et partant, l'Angleterre étant située comme elle est, si la France n'était puissante en vaisseaux, elle pourrait entreprendre à son préjudice ce que bon lui semblerait sans crainte de retour. Elle pourrait empêcher nos pêches, troubler notre commerce et faire, en gardant les embouchures de nos grandes rivières, payer tels droits, que bon lui semblerait à nos marchands. Elle pourrait descendre impunément dans nos îles et même sur nos côtes. Enfin, la situation du pays natal de cette nation orgueilleuse lui ôtant tout lieu de craindre les plus grandes puissances de la terre, impuissantes sur la mer, et l'ancienne envie qu'elle a contre ce royaume lui donnerait lieu de tout oser, lorsque notre faiblesse nous ôterait tout moyen de rien entreprendre à son préjudice. » Toute la fin du règne de Louis XIV, tout le XVIIIᵉ siècle sont ici annoncés, en quelques phrases. La leçon est simple et claire : à la mer les Anglais « ne connaissent autre équité que la force ». Comme une marine forte était nécessaire pour faire face aux Espagnols, une marine très forte se révèle indispensable à l'avenir pour garantir la France des ambitions anglaises.

Louis XIV et les Colbert : le grand empire colonial

Richelieu avait laissé à la France une flotte honorable, qui avait accompli sa mission. Des 63 vaisseaux et 22 galères qui la constituaient, il ne reste à la mort de Mazarin que 8 vaisseaux et 6 galères ; le budget est asséché, les ports et des arsenaux livrés à la somnolence et au désordre. Autant dire que Fouquet surintendant des Finances — dont le père et lui-même siégèrent dans l'administration de toutes les compagnies protégées par le cardinal — n'a pas mené une politique nationale d'expansion maritime et coloniale, même s'il a investi ses fonds particuliers dans le commerce et la colonisation, allant jusqu'à acheter l'îlot de Sainte-Lucie, proche de la Martinique, sorte de pendant antillais de Belle-Isle ! Élevé dans le culte de M. de Luçon, arrivé dans l'ombre de Mazarin, ce financier fidèle à la Couronne n'a jamais montré le souci d'une stratégie où l'ambition maritime coloniale de la France eût équilibré sa préoccupation continentale.

Colbert s'occupe des affaires maritimes auprès de Louis XIV, dès 1661, et prend la charge du premier secrétariat d'État de la Marine, créé à son intention, en 1669. À ce moment, plus précisément en 1671, comment se présente la flotte marchande européenne ? Les historiens répondent à cette question de manière multiple et divergente, tout en soulignant la prépondérance hollandaise. La marine marchande hollandaise totaliserait 560 000 tonneaux, l'anglaise et l'hanséate 100 000, la française 80 000. Ces chiffres sont aujourd'hui révisés à la hausse dans deux cas : environ 200 000 tonneaux pour l'Angleterre, et de l'ordre de 130 000 pour la France. Quant à Colbert, forçant les statistiques pour mieux s'allier le roi, il affirme en 1664, que le commerce international mobilise environ vingt mille vaisseaux, soit quinze à seize mille hollandais, trois à quatre mille anglais et « au plus » cinq à six cents français (en réalité, pour ces 5 à 600 navires français, on peut en compter 7 à 800 aux Anglais et environ 3 500 aux Hollandais). Le ministre associe son fils, le marquis de Seignelay, à sa tâche à partir de 1672, l'admettant à la signature des dépêches, et restaure, en fidèle disciple de Richelieu, la méthode des enquêtes et des inspections. Il en résulte une réorganisation des corps des armées navales, la rénovation des ports et arsenaux de Toulon, Marseille, la création de Rochefort pour remplacer Brouage, ensablé, et surtout de Brest, le lancement de programmes de constructions, tandis que dans le domaine civil, sont mis en place le Conseil du commerce, un système de primes, prolongement de celui de Fouquet, pour favoriser le pavillon, et enfin une protection douanière qui, comme les primes, ne donnera pas les résultats escomptés. Cette action se complète de la formation de grandes compagnies commerciales, de manufactures et d'une pyramide de codes et ordonnances, dont plusieurs restent lettre morte. Elle instaure une économie mixte, dont l'État fixe les objectifs, planifie le mouvement, et surtout, elle impose l'exigence de fabriquer des produits de grande qualité. On critique beaucoup le colbertisme. D'abord, il reposerait sur des idées fausses : invariabilité de la richesse mondiale et fixité de la masse monétaire. Que le contrôleur général des Finances n'ait pas eu conscience que la fortune des nations n'était pas rigidifiée — la force n'étant pas le seul moyen de la redistribuer —, mais au contaire qu'elle évoluait sous l'aiguillon d'une croissance générale ou nationale, importe peu finalement. En effet, dans la mesure où le ministère mène une politique de développement de la production, de multiplication des produits, avec le souci de la meilleure productivité, il mise sur cette fameuse croissance ! On dénonce ensuite dans le colbertisme un dirigisme d'État stérile, ou pour le moins une tracasserie administrative décourageante. Mais toute économie n'est-elle pas un dirigisme d'État ? Ce qui compte, est de savoir qui est l'État. Les gouvernants de Venise, de Gênes, des Provinces-Unies pratiquent à leur façon un dirigisme, mais avec l'optique de leur classe, au profit du négoce. L'Angleterre pareillement, par le biais du Parlement où le capitalisme actif est présent, et par celui de l'aristocratie, dont de nombreux membres sont les acteurs attentifs de l'expansion économique intérieure et coloniale. Ce que l'on peut reprocher à Colbert, plus encore qu'à son maître Richelieu, c'est d'avoir renié son ascendance négociante pour ne se souvenir que de ses parents « traitants », fermiers des impôts, ces gens proches de l'administration, de la noblesse de robe, des offices, et de n'avoir pas peuplé son entourage d'armateurs, de noms du trafic international et de banquiers. Bref, on peut faire grief au Rémois de n'avoir pas ouvert les portes de la classe gouvernementale aux « producteurs ». Cependant, le désir d'interroger les compétences se traduit par la création d'un Conseil du commerce (1664), mais malheureusement cet organisme, au lieu de faire la part belle aux praticiens, donne le premier rang au personnel politico-administratif ; aussi disparaît-il rapidement (1676).

Colbert, ce « grand et habile ministre », selon le diplomate Ézéchiel Spanheim — les étrangers sont souvent juges plus objectifs que les Français dans l'appréciation des hommes et actions de la France — pour une grande part prisonnier d'une conjoncture économique peu brillante, reprend les choix de Richelieu et adopte les moyens que celui-ci préconisait. Davantage, sous son impulsion, le gouvernement, jusque-là espèce de réseau ou de clan uni au monarque par des liens personnels, se mue lentement en un organe moderne, hiérarchisé et spécialisé. Le contrôleur général impose — autant que faire se peut — le budget, sa prévision et son exécution, la comptabilité, contraint les agents du roi aux techniques rationnelles et systématiques d'exposition dans les rapports et comptes rendus, oblige à la régularité dans l'envoi des correspondances, des états de toute sorte, en un mot soumet son monde au respect de règles neuves, en avance sur les Lumières, et que l'administration contemporaine s'efforce de sauvegarder. Car le colbertisme ne se réduit pas à une forme de mercantilisme, il se définit aussi comme une technique de gouvernement, ce qui n'est pas sans intéresser la direction des colonies, possessions par définition lointaines de Versailles dans l'espace et dans le temps. Si Colbert est freiné par la situation économique nationale et internationale, il est dominé — et son fils après lui — par la politique étrangère et ses prolongements guerriers. Richelieu, et plus encore Mazarin, avaient mené une politique essentiellement continentale, dont la finalité consistait à agrandir le territoire à l'est et au nord pour mieux garantir la sûreté du royaume, tout en exerçant un protectorat sur l'Allemagne. La maison d'Autriche fait donc toujours figure d'ennemie première dans l'esprit de Louis XIV, qui nourrit l'arrière-pensée de saisir l'occasion d'un conflit pour conquérir provinces et places fortes, les colonies, dans son analyse, s'apparentant à une menue monnaie. Le roi se refuse à voir que les possessions d'outre-mer sont au cœur de la politique européenne depuis un demi-siècle : qu'après l'annexion momentanée du Portugal par l'Espagne, les Provinces-Unies se sont bâti un empire et que l'Angleterre construit le sien. Malgré cette myopie du Grand Roi, les Colbert agissent. À la place des 8 vaisseaux en état de navigation légués par Mazarin, ils en alignent 116 en 1677, 120 en 1685, 128 en 1689, et, héritage de Seignelay qui meurt en 1690, 135 en 1693, la flotte la plus importante que la France ait jamais possédée, et à l'époque la plus puissante du monde. Les deux hommes ne délaissent pas les intérêts commerciaux. « La multiplication presque à l'infini des vaisseaux, dit le père en 1664, multipliera de même la grandeur et la puissance de l'État. » Colbert, après Richelieu, s'émerveille devant le spectacle offert par cette Hollande qui ne produit que beurres et fromages, mais qui redistribue blés, goudrons, bois, poissons, fer, cuivre, textiles, vins d'Europe, épices, soieries, cotonnades, porcelaines d'Asie ! Il est en admiration devant la Bourse et la Banque d'Amsterdam, que des institutions anglaises similaires concurrencent déjà, alors que la France lui semble si démunie ! Il est ébloui par la Compagnie des Indes orientales qui possède 150 navires marchands, 50 vaisseaux armés, entretient une armée de 10 000 hommes, et qui chaque année importe pour une douzaine de millions de livres de denrées et produits d'Asie. Il est aussi humilié de voir les « rouliers des mers » trafiquer dans tous les ports de la nation excepté ceux de la Méditerranée, et approvisionner les Antilles. D'où le colbertisme, un programme économique inspiré du modèle néerlandais, qui s'élabore jour après jour, pragmatisme dans l'action au service de la plus grande puissance de la nation, et non théorie pour disséqueurs de constructions intellectuelles.

La première réaction de Colbert prend la forme modeste d'une Compagnie de la France équinoxiale (1663), au capital limité mais déjà appréciable de 400 000 livres, qui succède à celle de 1651, dans laquelle Scarron, songeant un instant émigrer vers un climat chaud, avait perdu 3 000 livres. Derrière cette opération aux apparences circonspectes se cache, en réalité, une manifestation pleine de sens politique. En effet, il s'agit pour les Français de remettre la main sur Cayenne que des Hollandais et des juifs, chassés du Brésil, occupent, entourés d'esclaves, et se préparent à faire passer sous la tutelle de leur patrie. En 1664, M. de Tracy lieutenant général des îles d'Amérique, à la tête de 6 vaisseaux et de 1 200 colons, jette l'ancre devant Cayenne. Il reçoit la capitulation du commandant néerlandais Sprangler, installe M. de La Barre, gouverneur particulier de la colonie, débarque ses compagnons, et s'en retourne vers les Antilles. Il arrive à la Martinique au début du mois de juin où il fait enregistrer sa commission de lieutenant général, dont le contenu surprend l'opinion. En effet, le roi donne autorité à Tracy sur tous les gouverneurs des îles, sur les conseils souverains et sur les navires de guerre et de commerce. Pendant ce temps, était publié en France l'édit du 28 mai 1664, créant la Compagnie des Indes occidentales. Cette énorme machine, à la hollandaise, au capital de 7 millions de livres, résultat d'absorption de sociétés antérieures, de rachats, recevait en concession la quasi-totalité des intérêts coloniaux de la France. L'objet de cette institution d'économie mixte, placée dans la dépendance du pouvoir, où souscriptions volontaires et forcées se côtoient, pourvue d'un monopole de quarante ans, consiste à « faire tout le commerce qui se peut faire en l'étendue desdits pays de la Terre Ferme, depuis la rivière des Amazones jusqu'à celle de l'Orénoque, et Îles appelées Antilles, possédées par les Français, et dans le Canada, l'Acadie, Île de Terre-Neuve et autres îles et Terre-Ferme, depuis le nord dudit pays de Canada jusqu'à la Virginie et Floride, ensemble la côte de l'Afrique depuis le Cap-Vert jusqu'au Cap de Bonne-Espérance. » Simultanément paraît au mois d'avril 1664 une brochure anonyme ayant pour titre : *Discours d'un fidèle sujet du roi touchant l'établissement d'une compagnie française pour le commerce des Indes Orientales adressé à tous les Français.* Ce factum, œuvre d'une créature de Colbert, l'académicien Charpentier, vante, en bon instrument de propagande, les avantages que promet la constitution d'une puissante société à laquelle chacun souscrira, du monarque au bourgeois, et grâce à laquelle la nation bénéficiera de la prospérité qu'engendre le commerce d'Asie. Le succès de cette entreprise nécessite la possession de Madagascar, qui permettra aux Français d'évincer Batavia, le colossal entrepôt hollandais des îles de la Sonde. Au mois de mai suivant, une déclaration royale annonce la création d'une Compagnie des Indes orientales, dont l'enregistrement par le Parlement de Paris est reporté au mois de septembre, car, malgré la participation du roi, de la Cour, des financiers, on ne réussit point à réunir le capital de 15 millions de livres qui a été arrêté. Cela n'empêche point Voltaire, maître en flatteries, d'écrire pompeuse-ment : « Toute la nation secondait son maître. »

Devant ces coups de force que représente le rassemblement synchrone de tout le commerce exotique national en deux sociétés géantes — à l'exception du Levant qui, à son tour, sera attribué à une compagnie à monopole, en 1670 — le négoce observe, mais ne s'engage pas. Une attitude que l'on retrouve en 1669, quand Colbert prétend donner la mainmise sur les échanges avec les Provinces-Unies et la Scandinavie à la seule Compagnie du Nord. Car ces lourdes machines, que le contrôleur général et son fils mettent successive-ment en place, ne sont pas des réunions de négociants comme en Hollande et en Angleterre, mais des établissements étatiques, où les gens qui souscrivent, souvent contraints et forcés, s'ils ont le sens du profit financier, ignorent le profit commercial. Aussi le grand ordonnateur de ces entreprises publiques n'était-il autre qu'un robuste financier, serviteur de l'État, le Mantouan Francesco Bellin-zani, tout à la fois intendant général du Commerce, inspecteur général des Manufactures et directeur de la Chambre d'assurances maritimes. Ces prestigieux édifices, que sont les deux grandes compagnies, prolongent l'œuvre de Richelieu, en même temps elles en dénoncent le caractère étriqué. Cependant, ces outils de lutte contre la suprématie maritime néerlandaise — lutte dans laquelle le royaume s'enfonce, alors que l'Angleterre va s'en retirer à son avantage — se révèlent incapables de la moindre victoire. Aussi, la Compagnie des Indes occidentales disparaît-elle dès 1674, les possessions d'Amérique étant rattachées au domaine royal et directement soumises au secrétariat d'État de la Marine. Quant à la Compagnie des Indes orientales, dont Arnould assure dans la *Balance du Commerce* qu'elle est fondée sur la vanité, l'ambition et la cupidité, elle végète, impuissante à s'implanter à Madagascar, « vrai paradis terrestre », disait Charpentier, malgré les efforts louables du gouverneur de Montdevergue. La colonie est rétrocédée au roi : les derniers Français la quittent en 1674 pour aller s'établir dans l'île quasi déserte de Bourbon (la Réunion). En Asie, elle a Sūrat pour capitale, où son premier directeur, Caron, huguenot hollandais au service des Provinces-Unies, fait échouer des tentatives maladroites d'expansion, vers Ceylan notamment. En dépit de la faiblesse de leurs moyens et de la difficulté des circonstances, les deux directeurs suivants, Baron et Martin, centralisent l'action à Pondichéry et installent la France à Chandernagor, dans le riche Bengale.

Ces compagnies, dont Richelieu rêvait si fort, et que Colbert a mises sur pied, malgré la méfiance déterminée des ports de commerce, ne donnent que déceptions en France. Plusieurs explications à cela. Leur direction n'est pas assurée par des hommes de l'art, mais par le roi et son contrôleur général des Finances qui, selon le temps, penchent pour des options différentes, sinon opposées. On invente une administration inapte, par sa complexité excessive, au lieu d'un gouvernement clair, rapide et ferme que nécessitent la grande distance, l'inconnu et les modifications éventuelles et subites de la conjoncture. On raisonne comme dans le cabinet d'un hôtel particulier : on rédige des instructions impératives, et puis on nomme un gouverneur, un directeur, un conseil souverain, qui trop souvent ne pensent qu'à la chamaillerie. Enfin, ces grandes sociétés ne sont ni chair, ni poisson. À la Compagnie des Indes orientales, que l'opinion croit destinée au commerce, on affecte prioritairement une tâche de colonisation à Madagascar, tout en lui réclamant d'ouvrir des comptoirs en Inde, à Ceylan, dans l'archipel de la Sonde, à l'île de Banca, sur la route de la Chine et du Japon. À la Compagnie des Indes occidentales que l'on préjuge promise à la colonisation, il est assigné une mission commerciale. Le monarque, suivant son ministre, rappelle sèchement dans le préambule de l'édit de création qu'il ne suffit pas aux compagnies « de se mettre en possession des terres que nous leur concédons, et de les faire défricher et cultiver par les gens qu'elles y envoient avec grands frais, si elles ne se mettent en état d'y établir le commerce ». Et le souverain d'insister : il est « absolument nécessaire pour faire ce commerce, d'équiper nombre de vaisseaux pour porter journellement les marchandises qui se débitent audit pays, et rapporter en France celles qui s'en retirent. » Déjà, le peuplement le cède au trafic ! Colbert, tant son obsession à briser la domination maritime et commerciale des Hollandais est grande, en perd le sens critique. Dans son esprit, le même instrument semble susceptible de résoudre les problèmes les plus divers, comme ceux du Canada, des Antilles et de la Guyane, de Madagascar, des Mascareignes et de l'Asie. Il veut tout faire en même temps, autoritairement, plutôt que d'accepter de partager le travail avec le commerce particulier, qui a besoin d'incitations fiscales et de protection navale. Il en arrive à dire et à faire tout et son contraire. Le premier jour, c'est commerce d'abord ! Le lendemain, nouveau mot d'ordre : défricher, cultiver, peupler ! Le premier jour, on exalte le monopole grâce auquel le commerce français corseté dans de fières compagnies, supplantera le trafic néerlandais ! Le lendemain, on ampute ces institutions de leurs prérogatives, dont on attendait des miracles : on rattache les concessions au domaine royal et on célèbre la liberté du commerce ! Après quoi, l'on tire des conséquences qui touchent au fond. Dans cette démarche, on peut stigmatiser l'incohérence ou louer la lucidité, le refus de l'excès idéologique, bref, un pragmatisme uniquement soucieux d'efficacité. Toujours est-il qu'à l'origine il y a une erreur de jugement, que partagent également Richelieu et Colbert, qui ont cru ensemble pouvoir conduire l'expansion commerciale et coloniale de la nation, soit en contraignant les négociants, soit en se passant d'eux. Issu de la finance, pensant en financier et en robin, entouré de financiers, de gens de plume et de bureaux, écartant le négoce et la marine de ses entours, le contrôleur général réussit cependant l'exploit — malheureusement éphémère — de construire une grande flotte et un grand empire.

Tandis que Colbert met en œuvre la technique d'offensive nationale, héritée de règnes d'Henri IV et de Louis XIII, les Anglais préparent une deuxième guerre qui annonce la fin de leur rivalité avec les Provinces-Unies. Louis XIV, allié des Hollandais, cherche à ne pas trop s'engager dans ce conflit, car il entretient — au moins en apparence — de bonnes relations avec le Stuart catholique et restauré, Charles II. Les hostilités éclatent néanmoins dans les premiers jours de 1665. Escadres anglaises et hollandaises s'affrontent de manière indécise. Les Français, quant à eux, attaqués aux Antilles, résistent et même s'emparent de la partie anglaise de Saint-Christophe, d'Antigua et de Montserrat, tout en faisant échec à la flotte des Willoughby et en aidant les Néerlandais à recouvrer Tabago et Saint-Eustache. L'entrée de Ruyter dans l'estuaire de la Tamise, en juin 1667, incite Londres à la paix. Les Provinces-Unies abandonnent la Nouvelle-Néerlande (la rivière Hudson) et sa capitale, la Nouvelle-Amsterdam (l'actuelle New York), renforçant ainsi la position des Anglais vis-à-vis du Canada, se contentant de la Guyane sans partage (jusqu'en 1796), mais éliminent complètement leurs concurrents des Moluques, poussant par là Charles II à faire des Indes le centre de sa stratégie asiatique. Enfin, à ce traité de Breda, la France rend ses conquêtes antillaises, mais récupère l'Acadie qu'elle avait perdue pour la deuxième fois en 1654. Pendant cette guerre se produit un événement qui, désormais, va guider la politique étrangère et la politique coloniale du royaume. Philippe IV d'Espagne, beau-père de Louis XIV, est mort. Aussitôt le souverain français, qui a pris soin de n'affronter l'Angleterre que sur mer, arrête son plan. Il l'indique dans ses *Mémoires*. « Mais au milieu de toutes mes autres applications, celle où mon esprit s'attachait davantage était de me mettre en état de retirer des mains du roi d'Espagne les provinces qui m'étaient échues par la mort du roi son père. » Dès ce moment, le Bourbon renonce à l'expansion coloniale, lui préférant des ambitions continentales. C'est pour mettre la main sur les Pays-Bas espagnols (la Belgique actuelle), sans que l'Angleterre se ligue contre lui, qu'il rend à Charles II les Antilles. Cette restitution n'a pas d'autre sens. Les possessions d'outre-mer, dans l'esprit de Louis XIV, n'ont d'autre valeur que celle d'une monnaie d'échange. Point de vue qu'il ne dissimule pas, tant il lui paraît s'imposer d'évidence. « Je crus, que je ne devais pas perdre une occasion si favorable d'avancer mes desseins, ni mettre en comparaison le gain de ces îles éloignées avec la conquête des Pays-Bas. » Le roi, comme ses successeurs, est un politique, c'est-à-dire préoccupé de possessions et de frontières européennes ; il n'a pas la fibre coloniale ni commerciale. Au nom du droit de dévolution, il envahit la Flandre et la Franche-Comté, en 1667 et 1668. Les Provinces-Unies s'inquiètent, invitent à la paix, et finalement forment la Triple-Alliance avec la Suède et l'Angleterre. Nos trois alliés se sont unis contre nous ! Louis XIV se fait compréhensif, et aux traités de Saint-Germain et d'Aix-la-Chapelle, renonce à la Franche-Comté, mais conserve onze places flamandes dont Lille, Tournai et Douai, soit à peu près l'actuel département du Nord. Il signe parallèlement un traité secret de partage de la succession d'Espagne avec Léopold d'Autriche. Dans ce document, il n'a d'yeux que pour sa future domination continentale : aucune allusion n'est esquissée d'un éventuel démembrement de l'Amérique espagnole ; le domaine colonial est quasi exclu de ce projet. Dès ces années 1666-1668, l'Ancien Régime renonce à tout impérialisme colonial, à toute stratégie mondiale. La perspective de la succession espagnole le rend dépendant de Madrid malgré l'antagonisme des intérêts, et stérilise son analyse politique — qui limite tout à l'élargissement de nos frontières et à notre retour sur la scène italienne — au point de lui faire oublier que cet argent, après lequel nos ministres et doctrinaires pleurent tant, vient de l'Amérique espagnole.

À peine la paix d'Aix-la-Chapelle est-elle signée, sauvant de l'annexion totale les Pays-Bas espagnols, que Louis XIV entreprend une longue manœuvre diplomatique pour isoler les Provinces-Unies de ses associés de la Triple-Alliance. L'habileté et les subsides intervenant avec bonheur, l'encerclement de la Hollande est achevé au mois de janvier 1672. Colbert a-t-il poussé à ces préparatifs guerriers ? Certainement. A-t-il exercé une influence déterminante ? Cela est moins sûr. Le 8 juillet 1672, alors que l'offensive française — qui a duré huit jours — est arrêtée depuis près de trois semaines par l'ouverture des écluses, il écrit au monarque, insistant sur l'argument économique : « si le Roi assujettissait toutes les Provinces-Unies des Pays-Bas, leur commerce devenant le commerce des sujets de Sa Majesté, il n'y aurait rien à désirer davantage. » Si jusqu'à ce moment les arrière-pensées commerciales et coloniales du ministre pouvaient contribuer à expliquer la démarche royale, brusquement il n'en est plus rien. L'immobilisation des troupes du Grand Roi provoque un revirement diplomatique — l'Europe, à l'exception de la Suède se coalisant contre la France — et l'aveu des mobiles qui actionnent son entreprise belliqueuse : Louis XIV, revenant à ses errements, se tourne contre les Habsbourg, envahissant l'Alsace et la Franche-Comté, tout en accordant une paix séparée aux Néerlandais au mois de février 1674. Et, aux traités de Nimègue (1678-1679), il prend la Franche-Comté et douze places flamandes à l'Espagne, et reçoit Fribourg des mains de l'empereur. Louvois, qui partage les idées continentales de son maître, a gagné. Quant à Colbert, impliqué accessoirement dans ce conflit, il éprouve des sentiments mêlés d'amertume. Ses deux Compagnies des Indes, déjà fragiles, n'ont pas résisté. Son protectionnisme douanier est bousculé par les accords diplomatiques. Sa marine, grâce à Vivonne et à Duquesne, a tenu la Méditerranée, mais a été insuffisante dans son nombre et sa qualité pour dominer les mers. Toutefois, elle a été en mesure de protéger les colonies de l'Atlantique, et même de remporter quelques succès.

La guerre maritime déborde rapidement le cadre européen. en 1674, Ruyter arrive dans la mer des Antilles, à la tête d'une puissante escadre de 40 vaisseaux. Après avoir tenté sans succès de s'emparer du Fort-Royal de la Martinique, défendu par le capitaine de vaisseau d'Amblimont, futur gouverneur général (1696-1700), il rebrousse chemin, tandis que son lieutenant, Binkes, se montre plus heureux en 1676 ; suivi de 10 vaisseaux, il s'empare de Cayenne, prend soin de renforcer la défense des îles néerlandaises de Tabago et Curaçao, fait une descente à Saint-Domingue et occupe Marie-Galante, dépendance de la Guadeloupe. L'année suivante, apparaît le vice-amiral d'Estrées, commandant une belle armée navale. Il reprend Cayenne, mais échoue devant Tabago et rentre en France dépité. Il repart au mois d'octobre 1677, disposant cette fois de 18 vaisseaux, et ayant reçu l'ordre réitéré de chasser les Hollandais de leurs possessions africaines et antillaises. La campagne commence sous les meilleurs auspices : Gorée tombe entre ses mains, tandis que Ducasse, agissant pour le compte de la compagnie du Sénégal, prend Rufisque, Portudal, Joal, et l'année suivante Arguin. Aux Antilles, Tabago capitule. Après cette victoire, l'amiral fait voile vers l'entrepôt insulaire de Curaçao, mais écarte les responsables locaux qui le mettent en garde contre les dangers de la navigation dans les parages de la Terre-Ferme. Cet officier général de l'armée de terre, entré récemment dans la marine, ne veut entendre personne, ni le pilote Bourdenave ni les capitaines de Méricourt et d'Amblimont. Résultat : le 11 mai 1678, au début de la nuit, il échoue sa flotte sur les îles d'Aves, perdant 7 vaisseaux et 500 hommes. Heureusement, on est à trois mois de Nimègue ! Aux Indes orientales, la France n'a toujours pas dépassé le stade des tâtonnements : en 1671, Blanquet de La Haye, à la tête de « l'escadre de Perse », aborde, surveillé et serré de près par les Néerlandais ; il ne réussit pas à exécuter les ordres de Colbert qui lui a demandé de fonder deux établissements, l'un à Ceylan, l'autre en Malaisie, à l'île de Banca, entre Sumatra et Java. Après avoir essuyé un revers à Trincomalé, il renonce à cingler vers les îles de la Sonde, et se dirige vers la côte de Coromandel où il investit San-Thomé, ancien port portugais situé à deux lieues de Madras, que tenaient les Anglais. Pendant deux ans, Blanquet de La Haye résiste au siège des troupes de Golconde, allant même bombarder Mazulipatam ; contraint par la famine, il finit par se rendre aux Hollandais de l'amiral Rycklof, en 1674. Cette défaite maritime, au cours de laquelle « l'escadre de Perse » forte d'une dizaine de bâtiments se désintègre lentement, n'emporte pas un désastre colonial, puisqu'un petit groupe de Français reste à Pondichéry sous l'autorité de François Martin. Toutefois le prestige du Grand Roi sort exsangue de cette première expédition qui, au lieu d'entamer l'emprise hollandaise, l'a renforcée.

À la paix de Nimègue, si les Provinces-Unies doivent céder Tabago, l'Espagne reconnaît implicitement la domination française sur la partie occidentale de Saint-Domingue, patrie de la flibuste. En effet, l'article 7 du traité franco-espagnol dispose clairement : « Chacun demeurera saisi et jouira effectivement des pays, villes et places, et terres, et seigneuries, tant au dedans que dehors l'Europe, qu'il tient et possède à présent, sans être troublé ni inquiété directement ni indirectement, de quelque façon que ce soit. » L'issue de ce conflit, qui agrandit le domaine colonial français, ne peut satisfaire pleinement. Sur mer, les Hollandais n'ont véritablement cédé que dans la Méditerranée, et encore, grâce à l'alliance, puis à la neutralité de l'Angleterre. Si les Antilles ont été sauvées — d'ailleurs en partie à cause de l'inhabituelle indécision de Ruyter —, le commandement des forces navales a étalé ses faiblesses. En Asie, l'insuffisance en nombre et en qualité de la marine a paralysé toute volonté d'expansion. Or, il n'y a pas de colonies sans de puissantes escadres. La guerre de Hollande se présente schématiquement comme un revers de la mer — le commerce national est atteint par l'annulation du tarif douanier de 1667 dirigé contre les Provinces-Unies — et comme un succès de la terre, que consacre l'élargissement des frontières du nord et de l'est. Les années qui suivent accentuent l'orientation continentale de la politique française, et Colbert, malgré un magnifique développement de la Marine, fait davantage figure de gestionnaire du royaume que de stratège : ce rôle revenant au roi, à Colbert de Croissy, nouveau secrétaire d'État des Affaires étrangères, et à Louvois. Le contrôleur général, bien qu'il occupe une place centrale dans le gouvernement, est en réalité sur les lisières, aussi importante que soit la position de son frère en matière diplomatique. De 1678 à 1684, Louis XIV, uniquement soucieux de l'état stratégique de la France continentale dont certaines faiblesses graves lui étaient apparues lors des dernières campagnes de Turenne et de Condé, et voulant à tout prix fermer les brèches qui ouvrent la nation à l'invasion des Impériaux, se lance dans ce que l'on appelle la « politique des réunions ». Désormais, le boulevard alsacien est annexé, tandis que la Lorraine et le Barrois, encerclés, sont condamnés à être absorbés un jour ou l'autre. Les Turcs menaçant Vienne, l'Europe s'incline en souscrivant à la trêve de Ratisbonne (1684). La conduite du souverain français tourne ostensiblement le dos à une géopolitique mondiale, et par là ignore le phénomène colonial aussi bien comme instrument d'enrichissement économique, que comme arme stratégique au service de la puissance militaire du royaume. Colbert essaie de toutes ses forces de modifier la conception étriquée que son maître se fait de l'avenir du rapport de force en Europe. Il n'oublie pas la mise en garde de Richelieu annonçant le danger anglais. Mais son application ne suffit pas. Or, les faits sont là : Amsterdam contrôle toujours le commerce international, l'Asie, et reste présente dans la mer des Antilles ; Londres se rapproche de sa rivale, qui devient de plus en plus une alliée, et renforce puissamment ses positions américaines. Le roi reste sourd. Dans les années 1690, les Antilles anglaises comptent environ 32 000 Blancs et 130 000 esclaves, alors que les îles françaises ne dénombrent qu'une douzaine de milliers de Blancs et 20 000 esclaves au plus. La mer des Antilles est un lac soumis à la loi commerciale et navale des protestants anglo-néerlandais. Les colonies anglaises d'Amérique du Nord rassemblent plus de 210 000 habitants, contre quelque 10 000 au Canada. Ce déséquilibre sensible des populations blanches aux Antilles, cette disproportion irréparable sur le continent, sauf déplacements massifs, volontaires ou contraints, nécessitent une telle continuité dans la volonté politique et de tels moyens financiers et maritimes, que l'avenir semble déjà tracé. Aux côtés des nations espagnole et portugaise d'Amérique, se dresse maintenant une nation anglaise du Nouveau Monde, où la France ne possède que des établissements.

Toutefois, quand meurt Colbert, en 1683, l'empire colonial français fait impression et atteint ses plus grandes dimensions. Les prises de possession sont achevées, à l'exception de l'île de France, ou Maurice, en 1721, des Séchelles, en 1750, et de quelques comptoirs, ici ou là. Ce domaine national d'outre-mer comprend : 1° Le bassin du Saint-Laurent jusqu'à l'Acadie et au Labrador, avec les îles Anticosti, Royale (cap Breton), Saint-Jean (Prince-Édouard), Terre-Neuve et les îles Saint-Pierre et Miquelon et autres adjacentes, à l'est, la terre d'Hudson, au nord. 2° Le bassin du Mississippi, des Grands Lacs au golfe du Mexique, découvert par Jolliet et le P. Marquette (1673-1674), dont Cavelier de La Salle prend possession au nom du roi (9 avril 1682), qu'il appelle Louisiane ; il sera nommé, en 1684, « gouverneur de toutes les contrées de l'Amérique septentrionale soumises et à soumettre depuis le fort Saint-Louis jusqu'à la Nouvelle Biscaye ». 3° Aux Antilles, les îles : la Martinique, la Guadeloupe et dépendances, la Grenade, les Grenadines, partie de Saint-Martin, Sainte-Lucie, Tabago, Sainte-Croix et la partie occidentale de Saint-Domingue (Haïti). 4° En Amérique méridionale : Cayenne et la Guyane, de l'Amazone au Maroni. 5° En Afrique : Arguin, Saint-Louis du Sénégal, l'île de Gorée... 6° Dans la mer des Indes : Madagascar, revendiquée encore au XVIIIe siècle, l'île Bourbon, Pondichéry et Chandernagor. Cet empire, qui pour la première fois prend conscience de sa réalité, grâce à la mise en place d'une administration royale légère, relève largement de l'illusion. Il est en grande partie inoccupé et contesté sur le plan juridique, mais le mythe suffit pour exciter la convoitise et l'hostilité des puissances maritimes. Cet état de choses générateur de périls n'en souligne que davantage l'inconsistance de la politique coloniale de Louis XIV, qui ne résout jamais les trois problèmes cruciaux de l'immigration, de la protection navale et de l'approvisionnement maritime. Pourtant les Colbert se sont dépensés sans ménagements. À sa mort, en 1690, quand débute la guerre de la ligue d'Augsbourg, Seignelay laisse à la France une flotte marchande de l'ordre de 200 000 tonneaux (l'anglaise et la hollandaise se situant autour de 250 000 et 500 000 tonneaux), et une force navale de 120 vaisseaux (malheureusement contre 106 aux Anglais et 96 aux Hollandais, non comptées les piètres escadres espagnoles). Les colonies prospèrent, surtout les Antilles qui commencent à expédier leurs sucres, mais le grand commerce hollandais — les ventes de la Compagnie des Indes orientales passent de 72 millions de florins en 1640, à 150 en 1700, avant d'atteindre les 150 millions en 1720 — semble toujours inaccessible, et l'Angleterre, commercialisant ses productions nationales et celles de ses colonies à un fret encourageant, fait poindre une menace qui ira croissant au XVIIIe siècle.

Louis XIV sans les Colbert : le premier déclin colonial

La trêve de Ratisbonne (1684), avalisant les réunions effectuées par Louis XIV, avait été signée pour vingt ans. Or, dès 1685, à l'instigation des Provinces-Unies, se prépare une coalition qui prend forme l'année suivante sous le nom de ligue d'Augsbourg, et qui rassemble : Hollande, Suède, Brandebourg, l'Empire — d'autant plus à l'aise qu'il bouscule victorieusement le Turc —, la Bavière, et plus tard l'Angleterre et la Savoie. La France est isolée, cernée. L'année 1688 mélange les événements explosifs. Au mois de juin, Jacques II a un fils : les hauts dignitaires du royaume, refusant la perspective de voir régner un nouveau souverain catholique, en appellent à Guillaume d'Orange, gendre du Stuart. Au mois d'octobre, le Néerlandais lance une proclamation d'acceptation et fait voile vers l'Angleterre. Jacques II, après une première tentative avortée, s'enfuit vers la France au mois de janvier 1689. Peu après Guillaume III et Marie II sont élevés à la royauté par le Parlement. C'est la Glorieuse Révolution, l'avènement de la ploutocratie. Entre-temps, Louis XIV avait déclaré la guerre aux Provinces-Unies, leur reprochant d'avoir aidé le prince d'Orange dans son équipée usurpatrice, et à son tour, la guerre d'Empire était signifiée à Versailles par la Diète, le 15 décembre 1688. La succession du Palatinat, à laquelle Louis XIV veut faire valoir les droits de sa belle-sœur, la révocation de l'édit de Nantes, montée en épingle par l'opinion publique des États protestants — oubliant le sort que l'hérésie ménage aux catholiques anglais : suppression des droits civiques, dépossession, déportation —, ne tendent que davantage la situation. La ligue d'Augsbourg — ouverture de la seconde guerre de Cent Ans — associe ou met aux prises des nations aux objectifs souvent sans rapports. Le roi de France veut changer la trêve de Ratisbonne en traité définitif, qui, à la manière de la paix de Westphalie, établirait un nouvel ordre européen, dont Versailles serait le garant. Dans tout cela, une stratégie continentale — celle des réunions — où l'outre-mer est absent. Léopold d'Autriche, à qui ses succès sur le Turc donnent un poids nouveau, convoite la succession espagnole pour son second fils. Quant aux puissances maritimes, l'Angleterre et les Provinces-Unies, leurs économies sont rivales. Les Néerlandais qui, dans la Ligue, voyaient un moyen pour se défendre contre le voisinage envahissant des Français, sont entraînés par leur compatriote, maintenant roi d'Angleterre, dans un conflit dont l'enjeu est maritime, colonial et commercial. En fait, c'est même une guerre pour la suprématie en Amérique que les Anglais entreprennent : pour la morue, les fourrures, les sucres et l'indigo, et contre l'encerclement des colonies continentales par le Canada et la Louisiane, ces deux géants territoriaux, vides d'habitants. Londres, en entrant dans le processus guerrier de 1690, veut remettre en cause le partage du Nouveau Monde, s'approprier la partie septentrionale du continent et contrôler l'Amérique espagnole, ce dont les « Chiens de Mer » lui ont donné l'idée et laissé le souvenir. À l'opposé, quand Madrid se joint à la coalition, au mois de juin 1690, Louis XIV pour la deuxième fois n'aura pas une pensée pour la patrie des fabuleux métaux et n'échafaudera aucun plan pour s'y tailler une belle et riche possession. L'Europe, l'Europe seulement ! Quel manque de vision mondiale de l'expansion chez ce souverain dont on dénonce si souvent les goûts impérialistes !

Le royaume est menacé par autant de fronts qu'il compte de frontières. Louis XIV, pour protéger l'Alsace, fait dévaster le Palatinat, au cours du premier trimestre de 1689 — comme les Impériaux avaient ruiné la Bourgogne pendant la guerre de Trente Ans, ce qu'oublie la propagande anti-louis-quatorzienne — mais il sait que l'alliance des puissances maritimes, Angleterre et Hollande, représente le principal ennemi et qu'elle sera financée par les capitalistes d'Amsterdam et de Londres. Aussi décide-t-il une certaine prudence sur terre et une stratégie offensive sur mer. Pendant que se déroulent les opérations du Palatinat, il fait transporter Jacques II, le roi déchu, et des troupes en Irlande catholique et loyaliste (mars 1689). Au mois de juillet 1690, Tourville remporte la victoire de Béveziers. Les coalisés perdent seize vaisseaux dans cette bataille. Néanmoins, Seignelay juge le triomphateur « brave de cœur, poltron d'esprit », parce qu'il n'a pas, comme Ruyter naguère, poursuivi l'ennemi dans la Tamise et qu'il n'est pas allé bombarder les arsenaux de Chatham. Pendant ce temps, Jacques II, battu, rentre en France. La stratégie offensive, fondée sur la Marine, s'écroule. C'est alors que le cofondateur de la plus belle force navale française rend l'âme. « Il nous semble que la splendeur est morte », se lamente Mme de Sévigné. Louis de Pontchartrain, contrôleur général des Finances, robin parfaitement ignorant des choses de la mer, succède aux Colbert. Le nouveau ministre n'est pas convaincu de l'utilité des escadres, car les victoires navales ne lui paraissent d'aucune influence sur le déroulement de la guerre. Il aurait envisagé un désarmement des vaisseaux, si son adjoint Usson de Bonrepaus, intendant général de la Marine et homme de confiance de Seignelay, n'avait convaincu le roi de rejeter cette politique. Toutefois, pendant toute l'année 1691, les navires ne servent à rien, ayant pour ordre de protéger les côtes du royaume et de n'engager le combat que contre un ennemi inférieur en nombre. Une doctrine stérile en Europe, inquiétante pour les colonies. En 1692, on décide qu'il faut anéantir les Anglais et les Hollandais séparément afin de pouvoir débarquer en Angleterre. Tourville reçoit l'instruction impérative d'affronter l'ennemi quel que soit son nombre. Le 29 mai, les 44 vaisseaux français se heurtent aux 99 vaisseaux alliés, livrent la bataille indécise de Barfleur, mais dans la retraite, la Marine royale perd 13 de ses gros bâtiments. C'est ce que l'on appellera le désastre de la Hougue, qui n'aurait été qu'un méchant accident, si Louis XIV n'avait voulu y voir la démonstration de l'incapacité de la Marine à contribuer à la victoire finale... et si l'on avait construit Cherbourg.

Le désintérêt du monarque pour ses armées navales permet à Pontchartrain de se débarrasser de Bonrepaus, nommé ambassadeur au Danemark, et, tout en entretenant autant de vaisseaux qu'avant la défaite, car le roi l'exige, il peut mettre ses idées, ou celles de certains armateurs bretons de ses amis, à exécution. Le nouveau secrétaire d'État de la Marine a pour système la guerre de course, auquel il convie les négociants des ports et qu'il impose aux escadres, sauf dans la Méditerranée. Renonçant à essayer de dominer les routes maritimes et à frapper les escadres ennemies, la France entre dans l'âge de la « guerre navale industrielle », devenant nation corsaire ou « nation pillarde ». Finalement, Louis XIV, privé des moyens navals de vaincre les capitalistes d'Amsterdam et de Londres, malgré 4 200 prises, de 1693 à 1697, profite de quelques victoires et de la médiation suédoise pour signer le traité de Ryswyck (1697) où, restituant ses conquêtes nouvelles, mais conservant toute l'Alsace, il fait accepter que la trêve de Ratisbonne perde son caractère temporaire et devienne définitive. Succès mitigé d'une stratégie strictement continentale, où la France doit reconnaître aux Provinces-Unies le droit de tenir garnison dans plusieurs places des Pays-Bas espagnols, et où l'Autriche, à nouveau victorieuse du Turc, acquiert une puissance qui aspire à l'hégémonie. Si sur terre, Louis XIV a accepté un compromis qui se traduit par l'établissement d'un système de « barrières » aux frontières, sur mer, il a d'ores et déjà admis la suprématie anglo-hollandaise. Pris entre le feu du Hanovre et celui du Habsbourg, le royaume nourrit un avenir délicat qui appelle une révision des alliances.

Comment les colonies ont-elles vécu la guerre de la ligue d'Augsbourg, comment ont-elles affronté la volonté anglaise d'expansion, comment ont-elles ressenti la mort des Colbert, l'abandon de la politique navale de Seignelay et la mise en place du système de Pontchartrain, guerre de course et maintien formel de la puissance navale ?

En Amérique du Nord, l'antagonisme anglo-français est inscrit dans la géographie, l'économie, la démographie et la tradition. La Nouvelle-Angleterre, qui, depuis le traité de Nimègue, n'est plus menacée, au sud, par la colonie de la Nouvelle-Néerlande que les Hollandais ont dû céder à la Couronne anglaise, a les mains libres pour s'en prendre au Canada, à l'Acadie qu'elle a déjà occupée à trois reprises, voire à d'autres territoires. Après le sac de Montréal, au mois d'août 1689, opéré par les Iroquois qu'excitent les Anglais, Versailles se prononce en faveur d'une double attaque par terre et par mer de la Nouvelle-York. M. de Frontenac, vieux colonial habile et ancien gouverneur général, reprend les rênes de la colonie au mois d'octobre 1689, à la satisfaction de tous. « Car ce gouverneur s'est fait considérer, écrit le baron de Lahontan, non seulement des Français, mais encore de tous les peuples de ce vaste continent qui le regardaient autrefois comme leur ange tutélaire. » Tandis que la France renonce à l'expédition navale qu'elle avait projetée, le gouverneur réchauffe l'ardeur des tribus alliées, relève le moral de ses 1 500 soldats des troupes réglées et de ses 2 000 miliciens, puis forme trois colonnes qui, partant de Québec, des Trois-Rivières et de Montréal, fondent sur la possession ennemie. Leur succès provoque une réaction anglaise. Phipps, ancien charpentier promu amiral, quitte Boston et fait voile vers le Port-Royal d'Acadie, dont il s'empare et qu'il détruit (mai 1690). Victoire éphémère, car bientôt les quelques soldats anglais restés sur place sont chassés. Pendant ce temps, Phipps, ses 34 navires et ses hommes remontent le Saint-Laurent, décidés à investir Québec. Frontenac ne se laisse pas intimider, et le 23 octobre, l'hiver saisissant les eaux du fleuve, les Anglais rebroussent chemin en catastrophe, perdant dans cette aventure 400 des leurs, 15 bateaux et une partie de leur matériel. Dans les années qui suivent, un coup de main anglais sur Montréal échoue (1691), la guerre contre les Iroquois reprend et s'éteint, l'escadre française de M. de Nesmond erre dans les parages de Terre-Neuve pour battre la flotte adverse et porter les hommes de Frontenac sous les murs de New York, puis s'en retourne en France sans avoir rencontré personne ni servi de rien (1694). Mais le marquis de Seignelay est mort, et comme l'observe Lahontan, « c'est assurément le plus grand malheur qui pouvait arriver à la Marine de France, aux colonies des deux Amériques ».

Les colonies anglaises et le Canada campant sur leurs positions, la guerre se déplace. En 1690, Plaisance, capitale française de Terre-Neuve, a failli succomber. La situation est d'autant plus dangereuse pour l'île que les Anglais y sont plus nombreux que les Français : 2 000 pour moins de 700. En 1696, un jeune officier de marine canadien, Pierre Le Moyne d'Iberville, après avoir détruit le fort de Pemquid, en Acadie, cingle vers Terre-Neuve, où il enlève tous les postes ennemis à l'exception de celui de Bonavista, puis file vers la baie d'Hudson — où, en 1694, il s'était emparé du fort Nelson, qu'il avait rebaptisé Fort-Bourbon — y entre une deuxième fois, anéantit trois navires anglais et réoccupe le fort Nelson. En Amérique du Nord, la guerre de la ligue d'Augsbourg n'a pas dépouillé la France. Frontenac a conservé le Canada dans son intégralité. Quant à Iberville, il a consolidé les droits du roi sur Terre-Neuve et la baie d'Hudson. Tous ont aidé à préserver l'Acadie du joug de la Nouvelle-Angleterre. Cet ensemble colonial, si cher à Henri IV, à Richelieu et aux Colbert n'a pas eu droit aux soins de Pontchartrain et de la Marine. Si le Canada — pris au sens large — est intact, il ne le doit qu'à lui-même, et n'est redevable d'aucune gratitude à la métropole. Son combat est celui de coloniaux oubliés par la mère patrie, il est celui d'une nation neuve qui, malheureusement souffre de deux maux : la faiblesse de sa population, l'imprécision de ses frontières.

Aux Antilles, la guerre fait une entrée prompte et vive. Le lieutenant général de Blénac est informé de l'ouverture des hostilités au début de 1689. Aussitôt, il prend Saint-Eustache aux Hollandais, la partie anglaise de Saint-Christophe tombant peu après entre ses mains (mai 1689). Les Anglais, alliés des Hollandais et des Espagnols, sont maîtres de la mer. S'ils échouent devant Saint-Martin et la Grenade au printemps de 1690, ils investissent Saint-Christophe au mois de juin suivant. En 1691, ils se saisissent momentanément de Marie-Galante, mais attaquent vainement la Guadeloupe, comme ils assaillent sans succès la Martinique en 1692 et en 1693. Les Français des îles du Vent se cantonnant dans une attitude défensive, efficace d'ailleurs, les marins de Guillaume III se contentent d'organiser un régime de surveillance et de blocus. On en reste là, car l'action se déplace vers l'ouest, dans les grandes Antilles. En 1689, Cussy prend Santiago dans la partie espagnole de Saint-Domingue : sans portée. Au mois de janvier 1691, la Grande Ile — où 300 Français de Saint-Christophe s'étaient réfugiés l'année précédente — fait l'objet d'une invasion espagnole par terre et par mer : les Ibériques étrillent leurs encombrants voisins qui, six mois plus tôt, avaient lâché leurs flibustiers sur Santiago de Cuba. À la fin de 1691, Ducasse prend le gouvernement de l'île d'une poigne ferme. Les Anglais, ici comme ailleurs, inquiètent les côtes, et de conserve avec les Néerlandais, profitent du commerce espagnol. Au mois de juin 1694, Ducasse, entraînant derrière lui flibustiers et habitants, fait une descente à la Jamaïque où il « gagna 3 000 nègres, beaucoup d'indigo, et d'autres marchandises précieuses, quantité de chaudières à sucre, et d'autres ustensiles propres à cette manufacture ». Par représailles, une imposante flotte anglo-espagnole ravage le Nord de Saint-Domingue, ruinant les ports du littoral (juin 1695). Au milieu d'alertes incessantes, débarquent 147 Blancs et 623 esclaves : toute la population de Sainte-Croix, île dont les Anglais s'étaient emparé. Enfin, l'événement le plus célèbre. Dans le cadre de la guerre de course, qui a pour fin d'appauvrir le commerce ennemi et d'enrichir non seulement les armateurs et leurs associés, mais aussi le trésor royal, arrive à Saint-Domingue le baron de Pointis, à la tête de 10 vaisseaux, 4 frégates, des transports et 1 600 hommes (février 1697). Le chef de l'escadre explique au gouverneur qu'il lui faut rassembler le plus d'hommes possible et l'accompagner à Carthagène — port de chargement de métaux précieux avec Porto Bello — qu'il a mission de piller. Gens du roi et flibustiers associés font voile vers la ville fameuse, « une Carthage neuve au pays de la Fable », chantera plus tard Heredia, le fils du fondateur. Cette expédition « a tout à fait l'air d'un roman », s'extasie Saint-Simon, qui, après Pointis estime le butin à neuf millions de livres, alors que Ducasse et les Espagnols l'évaluent à 20 et 40 millions. Belle opération qui n'eût pas été réussie sans le concours des 1 200 « garçons » de Saint-Domingue. Après cette affaire retentissante, Ducasse, qui a sauvé la Grande Ile de la griffe des coalisés, voit la paix arriver, ce qui ne l'empêche pas de s'opposer à l'établissement d'Écossais au Darien (Panama), car il comprend que désormais l'Angleterre constitue le danger premier dans la mer des Antilles.

Même si les communications avec la métropole ont tenu, les Antilles et le Canada n'ont compté que sur leurs propres moyens pour résister à la coalition. Le passage de petites escadres, telles celles de Duquesne-Guiton et du chevalier des Augiers, est insignifiant à côté de ce que représentaient les forces du vice-amiral d'Estrées. Plus de Colbert, plus de flottes dans les colonies, plus de stratégie coloniale. Le 13 janvier 1689, Seignelay, offensif à l'égard de l'Amérique espagnole, commande à Cussy, gouverneur de Saint-Domingue avant Ducasse, de s'emparer de la partie orientale de l'île qui appartient à Madrid. « Vous pouvez croire, que vous n'aurez de votre vie rien de plus grand à exécuter, et vous pourrez compter, en réussissant, sur des grâces particulières de Sa Majesté, surtout qu'Elle vous en donnerait le gouvernement. » À la même époque, Louvois, champion d'une stratégie exclusivement continentale, confie au contrôleur général Le Peletier, évoquant des projets de Louis XIV sur le Siam : « Tout l'argent que l'on met à de pareils établissements est de l'argent perdu » (27 juillet 1688). Il faut avouer que songer au Siam, où l'on compte pour rien, et non aux possessions existantes, laisse songeur sur la capacité du Grand Roi à voir plus loin que la France et l'Europe, et à concevoir l'idée même d'empire d'outre-mer. Et, André Corvisier de conclure à propos du secrétaire d'État de la Guerre, aussi conseiller pour les affaires politiques européennes : « Que Louvois ait été opposé aux entreprises coloniales ne paraît pas douteux. » La mort de Seignelay, au mois de novembre 1690, sonne le glas de visées expansionnistes, notamment de celles auxquelles les Antilles pouvaient donner un champ immense. Louis de Pontchartrain, pour être un affairiste, n'en est pas moins contrôleur général des Finances, et le coût de la Marine — instrument privilégié de la colonisation — l'effraie, d'où les fortifications côtières et la course pour diminuer les dépenses navales, ce en quoi d'ailleurs il ne réussit pas, au contraire. Contre l'Espagne, dont on calcule comment partager la succession avec l'accord d'autres ennemis, le pouvoir —

après Seignelay — n'envisage pas un instant, fidèle à la démarche adoptée pendant la guerre de Hollande, de mener une politique agressive contre « les Castilles d'or ». Étrangement, la France fait penser à une Belle au bois dormant qui attend la mort de l'égrotant Charles II pour sortir du sommeil. Ducasse, tête pensante, et l'un des plus grands marins de Louis XIV, très lié aux Pontchartrain, essaie, mais en vain, de rallier son chef à une doctrine de mouvement. Dès 1692, et jusqu'à la fin de son gouvernement à Saint-Domingue, reprenant le projet de Seignelay, il supplie son ministre de l'autoriser à s'emparer du port et capitale de la partie espagnole, et d'annexer le tout. On n'interdit jamais, mais l'on ne permet jamais. « S'il y a quelque difficulté dans la conquête de cette place, insiste le colonial, elle procède de sa situation et de notre éloignement, plutôt que de sa force ; mais je vous assure que je parviendrai à un moyen d'exécuter ce projet, pourvu que vous m'envoyiez deux vaisseaux, pour en aller examiner au vrai les moyens. » Peine perdue ! Ainsi, en 1697, la petite escadre du chevalier des Augiers, préoccupée d'un coup de main fructueux, se dérobera aux demandes pressantes du gouverneur, tout comme Pointis, officier et spéculateur, au service d'un souverain, patron d'une expédition de pillage !

Ducasse, toujours dans ce même rapport de 1692, parle à Pontchartrain — esprit brillant, mais carriériste prudent — comme un ministre à l'ample réflexion eût dû exposer au roi. Évoquant les avantages militaires de son île, il brosse une stratégie d'expansion aux dépens de l'Amérique espagnole. « Mais ce qu'il y a de plus important, en quoi les donneurs d'avis n'ont point fait attention, c'est que si *Sa Majesté voulait jamais porter ses armes contre la monarchie des Indes, ou séparer de l'Espagne ces vastes royaumes, cette île est à la bienséance et à portée pour prendre les partis qui conviendront aux armes de Sa Majesté, soit pour l'attaque du Mexique, soit pour celle du Pérou, ou pour prendre les ports de la partie du nord, où le transport ou l'entrepôt de toutes ces grandes richesses se fait*, et par là fermer les portes aux trésors qui sont apportés en Europe et qui se répandent sur tout les États. Quoique ma vue soit grande et étendue et qu'elle approche de la vision, j'espère, Monseigneur, que vous ne la regarderez pas comme telle, vous assurant que les opérations n'en sont pas difficiles ; et comme il faut de grandes choses à un grand roi, j'espère que la Providence divine ne mettra point de bornes à ses conquêtes, et que celles dont je parle seront quelque jour de son goût. » Le gouverneur ne sera pas écouté. Le pouvoir, qui pratique la politique du « Pacte de famille » avant la date et avec l'ennemi, cherche d'autres horizons, dont il pense qu'ils seront gratuits et grassement profitables. On s'engagera donc dans la « pénétration commerciale », selon l'expression de Ch. Frostin, sans mesurer que le rendement de cette méthode dépend du bon vouloir de l'Espagne, et surtout de l'Angleterre : mais, à court terme, le jeu de l'interlope laisse espérer de beaux bénéfices. De ce point de vue, les Pontchartrain voient juste : leur gousset y trouvera largement son compte. Si la guerre de la ligue d'Augsbourg n'a pas causé de graves torts en Amérique, continent privilégié de la colonisation royale, qu'en a-t-il été en Afrique et en Asie, où la France se contente de peu, tout en nourrissant de grandes ambitions ? Sur le littoral noir, d'où Chambonneau et La Courbe partent pour reconnaître l'arrière-pays, les Anglais, au cours des mois de janvier et de février 1693, s'emparent de Saint-Louis du Sénégal et de l'îlot de Gorée. Peu après, ces deux modestes postes sont repris, mais personne ne s'établit à Gorée que l'incendie et la ruine rendent inhabitable. Pendant ces petites opérations de reconquête, les Hollandais prennent Arguin, d'où ils ne bougeront pas jusqu'à la paix.

Aux Indes, la conjoncture, comme lors de la guerre de Hollande, prend un tour défavorable aux intérêts du roi. En 1690, la petite escadre de Duquesne-Guiton jette l'ancre devant Pondichéry. Aussitôt François Martin s'emploie à convaincre le marin d'aller détruire la flotte anglo-hollandaise. Il échoue. L'officier, après un exercice de tir hautement stérile devant Madras, s'en retourne, faisant voile vers les Antilles puis la France. En 1692, quelques navires aux ordres du capitaine de frégate Dandennes longe la côte de Malabar, et à leur tour filent vers les horizons métropolitains. Aux Indes, comme ailleurs et comme toujours, les coloniaux sont abandonnés à eux-mêmes. L'étau se referme inexorablement. Le radjah mahratte de Gingi vend Pondichéry aux Néerlandais qui l'ont soudoyé. Le 3 septembre 1693, Martin capitule, impuissant devant une escadre hollandaise nombreuse, et part pour Chandernagor, dernière position française avec quelques loges du Bengale, et Sūrat, toujours plus somnolente sur la côte occidentale. Alors que l'influence nationale est abolie, Serquigny d'Aché, à la tête de six vaisseaux, apparaît. Après avoir échangé quelques coups de canon avec la flotte hollandaise, au large de Goa, se contentant de visiter Sūrat, il regagne la mère patrie, sans seulement pousser jusqu'aux bouches du Gange, vers Chandernagor, Casimbazar, Dacca, Ougly, Balasore et plus en retrait Patna, que la marine des Provinces-Unies bloque, ne lâchant prise qu'à la paix, quand en 1698 se présenteront les vaisseaux de l'escadre du chevalier des Augiers.

Les traités de Ryswick, comme François Bluche le souligne avec insistance, permettent à la France de faire deux acquisitions considérables : la basse Alsace sur le continent — le Rhin séparant désormais le royaume de l'Allemagne — et aux Antilles, la partie occidentale de l'île espagnole de Saint-Domingue — futur instrument de la prépondérance française sur le marché international des sucres et des cafés. À cette exception près, le paysage colonial redevient ce qu'il était avant l'ouverture des hostilités. En Amérique du Nord, qu'il s'agisse de la baie d'Hudson ou de Terre-Neuve, les Anglais recouvrent leurs établissements, et Louis XIV, le Port-Royal, en Acadie. Aux Antilles, les Français, qui ont perdu Saint-Eustache conquise aux premiers jours, récupèrent la partie de Saint-Christophe que leur avaient enlevée les Anglais, avec lesquels, par ailleurs, ils renouvellent une convention vieille de 1660, attribuant la Dominique et Saint-Vincent aux Caraïbes ; celles-ci bénéficient du statut original d'îles neutres. En Afrique, Louis XIV conserve ce qu'il possédait avant la guerre, tandis qu'aux Indes, les Hollandais lui rendent Pondichéry. La guerre de la ligue d'Augsbourg, dans sa dimension coloniale, n'a fait qu'une victime : l'Espagne, qui perd la partie occidentale de Saint-Domingue. Sinon, que constater ? Plusieurs faits. Pour la deuxième fois, la France se révèle incapable de se maintenir aux Indes orientales où les Hollandais, maintenant aidés des Anglais, s'amusent d'elle parce qu'elle ne dispose pas d'une marine suffisante, et que ses officiers manquent de caractère et de pugnacité. Si les Néerlandais ferment la mer des Indes, les Anglais dominent la mer des Antilles où, avec leurs associés d'Amsterdam, ils déploient une contrebande fructueuse au détriment de l'Espagne. Enfin, les sujets de Guillaume III multiplient les zones de tension en Amérique du Nord-Canada, Acadie, baie d'Hudson, Terre-Neuve, soit indirectement en utilisant les tribus iroquoises, soit directement en laissant la Nouvelle-Angleterre partir en guerre contre le Port-Royal et Québec. Là-bas, l'enjeu est commercial : les fourrures et les morues.

Si les traités de Ryswick enregistrent l'accroissement du domaine extérieur, les leçons qu'ils dégagent ne peuvent qu'inquiéter. La guerre continentale isole les possessions, ou, dans le pire des cas, les anéantit. En effet, la coalition des puissances maritimes, en coupant les grands axes de communication intercontinentaux, livre les colonies à la seule valeur des chefs locaux. Comment expliquer le pessimisme de ces propos alors que le royaume n'a jamais possédé une aussi belle flotte ? Il n'est que de lire les *Mémoires de la Cour de France* de la charmante comtesse de La Fayette pour avoir une idée de l'esprit de la classe qui donne le ton. Louvois et l'armée de terre ploient sous l'éloge, Seignelay et les force navales sous le sarcasme. On ne croit pas à l'efficacité stratégique des escadres, et l'on y croit d'autant moins que l'on ne sait pas s'en servir. On partage les effectifs entre Brest et Toulon, comme si l'on ignorait que les Anglo-Hollandais n'appartiennent pas aux peuples et à la géographie de la Méditerranée. Alors que sur terre on suit un fil stratégique, sur mer on navigue à l'estime. Un jour, c'est le débarquement en Irlande, mais avec restrictions. Le lendemain, c'est une grande victoire, coûte que coûte, mais sans objectif précis, ce qui permet de décrier Béveziers. le troisième jour, on veut renouveler, à la hâte, sans concentration suffisante, l'exploit de Guillaume le Conquérant. À la fin, ne sachant que faire de cet instrument onéreux pour de faibles résultats, on acclimate la flibuste antillaise sur les côtes européennes. À la confusion des idées s'ajoute une grave pénurie. Si la Marine est riche d'éléments brillants, de magnifiques guerriers, il lui manque le grand chef, de la taille d'un Condé, d'un Turenne, ou d'un Vauban, généraux prestigieux, respectés des ministres, estimés et consultés par le roi — une terrible faiblesse qui traversera les siècles. Aussi verra-t-on Usson de Bonrepaus, ancien sous-lieutenant de galères, passé à l'administration sous Colbert, être élevé au rang de stratège ! La Marine et les colonies ne semblent guère représenter autre chose dans l'esprit de Louis XIV, que des ornements, symboles de sa puissance et de sa gloire. La fin de la guerre de la ligue d'Augsbourg marque, sous la houlette docile de Louis de Pontchartrain, la mort de l'expansion en Amérique espagnole, le renoncement à toute stratégie navale, autant dire que l'on accepte déjà le déclin de l'empire colonial dont, paradoxalement, une paix victorieuse aggrave la vulnérabilité. Mais le secrétaire d'État, même s'il ne démontre pas grand caractère, ne doit pas être institué bouc émissaire d'une politique à l'élaboration de laquelle il se garde de participer. Au plus défend-il le commerce, mais dans une forme menacée dans la durée, sinon il faut chercher la responsabilité de la stratégie nationale chez le souverain, qui décide d'autant plus seul, que depuis la mort des Colbert et de Louvois, les conseillers s'enferment dans un conformisme circonspect. Or, malgré le temps qui passe, le roi porte toujours le même regard aveugle sur ce complexe indissolublement lié que sont la Marine et les colonies, et de là sur une part grandissante du commerce international. Évoquant cette royale indifférence, Pierre Goubert observe : « Élevé par Mazarin dans les intrigues de Cours, les querelles dynastiques et successorales, les procès de bornage, Louis s'éleva rarement au-dessus de ses terres, n'eut presque jamais la vision de l'Univers. Vingt religieuses à Port-Royal-des-Champs, quelques bâtiments à Marly, deux ou trois places fortes lui paraissent de plus dignes objets de gloire. » Jugement à l'emporte-pièce, et malheureusement trop vrai pour la période postérieure aux Colbert, qui eux savaient voir — fût-ce avec quelque erreur — de la Baltique à la Chine, du Levant aux Amériques, sans cet esprit de routine et de spéculation que les Pontchartrain introduisent dans leur gestion.

Louis XIV est allé à Ryswick parce que la situation du royaume n'était guère florissante — mais ses ennemis étaient logés à la même enseigne — et surtout, à cause de la succession d'Espagne qui s'annonçait, et au partage de laquelle il s'imposait d'arriver en force. Les négociations entre Français, Anglais et Hollandais commencent sans retard. Versailles refuse l'éventualité d'un empire austro-espagnol ; les puissances maritimes n'en veulent pas davantage, mais s'opposent aussi à la formation d'une monarchie franco-espagnole. On signe deux traités, l'un en 1698, l'autre en mars 1700. L'empereur, qui a décidé d'installer son deuxième fils à Madrid, refuse de les ratifier, et le roi d'Espagne exprime son mécontentement. Dans les deux projets de partage, Louis XIV ne s'octroie aucune colonie. Avec une soudaineté qu'avaient précédée de longues années d'attente, Charles II meurt, désignant comme son successeur Philippe d'Anjou, petit-fils du Bourbon, et, en cas de refus, l'archiduc Charles, deuxième fils du Habsbourg. Le roi de France allait-il, comme il s'y était hâtivement engagé dans le traité de 1700, tolérer un archiduc à Vienne en échange de quelques compensations territoriales ? Quelques mois plus tard, le 16 novembre 1700, faisant volte-face, il accepte le testament espagnol : le duc d'Anjou est reconnu, sous le nom de Philippe V, comme souverain légitime de l'Espagne par tous les États à l'exception de Vienne.

La Succession d'Espagne : guerre mondiale
pour la domination des colonies madrilènes

Quelques jours plus tard, le nouveau roi d'Espagne part pour Madrid où l'attendent son trône et ses sujets. Il a dans ses bagages les *Instructions* en 33 points que son grand-père a rédigées à son intention. Louis XIV aborde-t-il les problèmes liés des colonies, de la Marine et du trafic international ? Oui, mais à deux reprises seulement. Au neuvième paragraphe, il dit : « Essayez de remettre vos finances ; veillez aux Indes et à vos flottes ; vivez dans une grande union avec la France, rien n'étant si bon pour nos deux puissances que cette union à laquelle rien ne pourra résister. » Puis, au dix-septième rang, ce conseil : « Tâchez que vos vice-rois et gouverneurs soient toujours espagnols. » Rien de plus, alors que l'Amérique espagnole déverse ses métaux précieux — de l'argent essentiellement — à Séville, puis à Cadix, nourrissant le Trésor des États européens. À l'évidence, le souverain n'est pas sur son terrain de dilection. Il préfère raisonner sur l'art de gouverner. Toutefois, le jugement politique — et la politique, plus précisément continentale, n'est-ce point le domaine où il se sent le mieux à son aise ? — transcende le petit catalogue des préceptes qu'il a mûrement réfléchis. L'union dynastique de la France et de l'Espagne ouvre à Louis le Grand la domination de l'Europe, peu importe que certains veuillent assimiler cette hégémonie au mythe de la « monarchie universelle ». Quoi qu'il en soit, la stratégie continentale a poussé le roi à accepter l'héritage espagnol, tout en prenant en compte les intérêts commerciaux. Mais en accomplissant ce geste, la France s'interdit désormais la stratégie d'expansion coloniale que souhaitait Ducasse, elle se prépare un destin de mercenaire au service de l'empire madrilène, et de parasite commercial.

Louis XIV, qui ne pouvait refuser le testament de Charles II sous peine de voir se reconstituer l'empire de Charles Quint, se pose en champion de l'équilibre européen pour annoncer aux étrangers l'accession du duc d'Anjou. « Les deux monarchies de France et d'Espagne demeurent séparées, insiste-t-il, tout prétexte de guerre cesse, l'Europe n'a point à craindre la réunion de tant d'États sous une même puissance, les choses demeurent comme elles sont depuis un si grand nombre d'années. » Seul écho dissonant : Léopold d'Autriche, débarrassé de son Turc, ferme l'oreille et prépare la guerre. Le monarque, trop optimiste, commet alors quelques imprudences : maintien des droits de Philippe V à la couronne de France, d'où des craintes que l'Espagne et la France ne se fondent en un seul royaume, occupation des Pays-Bas espagnols au nom du nouveau roi, qui inquiète les Néerlandais. Aussi, Guillaume III, décidé à la guerre dès l'acceptation du testament de Charles II, qui anéantissait l'accord de partage qu'il avait conclu avec le Bourbon, profite-t-il de ces maladresses pour constituer la Grande Alliance de La Haye — Empire, Provinces-Unies, Angleterre —, le 7 septembre 1701. Les alliés sont mûs par des mobiles différents. L'empereur veut « son » héritage espagnol, la Hollande sa « barrière », les Anglais la sauvegarde ou l'extension de leurs intérêts commerciaux. Néanmoins, les coalisés s'accordent sur deux points. D'abord, ils redoutaient que « les Français et les Espagnols ne devinssent en peu de temps si formidables qu'ils pourraient aisément soumettre toute l'Europe à leur obéissance et empire ». Ensuite, et là on reconnaît la marque des puissances maritimes et coloniales, ils voulaient « spécialement que jamais les Français [ne] se rendissent maîtres des Indes espagnoles ». Bref, on s'oppose à ce que l'alliance de Paris et de Madrid permette à la France de mettre la main sur l'argent américain, de pénétrer en Asie en utilisant la base espagnole des Philippines, et de transformer la Méditerranée en une chasse gardée. Conflit politique et continental, la guerre de Succession d'Espagne se double d'un conflit commercial, colonial et maritime.

La France, en ce début du XVIIIe siècle, connaît une situation difficile. La pénurie du Trésor freine l'action du pouvoir. Comme l'a montré J. Meyer, les dépenses militaires ne sont pas élastiques. Si elles s'accroissent au début d'une guerre longue, ensuite elles s'effondrent, cédant le pas au remboursement de la dette. Ainsi, la Marine, qui comptait officiellement 135 vaisseaux en 1696, n'en aligne plus, toujours selon les statistiques optimistes de l'administration, que 85 en 1712, et 66 en 1715. Le royaume est aussi affligé d'autres maux. Il ne possède plus de grands ministres, à l'exception des hommes du clan Colbert, Torcy aux Affaires étrangères et Desmarets au contrôle général des Finances ; Jérôme de Pontchartrain, successeur de son père à la Marine en 1699, ne se faisant pas remarquer par ses succès. Le pays, par malheur, ne peut plus espérer les exploits de grands capitaines : cette race a Vendôme pour dernier représentant — sans cesse bridé —, alors que l'adversaire s'appuie notamment sur le prince Eugène et Marlborough. Après quelques succès sur terre remportés par Villars et Vendôme, en 1702 et 1703, commence la longue série des défaites, alors que la Marine essuie un terrible échec à Vigo (1702), et livre une dernière bataille à Velez Malaga (1704), n'étant plus capable dès lors d'assumer un rôle stratégique, réduite à la course et à l'escorte des convois. Gibraltar et Minorque tombent aux mains des Anglais, que les Hollandais épuisés se bornent à assister. Dans ces années noires, la Navy, note justement Jenkins, s'assure la maîtrise des mers pour deux cents ans. Une ascension dont la soudaineté et la force menacent l'avenir de nos possession d'outre-mer. Louis XIV, parmi quelques imprudences dont les alliés se prévalent pour légitimer leur hostilité radicale, a, par une initiative de commerce colonial, donné le sentiment de vouloir mettre les Indes de Castille sous tutelle française. Après la faillite de la Compagnie des Indes occidentales, on avait créé, à la suite de quelques péripéties, deux compagnies, l'une du Sénégal et l'autre, dite de Guinée, qui avait pour objet de fournir en esclaves les colonies françaises de plantation. Or, dès 1701, Ducasse, gouverneur de Saint-Domingue mais aussi directeur de la Compagnie de Guinée, se rend à Madrid où, le 27 août, il obtient que la France reçoive le monopole de l'introduction des Noirs dans l'Amérique espagnole — l'*asiento*. Accord définitivement ratifié l'année suivante, le 28 octobre 1702. Dans cette convention, les Anglais voient le premier pas de la mise en œuvre d'une stratégie française de contrôle des intérêts coloniaux et commerciaux de Madrid. Si Ducasse avait occupé le secrétariat d'État de la Marine et des Colonies, les craintes ennemies eussent été justifiées, mais l'officier n'était que le conseiller du très prudent Pontchartrain. La Grande-Bretagne, inquiète, ne reste pas les bras croisés. Le 27 décembre 1703, le chevalier Methuen de Corsham conclut un traité d'alliance et de commerce, qui porte son nom, avec le Portugal — ce Portugal que Louis XIII et Richelieu avaient aidé à recouvrer son indépendance, en 1640. La riposte a une portée infiniment plus considérable que l'*asiento* : en effet, le Portugal et, derrière lui, le Brésil du sucre, de l'or déjà, deviennent des dépendances économiques de la puissance anglaise. Comble de l'habileté, Londres, qui fait la guerre pour empêcher le royaume de dominer les Indes de Castille, est installé avant lui en Amérique méridionale ! Enfin, l'année même où est signé le traité de Methuen, les escadres anglaises déposent à Lisbonne le prétendant autrichien à la couronne espagnole, qui a pris le nom de Charles III.

Tandis que l'Angleterre double son empire colonial d'un empire commercial, tout en dénonçant la volonté d'hégémonie de Louis XIV sur l'outre-mer et son négoce, la France assiégée tente d'apaiser, en 1704, les appréhensions hollandaises, et ainsi de disloquer la Grande

Alliance : vains efforts. L'année suivante se présente sous un meilleur jour. La guerre contre les Camisards s'achève, et les expéditions malouines dans le Pacifique, au cours desquelles des navires semi-clandestins vont charger l'argent du Pérou, débarquent régulièrement le précieux métal à Saint-Malo et à Marseille. Selon André Lespagnol, le commerce de la mer du Sud fera entrer 200 millions d'espèces dans le royaume, apport appréciable, mais insuffisant comme le défend M. Morineau pour financer une reprise économique générale, le budget de l'État et le remboursement de la dette. La coloration coloniale teinte de plus en plus fort la politique étrangère anglaise et la finalité qu'elle assigne à une guerre où la France perd pied. En 1708, après que Charles II, entré dans Barcelone, s'est fait reconnaître par l'Espagne septentrionale, Londres signe avec le Habsbourg, le 10 juillet 1707, un traité de commerce aux apparences anodines, mais derrière lequel se cache un article secret, sanctionné le 8 janvier 1708. Cette convention — ignorée des Néerlandais, bien sûr — prononce « une union indissoluble et éternelle » entre l'Espagne et la Grande-Bretagne, et décide la création d'une compagnie commune pour exploiter le commerce des Indes, sitôt la paix venue. Après l'absorption de l'Amérique lusitanienne se profile celle de l'Amérique espagnole : une stratégie à l'échelle mondiale, sans comparaison avec celle toute européenne de Louis XIV, même si Jérôme de Pontchartrain essaie d'y ajouter des visées commerciales sur l'empire madrilène. Londres se prépare le destin de capitale d'une monarchie coloniale universelle, pour mieux briser les aspirations françaises d'hégémonie continentale. La fin de l'article secret est, à ce propos, d'une limpidité éloquente. « Et comme il est notoire et évident à tout le monde, que les forces avec lesquelles la couronne de France a troublé l'Europe ont été supportées et maintenues par les grands trésors qu'elle a tirés et tire encore des Indes d'Espagne, moyennant la frauduleuse introduction des marchandises et commerce que ses sujets y font, et connaissant sans doute que l'exclusion des Français aux Indes n'est pas de petite conséquence et sera d'un grand avantage aux sujets de la Grande-Bretagne et d'Espagne, il a été arrêté, accordé et conclu entre Leurs Majestés Britannique et Catholique, pour elles et tous les rois leurs successeurs dès à présent à jamais, que tous les Français sujets de la couronne de France seront entièrement exclus non seulement de la compagnie de commerce susmentionnée, mais aussi de toutes sortes de trafic aux Indes de Sa Majesté catholique, sans le pouvoir faire directement ou indirectement en leur nom ou celui de quelqu'autre personne. »

Les Français, qui ont repris leurs conversations avec les Hollandais, ne manquent pas d'informer leurs interlocuteurs de ce que les Anglais et Charles III trament dans leur dos. Déception ! Bien que très mécontents, les Néerlandais déclarent n'accepter de traiter que si l'Autrichien règne sur les Indes. Louis XIV est pris dans une impasse : que faire si l'Europe ne veut pas de son petit-fils à Madrid ? Prêt aux plus grandes concessions, il dépêche un émissaire aux Provinces-Unies, en 1709, tandis que Philippe V fait des ouvertures dans la même direction. Les Néerlandais se montrent inébranlables : ils réclament le Habsbourg à Madrid et s'opposent à une participation directe ou indirecte de la France au commerce américain. Tant pour les capitalistes d'Amsterdam que pour ceux de Londres, la guerre a deux objets : interdire la prédominance française sur le continent et ruiner les ambitions commerciales et coloniales de Versailles. La position du Bourbon devient insupportable. Il ne réussit pas à dissocier les Hollandais des Anglais, la guerre lui est défavorable, et l'hiver de 1709-1710 tourne au désastre tant il est rude. On multiplie vainement les combinaisons diplomatiques, on envisage même de renoncer à la couronne castillane, de ne conserver à Philippe V que les possessions espagnoles d'Italie et le titre de roi. Rien n'y fait. La réponse des « marchands » se répète, identique, à toutes les propositions. Avec quelques grincements, la roue de la fortune commence à tourner en faveur du royaume. Au mois de septembre 1709, Villars et Boufflers mettent un terme à la chaîne longtemps ininterrompue des victoires alliées. Louis XIV propose alors à ses ennemis une paix, où il envisage de reconnaître l'Autrichien comme roi d'Espagne et de promettre qu'aucun vaisseau de ses sujets n'ira aux Indes pour exercer le commerce ou pour tout autre prétexte. Mais, à nouveau, le roi fait machine arrière : les coalisés ne le suivent pas, exigeant le départ de Philippe V et l'exclusion des Français du commerce américain. Toutefois, la lassitude pèse dans les deux camps. Après Malplaquet, c'est la victoire de Vendôme à Villaviciosa, qui assure son trône à Philippe V. La France cherche toujours à renouer les fils de la négociation. Un événement la sert : la mort de l'empereur Joseph Ier auquel succède son frère, qui, au mépris du testament de Charles II, s'est proclamé roi d'Espagne sous le nom de Charles II. L'empire de Charles Quint est reconstitué : le même souverain gouvernera à Vienne et à Madrid, perspective qui alarme Versailles et Londres tout autant. Aussi, dans l'année 1712, la victoire de Villars à Denain y aidant puissamment, Français et Anglais se rencontrent à Londres à l'insu des Néerlandais. Les deux parties, qui souhaitent la paix, tombent rapidement d'accord pour résoudre le contentieux continental. Elles éprouvent plus de difficulté à trouver une solution à l'épineux problème colonial et commercial. Les Britanniques réclament beaucoup. On leur abandonne l'*asiento*. On fait mine de leur refuser un statut privilégié dans le commerce américain, pour partager avec eux la clause de la nation la plus favorisée. Mais Louis XIV prend un engagement solennel : à l'avenir, il n'essaiera pas d'obtenir ou d'accepter « que pour l'utilité de ses sujets, il soit rien changé ni innové dans l'Espagne, ni dans l'Amérique espagnole, tant en matière de commerce qu'en matière de navigation, aux usages pratiqués en ces pays sous le règne de feu le roi d'Espagne Charles II ». Ce n'est pas l'exclusion, comme les Hollandais le demandaient impérieusement, mais un faux traitement d'égalité, car le monopole du commerce négrier et le vaisseau annuel de permission de Puerto Bello — qui devient vite ponton permanent d'échanges — réservent à l'Angleterre un droit d'accès continu aux ports des Indes de Castille. Non contente d'extorquer ces concessions, la Grande-Bretagne exprime le ferme souhait que l'Espagne lui donne quelque places en Amérique : celles-ci, garanties d'une paix sincère, assure-raient son commerce. Les Français, désireux à tout prix d'éviter la rupture, songent à proposer une des îles Juan Fernández, à belle distance de Santiago du Chili. Mais, objecte-t-on précipitamment, « il faut être persuadé que, toute déserte qu'elle est aujourd'hui, sans autre production que du bois et des chèvres, si elle passait à la possession de l'Angleterre, on y aurait en peu d'années un grand nombre d'habitants, des ports fermés et le plus grand entrepôt du monde des manufactures d'Europe et d'Asie, dont les Anglais fourniraient les royaumes du Pérou et du Mexique. Ce raisonnement est sans contredit : soixante millions d'or et d'argent, sortant annuellement des mines, seraient l'objet de leur industrie. » Cette argumentation convainc : les Français refusent toute place d'Améri-que du Sud à la convoitise anglaise, quoique envisageant de concéder les îles de Puerto Rico ou de Trinidad. Il n'en sera pas besoin.

Les traités d'Utrecht (1713) avec l'Angleterre et la Hollande, et celui de Rastadt (1714) avec l'Empire, restaurent la paix. L'Angle-terre et l'Autriche deviennent puissances méditerranéennes grâce à leurs conquêtes sur l'Espagne. En effet, la première garde Gibraltar et Minorque, la seconde annexe, outre les Pays-Bas espagnols, le Milanais, les présides de Toscane et Naples. Face à ces deux nouvelles grandes puissances — les Provinces-Unies demeurent le premier pôle économique mondial, mais en entrant dans la mouvance politique anglaise —, et la France continentale ne subit aucune amputation sensible. Si Philippe V fait largement les frais de la longue guerre, au moins a-t-il la satisfaction d'être reconnu comme roi d'Espagne et de conserver ses colonies. Louis XIV et Colbert de Torcy ont sauvé, sur le continent, une partie dont chacun annonçait l'issue funeste. Mais pour l'outre-mer, le roi et Pontchartrain ont-ils le bonheur de n'avoir aucun abandon à déplorer ?

Depuis la mort de Seignelay, le pouvoir ne croit pas que les escadres puissent servir d'instrument complémentaire aux forces terrestres pour emporter la victoire finale. Louis de Pontchartrain a continué à dépenser beaucoup d'argent pour entretenir une flotte, mais renoncé à la guerre navale pour promouvoir la course, à la grande satisfaction des armateurs qui accumulent de beaux bénéfices, sans toutefois mettre en péril l'économie anglo-hollandaise. Car, contrairement à ce que semblent penser les milieux gouvernementaux, les colonies ne représentent pas la source principale des richesses des puissances maritimes, et le rapt de quelques transports ne les ruine pas. Néanmoins, Jérôme de Pontchartrain poursuit la politique de son père. On tire un trait sur la Marine, outil stratégique de combat militaire et économique, on se contente de la guerre de course, mais, point nouveau, on réduit les crédits de moitié, ne prenant plus la peine de maintenir les flottes à leurs effectifs récents. Cette abdication du contrôle stratégique, non pas de toutes les mers, mais au moins de certaines zones vitales pour la nation, livre pour la deuxième fois les colonies à leurs seules ressources. On comprend pourquoi les marins vouent une haine tenace aux Pontchartrain, auxquels ils refusent toutes circonstances atténuantes, même pour des raisons budgétaires.

La guerre d'Espagne au-delà des mers : des pertes stratégiques

En Amérique du Nord, les colons et pêcheurs anglais apprennent la nouvelle de la guerre de Succession d'Espagne sans inquiétude, certains d'y trouver l'occasion d'élargir leur territoire et de développer leur commerce en fourrures et morues. En 1702, survient une attaque des colons du Massachusetts, vers Québec : mais c'est l'échec et la contre-attaque du gouverneur général de Callières. Mêmes incursions des uns et des autres, de 1703 à 1705, sous le gouvernement de Rigaud de Vaudreuil, les Iroquois restant neutres. Mais le front principal des hostilités s'est déplacé en direction de l'Acadie. Boston veut en finir avec la pêche française : à trois reprises, en juillet 1704, en juin, puis en août 1707, ses navires et ses soldats bloquent le Port-Royal, devenu port de corsaires, sans l'emporter. Nouveau changement de stratégie en 1708. Une opération terrestre anglaise, qui voulait lancer les Iroquois contre Québec, doit rebrousser chemin, décimée par la maladie. Pendant ce temps, Français et Anglais se battent à Terre-Neuve, sans qu'aucun arrache la décision, quand enfin, le 1er janvier 1709 le fort britannique de Saint-Jean est réduit en cendres ; Plaisance, le port français, règne sans partage sur la grande île. Sans jamais recevoir le secours d'une métropole sans forces navales, car Pontchartrain et les négociants s'accommodent des seuls résultats de la guerre de course, Vaudreuil et les siens pourront-ils résister longtemps encore ? Première réponse : le 13 octobre 1710, le Port-Royal capitule sous les assauts de la quatrième expédition anglaise. Deuxième réponse : en 1711, une forte escadre portant des troupes quitte Boston pour le Saint-Laurent, avec instruction de rééditer, mais avec succès cette fois, le plan de 1690, qui prévoyait l'anéantissement de Québec et de Montréal. Remontant la vallée de l'Hudson, une colonne marche sur le lac Champlain. L'étau de cette opération combinée ne se referme pas : la tempête disperse l'armada ; quant aux troupes du colonel Nicholson, elles sont repoussées. En Europe, les négociations franco-anglaises évoluant favorablement, la guerre s'interrompt, surprenant les Français, qui, pendant dix ans, entre coloniaux, n'avaient cessé de fortifier et de partir en course sur terre et sur mer. Les offensives anglaises ayant échoué partout sauf au Port-Royal, qui commande l'Acadie péninsulaire, mais non l'Acadie continentale, et les Français ayant détruit Saint-Jean de Terre-Neuve, on pouvait imaginer un traité de paix où il eût été peu question de l'Amérique du Nord. Or, rien de tel. Louis XIV, considérant ses possessions, non comme une partie du territoire national, mais comme la monnaie de sa politique étrangère, va les utiliser pour payer les acquis de sa stratégie continentale : non seulement les frontières, mais aussi la couronne espagnole et la totalité de l'empire américain et philippin, où les négociants londoniens s'installent en privilégiés ! Le roi ne mesure pas la valeur de ses colonies sur un atlas militaire, et les méprise quand il les regarde avec l'œil de l'économiste, car elles ne produisent rien de noble, métaux précieux, épices, soies, mais de vulgaires morues et un peu de sucre. Cette impuissance à prendre conscience de la dimension mondiale que des territoires lointains donnent à la France, le roi ne la reporte pas dans son analyse de l'Amérique espagnole : le continent baroque ruisselle de cet or et de cet argent si indispensables à la vie d'une grande monarchie. N'écrit-il pas, le 18 février 1709, à Amelot, son ambassadeur à Madrid : « Le principal objet de la guerre présente est celui du commerce des Indes et des richesses qu'elles produisent. »

Ne confondant pas « richesses » et misérables marchandises, le souverain achète la paix anglaise, en cédant en Amérique du Nord : 1° La baie et le détroit d'Hudson, « sans rien excepter de l'étendue desdites terres et mers possédées présentement par les Français. » 2° « La Nouvelle-Écosse, autrement dite Acadie », conformément à ses anciennes limites, et le droit de pêche à moins de trente lieues des côtes. 3° « L'isle de Terre-Neuve » et îles adjacentes, ainsi que le droit de pêcher et de sécher le poisson, sauf sur la côte allant du cap Bonavista à la pointe Riche. En livrant Terre-Neuve et l'Acadie, le roi abdique la maîtrise de la pêche à la morue et abandonne aux Anglo-Bostoniens d'incomparables positions pour asphyxier le Saint-Laurent, et par là toute la Nouvelle-France, pour couper la route maritime entre la France et sa province américaine. Toutefois la métropole conserve les îles du golfe du Saint-Laurent où, si elle en a la volonté politique, elle peut construire les dispositifs nécessaires à la défense de la voie d'accès au Canada, la plus tentante et la plus facile. La théorie des *arpents de neige*, incontestable sur le plan économique, mais aberrante du point de vue stratégique, s'insinue sans l'habit de la formulation littéraire ou du faux réalisme. Les traités d'Utrecht, où

Voltaire voyait une paix « heureuse », n'inspirent qu'indignation à l'abbé Raynal que l'on s'acharne à présenter comme le grand pontife de l'anticolonialisme dans la France du xviii⁰ siècle. Le Languedocien met à nu la mécanique de l'abandon royal : Louis XIV, écrit-il, « fut trop heureux d'acheter la paix par des sacrifices, qui marquaient son abaissement. Mais il sembla les dérober aux yeux de son peuple, en les faisant surtout au-delà des mers. » Quoi qu'il en soit, l'accord franco-anglais contient un vice dangereux : : il confie à une commission le soin de fixer les limites du territoire de l'Hudson et de l'Acadie. Des contestations et des conflits en perspective.

L'éventualité de litiges frontaliers est fatale, la baie d'Hudson attirant les chasseurs de fourrures et l'Acadie fournissant les pêcheries en abondance et elle est d'autant plus dangereuse que le déséquilibre des populations se creuse. En 1710, on recense environ 332 000 Anglais pour 18 000 Français en Amérique septentrionale. Un rapport qui, tôt ou tard, condamne à mort le Canada, surtout que l'on n'y a jamais pratiqué une politique de peuplement intensif, et que l'heure n'est pas propice pour l'inscrire à l'ordre du jour. Vauban, dans un mémoire publié en 1699 — *Moyen de rétablir nos colonies d'Amérique et de les accroître en peu de temps* —, puis dans un second, paru ultérieurement, ainsi que dans des lettres aux Pontchartrain, plaide vainement en faveur de l'envoi de 50 000 soldats en Nouvelle-France. Comme plus tard en Algérie, ces militaires, défenseurs naturels de la colonie, auraient défriché, cultivé, fondé des foyers, et par là incité les Britanniques à tempérer leurs ambitions. Le maréchal — un terrien s'il en fût ! — ne sera pas écouté, preuve, s'il en était besoin, de l'incapacité du pouvoir, depuis la mort des Colbert, à s'ouvrir à la stratégie coloniale.

La guerre de Succession d'Espagne, conflit continental, est une conflagration coloniale, plus précisément américaine, puisque sont en jeu le commerce des Indes de Castille, et plus discrètement la place de la France aux Amériques. Les Antilles figurent au centre du théâtre des opérations. À l'ouverture des hostilités, Versailles, ici comme ailleurs, n'annonce ni renforts ni approvisionnements, mais invite les gouverneurs généraux et les gouverneurs particuliers à se pourvoir du nécessaire pour faire face aux besoins des îles. Quelques dizaines de jours après la déclaration de guerre, les Anglais s'emparent de Saint-Christophe sans difficulté (16 juillet 1702). Le mois suivant, l'amiral Benbow bombarde la côte de Saint-Domingue en toute tranquillité, mais à quelques jours de là se fait corriger par le nouveau capitaine général de la mer de Philippe V, Ducasse, qui convoyait des troupes espagnoles vers Carthagène, que naguère il avait si bien pillée avec Pointis ! À la fin de l'année, cette petite satisfaction d'amour-propre est ensevelie sous la nouvelle du désastre de Vigo, où Chateaurenault venant de La Vera Cruz se fait dépouiller d'une partie des galions et du trésor qu'ils transportaient, de six vaisseaux de son escadre, les autres étant détruits ! Et pour finir cette mauvaise année, Saint-Domingue est encore gratifiée de volées de boulets anglais. En 1703, l'amiral Codrington rééditant sa campagne de 1691, prend Marie-Galante, tandis que les Saintes et la Guadeloupe ne cèdent pas. En 1704, l'année de la vaine bataille de Vélez Málaga, et en 1705, le calme règne sur la mer des Antilles, les Anglais, consolidant leur maîtrise de l'Atlantique, de la Manche, et surtout imposant leur domination dans cette Méditerranée où, de 1701 à 1713, la France perd plus de 1 700 navires marchands ! Toutefois, une embellie : en 1705, Ducasse, trompant la surveillance ennemie, offre à Philippe V un convoi de galions chargés de métal précieux dont les Trésors de France et d'Espagne manquent cruellement. Au milieu de ce temps plat, effet de la suprématie navale anglaise, qui coupe Versailles et Madrid de leurs possessions, des événements modestes ou parfois d'importance se succèdent. En 1706, Le Moyne d'Iberville, le héros canadien, entre dans la mer des Antilles à la tête d'une expédition qu'il doit conduire à la Louisiane : pillage de Saint-Christophe, pillage de Nevis, et, à l'instar des corsaires qui sillonnent les eaux tropicales, vente des esclaves dans les îles françaises. Mais la chevauchée marine se brise, presque sitôt commencée, avec la mort du capitaine. Les Britanniques, toujours indifférents aux écumes locales, renforcent leur blocus de la France et de l'Espagne. Ducasse, néanmoins, les déjoue une deuxième fois, et rapporte aux Bourbons quelques dizaines de millions, tirés des mines américaines.

L'année 1711 se montre favorable aux marins de tempérament. Le Nantais Jacques Cassard, qui s'était illustré en Méditerranée où il achemina plusieurs convois à bon port, arrive sous les tropiques, pille, rançonne les îles anglaises de Montserrat et d'Antigua, puis les établissements hollandais de Saint-Eustache, Curaçao, Surinam, Paramaribo, vend aux colons français les esclaves capturés, soit un butin total évalué à une trentaine de millions ! Il ne rentrera en France qu'en 1714. En 1711 encore, le Malouin Duguay-Trouin, qui avait sévi avec bonheur de la mer du Nord à l'Atlantique, descend le long de l'Amérique méridionale, se jette sur Rio de Janeiro, et en arrache un énorme butin, à la plus grande joie de ses commanditaires et associés qui touchent de gros dividendes. Enfin, 1711, c'est surtout pour Saint-Simon, « l'arrivée de Ducasse à la Corogne avec les galions très richement chargés qu'il était allé chercher en Amérique. On les attendait depuis longtemps avec autant d'impatience, que de crainte des flottes ennemies. Ce fut une grande ressource pour l'Espagne, qui en avait un extrême besoin, un grand coup pour le commerce, qui languissait et où le désordre était près de se mettre, et un extrême chagrin pour les Anglais et Hollandais, qui la guettaient depuis si longtemps avec tant de dépenses et de fatigues. » Et, l'éminent mémorialiste, dont le père avait été fait duc et pair de France par

Louis XIII, parce que « quand il portait son cor, il ne bavait point dedans », se fâche contre la gratitude par trop bonhomme de Philippe V. « Le roi d'Espagne fut si aise qu'il fit Ducasse chevalier de la Toison d'or, au prodigieux scandale universel. Quelque service qu'il eût rendu, ce n'était pas la récompense dont il dût être payé. Ducasse était connu pour le fils d'un petit charcutier qui vendait des jambons à Bayonne. » Toujours est-il que Philippe V devait un peu de son trône au marin landais, alors que Louis XIV regrettait l'absence du petit colonel sur les champs de bataille.

Peu de conquêtes territoriales, beaucoup de pillages, et les convois chargés de cet argent qui finance la guerre de l'union des deux Couronnes contre l'Europe, voilà à quoi se résume la guerre de Succession d'Espagne dans la mer des Antilles que, par stratégie, les Anglais ont négligée, pour assiéger le bloc franco-espagnol. Cette relative paix antillaise est assez trouble pour que se multiplient de rentables descentes où l'on rafle des esclaves, et pour que l'interlope se répande, dispensateur lui aussi de main-d'œuvre servile. Paradoxalement, ce qui est guerre en Europe et au Canada — sans mésestimer la valeur de la course — est essentiellement aux Antilles une sorte de désordre — liberté de commerce avec l'étranger, c'est-à-dire contrebande, coups de main plus économiques que militaires — qui offre un approvisionnement plus riche qu'en temps de paix, notamment en ce qui concerne les Noirs. Ainsi, la Guadeloupe et Saint-Domingue, colonies en émergence, vont-elles profiter de la désorganisation ambiante pour recruter des bras. De 1699 à 1713, les ateliers noirs de la Guadeloupe passent de 4 800 à 10 700 têtes. De 1700 à 1713, la population servile de Saint-Domingue bondit de 9 000 à 24 000 individus, et, toujours en 1713, la Grande Île compte 138 sucreries et 1 182 indigoteries, des résultats inimaginables sous la tutelle de compagnies à privilèges, plus occupées de leurs prérogatives que de leurs obligations, et au comportement plus administratif que capitaliste. Cette liberté du commerce, authentique fraude qu'autorise la guerre et que le désintérêt stratégique anglais favorise, déborde le cabotage d'île en île. Les Malouins ont fait leurs classes dans la mer des Antilles, comme l'a bien montré A. Lespagnol : petit trafic insulaire à partir de 1680, grand interlope continental, trois ans plus tard.

Mais s'écartant aussitôt de la politique belliciste que Seignelay voulait mener contre le commerce espagnol d'Amérique et contre l'empire américain de Madrid, ne participant pas à la guerre de la ligue d'Augsbourg (1689-1697), le trafic malouin déborde l'interlope de la mer des Antilles et de l'Atlantique pour porter la contrebande sur les rivages madrilènes du Pacifique, au Pérou, patrie de la montagne d'argent du Potosí. À l'été de 1698, Jourdan, spéculateur parisien, fonde avec Noël Danycan, important armateur malouin, la *Compagnie royale de la mer Pacifique,* plus connue sous le nom de

Compagnie de la mer du Sud. Cette société, qui passe rapidement sous le contrôle des négociants de Saint-Malo, pratique la contrebande sur les côtes du Chili et du Pérou — échangeant, comme dans la mer des Antilles, ses toiles et articles de luxe contre de bonnes piastres d'argent. Elle a pour « président et directeur perpétuel » Jérôme de Pontchartrain. Les Malouins se mettent à l'œuvre dans les dernières années du XVIIe siècle, malgré l'échec d'une tentative de reconnaissance dirigée, en 1695, par le marquis de Gennes, officier de la Marine royale. Gouin de Beauchesne est le premier capitaine à doubler le cap Horn pour aller commercer sur les côtes du Chili et du Pérou. Assisté de « M. Jouan phlibustier », le marin revient en France, en 1701. L'opération accuse un déficit qui ne refroidit pas l'ardeur des associés, car elle rapporte une moisson de précieux renseignements : désormais, on connaît la route du Pacifique — oubliée depuis Magellan, Drake, Cavendish, Van Noort, Schouten et Lemaire, redécouverte par les flibustiers, dont le célèbre Anglais Dampier — et l'on a appris les règles commerciales de la mer du Sud. Après ce voyage d'information, les navires malouins quittent régulièrement leur port, à partir de 1703, et filent vers ce Pacifique qui maintenant fournit le métal précieux, que l'on ne peut plus aller chercher à Cadix, en échange de marchandises. Cette activité se déploie à la satisfaction du Contrôle général et du secrétariat d'État de la Guerre, qui ont besoin d'espèces, mais au « dépit » de Pontchartrain, inquiet des protestations de l'Espagne et des puissances maritimes. Toutefois, les capitalistes des places maritimes et de la France entière prennent des participations pour financer cette épopée rentable, notamment les banquiers Crozat et Samuel Bernard. Les Marseillais, familiers du Levant, regardent vers l'ouest, rappelle Ch. Carrière. À l'initiative de l'armateur malouin Eon, les frères Bruny et d'autres investissent dans les entreprises atlantiques, et, avec l'aide de capitaines de Saint-Malo, organisent leurs propres expéditions vers la mer du Sud. Cette extraordinaire aventure, souligne Ch. Carrière, révèle « l'étonnante discordance entre les franges maritimes et les régions rurales » — l'argent du Pacifique entraîne des reprises, de dimensions locales, mais non nationales —, elle met en place des marchés de métaux précieux, et prépare le relais antillais, avec sur sa route l'entrepôt colonial espagnol de Cadix, où le négoce français reviendra massivement pour troquer ses produits contre de bonnes et lourdes piastres d'argent. La guerre de Succession d'Espagne confirme une nécessité. La France, qui, au XVIIe siècle, commerçait pour 9 millions de livres tournois à Cadix, doit y renforcer de manière invulnérable la position de ses ports de l'Atlantique et de la Méditerranée, pour s'y fournir en métal précieux américain.

Saint-Malo, métropole des commerces de la mer du Sud mais aussi de la Chine et des Indes pendant quelques années, haut lieu de la course, est dominé par le riche armateur local Noël Danycan, le fils, et par les Pontchartrain, secrétaires d'État de la Marine, tous deux robins. Colbert, dit Saint-Simon, fit nommer Louis, le père, premier président du parlement de Rennes « pour avoir un homme de qui il pût tirer conseil sur ce qui se passait dans le commerce de cette province si maritime ». Les relations entre les Pontchartrain et l'armement malouin sont appelées à un bel avenir : quand la famille ministérielle abandonne la guerre d'escadre pour la course, Saint-Malo applaudit, et on peut penser qu'elle sut exprimer son adhésion de manière rémunératrice. Dans les affaires de la mer du Sud, Jérôme commence par assumer la présidence de la Compagnie, qu'il ne cessera de défendre sous l'œil attentif des contrôleurs généraux des Finances Chamillart et Desmarets. On parle de complicité, on évoque les profits de cette association, qui prend un tour officiel, quand, en 1704, Louis, alors chancelier, donne sa nièce, la demoiselle Sanson, en mariage à Noël Danycan. Alors que Colbert avait donné ses trois filles à des ducs et pairs de France, les Pontchartrain préfèrent les alliances d'argent. Déjà, en 1703, Jérôme avait marié le marquis de Roye, « un de ses beaux-frères, capitaine de vaisseau, et lors à la mer, avec la fille unique de Ducasse, qu'on croyait riche de douze cent mille livres », n'omet pas de rapporter Saint-Simon. Enfin, mentionne A. Lespagnol, la famille Pontchartrain réussira « une véritable mainmise sur la fortune Danycan », qui n'était pas des moindres ! L'affairisme de ces robins a-t-il influencé la politique navale et coloniale qui, dès l'avènement de Louis, marque une rupture avec celle des Colbert ? La crise financière et la conscience que les colonies n'enrichissent à peu près pas le royaume, ont certainement pesé de manière déterminante dans les réorientations du secrétariat d'État de la Marine. Cependant, ces deux facteurs, se complétant d'une cupidité qu'excitent et comblent les armateurs et autres gens d'affaires, ont pu inciter les deux ministres à renoncer aux horizons tracés par les Colbert, et à trouver des satisfactions personnelles suffisamment convaincantes dans la course et dans un éphémère commerce spéculatif, pour ne pas lutter contre la conjoncture.

De 1698 à 1724, les Malouins, tout en armant 83 navires interlopes vers l'Amérique atlantique, en envoient 86 vers le Pacifique, sur un total de 169 que la France y dépêche. Le commerce breton de la mer du Sud atteint son apogée pendant la période 1703-1717, avec 79 expéditions. Mais le zénith coïncide avec la chute : la navigation et l'administration espagnoles se remettent de leur effondrement temporaire, et donnent de la voix, tout comme l'Angleterre, rivale du royaume dans cette course au numéraire, fait entendre ses vœux sur le mode impératif. Les Malouins se renferment dans leur coquille, soucieux de ne pas compromettre leurs échanges avec Cadix, où ils troquent aussi leurs produits contre de l'argent. Au moment de ce repli — correspondant à la mort de Louis XIV — quelle leçon tirer de l'aventure de la mer du Sud ? Doit-on leur reprocher d'avoir agi en spéculateurs dépourvus de sens politique ? D'avoir entretenu une « pomme de discorde », entre la France, l'Espagne et les puissances maritimes ? Pareille réprobation du dynamisme maritime d'une élite négociante cache des questions et des réalités, qui elles, sont politiques. L'union des deux Couronnes présentait-elle quelque intérêt pour la France ? Rien de moins évident. Enfin, que signifie le recul des Bretons, sinon la faiblesse de la France, l'inexistence de sa marine, et déjà la prépondérance anglaise !

La politique de « pénétration commerciale » en Amérique méridionale, pratiquée par les Pontchartrain de manière officielle avec la *Compagnie de l'Assiente* (1701), avait brièvement ouvert les ports des colonies madrilènes au commerce français. Cette stratégie s'était complétée d'un second instrument public de contrebande, l'année même où elle avait créé la *Compagnie de la mer du Sud* (1698), destinée à drainer l'argent du Pérou vers les places maritimes du royaume, elle formait la *Compagnie de Saint-Domingue* où s'associaient des financiers et négociants, également actionnaires de la *Compagnie de la mer du Sud* : Michel Bégon, intendant de La Rochelle, premier commis de Pontchartrain, Jacques de Vanolles, trésorier général de la Marine, Magon de la Chipaudière, connétable de Saint-Malo, Landais, trésorier général de l'Artillerie... et Antoine Crozat. Plus tard, en 1701, plusieurs des dirigeants de la *Compagnie de Saint-Domingue* étaient apparus au sein du groupe directeur de la Compagnie de l'Assiente, ex-*Compagnie de Guinée* : Samuel Bernard, Antoine Crozat, l'amiral Jean Ducasse, Étienne Landais, Vincent Maynon, fermier général, Pierre Thomé, fermier général, et Jacques de Vanolles. Les Malouins, présents en force dans les Compagnies de la mer du Sud, ne sont représentés dans celle de Saint-Domingue, que par Magon de La Chipaudière.

L'édit de septembre 1698 assigne à la *Compagnie de Saint-Domingue* la double tâche de mettre en valeur le sud de la Grande Île et de transformer l'île à Vache, contiguë, en Curaçao français, c'est-à-dire en centre de contrebande, d'où partiront des cargaisons de produits français que Venezuela, Colombie et Amérique centrale achèteront en bonnes piastres d'argent ! L'arrêt du Conseil d'État du 1ᵉʳ octobre 1698 se montre encore plus explicite, mentionnant hâtivement l'établissement d'une colonie pour insister sur l'organisation d'un commerce considérable à développer avec les Madrilènes. Le roi « permet à la *Compagnie de Saint-Domingue* de faire commerce dans tous les pays de la domination du roi d'Espagne, situés dans le golfe du Mexique et côtes nord de l'Amérique méridionale. » Autant la *Compagnie de la mer du Sud* a accumulé les succès et soutiré de l'argent péruvien à pleins entreponts, autant la *Compagnie de Saint-Domingue* échoue dans sa chasse au métal précieux, et loin d'accomplir sa mission colonisatrice, se contente de rendre plus difficile, la vie déjà dure des malheureux petits planteurs de la « bande du Sud ».

Aussi la *Compagnie des Indes* de Law l'absorbera-t-elle sans difficulté, en 1720. Derrière cette poussée vivace du capitalisme maritime français à la veille de la guerre de Succession d'Espagne, se vérifie l'inaptitude française à « provigner » des possessions et à élaborer une politique qui, fuyant la spéculation, fonde ses calculs sur un profit à long terme. À la fin du règne du Grand Roi, les faits dictent un constat : l'État, la finance et le négoce savent opérer des coups de main à Carthagène, à Rio de Janeiro et au large du Potosí et commercer de l'Arabie à l'Asie, mais, contrairement au Portugal, à l'Espagne, à la Hollande et à l'Angleterre, ne manifestent pas le même intérêt pour l'expansion territoriale de la nation, au-delà des mers, abandonnée à l'initiative d'actions privées. Si celles-ci réussissent, alors, elles sont immédiatement récupérées et enfermées dans un système coercitif, dont l'étranger, et non Colbert, a fourni le modèle.

Tandis que le royaume est paralysé dans la décrépitude, les Malouins accomplissent leur retraite d'autant plus facilement, que la pénétration du Pacifique leur a fait découvrir de nouveaux et riches marchés : la Chine de Canton, l'Inde de Pondichéry, et Moka, le grand port explorateur de café, en Arabie. Aussitôt, ils adoptent une stratégie de remplacement qui se substitue à l'ancienne. Le trafic de la mer du Sud, élève de la course et de la contrebande dans les Antilles et dans l'Atlantique, s'efface, léguant la route du cap Horn. Le paysage du commerce français dans l'Asie est bouleversé, transformé. En 1684 et 1685, Seignelay, constatant l'échec de la *Compagnie des Indes orientales*, fondée par Colbert, son père, en remanie l'organisation : la compagnie de Seignelay, si l'on peut dire, résiste jusqu'en 1706. Par la suite, en 1707, 1708, 1709 et 1712, elle signe des traités de permissions avec les Malouins auxquels s'est joint le grand financier languedocien Antoine Crozat. Ce groupe conclut un cinquième accord, le 5 décembre 1714, prenant effet à compter du 1er avril 1715 : il reçoit un droit exclusif de commerce avec la mer des Indes pour une durée de dix ans. Ainsi, des décombres de l'institution colbertienne, émerge la *Compagnie des Indes orientales de Saint-Malo*, qui associe notamment : Magon de la Lande, Beauvais Le Fer, Duval Baude, Locquet de Grandville, La Saudre Le Fer et Antoine Crozat. Les Malouins, qui avaient pris la tête du trafic du Pérou, suivis principalement par Marseille, sont le moteur du développement des échanges, non seulement avec l'Inde et Moka, mais encore avec la Chine. Après que deux capitalistes parisiens, Jourdan et Coulanges eurent créé une *Compagnie de la Chine de Paris* en 1700, Pontchartrain, désireux d'éloigner les Bretons de la côte espagnole du Pacifique afin d'éviter tout contentieux international supplémentaire, demande à Danycan de s'associer à Jourdan. En décembre 1701, le ministre est entendu : *la Compagnie Royale de la Chine, établie à Saint-Malo*, faisant moitié dans la Compagnie royale de la Chine de Paris. Danycan s'éclipsera, laissant la place à un groupe de compatriotes à qui se joindront des Rouennais et des Parisiens, pour former, en 1715, une nouvelle *Compagnie Royale de la Chine.* Au total, de 1702 à 1720 — quelque dix-huit ans — les Malouins arment 12 navires pour Canton, 27 pour l'Inde et 10 pour Moka.

L'épopée de Saint-Malo prendra fin en 1719, quand Law institue sa grande *Compagnie des Indes,* qui centralise tout le commerce maritime. Quelles leçons dégager de cette activité multiple et brillante ? Les Malouins ont — pour partie — financé la guerre de Succession d'Espagne. Ils ont prouvé que l'élite négociante française était capable de fonder des associations ambitieuses et finalement une grande compagnie commerciale sans la participation de l'État, soulignant ainsi l'erreur de Colbert. Mais leur audace, contrebalancée par une prudence vive, leur interdit d'élargir leur vision. Armateurs préoccupés de profits commerciaux, imposants à défaut d'être rapides, ils ne se sentent en rien poussés par l'esprit de conquête, de colonisation. Les Danycan, Magon, La Haye et autres n'aspirent pas au destin de Jacques Cartier, aux œuvres de longue haleine, aux triomphes posthumes. Aussi, le rêve évanoui, reviennent-ils à leurs opérations traditionnelles : la pêche de Terre-Neuve, la course en temps de guerre, et le commerce atlantique, l'Afrique, les îles.

La paix d'Utrecht maintient le bassin des Antilles dans la situation où la guerre le laisse. Les Anglais, qui occupent Saint-Christophe, deviennent définitivement les maîtres du berceau de la colonisation française dans cette région. Quant à la Guyane, elle subit aussi les outrages de la victoire anglaise. Un accord franco-portugais du 18 juin 1701, mettant fin à une subtile contestation de frontière, avait reconnu qu'elle s'étendait jusqu'à la rivière Araguary, et ouvrait l'accès de l'Amazone aux Français qui, en échange, renonçaient à leurs prétentions sur les territoires du cap Nord, limitrophes du grand fleuve. Dès 1703, l'année du traité de Methuen, Lisbonne, profitant des hostilités générales, renie sa parole et fait admettre ses revendications par les alliés. Aussi, en 1713, Louis XIV doit-il, sur la demande du Portugal et pressé par l'Angleterre, fixer la limite orientale de la Guyane à l'Oyapoc, donc très en retrait par rapport à celle de 1701, et renoncer à entrer librement dans l'Amazone.

Du Canada à la Guyane, en passant par les Antilles, la France achète la fin des combats aux Britanniques à un prix exorbitant en regard des pertes qu'elle a dû souffrir, et qui se limitent au Port-Royal de l'Acadie et à Saint-Christophe. Le Grand Roi, pour qui le monde se réduit à l'Europe occidentale, distribue les colonies de la Couronne comme de la monnaie de cuivre. Cette incapacité à concevoir une stratégie mondiale de la puissance aboutit, particulièrement en Amérique, à enfermer les ambitions coloniales dans des impasses. Pendant la guerre de la ligue d'Augsbourg, alors que, comme à l'habitude, la France avait engagé le fer avec l'Espagne, le monarque, malgré le pillage de Carthagène, sourd aux vœux de feu M. de Seignelay et aux appels de Ducasse, n'a rien envisagé contre la partie orientale de Saint-Domingue, Cuba, Puerto Rico, la Terre-Ferme. Assurément, il a laissé passer une occasion d'agrandir son empire ; les Anglais l'ont fort bien vu. Aussi ferment-ils à Utrecht les portes d'une tardive tentation américaine, déjà paralysée par l'union des deux Couronnes : l'Amérique espagnole doit rester dans l'état où Charles II l'a laissée — clause à laquelle échappent les capitalistes londoniens —, sous peine de voir les escadres anglaises reprendre la mer, la Grande Alliance se reconstituer, et la guerre reprendre sur le double front terrestre et maritime. La vieille bataille d'Espagne s'achève sur une fausse victoire. N'ayant pas dépecé l'Amérique madrilène quand cela se pouvait, condamnés au rôle dangereux de défenseurs bénévoles d'une nation suspicieuse, les Français contractent une alliance dont on mesure ce qu'elle interdit, et dont on sait déjà la fragilité militaire. Pour briser l'encerclement habsbourgeois — auxquels les Anglais eux-mêmes étaient décidés à s'opposer après la mort de Joseph Ier —, Louis XIV paie très cher, non seulement l'abandon de vastes contrées, mais surtout la renonciation à la stratégie d'expansion en Amérique, qu'aucune autre n'est prête à remplacer.

La guerre de Succession d'Espagne n'a pas un grand retentissement en Afrique pour la raison simple que la monarchie y nourrit plus de projets qu'elle n'a d'intérêts à y défendre. Les Anglais, après avoir attaqué l'îlot de Gorée sans résultat en 1701, concluent avec André Brüe, directeur de la Compagnie du Sénégal, une sorte d'accord de neutralité. Mais en 1704, deux navires du roi prennent le fort anglais de Cagou, dans l'estuaire de la Sierra Leone, tandis qu'un corsaire de la Martinique dévaste celui de Saint-James, en Gambie. Malgré ces accrocs, la convention de non-agression devient un traité, qui est signé à Londres par les deux compagnies d'Afrique, en 1705. Trois ans plus tard, la société française, malgré les efforts de La Courbe, s'effondre, et l'année suivante la septième Compagnie du Sénégal, depuis 1626, est fondée. Des négociants rouennais la composent, ayant à leur tête Mustellier. Ils font appel brièvement à La Courbe, puis utilisent les services de Brüe. Alors que les Hollandais et les Anglais s'approprient le commerce de la gomme à Portendik et Arguin, les Français, revenant vers le haut-Sénégal, rétablissent le poste de Saint-Joseph et créent le fort de Saint-Pierre, avec l'espoir de découvrir des mines d'or. Pendant que l'on se prépare à supprimer la septième Compagnie du Sénégal, pour intégrer dans la Compagnie des Indes de Law (1719), Brüe, tout en envisageant une implantation permanente à l'intérieur — Galam et Bambouk —, obtient de construire un fort à Portendik (1717), et fait des bénéfices ! En effet, le Sénégal, où la traite négrière est faible, alimente un commerce qui, sans atteindre à l'opulence, autorise d'honnêtes profits, en fournissant de la gomme, de l'ivoire, des cuirs et de l'or. Plus au sud, Hollandais et Anglais imposent leur hégémonie à la Guinée — les Portugais, découvreurs de l'Afrique occidentale, ayant perdu leur ancienne suprématie. Les Français, qui ont une compagnie négrière pour cette partie du continent, et qui possèdent des colonies de plantation nécessitant de la main-d'œuvre servile, explorent le littoral, sans plus. Passent successivement : Villault de Bellefond, Ducasse, Éblée, qui ne laissent aucun établissement durable derrière eux. Enfin, en 1704, le corsaire normand Jean Doublet, qui sert la Compagnie de Guinée, construit un fort à Juda (Ouidah), au Bénin, qu'il équipe de 24 canons. La présence fixe des Français aux côtes de l'Or et des Esclaves se résume dans cette bâtisse militaro-commerciale. On n'ira d'ailleurs jamais plus loin. Les capitaines négriers venus des ports du royaume se contenteront, pour acheter des captifs, de faire assembler quelques cabanes qu'ils démonteront, abandonneront, ou vendront, à leur départ.

À la mer des Indes, où la France occupe une place fort modeste, la guerre de Succession d'Espagne a peu de répercussions. Sūrat s'endort dans l'ombre vacillante de l'empire vieilli du Grand Moghol Aureng Zeb, Pondichéry somnole, tandis qu'au Bengale, Chandernagor, Ougli et Balassor prospèrent. François Martin, fondateur de l'Inde française avec Baron, tient les rênes de ces comptoirs du mieux qu'il peut, d'autant que le conflit européen les coupe de la métropole une fois encore. Des corsaires se manifestent en 1703 et en 1704, mais arrivent trop tard pour inquiéter le commerce étranger du Bengale. Comme pendant la guerre de la ligue d'Augsbourg, on redoute le blocus, le siège mis par les Hollandais, liés à des princes indiens, et au bout, la capitulation. Cela se serait certainement produit si par un hasard heureux, une escadre militaire et marchande ne s'était emparée d'un navire, à bord duquel voyageait le sieur Phoonsen, commissaire général pour les comptoirs néerlandais de Coromandel, et membre du Conseil souverain de Batavia. L'habile Martin propose à son prisonnier de lui rendre la liberté en échange d'un pacte de neutralité. Le Hollandais accepte, mais en limite les effets à la seule côte de Coromandel (janvier 1705). Malgré cette restriction significative, les établissements du Bengale ne seront pas inquiétés. Après la mort de Martin, en décembre 1706, les possessions indiennes, épargnées par les combats, ont à subir le désordre administratif, l'intrusion inattendue de la *Compagnie de Saint-Malo,* jusqu'à ce que l'édit de 1719 les rattache à la Compagnie des Indes, que le contrôleur général des Finances John Law constitue.

Les Provinces-Unies n'ont pas montré dans la dernière guerre de Louis XIV, la détermination offensive qu'elles avaient affichée à l'occasion des conflits précédents. En somme, les hostilités, nées de l'accession d'un Bourbon au trône d'Espagne, n'ont eu de théâtre colonial qu'en Amérique, et encore : bien que les Indes de Castille aient été l'enjeu de la conflagration, les Anglais ont centré leur stratégie sur l'Europe. Et c'est en Europe qu'ils ont gagné la bataille du Nouveau Monde.

Avec les traités d'Utrecht et de Rastatt, un siècle et un règne touchent à leur terme. Si les Provinces-Unies ne sont plus une puissance militaire de premier plan, elles restent le centre de l'économie mondiale. Tandis que les alliés suédois et ottomans de la monarchie perdent de leur influence, les Habsbourg et les Hohenzollern ont fait de l'Autriche et de la Prusse des puissances continentales, d'autant plus inquiétantes que, sur les mers, la Grande-Bretagne est là, qui surveille, arbitre du jeu. Victime lucide de la paix anglaise qu'il a sollicitée, Louis XIV, conscient que le capitalisme anglais ne va pas tempérer ses ambitions, percevant la menace que ferait peser sur la nation une ligue protestante qui associerait Londres, La Haye et Berlin, définit une politique nouvelle, originale, témoignant d'une grande vision. Pour faire pièce aux Hanovre, la France, unie à l'Espagne, doit se rapprocher du vieil ennemi habsbourgeois, avec qui maintenant elle a des intérêts communs. Dans les derniers moments de sa vie Louis XIV discerne les leçons du xviie siècle. L'Angleterre, sur l'initiative des Stuart, a brisé les forces navales des Provinces-Unies, et s'est assurée la suprématie atlantique. Ensuite, dirigeant sa politique contre l'Espagne, elle a arraché l'*asiento*, le navire de permission, des privilèges commerciaux, Gibraltar et Minorque à Madrid, tout en s'assujettissant le Portugal par le traité de Méthuen. Enfin, elle a détruit la brève prépondérance de la France, maintenant sans escadres, paralysée par la crise financière. Contre cete ascension hégémonique de la Grande-Bretagne, le Royaume doit faire face à peine de tomber en décadence. La perspicacité ultime du roi connaît, toutefois, ses limites. Elle ne s'inscrit pas dans une géopolitique planétaire, intégrant les colonies. La révision diplomatique du monarque n'implique pas une réorganisation colbertienne de la Marine ni le renouvellement de sa stratégie, trop limitée à l'Europe. Enfin le souverain oublie l'économie : pas de projet de réforme fiscale, nécessaire au financement d'un grand dessein, aucune perception de cette Asie, nourrice du Portugal puis des Provinces-Unies, bientôt appelée à sustenter la plus grande puissance de Londres. L'horizon de Louis XIV s'arrête à Séville où le commerce français amasse des piastres d'argent, non par la faveur des Bourbons de Madrid, mais par son seul talent !

CHAPITRE III

Première guerre anglo-française pour la mer et les colonies au XVIIIe siècle Louis XV sauve l'empire

Le règne de Louis XIV s'est terminé dans un sursaut d'énergie et d'orgueil, où la nation, répondant à l'appel de son roi, a fait échec à l'Europe coalisée, qui pensait tenir enfin le moment de brider un royaume dangereux par sa position centrale et son poids humain excessif. Toutefois, la France traverse une crise d'une extrême gravité. Crise des idées. Jansénistes aristocratiques et gallicans intransigeants s'opposent à la politique souple et impériale des jésuites, tandis que, la transcendance le cédant de plus en plus à l'immanence, l'explication et le gouvernement du monde abandonnent l'empirisme guidé par la Providence, pour adopter une logique à prétention scientifique et systématique. On glisse du libertinage au matérialisme. On proteste contre le trône et l'autel, et pas seulement dans les milieux huguenots. C'est ce que Paul Hazard a appelé « la crise de la conscience européenne ». Crise politique. Alors que les privilégiés, grands et parlements, avaient été soumis, l'héritage absolutiste tombe dans les menottes d'un enfant de cinq ans. Crise des finances et de la fiscalité. Après un quart de siècle de guerres, la dette publique s'élève à 2,2 milliards de livres ! Pour la financer, on emprunte, ce qui permet de rembourser une partie des intérêts, mais non le capital ; on tente d'imposer ceux qui traditionnellement échappent au prélèvement direct, mais les parlements regimbent, alors on capitule. Étrangement, on néglige cet outil de l'attirail si décrié de Colbert, l'impôt indirect, que l'Angleterre protestante, et admirée par principe, fait sien, accomplissant ainsi sa « révolution financière » (expression actuellement préférée à l'ancienne « révolution industrielle »). Cet échange de technique fiscale fournira à Londres les moyens financiers de faire la guerre à la France jusqu'à sa victoire définitive : en 1815. La crise enfin est militaire. Les armées, sans contester les améliorations dont elles ont bénéficié, se sont bureaucratisées. Que Condé, lors de la guerre de Hollande, n'ait pu foncer vers les côtes des Provinces-Unies avant que l'ordre d'inondation ne fût donné, car telle était la volonté du monarque, indique déjà que le plus grand chef militaire du royaume lui-même ne dispose pas du complet exercice de son commandement. Condé et Turenne disparus, la tendance s'aggrave et se rigidifie. Versailles décide de tout, établit les plans de campagne, fixe où il faudra livrer bataille, désigne les places fortes à investir, les ports à bombarder. Louis XIV, qui contrairement à ses aïeux n'était pas un prince militaire — premier signe du déclin de la royauté —, n'a pas demandé à ses généraux de montrer de l'initiative, mais de la soumission. Le cousin Vendôme souffrira pour se plier à ce régime qui décourage les esprits de valeur, paralyse le mouvement, engendre l'intrigue, la fuite devant les responsabilités, et comme l'a montré E. Léonard, conduit à une stratégie défensive. De 1672 à 1713, la France, première puissance guerrière du monde, abdique la politique de ses moyens, ce qui n'est pas un mince paradoxe, mais ruine les finances nationales, tout en économisant la troupe : environ 200 000 morts pour une aussi longue période.

Le XVIIIe siècle, pendant lequel se succéderont le règne de Louis XV, avec la Régence en préambule, et le gouvernement brisé de Louis XVI, s'annonce sous les signes brouillés de la difficulté, du malaise, du trouble, de l'ébranlement.

Le XVIIIe siècle français : la prospérité et les ombres

Au « tragique » XVIIe siècle des guerres livrées sur le sol national, des pestes, des accidents climatiques, des famines et de l'impôt, nombreux sont les historiens qui opposent le visage frais et souriant du XVIIIe siècle, comme sorti des ateliers de Boucher ou de Fragonard. Un contraste que certains, parmi les plus éminents, contestent, exigeant pour le moins qu'on le nuance.

Pendant le siècle du Bien-Aimé, la population française prend de nouvelles dimensions, s'élevant d'une vingtaine de millions d'habitants, en 1715, à quelque 28 millions à la fin de l'Ancien Régime. Plusieurs causes à ce progrès. Une natalité en expansion, durant une partie du siècle, un net recul de la mortalité, un certain allongement de la durée de vie, la baisse de la mortalité infantile, qu'expliquent une meilleure hygiène, une alimentation sinon plus abondante, du moins plus régulière, la disparition des « pestes », c'est-à-dire des épidémies, la dernière étant celle de 1720, qui frappe durement Marseille, la Provence et le Languedoc. L'essor démographique, essentiellement rural au long du premier tiers du XVIIe siècle des famines, avait suscité une petite migration de paysans vers les colonies. Affectant particulièrement les villes au XVIIIe siècle, il provoque une certaine émigration urbaine vers les possessions d'outre-mer, qui se substitue à la première. Cette ascension démographique, qui reprend son cours après une longue stagnation s'étendant de 1630 à 1710 environ, coupée par quelques disettes et grandes mortalités (1719, 1729, 1740, 1743, 1747, 1772-1775, 1792), traduit-elle une croissance économique globale ? Certains, comme J. Marczewski, T. Markovitch, J.-C. Toutain, P. Bairoch, J.-Ch. Asselain, chacun à sa manière, en sont convaincus. Selon eux, le xviiie siècle voit l'agriculture nationale se dégager du vieux marasme traditionnel, assiste à l'envol du commerce extérieur et des colonies, observe les premiers signes d'une révolution industrielle, bref, enregistre une croissance certaine, notamment sur sa fin. À ce point de vue, E. Labrousse en oppose un autre : le xviiie siècle possède ses lumières, mais aussi ses ombres. « Inégale, selon les secteurs, les classes, les échelons, la longue prospérité est inégale aussi dans les temps. » Les salariés, dont le revenu reste en deçà de la hausse des prix et de la rente, sont les perdants dans une conjoncture longue, où négociants, propriétaires fonciers, industriels, banquiers gagnent, et à partir de 1770, la montée des prix agricoles étant cassée, la crise couverait pour éclater en 1788-1789. Pour sa part, M. Morineau, refusant les généralisations, réclame des analyses régionales. Écho comparable chez Ch. Carrière, lui aussi hostile aux raisonnements d'une pièce : il demande que l'on distingue les provinces maritimes enrichies par le commerce, colonial notamment, des zones rurales auxquelles le négoce ne fait pas appel ou peu.

Dans un contexte économique globalement satisfaisant — incomparablement meilleur que celui du siècle précédent — que consolident une monnaie stabilisée, l'arrivée régulière de l'argent américain par le relais de Séville puis de Cadix, le développement remarquable du commerce maritime — largement colonial —, la vitalité de tous les ports, du Ponant au Levant, le pouvoir, presque toujours en crise, à partir de la moitié du siècle, suit les errements anciens. Dans le domaine maritime, la politique française s'est égarée, en se convainquant, dans l'intention de satisfaire aux exigences britanniques, de la possibilité de reconstituer et de grossir la flotte marchande du royaume, sans doubler cet effort d'un redressement des armées navales. Accroître le commerce hauturier en négligeant de lui donner une protection militaire, relève de l'aveuglement et conduit au désastre : ce qui arriva. Quand on essaie d'évaluer la masse budgétaire dont a disposé le ministère de la Marine sous Louis XIV, puis de 1715 à 1789, on ne manque pas d'être surpris. Pendant la première période, les dépenses évoluent autour de 750 à 800 millions de livres, mais n'atteignent pas le milliard. Et, durant ces années où la nation a possédé la plus belle flotte de son histoire et du monde, les Colbert ont déboursé près de deux fois moins que les Pontchartrain, preuve s'il en était besoin de la qualité de leur gestion. Au cours de la seconde phase, le secrétariat d'État de la Marine, jusqu'à la guerre d'Indépendance américaine, déçoit par le nombre et la valeur de ses escadres — les vaisseaux anglais sont trois fois plus nombreux que les français jusqu'en 1750, deux fois plus nombreux jusqu'à la mort de Louis XV (1774). L'écart se réduit au début de la guerre d'Amérique, le rapport étant alors, comme l'ont montré Ph. Masson et J. Meyer, de deux vaisseaux français contre trois anglais. Mais, dès 1782, les Britanniques procèdent à un redressement intense et rapide de la Navy, opposant aux Français 135 vaisseaux contre 71 en 1785, et 195 contre 81 en 1790, c'est dire que pour espérer faire face, le royaume doit entrer dans une coalition plus ou moins bancale où figurent l'Espagne et la Hollande. Or, malgré la médiocrité des résultats qu'un éphémère rayon de soleil ne peut dissiper, le XVIIIe siècle a affecté cinq fois plus de crédits que les Colbert et les Pontchartrain à la Marine et aux Colonies : près de 4 milliards de livres ! Dans la réalité, ce budget médiocre, écorné par la défense locale des possessions, se traduit par une flotte de : 30 vaisseaux en 1724 et 1748, de 60 à 70 vaisseaux en 1756 et 1779-1780, de 80 en 1782, de 71 de 1785 à 1789 et de 81 en 1790. Rien que de très modeste, en comparaison des 135 vaisseaux de Louis XIV. Derrière les velléités gouvernementales de reconstruire une armée navale, s'affirme l'essor de la marine marchande, qui progresse de 120 000 tonneaux en 1715, à quelque 140 000 en 1730, atteignant 186 000 tonneaux en 1743, 243 000 en 1749, 334 000 en 1779, pour s'élever, selon Arnould, à 464 000 tonneaux en 1787. Toutefois, il convient de diminuer ces chiffres globaux du tonnage de pêche, fort de 86 000 tonneaux, en 1787, assure Arnould. Face à un grand commerce français de 377 000 tonneaux, l'estimation du grand commerce anglais, environ 880 000 tonneaux, affiche une supériorité écrasante, de l'ordre du double.

Sans vouloir entrer dans la dispute statistique, force est de constater que l'accroissement de la flotte marchande nationale — à quoi s'ajoutent, selon Arnould, les 105 000 tonneaux étrangers participant au trafic national, en 1787 — reflète une évidente augmentation des échanges. Ainsi les Antilles françaises prennent-elles un élan manifeste à partir des années 1735, époque à laquelle les Anglais commencent à éprouver la mauvaise humeur des Espagnols, las des méfaits de l'interlope, époque aussi où le développement des Antilles sucrières anglaises est menacé par celui des îles françaises, qui bientôt l'emporteront. À partir de ce moment, le problème du commerce américain se pose dans les mêmes termes qu'après l'accession de Philippe V au trône d'Espagne : pareillement, la Grande-Bretagne répondra à la puissance économique qu'elle veut capter, par des interventions militaires dont la Navy sera l'arme première. Jusqu'en 1725, tant que le commerce entre la France, les Antilles, et l'Afrique qui fournit les esclaves, stagne à 27 millions de livres par an, Londres semble s'enfermer dans une certaine indifférence, qui vole en éclats, quand, de 1736 à 1739 la moyenne annuelle des échanges entre la mère patrie et les îles saute brusquement à 59,3 millions. L'Angleterre est un pays de capitalistes, qui, en matière commerciale, préfèrent la loi du canon à celle de la compétition. Au cours du xviie siècle, le redéploiement colonial s'est accompli au détriment du Portugal, et au profit des Provinces-Unies, de l'Angleterre et de la France. Après la rude secousse de la guerre de Succession d'Espagne, le xviiie siècle s'ouvre sur une scène maritime où la Grande-Bretagne exhibe sa domination avec orgueil.

La nasse anglaise ou le calcul de Stanhope

Louis XIV, avant de mourir en 1715, accumule les deuils familiaux. Il perd successivement son fils et son petit-fils. Il ne lui reste pour héritier direct que son arrière-petit-fils, un enfant de cinq ans à la santé fragile, le futur Louis XV. Craignant les incertitudes d'un régime de transition, il établit dans son testament l'organisation et le fonctionnement du pouvoir jusqu'à la majorité de son successeur. Il confie le royaume à un Conseil de régence, où figurent les bâtards légitimés. Philippe d'Orléans n'était pas homme à se laisser enfermer dans une cage, et de surcroît fort chichement dorée. En quinze jours exactement, il anéantit les dernières volontés du Grand Roi : le testament est cassé par le Parlement, qui recouvre en échange le droit de remontrance dont il était privé depuis si longtemps, les ministères sont remplacés par des Conseils où s'engouffre la haute noblesse.

Le nouveau maître de la France, ayant gravement hypothéqué l'avenir intérieur pour se débarrasser des « légitimés », compromet pareillement l'avenir extérieur en rejetant la nouvelle politique étrangère de Louis XIV, qui était fondée sur l'union des deux Couronnes et le rapprochement progressif avec l'Autriche. Le Régent, pour fortifier les éventuelles prétentions de sa Maison au trône de France en cas de décès de Louix XV, accepte d'entrer dans le jeu anglo-hanovrien. Il confie à l'abbé Dubois, son homme de confiance et son conseiller, à la solde de la Cour de Saint-James a-t-on affirmé, la direction de négociations secrètes avec Stanhope, dès le mois de juillet 1716. Trois mois plus tard, c'est la signature d'une convention franco-anglaise, et le 28 novembre celle du traité de La Haye, acte dans lequel J. Droz dénonce « un traité de subordination ». Peu après, le 11 janvier 1717, Londres, qui reconstitue la Grande Alliance comme aux beaux jours de la guerre de Succession d'Espagne, obtient l'adhésion de Paris, qui ainsi s'allie à ses ennemis, Angleterre, Provinces-Unies, et l'année suivante, Autriche. Philippe d'Orléans et Dubois abdiquent toute politique nationale pour défendre les intérêts des Orléans : la dynastie des Hanovre est reconnue famille souveraine légitime de la Grande-Bretagne, et promesse est faite d'expulser le prétendant Stuart ; les travaux militaires de Mardyck sont abandonnés, alors que ce port devait remplacer Dunkerque dont la paix d'Utrecht avait imposé le désarmement ; en revanche, si une crise de succession éclatait en France, le Régent recevait l'assurance du concours effectif de Londres et de La Haye contre Philippe V d'Espagne, si ce Bourbon voulait revenir sur sa renonciation à l'héritage français. Cette soumission à la nation victorieuse, lors du dernier conflit, place la France dans un isolement dangereux, qu'accentuent la présence des Anglais au Hanovre, le flottement de l'Europe orientale et nordique, et enfin l'opposition de Philippe à l'Espagne, dont l'empire colonial devient à nouveau l'objet des convoitises britanniques. Le Régent, en se pliant aux vues de la stratégie anglaise, non seulement brise l'union des deux Couronnes, mais aussi se résigne à abandonner ses armées navales à un déclin définitif, et partant, met ses colonies entre les mains des Anglais. Les capitalistes whigs, partisans de la paix dans l'équilibre en Europe, sont décidés à utiliser tous les moyens, illicites et bellicistes, pour dépouiller Paris et Madrid de leurs colonies. Dans cette diplomatie catastrophique, d'éminents historiens lisent un pragmatisme intelligent et courageux. La France, grevée d'une dette de 3,5 milliards de livres, aurait eu besoin de la paix anglaise pour mettre de l'ordre dans ses affaires et reconstituer sa flotte marchande. Argument de poids, mais discutable. Si le royaume traverse une crise financière certaine, l'Angleterre, à qui la guerre a coûté 150 millions de livres sterling n'a rien à lui envier ; ensuite, espérer rétablir la marine de commerce, sans restaurer la force navale indispensable à sa protection, relève d'un angélisme que l'on ne peut prêter ni à Philippe d'Orléans ni à Dubois.

Volontairement prisonnière du protectorat anglais, la France joue le rôle que lui assigne Stanhope sur la scène mondiale qu'il organise au plus grand profit de sa patrie. Première victime, l'Espagne. Son roi, conduit par sa seconde femme, Élisabeth Farnèse, et par Giulio Alberoni, Italien lui aussi, s'engage dans une politique d'unification de l'Italie sous l'autorité de Madrid, mais au détriment de Vienne. La flotte espagnole, après s'être emparée de la Sardaigne sans grande difficulté, fait voile vers la Sicile : la Navy l'attend et l'écrase au cap Passero, tandis que Charles VI d'Autriche impose la paix de Passarowitz au Turc et entre dans la Quadruple-Alliance (1718). La France, fidèle à l'étrange et nouvelle coalition, envahit cette Espagne pour laquelle naguère l'on s'était tant battu, autant pour empêcher les Habsbourg de fermer leur étau que pour sauver la position commerciale de la nation à Cadix, et plus généralement dans la répartition des bénéfices américains. Vaincu, le petit-fils du Roi-Soleil se retrouve sans armada dans la Méditerranée, que dominent les Anglais qui de surcroît conservent Gibraltar, abdiquant toute prétention sur la Sardaigne et la Sicile, heureux dans la déconfiture de garder les duchés italiens de Parme et de Toscane et d'entrer à son tour dans la Quadruple-Alliance (1720). Stanhope développe son emprise sur l'Europe. Une première secousse l'ébranle momentanément dans les années 1720-1722. Au nord, Moscou réagit, abaisse la Suède, transformant la Baltique en un lac russe. À l'est, Vienne s'agite, crée une *Compagnie privilégiée d'Orient* : le pavillon impérial réapparaît sur la Méditerranée. Davantage, l'empereur veut réanimer l'économie des Pays-Bas autrichiens (la Belgique actuelle) : en 1722, pour arracher Anvers à l'inactivité, il crée la *Compagnie d'Ostende* pour le commerce des Indes orientales et occidentales ! À son tour, l'Espagne, que sa défaite a marginalisée, se rapproche de la France avec laquelle elle signe un traité de réconciliation, le 27 mars 1721. Le Régent et Dubois, constants dans leur assujettissement au cabinet de Saint-James, ne soutiennent pas la volonté d'expansion commerciale de l'Autriche, et demandent à l'Angleterre de s'associer au traité franco-espagnol ! En refusant tout rapprochement avec l'Autriche et l'union avec l'Espagne — ce qu'avait prescrit le Grand Roi —, le duc d'Orléans et Dubois, dont le gouvernement s'achève en 1723, ont réduit la France à l'état de satellite, plaçant ainsi les intérêts commerciaux et coloniaux du royaume entre les mains de leur premier ennemi.

Banqueroute de Law et discrédit colonial

Tandis que l'Angleterre assainit ses finances grâce à la paix que lui procure le nouvel ordre européen qu'elle a instauré et qu'elle surveille, le Régent, après avoir répudié le lourd système administratif de la polysynodie, cherche lui aussi les moyens à mettre en œuvre pour résorber la dette. Certains, comme Saint-Simon, se prononcent en faveur de la banqueroute, du remboursement partiel des créanciers. Philippe d'Orléans refuse, et succombe aux attraits modernes de la « métaphysique financière » du sieur Law, économiste écossais et itinérant, qui explique les liens qui unissent propriété foncière, commerce et monnaie, et qui plaide en faveur de la création d'une banque, comme l'on en voit un peu partout en Europe. Cet établissement serait autorisé à pratiquer la convertibilité de l'or en papier-monnaie, et inversement, technique déjà banale en Italie, aux Provinces-Unies, en Angleterre, en Allemagne et même au Danemark, mais encore ignorée des Français. Premier pas : les lettres patentes du 2 mai 1716 permettent la constitution de la Banque générale, qui se livre avec profit à des opérations d'escompte de change, et bien sûr de virement et de dépôts. Peu après, Law, qui cherche des ressources pour alimenter et surtout servir de garantie à sa banque, reçoit licence de former la *Compagnie d'Occident* (5 septembre 1717), qui reprend le privilège exclusif du commerce de la Louisiane à Crozat, et reçoit le monopole du trafic des peaux de castors du Canada. Aussitôt, le fameux « Système » se met en place. La Banque, qui deviendra royale au mois de décembre 1718, se fait octroyer la ferme des tabacs (1er août 1718), le privilège de la vente du café, la concession de la fabrication des monnaies, et le monopole du commerce maritime que l'édit de 1719 attribue à la nouvelle *Compagnie des Indes*. Elle dispose ainsi d'une trésorerie alimentée régulièrement, et d'une formidable caution.

Law s'engage dans une partie redoutable qui a pour objet de débarrasser la monarchie de la tutelle des financiers, en étatisant le système fisco-financier. Il écarte, en application de cette stratégie, Antoine Crozat — pourtant banquier du duc d'Orléans ! — aussi bien de la Louisiane, que Pontchartrain lui avait imposée, que de la *Compagnie des Indes orientales de Saint-Malo*, qu'il dirigeait avec les armateurs locaux. Pourquoi le maître du Trésor royal, qui emprunte beaucoup aux idées de Crozat, se prive-t-il des services de ce grand homme d'affaires, autant que de ceux des Malouins, l'élite négociante la plus dynamique du royaume ? Voilà qui pose question. Contraint de pactiser avec des financiers, il semble choisir ceux qui lui sont soumis. Mais pourquoi ignorer les Malouins et tenter de se rallier les armateurs des autres ports de France ? Soupçonne-t-il ces champions du commerce colonial d'Asie, ces familiers du trafic des piastres à Cadix, ailleurs, et par les moyens les plus variés, de conserver leur fidélité à des serviteurs de Louis XIV en disgrâce depuis l'avènement du Régent ? On s'interroge, on ne devine aucune réponse, sinon qu'à un clan doit en succéder un autre. Mais, quand chacun se convainc que l'on va exploiter un nouveau Potosí au pays des sauvages Illinois, l'euphorie trouble les esprits.

La mécanique institutionnelle complexe et boulimique de Law, qui au début reposait sur le seul actionnariat, s'étatise rapidement — même la Compagnie est contrôlée par le souverain —, se fixe des objectifs d'intérêt public : assainir les finances et réanimer le commerce, notamment celui des colonies. Depuis la mort de Louis XIV, époque à laquelle la dette s'élevait à environ 3,5 milliards de livres, la situation a été profondément améliorée : grâce à un premier visa des créances sur l'État, mené par le duc de Noailles et les frères financiers Pâris, le roi doit un milliard de moins à ses prêteurs. Le « Système », quand il s'écroulera en 1720, après une petite année d'existence conduite au galop de l'inflation, s'achève sur une nouvelle procédure de visa, mais cette fois exercée sur les titres de la Compagnie : cette seconde banqueroute masquée permet à l'État de n'être plus débiteur que de 1,7 milliard de livres. Cette purge financière s'accompagne-t-elle d'une relance économique ? Aujourd'hui, il est convenu de l'affirmer. Toutefois, les exportations françaises vers les nations d'Europe ne progressent pas sensiblement — il faudra attendre les années 1730-1733 pour assister à leur décollage. Quant aux importations de denrées coloniales, très largement dirigées vers les marchés étrangers, elles n'entament une ascension marquée et irréversible qu'à partir des années 1736. Mais tandis que les armateurs, profitant de l'inflation, développent la flotte marchande en commandant la construction de nouveaux navires, les colons sont spoliés. En effet, le négoce règle l'achat des sucres, indigos, cuirs, bois en billets dont il approvisionne leurs comptes en France : autant dire que les planteurs sont payés en monnaie de singe. Heureusement, l'interlope est là, qui corrige le méfait de la mère patrie, et qui permet l'extension du développement des cultures antillaises, en apportant de la main-d'œuvre servile et en ouvrant le marché hollandais.

Law, en rassemblant dans ses mains les compagnies commerciales, ne nourrit pas de dessein colonial ambitieux et précis. Ce « faiseur de projets », comme l'écrit le marquis d'Argenson, fait miroiter un temps le mythe des richesses minières, jette de la poudre aux yeux, mais, contrairement à un Colbert, n'a aucune politique d'expansion. Au contraire, il en arrive, par ses mesures autoritaires et irréfléchies à dégoûter les métropolitains de leurs possessions d'outre-mer, et à dresser les coloniaux contre l'oppression stérile de sa *Compagnie perpétuelle des Indes*. Car, répudiant la conduite de Colbert — héros fustigé du mercantilisme ! — qui avait aboli la Compagnie des Indes occidentales au nom de la liberté du commerce, après quelques années d'échecs, l'Écossais, fort de ses idées modernes, revient aux errements antiques, bannis depuis longtemps. Aussi, sa compagnie ne disposant pas de moyens pour produire des richesses au-delà des mers, verse-t-elle dans l'escroquerie en lui affectant le monopole de la vente du tabac, du café, le privilège de fabriquer la monnaie, toutes mesures qui ne participent en rien d'une stratégie d'expansion impériale. Pas de propagande majestueuse, comme au temps du Rémois, pas d'appel à l'Académie française, pour célébrer les appas du pays neuf, mais une campagne abondante, conduite par le *Mercure*. Cette opération met en feu l'anticolonialisme des gens cultivés, dont l'avocat parisien Mathieu Marais : « On ne s'y prend pas mal pour faire de la France un pays sauvage et en dégoûter les Français. Quel dessein de dépeupler un royaume florissant et de vouloir faire fleurir un désert ! voilà les fruits du nouveau Système. » En France, la Louisiane, socle de la Compagnie, symbolise une espèce d'enfer que peuplent les victimes de rafles commises aveuglément dans Paris et d'autres villes du royaume. En réalité, des volontaires, venus d'Allemagne, d'Alsace et d'autres provinces de

France, gagnent les ports de l'Atlantique, d'où ceux que l'épidémie n'a pas fauchés embarquent un jour sans trop savoir où ils débarqueront. Or, on confond ces malheureux avec ceux que jusque-là on enfermait derrière les murs des hôpitaux généraux. Comme toujours, il n'y a pas de fumée sans feu, et dans les malheurs de Manon Lescaut, même s'il y a beaucoup d'exagération, on discerne la rumeur du fondement véritable. Car Law, s'il apporte du nouveau dans la métaphysique et la pratique financières, innove aussi en matière répressive. Dès le 10 décembre 1718, une ordonnance prescrit l'arrestation et le recensement des gens sans aveu et vagabonds, et leur déportation dans les colonies : mesure confirmée le 8 janvier 1719, et étendue à tout le royaume le 12 mars. Ces décisions, à partir de celle du 12 mars, s'appliquent même aux condamnés aux galères. Au mois de novembre 1719, le garde des Sceaux réitère : il notifie aux intendants l'ordre du roi d'éliminer définitivement du royaume les vagabonds, gens sans aveu et mendiants, et de réserver les hommes en état de travailler pour les colonies. Une ordonnance du 10 mars 1720 confirme le principe de la déportation des hommes valides en Louisiane, tandis qu'une autre, en date du 3 mai suivant, enjoint aux archers spéciaux, « les bandouliers du Mississippi », de ne se déplacer qu'en brigades, sous le commandement d'un exempt, et de veiller à la stricte application des règlements sur le vagabondage. Le Conseil de Régence, rompant avec la tradition et écartant ceux qui crient à la dépopulation de la nation, va-t-il user de la déportation pour peupler les colonies ? Non. Le pouvoir, plus velléitaire que déterminé, pour la raison qu'il n'a aucune doctrine coloniale, cède devant l'hostilité de l'opinion.

Le 1er juillet 1722, la déclaration royale relative à la répression du vagabondage n'évoque plus la transportation forcée en qualité d'engagés, c'est-à-dire de serfs temporaires, et quatre jours plus tard, le 5 juillet, une nouvelle déclaration du roi interdit l'envoi de mendiants et de vagabonds en Louisiane et autres possessions. Le motif invoqué et subitement découvert ne manque pas de sel : les colonies se trouvent « à présent peuplées par un grand nombre de familles qui y ont passé volontairement, plus propres à entretenir un bon commerce avec les naturels du pays, que ces sortes de gens, qui y portaient avec eux la fénéantise et leurs mauvaises mœurs ». Et, cette fois, on en revient définitivement à l'enfermement laborieux des pauvres, à la satisfaction des Français, inquiets de coups de filet arbitraires ou de dépeuplement, et au contentement des coloniaux qui reprochaient au gouvernement de vouloir les noyer sous la racaille. Quoi qu'il en soit, les colonies ne se remettront jamais des expériences du sieur Law : désormais, elles sont jugées comme des pays sans foi ni loi, comme l'égout de la France. Pis, elles qui, malgré les difficultés, évoquaient la fortune vite acquise, perdent leur halo d'Eldorado, de paradis, pour figurer une sorte de purgatoire où l'homme subit, parfois jusqu'à la mort, l'hostilité naturelle de son environnement. Les colons des Antilles se sont toujours insurgés contre la tyrannie, économiquement dégradante, de ces compagnies que le financier écossais veut remettre à la mode. Déjà, en 1670, les Domingois, soutenus par les Hollandais qui étaient leurs principaux vendeurs et acheteurs, se soulèvent contre la Compagnie des Indes au nom de la liberté internationale du commerce. En échange de leur soumission au roi, ils obtiennent le retour à l'ancien état de choses, et, en 1674, Colbert abolit l'instrument oppressif et générateur de dissensions. En 1717, quelque temps avant la création de la *Compagnie d'Occident* par Law, le pouvoir prend des décisions inadaptées, qui provoquent la juste colère des Martiniquais, qui, entraînés par leurs officiers de milices, renvoient en métropole le gouverneur général et l'intendant des îles du Vent.

Comme le raconte Saint-Simon, Paris apaise cette sédition plutôt que de la châtier. « Il arriva à la Martinique, rapporte le duc, une chose si singulière et si bien concertée qu'elle peut être dite sans exemple. Varenne y avait succédé à Phélypeaux, qui avait été ambassadeur à Turin, et comme lui était capitaine général de nos îles. Ricouart y était intendant. Ils vivaient à la Martinique dans une grande union, et y faisaient très bien leurs affaires. Les habitants en étaient fort mal traités. Ils se plaignirent à diverses reprises, et toujours inutilement. Poussés à bout enfin de leur tyrannie et de leurs pillages, et hors d'espérance d'en avoir justice, ils résolurent de se la faire eux-mêmes. Rien de si sagement concerté, de plus secrètement conduit par cette multitude, ni de plus doucement ni de plus plaisamment exécuté. Ils les surprirent un matin chacun chez eux au même moment, les paquetèrent, scellèrent tous leurs papiers et leurs effets, n'en détournèrent aucun, ne firent mal à aucun de leurs domestiques, les jetèrent dans un vaisseau qui était là de hasard prêt à partir pour France, et tout de suite le firent mettre à la voile. Ils chargèrent en même temps le capitaine d'un paquet pour la cour dans lequel ils protestèrent de leur fidélité et de leur obéissance, demandèrent pardon de ce qu'ils faisaient, firent souvenir de tant de plaintes inutiles qu'ils avaient faites, et s'excusèrent sur la nécessité inévitable où les mettait l'impossibilité absolue de souffrir davantage la cruauté de leurs vexations. On aurait peine, je crois, à représenter l'étonnement de ses deux maîtres des îles de se voir emballés de la sorte et partis en un clin d'œil, leur rage en chemin, leur honte à leur arrivée. La conduite des insulaires ne put être approuvée dans la surprise qu'elle causa, ni blâmée par ce qui parut du motif extrême de leur entreprise, dont le secret et la modération se firent admirer. Leur conduite, en attendant un autre capitaine général et un autre intendant, fut si soumise et si tranquille, qu'on ne peut s'empêcher de la louer. Varenne et Ricouart n'osèrent plus se montrer après les premières fois, et demeurèrent pour toujours sans emploi. On murmura fort avec raison qu'ils en fussent quittes à si bon marché. En envoyant leurs successeurs à la Martinique, pour qui ce fut une bonne leçon, on n'envoya point de réprimande aux habitants par la honte tacite de ne les avoir pas écoutés et de les avoir réduits par là à la nécessité de se délivrer eux-mêmes. » Saint-Simon ramène avec talent cette révolte aux dimensions d'une bouffonnerie créole, ne craignant pas d'imputer aux pauvres administrateurs les fautes du pouvoir. Et, par un hasard admirable, le Régent accorde l'amnistie aux rebelles en 1718 — un an après la fondation de la Compagnie d'Occident — et en 1720 — un an après l'installation de la Compagnie des Indes.

La liberté du commerce, anéantie par l'instauration de la puissante compagnie, la contestation fiscale et les manipulations de la monnaie allument un dernier incendie, le plus grave. L'arrêt du Conseil de régence du 20 septembre 1721, qui dévalue la piastre et fixe sa valeur au poids, l'établissement d'un droit de scel, et l'arrivée au Cap-Français, le 16 octobre 1722, des directeurs de la Compagnie des Indes à laquelle est confié le monopole de l'introduction des esclaves, déchaînent un violent mouvement de fureur à Saint-Domingue. Le Conseil supérieur de Léogane prend la tête des mécontents, bouscule le gouverneur général, un moment prisonnier des rebelles, s'arroge la dénomination de Conseil souverain de Saint-Domingue pour affirmer son caractère représentatif et justifier sa volonté de traiter directe-ment avec le pouvoir, comme le feraient des colonies autonomes se gouvernant elles-mêmes, libérées de la surveillance d'administrateurs généraux. La population emboîte le pas au cri de « Vive le roi, sans la Compagnie », élit des députés, adopte les techniques des émeutes antifiscales de la métropole : apparition de meneurs au visage noirci de suie, menaces, affichage de placards signés « La Colonie », « L'Ange Raphaël », ou du sobriquet militaire « Sans Quartier », proclamation de la destitution des chefs. Cette fois, Philippe d'Orléans, séparé de Law depuis le mois de décembre 1720, décide de se montrer moins magnanime qu'avec les récents auteurs du « Gaoulé » de la Martinique. De même qu'il avait naguère rétabli le calme en Bretagne en faisant trancher le col du marquis de Pontcallec et de quelques têtes folles, il envoie le comte d'Esnos et son escadre restaurer l'ordre dans la Grande Île. Deux agitateurs sont pendus, le système représentatif est renvoyé au néant, toutes les mesures illégales sont biffées solennellement, mais la piastre espagnole recouvre sa valeur nominale, la Compagnie des Indes perd ses privilèges fiscaux, tout en conservant le monopole de l'introduction des Noirs (1724).

Discrédit, désordres, retour à un mercantilisme que Colbert avait répudié après moins de dix ans de pratique, marquent les colonies pendant le « règne » confus du duc d'Orléans. Les principes fonda-mentaux ne sont pas épargnés par les Lumières troubles de la Régence. Ainsi, le vieux privilège de la Terre de France, selon lequel toute personne serve acquérait la liberté par sa seule entrée dans le royaume, déjà mis à mal sous Louis XIV, est supprimé par un édit du mois d'octobre 1716... Toutefois, il ne s'agit pas ici d'entamer le procès du Régent. Comme le marquis d'Argenson l'avoue, non sans une pointe de regret : « Il laissa en mourant l'intérieur du royaume beaucoup plus peuplé, plus riche et plus heureux qu'il ne l'avait été sous Louis XIV, et même des sommes assez considérables dans les coffres du Roi. » Justice étant rendue sur le plan économique intérieur, comment ne pas partager l'indignation de l'abbé Raynal — ce partisan de la colonisation qui accomplit l'exploit de s'en faire reconnaître le procureur par les encyclopédistes — lorsqu'il évoque le désastre louisianais, annonciateur de celui du Kourou, au temps de Choiseul. « C'était le Biloxi, cet affreux Biloxi, qui recevait tous les nationaux, tous les étrangers qu'on avait séduits. Ils y périssaient par milliers, de faim, d'ennui et de chagrin. [...] La Louisiane éprouvait le sort de ces hommes singuliers, dont on s'est fait d'abord une idée avantageuse, et qu'on punit de cette renommée en les rabaissant au-dessous de leur valeur réelle. [...] Ce pays d'enchantement fut en exécration. Son nom devint un nom d'opprobre. Le Mississippi fut la terreur des hommes libres. On ne lui trouva plus de colons que dans les prisons, que dans les lieux de débauche. Ce fut un cloaque où aboutirent toutes les immondices du Royaume. » La grande Compagnie des Indes de Law et de Philippe d'Orléans n'était qu'une gigantesque tromperie : elle n'avait aucun projet colonial. Tous ses intérêts, de nature différente, s'enfermaient dans les frontières de la métropole, dans l'action économique et financière de l'État.

Hostilités anglaises et fausse paix d'Aix-la-Chapelle

Alors que la France se débat dans les difficultés et l'apurement du Système, le scandale de la Compagnie de la mer du Sud (*South Sea Company*) met un terme à la carrière de Stanhope, mais sans toucher à sa politique de musellement de la France, que Walpole et ses successeurs poursuivront, en brandissant tantôt la carotte pacifiste, tantôt la menace militaire. Une stratégie, qui réclame beaucoup de maîtrise quand les tensions s'avivent, mais qui, poussée par le capitalisme whig, mène inexorablement à la guerre pour la domination maritime et coloniale. Pendant cette période, qui court de la mort de Philippe d'Orléans (1723) à la fin de la guerre de Succession d'Autriche (1748), comme durant les brèves années qui précéderont la guerre de Sept Ans, l'Angleterre, poussée notamment par le négoce de ses grands ports, se fixe deux objectifs. D'une part, paralyser l'Europe continentale en isolant la France, d'autre part agir en toute impunité sur le théâtre de l'outre-mer. Londres, après une légère défaillance dans les années 1720-1721, se reprend, jouant à son avantage sur le dépit et les manœuvres espagnoles. En 1725, Madrid, blessée par la décision du duc de Bourbon de rompre les fiançailles de Louis XV avec l'infante, trop jeune pour donner des héritiers au trône, agacée par les atermoiements britanniques sur la restitution de Gibraltar, se rapproche de Vienne, reconnaissant la pragmatique sanction de 1713 qui autorisait Charles VI à transmettre l'Empire à une femme, en l'occurrence sa fille Marie-Thérèse, et signant le 5 novembre 1725 le premier traité de Vienne. Cet accord, non seulement organise une alliance qu'un mariage doit consacrer, mais encore ouvre la péninsule et son empire colonial au commerce autrichien ! Aussitôt, l'Angleterre, que les projets d'expansion maritime de Vienne contrarient, entraîne la France, la Hollande et la Prusse dans une coalition, en même temps qu'elle envoie ses escadres vers la Baltique, les Indes occidentales et les côtes ibériques. La guerre générale, où la nation figure le séide de Londres, est évitée grâce au cardinal de Fleury, qui a remplacé Bourbon au premier ministère. Le prélat, qui souhaite la paix par-dessus tout, se fait l'intermédiaire heureux des Anglais. Lors des préliminaires de Paris (31 mai 1727), Charles VI renonce aux avantages commerciaux que lui avait donnés le premier traité de Vienne et suspend pour sept ans les privilèges de la *Compagnie d'Ostende*. Quant à l'Espagne, perdant son rang de grande puissance, elle abdique sur tout en échange du règlement du problème des duchés italiens en sa faveur. Aux traités du Pardo (mars 1728) et de Séville (novembre 1729), elle réintègre l'alliance franco-anglaise et, tout en reconnaissant la perte définitive de Gibraltar et de Minorque, annule la convention commerciale conclue avec l'Autriche pour confirmer les avantages et privilèges économiques de son ennemie ! L'habile Walpole couronne la domination de sa patrie. Il consent à garantir la pragmatique sanction au deuxième traité de Vienne (1731), mais en contrepartie l'Empire renonce à ses plans d'expansion commerciale et coloniale, dont Anvers et la *Compagnie d'Ostende* devaient être les instruments.

En 1731, Londres, qui a abaissé l'Espagne et l'Autriche, réduit la France à l'état de vassal dévoué, et dont les navires sillonnent mers et océans, de la Baltique aux deux Indes en passant par la Méditerranée, dicte sa loi au monde. À ce moment, elle pourrait prétendre au dépeçage des empires coloniaux espagnol et français, sans que personne puisse s'y opposer, achetant la complicité des Provinces-Unies d'un bout de terre tropicale. Or, elle ne le fait pas, préférant chercher dans la paix les moyens de son épanouissement économique intérieur, que traduit notamment une baisse de la fiscalité. De cette passivité, critiquée par une fraction des whigs, Fleury essaie de tirer parti pour rendre au royaume la liberté de ses mouvements. L'occasion en est offerte par la succession au trône de Pologne, où le camp français s'affronte à la Russie, mais aussi à l'Autriche, et par conséquent à l'Angleterre, ces deux nations étant liées depuis le deuxième traité de Vienne. Après que Chauvelin, anti-autrichien notoire, eut rapproché Versailles et Madrid — traité de l'Escurial signé en 1733, d'où il s'ensuivra de courtes hostilités contre l'Empire —, le cardinal renvoie son bouillant ministre, et échange le règlement polonais et l'adhésion de Louis XV à la pragmatique sanction contre la Lorraine. Malgré l'opposition de l'Angleterre, la France et l'Autriche s'accordent au troisième traité de Vienne (18 novembre 1738) — prélude au renversement des alliances —, et la paix est rétablie en Europe sans que l'Angleterre et la Hollande aient pu la façonner. Versailles est alors, écrit Voltaire, « l'arbitre de l'Europe ». Jugement aussi rapide que superficiel, qui oublie la quasi-inexistence navale du royaume : une vingtaine de vaisseaux utilisables, sur un effectif total de 40 à 45, contre une Navy en comptant environ 90.

Première puissance européenne, de Louis XIV à la Révolution, par son unité et sa compacité, par son poids démographique, économique et militaire, la France, n'ayant rien à craindre sur le continent, pouvait envisager de se donner un avenir dans les colonies. Mais Walpole, accablé de reproches et de critiques, raidit sa politique étrangère pour recouvrer les suffrages de l'opinion. Alors qu'en Angleterre, des parlementaires de plus en plus nombreux auxquels s'adjoint le capitalisme des grands ports, exigent une marche rapide vers l'hégémonie coloniale et commerciale, que fait la France ? Tandis que sa Marine sombre dans un marasme profond, elle développe ses échanges, comptant largement sur les étrangers, mais développant peu sa flotte marchande qui, de 1730 à 1743, se contente de passer de 150 à 186 000 tonneaux, et encore en comptant grand : en ne soustrayant pas le tonnage de la pêche. Le roi accroît très sensiblement son commerce extérieur, dans ces années critiques où les hommes d'affaires anglais se plaignent de la politique, à leur sens trop pacifiste de Walpole : et ce n'est qu'un début, le décollage d'une économie prospère ! Alors que, selon Arnould — que l'on peut critiquer, mais qui demeure irremplaçable —, nos échanges annuels moyens avec l'Europe, qui étaient de 171 295 000 livres après une progression régulière, s'élèvent brusquement à 245 476 000 livres pendant la période 1736-1739, phénomène que l'on a déjà observé dans l'évolution du trafic de la métropole avec ses établissements américains et accessoirement l'Afrique, et qui se répète avec le Levant et les Indes orientales. Si l'on porte un regard plus long et plus inquisitorial sur les riches Antilles, que remarque-t-on ? L'explosion de Saint-Domingue : le nombre de ses esclaves, qui était de 24 156 en 1713, monte à 37 474 en 1717, atteint 79 465 en 1730, débordant les îles du Vent, Martinique et Guadeloupe, se hisse à 148 514 en 1751, au lendemain de la guerre de Succession d'Autriche, et culmine à

172 548 en 1754, à la veille de la guerre de Sept Ans. Cette augmentation rapide de la main-d'œuvre servile entraîne la multiplication des terres cultivées en cannes à sucre, l'apparition des caféiers, et par conséquent le gonflement des productions et des exportations. En un mot, le terrain gagné par le commerce français, l'ascension économique des Antilles, à quoi s'ajoute la détermination royale au Canada, en Louisiane et aux Indes, justifient pleinement l'ire des capitalistes anglais et leur volonté d'en découdre. Sans armées navales, par contrainte dans les dernières années du règne de Louis XIV, la France a fait choix avec le Régent et Dubois de n'en avoir pas, et avec le cardinal de Fleury, qu'assiste le contrôleur général Orry dans l'œuvre de redressement économique, de donner le pas à la rigueur financière plutôt qu'aux arsenaux. Aussi en revient-on aux errements anciens, soulignés cette fois par des succès commerciaux et coloniaux, à tourner le dos à une stratégie mondiale et à s'enfermer dans le champ continental où, incontestablement, Versailles a recouvré la première place à l'occasion de la contestation polonaise et des conflits d'Europe orientale.

Poussé par son opposition et par le grand négoce qui se plaint du faible rendement des privilèges anglais — *asiento*, navire de permission — et de la lutte que mènent les gouverneurs des colonies espagnoles contre l'interlope, alarmé aussi par la récession qui affecte son pays, Walpole se résigne à déclarer la guerre à l'Espagne à l'automne de 1739. Les Français, liés aux Bourbons d'Espagne par le traité de l'Escurial — sorte de premier pacte de famille — mobilisent leur flotte. Au mois de novembre 1740, le marquis d'Antin part pour les Antilles, à la tête de 22 navires où il gêne les mouvements de l'escadre anglaise qui, après l'avoir emporté à Porto Bello et à Chagres, essuie un échec répété à Carthagène puis à Santiago de Cuba. Les choses en restent là, mais il est clair que Fleury n'acceptera pas que Londres mette la main sur l'Amérique espagnole : la France lui doit trop, soit indirectement par une contrebande active, soit directement à Cadix, où elle échange ses produits contre de belles piastres d'argent qui alimentent le réseau monétaire national et financent ses achats au Levant et en Asie. Les Anglais avaient, en réalité, engagé sans le dire la guerre maritime contre la France. « Ils feignirent deux fois de prendre des vaisseaux français pour des espagnols », ironise Voltaire : attaque des navires du chevalier d'Épinay au large de Saint-Domingue (janvier 1741), et guet-apens contre le chevalier de Caylus, vers Gibraltar (juin 1741). « On s'éprouvait ainsi sans se déclarer ennemis », raille le seigneur de Ferney, qui « n'avait point encore vu donner de combat par méprise ». Pendant que l'escadre de Vernon cingle vers l'Amérique espagnole pour prendre le contrôle de son commerce, et que celle de M. d'Antin l'y suit pour l'en empêcher, la scène européenne s'organise. Sous l'impulsion du parti anti-autrichien — dont fait partie Maurepas, ministre de la Marine ! —, la France, apprenant la mort de Charles VI d'Autriche, confirme son adhésion à la pragmatique sanction, mais refuse de voir Marie-Thérèse, héritière des États habsbourgeois, accéder à la fonction impériale. Louis XV marque son opposition en s'alliant à la Prusse (1741) et à l'Espagne (traité de Fontainebleau du 13 octobre 1743). L'Autriche, que chaque coalisé rêve de dépouiller à son avantage — Versailles pense aux éternels Pays-Bas, c'est-à-dire la Belgique —, reçoit aussitôt l'assistance de l'Angleterre. Frédéric II, ayant annexé la Silésie, cherche à signer une paix séparée et y réussit (1742) et la même année s'associe à Londres dans une alliance défensive ! Fleury mort, Louis XV se trouve aspiré dans un tourbillon qui fait penser à la guerre de Succession d'Espagne. N'ayant que Madrid à ses côtés, il déclare la guerre à l'Angleterre (mars 1744), qui ravage le littoral provençal, tout en stérilisant le port de Toulon (1744-1745), débarquant ses troupes sur la grève du Pouldu, à proximité de Lorient (1746). Alors que l'on pouvait craindre le pire, la France, quoique engagée stupidement sur deux fronts, terrestre et maritime, bat Anglais, Hollandais et Autrichiens à Fontenoy, Raucoux et Lawfeld, s'emparant ainsi de ces Pays-Bas tant convoités. En dépit d'une conjoncture coloniale confuse, et de la défaite de Culloden où Charles-Édouard Stuart perd tout espoir de remonter sur le trône d'Angleterre, Louis XV se trouve en position de force, d'autant que l'alliance entre Vienne et Londres se disloque. Davantage, Marie-Thérèse fait comprendre au roi qu'elle lui céderait les Pays-Bas, s'il l'aidait à recouvrer la Silésie dont Frédéric II s'était emparé aux premiers jours des hostilités ! Que va faire le Bien-Aimé, à qui les Anglais, dont la dette s'alourdit, proposent discrètement la paix ? À la stupéfaction générale et à l'indignation d'un grand nombre, il rompt avec la politique continentale, mais sans pour autant revenir à celle du Régent. Écartant les anti-Autrichiens, il laisse croire à un rapprochement avec Vienne, ouvrant ainsi l'avenir à cette réconciliation dans laquelle Louis XIV vieillissant discernait la clé de la stabilité européenne, la parade aux manœuvres de Londres. C'est alors que, se tournant vers les Britanniques, il offre une paix fondée sur la restitution des conquêtes opérées par les deux monarchies, et accepte de demander au prétendant Stuart de quitter le royaume et d'imposer aux Espagnols la reconduction temporaire des privilèges commerciaux de l'Angleterre. Le traité d'Aix-la-Chapelle (28 octobre 1748), s'il voulait préparer une paix durable entre les deux monarchies d'outre-Manche, puisque la France renonçait à toute compensation territoriale aux Pays-Bas, avait dans l'immédiat le mérite de conserver à Versailles un empire colonial dans son intégrité.

Ce traité, dans lequel on décèle pour la première fois une perception des intérêts français à l'échelle du monde, provoque la fureur des opinions populaire et éclairée, toutes deux foncièrement anti-autrichiennes. Argenson et le brave Barbier notent à un mois d'intervalle que les harengères en se querellant se disent : « Tu es bête comme la paix. » S'il est vrai, comme l'observe Voltaire, que « le roi de Prusse fut celui qui retira les plus grands avantages », le jugement de Choiseul sur le règlement d'Aix-la-Chapelle est aussi excessif que son auteur qui écrira avec le recul du temps : « On loua le Roi à toute outrance sur sa modération, tandis que l'on devait critiquer son imbécillité et celle de ses ministres. » La paix, cruel échec pour l'Angleterre qui avait ouvert et mené un conflit long et onéreux pour rien, replaçait les antagonistes sur l'échiquier originel où la France savait quelle mesure il lui fallait prendre pour consolider sa position : construire une marine. Sinon, comme l'écrivait justement à Louis XV, son plénipotentiaire Saint-Séverin : la conquête de la Hollande, à laquelle chacun s'attendait, « n'eût servi qu'à plonger la France dans de nouveaux embarras. La république de l'Europe, en corps, vous eût déclaré la guerre ». Mais, pourquoi n'avoir pas réclamé des compensations coloniales ? À cause de l'absence d'une flotte puissante ?

Jusqu'en 1740, le secrétariat d'État de la Marine ne reçoit, en moyenne annuelle, que 9 à 10 millions de livres, dont un bon quart est prélevé à l'intention des colonies, alors que le ministre souhaite recevoir une dotation de 20 millions. Pendant la guerre de Succession d'Autriche, le sort de la Marine s'améliore : elle obtient une vingtaine de millions par an. Malheureusement cette augmentation de crédits ne se traduit par aucun progrès appréciable dans la réalité : elle ne permet pas de combler le retard initial, encore moins de suivre le programme de constructions navales de l'Angleterre. La flotte royale, si l'on élimine les vaisseaux en mauvais état, ne représente qu'un tiers ou la moitié de la Navy. La qualité des officiers britanniques l'emporte aussi sur celle des français. Cette disparité du nombre des unités et de la valeur des cadres procure à l'ennemi une supériorité que le bilan des dommages souligne : en 8 ans, les Anglais ont enregistré la perte de 9 vaisseaux, les Français et les Espagnols de 45 ! Néanmoins, d'autres résultats auraient dû inciter à plus de détermination, ceux de la guerre commerciale. Or, si les Anglais ont pris 1 360 navires aux Espagnols, 2 185 aux Français, les alliés leur avaient enlevé 3 127 bâtiments. Au moment de la signature du traité d'Aix-la-Chapelle, et même les années précédentes, le relèvement des armées navales était un dossier parfaitement défendable. Malencontreusement là où il eût fallu un Seignelay, était installé le comte de Maurepas, petit-fils et fils de Louis et de Jérôme de Pontchartrain, jeune homme « intelligent et vif, mais léger et inconsistant », selon l'expression ramassée d'E. Taillemite.

Lucide, perspicace, analyste fin, Maurepas, en général, voit les problèmes et propose parfois des solutions convenables. Ainsi, insiste Ph. Masson, présente-t-il dans son mémoire de 1745 un exposé fort pertinent de la politique navale française. On applaudirait à ce propos, si Maurepas n'avait été secrétaire d'État de la Marine depuis 1723 ! Pendant 22 ans ne fut-il que le muet du sérail ? Cet homme sans énergie politique, trop prudent pour entreprendre des réformes de fond, excelle dans la manœuvre de cabinet. Il justifie, sans aucun argument la stratégie navale du Bourbon qui régenta la France, et impute insidieusement à Fleury qui est mort, et à Orry qui abandonne le contrôle général des Finances, la responsabilité de n'être pas revenu au système de Colbert et de Seignelay. Habileté de courtisan dépourvu de caractère, qui permet des accommodements avec l'histoire. Voltaire s'en charge aussitôt, qui tranche à la fin de la guerre de Succession d'Autriche : « On connut dans toute son étendue la faute du cardinal de Fleury, d'avoir négligé la mer ; cette faute est difficile à réparer. La marine est un art, un grand art. » On approuve le ministre qui développe l'utilité pour la France de rétablir les forces navales dans leur puissance ancienne, mais comment l'absoudre quand jamais sa volonté n'a servi ses conceptions, n'a tenté de les concrétiser. Devant la vanité d'un tel donneur de conseils, on comprend mieux la lassitude de Louis XV de n'être pas bien secondé et son scepticisme sur l'avenir de sa flotte. « Jamais la France n'aura de marine, je crois », aurait-il dit selon Madame du Hausset.

La guerre anglaise dans les colonies du Ponant :
première chute de Louisbourg

La guerre que l'Angleterre avait ouverte contre l'Espagne, dont elle voulait s'approprier une partie du commerce colonial, et sur laquelle s'était greffée la Succession d'Autriche, n'a pas épargné le trafic transocéanique ni les possessions d'outre-mer. Moins cependant qu'on aurait pu le présager, la Navy n'ayant pas exploité au mieux sa suprématie. Quoi qu'il en soit, les nouvelles hostilités posent à la France les deux questions habituelles de l'approvisionnement et de la défense de ses lointaines dépendances. En Amérique septentrionale, les Canadiens, mécontents à juste titre de l'érection d'un gouvernement indépendant de la Louisiane, dont ils avaient été les fondateurs, reportent leur énergie vers la conquête de l'Ouest à laquelle le nom de la famille Varennes de La Vérendrye est resté attaché. Toutefois l'abandon de l'Acadie par Louis XIV au traité d'Utrecht, non seulement est contesté dans ses frontières, qui n'ont jamais été arrêtées, mais aussi refusé dans les cœurs et les esprits. Les prétentions anglaises sur l'Acadie continentale jusqu'au Saint-Laurent, la situation pénible des Acadiens de la Nouvelle-Écosse qui ont été obligés de prêter serment au souverain britannique, le massacre de la tribu des Abénaquis catholiques, qui demeurent fidèles et lancent de redoutables expéditions contre l'ennemi, excitent un peu plus le désir de revanche des Français. Les Américains, conscients de la menace que le Canada fait peser sur eux, tentent de préserver l'avenir : en 1735, le gouvernement de New York propose au gouverneur général de Beauharnais d'observer une neutralité pacifique au cas où un conflit incendierait l'Europe. Le chef rejette cette offre et prépare la colonie dont il a la charge à un éventuel affrontement. Aussi, quand le commandement français, apprend l'ouverture des hostilités, avec deux mois d'avance sur les Américains, est-il prêt à passer à l'offensive. Une colonne quitte Louisbourg, marche sur Annapolis — naguère le Port-Royal —, mais après quelques succès rebrousse chemin, faute de coordination avec une expédition navale d'appui. Une bévue qui coûtera cher.

Les actions canadiennes alarment la Nouvelle-Angleterre, où l'on envisage d'organiser une véritable croisade contre les papistes du nord : on décide d'aller donner l'assaut à Louisbourg. Projet qui paraît insensé, car cette forteresse à la Vauban, de trois quarts de lieue de tour, en partie construite avec des pierres acheminées de France, arrimée inébranlablement à la côte de l'île Royale, dresse ses murailles et pointe ses batteries avec la fierté formidable d'être inexpugnable. Les Bostoniens ne rêvent que de s'emparer et d'abattre cette citadelle orgueilleuse qui interdit l'accès du Saint-Laurent, surveille les eaux de Terre-Neuve, et abrite des corsaires prêts à commettre le pire. William Shirley, gouverneur du Massachusetts, lève des recrues, plus de 4 000 hommes, dont le négociant William Pepperell, promu général, prend le commandement. Cette foule part pour Louisbourg, débarque sous la protection de navires anglais, et l'inconcevable se produit : au bout de deux mois et demi de siège, la garnison que l'esprit de résistance a désertée, capitule (17 juin 1745), et du même coup l'île passe aux Anglo-Américains. La nouvelle de ce revers inimaginable et grave est connue peu après des Parisiens, au mois d'août. Le bourgeois Barbier note dans son *Journal* : « Cela peut nous faire perdre le commerce de la pelleterie et du castor, et nous ôter la pêche de la morue. On dit que c'est une perte de quinze millions pour la France. On dit aussi qu'il y a eu de la négligence de la part du ministère, que le gouverneur a été obligé de se rendre faute de connaître que cette place était imprenable, et qu'on y a envoyé deux vaisseaux trop tard, lorsque les Anglais étaient maîtres du port. Le public jette cette faute sur M. le comte de Maurepas, ministre de la Marine. » Louis XV, mécontent de la lamentable capitulation de son imprenable place forte, prête une oreille favorable aux suggestions du gouverneur général de Beauharnais, qui invite le gouvernement à armer une expédition pour reconquérir Louisbourg et l'Acadie tout entière. En 1746, le duc d'Anville, petit-fils du grand Ducasse et jeune rejeton de la maison de La Rochefoucauld, généreusement détesté par ses officiers qui lui reprochent son inexpérience et aussi d'être issu du corps des galères, quitte Rochefort à la tête de 10 vaisseaux, 3 frégates et 60 transports, sur lesquels s'entassent quelque 3 500 soldats. Après trois mois d'une interminable traversée, la flotte jette l'ancre devant Chibouctou, port acadien (aujourd'hui Halifax), où l'attend une troupe de Canadiens et d'Abénaquis (26 septembre). En quelques jours, scorbut, typhus, pleurésies et pneumonies ravagent les rangs français. La situation se dégrade d'heure en heure. Le duc d'Anville meurt. Son successeur, Estournelles se suicide. La Jonquière, qui prend alors le commandement, se débarrasse des unités les plus atteintes, les autorisant à faire voile vers les Antilles ou vers la métropole. Lui-même rebrousse chemin avec 6 vaisseaux, 2 frégates, un brûlot et 24 transports. La traversée est dure, le scorbut et les épidémies poursuivent leur œuvre dévastatrice, que Chardon de Courcelles, premier médecin à Brest, a rapportée dans toute son horreur. Un cas célèbre, celui du navire-hôpital *La Grande Amazone,* où 221 malades sur 261 meurent dans des conditions atroces pendant le retour. La Jonquière entre enfin dans Brest, suivi d'une escadre fantasmatique. Le bilan politique de cette entreprise mal préparée se solde par un échec cuisant : la route maritime vers l'Amérique septentrionale est désormais interdite aux armées navales du roi, tant elles sont étiques et brisées, et à nouveau la France abandonne sa possession aux aléas du sort, lui laissant le soin de se défendre par elle-même. Quant au bilan humain de l'opération que le duc d'Anville se flattait de mener à bien, il est désastreux : de l'ordre de 10 000 morts !

Malgré son infériorité sur mer, Versailles tente de ne pas abdiquer complètement. En 1747, La Jonquière, désigné pour aller relever Beauharnais, quitte la France, entouré d'une escadre qui a pour mission de l'accompagner au Canada, tout en escortant deux convois : l'un destiné à remonter le Saint-Laurent, l'autre à filer vers les Indes orientales. À la hauteur du cap Ortegal, sur la côte septentrionale et atlantique de l'Espagne, le nouveau gouverneur général (7 vaisseaux) se heurte au vice-amiral Anson (14 vaisseaux) rendu célèbre par son récent tour du monde. L'affrontement est violent : si la moitié des navires marchands peuvent s'échapper, La Jonquière, après une belle résistance à laquelle l'adversaire rend hommage, est battu et capturé (mai 1747). Aussitôt, Louis XV, qui ne se désintéresse pas de la Nouvelle-France, nomme La Galissonnière pour la commander : ce marin, qui se révélera un brillant administrateur colonial, prend ses fonctions dès le mois de septembre. Si le ministre anglais, notamment le duc de Newcastle, connaît le succès quand il réclame à sa flotte de dominer la mer, d'exercer sur elle un contrôle stratégique, il est moins suivi quand il exige des opérations militaires sur le continent. Depuis la chute de Louisbourg, au contraire, les Français dominent, sans toutefois mettre en péril l'existence des établissements britanniques. Les Canadiens excellent dans la tactique du harcèlement, des coups de main, mais ne poussent pas plus loin leur avantage, non par incapacité de conception, mais parce qu'ils doivent ménager leurs forces, qui, ne comptant que sur elles-mêmes, ne peuvent prétendre se multiplier à l'infini. C'est l'écrasement de la garnison anglaise du colonel Noble, c'est la destruction de la petite ville de Saratoga, enfin c'est la prise ou l'évacuation de nombreux forts, que l'ennemi avait implantés pour grignoter du terrain et reculer la frontière. La fin de la guerre de Succession d'Autriche enseigne encore une fois au Canada le déséquilibre des populations, de plus en plus dangereux pour les Français, ainsi que le péril maritime. Dans l'immédiat, le royaume recouvre Louisbourg et l'île Royale, mais l'épineux dossier de la frontière de l'Acadie, sur lequel Bostoniens et Canadiens sont en complet désaccord, ne fait l'objet d'aucun règlement.

La situation des Antilles est autrement grave, a insisté justement le grand historien que fut et que reste J. Tramond. Ces « colonies commerciales », selon l'expression de l'époque, ne peuvent vivre sans le cordon ombilical maritime qui les relie aux marchés où elles s'approvisionnent en vivres, ustensiles et toiles et où elles écoulent leurs produits. Du fait de « l'exclusif », les marchés sont obligatoirement français, mais quand ils sont défaillants, la fraude, phénomène permanent, intensifie ses secours, et parfois, quand les administrateurs généraux l'autorisent, devient légale. Pour l'heure, la seule technique pour assurer des relations régulières entre la métropole et ses possessions de l'Amérique tropicale n'est autre que le convoi, si habilement utilisé et adapté par Ducasse lors de la guerre de Succession d'Espagne. Malheureusement, on a oublié les leçons du Landais, et l'on manque de moyens : on en revient aux convois énormes, par conséquent lourds et lents, impossibles à protéger quand on ne dispose pas de divisions rapides. Aussi, après quelques succès, la flotte royale révélera-t-elle, à partir de 1747, son incapacité à garantir la sécurité des communications. En 1745, le marquis de Caylus, nouveau gouverneur général des îles du Vent, ravitaille la Martinique, puis pousse jusqu'à Saint-Domingue. Toujours en 1745, des convois escortés par Conflans, L'Étenduère, Duguay et Macnemara assurent des liaisons satisfaisantes entre la France et les Antilles. L'année suivante, malgré l'entrée en ligne de la Hollande, Conflans réédite son action. Cependant, cet exploit et l'arrivée à bon port de quelques convois (Foligny, Duchaffault, Guichen) ne doivent pas cacher la réalité. La Grande-Bretagne exerce sur l'Atlantique un contrôle stratégique indiscutable, même si parfois les résultats l'illustrent mal. Ainsi, en 1747, après les interceptions de La Jonquière et de Dubois de La Motte, les 8 vaisseaux du marquis de l'Étenduère butent contre les 14 que commande Hawke. Le marin français perd 6 unités dans la bataille, mais sauve les 250 bateaux du convoi qu'il accompagnait. Hawke sera critiqué par son opinion nationale, qui l'accuse de n'avoir pas su exploiter sa victoire. Peut-être. Cependant, l'essentiel pour ce chef de la Navy n'était-il pas d'affaiblir davantage la force navale française, de la pousser vers son néant ? Et là, il a parfaitement réussi. Ces combats pour la protection du commerce épuisent la flotte royale, et expliquent la facilité avec laquelle, au mois de mars 1748, l'amiral Knowles, à la tête de 7 vaisseaux, une frégate et 3 corvettes, entre dans Saint-Louis, au sud de Saint-Domingue, et impose dans l'acte de capitulation que dorénavant la ville sera un port libre, où les navires de guerre anglais pourront faire escale. Finalement, la guerre s'achève sans qu'aucune puissance ait dépossédé son ennemie d'une seule de ses îles. La France se tire de ce conflit mieux qu'elle ne pouvait l'espérer : elle le doit, plus qu'à ses corsaires et à ses armées navales qui s'effilochent, à l'exploitation partielle de leur marine par les Anglais qui se sont contentés de la maîtrise stratégique des mers. Une erreur qu'ils ne commettront plus.

Ces hostilités, qui ne mutilent pas la France américaine, révèlent une différence de comportement selon que les habitants vivent dans les possessions froides ou torrides. Au Canada, qui ne sera jamais que très partiellement exploité, continent de la grande forêt, on défend la nouvelle patrie bec et ongles, avec une énergie inépuisable. Aux Antilles, terres alors en pleine expansion, à l'économie fondée sur la plantation (sucre, indigo, coton et déjà café), être patriote consiste à protéger le précieux outil agro-commercial des méfaits de la guerre, à adopter une position de neutralité. Ainsi, à Saint-Louis de Saint-Domingue, les colons ont-ils poussé à la capitulation, et ont-ils négocié avec l'amiral Knowles une convention qui organisait l'évacuation du fort et l'accès du port à la Navy en échange du respect des cultures. Les gestes de coopération ne s'arrêtent pas là, mais se répètent. Et, dans sa *Description de la partie française de l'isle de Saint-Domingue*, Moreau de Saint-Méry, célèbre créole, raconte quelques nouveaux moments de cette entente cordiale coloniale, ignorante des batailles et des morts, sans honte ni même gêne. « Après la prise du fort Saint-Louis, le contre-amiral Dent revint mouiller à Tiburon avec 3 vaisseaux de guerre, le 27 mars 1748, et envoya un de ses canots en parlementaire pour demander à y faire de l'eau et du bois. Une compagnie de troupes descendit pour assurer ces opérations. Le 1er avril, M. Knowles y revint aussi avec 5 autres vaisseaux. Il fit dire à M. de Lage de profiter de l'indigo qui était bon à couper dans un terrain où il voulait faire exercer ses troupes. On y débarqua en effet le lendemain 450 hommes qui manœuvrèrent en sa présence et en celle de M. Trelawney, gouverneur de la Jamaïque. Il alla ensuite chez M. Hugueville (dans l'endroit où est le bourg), où le commandant et les officiers de milices se rendirent. M. Knowles leur fit prendre le thé avec lui, et les engagea à venir à son bord le lendemain. Les officiers de l'escadre descendaient à terre et se promenaient à la campagne. » Après quelques jours de villégiature et de tea-parties, « l'ennemi » reprendra la mer. Faut-il tenir rigueur aux Antillais de faire triste figure à côté des Le Moyne, des Saint-Castin, des Duvivier, des Marin, des Ramezay, des Vaudreuil et de tant d'autres dont le Canada s'enorgueillit ? Question complexe et délicate. Une analyse des faits laisse présager qu'au cours du prochain conflit, annoncé par les politiques, les Canadiens défendront leur sol avec la dernière vigueur, alors que les planteurs des îles songeront à composer avec l'ennemi pour sauver leur appareil de production si lucratif. À la vérité, comment reprocher aux Antilles de manquer de combativité, quand l'État néglige leur défense, et quand le commerce national, abusant de sa position exclusive, pratique une politique de prix outrancière dans tous les domaines : achats, ventes, transport, traite négrière.

En Afrique, les Français ont fait peu de progrès depuis la mort de Louis XIV. En 1718, la nouvelle *Compagnie du Sénégal*, après une dizaine d'années d'une existence profitable, entre dans le giron ambitieux de la grande *Compagnie des Indes*, mais André Brüe conserve la direction générale des établissements (fort de Saint-Louis du Sénégal, escales du fleuve Sénégal, pays de Galam, côte disputée de la gomme, île de Gorée, comptoirs de Rufisque, Portudal, Joal, et enfin ceux de Gambie et de Bissau). La stratégie de la France au Sénégal, déjà mise en place, mais revivifiée par Brüe, n'a pas pour premier objet la traite des nègres, qui sera toujours maigre, mais l'accaparement des commmerces de l'or et de la gomme. Pour se saisir du trafic de l'or, le directeur général ne conseille rien moins que d'occuper militairement le Galam, descendre le Sénégal et la Falémé qui enserrent le Bambouc et ses mines d'or : à ce point, on anéantit, au sud, le commerce anglais de la Gambie, tandis que au nord, on peut s'emparer de Tombouctou, ville mystérieuse et prestigieuse où se rassemblent et d'où partent les précieuses caravanes. Plus qu'une politique sénégalaise ou de comptoirs maritimes, c'est un plan continental, soudanais, que forge André Brüe. La Compagnie des Indes ne le suit pas dans ses ambitions, que le XIXᵉ siècle exécutera. Le fondateur de l'Afrique occidentale française rencontre plus de succès quand il propose à la Compagnie de s'arroger le monopole de la traite de la gomme et de faire taire la concurrence des Hollandais et celle des Anglais. Dans un premier temps, Brüe s'emploie à écarter les interlopes hollandais et anglais de Portendick, en Mauritanie, où ils vont s'approvisionner. Ensuite, les Français prennent Portendick et Arguin, et au traité de La Haye, les Provinces-Unies abdiquent leurs prétentions (13 janvier 1727). Aussitôt les Anglais se montrent, rôdent, et enfin commercent à Portendick. Malgré les plaintes que

Versailles adresse à Londres (1735), les trafiquants britanniques poursuivent leur activité, au point de créer un climat de tension entre les deux royaumes, avant qu'une solution ne se dégage en 1740. Le 25 mai, la Compagnie des Indes et la *Royal African Company* conviennent que les navires interlopes ne se manifesteront plus devant le port mauritanien, et par là la Navy protectrice. Le même jour une seconde convention passée entre David, directeur général du Sénégal et Ch. Orfeur, gouverneur des établissements anglais de Gambie, dispose que chaque année la *Royal African Company* fournira 300 captifs à la compagnie française en échange de 360 000 livres pesant de gomme. En fait, les trafiquants continuent à sévir, mais au moins la France, par cet arrangement, empêche-t-elle les Britanniques d'établir un comptoir dans la rade si recherchée de Portendick. Bref, si la France n'a pu détourner de la route arabe l'or soudanais, au moins s'est-elle taillé une place appréciable dans le commerce de la gomme : mais dans le tableau des exportations coloniales vers la métropole cela ne représente que bien peu de chose.

La présence française dans les comptoirs de Séné-Gambie, soumise aux aléas des alliances africaines et à ceux des politiques nationale, internationale et commerciale, traduit une certaine instabilité : deux exceptions, l'île de Gorée et Saint-Louis du Sénégal, qui en assurent la sauvegarde et qui éventuellement pourraient servir de bases à un mouvement de pénétration et de colonisation en profondeur. Sinon en cette moitié du XVIIIe siècle, les Lumières, derrière lesquelles se dissimule la volonté de puissance des nations, incitent à l'exploration, aux relations. Ce mouvement n'ignore pas l'Afrique, gigantesque, et pourvoyeuse de main-d'œuvre. En 1744 et 1745, le directeur général du Sénégal, le Marseillais Pierre David, en accord avec un petit groupe de dirigeants — son père l'un des directeurs de la Compagnie, le contrôleur des Finances Orry, le frère de celui-ci, Orry de Fulvy, fondateur de la manufacture de porcelaine de Vincennes — explore le Bambouc aurifère, si cher à Brüe, dans la perspective de s'y fixer. L'expédition se heurte à des difficultés nombreuses. David ne se décourage pas. Il remonte le Sénégal et la Falémé, puis rentre à Saint-Louis, laissant derrière lui le fort de Farbana, en plein Bambouc, à partir duquel l'influence française devait s'organiser pour capter la production des mines d'or. Quand le Marseillais revient de son périple harassant, ses deux principaux protecteurs, les frères Orry, sont remerciés. En témoignage de satisfaction, on l'écarte du champ de ses actions pour le nommer aux Mascareignes. Ses observations et ses plans rejoignent les projets d'André Brüe dans la poussière des cartons. À peine David s'éloignait-il, qu'en 1747, un autre Provençal débarque sur le rivage de Séné-Gambie. Ce jeune Aixois, de 20 ans, explore le pays pendant 5 ans, sans aucune arrière-pensée commerciale ou conquérante, mais en passionné de botanique. En 1757, Michel Adanson, publie ses découvertes dans son *Histoire naturelle du*

Sénégal, que nombre d'autres ouvrages suivront. Quant au chevalier Des Marchais, capitaine de la Compagnie des Indes, il confie ses notes sur la Guinée et vraisemblablement aussi de la documentation communiquée par la direction de la compagnie, au R.P. Labat que sa description du monde antillais a hissé à la célébrité. Le dominicain en tire un livre en plusieurs volumes, rondement écrit et d'une richesse certaine : *Voyage du chevalier des Marchais en Guinée et dans les îles voisines et à Cayenne*. Dans cette œuvre abondent les notations sur les mœurs des Africains de la côte des Esclaves, et sur la traite des captifs à laquelle se livrent marchands noirs et capitaines négriers.

Les Français dans la mer des Indes

Dans l'aire méridionale du continent noir, et en Asie, où en est la France du xviiiᵉ siècle ? À Madagascar, depuis que La Bretèche a fui le Fort-Dauphin en 1674, chassé par le soulèvement des indigènes et le massacre de ses compatriotes, les Français, tout en conservant des relations permanentes avec la Grande Ile, ont abdiqué leurs ambitions impériales. L'édit, créant la *Compagnie des Indes* de Law, proclame les droits de la nation sur la haute terre rebelle ; des édits de juillet 1720 et de juin 1725 répètent la souveraineté royale, mais ce ne sont là que des gestes politiques, que n'accompagne aucune occupation effective, fût-elle partielle. Pendant le premier quart du xviiiᵉ siècle, les Français, déjà présents à Bourbon, se répandent sur l'île Maurice, s'y établissent et en prennent possession au nom du roi. Les Mascareignes vont-elles alors s'emparer du commerce français du café ? Ne sont-elles pas alors en avance sur les tropicales Antilles, où les premiers plants du précieux arbuste n'apparaîtront que quelques années plus tard, en 1721. Sous l'impulsion du gouverneur Desforges-Boucher, les caféteries partent à l'assaut des mornes de Bourbon et produisent le grain recherché en quantités appréciables : selon Defos du Rau, 23 800 livres en 1727, 120 000 livres l'année suivante, 895 000 livres en 1734, 1 500 000 en 1740 et 2 500 000 en 1744. Alors que l'archipel indien donne l'impression de gagner la partie, les Antilles, plus proches de la métropole, aux rendements irrésistiblement ascendants l'emportent sans difficulté et malgré les manœuvres de la Compagnie des Indes pour empêcher le développement des caféteries en Amérique. Cet échec entraîne une révision de la stratégie française aux Mascareignes. On songe de plus en plus à introduire ces épices enviées sur lesquelles les Hollandais exercent une surveillance jalouse. La direction des îles, qui avait son siège à Bourbon, émigre à l'île de France et devient gouvernement général en 1735. Une spécialisation des fonctions s'affirme. À Bourbon, les agricultures commerciale et vivrière, à l'île de France le trafic, la base navale et la guerre de course. Pour donner forme et consistance à ce plan de réorientation, le contrôleur général Orry et son frère, Orry de Fulvy, commissaire royal auprès de la Compagnie des Indes orientales, nomment gouverneur général des îles sœurs un de leurs protégés, Mahé de La Bourdonnais, homme de commandement, rompu aux affaires de la mer orientale. Il réussit magnifiquement, mais la disgrâce d'Orry, l'intrigue et l'erreur de Madras l'abattront et le conduiront à la Bastille. Toujours est-il que grâce à La Bourdonnais, la France possède enfin cette escale indienne, centre de ravitaillement et d'opérations navales, que Colbert avait imaginé et voulu. Mais centre aussi d'armements constitués par des affairistes, prêts à toutes les liaisons commerciales, même hors du champ des lois, en un mot, foyer de spéculation et d'interlope.

Le XVIIIe siècle français, qui se lève sur les Indes, éclaire le succès de la stratégie de Richelieu, celle du commerce, discret de surcroît, et la faillite de celle de Colbert, celle d'un impérialisme alliant négoce et conquête. Une poignée de comptoirs, Sūrat, Calicut, Mazulipatam, Balassore, Chandernagor, Cassimbazar et surtout Pondichéry, quelques cadres de la Compagnie, quelques officiers et soldats résument et illustrent la présence française dans l'Inde. Le sous-continent, dès le VIIe siècle, avait excité la convoitise de l'islam, qui triompha, imposant sa loi, échouant toutefois contre le nationalisme des Mahrattes. « À partir du moment où les Musulmans arrivent dans l'Inde, observe Alain Daniélou, l'histoire de l'Inde n'a plus grand intérêt. C'est une longue et monotone série de meurtres, de massacres, de spoliations, de destructions. » C'est dans ce monde divers, en proie aux dissensions intérieures, que règnent les Turco-Mongols, menacés non plus par les Arabes, mais par les Afghans et les Perses. Après la mort du Grand Moghol Aurengzeb (1707), dont le fanatisme sunnite affaiblit l'empire plus qu'il ne le fortifia, l'Inde, déchirée par ses conflits intérieurs, exposée aux invasions de ses voisins, s'enfonce dans une lutte définitive où s'affrontent les hindous dans la personne des Mahrattes et les musulmans. Les Anglais, mesurant le rapport des forces, s'allieront aux musulmans pour asseoir leur domination. Les Français n'en sont pas à faire de l'analyse stratégique. Ils tentent de survivre aux séismes internationaux et à leurs propres désordres. En 1719, Law, en intégrant le sous-continent dans le champ d'action de la Compagnie d'Occident, transforme son entreprise qui devient la Compagnie perpétuelle des Indes, et du même coup chasse d'Asie les Malouins et leur ami le financier Crozat. Cette initiative aux apparences prestigieuses entretient une faiblesse chronique, au travers de laquelle émergent quelques satisfactions. En 1723, enfin, Beauvollier de Courchant, ancien gouverneur des Mascareignes, remet de l'ordre dans les affaires de la Compagnie. Dans cette action de redressement, il utilise les services d'un membre révoqué du Conseil supérieur de Pondichéry, qu'il a rétabli dans ses fonctions sans en demander l'autorisation. Beauvollier, qui appartient à l'épée et non au commerce, a besoin des conseils de Benoist Dumas, son protégé. Il ne se montre pas ingrat. Aux directeurs de la Compagnie, il écrit le bien qu'il pense de celui qu'ils avaient rappelé d'une manière infamante. « Il a le don de terminer les choses en peu de temps et à la satisfaction de tous ». Et, le gouverneur, prémonitoire ou exprimant le souhait de voir son remarquable collaborateur lui succéder un jour — ce qui se produira —, de renchérir. « Pour mettre les choses sur un bon pied, je ne vois point d'autre moyen que de revoir ici M. Dumas et le bien de votre service demande que vous tentiez tout sans rien épargner pour le déterminer à revenir. » Le conseil sera entendu, mais avant de recevoir le gouvernement des établissements de l'Inde, Dumas attendra quelques années en exerçant celui des Mascareignes.

M. de Beauvollier, ayant repris fermement les affaires en main, décide d'employer la force, en 1725, pour installer un comptoir à Mahé, sur la côte de Malabar, où les Anglais combattent la présence française. De ce « petit pays tranquille, sous une voûte de palmes », Pierre Loti, qui y passa avant la Première Guerre mondiale, a laissé une évocation émue. « Dans la futaie touffue, on retrouve les vestiges des murailles qui entouraient la ville de Mahé, du temps où elle était grande ; les ruines de ses portes dans le style Louis XIV, les ruines de ses ponts-levis. En effet tout est vieux dans cette colonie aujourd'hui presque déserte ; elle a un passé comme nos villes d'Occident, et ces souvenirs du grand siècle, qui dorment sous de magnifiques suaires de verdure, lui donnent une mélancolie à part. [...] C'est plus grand qu'on ne pense, ce Mahé. En se promenant dans les avenues vertes, on découvre peu à peu des quartiers qu'on ne soupçonnait pas d'abord, tant ils étaient bien cachés sous les palmiers : une église, bâtie sur une place — ou plutôt dans une clairière du bois ; un presbytère paisible et campagnard ; un petit couvent avec des bonnes sœurs ; puis quelques hautes maisons, habitées à présent par des Indiens pauvres, mais ayant gardé du vieux temps un certain grand air. L'église est d'un aspect un peu simple, un peu *colonial,* sous sa couche de chaux blanche ; mais elle est assez vieille pour avoir déjà un charme de *passé* et porter au recueillement comme celles de nos villages de France. » En 1726, Lenoir, un familier de l'Inde, prend les rênes de Pondichéry. Il se heurte à un jeune conseiller, affairiste et intrigant, qui s'était déjà fait remarquer au temps de Beauvollier ; il s'appelle Dupleix. La France, car la Compagnie, loin d'être l'expression du capitalisme privé, n'est qu'un instrument dirigé par le pouvoir, plus précisément par le contrôleur général des Finances, la France donc s'enferme dans une stratégie sans vision de petit marchand. De 1716 à 1755, les achats en Inde, que les métaux précieux prélevés sur le commerce de Cadix permettent de faire, varient entre 6 millions et 21 millions de livres par an : presque rien. Dumas, un homme du contrôleur général Orry, comme La Bourdonnais, suivra les mêmes errements pendant son gouvernement (1734-1741). L'Inde, si vantée pour ses soieries, ses cotonnades, ses pierres précieuses, est un marché mineur qui coûte cher. On n'y vend quasiment rien (de 3 millions à 18 millions de livres l'an, de 1716 à 1755), on y acquiert peu, mais au prix d'une véritable hémorragie des espèces métalliques ! À un terme que l'on ne peut prévoir le commerce de l'Inde, que n'accompagnerait pas un protectorat effectif du sous-continent, est condamné.

Benoist Dumas semble avoir pris conscience de l'avenir difficile qui attend la Compagnie. Pour obtenir un abaissement des charges douanières, il a arraché le droit de fabriquer des roupies à Pondichéry et organisé une expédition victorieuse contre Moka. Il a aussi ouvert un nouveau comptoir à Kārikāl, région de la côte de Coromandel où le riz venait en abondance. Cette politique, notamment dans sa perspective territoriale, paraît insuffisante à certains. Ainsi, à Dumas lui-même, qui aurait préféré créer une colonie vaste plutôt que d'entretenir de trop petites enclaves, l'ingénieur Cossigny écrit-il, le 25 janvier 1740 : « Il ne se présente qu'un moment dans la vie d'accepter ou de refuser ces offres avantageuses, de nous étendre sans violence, sans occupation, sans coup férir, moment qu'un million d'événements, autant de circonstances font éclipser sans retour. » Et, complétant l'argument commercial de l'argument maritime, l'officier constate et prophétise : « À la réserve d'une acquisition faite hier dans le Tanjore [il s'agit de Kārikāl], la Compagnie possède-t-elle en propre un pouce de terrain de plus qu'elle ne possédait il y a quarante ans ? Ce serait pourtant, selon moi, par l'extension de son domaine en quantité d'endroits, s'il était possible, de ces vastes pays, qu'elle serait au-dessus des événements de la mer, qu'elle pourrait charger tel nombre de vaisseaux qu'il lui plairait d'envoyer en Europe. » Autant dire qu'à la presque moitié du XVIIIe siècle, on en est toujours à peser les mérites respectifs des conceptions de Richelieu et de Colbert : les directeurs de la Compagnie penchant pour le cardinal, les agents sur le terrain pour le Rémois. Quant au contrôle général des Finances, qui en dernier ressort décide de tout, sa politique indienne est déterminée par la conjoncture internationale, par l'attitude de l'Angleterre, faute de disposer d'une puissante armée navale.

La guerre anglaise dans la mer des Indes : la prise de Madras

Dupleix, gouverneur des établissements du Bengale, est informé de sa nomination au gouvernement général de l'Inde française au cours de l'année 1740. Et Benoist Dumas, appelé au collège des directeurs de la Compagnie, abandonne son poste à son successeur, qui fut un subordonné difficile, en 1741. Dupleix prend son commandement à Pondichéry, au mois de janvier 1742, marié depuis peu à la veuve de son ami Vincens, métisse belle et intelligente dont les veines mêlent les sangs français, portugais et indien. L'homme piaffe d'impatience depuis longtemps, dispensant de riches cadeaux exotiques aux personnalités influentes, les sollicitant, réclamant à son frère, le fermier général de Bacquencourt, un emploi colonial d'importance, où enfin il serait le premier. La nomination de Dumas à la direction générale de l'Inde l'a dépité, mais il s'était tu, se contentant d'accroître son autonomie dans son fief du Bengale. À l'inverse, la désignation de La Bourdonnais au gouvernement général des Mascareignes, qu'il postulait, affranchit sa colère, sa jalousie, sa haine et sa malveillance. À Dumas, sous les ordres de qui il sert, il écrit rageusement le 19 décembre 1735 : « La nomination de M. de La Bourdonnais à votre place aux îles m'a surpris ainsi que toute l'Inde. Dieu veuille que la Compagnie n'ait pas lieu de s'en repentir ; la vivacité et la pétulance du sujet me le font craindre. Je regarde ce gouvernement comme le plus difficile de l'Inde et auquel son humeur ne convient nullement. » Au moment où la Compagnie et Orry confient les responsabilités suprêmes à Dupleix, qui est ce quadragénaire avancé ? Prosper Cultru, historien éminent, scrupuleux, répond d'une phrase brève : ce « n'est ni un rêveur héroïque, ni un homme d'État, mais un marchand, et qui n'a pas fait fortune ». Écho similaire chez Roger Glachant, fin connaisseur de l'Inde et esprit original, selon qui, « Dupleix jusqu'en 1741, date à la fois de son mariage et de sa nomination à Pondichéry, apparaît assez fâcheusement banal : un homme de négoce, pareil à d'autres, intéressé essentiellement ». Et l'historien de regretter que la personnalité du nouveau maître soit affligée d'une absence de culture générale, de curiosité et d'ouverture. Un homme d'argent, obsédé par l'argent, l'esprit vide de toute stratégie impériale, ainsi se présente Dupleix à son avènement. Ce portrait répudie l'image d'Épinal du héros, à laquelle ce vieil affairiste de Voltaire, comme s'il voulait se rendre hommage à lui-même, a aussitôt apporté son talent. « Dupleix, homme aussi actif qu'intelligent, et aussi méditatif que laborieux, avait dirigé longtemps le comptoir de Chandernagor, sur le Gange, dans la fertile et riche province de Bengale, à onze cents milles de

Pondichéry, y avait formé un vaste établissement, bâti une ville, équipé quinze vaisseaux. C'était une conquête de génie et d'industrie, bien préférable à toutes les autres. La compagnie trouva bon que chaque particulier fît alors le commerce pour son propre avantage. L'administrateur, en la servant, acquit une immense fortune. Chacun s'enrichit. Il créa encore un autre établissement à Patnā, en remontant le Gange jusqu'à trente lieues de Bénarès, cette antique école de brahmanes. Tant de services lui méritèrent le gouvernement général des établissements français à Pondichéry, en 1742. » Sous la plume illustre du philosophe, ami du lucre, des banquiers, financiers et négociants, la réalité prend des couleurs inédites et indiscutables !

Sur le théâtre indien où Dupleix apparaît, les acteurs européens sont toujours les mêmes, et toujours rivaux : Portugais et surtout Hollandais, Anglais et Français. La compagnie autrichienne d'Ostende a tenté de se faufiler sur la scène asiatique, aidée de ses affidés danois, suédois, polonais et portugais, pour abandonner définitivement la partie en 1731-1744, mais elle reviendra plus tard et d'une autre manière. Les deux centres principaux du commerce entre la France et l'Inde demeurent Pondichéry et Chandernagor — celui-ci étant très sensible aux troubles intérieurs et aux entraves étrangères —, les autres comptoirs déclinant, stagnant ou ne donnant pas les résultats espérés. Pour la nation, l'Inde n'est pas la poule aux œufs d'or que l'on avait rêvée. Dupleix en convient : « La nouvelle Compagnie, écrit-il le 16 octobre 1753, a fait des efforts considérables et quoiqu'elle ait trouvé la plupart des comptoirs formés par l'ancienne, elle les a augmentés jusqu'en 1751 de quatre qui furent Mahé, Yanaon, Karikal et Patnā, mais plus le nombre des comptoirs augmente et plus la dépense augmente de même. » Si l'Inde rapporte peu au roi, à l'inverse, elle fait vivre le port de Lorient, et surtout enrichit les particuliers qui s'y sont expatriés. Tous ceux qui ont quelque bien, aussi minime soit-il, l'investissent dans l'armement de navires qui pratiquent le commerce d'Inde en Inde, c'est-à-dire les échanges qui vont de la côte orientale de l'Afrique, l'Arabie, la Perse, la Birmanie, les îles de la Sonde, les Philippines et la Chine, auxquels s'ajoutent les opérations interlopes avec les Anglais et les Hollandais notamment. Si les risques sont certains — de nombreux naufrages, par exemple —, en cas de succès le taux de profit est exceptionnel. Les Européens, des gouverneurs aux plus petits commis, se livrent à cette activité avec d'autant plus de passion qu'elle assure à certains, à leur retour en France, de savourer les plaisirs ostentatoires de la fortune. Tout se trouve réuni pour satisfaire les appétits : denrées, produits de l'industrie humaine, et enfin ce qui libère de l'éventuelle surveillance métropolitaine, les navires construits dans les chantiers navals de Calcutta, de Chittagong ou d'ailleurs. Enfin, ces établissements, que désormais Dupleix gouverne, offrent leur rade aux navires de la Compagnie affectés au commerce de la Chine, continent fabuleux où les Français émerveillés achètent soieries magnifiques, porcelaines fragiles, laques longtemps inimitables, thés vite à la mode, ginseng, petite racine que les Chinois appellent « esprit pur de la terre » ou « recette d'immortalité », pays extraordinaire où l'on gagne à échanger de l'argent contre de l'or ! Quand, le 15 mars 1744, la France déclare la guerre à l'Angleterre dont la flotte saisit nos navires marchands, notamment dans la mer des Indes et canonne les vaisseaux du roi sans avoir dénoncé la paix, la Compagnie des Indes ne désespère pas de pouvoir s'entendre avec sa rivale britannique et de continuer à commercer, comme on le faisait en Afrique. Voltaire expose vœux et jeux des uns et des autres avec sa clarté coutumière : « Dupleix, gouverneur de Pondichéry, et chef de la nation française dans les Indes, avait proposé la neutralité à la compagnie anglaise. Rien n'était plus convenable à des commerçants, qui ne doivent point vendre des étoffes et du poivre à main armée. Le commerce est fait pour être le lien des nations, pour consoler la terre, et non pour la dévaster. L'humanité et la raison avaient fait ces offres ; la fierté et l'avarice la refusèrent. Les Anglais se flattaient, non sans vraisemblance, d'être aisément vainqueurs sur les mers de l'Inde et ailleurs, et d'anéantir la compagnie de France. »

Contraints à la guerre, les Français ne se dérobent pas. Dès 1740, Mahé de La Bourdonnais, alors à Paris, convainc Maurepas et Orry que les Anglais ne respecteront pas cette neutralité dans laquelle Dupleix voudra croire, et obtient de partir pour les îles, au mois de février 1741, à la tête d'une petite escadre. Arrivé au Port-Louis le 14 août, il fait aussitôt voile vers Pondichéry, que Dumas vient de sauver d'une invasion mahratte, et s'éloigne sans attendre pour porter secours à Mahé en danger. Sa mission accomplie, il retourne à l'île de France, où il reçoit l'ordre de renvoyer les vaisseaux du roi en Bretagne. La Bourdonnais, amer, songe à renoncer au gouvernement des Mascareignes. Quand la guerre s'étend à l'Asie, comme il l'avait prévu, il ne peut étouffer un mouvement de colère : « C'est ainsi que, si on m'eût laissé l'escadre, je sauvais nos vaisseaux, prenais ceux des ennemis, et, restant maître de la mer, je me voyais en état de m'emparer des établissements anglais, de ruiner dans l'Inde leur commerce et leurs colonies. » Le Breton se reprend vite. Sur place, dans les chantiers improvisés de l'île de France, il fait construire plusieurs bâtiments, n'oubliant pas de recruter des hommes. Il goûte enfin la joie du pari gagné : « À force de soins, de mouvements et d'industrie, je fus assez heureux pour voir, en mai 1745, mon armement complet, et l'escadre prête à recevoir des ordres. » Un bonheur ne venant jamais seul, des instructions du roi lui commandent, deux mois plus tard, d'armer tous les vaisseaux de la Compagnie, et de les conduire en Inde pour y détruire les adversaires. Dans les premiers mois de 1746, les vaisseaux promis arrivent aux îles : la faction favorable au marin du bout du monde l'avait emporté.

Le 24 mars 1746, l'escadre prend enfin la mer. Elle se rend à Madagascar, dans le port de Foule-Pointe, pour y charger des rafraîchissements, notamment du riz. Forte de 10 navires de 406 canons, de près de 2 400 Blancs et de quelque 700 Noirs, elle est retardée et affaiblie par une violente tempête au large de la Grande Île. Enfin, cette force navale quitte la baie d'Antongil, le 1er juin 1746, et fait voile vers Pondichéry, où elle arrive le 8 juillet. La Bourdonnais et Dupleix s'embrassent, formalité qui dissimule une haine déjà ancienne. Les deux hommes se ressemblent : affairistes et carriéristes. Ils diffèrent aussi : l'un porte l'épée, l'autre n'est que marchand. Depuis longtemps, le gouverneur de Pondichéry tient les propos les plus désobligeants sur le Malouin. Celui-ci, en faveur auprès des puissants frères Orry, domine son rival par la variété de ses succès. Il est un excellent marin, il a fait ses preuves, et est aussi un administrateur remarquable, sous la main de qui les Mascareignes sont devenues à la fois une base maritime et des colonies agricoles. Mais il n'oublie pas, lui le véritable fondateur de l'île de France, cette pénible année de 1740, au cours de laquelle il découvrit qu'il avait « dans la Compagnie des ennemis d'autant plus dangereux, qu'ils étaient cachés ». Parmi ces artisans de l'ombre, le fermier général Dupleix de Bacquencourt, ancien directeur de la Compagnie, qui conserve des amitiés chez les dirigeants de la société. Or, ces complices dénoncera Mahé, « fort zélés pour l'avancement d'un homme auquel ils s'intéressaient, avaient grande envie de me le donner pour successeur dans les îles ». Ce personnage autour de qui l'intrigue se nouait n'était autre que Dupleix. Mais le commissaire royal, maître vrai de la Compagnie sous l'autorité du contrôleur général des Finances, en l'occurrence Orry de Fulvy, avait maintenu sa confiance au Breton.

En débarquant à Pondichéry, La Bourdonnais se sent plus fort que son rival, et ce de par la volonté même de Versailles. Un premier ordre secret signé d'Orry, le 5 décembre 1742, ne lui prescrit-il pas de remplir le poste de gouverneur général de l'Inde s'il arrivait accident à M. Dupleix ? Une deuxième instruction, tout aussi confidentielle, prise par le contrôleur général le 29 janvier 1745, ne souligne-t-elle pas, au sujet des opérations militaires qu'il serait amené à conduire en Inde : « Vous donnerez avis à M. Dupleix du parti auquel vous vous arrêterez. Je lui donne les ordres les plus précis de vous seconder en tout ce qui pourrait dépendre de lui. » Or, les embrassades passées, le marin, officier du roi, à la tête d'une escadre d'une dizaine de navires, muni de papiers pour le moins significatifs, déchante. « À peine fus-je débarqué dans cette ville, que M. Dupleix, gouverneur général de tous les établissements français dans l'Inde, oubliant que nous étions égaux, et chacun à la tête de gouvernements indépendants l'un de l'autre, me fit connaître, par des hauteurs déplacées, le fond de son caractère vain et jaloux. [...] Occupé d'objets plus importants que ceux des rangs et des prérogatives, je m'appliquai à dresser un plan de campagne, dont je fis part à M. Dupleix. [...] Je résolus donc de tenter le siège de Madras. » Dans l'immédiat, Mahé sort de Pondichéry, se dirige vers le comptoir hollandais de Négapatam, dans l'espoir de rencontrer l'escadre britannique et de la battre afin qu'elle ne pût fondre sur ses arrières quand il assiégerait Madras. Français et Anglais se croisent au large de la côte de Coromandel, mais l'ennemi, après avoir subi une attaque violente, se dérobe. La Bourdonnais revient à Pondichéry d'où il repart pour Madras, après avoir échangé quelques propos aigres avec Dupleix et le Conseil supérieur. Il arrive devant le port, objet de tant de disputes et de froissements, dans la soirée du 15 septembre 1746. La ville capitule quelques jours plus tard, le 21 septembre. Le Malouin négocie alors un traité de rançon avec les représentants de Madras pendant la première quinzaine d'octobre, et le signe le 21 octobre, après qu'un cyclone eut mis sa flotte à mal au point que l'escadre anglaise aurait pu l'écraser sans difficulté. Dupleix enrage : il réclamait la prise de possession du comptoir britannique. À cela, le marin rétorque qu'il s'est cantonné dans le respect des ordres que lui a donnés le contrôleur général. En effet, dans une instruction du 16 janvier 1741, Orry avait introduit une stipulation secrète qui disait : « Il est expressément défendu au sieur de La Bourdonnais de s'emparer d'aucun établissement ou comptoir des ennemis pour les conserver. » En sous-entendu, parce que nous ne disposerions pas des moyens militaires pour les garder. Mais, objectent les ennemis du Breton, celui-ci a reçu de nouvelles directives, qu'Orry avait signées le 29 janvier 1745. D'une manière évasive, mais sans évoquer une éventuelle conquête territoriale sur l'ennemi, le contrôleur général, témoignant sa confiance la plus totale à son subordonné, lui donne pleine latitude dans l'action qu'il mène. Il lui écrit : « Au surplus, quoique ce plan m'ait paru bon, la confiance que j'ai que vous me ferez tout pour le mieux, m'engage à vous autoriser à y changer ce que vous estimerez le plus convenable au bien général et aux intérêts de la Compagnie, et même à prendre tout autre parti, quel qu'il soit. » En fait, cette « affaire de Madras », qui se double d'une accusation grave, selon laquelle les Anglais auraient acheté Mahé pour verser une rançon et éviter ainsi l'occupation, ce qui semble probable, suscite la dispute, d'autant que Dupleix casse la convention de rançon et occupe Madras.

R. Glachant, faisant allusion aux accusations du gouverneur de Pondichéry, qui ouvrirent au marin les portes de la Bastille, ne s'attendrit pas : « Il y resta trois ans et demi. Il ne l'avait pas volé. Sa mort intervint en 1753, peu après sa libération, à Paris. On voit qu'en réalité il ne fut pas une victime, ni une intelligence en avance sur son temps. » Et, contrairement à Dupleix, La Bourdonnais n'aurait pas possédé une conception de service public des colonies, dans lesquelles il n'aurait jamais vu que des boutiques à profit. C'est beaucoup prêter à Dupleix, qui, en 1746, n'est toujours qu'un parvenu exécrable, dépourvu de lucidité militaire et de stratégie politique. En effet, le maître de Pondichéry, après avoir lancé quatre expéditions contre le comptoir anglais, méridional et voisin, de Goudelour, qui se terminent en autant d'échecs, voit arriver la flotte de l'amiral Boscawen, le 4 août 1748. Cette escadre, forte de huit navires de guerres, portant 12 compagnies d'infanterie et une compagnie d'artillerie, déverse ses troupes, et approche ses bâtiments de la ville. Le siège de la capitale de l'Inde française commence. Les soldats britanniques pénètrent dans les terres, bousculent les Français, menacent le comptoir, que les vaisseaux bombardent sans relâche. Dupleix résiste avec toute son énergie, perdant malheureusement un brillant officier, Paradis, mais bénéficiant du concours actif de l'exceptionnel Bussy et de celui de sa femme, que les Indiens appellent la Bégum Jeanne. Une erreur topographique dans l'attaque, la maladie, le régime des moussons qui commande la navigation, ravissent à Boscawen une victoire que le bon sens lui accordait. Après quarante jours de siège, l'amiral reprend la mer, tandis que le gouverneur français exulte, inconscient qu'une chance inouïe l'a sauvé du désastre général. Ni la Compagnie ni le pouvoir ne tireront les leçons de ce triomphe providentiel : au lieu de donner le gouvernement de l'Inde à un militaire, on le laissera à un marchand. En France, l'opinion n'en a que pour La Bourdonnais, dont Dupleix, assisté de Bacquencourt, son frère, de Mme de Pompadour et des frères et financiers Pâris, ennemis du clan Orry, obtient l'incarcération et la comparution devant une commission judiciaire. Tandis que le gouverneur de Pondichéry est haï, on célèbre le fondateur de l'île de France et le conquérant de Madras. Le 26 janvier 1751, le marquis d'Argenson note dans son Journal : « On le regarde dans tout Paris comme victime du crédit et d'une faveur injuste et opprimante, comme un homme fort innocent qui a bien mérité de la Patrie et personne ne peut entendre aucune raison contre lui. » L'abbé Raynal, le bien informé, regrette la « jalousie » de Dupleix, et aussi ses « intrigues ». Voltaire, bon juge, rend à chacun ce qui lui revient. La Cour, observe-t-il, n'octroyant aucune récompense au Malouin, « tout le public lui en donnait une flatteuse en nommant La Bourdonnais le vengeur de la France et la victime de l'envie ». Mais, ajoute-t-il, « bientôt le public pardonna à son ennemi Dupleix quand il défendit Pondichéry contre les Anglais qui l'assiégèrent par terre et par mer. » Le seigneur de Ferney, courtisan de Mme de Pompadour, travestit le sentiment de l'opinion, qui voit en Dupleix un individu sans scrupules, lié au monde détesté de la finance. Ainsi, le littérateur Collé, s'élevant contre le gouverneur de l'Inde, laisse-t-il tomber : « S'il ne se lave point de tout ce que M. de La Bourdonnais lui a imputé, c'est le plus affreux et le plus noir coquin qui ait jamais existé. » Finalement, l'ancien administrateur général des Îles Sœurs, servi par sa défense intelligente et étayée, est acquitté et libéré : « Il est rentré comme en triomphe, tant Paris est dans une joie inexprimable », consigne parmi d'autres le marquis d'Argenson. Quelques années plus tard, Louis XV lui-même, indécis semble-t-il au moment du procès, accordera une pension à la veuve de Mahé, car celui-ci était mort « sans avoir reçu aucune récompense ni aucun dédommagement, pour tant de persécutions et tant de services ». Quant à Dupleix, insatiable dans sa haine, il fait arrêter le frère de La Bourdonnais à l'île de France, le jette dans un cachot de Pondichéry, puis, les Anglais ayant levé le siège, l'envoie en France que la mort ne lui permettra pas de revoir.

Derrière ce flot sordide, qui charrie deux grands Français de la mer des Indes, que se cache-t-il ? Des divergences dans la stratégie de la colonisation ? Dupleix n'a encore aucun plan en tête. Mahé est un excellent marin et non un flibustier en retard d'un siècle, comme l'écrivent certains ; et rien ne permet de dire qu'il adhérait à telle ou telle conception de l'expansion française. Le duel, dans lequel se sont dépensés les deux chefs rivaux, révèle plutôt un impitoyable règlement de comptes entre des hommes appartenant à des coteries différentes, et dont l'objet se résume à l'argent et à l'ambition. En 1748, la construction d'un empire colonial en Asie semble, cependant, davantage fasciner Mahé que Dupleix. Celui-ci voit sa carrière prendre forme en Europe, « où chacun rentrant dans sa coquille ne se fera distinguer qu'autant qu'il aura du bien ». On ne va pas en Asie pour vivre différemment, pour y bâtir patries ou colonies nouvelles, mais seulement pour amasser au plus vite et rentrer jouir en France des moyens qu'aiment étaler les parvenus de la noblesse d'argent. Des premiers jours jusqu'au XXe siècle, il y a toujours eu quelque chose de « pourri » aux royaumes d'Asie, dont les autres régions de colonisation ont été incomparablement moins affectées. Le traité d'Aix-la-Chapelle intervenait, par bonheur, une douzaine de jours après que Boscawen eut été obligé de lever le siège de Pondichéry. La France et l'Angleterre s'étant accordées pour qu'aucune des deux puissances ne soit vaincue, Louis XV recouvre Louisbourg et rend Madras. Le royaume, grâce au maréchal de Saxe, avait triomphé de la Grande-Bretagne sans presque avoir de marine, et n'avait rien perdu de son empire. Toutes les couches sociales du pays manifestent leur mécontentement devant une cessation des hostilités qui ne rapporte rien.

Si la France a déçu l'Espagne en faisant taire ses réclamations sur Gibraltar et contre les privilèges anglais en Amérique, les Bourbon n'en règnent pas moins à Paris, Madrid, Naples et maintenant à Parme et Plaisance. Toutefois, l'union des deux Couronnes, qui s'était un moment reformée, bat de l'aile à la suite de cette paix. Le duel maritime et colonial entre l'Angleterre et la France, — mais aussi entre l'Angleterre et l'Espagne — reste intact. Les intérêts de la

Prusse et de l'Autriche, ainsi que leur diplomatie pendant les années de la guerre de Succession, autorisent de prévoir que la première s'alliera à Londres et la seconde à Paris. Mais pour l'heure, l'axe politique et stratégique que commandent le cabinet de Saint-James et Versailles, passe pour partie hors d'Europe, sur les continents qu'ont révélés les grandes découvertes. Aussi est-il urgent que la nation se dote d'une marine puissante. La paix d'Aix-la-Chapelle donne le temps d'accomplir cette entreprise : c'est là une raison qui fait que ce traité est moins mauvais qu'on ne le dit.

CHAPITRE IV

Menaces anglaises
contre les positions françaises
en Amérique du Nord et dans l'Inde

Manœuvres intérieures et extérieures

Pendant l'entre-deux-guerres, ce pont de quelque huit ans qui sépare la guerre de Succession d'Autriche de la guerre de Sept Ans, les hostilités anglo-françaises ne cessent pas, mais s'enferment dans les limites de l'Amérique et de l'Inde. Ce conflit, qui vise dans l'esprit de Londres à conquérir la suprématie mondiale dans ces deux domaines que sont la mer et les colonies, déroule ses événements sous le ciel serein d'une paix jamais dénoncée.

La France poursuit de la plus belle manière le développement de ses échanges, en plein essor depuis les années 1735. Ainsi ses importations passent-elles de 112 805 000 livres, en 1740-1748, à 155 555 000, pendant la période allant de 1749 à 1755. Les exportations suivent la même courbe ascensionnelle, mais de façon encore plus frappante : 92 334 000 livres, de 1740 à 1748, contre 257 205 000, durant les années 1749-1755. Point qui intéresse les Anglais, au sein du trafic français, les échanges avec nos possessions d'Amérique expriment une santé et une croissance prometteuses : ils se hissent de 65 722 000 livres pour l'époque 1740-1748, à 106 341 000 en 1749-1755. Plus que jamais, notamment depuis la guerre de Succession d'Espagne, la Grande-Bretagne prend les empires coloniaux franco-espagnols aux rendements abondants comme point de mire de sa stratégie d'agression. Dans ces années 1748-1756, intermédiaires mais décisives, l'Angleterre sort d'une période de baisse des prix pour entrer dans une phase de hausse. Sans échapper aux difficultés, elle accède par étapes à cette célèbre « révolution industrielle » de la seconde moitié du xviiie siècle : la démographie s'épanouit, la classe moyenne à l'esprit plus technique que philosophique prend conscience de sa vigoureuse réalité, routes et canaux se multiplient, le mouvement des enclosures s'accélère, des techniques nouvelles transforment l'industrie et l'agriculture, sans que pour autant le cheptel, les fameuses laines et différentes productions traditionnelles prennent du retard. La France ne reste pas étrangère à ce phénomène de modernisation, certains secteurs étant plus affectés que d'autres et avec plus ou moins de retard. Mais le « décollage » s'opère comme outre-Manche, même si le rythme est moins rapide ; aussi la nation garde-t-elle sa place de première puissance économique globale. Ce panorama mondial, loin d'inciter les Anglais à la paix les porte à la guerre, d'autant qu'ils perçoivent la part grandissante des marchés coloniaux dans leurs échanges. Alors qu'en 1726-1730, ils exportaient pour 473 000 livres sterling aux Antilles et pour 507 000 en Amérique continentale, en 1751-1755, ces chiffres se sont haussés à 710 000 et 1 225 000 livres sterling. Les importations, quant à elles, bougent peu, ne progressant qu'à partir de 1760. Les whigs, où qu'ils tournent leur regard, ne voient que d'excellentes raisons de s'engager totalement dans une politique belliqueuse contre les Franco-Espagnols. Ce qu'ils feront après la mort de Pelham (1754), sous l'aiguillon de Fox et de Pitt.

Alors que la France découvre une aisance économique qu'elle n'avait pas connue sous le règne du Grand Roi, le paysage politique s'assombrit. Le Parlement de Paris, janséniste, et le clergé de la capitale, plutôt ultramontain, se disputent. Machault tente d'assainir les finances en amortissant la dette et en soumettant tous les sujets du roi à l'impôt. Les parlements s'insurgent, le clergé proteste, les frères Pâris, liés à Mme de Pompadour, intriguent. Finalement, Louis XV, ce prétendu despote, se soumettant à l'opinion, renonce aux services de l'un des rares ministres qu'il ait appréciés. Malgré la difficulté des temps, et même au cœur de la guerre de Sept Ans, les parlements de Paris et des provinces — sans oublier les conseils supérieurs des colonies — se posent en représentants de la nation, pour faire échec aux lois et règlements royaux, pour freiner justice et progrès, pour défendre leurs privilèges et voler au secours des causes et des conceptions les plus rétrogrades. Tandis que les énergies devraient se coaliser face au péril anglais, la classe politique se nourrit de la désagrégation que les philosophes lui enseignent au nom de bien troubles Lumières. Ainsi, le marquis d'Argenson, ancien et pitoyable secrétaire d'État des Affaires étrangères, esprit creux, faux, aigri, fort représentatif du milieu de son temps, note le 30 janvier 1750 : « Le républicanisme gagne chaque jour les esprits philosophiques. On prend en horreur le monarchisme par démonstration. En effet, des esclaves seuls, des eunuques, aident de leur fausse sagesse le monarchisme. Mais quelle sagesse chez les républiques qui gouvernent économiquement au-dehors, et n'intimident jamais leurs voisins, qui les considèrent cependant ! Heureuses les monarchies gouvernées comme les républiques ! Mais où sont-elles ? Je ne vois que le règne d'Henri IV, et le ministère de M. de Sully. » Argenson, comme ses congénères, s'irrite de l'actualité qui lui montre un peuple mangeant à satiété, mais une nation que divisent les querelles politiques. « Ces troubles intestins nous font grand mal chez les étrangers », déplore-t-il. Quelques jours plus tard, le 9 septembre 1752, le marquis a déjà oublié ses vœux de cohésion nationale autour de la personne du roi, et s'abandonne à nouveau à ce travail de sape, alors si goûté : « La mauvaise issue de notre gouvernement monarchique absolu achève de persuader en France et par toute l'Europe que c'est le pire des gouvernements. Je n'entends que philosophes dire, comme persuadés, que l'anarchie même est préférable, puisqu'elle laisse *au moins ses biens à chaque habitant,* et que quelques troubles, quelques violences qui y surviennent, ne préjudicient qu'à quelques individus, et non au corps de l'État comme ici. » On est frappé de stupeur. Pendant que le capitalisme whig harcèle les possessions royales pour s'en emparer, l'élite sociale et politique française, fermant les yeux sur l'action de l'ennemi, se dépense en péroraisons qui fleurent à la fois Fénelon et les orateurs de 1789. « Qui pourra commencer une *révolution nationale ?* », s'interroge M. d'Argenson, alors que le royaume subit l'assaut insidieux de la Grande-Bretagne ! Et de répondre, imperturbable : « Ce sont les parlements et leurs chefs, lesquels s'accréditent dans le public, et s'attirent aujourd'hui la confiance générale. » Aucune allusion dans ce galimatias au sort de la France, au Canada et à l'Inde, que pourtant les « tuniques rouges » assiègent.

Le traité d'Aix-la-Chapelle a organisé une simple trêve et non une paix durable ; d'ailleurs, les faits le prouvent quotidiennement. Louis XV, conscient d'être entouré par une classe dirigeante minée, acquise aux philosophes qui admirent la Prusse et Frédéric II, conduit une politique étrangère personnelle, qu'une petite équipe aux ramifications nombreuses exécute : c'est ce que l'on appelle le « Secret du Roi ». Le monarque se méfie du Prussien, dont la guerre précédente a montré qu'il avait la foi variable. Cependant, il laisse venir à lui le maître de Berlin, qui redoute que l'entente anglo-russe ne le prenne en tenaille. Mais, à partir de 1754, Londres, sentant que la tension avec Versailles approche de la rupture, cherche un allié plus proche du Rhin que les Moscovites. On détache habilement Frédéric de ses amis français, qu'il décontenance en s'alliant au cabinet de Saint-James, par le très officiel traité de Westminster, conclu le 16 janvier 1756. Louis XV, habitué aux infidélités du Prussien, mais pris de court, songe à un nouvel horizon diplomatique, à une nouvelle alliance franco-germanique. L'impératrice, sachant qu'à « l'exception du roi, et peut-être de M. de Machault, tout était prussien dans le conseil », s'adresse directement au souverain pour la deuxième fois, et lui propose de coaliser leurs deux États. Dès la fin de l'année 1755, avant même la signature du traité de Westminster, des négociations s'engagent, où l'abbé de Bernis défend les intérêts français. Poussé par son maître, qui reprend les idées que Louis XIV soutenait à la fin de son règne, l'abbé note sans surprise : « le roi ne me dissimula point qu'il avait désiré toute sa vie avoir la cour de Vienne pour alliée, qu'il croyait que c'était le seul moyen de jouir d'une longue paix et de maintenir la religion catholique. » L'opinion apprend la constitution du pacte anglo-prussien au mois de février 1756, et la formation de l'entente franco-autrichienne au mois de mai suivant, que solennise le premier traité de Versailles. Ainsi, en cas de conflit entre Versailles et Londres, la France ne sera plus menacée par les armées impériales et, de son côté, Vienne est protégée contre une attaque soudaine de Berlin. En opérant ce renversement des alliances, Louis XV a imposé sa volonté à une élite politique et à un cabinet dangereusement prussophiles ; il est en droit de penser qu'il libère le royaume de l'ouverture d'un front continental, en cas de rupture avec l'Angle-terre. Dans cette combinaison diplomatique, qui restera en vigueur jusqu'à la Révolution, Choiseul dénonce une « duperie » qui sacrifie la France « à l'agrandissement de la Maison d'Autriche », et sans avoir le sentiment de se contredire, édicte « qu'en bonne politique il a été très bien fait de conclure un traité avec la cour de Vienne et de déranger le système de l'Angleterre ». Propos irisés, comme, à n'en pas douter, seuls les grands ministres savent en tenir ! Après le traité d'Aix-la-Chapelle, la France et l'Angleterre, les deux belligérants potentiels, tout en développant leur économie et en remodelant la carte diplomatique de l'Europe, s'attachent à augmenter la puissance de leur marine. À Londres, Lord Sandwich et surtout l'amiral Anson multiplient les efforts avec succès : en 1756, ils alignent 142 vais-seaux. À Versailles, Maurepas propose au roi un programme de construction de 60 vaisseaux et la suppression du corps des galères, devenu inutile. Le projet est retenu, mais Maurepas, l'homme de la prise de Louisbourg et de l'île Royale, est renvoyé. Le remplacent deux hommes qui, aujourd'hui, n'ont pas bonne presse, Rouillé de Jouy (1749-1754) et Machault d'Arnouville (1754-1757), « deux travailleurs consciencieux », selon l'éminent J. Tramond, « deux grands ministres », selon Lavisse et Rambaud. Avant de s'asseoir dans le fauteuil du spirituel Maurepas, Rouillé, ancien maître des requêtes, intendant du commerce et commissaire du roi auprès de la Compagnie des Indes, n'ignore pas les problèmes de la Marine, des colonies et du trafic. Le procès entrepris contre lui se réduit aux intrigues de la coterie qui adulait son prédécesseur. Machault, lui aussi, connaît les choses de la Marine, des colonies et du commerce. Issu du corps des maîtres des requêtes, cet ancien intendant, n'a-t-il pas de 1745 à 1754, exercé sa tutelle sur la Compagnie des Indes, de par ses puissantes fonctions de contrôleur général des Finances ? L'opinion détestera ce remarquable serviteur de l'État pour la raison qu'il voulait faire payer l'impôt aux privilégiés comme à la roture ! Quoi qu'il en soit, en 1756, le plan de Maurepas est réalisé, même dépassé : à ce moment, la France dispose de « 63, peut-être 72 vaisseaux de ligne », constate J. Tramond. Malgré ce sursaut, on a vu petit : la flotte du roi ne représente que la moitié de la Navy, à la veille de la guerre de Sept Ans !

Pendant que la seconde guerre de Cent Ans prépare son nouvel acte, la rivalité franco-anglaise se donne libre cours dans les colonies. Au Canada et à l'Inde, on scelle des alliances et l'on se bat.

Le Grand Dérangement des Acadiens

Le gouverneur général de La Galissonnière, arrivé au mois de septembre 1747, lâche des bandes commandées par Léry, Marin, Le Corne, qui terrorisent la Nouvelle-Angleterre. L'homme a du caractère, le montre, et contrairement à nombre de métropolitains qui occupent des emplois importants dans les colonies, se fait accepter des Canadiens, les comprend, et ne leur donne pas le sentiment de vivre un exil temporaire parmi eux. À ses côtés, sévit le célèbre intendant Bigot, « ce virtuose de la concussion », selon l'expression de Ch. A. Julien, qui pratique à l'excès une politique de crédit et d'inflation, retardant sans cesse le remboursement des lettres de change. Ces manipulations éclateront finalement au grand jour : en 1763, une commission condamnera l'habile prévaricateur à restituer 1 500 000 livres au Trésor, une broutille au regard du montant des détournements. La Galissonnière n'a pas quitté sa patrie pour se faire une fortune par des moyens malhonnêtes. Il discerne au plus vite la vulnérabilité de sa colonie, aussi forge-t-il une doctrine pour parer aux périls immédiats. Il juge indispensable de donner des frontières robustes au Canada, afin d'arrêter la lente mais permanente progression des Anglo-Américains : dans l'ouest continental, il choisit les Appalaches, chaîne montagneuse qui interdit l'accès aux Grands Lacs, et à l'est, il opte pour l'isthme de Chediak qui, tout en laissant l'Acadie péninsulaire aux Anglais, conformément à l'esprit du traité d'Utrecht, garde à la France l'Acadie continentale et barre l'accès du golfe du Saint-Laurent aux Américains. Cette stratégie lucide et bien construite, à la fois défensive et offensive, révèle l'immense appétit de la Grande-Bretagne, qui revendique les territoires bordant le sud de l'embouchure du Saint-Laurent et l'arrière-pays méridional.

Le gouverneur général, qui devine les ambitions profondes de l'ennemi, appelle les Français neutres de l'Acadie anglaise, exemptés du service des armes, à rejoindre l'Acadie du roi. L'isthme de Chediak rassemble bientôt quelque 3 000 habitants : l'île Saint-Jean 2 600 et l'île Royale un millier. Les Britanniques, loin de se relâcher, caressent à nouveau le projet vieux de 1613 de chasser les Français de leur Acadie, et dans l'immédiat débarquent 2 500 émigrants, dont nombre d'Irlandais, dans la rade de Chibouctou où ils fondent Halifax, qui en trois ans se dresse en rivale de Louisbourg (juin 1749). La Galissonnière ne se laisse pas abattre par les menaces de plus en plus claires de l'Anglais. Au contraire, il réclame à la Cour de lui envoyer 10 000 paysans pour augmenter le peuplement de la Nouvelle-France, et par là sa capacité militaire. En 1750, rentré en France, il explique que l'Amérique sera l'un des enjeux principaux de la guerre qui se prépare et, soucieux de l'avenir, réclame la conquête de l'Acadie britannique, et la prise de vastes mesures de défense du Canada et de la Louisiane. Une fois encore, ce chef visionnaire n'est pas écouté. Il a été remplacé dans le cours de l'année 1749, par La Jonquière, déjà nommé gouverneur général du Canada en 1747, mais aussitôt capturé par l'amiral Anson au large du cap Ortegal. Ce nouveau chef poursuit la politique de renforcement des défenses de la colonie, mais peut-être avec moins de hauteur de vue. Pendant son administration, une commission franco-anglaise d'arbitrage se réunit, où figure La Galisonnière, afin d'essayer de résoudre le problème des frontières. Londres maintient ses positions anciennes, Paris ne cède pas. Commentant la revendication britannique sur le territoire qui s'étend de l'Acadie au Saint-Laurent, Rouillé écrit : « Cette prétention rendrait trop onéreuse et même impossible la conservation de la partie du Canada qui nous resterait après ce démembrement. »

À La Jonquière, mort à Québec, succède un autre marin, le marquis Duquesne, qui perpétue l'action de ses prédécesseurs, même s'il suscite peu d'affection dans la population. Mais au moment où il quitte son gouvernement — en 1755 — dont hérite le Canadien et marquis, Pierre de Vaudreuil, qui descend des vaisseaux de Dubois de La Motte en compagnie du baron de Dieskau, commandant général des troupes, la crise déchire brutalement les voiles dans lesquels elle s'enveloppait. Le 2 juin, 2 000 miliciens bostoniens sont débarqués devant le fort de Beauséjour qui, avec celui de Gaspareaux, tient l'isthme de Chediak, et partant l'Acadie française. Les deux positions sont enlevées par l'ennemi, et 10 000 Français se trouvent désormais prisonniers de cette nasse que constitue la presqu'île acadienne. Toujours sans que la guerre ait été déclarée, l'amiral Boscawen capture deux vaisseaux de l'escadre de Dubois de La Motte. Pendant ce temps, Lawrence, gouverneur de l'Acadie anglaise, le colonel Monckton, de connivence avec Shirley, gouverneur du Massachusetts, non contents des coups de main sur Beauséjour et Gaspareaux, désarment tous les Français tombés sous leur domination, les traquent et les rassemblent. Alors, le Conseil d'Halifax condamne ces malheureux, déjà expropriés et captifs, à la déportation. Cette destruction commandée et systématique de la race française — ce « génocide » d'un type original — est connu sous le nom de Grand Dérangement de 1755. Les bâtiments de transport charrient ainsi quelque 7 000 hommes, femmes et enfants qu'ils vont déverser en Nouvelle-Angleterre et dans les colonies méridionales. Cette tragédie, qui se répétera dans les années suivantes, inspirera à l'écrivain américain Longfellow son long et célèbre poème, *Evangeline* (1847), qui retrace l'infortune d'une jeune déportée consumant sa vie à rechercher son fiancé Gabriel, dont le sort l'a séparée, et qu'elle retrouve au dernier jour, vieillard, à la mort. Les Cajuns, ces Acadiens de la Louisiane, ont élevé Evangeline au rang de symbole et de mythe, et chantent encore « La Veuve de sept ans », évocation de la guerre de Sept Ans qui marqua le début de leur triste Odyssée :

> « J'ai perdu mon père, perdu ma famille,
> Ma terre est toute ruinée
> À cause de la maudite guerre »,

rappelle amèrement le dernier couplet. L'abbé Raynal, apologiste de la colonisation française, flétrit le comportement britannique. « Les Anglais se félicitèrent d'une infamie contre laquelle toutes les voix de l'Europe se soulevèrent avec indignation. L'hostilité, sans déclaration de guerre, lors même qu'il n'y a point de traités de paix, est un procédé de barbares. » Le marquis d'Argenson lui-même, plus préoccupé par l'organisation de sa noble mais chimérique Europe, que par la conservation de colonies vulgaires mais réelles, ne peut s'empêcher de blâmer les manières sauvages des grands insulaires. « Neuf mille Français habitaient les parties du Canada prétendues par les Anglais, et qu'ils nous ont prises ; on a distribué les terres à des Anglais. Ils sont sans biens et comme esclaves. On a voulu exiger d'eux serment et service contre la patrie ; ils l'ont refusé et cherchent à revenir chez nous. » De l'ensemble de la population acadienne — originaire de l'Acadie même et des îles Royale et Saint-Jean, prises pendant la guerre de Sept Ans —, de l'ordre de 14 000 âmes, 3 à 4 000 revirent les côtes de France, et après de longues souffrances.

Alors que l'unanimité se fait dans le royaume pour réprouver les mœurs barbares de la voisine d'outre-Manche, on entend une fausse note, pas n'importe laquelle, celle produite par le Roi-Voltaire. D'un ton badin, pour complaire à Choiseul, le stratège de Ferney expliquera, après l'événement. « Une légère querelle entre la France et l'Angleterre, pour quelques terrains sauvages vers l'Acadie, inspira une nouvelle politique à tous les souverains de l'Europe. Il est utile d'observer que cette querelle était le fruit de la négligence de tous les ministres qui travaillèrent, en 1712 et 1713, au traité d'Utrecht. La France avait cédé à l'Angleterre, par ce traité, l'Acadie, voisine du Canada, avec toutes ses anciennes limites ; mais on n'avait pas spécifié quelles étaient ces limites ; on les ignorait : c'est une faute qu'on n'a jamais commise dans des contrats entre particuliers. Des démêlés ont résulté nécessairement de cette omission. Si la philosophie et la justice se mêlaient des querelles des hommes, elles leur feraient voir que les Français et les Anglais se disputaient un pays sur lequel ils n'avaient aucun droit : mais ces premiers principes n'entrent point dans les affaires du monde. Une pareille dispute entre de simples commerçants aurait été apaisée en deux heures par des arbitres ; mais entre des couronnes il suffit de l'ambition et de l'humeur d'un simple commissaire pour bouleverser vingt États. » Voltaire aime à persifler, mais ici, le propos n'est pas gratuit. Dans le *Précis du Siècle de Louis XV*, il flatte la pensée et les actions de M. de Choiseul, son protecteur, jusqu'à se prostituer. Étonnant, cependant, que dans le domaine de l'économie, l'homme d'affaires que fut M. de Ferney, ne s'alarme pas du déclin des pêches françaises, auxquelles se substituent les Anglais et l'interlope américain pour la morue, et les Hollandais pour le hareng. Le marquis d'Argenson, bien qu'anticolonialiste par révélation philosophique, montre plus de réserve que le Maître. Ainsi, note-t-il, le 24 janvier 1751 : « Le géographe d'Anville vient de me montrer sur la carte quelles sont les prétentions des Anglais contre nous en Amérique. [...] L'on voit que, si l'on croyait les Anglais, ils auraient toute l'Amérique septentrionale, et la meilleure partie des îles entre les deux Amériques. » Il est clair, sauf pour quelques aveugles, que la Grande-Bretagne veut la guerre pour asseoir sa domination maritime et coloniale. Louis XV a si bien décelé la stratégie viscérale du cabinet de Saint-James, qu'en 1754, il tente de faire revenir à la raison le très anglophile Ferdinand VI d'Espagne. Dans une lettre personnelle, il s'emploie à ouvrir les yeux de son cousin : « Les Anglais, insiste-t-il, ont été, de tout temps, les ennemis constants et implacables de notre sang et de notre Maison. [...] Sans les sacrifices que Louis XIV, notre commun bisaïeul, a fait de ses trésors et du sang de ses sujets, sans sa constance et sa fermeté, les Anglais auraient enlevé la couronne d'Espagne et des Indes à sa postérité. C'est le souvenir de ces importants objets, profondément gravé dans l'esprit du feu roi Philippe V, votre père et mon oncle, qui a été le principe de l'amitié et de la tendresse constante qu'il a toujours eues pour moi et pour la France et ce sont les mêmes objets qui m'attachent intimement à l'Espagne. Je suis convaincu que Votre Majesté pense de même. » Si le Bien-Aimé a la tête politique, ce n'est point le cas de Ferdinand. Aussi Louis XV devra-t-il attendre 1759, que le francophile Charles III succède à son demi-frère, pour nouer les liens de ce que l'on appellera le « Pacte de Famille », où s'uniront tous les Bourbons régnants. « Les limites de l'Acadie ont été le prétexte de la guerre de l'Angleterre contre la France en 1756 », écrit Choiseul dans ses *Mémoires*, oubliant les prétentions sur l'Ohio. Mais il ne faut pas confondre le prétexte et l'objet. En réalité, les Anglais ne se pardonnent pas d'avoir cédé, même à bon prix, lors des négociations qui aboutirent à la paix d'Utrecht. Depuis, fidèles à leur stratégie initiale, ils ne songent qu'à mettre la main sur l'Amérique des Bourbons, à briser les flottes hostiles pour étendre leur domination depuis les Indes occidentales jusqu'aux Indes orientales.

La bataille de l'Ohio

Lors de la visite du géographe d'Anville, le marquis d'Argenson a fort bien compris que l'Acadie ne représente qu'une part des revendications américaines des Anglais. « Plus au midi, ils prétendent renfermer les Espagnols dans la Floride, et ne leur en laisser que la presqu'île. Passant par derrière la Floride au couchant, ils réclament plus de la moitié de notre Louisiane, jusqu'au fleuve Saint-Louis ou Mississippi, et encore plus au couchant ils envient ce qui nous joint avec les Espagnols. Au nord de la Louisiane, ils veulent aller jusqu'au lac Ontario, et quant au Canada, ils l'assiègent par la baie d'Hudson et le détroit de Davis, et cherchent à découvrir des terres et une issue jusqu'à la Californie. Ces prétentions, que l'on m'a montrées, sont tirées des mémoires de M. Silhouette, l'un des commissaires nommés pour régler ces limites avec les Anglais. Jamais on ne s'accordera sur tout ceci. *Litigando jura crescunt.* Ce sont des plaideurs sans juges. Nos adversaires ont des forces terribles sur mer, dans leurs colonies par la multitude des habitants et par l'argent. En attendant nous essuyons dans ces pays-là des attaques fréquentes et des injures impunies » (24 janvier 1751). Indiscutablement, le rapport des forces en Amérique penche en faveur des Anglais : quelle illustration plus frappante que celle des populations. À la veille de la guerre de Sept Ans, on ne compte qu'environ 70 000 Canadiens contre 1 500 000 Américains. Ce déséquilibre démographique, d'autant plus irréparable que les conseils de Vauban et les appels de La Galissonnière n'ont pas été écoutés, engendre un phénomène original et unique. La politique coloniale de Londres en Amérique du Nord procède des volontés conjuguées de la métropole et des Treize Colonies. Le système constitutionnel britannique favorise d'ailleurs ce type de méthode gouvernementale, que le régime français interdit. L'Angleterre, dans la perspective d'assurer sa maîtrise sur l'Atlantique et l'ensemble des Amériques, les Treize Colonies, au nom de leurs intérêts économiques, s'accordent pour contester et bousculer le dessin de l'empire français que Champlain, Cavelier de La Salle, les La Vérendrye, les coureurs de bois et les traitants ont tracé sans l'esprit formaliste particulier aux notaires. Toutefois, le résultat est là : du Saint-Laurent aux Grands Lacs, du complexe Ohio-Mississippi au golfe du Mexique, le Canada et la Louisiane établissent un barrage à l'expansionnisme anglo-américain. Mais la résistance de l'obstacle ne trompe pas, sa vulnérabilité, conséquence d'un peuplement étique, éclate aux yeux. Aussi les Américains estiment-ils le moment venu d'élargir le champ des hostilités. Au nord-est, ils veulent étendre leur emprise sur l'Acadie : le Grand Dérangement de 1755 le leur permet. Au nord et au nord-ouest, ils souhaitent accroître leur commerce de la fourrure sur les bords des Grands Lacs, et le protéger militairement en construisant des forts. À l'ouest, ils se proposent de coloniser la vallée de l'Ohio, de progresser en direction du Mississipi, et de couper ainsi le Canada de la Louisiane.

En 1749, tandis que la Nouvelle-Angleterre fonde soudainement Halifax en Acadie, les Virginiens associés à des capitalistes londoniens créent l'*Ohio Company* dont une charte royale sanctionne la validité et fixe les objectifs. La Galissonnière, fidèle à sa politique de défense des frontières, commande la restauration des forts vétustes, en fait bâtir de nouveaux, pour mieux interdire l'accès aux Grands Lacs et au Saint-Laurent. Malgré la mauvaise humeur des Iroquois, plus précisément des Miamis et de leur chef, La Demoiselle, il charge Céloron de Blainville, major du Détroit, de prendre solennellement possession de la vallée de l'Ohio : mission accomplie aussitôt. Quelques semaines avant de quitter son gouvernement, La Galissonnière, administrateur aux idées claires et au caractère ferme, signifie au gouverneur de Pennsylvanie de ne pas laisser ses traitants franchir cette limite naturelle que forment les Appalaches. La Jonquière, son successeur, alarmé de la disproportion qui existe entre cette politique et les moyens dont il dispose, en appelle à Versailles qui lui ordonne de montrer de la détermination. L'occasion en est fournie par les Miamis qui menacent le bassin de l'Érié au profit de leurs alliés anglo-américains. Céloron de Blainville dépêche contre eux le métis Charles de Langlade et sa troupe, qui massacrent les Miamis et leur chef, La Demoiselle, et soumettent ceux qui restent (juin 1751). La situation, si elle n'a pas bénéficié d'améliorations profondes, au moins ne s'est pas dégradée, quand le marquis Duquesne prend le gouvernement général du Canada (août 1752). Ce marin, petit-neveu du grand Duquesne, malgré l'antipathie que lui portèrent les Canadiens, fut un grand militaire, homme aux vues stratégiques et à l'autorité inflexible, dans la tradition de La Galissonnière, dont il était d'ailleurs le protégé et dont il fut le continuateur. Il accentue l'entraînement militaire de la milice au grand mécontentement des habitants, et surtout prescrit la construction d'une chaîne de forts qui va du Saint-Laurent (fort de La Présentation) à la rivière des Illinois (fort Crève-cœur), couvrant ainsi les Grands Lacs, au nord, et la vallée du Missouri et du Mississippi, au sud. Simultanément, il porte l'essentiel de son effort sur l'Ohio dont il organise l'occupation effective, avec le concours d'hommes d'action réputés et redoutés, Paul Marin, Le Gardeur de Saint-Pierre, Contrecœur et les frères Villiers. Descendant du lac Érié vers le sud, une barrière de places est construite : le fort Presqu'île, le fort de la Rivière-aux-Bœufs, le fort Venango ou

Machault, et le puissant fort Duquesne, aujourd'hui Pittsburgh, à la confluence de l'Ohio et de la Monongahela. Cet éventail de lignes fortifiées s'efforce d'associer, malgré les distances et les insuffisances en hommes et en armes, le Canada et la Louisiane dans un dispositif coordonné de défense.

Devant l'activité énergique que Duquesne déploie en vingt-quatre mois (1753-1754), les Américains se mobilisent. Dinwiddie, gouverneur de la Virginie, lance promesses et proclamations au nom de la Compagnie de l'Ohio, et donne des instructions pour que ses compatriotes s'établissent non loin du fort Duquesne. Cette provocation s'achève de manière dramatique et sera la source de passions toujours vivaces. Les Français chassent leurs ennemis de vive force, détruisent le fort de la Nécessité, qu'ils avaient érigé, mais, au milieu de ces actions, perdent un de leurs officiers envoyé en parlementaire, M. de Jumonville, qui tombe sous les balles d'un « colonel » virginien promis à la célébrité, George Washington. La mort de ce jeune homme fut-elle un assassinat ou un accident ? Personne ne le sait. Mais au Canada comme en France, on voit dans cet épisode la marque de la traîtrise, que l'opinion dénonce avec colère et avec haine. La guerre entre sur la scène. La France défend son droit de bonne foi. L'Angleterre, tout en menant de fausses négociations avec Versailles, invite ses colonies à s'unir, à se concilier les Indiens qui ont tendance à se rapprocher de la France depuis qu'elle pratique une politique de fermeté. Le congrès qui s'ensuit ne débouche sur rien de spectaculaire ni de décisif. Mais, pour la première fois, peut-être, les Treize Colonies ont conscience de former un bloc solidaire contre la politique de « barrières », que la France a transporté à son profit, cette fois, d'Europe en Amérique. Cependant, certains, tel Franklin, conçoivent cette solidarité américaine comme un sentiment d'autonomie à l'égard du Vieux Continent dans son entier. Aussi le plan de constitution, instituant un Conseil fédéral, que propose le futur ambassadeur des Insurgents auprès de Louis XVI, est-il rejeté sans examen par Londres. Les encouragements donnés par le cabinet de Saint-James aux menées des gouverneurs Shirley et Dinwiddie en Acadie et sur l'Ohio, la détermination des opinions métropolitaine et coloniale contre la présence des Français en Amérique, prennent forme dans deux mesures : protestations du ministère Newcastle contre les entreprises canadiennes et envoi de quelques troupes sous les ordres du général Braddock. Machault n'abandonne pas la partie. Au mois de mai 1755, il fait partir pour la Nouvelle-France 3 000 hommes (Braddock n'en a que 700) commandés par le baron de Dieskau, et par le même convoi, que conduit Dubois de La Motte, s'embarque le marquis de Vaudreuil, protégé du maréchal de Noailles, qui relèvera Duquesne au gouvernement général du Canada. À l'évidence, Louis XV ne lésine pas sur les moyens pour conserver sa vieille possession. Le ministère anglais jette alors le masque : il prescrit à l'amiral Boscawen d'intercepter le convoi de Dubois de La Motte, tâche dans laquelle il échoue, même si en pleine paix il capture deux navires égarés l'*Alcide* et *le Lys* (8 juin 1755), avant de s'emparer de conserve avec Hawke de 300 cents navires marchands, valant 30 millions et portant 6 000 matelots des classes. Une réédition à grande échelle des événements qui avaient précédé la guerre de Succession d'Autriche, mais aussi une entreprise de pirates qui fait la fortune et le bonheur de ses auteurs. Des échauffourées locales, on passe à l'affrontement des armées. Néanmoins Versailles espère sauver la paix.

Pendant que Vaudreuil et Dieskau franchissent l'Atlantique et prennent leur commandement, les Anglo-Américains ne restent pas inactifs. Ils organisent quatre expéditions qui doivent enfoncer le front français de l'Ohio à l'Acadie. Braddock, à la tête de plus de 2 000 hommes, marche sur le fort Duquesne. Environ 300 soldats et miliciens, appuyés par 700 Sauvages qu'entraîne l'impétueux Charles de Langlade, se portent au devant de l'agresseur. Le 9 juillet 1755, les deux forces se font face. Braddock range ses troupes en bataille, comme on le fait en Europe. Les Français attaquent aussitôt, par petits groupes, tiraillant au milieu des cris que poussent les Indiens. Harcelé de tous côtés, l'ennemi bat en retraite, et Braddock mourant abandonne sur le champ de bataille de la Monongahela plus de 900 morts, blessés ou prisonniers. Si la deuxième expédition, celle conduite par les célèbres Shirley et Pepperel, renonce à aller donner l'assaut au fort Niagara, sur le lac Ontario, la troisième, commandée par un coureur de bois, l'étrange William Johnson, va faire parler d'elle. Cet aventurier de caractère, suivi de miliciens et d'Iroquois, remonte l'Hudson en direction du lac Champlain sur les bords duquel il veut s'emparer du fort Frédéric, et de là menacer Montréal. Sur la route, il rencontre le commandant général de Dieskau. Celui-ci, comme Braddock, croit à la primauté des forces et des méthodes européennes. Ayant disposé ses hommes en colonnes, il les lance sur les retranchements de Johnson, mais vainement. Ses officiers tombent nombreux, et lui-même, grièvement blessé, est fait prisonnier. Cette déconfiture, où les Français n'avaient perdu qu'une centaine des leurs, n'avait rien d'un désastre, pourtant elle inquiète l'opinion et aigrit les rapports entre les Canadiens et les métropolitains. À l'inverse, elle rend courage aux Américains qui, cependant, reprochent à Johnson de n'avoir pas jeté hardiment ses troupes sur Montréal. Quant à la quatrième expédition, celle de Monckton et Lawrence, on sait les résultats qu'elle obtint en Acadie. Au total, pendant ces années de temps de paix, Français et Anglo-Américains se sont affrontés sans cesse, plus ou moins durement. Une leçon se dégage de ces hostilités feutrées ou ouvertes : les Français, malgré la fermeté de Machault, à Versailles, de La Galissonnière et de Duquesne à Québec, se défendent, alors que les Anglo-Américains, toujours offensifs, fragilisent les positions canadiennes, même quand leurs percées avortent, ou marquent des points comme en Acadie.

En Amérique toujours, aux Antilles cette fois, la situation des Français évolue favorablement. Le rapport des populations, qui au XVIIe siècle et au début du XVIIIe donnait l'avantage aux Anglais, bascule. Dans les années 1740, les Antilles britanniques rassemblent 186 000 Noirs et 31 000 Blancs, contre 192 000 et 33 000 aux Antilles françaises. Cet infléchissement déjà net s'amplifiera avec vigueur dans la seconde moitié du XVIIIe siècle. Ainsi, avant que n'éclate la Révolution, les Antilles anglaises comptent 357 000 Noirs et 41 000 Blancs, contre 638 000 et 55 000 à leurs rivales françaises. La stratégie offensive, que Londres a adoptée pour le Canada, s'applique-t-elle au bassin antillais ? Oui, mais avec une prudence et une discrétion soulignées, afin de ne pas inquiéter Ferdinand VI d'Espagne, distant de Louis XV. Il s'agit de neutraliser le roi ibérique, d'empêcher l'alliance de Madrid et de Versailles, de soutirer pacifiquement des avantages aux Indes de Castille, avant de laisser parler les armes. La France qui, chaque jour davantage, mesure la valeur commerciale des terres insulaires de la « zone torride », renforce son dispositif militaire, comme au Canada, et même exprime des ambitions nouvelles. Elle convoite les îles neutres (Sainte-Lucie, Saint-Vincent, la Dominique), ainsi que les îles Turques et Caïques, au large de la côte septentrionale de Saint-Domingue. Sainte-Lucie, occupée depuis la guerre de Succession d'Autriche, mais dont le sort n'a pas été réglé définitivement à Aix-la-Chapelle, fait l'objet d'un contentieux qui est porté devant cette fameuse Commission des limites où siègent La Galissonnière et Silhouette, le futur contrôleur général des Finances, auteur prolixe qui s'était fait connaître dès l'âge de vingt ans en publiant un ouvrage au titre inattendu : *Idée générale du gouvernement et de la morale des Chinois, tirée particulièrement des ouvrages de Confucius*. Malgré l'irritation de la Nouvelle-Angleterre, qui utilisait Sainte-Lucie comme base de contrebande, l'île passe officiellement sous la souveraineté française. Mais l'Angleterre arrête là ses concessions. Quant aux Turques et aux Caïques, qui surveillent la sortie du Cap-Français, le plus grand port de Saint-Domingue, la Commission des limites en reconnaît la propriété à l'Espagne. Solution boiteuse, qui, tout en semblant tenir les Anglais à l'écart, autorise en fait leurs pirates à séjourner impunément sur ces miettes inhabitées.

La crise anglo-française de 1755, qui se prolonge pendant les premiers mois de 1756, n'empêche pas les escadres de Bart et de Périer de se rendre aux Antilles, comme elle ne retarde pas le départ du marquis de Montcalm, qui va au Canada prendre le commandement général des troupes, laissé vacant par la capture du baron de Dieskau. Mais ces liaisons ne dissimulent pas l'infériorité de la marine royale par rapport à la Navy. Aussi Louis XV essaie-t-il longtemps d'éviter de s'engager ostensiblement dans la guerre : jusqu'au mois d'avril 1756.

Dupleix et la guerre du Carnatic

À la moitié du xviiie siècle, quand Dupleix gouverne à Pondichéry, les deux grands empires orientaux entament un long déclin. La Perse, cependant, grâce à l'épopée de Nādir Chāh, agresse ses voisins et sauve momentanément ses frontières de l'appétit des Russes : jusqu'à l'orée du xixe siècle. L'Inde ne connaît pas ce sursaut, et après la disparition d'Aurangzeb en 1707, s'enfonce dans une décomposition irrémédiable. L'empire musulman du Grand Moghol n'est plus qu'une fiction que les grands seigneurs du sous-continent ne se sentent même pas tenus de faire semblant de respecter. Comme l'observe R. Glachant, la société indienne ne dégénère pas en féodalité, elle s'abîme en « ploutocratie ». Cette désagrégation est accélérée en 1748 par la mort simultanée de l'empereur et du Nizām d'Haïderabad, son premier lieutenant, tandis que les étrangers ne cessent de renforcer leur présence et leur puissance.

Dupleix, en application de la paix d'Aix-la-Chapelle, rend Madras aux Anglais le 1er septembre 1749. De la guerre de Succession d'Autriche, il tire la conviction que la France peut tenir un grand rôle en Inde, mais ses démêlés avec La Bourdonnais le portent peut-être à ne pas mesurer combien la domination française sur ces territoires immenses nécessite la maîtrise de la mer. La liaison entre Marine et colonies est aussi nécessaire et indispensable en Asie qu'à l'Amérique. Le commandant des Établissements de l'Inde, définitivement rangé dans la galerie des gloires nationales et dont très souvent on parle sur le ton de la passion, a-t-il conduit son action selon les lignes d'une stratégie préconçue ? On n'en a pas l'impression, ainsi que P. Cultru s'est employé à le démontrer. Ce chef, qui n'a jamais manifesté de curiosité pour la civilisation du pays où il vit, donne le sentiment d'être mené par une volonté de conquête issue des événements, et par une connaissance des forces, des mœurs et des psychologies locales qui ne peut lui venir que de sa femme, métisse avisée et de caractère. Les historiens, pour la plupart, n'aiment pas la bégum Jeanne et s'acharnent à réduire son influence à néant pour mieux exalter son époux. Or, il faut bien constater qu'avant son mariage, Dupleix, qui partageait depuis de nombreuses années l'intimité de sa future femme, est davantage préoccupé d'argent que de puissance. Après son union, l'ancien directeur de Chandernagor, devenu gouverneur général de l'Inde française, se métamorphose. L'affairiste cupide se change en ambitieux assoiffé de commandement, de pouvoir et de richesses inestimables. Mme Dupleix, véritable polyglotte, assistée de son frère qui, lui, parle le persan, la langue des chefs moghols, apporte son concours précieux à son mari dans des domaines divers et de premier plan : interprétariat, espionnage, diplomatie secrète, relations avec les princes indiens, finances. R. Glachant, fin connaisseur de l'Inde, ne s'y est pas trompé. « Dupleix était le contraire d'un psychologue et d'un amateur d'êtres, observe-t-il ; et la vie indienne le laissait froid. Or, sa politique sera fondée sur la pénétration des indigènes et sur une finesse très délurée. Ces qualités furent le propre de Mme Dupleix. Il est difficile de ne pas penser qu'elle les lui a prêtées et qu'à eux deux ils ont formé une intelligence à deux faces. » Cette petite-fille d'une esclave du Bengale, dit-on, qui revient à Pondichéry où elle est née et où elle a écoulé la majeure partie de son existence, est animée de la passion de devenir souveraine dans son pays, ce que nombre de Français et d'Indiens lui reprochent. Mais son époux partage pleinement cette brûlante ambition impériale. Dupleix, qui sait les larges avenues que sa femme lui ouvre, l'associe à son œuvre et clame l'admiration qu'il lui porte. Après que Boscawen eut levé le siège de Pondichéry, il écrit à son frère, le 23 octobre 1748 : « Je ne puis t'exprimer les obligations que la nation et moi, en particulier, avons à ma femme. Avec quel zèle ne s'est-elle pas comportée pour tirer de mes espions les services les plus essentiels et qui certainement m'ont fait obtenir sur les ennemis la plupart des avantages dont il est question dans la Relation. Elle n'a rien épargné pour venir à ses fins : caresses, dépenses, veilles, enfin, que te dirai-je ? tout ce que la plus fine politique peut imaginer. Ses propos étaient dignes de l'ancienne Rome, quels sentiments, cher ami, et combien n'ont-ils pas servi à me soutenir dans des moments où j'avais lieu de n'être point content ! Certainement cette chère épouse mérite l'estime de toute la nation, c'est une héroïne. » De tels propos sous la plume d'un homme aussi peu romanesque et romantique que Dupleix en disent plus long sur la place que la bégum Jeanne tenait dans les affaires de son mari, que des discours flatteurs. L'élaboration progressive du rêve indien, ainsi que sa matérialisation reposent sur l'association intime de deux êtres dont on penche à juger que chacun ne serait rien sans l'autre.

Les Dupleix, sans nourrir de visées expansionnistes précises, mais en les ayant à l'esprit comme le précédent gouverneur, Dumas, et son collaborateur Cossigny, déploient systématiquement leur volonté de puissance dans le sérail de la politique indienne et dans l'univers symbolique de l'appareil gouvernemental de l'islam moghol. Ils peuvent en cela donner l'impression de suivre les pas de leurs prédécesseurs, notamment de Dumas, qui avait été créé nabab, mais auquel la décision ne semble pas être parvenue, pour le récompenser de n'avoir pas ouvert Pondichéry à l'armée rebelle et antimusulmane des Mahrattes. En réalité, Dupleix va plus loin. De l'intervention forcée, il passe à l'intervention volontaire, et aux mobiles défensifs en ajoute de nouveaux, offensifs. Quant au titre de nabab, il le porte et veut l'utiliser pour s'introduire dans la hiérarchie moghole. G. Jouveau-Dubreuil, à ce propos, extrapole sans convaincre : son héros, dit-il, « ayant su s'adapter aux pays lointains et pénétrer la pensée des princes indigènes, les a vaincus sur leur propre terrain, celui de l'intrigue orientale ; par sa méthode, le " nababisme ", il a placé l'Européen à la place du Moghol ; il est le fondateur de l'Empire indien moderne ». Affirmation téméraire et optimiste. Que Dupleix ait joué au nabab — satisfaisant ses goûts de parvenu — pour se rapprocher des princes locaux, sa femme aidant sa démarche, si elle ne l'a pas inspirée, cela est certain. Qu'il ait considéré qu'en agissant ainsi, il résoudrait les rébus indiens, cela paraît vraisemblable. Mais dans un pays où le pouvoir, sa légitimité, son organisation se dissolvent, comment imaginer que de simples apparences auraient suffi pour ouvrir les portes de la domination ? Dupleix lui-même n'a-t-il pas écrit et répété qu'il n'existait que deux moyens de commandement à l'Inde : la force et l'argent. On est loin d'une symbolique révérée de tous, pour la raison que, vidée de sa substance, elle se réduit à un spectacle, à un formalisme. Dupleix fait son entrée sur la scène politique indienne pendant la guerre de Succession d'Autriche, plus précisément pendant l'occupation du port de Madras, que le prince local, Anaverdi Khān, nabab du Carnatic, n'avait pas secouru, tant il croyait que les Français le lui remettraient. Il n'en fut rien. Les Anglais voient dans ce malentendu une faille à exploiter. Par ailleurs, l'héritier légitime du soubab du Deccan est écarté du trône par son oncle, Nazer Jing. Là encore, les Anglais décèlent une occasion de se manifester.

Pour la clarté d'un tableau où les fils s'enchevêtrent plus qu'il ne faut pour une intelligence européenne, il s'impose de schématiser. Britanniques et Français se trouvent en face de deux souverains illégitimes : Nazer Jing, le puissant soubab du Deccan, que conteste son neveu Muzaffer Jing, et Anaverdi Khān, prince subordonné au premier, nabab du Carnatic, province où se trouve Pondichéry, récusé à bon escient par Chanda Sahib. Les Anglais s'engageant aux côtés de Muzaffer Jing et d'Anaverdi Khān, Dupleix décide de s'immiscer dans ces deux affaires. Il séduit Muzaffer Jing, devient son protecteur, ainsi que celui de Chanda Sahib, et promet aux deux jeunes gens de les aider militairement à recouvrer leurs possessions.

Les troupes des coalisés, sous les ordres de M. d'Auteuil — mari de l'une des filles du premier mariage de la Bégum Jeanne —, marchent sur l'ennemi. Anaverdi Khān est vaincu et tué le 3 août 1749, à Ambour. En témoignage de reconnaissance, Muzaffer Jing fait don à Dupleix de Villenour, de Mazulipatam, de Bahour et de l'île de Divy à l'embouchure de la Kistna. Une tentative contre Tanjore, petit royaume proche, ne se prolonge pas, car l'on apprend que Nazer Jing lance une offensive sur le Carnatic, avec le soutien des Anglais (janvier 1750). Auteuil se porte aussitôt vers l'agresseur, mais au mois d'avril doit battre en retraite, suivi de troupes désagrégées par l'indiscipline. À ce moment, le gouverneur de Pondichéry, déjà contrarié par l'échec de son gendre, apprend non sans surprise que son allié Muzaffer Jing a préféré se livrer à son oncle Nazer, plutôt que de suivre les soldats d'Auteuil. Nazer Jing, qui campe aux portes de Pondichéry, n'exploite pas son avantage, au contraire, il propose à Dupleix d'ouvrir des négociations : celui-ci s'empresse d'accepter. Pendant cette pause, les plénipotentiaires français nouent des complicités dans l'entourage du soubab. Dès le 26 avril, un coup de main audacieux de M. de La Touche désorganise le camp ennemi, et renforce les conjurateurs dans leur hostilité à leur maître. Celui-ci, un moment désemparé, se reprend et nomme nabab du Carnatic Méhémet Ali, fils d'Anaverdi Khān, ignorant les prétentions de Chanda Sahib. Le gouverneur Saunders approuve. Tandis que comploteurs français et indiens s'accordent pour mettre fin aux jours de Nazer Jing, Méhémet Ali, habilement séparé de ses amis anglais est battu par La Touche, puis par Bussy, chef appelé à la célébrité, qui, pour l'heure, poursuit son action en s'emparant de la citadelle de Gingi. Enfin, l'issue si longuement préparée se produit : les Français triomphent du Nizam d'Haïderabad qui est assassiné comme il était prévu (16 décembre 1750). Muzaffer, libéré, est proclamé soubab du Deccan, malgré l'opposition des Britanniques. Du champ de bataille victorieux de Vellimédou, Kerjean, neveu du gouverneur général — l'Inde française sous Dupleix est une affaire de famille — écrit à son oncle d'une plume exaltée et admirative : « Vous êtes triomphant ! Vous en êtes digne, parce que vous avez été l'âme de cette Aventure qui va faire trembler l'Inde. Vous seul êtes capable de concevoir et de faire exécuter de si grandes choses ! »

Le 26 décembre 1750, Pondichéry accueille avec un cérémonial fastueux le successeur de Nazer Jing. Il « descendit de l'éléphant qu'il montait et se jeta au cou de Dupleix, l'embrassant sans pouvoir parler. Puis devenu de sang-froid, il lui dit qu'il ne pouvait trouver de termes assez forts pour exprimer la grandeur des services rendus, qu'il tenait de lui la dignité de soubahdar du Dekhan, que c'était à lui qu'elle appartenait et qu'il le priait de la régir et gouverner ». Plus tard, Muzaffer Jing donne au Français le gouvernement du Sud de l'Inde, de la rivière Kistna au cap Comorin, l'autorisant à nommer Chanda Sahib nabab du Carnatic. Le 31 décembre suivant, le nouveau Nizam d'Haïderabad demande à Dupleix de le reconnaître publiquement, en présence des princes musulmans, en qualité de soubab du Deccan, désir auquel le gouverneur accède avec plaisir, ce qui incite G. Jouveau-Dubreuil à dire, que ce faisant, Dupleix se comporte en Grand Moghol à la demande même des chefs indiens.

Déduction abusive, mais prise de conscience de la part du jeune soubab de la supériorité des troupes françaises sur les armées locales, aussi considérables qu'inefficaces, et de surcroît toujours prêtes à trahir. La reconnaissance publique de Muzaffer n'est pas une cérémonie d'adoubement du vassal par son suzerain, mais plus banalement la promesse solennelle de fournir la protection des armes françaises. En conclusion de ces manifestations, le soubab du Deccan confirme la concession à la Compagnie des Indes de Villenour, Bahour, Mazulipatam, élève Dupleix à la dignité de mandsebdar de sept mille cavaliers, et lui donne Valdaour en *jaguir* ou propriété privée ainsi que — le plus grand honneur chez les musulmans — le droit de se faire précéder du mahémarateb, un étendard orné d'un poisson. Enfin, on procède au partage des trésors du vaincu.

Le gouverneur général est fier de la prouesse politique qu'il a accomplie. Il a raison, d'autant que s'y greffent des avantages économiques appréciables. Aussi rend-il compte aux directeurs de la Compagnie des derniers événements où il est convaincu d'avoir respiré le parfum de la puissance. C'est tout au moins ce que lui souffle sa vanité enivrée. « Je ne saurais vous exprimer, rapporte-t-il au sujet du soubab Muzaffer, l'affabilité de ce seigneur et ses politesses envers nous. Il n'a rien négligé pour nous montrer sa gratitude et sa bienveillance : changement de sa toque contre mon chapeau, en présence d'une assemblée considérable, habillement complet dont il a jugé à propos de me vêtir lui-même, mon amitié qu'il m'a demandée publiquement en me jurant la sienne dans les termes les plus forts. Enfin, Messieurs, jamais seigneur de cette qualité ne s'était familiarisé à ce point avec un Européen. » Dupleix, excellent élève de sa femme, est au fond de lui flatté de ce qu'il juge être les signes de son intégration dans le milieu princier et les marques de la soumission de cette caste à son protectorat. Cet homme si terre à terre, bon matérialiste, si peu curieux de l'âme et de l'esthétique de l'Inde, est ébranlé par le spectacle d'apparences pourtant lourdement flatteuses, au point de perdre une partie de son sens critique. Il oublie ce qu'il disait jusque-là, quand il parlait des souverains indiens : des hommes sur lesquels on ne peut compter, qui ne comprennent que le langage de l'argent ou celui de la force. Mais encore faut-il disposer de ces deux ressorts. Or, le gouverneur est dépendant des chefs locaux pour les finances, qui, selon leur plaisir, l'autorisent à lever l'impôt sans lequel il ne peut recruter les quelques milliers de cipayes qui constituent son armée aux côtés des 3 000 soldats européens mis à sa disposition par la Compagnie. Finalement, les deux camps ont chacun leur point faible : Dupleix ne peut rien sans les fonds des princes, et ceux-ci ont besoin des officiers français et de leurs hommes pour assurer leur protection. D'où une conjoncture délicate où la politique s'apparente à un jeu dangereux qui a pour armes l'intrigue, l'épate, la menace, la trahison et la mort.

Dans l'immédiat, le gouverneur de Pondichéry a gagné la partie. Muzaffer, soubab du Deccan, lui doit son pouvoir. Mieux, avant de partir pour Haïderabad, l'une de ses deux capitales, Muzaffer demande des troupes à Dupleix. Celui-ci lui donne Bussy, qui va se révéler un grand chef et un politique habile, en échange des revenus que fournit la province d'Arcate.

Le protectorat français sur le Deccan : Bussy

Dupleix mène son action expansionniste en violation de la doctrine de la Compagnie des Indes qui, par principe, est hostile aux débordements territoriaux, car, le plus souvent estime-t-elle, la masse des charges qu'ils engendrent, anéantit l'espoir de revenus avantageux. Le proconsul pratique une politique du fait accompli non seulement vis-à-vis de ses directeurs, mais encore à l'égard du roi. Il ferme les yeux sur l'évolution de la situation internationale, comme si l'Inde appartenait à une autre planète que la Terre. Il ne mesure pas à sa juste valeur la puissance de l'Angleterre sur les mers et au-delà des mers. Le mari de la bégum Jeanne pense tellement en Indien, qu'il en arrive à oublier que l'Europe lointaine demeure le centre du jeu et des décisions. Un manque de réalisme chez ce réaliste, un manque de vision chez ce visionnaire qui se révèlent graduellement, voilà qui n'est pas le moindre des paradoxes !

Dans ce contexte original, qu'explique en partie la distance qui sépare la France de l'Inde — Pondichéry se trouve à quelque sept mois du port de Lorient —, la guerre du Carnatic semble s'achever : il ne reste qu'à vaincre Méhémet Ali, fils d'Anaverdi Khān, enfermé dans la ville de Trichinopoly. Auparavant, dans les premiers jours du mois de janvier 1751, le soubab Muzaffer Jing part pour ses États, accompagné de Bussy, à la tête de 300 soldats français et de 2 000 cipayes. L'établissement du protectorat français sur le Deccan va être l'œuvre de cet officier encore jeune — il est né en 1720 —, qui s'est illustré en France dans la carrière des armes — il est nommé capitaine à quinze ans. Il devient colonial en 1736, à l'instigation des Orry. En service aux Mascareignes, il va dans l'Inde, s'y faisant remarquer, notamment en enlevant la citadelle de Gingy. L'homme est âpre au gain, comme Dupleix, a le sens du commandement, et réussit ; mais contrairement à son chef, il a de l'entregent, une civilité naturelle et du charme. Il étudie les mœurs, les langues, la civilisation du vaste empire, adopte la manière de faire des Indiens, que par ailleurs il méprise à l'égal du gouverneur général ; bref, un personnage complexe, lucide, déterminé, qui ne place pas son ambition dans le sous-continent, mais en France où, pense-t-il, une fortune rapidement acquise et la reconnaissance de ses services le porteront à un rang flatteur. Moins d'un mois après le départ de Pondichéry, un drame inattendu éclate. Trois nababs se soulèvent contre le soubab, qui, en les écrasant, est tué. Aussitôt, Bussy réunit son état-major — où le clan Dupleix figure en la personne de Kerjean, neveu du gouverneur, et de Vincens, fils du premier mariage de la bégum — et les princes. Il décide, après avoir consulté la famille du défunt, mais en l'absence de toute instruction de Dupleix qui, plus tard, l'approuvera, de reconnaître Salabet Jing, frère aîné de Muzaffer. Le nouveau soubab témoigne sa reconnaissance en confirmant les concessions et avantages que son frère avait accordés aux Français. En quelques jours, Bussy, devenu faiseur de roi, accède à la première place, au point que le gouverneur de Pondichéry, jaloux, envisage un moment de le remplacer par Kerjean. Ordre qui sera rapporté, mais au travers duquel on voit en pleine lumière l'importance du rôle du clan familial des Dupleix : une espèce de service polyvalent, militaire, diplomatique et aussi un réseau d'espionnage.

À peine Salabet acclamé, Bussy en informe le gouverneur général sur un ton respectueux, qui cache mal la hauteur de vue, la revendication d'indépendance d'un homme qui a conscience d'appartenir à la race des chefs, et qui ne goûte pas d'être tenu en laisse ni mouchardé. Le 21 février 1751, la plume conquérante, il écrit à Dupleix : « Voici selon moi, le moment de faire de grandes choses. [...] On nous promet de belles choses, si nous voulons aller jusqu'à Golconde (Haïderabad). Nous sommes trop avancés, je pense, pour reculer et toute notre attention devant être d'étendre la gloire du nom français et de procurer le bien de la Compagnie, il ne se présentera jamais une plus belle occasion de la faire sûrement. Je mettrai tout en usage pour faire l'un et l'autre. » Le lendemain, il ajoute, habile et flatteur, tout en laissant filtrer son projet : « J'ai maintenant les bras liés ; mais une fois pourvu de vos nouveaux ordres, laissez-moi faire, vous serez content de ma gestion. [...] De Pondichéry vous gouvernerez Golconde et ses dépendances comme si vous y étiez. [...] J'entrevois de trop belles choses pour croire que vous soyez d'humeur à prendre un autre parti que celui de protéger le nouveau nabab. [...] Notre poignée de monde commande ici absolument. » Bussy, poursuivant sa marche vers Haïderarab, apprend qu'un chef mahratte, Balagirao, suivi d'une armée de 20 000 hommes, se prépare à lui couper la route. Il préfère éviter l'écueil de combats immédiats, et astucieusement achète la paix à son adversaire. Le 12 avril 1751, c'est l'entrée solennelle dans la légendaire Golconde, devenue Haïderarab. Dupleix, informé par Kerjean, éprouve de plus en plus d'animosité pour son second trop brillant et trop indépendant, sentiment de défiance qui ne s'éteindra jamais. Se maîtrisant parfaitement, il écrit le 28 mai, affectant une chaleur paternelle : « Vous avez ma confiance entière ; je n'ai rien changé à mes sentiments ; ils sont toujours les mêmes et il m'est très flatteur d'avoir contribué à la fortune d'un galant homme comme vous. » Bussy, que la gratitude filiale n'encombre pas, a repris sa route, et, le 18 juin, franchit les portes d'Aurengabad, aux côtés de Salabet Jing. Celui-ci, sous la protection de l'officier français, s'affirme en souverain indiscuté du Deccan, état que le Grand Moghol ratifie à deux reprises. Le gouverneur envoie alors ses ordres à son représentant : « C'est le temps de songer à obtenir du Grand Moghol les firmans dont nous avons besoin. Cette affaire mérite votre attention et votre séjour encore pour quelque temps à Aurengabad, puisque ces pièces, en nous assurant nos possessions, nos jaguirs, nos dignités, mettront le sceau à votre mission qui sera dès lors accomplie. » Propos ambigus, équivoques, où l'on ne sait que lire. La stratégie de Dupleix serait-elle aussi peu ambitieuse — installer un soubab éphémère et rentrer avec quelques firmans confirmatifs —, ou bien le maître de Pondichéry voudrait-il plonger son subordonné dans l'inquiétude d'un rappel prématuré ? Dupleix se défiera toujours de Bussy, la chose est certaine, mais toujours est-il que dans l'immédiat, il semble davantage suivre son lieutenant plutôt que de tracer les lignes de son action. Le 4 août, il lui écrit : « Courage, mon cher Bussy, vous menez tout cela avec grandeur et décence. Cette entreprise ne pouvait tomber en de meilleures mains. » Puis, cessant ses félicitations, il abandonne l'évocation de l'arrivée triomphale à Aurengabad pour aborder l'éventualité téméraire du renversement du soubab du Bengale auquel il imagine que Salabet pourrait succéder ! Les historiens ont décelé dans ce rêve écrit une manifestation de l'irréalisme épisodique du gouverneur général. Aurengabad s'élève proche de la côte occidentale, à proximité de Bombay, donc à une belle distance du Bengale. Cependant, cette vision fulgurante contient un double aveu. D'abord, l'Inde opulente, parée de ces soieries qui excitent l'imagination du négoce européen, ce n'est pas le Sud de la péninsule, déserté par les richesses, ce n'est pas Pondichéry, mais le Bengale et Calcutta, sa capitale. Ensuite, le mieux placé désormais pour conduire une politique française ambitieuse n'est pas celui qui bataille à la périphérie, mais c'est Bussy, qui siège au cœur géométrique de l'Inde dont le relief prend naissance à la frontière fluviale formée par l'Indus et le Gange pour disparaître dans la mer, tout en bas, au cap Comorin.

Bussy, qui a créé le soubab Salabet, n'a pas l'intention d'accomplir une banale mission temporaire. Il se comporte en protecteur du seigneur du Deccan, demeurant à ses côtés avec ses troupes. Les jours passant, prétendument à attendre les firmans ou décrets impériaux, les idées se décantent. Dupleix qui, dès le 10 juin 1751, réclamait des troupes à Machault, contrôleur général des Finances, systématise les vues de son lieutenant. Les Français mettront en place un protectorat pour maintenir Salabet sur son trône, c'est-à-dire conserveront sur place des troupes permanentes, mais à la condition expresse que le soubab fournisse « une somme fixe » pour leur entretien, concède le gouverneur à Bussy (4 août 1751), s'empressant d'ajouter qu'il souhaite être nommé nabab du Carnatic, car il tirerait de la province dont il recevrait la gestion, les revenus financiers nécessaires aux troupes du Deccan. Dupleix s'impatiente, juge que les procédures tardent à aboutir, quand enfin il reçoit une lettre, dans laquelle Bussy expliquait le 14 octobre que le Grand Moghol et Salabet ont cédé, chacun pour leur part, aux requêtes françaises. Non sans une certaine ironie, le capitaine, qui maintenant aspire au grade de colonel, annonce au proconsul : « L'affaire du Carnate vient d'être terminée. Je vous avais promis sur ma tête de vous faire nabab de cette contrée, la voilà dégagée. Le Divan m'en a promis le paravana en votre nom, et après vous à la nation française. » Dans cette ambiance orientale où chacun intrigue, espionne, se donne le beau rôle, Bussy n'est pas en reste. Comme Dupleix, comme Kerjean, le voilà qui s'adresse directement à Machault. Lettre habile qui, tout en rendant hommage au chef hiérarchique, souligne les grands mérites de l'adjoint : « M. Dupleix a conduit les choses avec tant de sagesse et de fermeté qu'il mérite les plus grands éloges. [...] Je travaille aujourd'hui à affranchir les Français de tous droits dans toute l'étendue de la domination de l'empereur moghol. Comme il est nécessaire ici plus qu'ailleurs d'unir le commerce et la guerre, je mets toute mon attention à ménager l'amitié des seigneurs commandant dans les endroits qui avoisinent nos concessions, afin qu'ils favorisent notre commerce » (15 septembre 1751). Ce protectorat sur le Deccan, dont Bussy, dès le 22 février 1751, traçait le projet à Dupleix, qui n'y songeait pas encore, est devenu réalité en quelques mois grâce à la subtilité militaire et diplomatique d'un officier distingué, sorti la veille de l'obscurité. Plus d'un siècle avant le lieutenant-colonel Mallesson, historien britannique de l'aventure des Français dans l'Inde, le protecteur de Salabet discerne et assimile cet axiome de stratégie indienne : « Séparé par la chaîne du Vindya de l'empire désorganisé du Moghol, le possesseur de la province mahométane du Deccan semblait en position de dicter des lois à toute l'Inde méridionale. » On pourrait même ajouter à l'Inde tout entière. Cette nouvelle puissance militaro-politique des Français ne peut qu'appeler des réactions. Elles ne tardent pas à se révéler. Les Mahrattes, de la côte occidentale, toujours sous le commandement de Balagirao, décident de marcher sur le Deccan pour y faire jonction avec une armée descendant du nord, sous les ordres de Gaziuddin, frère aîné de Nazer Jing, le vaincu du Carnatic. Gaziuddin, qui ne reconnaît pas Salabet, se pose en prétendant au trône d'Aurengabad.

Bussy informe Dupleix de la gravité de la situation de cette manière mi-respectueuse et mi-fière qu'il affectionne : « Tout ce que je puis vous dire c'est que vous soyez tranquille. Je connais parfaitement cette race ; je suis en état de la gouverner et nous avons été bien longtemps la dupe (j'entends la nation) des dehors de celle-ci. [...] Je veux illustrer à jamais la nation et lui procurer des biens immenses ; c'est de vous dont elle tire gloire et avantages, mais du moins je veux être l'instrument qui vous aura servi. [...] J'ai plus de choses dans la tête que je ne puis vous en écrire. » Ayant quitté Aurengabad le 8 novembre 1751, le Français se jette sur Balagirao et le défait plusieurs fois avant d'accepter de conclure la paix, le 17 janvier 1752. Peu après, au mois de mai, le Premier ministre francophile de Salabet est assassiné à Haïderabad, alors qu'il inspirait des manœuvres pour venir en aide à Dupleix, toujours en lutte contre Méhémet Ali, dans le Carnatic. Bussy s'éloigne d'Aurengabad et se rend à Haïderabad où il laisse le soubab nommer à l'emploi de Premier ministre, Lasker Khān, connu pour son hostilité au protectorat français. Quant à Gaziuddin, il entre dans Aurengabad vidée de ses troupes et y festoie avant de mourir empoisonné des mains d'une princesse ambitieuse (octobre 1752). Pendant ces moments délicats, Dupleix, que la victoire fuit dans le sud, cherche de l'argent pour financer ses troupes. À cette fin, Chanda Sahib à qui il avait confié la gestion de la nababie du Carnatic étant mort, il se propose d'exercer lui-même les fonctions de nabab, sans recourir à un intermédiaire indien. À la lecture de ce projet impolitique, Bussy, qui n'ignore pas que son chef songe à le remplacer, exprime son sentiment sans ménagement. « Vouloir vous déclarer nabab d'Arcate, avant que Salabet Jing soit tranquille possesseur du Deccan, c'est cueillir un fruit qui n'est pas mûr, tranche-t-il le 13 juillet 1752. Je me regarderais comme un adulateur si avec les connaissances que j'ai de ce pays je ne combattais pas de toutes mes forces ce projet. Je parle avec franchise, parce que c'est le zèle de vos intérêts, de votre gloire et celle de ma nation qui me font parler. Je vois votre gloire et votre couronne prête à vous échapper par un projet hors de saison, qui faisant évanouir toutes nos espérances, nous précipitera dans un abîme d'humiliation dont la nation ne se relèvera jamais. » Pour la première fois, le maître du Deccan — de ce Deccan qui est la pièce indispensable au succès global de la stratégie française — s'oppose au gouverneur de ce Pondichéry périphérique où pour une petite domination régionale on excite l'hostilité des princes locaux et des Anglais. Le conflit dépasse l'amour-propre des hommes, il traduit une profonde divergence de vues, où Dupleix le cède à celui qu'il considère comme son élève, doué mais indiscipliné et trop ambitieux. Bussy conçoit grand et juste. À ses yeux, le temps de la paix est venu dans le Carnatic, et il convient de consolider au plus vite la position de Salabet dans le Deccan — sorte de château fort central de l'Inde — sous peine de voir les Anglais se substituer aux Français.

Dupleix renonce à assumer effectivement les fonctions de nabab, donc à lever l'impôt nécessaire au financement de ses troupes, mais ne se résout pas à négocier une solution de compromis avec Méhémet

Ali. Bussy peste contre cet entêtement dangereux. Aussi, à son chef qui sollicite son assistance militaire, répond-il avec agacement, le 28 novembre 1752 : « Trouverez-vous bon que je vous fasse part de mes réflexions sur ce que je croirais à propos de faire de votre côté, avant que nous entrions dans votre province [le Maïssour, devenu le Mysore, à l'ouest du Carnatic qui entoure Pondichéry]... Aidez au temps, Monsieur, faites une paix la moins désavantageuse que faire se pourra avec les Anglais et Méhémet Ali. [...] Ce qui me ferait souhaiter que vous fissiez aussi quelque accommodement avec les Anglais, c'est que Balagirao est extrêmement lié avec ceux de Bombay, ils ne manqueront point d'agir auprès de lui pour l'engager à protéger Méhémet Ali ; malgré l'alliance qu'il a faite avec nous, je ne réponds pas qu'il ne se déclarât son protecteur ; un allié si puissant demande de grands ménagements. [...] Si vous vouliez m'en croire, Monsieur, vous songeriez à rendre le calme et la tranquillité à ces malheureuses provinces, qui en ont si grand besoin et vous saisiriez l'occasion de finir une guerre qui ne peut être que funeste aux Européens, tandis qu'ils seront opposés les uns aux autres. » Bussy, bon général, possède ce coup d'œil stratégique qui fait cruellement défaut à son chef. Il voit le danger anglais, alimenté par la mer : Bombay, Port-David, Madras, Calcutta, où s'ébauchent les intrigues. Aussi accompagne-t-il son raisonnement et son discours d'un véritable chantage : la menace de son départ. Dans cet avertissement surprenant, la conviction de voir juste pèse d'un grand poids d'autant que Dupleix continue de nourrir la chimère, rêvant d'interventions à Sūrat, aux Maldives, d'établissements nouveaux en Cochinchine — en 1750, c'était en Birmanie. Mais aussi, le lieutenant du gouverneur de Pondichéry éprouve de plus en plus de peine à supporter la tutelle méfiante du maître de l'Inde française. Ne lui a-t-on pas fait savoir que s'il n'a pas été naguère évincé au profit de Kerjean, il cédera son commandement à La Touche, dès que celui-ci reviendra de France. Éventualité qu'un naufrage a rendu invérifiable. Dupleix, sentant l'effondrement menacer ses pas, caresse son indispensable collaborateur et avoue à moitié sa perfidie : « Ce que vous me marquez de votre retraite me fait peine. J'entre en partie dans vos raisons, mais aussi je crois que vous devez un peu penser comme moi dans cette occasion et ne pas songer à m'abandonner dans les circonstances présentes et à venir. [...] Vous craigniez, il y a peu de temps, dans le temps même que vous étiez dans le plus fort de vos embarras, que je n'envoyasse quelque autre à votre place. Je n'en n'ai jamais eu l'idée et je suis bien mortifié que je sois à présent dans le sentiment de me la faire venir » (1er janvier 1753). Une semaine plus tard, le 8 janvier 1753, l'orgueilleux gouverneur, définitivement privé de La Touche, mort en mer entre l'île de France et Pondichéry, foule sa fierté aux pieds et courtise Bussy, désormais seul chef militaire français de l'Inde. « Relisez toutes vos lettres, elles m'ont servi de guide pour toutes celles que j'ai écrites en Europe, où j'ai également fait passer les vôtres. J'ai fait tout ce qui a dépendu de moi pour faire ce que vous désirez et si je ne m'étais pas dégarni comme je l'ai fait, nos affaires ici eussent été bientôt rétablies. En vous rappelant en même temps de Golconde, je n'avais rien à craindre pour nos concessions, mais voulant toujours me conformer à vos desseins, je n'ai pas balancé de vous envoyer ce que j'ai pu. Certainement je n'ai pas lieu de m'en repentir par le bon usage que vous en avez fait et pour quoi je ne puis trop vous réitérer mes remerciements. [...] Vous voyez, mon cher Bussy, par tout ce que je vous marque je suis persuadé qu'aucune vue particulière ne vous guide dans toutes vos opérations que la gloire du roi, celle de la Nation et l'avantage de la Compagnie. »

Avant même d'avoir reçu cette lettre huilée de cautèle, Bussy, dès les 24 et 25 décembre 1752, accule Dupleix dans ses derniers retranchements en lui remémorant le but de sa mission au Deccan et en lui demandant très officiellement son rappel. « Le principal objet de cette expédition était d'établir Salabet Jing dans la place qu'il occupe et de le faire reconnaître dans tout le Deccan. Nous y avons réussi. [...] Nous sommes venus à bout de ce que nous avions entrepris ; car apparemment nous ne sommes pas engagés à rendre éternelle la domination de Salabet Jing. [...] Je pense qu'après avoir conduit le nabab à Aurengabad ou dans quelque autre endroit qu'il veuille se retirer, il conviendrait que je prisse avec toutes nos troupes la route de Mazulipatam. » Ayant ainsi parlé, et rappelé qu'il était le père de la stratégie de protectorat sur le Deccan, Bussy se retire à Mazulipatam, sur la côte orientale, bien décidé semble-t-il à attendre que Dupleix lui donne le plein gouvernement de sa conquête. Pour le remplacer auprès du soubab, il nomme un officier falot du nom de Goupil. Le partage des forces entre le Carnatic et le Deccan rend la situation des Français d'autant plus critique qu'ils ne triomphent pas sur tous les fronts, particulièrement au sud. Le commandement de Goupil ouvre la porte à une indiscipline malsaine, où s'engouffre l'intrigue mahométane en la personne du Premier ministre Lasker Khān. Ce politicien roublard réussit tout à la fois à répartir les troupes françaises entre Haïderabad et Aurengabad, à leur faire assumer la tâche impopulaire de collecteur d'impôts, et à prendre langue avec le gouverneur Saunders. À celui-ci, il écrit, au printemps de 1753 : « Je me suis arrangé de manière à me délivrer de vos ennemis ; le plan est en voie d'exécution ; le résultat sera tel que vous le désirez. Je compte être avec vous à la fin de la saison des pluies, et arranger toutes choses d'une manière satisfaisante. »

À Pondichéry et Mazulipatam, la trahison de Lasker Khān est aussitôt connue. Le 4 mai 1753 — en ce mois de mai pendant lequel Louis XV le fait marquis — Dupleix donne pleins pouvoirs à Bussy, prix que celui-ci met à son retour à la Cour de Salabet. Les circonstances dans lesquelles se trouve souvent M. de Bussy, déclare publiquement le gouverneur général, « et qui demandent de sa part une prompte décision, — l'éloignement ne lui permettant pas de me consulter et d'attendre mes ordres, ce qui souvent l'a embarrassé et empêché d'agir comme la prudence et son zèle reconnu le lui dictaient — et sentant véritablement l'inconvénient qui peut résulter de l'éloignement où il est de moi, je trouve nécessaire de lui accorder tous les pouvoirs dont il peut avoir besoin pour prendre dans l'occasion pressée le parti qui lui paraîtra le plus convenable, surtout lorsque mes ordres et mes avis ne pourraient lui parvenir assez à temps et que le retardement pourrait déranger les occasions subites qui se présenteraient, tenant pour bon dès à présent tout ce qu'il jugera convenable dans de telles circonstances, sans que la mauvaise réussite puisse lui être imputée en rien —, étant bien persuadé qu'ayant toujours en vue la gloire du roi, l'honneur de la nation et de la Compagnie, ses décisions ne tendront toujours qu'à ce but ; son zèle, sa fermeté, sa prudence m'étant de sûrs garants qu'il ne s'en éloignera jamais, lui recommandant de me donner promptement avis du parti qu'il aura pris suivant les circonstances pressées où il se trouvera et de me consulter et d'attendre mes ordres pour celles qui n'exigent point d'aussi promptes décisions. » Terrible blanc-seing qui érige le Deccan en gouvernement autonome, mutilant ce pouvoir autocratique que Dupleix exerce jalousement ; liberté d'action pour Bussy, enfin roi dans sa soubabie, en échange semble-t-il de la promesse fragile d'épouser la dernière fille de la Bégum Jeanne. Bref, capitulation du chef devant son second, en forme de délégation générale mais révocable, soumission calculée avec l'espoir ferme de la revanche : tous les condiments pour une dispute orientale entre Européens sont réunis. Dès le 11 mai 1753, après quelque trois mois d'absence, Bussy repart pour Haïderabad où il entre le 15 juin, laissant derrière lui Mazulipatam et son commandant, Moracin, un neveu de la Bégum, encore un agent du clan ! Salabet, escorté de son Premier ministre et conjurateur Lasker Khān, a depuis quelque temps déjà déserté Golconde pour Aurengabad. Bussy reprend en main ce qu'il a de troupes et s'informe : on lui confirme des tractations entre Lasker Khān et les Anglais et on annonce que les Mahrattes ont à nouveau l'intention d'attaquer le Deccan. La situation apparaît d'autant plus difficile qu'une partie de l'armée a suivi Salabet à Aurengabad.

Bussy fait le clair dans son esprit, et le 10 juillet 1753 envoie à Dupleix un *Mémoire instructif sur l'état politique des Maures et des Français dans le Deccan et sur leurs intérêts réciproques*. Première constatation : la France a beaucoup perdu de son prestige pendant sa brève absence, cependant, ajoute-t-il, avec des forces suffisantes « je puis, sans me flatter, me promettre de décider à mon gré des affaires de Deccan et de régler suivant les nôtres, les intérêts du nabab et les particuliers ». Deuxième constatation : si les Français abandonnent le

Deccan, les Anglais se substitueront à eux ; alors répond-il, « il faut donc conserver le Deccan ; vous en sentez la nécessité [...] et si j'ai paru quelquefois d'un sentiment contraire, vous en avez vu les raisons dans mes lettres ». Troisième constatation : il convient de résoudre au plus vite le problème crucial de la paie des troupes, en obtenant du soubab l'administration — notamment fiscale — de quelques provinces. Dernière constatation : le soubab Salabet ne représentant rien, il conviendrait pour paralyser les musulmans de leur laisser soupçonner l'existence d'une alliance entre Français et Mahrattes. À un Dupleix qui lui confie entièrement les affaires du Deccan, Bussy adresse un nouveau mémoire, le 29 juillet 1753, où il continue de dévider le fil de sa pensée. D'abord, pour faire face à la disette de l'argent, il se propose de réclamer la ferme de quatre *circars* ou provinces, proches de Mazulipatam, qui financera les appointements de ses troupes, et par là les rendra indépendantes des princes mahométans. Ensuite, il revient sur une éventuelle coalition avec les Mahrattes, grâce à laquelle il pourrait s'emparer du port occidental de Sūrat, tandis que Balagirao et ses foules d'hommes déferleraient sur Delhi, la capitale. En quelques lignes, Bussy imagine la conquête d'un empire, mais surtout définit la stratégie et désigne les moyens tactiques de la victoire totale. « Laissons donc la domination marate succéder au gouvernement mogol dans le Deccan et comme nous ne pouvons pas être spectateurs oisifs de cette révolution, il faut y contribuer et en tirer parti : après tout, ce sera encore plus l'ouvrage des Maures et de leurs divisions que la nôtre. » Contrairement à Dupleix, qui est entré pleinement dans le jeu de la légitimité moghole et islamique, tout en avouant épisodiquement mais sans en tirer les conséquences, « en réalité ce sont les Marates qui sont les maîtres de l'Empire », Bussy discerne le réel rapport de force. Plutôt que de rêver à des *firmans* sans valeur ou à une domination illusoire du Bengale, il conçoit un protectorat de l'empire indien par la révolution, par la substitution d'un pouvoir mahratte, fidèle à l'âme nationale, au gouvernement « monstrueux » des Maures. Enfin, le chef français du Deccan envoie un troisième et dernier mémoire à Pondichéry le 6 septembre 1753, qu'il intitule : *Entretien de deux seigneurs mogols sur l'état présent des Français dans le Deccan, leurs qualités militaires et politiques par comparaison avec les Anglais, avec des réflexions sur cet entretien.* L'officier répète son propos : la France, si elle ne conserve pas le Deccan, perdra tous ses établissements indiens. Pour éviter pareil déshonneur à la nation, il suffit d'entretenir un corps d'armée ambulant, aux frais des Indiens. En conclusion, Bussy offre ses services pour assujettir le sous-continent, et brosse à grands traits le portrait de l'officier colonial. « Il n'en est aucun parmi les officiers qui sont au service de la colonie, qui ne puisse remplir avec dignité la place que j'occupe, pour peu qu'il veuille se donner la peine d'étudier le génie et les mœurs du pays pour s'y conformer dans l'occasion, où il est très à propos de quitter pour un temps les idées européennes et se comporter en asiatique sans en éprouver les vices et les défauts. Si la Compagnie agrée mes services, je ne refuse point d'employer encore quelque temps pour donner à ces arrangements une forme stable. »

À la réception des deux premiers rapports, Dupleix manifeste un enthousiasme diplomatique. Le 31 août, en effet, il commence par inonder son lieutenant d'éloges plus excessifs que sincères : « Je suis en vérité en extase, de voir combien vous trouvez de ressources chez vous. Non seulement vous êtes un militaire intrépide, mais en même temps un ministre consommé. La pénétration de vos idées a lieu de m'étonner. » Ce préambule de courtoisie accuse la divergence des conceptions sur les avantages que présenterait pour les Français une entente avec les Mahrattes, mais la chose est dite avec ménagement. Toutefois, Dupleix refuse son agrément, incapable de se résigner à abandonner les princes musulmans. « Vous avez raison de dire qu'avec de pareils fourbes il faut l'être plus qu'eux. Vous trouverez toujours plus de bonne foi chez le Mahratte et je vois toute apparence que malgré nous nous serons obligés d'en venir là et qu'il sera bien difficile d'observer un certain milieu entre ces deux puissances. Celle des Mahrattes prend si fort le dessus que l'autre sera obligée de succomber et ce n'est qu'à l'ombre de nos drapeaux qu'elle se soutient encore un peu. Je pense comme vous qu'il convient de faire en sorte de sauver les débris de la puissance mogole, mais il n'en faut pas être la dupe. » On ne saurait mieux s'opposer tout en affirmant s'accorder ! Enfin, comment le dernier mémoire de Bussy n'aurait-il pas alerté la méfiance de Dupleix ! Qu'est-il, sinon la candidature au gouvernement général du chef militaire le plus brillant que le roi possède dans l'Inde, et qui écrivait naguère à Machault, « il est nécessaire ici plus qu'ailleurs d'unir le commerce et la guerre ». Là réside le drame du maître de Pondichéry : il est un marchand retors, mais non un bon général, encore moins un condottiere, pas même un sabreur impétueux.

En refusant à Bussy de conclure un pacte avec les Mahrattes, Dupleix anéantit, sans le vouloir, sans s'en douter, les prétentions de la France en Inde, révélant en même temps les limites de sa vision et celles de son personnage. Pour l'heure, Bussy part pour Aurengabad. Le 28 septembre 1753, il écrit à Salabet pour lui rappeler qui l'a fait roi : « Si aujourd'hui vous êtes soubab du Deccan, c'est à moi que vous le devez. » Il le met sèchement en garde contre ses mauvais conseillers, et conclut : « J'espère que vous reviendrez d'un aveuglement qui ne tend qu'à votre ruine. » Bientôt, il arrive devant la capitale que le spectacle de ses troupes effraie. Le Premier ministre Lasker Khān annonce son retrait de la vie politique et s'exécute. Salabet embrasse son ami et lui cède sans palabres les quatre provinces orientales de Chicacol, Ellore, Rajamandry et Moustafanagar, qui s'étendent à proximité de Mazulipatam. Désormais, les armées françaises, financées par des revenus accordés à leur chef sont à la fois indépendantes et maîtresses du jeu indien. Bussy, comblé de toutes les dignités qui flattent tant la vanité de Dupleix, exerce un gouvernement absolu sur le Deccan. Ces beaux succès agacent le gouverneur de Pondichéry, qui, dès le 28 février 1754, reproche à son représentant d'avoir fait établir la cession des quatre *circars* à son propre nom. Bussy, irrité de cette tutelle pointilleuse, rétorque vivement : « Je me suis appuyé sur la connaissance pratique que je puis dire avoir seul, parce que je suis le seul qui en ait fait une étude et qui y ait donné une application constante pendant près de quatre ans. Toutes les conjectures ne prévaudront point contre ces faits. » Toujours dans sa réplique des 11-22 avril 1754, Bussy se déchaîne littéralement contre son chef et lui fait la leçon. Pensant à cette alliance avec les Mahrattes que Pondichéry interdit, il s'exclame, à propos de Salabet : « Ce n'est donc pas lui personnellement que nous devons nous attacher, mais celui qui se trouvera le maître du pays, n'eût-il d'autre titre que celui qui vient du bizarre caprice de la fortune. Le vrai moyen de tout perdre c'est de suivre le faux système, de s'attacher précisément à la personne de Salabet. » Sans hésiter, Bussy miserait sur la révolution mahratte et contre la légitimité mahométane et moghole. « Les intérêts du Mogol et de son vice-roi dans le Deccan que vous me proposez, sont de beaux termes pour l'Europe, mais de vous à moi, Monsieur, il n'est pas difficile de les réduire à leur juste valeur. » Que Dupleix ait un fâcheux penchant à confondre les apparences et la réalité exaspère Bussy, qui voit ainsi s'évanouir l'occasion de se tailler un grand destin ; mais que le gouverneur de Pondichéry veuille confier la gestion des *circars* au neveu Moracin, commandant de Mazulipatam, voilà qui l'humilie et l'indigne. À ce propos, le ton de la lettre monte et se raidit : « Depuis quatre ans que je suis le maître de mes opérations, j'ai toujours pris le parti le plus convenable. Si aujourd'hui elles dépendent de vos ordres, que je me ferai toujours un devoir de suivre exactement, mais que l'éloignement empêche de juger avec connaissance de cause, je vous assure, Monsieur, que nous ferons de mauvaise besogne. » Quant à la politique que le gouverneur général mène dans le Sud, Bussy s'en désolidarise avec fracas : « Ainsi, Monsieur, vous ferez ce qu'il vous plaira. »

Le 5 mai, Bussy, qui manque d'argent pour rémunérer ses hommes, annonce qu'il va prendre possession des *circars* que Salabet lui a donnés, même si Dupleix s'y oppose. Ce dernier, gêné d'abaisser son second devant le soubab, contrarié peut-être de se mettre trop en avant, lui et sa famille, dans une affaire de collecte de revenus, fait — encore une fois — machine arrière : le 28 avril 1754, il nomme Bussy « commandant en chef des armées du Deccan », Moracin ne devant agir sur les territoires cédés que comme « procureur » du glorieux officier. En aucune manière Bussy ne relève du neveu, qui toutefois reste à Mazulipatam, d'où il surveille l'ambitieux et susceptible chef du Deccan. Aussi les relations entre les deux hommes ne seront-elles jamais très bonnes. Dans l'immédiat, le protecteur du soubab se heurte toujours aux Mahrattes avec lesquels, à défaut de s'unir, il souhaite ne pas se brouiller gravement. Difficile partie émaillée de combats et de négociations, mais heureusement conclue par la paix, le 10 avril 1754. C'est alors le retour à Haïderabad, où Bussy vient prendre congé de Salabet et de son Premier ministre, Chavanas Khān, avant de rejoindre Moracin à Mazulipatam. Le 7 juin, au cours d'une cérémonie officielle, organisée à l'occasion du départ du chef français, le soubab et ses collaborateurs, constatant l'emprise anglaise dans le Sud et la menace mahratte, demandent à Bussy de jurer sur l'Évangile qu'il reviendra à la fin de la saison des pluies, sans quoi, rappelle A. Martineau, « ce serait la chute presque assurée de la nation moghole et l'on serait forcé d'avoir recours aux Anglais pour se défendre contre les Marates ». L'officier, qui sait qu'un commissaire du roi arrivera incessamment à Pondichéry pour y examiner les affaires de l'Inde, s'enferme dans une prudente réserve, et répond qu'il appartiendra à Dupleix de décider. Celui-ci n'aura aucune décision à prendre : le 2 août suivant, il est relevé de ses fonctions par Godeheu, envoyé du roi et de la Compagnie. Le turbulent lieutenant, qui a donné plus d'une fois le sentiment d'être supérieur à son maître, en psychologie, en finesse, en intelligence et en vision, ne renie pas son ancien chef : « Je vous prie de prendre tout ce que je vous ai écrit et tout ce que je pourrai vous écrire comme d'un enfant qui vous aime tendrement, qui n'a à cœur que votre honneur et votre gloire et qui est prêt à sacrifier tout pour l'un et pour l'autre. » Plus qu'un geste de fidélité, ce mouvement représente l'hommage d'un grand ambitieux à un autre grand ambitieux : la sensibilité n'est qu'apparence, écume.

La première perte de l'Inde

Pendant le premier semestre de 1754, alors que le commissaire royal Godeheu cingle vers Pondichéry pour y relever Dupleix, les quatre *circars* donnés par le soubab à Bussy, constate l'historien anglais Orme, « rendirent les Français maîtres des plus grands domaines, en étendue et en valeur, qui eussent jamais été possédés par des Européens, sans excepter les Portugais, lors de leur plus grande prospérité ». Ces possessions et plus largement le protectorat du Deccan, qui s'ouvrent en éventail sur l'Inde septentrionale, la plus riche, a pour conséquence de diviser les troupes françaises, danger qu'aggravent l'absence d'officiers de la qualité de Bussy et les prétentions tactiques tatillonnes du gouverneur général.

Or, au début de l'année 1751, quand Bussy prend avec Salabet la route d'Haïderabad et d'Aurengabad, Dupleix se sépare du seul chef militaire distingué sur lequel il pouvait désormais compter : il envoie La Touche, qui s'était illustré pendant la première guerre du Carnatic, informer Versailles des affaires du Deccan. À ce moment, le gouverneur de Pondichéry espère écraser sans difficulté Méhémet Ali, fils de son vieil ennemi Anaverdi Khān, qui s'est réfugié à Trichonopoly. Il compte sans Saunders. Le gouverneur britannique, arrivé au mois de septembre 1750, a assisté à la défaite de Nazer Jing et à l'accession de Salabet, le protégé des Français, à la soubabie du Deccan. Dupleix, qui a compris, peut-être pas à l'échelle mondiale mais au moins à celle de l'Inde, qu'un gigantesque conflit stratégique oppose les deux nations riveraines de la Manche, dit et écrit vivement ce qu'il pense des Anglais et comment les Français devraient se comporter. Le 3 octobre 1750, il s'adresse à la Compagnie : « La conduite des Anglais exige toute votre attention et celle de la cour. Ce qui se passe doit vous faire prévoir ce que l'on a à craindre pour la suite. Elle a réduit dans l'Inde la nation portugaise sous l'esclavage ; l'hollandais baisse le col et subira bientôt le joug ; elle souhaiterait nous soumettre aussi ; nous le sommes en partie dans quelques parties de l'Inde ; je tiens bon ici, Dieu veuille que l'on y soit toujours en état de repousser les tentatives. » Plus fortement, il résume, « rien ne lie les Anglais que la force vis-à-vis de leurs intérêts », avant de conclure : « Cette nation que l'on dit celle de l'Europe qui réfléchit le mieux, ne pense pas que la crainte de causer de la jalousie à ses voisins doive l'arrêter dans ses projets. Elle va en avant sans s'en inquiéter ; pourquoi nous serait-il défendu de suivre son exemple ? Nous pouvons et valons autant et plus qu'elle ; ne pourrions-nous pas agir de même ? » Dans cette haine de tous les moments, se mêlent l'admiration inavouée et l'amertume de servir une nation trop éprise de paix.

Saunders, contrarié de voir l'influence française s'étendre, analyse la situation et établit son diagnostic dans une dépêche qu'il envoie à la Compagnie, le 18 février 1751. « Nous devons reconnaître, considère-t-il en évoquant la conjoncture dans le Carnatic et le Deccan, que si les Européens n'étaient pas intervenus dans ces affaires, mais avaient laissé les princes indiens vider seuls leurs querelles, cela eut infiniment mieux valu pour le commerce. Mais comme les Français se sont mis en possession de plusieurs districts étendus et qu'ils ont hissé leur drapeau jusqu'aux limites de notre territoire et qu'ils s'efforcent d'entourer nos établissements de telle manière que nous ne puissions plus recevoir ni provisions ni marchandises, il a été jugé nécessaire d'essayer d'entraver leurs projets qui, en cas de succès, feraient qu'en temps de paix notre situation serait pire qu'en temps de guerre. [...]

Les Français tâchent de s'établir dans les places les plus convenables de la côte et jettent les bases d'un commerce avantageux sans le moindre égard pour les intérêts de leurs voisins. Autant que nous le pourrons nous ferons tout pour y mettre obstacle. » Aucune violence dans ces lignes, mais un plan simple et clair : briser l'expansion française et renverser le rapport de force au profit des Britanniques. La Compagnie anglaise des Indes approuve les vues réalistes de son représentant, bien qu'elles impliquent un affrontement militaire local, et lui fait connaître son soutien plein et total. Saunders s'assure le contrôle de Méhémet Ali, pactise avec les princes de Tanjore et de Mysore, et très momentanément avec le général mahratte Mararao. Les hostilités, qui en janvier se circonscrivaient autour de Trichonopoly, embrasent tout le Carnatic à la fin de l'année. Chanda Sahib et les Français, sous l'autorité d'Auteuil d'abord, puis sous celle de Jacques Law, neveu de l'ancien contrôleur général des Finances, assiègent Trichonopoly au mois de septembre 1751. Au même moment, Clive, jeune officier anglais que la célébrité distingue aussitôt, s'empare d'Arcate, la capitale du Carnatic, et poursuit sa campagne victorieuse, donnant aux siens tout le Nord de cette province que Saunders est décidé à ne pas abandonner à son rival de Pondichéry. Les Français, qui ont opté pour le blocus plutôt que pour l'assaut, piétinent, et au mois de mars 1752 se font encercler par les troupes des souverains de Tanjore et de Mysore. Dupleix choisit cet instant critique pour envoyer une lettre publique à Saunders (12 février 1752), prenant soin d'en expédier copie à Versailles et à Londres. Dans ce document, il recense les perfidies anglaises et se pose en défenseur de la légitimité dynastique au Deccan et au Carnatic, contre laquelle il reproche à son homologue britannique d'intriguer et de manœuvrer les armes à la main. En écho à cette étrange démarche publicitaire, le désormais fameux major Lawrence entre en force dans Trichonopoly d'où il sort bientôt pour assiéger Jacques Law, replié dans l'île Sriringam au milieu de la rivière Caveri. Tandis que Lawrence coupe la route à Auteuil, accourant à la tête d'une colonne de secours, Law capitule le 13 juin 1752, livrant Chanda Sahib à ses ennemis qui le mettent à mort. Bientôt Pondichéry est menacé, mais Dupleix réussit à desserrer l'étau qui se refermait en détachant le prince de Mysore et le général mahratte Morarao de la ligue anglaise, et en se les associant. Toutefois, le gouverneur, qui est devenu très indien, fourmille d'idées excessives, songeant, en même temps qu'il s'allie avec le roi de Mysore, à faire envahir ses États alors qu'il n'en a pas les moyens, pensant à se proclamer nabab du Carnatic, à la colère de Bussy. Bref, l'homme donne l'impression de ne pas bien mesurer la gravité de la situation. Plus irritable et plus intransigeant que jamais, il perd le sens des réalités, ne voyant pas que la capitulation de Law entache la réputation française et menace les intérêts de la Compagnie, évaluant mal le danger que les Anglais font planer sur le Deccan : guerre des Mahrattes, tentative de prise du pouvoir de Gaziuddin, complots du Premier ministre Lasker Khān.

Dupleix conserve son comportement de prince oriental, que sa femme l'a aidé à acquérir, dans ses relations avec la métropole. C'est la violence proche de l'invective au point qu'un directeur de la Compagnie lui rappelle qu'il n'écrit pas à des valets ; c'est la duplicité, le mensonge par omission, la politique du fait accompli. En période heureuse, on pardonne au satrape asiatique, sans oublier cependant de lui signifier que la Compagnie possède une stratégie définie et qu'il n'appartient pas à l'un de ses agents de la modifier. Ainsi une lettre du 1er février 1752, donc antérieure à la déroute de Law à Sriringam, condamne-t-elle la mission de Bussy au Deccan et rafraîchit-elle la mémoire défaillante du gouverneur. « Il est temps, de borner l'étendue de nos concessions dans l'Inde. L'objet de la Compagnie n'est pas de devenir une puissance de terre, sauf cependant à former dans la suite de nouveaux établissements quand l'utilité en aura été bien reconnue, que les mesures pour y parvenir auront été bien concertées entre vous et la Compagnie et qu'elle aura pris un parti déterminé en conséquence. » Ce coup de semonce, au demeurant fort bienveillant, incite le gouverneur général à dépêcher en France son beau-frère Auteuil et l'employé Amat pour informer la cour et les directeurs de la position des Français dans l'Inde, de la conduite des Anglais, et pour obtenir l'approbation générale de son action ainsi que des renforts. Les deux émissaires quittent Pondichéry en octobre 1752, et arrivent à Paris le 18 juin 1753, où l'on a appris le désastre de Sriringam par les gazettes anglaises et hollandaises !

À Londres, la Compagnie anglaise aux cimes du bonheur écrit à Saunders dès le 24 janvier 1753, et lui exprime sa solidarité, notamment en ce qui concerne l'attitude à tenir vis-à-vis des Français. « Nous avons lu avec attention cette partie de vos lettres qui a trait à vos rapports avec les Français et les gouvernements du pays et nous avons vu que les projets de M. Dupleix ne tendaient à rien moins qu'à la destruction de notre commerce à la côte Coromandel. Nous ne pouvons qu'approuver les mesures que vous avez prises pour empêcher leur exécution et comme vos derniers succès vous ont peut-être donné l'occasion de régler les affaires du pays par une paix honorable, nous espérons que vous en aurez profité. Nous avons de temps à autre placé sous les yeux de Sa Majesté vos avis en ce qui concerne vos rapports avec les Français et nous avons mis en telle lumière les prétentions et agissements de M. Dupleix que nous espérons la convaincre qu'il nous sera impossible d'exercer notre commerce et même de conserver un pouce de terre à la côte Coromandel si l'on ne met un obstacle à ses agissements. » Le gouverneur britannique peut se frotter les mains. Il est soutenu au-delà de toute espérance. La Compagnie anglaise et le gouvernement britannique retiennent que le conflit franco-anglais dépasse le cadre indien des rivalités princières et qu'il est devenu un contentieux de politique étrangère dont la solution sera militaire.

Dupleix, moins heureux, ne trouve pas de compliments ni d'encouragements fleuris dans la correspondance de ses interlocuteurs français qui, néanmoins, ne l'accablent pas à l'annonce de la débâcle de Law. La Compagnie, dans une lettre du 10 janvier 1753, montre même une certaine compréhension. « Mais quel que soit le fâcheux motif de ce désastre, nous sommes bien persuadés que vous aurez eu recours au moyen que pouvaient suggérer les circonstances et que vous aurez pu ménager un accommodement qui, dût-il être avantageux aux Anglais, le serait même pour nous, s'il en résultait une tranquillité réciproque. » Le désaccord stratégique sur la politique que veulent la Compagnie et la Cour et celle que mène Dupleix, au lieu de s'apaiser dans une confiance assortie de réserves, s'aggrave au fil des jours et des mois. Dès le 16 janvier, Montaran, le seul directeur solidaire de l'action du gouverneur de l'Inde française, met en garde son ami sur un ton sans équivoque. « Nous sommes ici dans une inquiétude mortelle au sujet des nouvelles de l'Inde. Celles que nous recevons d'Angleterre sont des plus fâcheuses et malheureusement elles s'accordent avec les lettres particulières, du moins pour la plus grande partie. Nous ne recevons d'ailleurs aucune nouvelle de vous et nous imaginons que vous auriez pu nous en faire passer si elles étaient consolantes. Dans ce moment le déchaînement est universel contre vous et l'on ne sait que répondre pour vous. Quand je relis les lettres que je vous ai écrites et celles que j'ai fait signer au ministre pour vous, j'y vois qu'à commencer dès 1750, c'est-à-dire dès la première nouvelle de vos succès, nous vous avons exhorté à la paix et dès le commencement de 1751 on vous a envoyé les ordres les plus précis à cet égard. Vous-même vous n'avez pas écrit de lettres au ministre et à la Compagnie que vous ne nous ayez annoncé la paix comme conclue et cependant la guerre durait encore en juin 1752 et vous y avez reçu un échec considérable qui peut remettre nos nouveaux établissements et même nos anciens en danger d'être d'autant plus aisément insultés que vous les avez totalement dégarnis pour soutenir cette malheureuse guerre. Ne soyez point étonné si dans ces circonstances les lettres qu'on vous écrit ne sont pas flatteuses et si vous recevez des ordres précis à exécuter. Nous espérons cependant que la paix est faite et nous forçons nos envois de troupes pour réparer les pertes d'hommes que vous avez faites et remettre vos comptoirs en état de défense. C'est tout ce que nous pouvons faire jusqu'à ce que nous soyons mieux instruits. Pour vous, Monsieur, faites la paix si elle ne l'est pas encore et faites prospérer le commerce. Vous ne devez songer qu'à cela. » La Compagnie est meilleure fille qu'on ne le dit généralement. Si elle rappelle que son objet est le commerce, elle ne condamne pas la conquête, envoyant même des troupes assez régulièrement. Mais elle blâme le mépris dans lequel Dupleix la tient, agissant souvent sans l'informer, ni directement, ni indirectement par l'intermédiaire d'un groupe de partisans issus des affaires ou de la Cour.

Le souverain de Pondichéry comprend sa faute. Alors, en bon parvenu asiatique, en prince cynique habitué à noyer les scrupules sous les roupies, le voilà qui, en janvier et février 1753, envoie de somptueux cadeaux à Mme de Pompadour, à Mlle de Montmorency pour qu'elle agisse sur le prince de Conti, à Silhouette, commissaire du roi auprès de la Compagnie des Indes, à la Dauphine et à Mesdames, filles de Louis XV. Si Mme de Pompadour et d'autres personnalités de la cour succombent aux fastueuses étrennes indiennes, l'austère Machault obtient de Louis XV de les interdire à sa famille. Et, tandis que le gouverneur fait empaqueter ses présents, le contrôleur général des Finances écrit à Pondichéry, le 19 janvier 1753, une lettre sévère, en forme de remontrance, mais sans retirer sa confiance. « J'ai reçu votre lettre du 19 juillet 1752 et les pièces y jointes. Je n'y ai trouvé ni les nouvelles ni les détails que je dois attendre de vous et je ne puis m'empêcher de vous en marquer mon mécontentement. Ce silence accrédite toutes les mauvaises nouvelles qui se débitent et quand on est chargé d'affaires aussi importantes que vous, on en doit un compte plus exact et plus détaillé. La lettre que je vous ai écrite le 16 février 1750 a dû vous faire sentir dès lors combien je désirais la fin des troubles de l'Inde ; mes lettres postérieures des 23 avril, 5 mai et 6 novembre 1751 confirmaient non seulement mes intentions mais contenaient des ordres précis pour faire la paix ; les mêmes ordres visés par moi vous avaient été donnés par la Compagnie. Je dois donc croire que la paix est faite dans l'Inde, ainsi qu'il est porté dans les nouvelles qui viennent d'Angleterre, mais si on les croit tout entières, cette paix a été précédée de deux défaites dans lesquelles vous avez perdu la plus grande partie des troupes européennes destinées à la conservation de nos comptoirs. Vous auriez dû prévoir ce triste événement qu'on avait pressenti dans les lettres qu'on vous avez écrites au mois de février dernier. » P. Cultru reprochera à Machault son « ineptie » et de n'avoir pas « deviné Dupleix » : propos aussi surprenant qu'injuste à l'encontre de l'un des meilleurs ministres du XVIIIᵉ siècle. En fait, la lettre même du contrôleur général des Finances donne la clé de cette prétendue incompréhension dont sera victime le proconsul de Pondichéry. Celui-ci n'aime rendre compte à personne : Compagnie et gouvernement. À Paris comme à Versailles il demande une délégation inconditionnelle de pouvoirs dont il se réserve un usage discrétionnaire. Dans cette attitude, faut-il lire une mauvaise volonté systématique, la résolution de garder le secret sur ses projets ? Non. En effet, la stratégie de Dupleix ne précède pas l'événement, elle en découle. Ainsi, la domination du Deccan ne devient-elle un fondement de la politique française dans l'Inde, qu'après que Bussy l'a organisée en l'absence de toute instruction précise. Le grand tort du gouverneur général ne réside pas dans un appétit de conquêtes proscrit par principe, mais dans sa désinvolture administrative, poussée parfois jusqu'à ce qui peut être ressenti comme un mépris insupportable. Dupleix travaille lui-même à son échec, il multiplie les motifs de sa révocation, peu importe qu'il en soit inconscient. L'indépendance dans l'action et la désobéissance exigent le succès en réparation et non un échec aussi lamentable que la capitulation de Law à Sriringam.

Dupleix refuse de se rendre à l'évidence, ne cherche pas à négocier un compromis avec Méhémet Ali et ses alliés anglais, comme le gouvernement royal et la Compagnie le lui commandent, et comme l'en adjure le très politique Bussy. Au contraire, il s'attache Morarao, le général mahratte et scelle une alliance avec Nandi Rajah du Mysore, à qui il promet la possession de Trichonopoly dès que la conquête en sera achevée. Ainsi commence la cruciale année 1753, à la grande colère de Bussy qui ne se prive pas de tancer son chef. Après quelques opérations mineures mais au résultat encourageant, la coalition militaire formée par les Français entame le second siège de Trichonopoly, au mois de mai 1753. L'armée s'abandonne à un engourdissement périlleux, les chefs se succèdent à un rythme accéléré : Astruc, Brenier, Maissin. À la fin du mois d'octobre, Mainville, le nouveau et dernier commandant, ordonne l'assaut : le désastre est au rendez-vous, et Lawrence ajoute une victoire à son palmarès. Parallèlement, le gouverneur de Pondichéry, qui sent de plus en plus la situation lui échapper, se réconforte en songeant qu'Auteuil et Amat — à Paris, depuis le 18 juin 1753 — plaident sa cause. Au long de deux mémoires, présentés les 30 juin et 14 juillet, les émissaires s'emploient à expliquer et à justifier l'action de leur maître au Deccan et au Carnatic. La Compagnie, jusque-là réservée quant à l'intérêt de protéger le soubab Salabet, se laisse convaincre parce que Bussy triomphe sur tous les terrains. Mais elle ne veut pas entendre parler du Carnatic où, après une première guerre victorieuse, le proconsul français mord la poussière, et encore ignore-t-on à cet instant que le deuxième siège de Trichonopoly s'est achevé aussi lamentablement que le premier. Aussi chacun réclame-t-il qu'on cesse les opérations militaires dans cette province et que l'on y rétablisse la paix.

La mission d'Auteuil et d'Amat se termine sur un bilan contrasté : les affaires du Deccan, conduites par Bussy, reçoivent l'aval de la Compagnie, celles du Carnatic menées par Dupleix sont frappées d'un désaveu définitif. Savalette de Magnanville, garde du Trésor royal, ancien directeur de la Compagnie, et partisan de Dupleix, écrit à celui-ci le 11 novembre 1753, lui exposant sans détours l'état des esprits : « L'on ne veut pas de la guerre faite par une compagnie de commerce ; l'on en craint les suites. Notre position avec les puissances de l'Europe et l'esprit de paix de notre monarque qui aime à rendre l'Europe tranquille, tout a fait craindre les semences de la guerre. On en redoute même les avantages dans l'Inde et dans les autres parties du monde où nous avons des établissements. Vous avez été entraîné malgré vous dans les querelles des puissances de l'Inde ; vous avez cru en bon Français en devoir profiter pour prendre une supériorité sur vos rivaux. [...] C'est sur la volonté du ministre et sur l'aveu public qu'il faut se régler. M.M. d'Auteuil et Amat n'ont entendu que le cri de paix pour une compagnie de commerce. » La Compagnie n'accepte la guerre qu'à la double condition qu'elle soit victorieuse et profitable, sinon elle veut la paix qui, pense-t-elle, équilibre les ambitions européennes et garantit ses intérêts. Or, après un long silence, que contiennent les premières dépêches de Dupleix ? Le gouverneur annonce sa ferme détermination de défendre les droits légitimes de la France en poursuivant vigoureusement la guerre, en conséquence de quoi il demande qu'on lui envoie des troupes au plus vite.

En France, l'agacement et l'inquiétude montent. On prête l'oreille aux propositions de conférence que formule la Compagnie anglaise, dès le mois de février 1753, et le directeur Duvelaër, accompagné du comte du Lude, se rend à Londres pour y représenter la Compagnie française. Pendant plusieurs mois, les deux parties pratiquent un long dialogue de sourds, au cours duquel l'Angleterre, sentant sa force grandir, se montre de plus en plus exigeante. Machault, pour sa part, tente vainement, au mois de février, de convaincre Godeheu, directeur du port de Lorient, d'effectuer une mission temporaire à Pondichéry. Au mois de juin suivant, plusieurs lettres venues de l'Inde avivent la préoccupation de la Compagnie. Parmi elles, celle d'un membre du Conseil supérieur, Barthélemy, qui avait commandé à Madras de 1747 à 1749. Quels sont les motifs de la guerre qu'entretient Dupleix ?, demande cet agent. « Le moins clairvoyant, jugera qu'ils n'ont eu d'autre fondement qu'une insatiable cupidité des richesses, une ambition démesurée et sans bornes, une vanité ridicule d'éterniser son nom. Le tout a réussi au-delà des espérances de celui qui les avait mis en œuvre : cinquante ou soixante millions sans exagération, sont entrés dans ses coffres et, le pourrait-on croire, ils ne sont pas suffisants pour éteindre la soif de l'or qui le possède. Les dignités qu'il a déjà reçues et celles qu'il espère encore par la suite ne satisferont qu'en partie son orgueil, si elles ne sont pas scellées du sceau authentique de vice-roi ; c'est à cette fastueuse dignité qu'il vise. » Le manichéisme outrancier de Barthélemy affaiblit l'effet d'un jugement qui ne manque pas de lucidité quand il souligne cette mégalomanie de parvenu dont Dupleix est victime. Le contrôleur général des Finances accède enfin à la requête de la Compagnie, que les manières d'indépendance de son gouverneur à Pondichéry exaspèrent de plus en plus. Le 8 août 1753, il informe Godeheu de sa nomination comme commissaire du roi à l'Inde. « La Compagnie des Indes, m'ayant prié de déterminer les mesures les plus propres à parvenir au rétablissement de la tranquillité dans l'Inde, j'ai jugé qu'il était nécessaire d'y envoyer un commissaire qui sera chargé de suivre l'exécution de tout ce qui aura été arrêté pour remplir cet objet et pour en rapporter en Europe tous les éclaircissements qui pourront donner à la Compagnie une connaissance entière de ses fonds, de ses revenus, de ses dépenses et de son commerce. » Bien à tort, la famille et les amis de Dupleix déchiffrent dans cette décision, qui reste à définir, une mesure qui accroîtra l'autorité du proconsul. C'était vouloir s'aveugler, vouloir ignorer l'hostilité de plus en plus explicite des milieux dirigeants. Ici intervient notamment Silhouette, personnage de premier plan auquel sa qualité de commissaire du roi près de la Compagnie des Indes donne, sous l'autorité du contrôleur général des Finances, la maîtrise de notre société semi-publique pour le commerce d'Asie. L'homme adhère aux conceptions de la Compagnie : il l'avait marqué à Dupleix, de la manière la plus nette, dans une lettre qu'il lui avait écrite le 13 septembre 1752. « On préfère généralement ici la paix à des conquêtes, et les succès n'empêchent pas qu'on ne désire un état moins brillant mais plus tranquille et plus favorable au commerce. [...] On va jusqu'au point de craindre des possessions qui pourraient engager la nation dans les guerres des princes de l'Inde. On désire de n'y être mêlé pour rien et de n'y voir aucune part. La vérité et la franchise dont je fais profession m'engagent à ne pas vous dissimuler que tout système qui paraîtra s'éloigner de ces vues de neutralité n'aura pas l'approbation du roi, du ministère et du public. On ne veut pas devenir une puissance politique ; on ne veut que quelques établissements en petit nombre, pour protéger le commerce ; point de victoires, point de conquêtes, beaucoup de marchandises et quelque augmentation de dividende ». Voilà ce que le vulgarisateur de Confucius fixe comme stratégie. De tels préjugés laissent présager le contenu du mémoire de Silhouette, dont Machault prend connaissance dans le courant du mois de juillet 1753. Dans ce rapport, le commissaire du roi près de la Compagnie reprend et développe les thèmes déjà évoqués dans sa lettre de 1752, condamnant totalement l'action de Dupleix, aussi bien au Deccan qu'au Carnatic. Ce réquisitoire contre le gouverneur de l'Inde française se nourrit à la doctrine capitaliste frileuse de Paris, qui se situe à l'opposé du capitalisme calculateur, réaliste et ambitieux des Britanniques. « On pose pour principe, qu'il ne convient point à la Compagnie de se rendre dans l'Inde une puissance militaire et qu'elle doit se borner aux objets de commerce. [...] Si l'on veut revenir à un système de commerce et qui soit solide, il faut renoncer à tous les titres et à toutes les possessions qui peuvent entretenir la guerre dans l'Inde et qui peuvent obliger la Compagnie d'intervenir dans toutes les affaires des princes maures. » Ces lignes, outre le désaveu de

Dupleix, célèbrent une révérence idéologique à la chimère pacifiste et rendent hommage indirectement à la naturelle suzeraineté de l'Angleterre.

Les mesures, qu'en conclusion Silhouette propose de prendre, s'inscrivent dans la logique longuement développée dans le mémoire. Premièrement : « On doit tâcher de se concilier avec la Compagnie anglaise à Londres et si l'on continue à y trouver trop de difficultés et de lenteur, il pourrait être convenable d'écrire à M. de Mirepoix [notre ambassadeur] pour le charger de déclarer au ministre d'Angleterre les ordres que l'on se propose d'envoyer dans l'Inde pour y établir la tranquillité. » Deuxièmement : « Comme les idées de M. Dupleix sont tout à fait différentes de celle que l'on propose par ce mémoire, [c'est-à-dire] l'idée d'y envoyer un commandant avec une autorité supérieure, qui puisse diriger et guider les démarches de M. Dupleix ainsi que toutes les opérations militaires, politiques et mercantiles », ce commandant passera à Pondichéry par le premier navire.

Troisièmement : envoi de 2 000 hommes de troupes « pour mettre en force le commandant ». Quatrièmement : désignation d'un commissaire pour régler sur place le détail du nouveau système. En quatre suggestions, le sieur Étienne de Silhouette répudie l'action de Dupleix et même celle de Bussy. Plus de guerre, mais la paix à tout prix. Disgrâce du proconsul, placé sous les ordres d'un commandant, doux euphémisme qui cache la révocation. Machault ne retient qu'une partie des conseils de son collaborateur. Il décide le rappel de Dupleix, parce que celui-ci a refusé la paix au moment où les intérêts français étaient à leur zénith. Il retient l'idée d'un compromis nécessaire avec l'Angleterre, mais conserve Bussy et le protectorat stratégique du Deccan. Enfin, il commande que des troupes partent pour l'Inde en même temps que le commissaire Godeheu.

Au mois de septembre 1753, alors que son sort est scellé, Dupleix soumet au gouverneur Saunders le projet de réunir une conférence pour examiner et résoudre le contentieux franco-anglais. Le Britannique accepte : il est en position de force, vainqueur au Carnatic, assuré de recevoir au plus tôt des renforts de troupes et le soutien de la Navy. Dès le départ, les pourparlers semblent sans issue. Les Anglais soutiennent que Méhémet Ali est le titulaire légitime de la nababie du Carnatic, puisque les soubabs Nazer Jing et Gaziuddin la lui ont accordée. Le maître de Pondichéry, quant à lui, dénonce deux usurpateurs dans les soubabs invoqués par les Britanniques, refuse de reconnaître les prétentions de Méhémet Ali, défend la légitimité de ses protégés, les soubabs Muzaffer et Salabet, et enfin rappelle la délégation de pouvoirs sur le Carnatic que les deux souverains du Deccan lui ont successivement accordée. Les deux délégations se rencontrent à Sadras, où elle siègent du 22 au 25 janvier 1754. Elles ne polissent aucune solution pour la simple raison que ni Saunders ni

Dupleix n'ont l'intention de transiger sur le statut de Méhémet Ali. Le Français, déjà perdu, s'est condamné définitivement en n'offrant pas un compromis acceptable par les deux parties : mais il était si tard que l'Anglais ne se serait laisser amadouer qu'au prix de concessions exorbitantes.

Tandis que le proconsul français refuse de se rendre à la réalité, d'admettre que le Carnatic lui échappe largement, pour s'enfermer dans une irréductibilité d'autant plus dangereuse que sa position s'affaiblit sans cesse, les deux Compagnies poursuivent leurs entretiens londoniens. La délégation anglaise, que Clive vient renforcer à la fin de 1753, expose des revendications que la Cour de France, l'ambassadeur de Mirepoix et le directeur Duvelaër repoussent sans éclat mais avec constance. Aussi le comité britannique finit-il par proposer d'envoyer des commissaires dans l'Inde, qui y négocieront un accord provisoire, à soumettre à l'approbation des Compagnies. Le 21 mai, les plénipotentiaires entérinent cette procédure, le Deccan échappant au champ des conversations. Tandis que les Anglais désignent le gouverneur Saunders pour les représenter, les Français, excluant Dupleix, choisissent Godeheu, en route depuis déjà plusieurs mois. Pendant que ses chefs le mettent à mort jour après jour, le maître de Pondichéry, convaincu d'être indispensable mais sentant son pouvoir menacé, se décide, le 16 octobre 1753, à exposer ses vues de manière systématique à la Compagnie. « La diversité des sentiments dans lesquels je vois que sont mes compatriotes et même les personnes chargées de la régie de la Compagnie des Indes, m'oblige de mettre au jour des vérités qu'une longue expérience m'a présentées et dont je vais faire voir l'évidence. Ces vérités sont : que toute compagnie de commerce, quelle qu'elle soit, ne peut se soutenir par le simple bénéfice de son commerce, qu'il lui faut un revenu fixe et assuré, surtout lorsqu'elle a de grands établissements à soutenir ; que toute compagnie doit éviter autant qu'il lui est possible l'export des matières d'or et d'argent. » Ce revenu fixe permettrait de remédier aux vicissitudes d'un commerce qui « ne peut être susceptible d'une augmentation considérable », de financer les dépenses obligées et celles aussi occasionnées par l'extension des établissements sans amputer le capital de la Compagnie, d'autant que par ailleurs celle-ci n'est pas riche. Les Indes fabuleuses du xviiie siècle appartiennent au mythe qu'entretient la vogue des soieries et cotonnades et plus généralement des chinoiseries dont l'Europe raffole. Dupleix n'a aucune idée de l'économie comparée, sinon il n'aurait jamais écrit dans son mémoire de 1753, avec cette enflure qui lui est chère : « Je suis venu à bout de procurer à ma nation un revenu au moins de cinq millions ; mon dessein était de le pousser à dix millions. » Qu'est-ce que cinq ou dix malheureux millions de livres, quand la seule et minuscule Martinique, en cette année 1753, importe de France pour plus de 19 millions de livres tournois et y exporte pour plus de 30 millions ! Le principe du revenu fixe, qui implique l'exploitation commerciale, conduisait, affirme Ch.-A. Julien, sinon à la formation d'un empire colonial, du moins à l'établissement d'un vaste protectorat. A. Martineau pousse l'analyse encore plus loin : « Cette théorie sur laquelle repose en partie la colonisation moderne, était alors trop nouvelle pour ne pas provoquer d'abord de l'étonnement puis de la résistance. » Que le système imaginé par Dumas et Cossigny, et mis en œuvre par Bussy et Dupleix ait mené à la constitution d'un grand protectorat politico-commercial ne peut être mis en doute. Mais faire de Dupleix l'inventeur de la colonisation moderne, n'est-ce pas se livrer à la simplicité hagiographique de la future imagerie d'Épinal ? N'est-ce pas faire bon marché des colonies européennes de l'Amérique où, à côté du négoce, des colons — sans compter des esclaves dans de nombreux cas — procèdent à l'exploitation agricole et industrielle de territoires immenses ? En réalité, le proconsul français, en réclamant l'instauration en Inde d'un revenu fixe, se pose en défenseur d'une orthodoxie financière rassurante pour les actionnaires de la Compagnie et pour l'État, tout en se donnant silencieusement les moyens de l'autonomie de son action. C'est l'aventure personnelle qui prend l'habit austère de la gestion saine, mère du profit ! L'homme est tellement dépourvu, non d'hypocrisie, mais d'esprit de finesse, qu'il en arrive à vanter ouvertement les avantages de la guerre ! Celle-ci, énonce-t-il dans son mémoire de 1753, « convient à une compagnie, lorsqu'elle lui procure, sans frais de sa part que quelques avances dont elle est remboursée, une consistance qu'elle n'avait jamais eue, à laquelle elle ne devait point s'attendre et qui peut rendre la nôtre la plus puissante de celles qui subsistent en Europe ». Quel simplisme dans cette vision qui, à l'image de son concepteur, évacue par principe le jeu des forces internationales de la scène politique. Dupleix bâtit ses plans comme si l'hostilité de la Cour, du commerce et des rentiers à un conflit avec l'Angleterre lui était inconnue. Davantage, dans la lettre à Machault qui accompagne son mémoire, le gouverneur plaide qu'après « la malheureuse catastrophe de Trichonopoly », il ne pouvait imaginer de se « soumettre au joug honteux » que Saunders voulait imposer aux Français.

Alors qu'à Paris les intrigues se multiplient, attisées notamment par La Bourdonnais et ses amis, Machault envoie des instructions à Godeheu que celui-ci ne doit ouvrir qu'une fois en mer. À son tour, et avec les mêmes précautions, le secrétaire d'État de la Marine Rouillé envoie ses ordres à Godeheu, le 29 octobre 1753. Désormais toute expectative est abolie, les décisions tombent, brutales. Le commissaire du roi est nommé au gouvernement général de l'Inde, en remplacement de Dupleix, qui sera arrêté et embarqué sur l'un des premiers vaisseaux qui partira pour la France. Le 5 décembre 1753, Machault atténue la rigueur des mesures prises à l'encontre du proconsul. Si celui-ci remet spontanément son commandement, il partira à la date qu'il choisira, sinon on se saisira de sa personne, ainsi que de celles de sa femme et de sa fille, pour les renvoyer au plus vite en métropole. Parmi d'autres sanctions, figure le rappel de Bussy, disposition qui ne sera pas appliquée. Le principal objet de Godeheu consiste à rétablir la paix de conserve avec Saunders. Le nouveau chef quitte Lorient, le 31 décembre 1753, à la tête de six navires et de 1 623 soldats. Trois mois plus tard, six navires, portant 2 060 hommes et 306 canons, s'éloignent de Plymouth et font route vers l'Inde.

Godeheu jette l'ancre dans le port de Pondichéry, le 1er août 1754, à l'heure du crépuscule. Il descend de son vaisseau le lendemain à quatre heures de l'après-midi et apprend à son ancien ami que Louis XV a signé l'ordonnance lui commandant de rentrer dans sa patrie sans perdre de temps. Dupleix ne fait aucune difficulté, et même ne semble pas affecté, alors que la Bégum tombe dans une prostration profonde. Il transmet ses pouvoirs à son successeur, commence à établir la liste de ses créances — il a tiré de l'argent de sa caisse personnelle pour guerroyer au nom de la Compagnie — et celle de ses dettes. Le rêve d'être intronisé nabab du Carnatic, celui de dominer l'Anglais et le Moghol, celui de lancer des expéditions aux quatre coins de l'Asie, cette épopée imaginée et entamée est remisée dans les tiroirs de sa mémoire par un homme que son épouse, plus que l'Inde, a entraîné sur les chemins du pouvoir. Ayant perdu la partie, Dupleix, qui n'est pas un aventurier ni un colonial curieux d'horizons nouveaux, prépare son retour comme un petit agent au terme de son séjour. Une nuance, cependant. Indécrottable parvenu, il emporte de quoi épater : un cheval de Perse qu'il compte offrir au roi ! Deux chameaux, des singes, des soieries, des éventails de Chine, des meubles, de l'argenterie, des bijoux et 10 esclaves. Le 15 octobre 1754 arrive le moment d'embarquer. Peu d'émotion de la part de la victime et de la population. Désespoir chez la Bégum qui perd sa patrie et la puissance, mais qui jusqu'à sa mort proche conservera une dignité fière. Dupleix redeviendra ce qu'il était : un affairiste pas toujours heureux. Il finira sa vie ruiné. Le proconsul avait inquiété le commerce et les ministres par son intransigeance à l'égard des Anglais, avec lesquels, sans rien compromettre, il aurait pu partager la suzeraineté sur le Carnatic. Les bruits les plus insensés courent à son sujet. Ainsi, le 15 janvier 1755, cinq mois avant qu'il ne débarque à Lorient, le marquis d'Argenson note : « On dit que M. Dupleix s'est déclaré roi de nos établissements dans l'Inde, qu'il a gagné l'armée pour lui, qu'il est riche de plus de 200 millions, et s'est allié au Moghol, aux nababs voisins et aux Anglais. Entre autres richesses, on dit qu'un nabab ayant fait notre Compagnie sa légataire universelle, il lui en a relâché 25 millions et a gardé le reste, allant à 80 millions. On ajoute que ce roi de l'Inde a fait tirer sur notre escadre approchant de Pondichéry, et qui a été obligée de se retirer à l'île Bourbon. »

Avant même le départ de son encombrant prédécesseur, Godeheu entreprend de négocier avec les Anglais. La levée du siège de Trichonopoly rend possible une suspension d'armes jusqu'au 11 janvier 1755. Le 26 décembre suivant, Saunders, fort des troupes nouvellement reçues et de l'appui de l'escadre de Watson, impose la signature d'un traité à soumettre à l'approbation de Versailles et de Londres. Conformément aux instructions de la Compagnie, le gouverneur français a obtenu que les affaires du Deccan ne soient pas discutées. Dans ces conditions, sur quoi les deux parties se sont-elles accordées ? Quelques points principaux se dégagent. D'abord, les deux Compagnies renoncent à jamais à toutes dignités maures et n'interviendront pas dans les conflits entre princes locaux. D'un trait de plume Godeheu abandonne la nababie du Carnatic si chère à Dupleix, délaisse ses alliés Mahrattes et Mysoriens et reconnaît la suprématie anglaise dans l'Inde méridionale. Cette mesure n'aurait pas été désastreuse si elle s'était complétée d'une nouvelle stratégie française dans l'Inde. Il n'en fut rien. Les Anglais font donc reconnaître Méhémet Ali, leur instrument, nabab d'Arcate. Ensuite, la Compagnie française accepte que sa rivale, ou plutôt son ennemie, sous le fallacieux prétexte d'un partage d'influence égal, s'approprie certains de ses districts, Devicotta, par exemple, et au nom d'une étrange indivision, s'empare pour moitié de Divy et de Mazulipatam, portes maritimes du Deccan. Godeheu, en signant le traité du 26 décembre, n'a pas trahi. Il scelle l'échec du marquis dans la seconde guerre du Carnatic et se plie devant un rapport de force favorable aux Anglais. Le grand responsable de cette débâcle diplomatique n'est autre que Dupleix. Dès le milieu de l'année 1751, il adhère à la stratégie de Bussy, qui consiste à établir sur le Deccan le protectorat de la France, dont un revenu fixe doit assurer le financement. Première faute du gouverneur : il n'informe pas la Compagnie ni la Cour de sa politique. Deuxième faute : la mainmise sur le Deccan oriente la stratégie française vers le nord, vers le riche Bengale. Or, le proconsul, tout en envisageant d'étendre son influence sur l'axe indo-gangétique, s'acharne non seulement à vouloir dominer le Carnatic, mais pis, à s'emparer de Trichonopoly, ville méridionale de la province et de surcroît à proximité du Tanjore, État allié des Britanniques.

Dupleix a été un opportuniste, non un stratège politique : il saisit les « occasions » comme il dit, mais ne voit pas loin, à moins qu'il ne se soit aveuglé par sa jalousie pour Bussy qui, en établissant son protectorat sur le Deccan, était devenu le concepteur et le chef de l'expansion française dans l'Inde. Les Anglais, eux, percevront juste. Dès qu'ils ont restauré la paix dans le Carnatic, ils tournent leurs yeux vers le nord, que bientôt ils vont investir en force. Dupleix, empêtré dans son ambition de devenir un prince indien, va d'un excès à l'autre, d'une guerre sans avenir stratégique à des projets marqués par la mégalomanie. Il perd la mesure de la réalité et le sens de la perspective. Il ne devine pas ce que les Britanniques distinguent et qu'Alain Daniélou résume en quelques lignes sévères : « L'idée de conquérir l'empire des Indes en ayant pour base Pondichéry, petit village au sud de la côte brûlante et semi-désertique de Coromandel, sans port ni défenses naturelles, était en soi une complète absurdité, surtout alors que le principal opposant avait comme base le riche Bengale et l'énorme port de Calcutta. » Jugement semblable chez Claude Farrère en qui l'officier de marine ne se laisse pas distraire par le romancier. « À nos yeux d'hommes du xxᵉ siècle, la prépondérance du Nord sur le Sud est évidente, éclatante. Dupleix, entamant le Bengale par l'Hougly était dans le vrai, et les gens de Madras et de Pondichéry dans l'erreur. Par malheur, ce qu'on voit clairement après deux siècles d'efforts n'était qu'obscurité pour ceux qui entamaient l'œuvre. À telles enseignes qu'en 1741 [...] même Dupleix n'eut un instant la pensée que c'était à Chandernagor, non à Pondichéry, que le gouvernement général devait logiquement être transféré, et que l'avenir des Indes en eût été, presque à coup sûr, changé du tout au tout. »

Tandis que Dupleix part pour la France, Bussy, déjà en cour auprès de Godeheu, rédige à l'intention de la Compagnie un mémoire où il dresse un bilan de l'action de son ancien chef et de lui-même, et où il résume sa pensée sur la méthode à utiliser dans l'Inde et l'objet à y atteindre. « Pour bien apprécier l'état présent de la nation française dans l'Inde, il faut se rappeler ces temps d'humiliation où les Français étaient forcés, pour le bien de leur commerce, d'aller timidement porter leurs présents et leurs hommages à de petits chefs de bourgades que nous n'admettons aujourd'hui à nos durbars [conseils] que lorsque nos intérêts l'exigent ; je ne parle pas d'un temps bien éloigné ; il n'y a que six ans que ce changement a commencé. [...] D'autre part, quelles étaient les bornes des établissements de la Compagnie avant l'expédition qui m'occupe depuis quatre ans ? Pondichéry, Karikal, Chandernagor en composaient à peu près toute l'étendue. Pouvait-on franchir ces bornes sans faire des bassesses et des présents, pour en obtenir la permission des *faussedars* ou fermiers du pays ? Et avec ces permissions à quelles avanies ne s'exposait-on pas ? Alors le commerce de la Compagnie relativement au nombre, à la qualité, à l'étendue de ses établissements était si borné qu'avec tout son or et son argent elle ne faisait que glaner ce qui avait échappé à la main avide des nations jalouses de la nôtre. [...] À de si grands maux, il fallait de grands remèdes. Il s'en présenta enfin un que M. Dupleix crut spécifique, et dont il se servit avec encore plus de succès qu'il n'avait osé en promettre, et que la Compagnie elle-même n'en aurait pu désirer jamais. Par le plus étrange de tous les événements, les Français virent celui qui devait être le soubab du Deccan faire à leurs pieds le personnage de suppliant, réclamer la protection de leur roi, lui faire hommage de sa personne et de ses États. Le sort pouvait-il jamais mieux présenter une occasion plus favorable de faire sortir la nation de l'obscurité et de l'ignominie où elle languissait depuis si longtemps, d'étendre les bornes jusque-là si étroites du commerce de la Compagnie. [...] Le gouverneur de Pondichéry la saisit avec empressement. [...] Je fus chargé de cette expédition. [...] Quatre cents Français ont traversé de vastes provinces, où jamais les Européens n'avaient pénétré, pour mener en triomphe le nouveau souverain sur le trône qu'ils lui avaient adjugé. Mais je n'ai jamais perdu de vue que je sers une compagnie commerciale à qui les succès militaires ne sont nécessaires qu'autant qu'ils peuvent rendre son commerce et plus étendu et plus florissant. Je me suis fait un devoir indispensable de plier mon goût et mes desseins à cette idée, et c'est ainsi que les campagnes des Français au Deccan ont procuré à la Compagnie deux sortes d'avantages qui excitent l'envie de ses rivales : avantages des richesses foncières, car elle possède aujourd'hui des fonds de terre d'un revenu considérable ; avantages des richesses casuelles, puisque ses possessions la rendent maîtresse de toutes les belles branches du commerce de la côte d'Orissa. Je crois en avoir assez dit pour faire comprendre quel intérêt a la Compagnie de se conserver en une si heureuse position. Mais qu'on ne l'oublie pas, les moyens qui l'y ont mise sont les seuls que l'on puisse et que l'on doive mettre en usage pour l'y soutenir. Les armes du roi ont procuré à la Compagnie tous ces avantages. Elles seules peuvent les lui conserver. [...] Car ils n'ont été donnés ces domaines, accordés ces privilèges, qu'à la charge d'entretenir la troupe française que le roi et la Compagnie ont accordée au soubab : en retirant cette troupe, il faudrait nous résoudre non seulement à perdre ces domaines, mais encore à les voir passer entre les mains de nos antagonistes qui ne manqueraient pas de prendre notre place. Et plût à Dieu que la perte de nos nouveaux domaines n'entraînât point celle des anciens ! »

Bussy fait de la pédagogie, contrairement à Dupleix qui a trop vécu une aventure personnelle. « Peut-être, estime R. Glachant, la disparition de l'Inde ne fut-elle pas tout à fait pour Dupleix un échec national. Peut-être le plus cruel de son infortune fut-il de voir s'abolir non pas une possibilité d'empire, mais son espoir professionnel d'une fin de carrière à la Dumas. » Il avait été appelé à siéger au collège des directeurs de la Compagnie. Quoi qu'il en soit, l'originalité de Bussy par rapport à son ancien chef réside dans sa capacité à voir neuf et loin. Sous sa plume, le Carnatic ne pèse pas lourd. Une stratégie d'avenir doit prendre appui sur les nouveaux domaines, le Deccan et l'Orissa, boulevards qui plongent vers l'opulent Bengale, à l'est, et vers Delhi, capitale du Grand Moghol, à l'ouest. Pour pousser plus loin les limites du protectorat français, on devine l'alliance, si instamment prêchée, avec les Mahrattes, ennemis de l'Islam, qui compensera l'insuffisance de la flotte royale et des transports maritimes. Car, s'accordant avec Dupleix, Bussy juge que le contrôle du commerce indien exige des moyens militaires et des conquêtes. Les Anglais prouveront bientôt la justesse de ses vues.

L'Inde a-t-elle été sacrifiée par le gouvernement « corrompu » de Louis XV, comme le répètent des générations d'historiens ? La question est trop complexe pour que l'on y réponde par oui ou par non. La décision de traiter avec l'Angleterre et de lui céder sur le Carnatic a été prise en fonction de nombreuses pressions. La France, dans son intérieur, vit dans la contestation permanente. Les privilégiés, parlementaires et haut clergé en tête, entretiennent une guérilla victorieuse contre la généralisation de l'impôt que veut imposer Machault. Ce ministre austère et réformateur y perd sa charge de contrôleur général des Finances, le 28 juillet 1754, pour conserver les sceaux de France et remplacer Rouillé à la Marine le 1er août de la même année. L'absence d'une réforme fiscale retarde le redressement rapide et d'envergure de la nation, et interdit de s'engager dans de trop grands projets. Parlements et clergé assaillent aussi le pouvoir de leurs disputes sur l'interprétation de la bulle *Unigenitus* (1713) qui condamne le jansénisme. Les parlementaires, jansénistes et gallicans, partent en guerre contre le clergé ultramontain. Louis XV, très patient, et Machault, sur tous les fronts, tentent de faire taire les divisions. Ce climat de guérilla constante paralyse le gouvernement, interdit les réformes intérieures, empêche la mobilisation des Français contre l'impérialisme des capitalistes anglais, bref, rejette l'essentiel dans la tourbe des affaires secondaires. Néanmoins, la Marine, grâce à deux bons ministres souvent oubliés dans l'ombre, se relève, passant en quelques années de 38 vaisseaux à 63 voire 72, mais l'échec de la réforme fiscale freine un développement plus hâtif. Aussi la flotte royale abandonne-t-elle la domination des mers à la Navy, deux fois plus nombreuse, et ne peut-elle envisager de placer la mer des Indes dans le groupe des zones maritimes où elle doit intervenir. La priorité va à l'Atlantique, à la mer des Antilles et à la Méditerranée. En période d'hostilités européennes, tout secours aux possessions de l'Inde paraît exclu ou, dans le cas contraire, condamné à ne pas être soutenu. L'insuffisance structurelle de la Marine royale, touchant au nombre des vaisseaux et des matelots ainsi qu'à la qualité du commandement, limite les ambitions coloniales de la nation et contraint le pouvoir à faire des choix et à ne pas créer des secteurs de rivalité avec les Anglais.

L'Angleterre l'emporte aussi sur la France dans le domaine des forces terrestres d'outre-mer, grâce à l'abondance de ses milices de l'Amérique continentale, qui lui permettent de convoyer largement des unités réglées sur d'autres théâtres militaires. Par ailleurs, elle peut renouveler ses troupes de conquête et d'occupation sans courir le moindre risque puisqu'elle tient la mer. Le contexte global est dévaforable à la France : Louis XV et ses ministres en sont conscients, d'où leur volonté de ménager l'humeur de Londres. Mais il ne s'agit pas de capituler avant l'événement. Aussi Machault et Rouillé envoient-ils des troupes de renfort dans toutes les colonies. L'Inde n'a pas été oubliée : Godeheu n'y débarque-t-il pas avec près de 2 000 hommes ? Jamais le roi n'a nourri une quelconque résignation d'abandon de ses possessions lointaines. Au contraire, il a tenté d'équilibrer le rapport de force qui penchait en sa défaveur. Mais on pouvait prévoir l'échec de ses efforts : au Canada, à cause de la domination démographique des Américains, dans l'Inde, à cause de la toute-puissante Navy. Autant La Galissonnière et Duquesne se sont dépensés pour donner à la Nouvelle-France des frontières protégées et une défense efficace, autant Dupleix a-t-il lui-même dégradé son œuvre dans le Carnatic. Les fautes d'entêtement, de tactique — multiplicité des projets, dispersion des troupes, ignorance de la contrainte maritime —, et le bilan final légué à Godeheu font de l'autocrate de Pondichéry un aventurier, non un constructeur d'empire. En réalité, et quoique prétende la légende, c'est Bussy, bon chef militaire et homme politique à la vision large, qui a dirigé le fulgurant déploiement français dans le sous-continent. La Compagnie et la Cour opinent dans ce sens et, modifiant inconsciemment leur stratégie, refusent d'abandonner le Deccan et les districts de l'Orissa. Mais le roi et ses ministres, déjà en conflit avec les Anglais en Amérique, bridés dans le domaine fiscal et financier par l'hostilité des parlements, critiqués par une élite « éclairée » que le patriotisme a désertée, ne peuvent faire plus que de sauver les meubles, espérant ainsi préserver l'avenir. Alors que dans toutes ses colonies, la France est sur la défensive, l'Angleterre, encouragée et poussée par son opinion nationale, achève, en ces années d'entre-deux-guerres, de mettre en place le dispositif qui lui permettra de réussir un remaniement de la carte maritime et coloniale, comme l'on n'en avait plus vu depuis l'époque où les Hollandais avaient dépouillé le Portugal de la partie asiatique de sa puissance.

Sans négliger l'Inde française, qui n'est pas un empire effectif mais une simple zone d'influence où le commerce se cantonne dans des limites très modestes, Versailles consacre ses premiers soins aux Antilles qui fournissent de beaux revenus et au Canada où vivent quelque 70 000 Français. Dans la mémoire nationale, l'Inde conserve l'éclat fabuleux et nostalgique des rêves brisés ainsi que « ce vieux charme de patrie que rien ne remplace ». Pierre Loti, éternel pèlerin, n'a pas manqué le voyage sentimental auquel l'histoire l'invitait : « Pondichéry ! [...] De tous ces noms de nos colonies anciennes, qui charmaient mon imagination d'enfant, celui de Pondichéry et celui de Gorée étaient les deux qui me jetaient dans les plus indicibles rêveries d'exotisme et de lointain. [...] Oh ! la mélancolie d'arriver là, dans cette vieille ville lointaine et charmante, où sommeille, entre des murailles lézardées, tout un passé français ! Des petites rues un peu comme chez nous, au fond de nos plus tranquilles provinces ; des petites rues bien droites, aux maisonnettes basses, aux maisonnettes centenaires, blanches de chaux sur un sol rouge ; des murs de jardins, d'où retombent des guirlandes de liserons ou de fleurs tropicales ; des fenêtres grillées derrière les barreaux desquelles on aperçoit quelques figures pâles de femmes créoles, ou bien des métisses, trop jolies, avec du mystère indien dans les yeux [...] rien, dans l'Inde merveilleuse que j'ai déjà vue ou que je vais parcourir encore, ne saurait me retenir comme ce petit coin de France, égaré au bord du golfe de Bengale. » Au XVIIIᵉ siècle, le marquis d'Argenson ne nourrit pas la nostalgie émue des conquêtes perdues et des paysages exotiques. Le 18 juin 1755, dans son *Journal*, il note le retour de Dupleix en des termes qui expriment toute sa pensée sur la patrie des nababs et sur le gouverneur français. « On a nouvelle que le célèbre M. Dupleix vient d'arriver à Lorient avec toutes ses richesses, et on l'attend à la cour ces jours-ci. Il a demandé une escorte de maréchaussée pour garder ses pierreries ; sa femme a une parure de diamants noirs qui sont d'un prix inestimable. » Ces lignes disent, sur le ton du commérage, le dégoût de l'ancien ministre pour la vulgarité de l'aventurier nouveau-riche et, au-delà, son mépris des possessions où fleurit l'argent, source de corruption et de dépravation. Un raisonnement représentatif de l'époque, marqué au coin du jansénisme : fausse vertu et jugement faux.

CHAPITRE V

La domination maritime et coloniale de l'Angleterre. Perte du Canada, de la Louisiane et échec des ambitions françaises dans l'Inde

« L'Europe entière, écrit Voltaire dans son *Précis du Siècle de Louis XV,* ne vit guère luire de plus beaux jours que depuis la paix d'Aix-la-Chapelle, en 1748, jusque vers l'an 1755. Le commerce florissait de Pétersbourg jusqu'à Cadix ; les beaux-arts étaient partout en honneur ; on voyait entre toutes les nations une correspondance mutuelle ; l'Europe ressemblait à une grande famille réunie après ses différends. » Alors éclate le tonnerre annonciateur de l'orage dévastateur. « Les malheurs nouveaux de l'Europe semblèrent être annoncés par des tremblements de terre qui se firent sentir en plusieurs provinces, mais d'une manière plus terrible à Lisbonne qu'ailleurs. Un grand tiers de cette ville fut renversé sur ses habitants ; il y périt plus de trente mille personnes : ce fléau s'étendit en Espagne ; la petite ville de Sétubal fut presque détruire, d'autres endommagées ; la mer, s'élevant au-dessus de la chaussée de Cadix, engloutit tout ce qui se trouva sur son chemin. » Ce tableau, en ce qu'il a de lumineux, reflète la situation économique de la France avec fidélité. En effet, le royaume connaît la prospérité, notamment dans ses provinces maritimes qu'irrigue le commerce colonial. Par ailleurs, depuis l'alliance contractée avec l'Autriche, il se sent à l'abri de toute menace continentale. L'Angleterre, quant à elle, poursuit son évolution malgré quelques tensions sociales : le capitalisme développe son emprise sur l'agriculture, les grands ports de l'Ouest, Liverpool, Bristol, Glasgow prennent conscience de l'importance des marchés coloniaux et stimulent le mouvement d'industrialisation.

Trahison de l'élite française et double front anglo-prussien

Sur le plan militaire, la Grande-Bretagne, depuis la chute des Stuart, doit, comme la France, être présente sur deux fronts. Sur le continent, la défense du Hanovre l'a contrainte à s'allier à Frédéric de Prusse qui réclame troupes et subsides. Sur mer, sa flotte, deux fois supérieure à celle du Bien-Aimé, est en droit d'aspirer à la maîtrise absolue, alors que la France ne peut que souhaiter sauver sa liberté de communication avec ses colonies. Autant le projet anglais est marqué par l'esprit offensif — la domination mondiale —, autant celui de Louis XV est empreint d'un sentiment défensif, replié sur la conservation des possessions et non sur leur agrandissement. On en revient au schéma de la guerre de Succession d'Autriche auquel la France s'est, en réalité, résignée depuis la mort de Seignelay.

Cette incapacité de la nation à hisser son armée navale au niveau de celle de son ennemie n'est pas imputable aux milieux de la Marine mais à la société politique. En 1749, Machault institue le vingtième, qui frappe toutes les couches sociales, au prix d'un lit de justice. Les privilégiés commencent alors ce que l'on appelle la « guerre de l'impôt ». L'Église refuse de payer, et le roi, vraiment peu despotique, l'exempte de la nouvelle imposition en 1751. Aussitôt l'hostilité des parlements se réveille. Les cours souveraines partent en campagne contre le Conseil du roi ou Conseil d'État et indirectement contre le monarque. L'obstruction à l'enregistrement des actes du pouvoir s'institutionnalise, les remontrances éclatent comme des mines à chaque décision gouvernementale, bref ces messieurs des parlements revendiquent, au nom d'une histoire institutionnelle accommodée par leurs soins, d'être les seuls conseillers du prince. « Les compagnies supérieures, note Michel Antoine, ne visaient finalement qu'à tout ramener à elles. En confisquant à leur profit l'autorité royale, la souveraineté populaire et le rôle du Conseil, elles rêvaient d'un gouvernement d'assemblée concentré en leurs mains. » Cette grande trahison des privilégiés bat son plein pendant toute la guerre de Sept Ans, pour n'être réprimée qu'en 1770. En 1756, Machault ayant changé de portefeuille pour complaire au haut clergé et aux parlementaires, ses successeurs, Moreau de Séchelles et son gendre Peyrenc de Moras, de passage au contrôle général des Finances, créent un deuxième vingtième pour financer la guerre. Le 1er août, rapporte Barbier, le monarque déclare à son Conseil : « Je suis surpris que mon Parlement n'ait pas encore procédé à l'enregistrement des trois déclarations qu'on lui a adressées par mon ordre le 5 juillet dernier. Mon intention est qu'on y procède sans aucun retardement. » Le 5 août suivant, le premier président et les députés du Parlement de Paris se rendent à Compiègne pour exposer leurs représentations au souverain. Celui-ci répond à ses visiteurs, que le chancelier a pris la peine de recevoir à dîner : « Je suis seul en état de juger des circonstances des affaires de mon royaume : je suis fâché que ces circonstances m'obligent à imposer de nouveaux droits sur mon peuple. [...] L'enregistrement n'en a été que trop longtemps différé, j'entends qu'il y soit procédé demain, sans délai. » Malgré le conflit contre les Anglais, les parlementaires refusent d'obtempérer et pour satisfaire à leurs prétentions se comportent en sujets félons. La délégation parlementaire est alors convoquée le 21 août, à Versailles, où, au cours d'un lit de justice, le chancelier prononce l'enregistrement immédiat des mesures royales. « Le roi est occupé à une guerre sérieuse pour laquelle il lui faut de l'argent, commente Barbier, et il ne songe qu'à cela. Quant à présent, le Parlement fera, tant qu'il voudra, des protestations contre le lit de justice et la forme de l'enregistrement. » En 1759, les recettes s'élèvent à 285 millions de livres, mais les dépenses atteignent 503 millions. Le contrôleur général de Silhouette propose la perception d'un troisième vingtième. Le déchaînement des privilégiés fait céder le monarque, qui se sépare de son collaborateur. Devant la gravité de la situation, Bertin successeur de Silhouette au contrôle général, demande à son tour la création d'un troisième vingtième et d'une capitation double (1760). Les parlements poussent des cris d'indignation et appellent à ne pas acquitter l'impôt, faisant ainsi le jeu de l'ennemi, affaiblissant la capacité d'emprunt de la France et alourdissant dangereusement l'endettement national. En 1763, tandis que le déficit annuel moyen depuis l'ouverture des hostilités se situe à environ 50 millions, Bertin est obligé de supprimer le troisième vingtième, mais réclame une révision des privilèges.

La perspective d'une réforme fiscale horrifie les parlementaires qui, à nouveau, bloquent en partie la machine gouvernementale. Alors, Choiseul, leur complice, pousse Louis XV à une capitulation lamentable : L'Averdy, conseiller au Parlement de Paris et représentant du milieu parlementaire, est porté au contrôle général des Finances. Pendant une longue partie du règne du Bien-Aimé, et particulièrement pendant les années cruciales qui vont du début de la guerre de Succession d'Autriche à la fin de la guerre de Sept Ans, soit de 1740 à 1763, les privilégiés ont travaillé à ruiner la puissance française avec un acharnement inlassable. Ce qui permet à R. Mousnier d'écrire : « Les cours souveraines ont une lourde responsabilité dans les défaites de la guerre de Sept Ans et la perte de l'Empire colonial. » Les parlements ne limitent pas à l'impôt leur action attentatoire au destin de la nation en guerre. En 1761, à la suite des difficultés où les jésuites de la Martinique sont plongés, la cour parisienne découvre que le combat contre les fils de Loyola a priorité sur la lutte contre l'Anglais et le Prussien ! Contre le vœu du roi, mais avec la connivence de Choiseul, le Parlement de Paris prend connaissance des *Constitutions* de l'ordre, c'est-à-dire ses statuts, s'émeut hypocritement de l'obéissance et de la discipline qu'ils imposent à leurs membres, et pour finir ordonne le 1ᵉʳ octobre de brûler et lacérer un certain nombre de livres faits par les jésuites et imprimés depuis 1590 (!), « comme séditieux, destructeurs de la morale chrétienne, enseignant une doctrine abominable, non seulement contre la sûreté et la vie des citoyens, mais encore contre celle des personnes sacrées des souverains ». Également, les robins interdisent la fréquentation des collèges que les pères tiennent dans le ressort de leur juridiction. Aussitôt, les cours provinciales emboîtent le pas, malgré quelques réticences, divisant la nation au moment où l'union lui est le plus nécessaire, et démolissant l'enseignement secondaire en fermant la centaine de collèges qui formaient l'élite du royaume. Au nom d'un gallicanisme et d'un jansénisme fallacieux, les magistrats affaiblissent un peu plus le pouvoir sous le regard satisfait de l'ennemi. Louis XV, malgré lui, abolit l'ordre dans ses pays par l'édit de novembre 1764. Cette mesure étend ses effets hors du royaume. Ainsi, 200 jésuites français doivent quitter leurs missions de Chine, d'Indochine, d'Inde, du Proche-Orient et des Antilles. Sous la pression de Choiseul, l'Espagne suit l'exemple de la France, que seul le Portugal de Pombal avait précédée : dès 1759. La papauté elle-même cédera à ce mouvement dont les mobiles affichés ne recoupent pas les arrière-pensées. « Le 21 juillet 1773, constate Monseigneur Delacroix, Clément XIV, par le bref *Dominus ac Redemptor*, supprimait la Compagnie, fermait ses collèges, mettait les scellés sur ses biens et privait ainsi la papauté des services parfaitement organisés de 22 589 religieux dont 11 293 prêtres, parmi les mieux formés et les mieux outillés qui, en 6 assistances et 49 provinces, dirigeaient 61 noviciats, 24 maisons de formation de missionnaires, 171 séminaires, 350 résidences, 669 collèges, assuraient le culte dans 1 542 églises et avaient pris en charge 271 missions. Avec eux, 3 000 missionnaires disparaissaient ou voyaient leur apostolat entravé. [...] Sous la pression des philosophes, l'Église elle-même démantèle ses forteresses. [...] La suppression de la Compagnie de Jésus fut une catastrophe irréparable. Les missions protestantes allaient en maint endroit prendre la place ainsi laissée libre. » Comble de l'ironie, Frédéric II, monarque de la religion réformée et despote éclairé aux dires des esprits de progrès, ne calquera pas sa conduite sur celle de ses cousins papistes : en l'étrange compagnie de l'orthodoxe Catherine la Grande, il accueillera les meilleurs auxiliaires de Rome !

La France, en proie à l'entreprise de sabotage intérieur que conduisent les privilégiés, se trouve dans une position délicate pour défendre ses colonies qui sont d'autant plus vulnérables que la guerre de l'impôt rogne les moyens financiers réclamés par la Marine. Les Français, dont le territoire continental n'est pas envahi, n'auront pas une perception claire de l'enjeu d'une conflagration sciemment voulue par le capitalisme whig. N'engendrant ni privations ni souffrances, la guerre de Sept Ans, comme déjà celle de Succession d'Autriche, fera figure de guerre extérieure dont l'évocation animera les conversations et excitera les disputes. Contrairement à toute attente, les premiers événements sourient à Versailles. Une escadre commandée par La Galissonnière dépose 12 000 hommes aux ordres du maréchal de Richelieu sur l'île de Minorque, le 18 avril 1756. Le duc en chasse les Anglais, pendant que La Galissonnière et l'amiral Byng échangent de prudentes canonnades. Peu de temps après, les Français occupent la Corse pour le compte de Gênes et estiment trop hâtivement qu'ils dominent la Méditerranée. Le roi pense que le conflit connaîtra une issue rapide. Aussi, le 1er mai 1757, l'alliance franco-autrichienne prend-elle dans le deuxième traité de Versailles un tour offensif. Vienne s'engage à donner ses Pays-Bas (la Belgique actuelle) à Louis XV, une fois la défaite de Frédéric II consommée. Le succès ne semble pas quitter les armées royales : le duc de Richelieu bat l'armée anglaise du Hanovre qui capitule et s'engage à ne plus servir jusqu'à la paix (8 septembre 1757). Cette promesse ne sera respectée que pendant quelques mois. Alors même que la France croyait la victoire proche, la situation se retourne lentement. Frédéric II, qui avait envahi la Saxe dès le mois d'août 1756, gagne, après quelques revers, la bataille de Rossbach contre les Franco-Allemands (5 novembre 1757), et celle de Leuthen contre les Autrichiens (5 décembre 1757). En Angleterre, Pitt revient au pouvoir (29 juin 1757) en compagnie de Newcastle, autre homme politique énergique. Une nouvelle stratégie anglo-prussienne prend forme, que sanctionnera le traité d'alliance du 11 avril 1758. L'Angleterre renonce à combattre sur le continent, préférant verser d'abondants subsides à Frédéric II. Elle fera porter tout son effort sur la guerre navale et coloniale, brillamment servie par Anson à l'amirauté et par des amiraux comme Boscawen et Hawke.

Les conceptions de Pitt connaissent une réussite rapide et l'adhésion pleine et entière de la Grande-Bretagne qui veut dominer les mers pour s'approprier les possessions ultra-marines et le commerce colonial de la France. « C'est de l'Amérique que sortit la guerre de 1755 », diagnostique sagement l'abbé Raynal. « La culture des colonies françaises, dont l'accroissement rapide étonnait tous les esprits attentifs, dit-il encore, réveilla la jalousie anglaise. » Et l'auteur de ce volumineux livre à succès que fut l'*Histoire philosophique des deux Indes*, ne peut s'empêcher de rendre un hommage vibrant à Pitt, dans lequel cet ancien jésuite ne voit pas le porte-parole du capitalisme britannique, mais le représentant de ce patriotisme ambitieux qui fait si cruellement défaut à la France. Dans son éloge, le vieux sage met beaucoup de nostalgie et de tristesse. « Jusques au ministère de M. Pitt, toutes entreprises de sa nation dans les contrées éloignées avaient eu et dû avoir une issue funeste, parce qu'elles avaient été mal combinées. Pour lui, il forma des projets si sages et si utiles ; il fit ses préparatifs avec tant de prévoyance et de célérité ; il combina si juste la fin avec les moyens ; il choisit si bien les dépositaires de sa confiance ; il établit une telle harmonie entre les troupes de terre et de mer ; il éleva si haut le cœur anglais, que son administration ne fut qu'une chaîne de conquêtes. Son âme, plus haute encore, lui fit mépriser les vains discours des esprits timides, qui blâmaient ce qu'on nommait ses dissipations. Il répétait après Philippe, père d'Alexandre, *que l'on devait acheter la victoire par l'argent, et non conserver l'argent aux dépens de la victoire.* » Le renouvellement de la stratégie anglaise va bientôt se prolonger en France. Un officier général et ancien ambassadeur à Rome, le comte de Stainville, bientôt duc de Choiseul — dont on peut se demander si Raynal n'a pas fait le contre-portrait en peignant Pitt — en est le concepteur et le maître d'œuvre. Pendant douze ans, de décembre 1758 à décembre 1770, ce personnage d'intelligence vive mais superficielle, habile mais intrigant au point de vouloir régenter son maître et subjuguer le pouvoir royal, bref cet homme tout à la fois brillant et vulgaire, plus soucieux d'établir sa réputation en jetant de la poudre aux yeux qu'en exposant des vues pénétrantes ou en s'attelant à des réformes profondes, va dominer le gouvernement de Louis XV. Cumulant les portefeuilles ou les échangeant avec son cousin Praslin, il dirige les Affaires étrangères, la Guerre, la Marine et les Postes : c'est un Premier ministre de fait. M. de Stainville, comme tous les officiers de l'armée de terre qui n'ont servi qu'en Europe, ne nourrit aucun préjugé favorable aux colonies, sauf à en tirer de l'argent et par n'importe quel moyen. Pour faire pièce à l'Angleterre, qui se mobilise pour détruire la Marine royale et dépouiller Versailles de ses colonies, il décide, après et avant bien d'autres dans notre histoire, de concentrer les forces de la nation dans une opération de descente en Angleterre. Ce faisant, le Pitt français répudie la politique de sauvegarde des communications avec les possessions lointaines — abandonnant celles-ci à leur sort — pour rêver d'une puissante offensive navale pour laquelle vaisseaux et autres navires plus légers lui manquent cruellement. Cette faute de jugement du maréchal de camp promu lieutenant général et du comte devenu duc vaut deux défaites maritimes à la France : celle de La Clue, à Lagos, au large de la côte portugaise, le 17 août 1759, et celle de Conflans, sur le littoral du Morbihan, aux Cardinaux, le 20 novembre de la même année. Ces désastres affligeants enfouissent le projet insensé d'invasion de la Grande-Bretagne dans les poussières de l'oubli.

La position du roi devient critique. Sur le continent, l'alliance franco-autrichienne fait l'objet d'un troisième traité au mois de mars 1759. Versailles renonce aux Pays-Bas autrichiens, et en contrepartie réduit l'aide en subsides et en hommes qu'elle fournissait à Vienne.

Alors, Ferdinand VI d'Espagne, que Louis XV avait vainement tenté de s'allier, meurt, cédant le trône au francophile Charles III. Choiseul renoue les fils de la négociation et le 15 août 1761, Versailles et Madrid signent un traité auquel s'associent les Bourbons de Naples et de Parme : c'est le Pacte de Famille, dont Choiseul, toujours optimiste suppute qu'il contrebalancera la puissance navale du cabinet de Saint-James. En réalité, la situation ne cesse de se dégrader. Les Russes battent Frédéric II à Kunersdorf, le 12 août 1759, mais ne tirent aucun avantage de leur victoire. Choiseul engage des négociations avec Pitt en 1760 : elles échouent, tandis qu'au loin nos colonies s'effondrent sous les coups de boutoir anglais. La conclusion du « Pacte de Famille » apaise-t-elle les tensions ? Au contraire, Pitt demande à riposter en s'attaquant aux possessions espagnoles. George III, conseillé par les tories, refuse, bien à tort. Pitt démissionne en octobre 1761. Les Bourbons profiteront-ils de la volonté de paix de George III et de Lord Bute, son ministre de confiance ? Non ! À peine l'Espagne entre-t-elle en guerre que la Navy la dépossède de La Havane et de Manille. Devant la puissance continentale de Frédéric II et la puissance maritime de Londres, il ne reste qu'à s'incliner. C'est ce que font les coalisés aux traités d'Hubertsbourg et de Paris, en janvier et février 1763. Rarement la France a subi paix aussi désastreuse. Louis XV a fait ce qu'il a pu. En pleine guerre, il lui a fallu affronter les dissensions allumées par les privilégiés, mais aussi chercher sans succès un serviteur d'envergure. Choiseul, quant à lui, n'est que l'un des trois fossoyeurs de la monarchie, avant Vergennes et Necker. Le Français moyen, pour sa part, fait son jugement à partir du seul mouvement de la toute-puissante République de l'Opinion. Que dit l'honnête Barbier à propos du traité de Paris ? « On n'en sait pas positivement les conditions, mais on se doute bien qu'elles sont fort désavantageuses pour nous, et toutes à la gloire de l'Angleterre. Il en a coûté beaucoup aussi à l'Espagne, pour le peu de temps qu'elle a pris part à cette guerre. »

La perte du Canada : la déconfiture de Montcalm

Louis XV, dont la conciliation n'a pu conserver la paix, s'engage dans la guerre, décidé à en finir vite et victorieusement. En 1755 et en 1756, les escadres royales ne transportent pas moins de 6 000 hommes au Canada. La cour sait que Londres l'a contrainte à la guerre pour s'emparer de l'Amérique française. Elle n'ignore pas que l'Angleterre abreuve ses Treize Colonies de troupes et de subsides. Elle connaît la stratégie adverse : les années passées la lui ont enseignée. Les Anglo-

Américains, sous prétexte d'étendre leur espace vital à l'ouest, de s'établir dans la vallée de l'Ohio, mèneront une double offensive sur le Saint-Laurent : par la voie terrestre à l'ouest, par la mer à l'est. Sur place, dans la colonie, on apprécie que le roi ait une vue juste des ambitions du cabinet de Saint-James et qu'il soit déterminé à défendre le Canada. Le maréchal ministre de Belle-Isle écrit, le 13 janvier 1757, au gouverneur général de Vaudreuil : « Comme l'Amérique est la cause et le principe de la guerre, c'est à cette partie du monde que notre première attention doit se porter. » Et il ne craint pas d'ajouter : « Nous ne ferons jamais de paix solide avec l'Angleterre si nous ne pouvons avoir l'Acadie. » Aucun défaitisme insidieux dans les instructions des dirigeants, au contraire. De son côté, Peyrenc de Moras, qui a succédé à Machault au secrétariat d'État de la Marine, précise à l'intention du gouverneur de Louisbourg, le 11 mars 1758 : « Je ne puis trop vous recommander de bien réfléchir à l'importance de la colonie. » Les intelligences ne cèdent pas à la tentation d'abdiquer, elles sont animées de la volonté ferme de défendre, voire de reconquérir, elles sont habitées par une morale de l'effort.

La stratégie militaire s'efforce de donner à la volonté royale les moyens de s'accomplir. La Marine n'entreprendra pas d'opérations offensives où elle perdrait ses escadres, elle va s'employer à garantir la sécurité des communications entre la métropole et ses possessions, aussi bien pour servir le commerce que la guerre. Ainsi, Machault qui avait envoyé 3 000 hommes à la Nouvelle-France, en 1755, en fait transporter 3 000 autres, en 1756. Ce convoi, dans lequel se trouve Montcalm, venu remplacer le commandant général Dieskau, capturé, parvient à Québec au moment où l'amiral de La Galissonnière, ancien gouverneur général du Canada, s'apprête à débarquer le corps expéditionnaire de Richelieu à Minorque. En arrivant à Québec, Lévis, l'un des deux principaux officiers, avec Bourlamaque, à accompagner Montcalm, comprend tout de suite, comme l'a montré Ph. Masson, que la Marine devra rééditer chaque année les concentrations de 1755 et 1756, car elle seule peut assurer la protection de Louisbourg et de l'entrée du Saint-Laurent. « Toutes les forces de ce pays ne peuvent rien faire pour le bas du fleuve Saint-Laurent. C'est à nos forces navales d'Europe à nous tenir cette porte ouverte, sans quoi nous passerions mal notre temps. » Ainsi, tandis que les navires du roi dissuaderaient les Anglo-Américains de s'attaquer à Louisbourg et de remonter le Saint-Laurent pour assiéger Québec, les quelque 7 000 soldats, appuyés de miliciens et d'Indiens, verrouilleraient la voie terrestre d'invasion qui débouche sur Montréal. L'année suivante, en 1757, Machault, encore secrétaire d'État de la Marine, réitère ses instructions antérieures. Il commande à l'escadre brestoise de Bauffremont de rallier Louisbourg après avoir visité Saint-Domingue, à l'escadre toulonnaise de M. du Revest de faire voile vers le Canada, et enfin au lieutenant général Dubois de La Motte de quitter Brest à son tour pour prendre le commandement en chef de ce rassemblement atlantique. Les 18 vaisseaux et 5 frégates partis de France sont réunis devant Louisbourg à la fin du mois de mai. Dubois de La Motte envoie alors deux vaisseaux ravitailleurs à Québec d'où ils cingleront directement vers la France. L'amiral fait également travailler son monde aux fortifications de la citadelle, mais se garde d'attaquer la flotte des amiraux Holburn et Hardy, forte de 15 vaisseaux, qui fait une apparition prudente devant Louisbourg. Quoique passive, la présence du lieutenant général n'en a pas moins empêché le débarquement des troupes de Lord Loudoun. Le 24 septembre, une violente tempête se lève, causant pertes et dégâts à l'amiral Holburn, qui suspend sa surveillance ; ses bâtiments rallient les ports d'Amérique ou d'Angleterre. L'escadre française quitte à son tour Louisbourg le 30 octobre, chargée de malades et entre dans Brest le 23 novembre 1757, tandis que quelques unités se dirigent vers Rochefort. L'épidémie de typhus, qui faisait rage sur les navires, se propage en Bretagne où 10 000 personnes meurent, dont 3 600 marins. L'hôpital de Rochefort, où plus de 500 malades ont été admis, dénombrera 1 078 décès en 1758.

Ce désastre sanitaire, qui limite la capacité opérationnelle de Brest, se produit au plus mauvais moment : quand William Pitt revient au pouvoir. Par ailleurs, en privant la nation d'un dixième de ses marins, il ouvre la brèche aux critiques qui mettent en doute l'intérêt et la valeur de la guerre de communications. Première et immédiate conséquence de l'expédition catastrophique de Du Bois de La Motte : en 1758, le secrétaire d'État de la Marine, Peyrenc de Moras, abandonne la stratégie de concentration navale au Canada, qu'avait inaugurée son prédécesseur Machault. Il se contente de faire partir vers l'Île Royale trois petites divisions qui ne comptent que trois vaisseaux sur un effectif total de 18 navires ! Du Chaffault, qui commande cette campagne, rallie Louisbourg au mois de juin et y découvre l'amiral Boscawen entouré d'une escadre de 20 vaisseaux et de 18 frégates, portant 12 000 hommes aux ordres du général Amherst. Du Chaffault fait parvenir non sans peine quelques hommes en renfort au gouverneur de Drucourt, et, incapable d'intervenir directement à peine d'anéantissement total, fait un crochet par Québec et s'en retourne en France. Après deux mois de blocus et de siège, la garnison — un peu plus de 2 000 hommes — capitule (26 juillet 1758). L'Île Royale et l'île Saint-Jean tombent aux mains de l'ennemi ; l'inexpugnable citadelle de Louisbourg, prise pour la seconde fois, est rasée. La chute de la forteresse ouvre le Saint-Laurent et Québec aux flottes anglaises, et va convaincre Choiseul — s'il en était besoin — d'abandonner définitivement la stratégie de Machault. Le nouveau ministre écarte le Canada de ses préoccupations pour mettre en œuvre son grand projet : la descente en Angleterre ! Vaudreuil et Montcalm sont avertis sans ménagements : « Le roi a prouvé combien il a à cœur la conservation du Canada, écrit le duc, le 3 février 1759. Le point important, ajoute-t-il, est de conserver une partie de la colonie afin de recouvrer le reste à la conclusion de la paix. » Désormais, par la volonté d'un esprit faux, un rameau de race française est livré aux mouvements d'un sort dont chacun sait qu'il est anglais.

Depuis 1756, le destin de la Nouvelle-France est entre les mains de trois chefs aux origines et au tempérament très différents. Le lieutenant général de Vaudreuil appartient à une famille de marins et surtout de coloniaux. Il est né au Canada, dont son père fut gouverneur général, et son frère occupe, pendant que lui se trouve à Québec, les fonctions de gouverneur général de Saint-Domingue. En Amérique, Vaudreuil est chez lui ; la population des rives du Saint-Laurent le considère comme des siens et ne le cache pas. Montcalm, officier général, est un de ces commandants généraux recrutés dans l'armée de terre dont on flanque les administrateurs issus de la Marine. Ses instructions portent qu'il ne peut exercer le commandement que S. M. lui a confié que sous l'autorité du « gouverneur, auquel il est subordonné en tout ». Dans l'esprit de la Cour, cette formule est une clause de style destinée à ménager la susceptibilité du gouverneur, qui, dépossédé de la direction des troupes, est simplement informé par le commandant général. Vaudreuil, l'enfant du pays, ne l'entend pas de cette oreille et n'envisage pas de jouer les potiches. Montcalm, dont la froide réserve nîmoise détonne dans l'ambiance familière, bonne enfant et complice de la colonie, s'incline sans joie, et se résigne à tenir le second rôle, même en 1759, quand, nommé lieutenant général, le ministre décide qu'il sera consulté sur toutes les opérations militaires et sur toutes les parties de l'administration relatives à la défense de la Nouvelle-France. Versailles commet une faute grave en divisant le pouvoir militaire en pleine guerre, et manque de psychologie en subordonnant un « métropolitain » à un colonial. Si l'on excluait l'hypothèse logique d'un gouverneur, commandant en chef, il convenait au moins d'associer deux officiers de la même arme et de même origine, et non jumeler un marin avec un « terrien », et un colonial avec un métropolitain. L'intendant n'a pas changé depuis le gouvernement de La Galissonnière. Bigot, toujours en place, donne libre cours à ses talents de mondain, d'affairiste intelligent et d'escroc. Bien que les brèves années de la guerre canadienne aient coûté plus de 100 millions de livres au Trésor, l'argent a manqué. L'astucieux et peu scrupuleux Bigot continue, comme par le passé mais à une plus grande échelle, à faire du papier-monnaie à coups de lettres de change, pouvant ainsi pallier la pénurie d'espèces métalliques. Il ne s'arrête pas en si bon chemin. Très ingénieusement, il s'entoure de complices, un munitionnaire général assisté d'agents pour les achats et livraisons, des bailleurs de fonds, à qui l'on promet que le roi les remboursera, la paix revenue. Pour les importations françaises, il abandonne le port habituel de La Rochelle, et s'adresse à la Société du Canada, qu'a créée et que dirige le grand négociant juif de Bordeaux, Abraham Gradis. Ce système, qui fait la fortune de l'intendant et de quelques canailles, présente cet inappréciable avantage de permettre à la Nouvelle-France en guerre et bientôt coupée de la métropole de survivre. Les moyens utilisés sont malhonnêtes et choquent certains, dont Montcalm et son ami le commissaire des guerres Doreil, car ils favorisent les spéculations les plus abusives, mais ils ont le mérite de l'efficacité : ils permettent de financer l'approvisionnement des troupes, notamment. Ce n'est pas la première ni la dernière fois qu'un manieur d'affaires recourt à ces techniques. La gestion prévaricatrice de Bigot ne contrarie pas le cours de la guerre, au contraire puisqu'elle donne aux autorités les moyens financiers nécessaires à sa conduite : que ce soit au prix de détournements considérables est une autre affaire. Le partage du pouvoir militaire aura, lui, des répercussions graves et négatives sur l'évolution de la conjoncture. À travers Vaudreuil et Montcalm, deux conceptions stratégiques s'affrontent. Le premier penche pour une guerre à la canadienne, faite de mobilité, de coups de main et de harcèlements. Le second entend appliquer à la Nouvelle-France les règles en vigueur sur les champs de bataille européens. De cette divergence essentielle découleront controverses, disputes, confusion. À ce différend technique s'ajoute un élément où l'affectif et l'intellectuel se mêlent. Les Français, qui viennent de débarquer ne sympathisent guère avec les Canadiens. Le vieil antagonisme, qui a toujours opposé coloniaux et métropolitains, ne s'efface pas sous la pression mortelle de l'ennemi. Montcalm ne songe qu'à fuir un séjour où tout lui déplaît, et plusieurs fois, il supplie Versailles de le rappeler. Quant à Bougainville, le philosophe en exil, l'année même de son arrivée au Nouveau Monde, il confie à son frère : « Il semble que nous soyons d'une nation différente, ennemie même » (7 novembre 1756). Où que ce soit, et à toutes les époques, les métropolitains reprocheront aux coloniaux un mode de vie différent de celui de la mère patrie, et plus grave, une tendance naturelle et irrépressible à se constituer en nations particulières, dans l'oubli des paysages et des usages ancestraux.

Jusqu'en 1758, moment auquel la machine de guerre anglaise construite par Pitt entre en scène, emportant Louisbourg, le succès ne trahit pas Montcalm qui peut concentrer ses forces sur l'axe New-York-Montréal, que dessinent les rivières Hudson et Richelieu, et sur les rives méridionales des lacs Érié et Frontenac (Ontario). En 1756, sur l'insistance de Vaudreuil, le commandant général part « sans être assuré ni convaincu » vers le fort anglais d'Oswego, flanqué contre le lac Frontenac, d'où il contrôle les liaisons vers l'ouest et l'Ohio. Ses troupes, composées d'environ 1 500 réguliers, d'autant de Canadiens et de quelques Sauvages, obtiennent la reddition de la place ennemie, forte de 1 600 hommes, après une semaine de siège. Cette victoire stratégique surprend le maréchal de camp, qui s'en ouvre au ministre, dans sa lettre du 28 août. « C'est peut-être la première fois, qu'avec trois mille hommes et moins d'artillerie que l'ennemi, on en a assiégé dix-huit cents, qui pouvaient être promptement secourus par deux mille, et qui pouvaient s'opposer à notre débarquement, ayant une supériorité de marine sur le lac Ontario. Le succès a été au-delà de toute attente. [...] Toute la conduite que j'ai tenue en cette occasion, et les dispositions que j'avais arrêtées, sont si fort contre les règles ordinaires, que l'audace qui a été mise dans cette entreprise doit passer pour de la témérité en Europe. Aussi je vous supplie, Monseigneur, pour toute grâce, d'assurer Sa Majesté que si jamais elle veut, comme je l'espère, m'employer dans ses armées, je me conduirai par des principes différents. » Étranges propos de la part d'un général qui vient de prendre son commandement, s'étonnant de sa victoire et demandant déjà à revenir en Europe où l'on respecte les préceptes qui régissent l'art de la guerre. Visiblement, Montcalm n'est pas fait pour les colonies : il ne les comprend pas et s'y sent mal à l'aise. Cet officier, compétent mais conformiste, plein de préjugés, raisonnant comme un livre, ne possède pas ce génie de l'adaptation propre aux chefs coloniaux, et dont des Ducasse, des Frontenac, des La Bourdonnais et des Bussy étaient profondément marqués. L'année suivante, en 1757, alors que Dubois de La Motte et son escadre sont au mouillage devant Louisbourg, le commandant général poursuit sa politique de libération des voies de communication avec l'ouest. Il rassemble une force de 3 500 réguliers, de 3 000 Canadiens et de près de 2 000 Indiens et marche sur le fort William-Henry (Georges, pour les Français), où il arrive le 2 août. À peine une semaine plus tard, la garnison, qui compte 2 241 hommes, hisse le drapeau blanc et capitule. Malgré les précautions prises par les Français, les Sauvages coupent la retraite de la garnison, tuent et enlèvent de nombreux soldats. Un souvenir que les Anglo-Américains n'oublieront pas. Montcalm aurait souhaité poursuivre cette campagne si brillamment engagée, mais la nécessité de renvoyer les miliciens à leurs moissons anéantit son projet. Malgré les succès, l'état de la colonie et de l'armée entre dans une phase critique. Sur les 5 000 soldats réclamés, Versailles en a envoyé un millier, ce qui ne peut suffire pour résister aux troupes que Pitt fait parvenir massivement. Faute de secours convenables, il faut instaurer un rationnement général. La difficulté de l'approvisionnement excite la colère du commissaire des guerres Doreil. Il dénonce les machinations de Bigot, de son munitionnaire général, le boucher Cadet, et se plaint du silence payé du premier commis des Colonies, Laporte, fripouille connue. « Je gémis, écrit-il à Paulmy, secrétaire d'État de la Guerre, de voir une colonie si intéressante et les troupes qui la défendent, exposées par la cupidité de certaines personnes, à mourir de faim et de misère. » Montcalm également s'émeut au spectacle trop voyant des abus, mais, regrette-t-il, le 4 novembre 1757, « couvrons cette matière d'un voile épais, elle intéresserait peut-être les premières têtes d'ici ».

Pendant ce temps, Pitt renforce puissamment son dispositif militaire en Amérique. Il remanie le commandement, remplace Lord Loudoun par le général Abercromby. Il envoie des troupes fraîches et nombreuses : 12 000. Les résultats ne se font pas attendre. En cette année 1758, la citadelle de Louisbourg, qui interdisait l'accès du Saint-Laurent à l'ennemi, tombe. À partir de 1759, le commandant général français devra combattre sur deux fronts : vers le golfe du Saint-Laurent, à Québec, vers l'ouest, à Montréal. Pour l'heure, Montcalm apprend qu'Abercromby a débarqué et envahi le Canada. Aussitôt, le 24 juin 1757, il se met en campagne, entraîne 3 500 réguliers derrière lui et se dirige vers Carillon, au sud du lac Champlain, au débouché de l'Hudson et du lac Saint-Sacrement. Protégé par le fort, et au-dehors par une ligne d'abattis, le Français attend son adversaire. Abercromby, qui vient de traverser le lac du Saint-Sacrement, débarque avec plus de 6 300 réguliers et 9 000 miliciens. Les Anglais se jettent sur les abattis : les assauts sont vains, près de 2 000 hommes restent sur le sol, tués ou blessés. Les Anglais battent en retraite, à nouveau la route de Montréal leur échappe et ils n'ont pas coupé les communications françaises avec l'ouest. Mont-calm, d'habitude circonspect, pessimiste même disent les Canadiens qui lui ont toujours reproché de ne pas croire à la victoire finale, exulte d'avoir triomphé à Carillon, « sans Indiens, presque sans Canadiens, seul avec les troupes de ligne ». Mêmes éloges — pas tout à fait innocents — pour les troupes *françaises,* dans la lettre qu'au soir de la bataille, il rédige à l'intention de son ami Doreil : « L'armée et trop petite armée du roi vient de battre ses ennemis. Quelle journée pour la France ! Si j'avais eu deux cents sauvages pour servir de tête à un détachement de mille hommes d'élite, dont j'aurais confié le commandement au chevalier de Lévis, il n'en serait pas échappé beaucoup dans leur fuite. Ah ! quelles troupes, mon cher Doreil, que les nôtres ! je n'en ai jamais vu de pareilles ; que n'étaient-elles à Louisbourg ! » Le succès de Carillon marque le commencement de la fin de la belle résistance française : la supériorité numérique anglaise et l'ouverture du front oriental, sur le Saint-Laurent, vont avoir raison de Montcalm et de ses lieutenants. Un mois après Carillon, les 3 000 hommes du colonel Badstreet, revenus sur leurs pas lors de la retraite d'Abercromby, marchent vers la rive septentrionale du lac Ontario et s'emparent du fort Frontenac que défendaient une trentaine de soldats. À l'ouest, les Français attaquent : la colonne du colonel Grant se fait étriller, non loin du fort Duquesne. Mais le général Forbes, ayant appris que la fortification n'abrite que 300 soldats, s'y porte à la tête de 2 500 hommes. Les Français, réalistes, évacuent le verrou de l'ouest après l'avoir incendié et se replient sur le fort Machault. Le fort Duquesne devient fort Pitt avant de devenir la grande cité de Pittsburgh. La campagne de 1758, malgré l'arc-en-ciel de Carillon, sonne les premières grandes victoires de Pitt en Amérique du Nord. En quelques mois, les Anglais se sont emparés de Louisbourg, mettant la main sur les îles Royale, Saint-Jean, sur le rivage septentrional de la baie de Fundy, et ont incendié la côte de Gaspé ; enfin, sur le front de l'ouest, ils ont rayé de la carte les forts Frontenac et Duquesne. Cette redistribution militaire incite les Indiens, qui servaient aux côtés des Français, à emprunter les chemins de la prudence, voire du ralliement aux nouveaux vainqueurs.

Le secrétaire d'État de la Marine, en répudiant la stratégie de son prédécesseur Machault, qui privilégiait la protection des communications, plonge le Canada dans une détresse irrémédiable, d'autant que les relations de Montcalm avec Vaudreuil et Bigot, loin de s'améliorer, se tendent. À ce moment, Lord Chesterfield écrit à son fils, le 8 février 1758 : « Il est très certain que nous sommes assez forts en Amérique pour manger les Français tout vifs au Canada, à Québec et à Louisbourg, si nous savons faire usage de nos forces avec habilité et vigueur. » En écho, le commandant général se lamente auprès de Versailles, les 12 et 15 mai 1758, et accuse : « La colonie, si les secours n'arrivent pas, va se trouver après deux campagnes brillantes, dans la situation la plus critique » ; « la colonie est à deux doigts de sa perte ; la faute en est au mauvais gouvernement : ignorance, nulle prévoyance et grande avidité. » Aussi dans la lettre du 12 juillet 1758, où il annonce la victoire de Carillon au secrétaire d'État de la Guerre, répète-t-il avec insistance un vœu déjà plusieurs fois exprimé : « me faire accorder par le roi mon retour. » L'aigreur déborde, et bientôt l'intrigue noue ses fils. Le 31 juillet, le commissaire des guerres, Doreil, s'adresse au ministre et s'abandonne à de singulières réflexions : « Si la guerre doit durer encore ou non, si l'on veut sauver et établir le Canada solidement, que Sa Majesté lui en confie le gouvernement, conseille-t-il, en parlant de Montcalm. Il possède la science politique comme les talents militaires. Homme de cabinet et de détails, grand travailleur, juste, désintéressé jusqu'au scrupule, clairvoyant, actif et n'ayant en vue que le bien ; en un mot homme vertueux et universel. [...] Quand M. de Vaudreuil aurait de pareils talents en partage, il aurait toujours un défaut originel, il est Canadien ! Cette qualité tire plus à conséquence que je ne puis le dire. M. le marquis de Montcalm connaît à présent à fond ce que comporte le pays, mieux que M. de Vaudreuil. » La veille, le commissaire avait brossé un portrait au vitriol du chef de la colonie : « La négligence, l'ignorance, la lenteur et l'opiniâtreté du gouverneur, insistait-il, ont pensé perdre la colonie [...] l'ineptie, l'intrigue, le mensonge, l'avidité la feront sans doute périr. » Vaudreuil apprend la cabale, dans laquelle Montcalm semble actif, et réagit comme tout chef l'eût fait à sa place. Il demande à la cour le rappel du Nîmois et son remplacement par le chevalier de Lévis. De son côté, le commandant général réclame encore son retour au ministre, tant il lui est « dur d'avoir toujours à craindre la nécessité de se justifier ». Louis XV rejette toutes les requêtes, promeut Montcalm au grade de lieutenant général et élargit ses compétences, et, pour ne pas humilier Vaudreuil, l'élève à la dignité de grand-croix de l'ordre de Saint-Louis. Il revient à Bougainville, envoyé en France à la fin de 1758 pour y demander des secours, d'annoncer les décisions du monarque et sa volonté que les disputes s'éteignent. Bougainville, qui rapporte ces nouvelles, informe aussi ses supérieurs que la France ne fera parvenir aucun secours à la colonie, car le duc de Choiseul juge plus utile de conserver les escadres intactes pour opérer une descente en Angleterre et y traquer l'ennemi dans ses derniers retranchements.

Montcalm ne se berce pas d'illusions. Il sait que la campagne de 1759 sera aussi périlleuse que décisive. Il est pris en tenaille par les Anglais qui, Louisbourg étant tombée, peuvent manœuvrer sur deux fronts. Les dissensions entre les deux chefs militaires de la colonie ne se sont pas calmées. Les points de vue divergent sur la stratégie à adopter. Vaudreuil, le marin, prédit une attaque par terre et veut reprendre la vallée de l'Ohio. Montcalm, le « terrien », prévoit une opération navale dont Québec sera l'objectif. Après de nombreuses discussions, plus de 4 000 hommes sont répartis entre Niagara, Frontenac et le lac Champlain, tandis que 14 000 restent autour de Québec. Les Anglais, qui sentent les Français à leur portée, vont les attaquer à tous les points névralgiques. La flotte britannique, commandée par l'amiral Saunders, remonte le Saint-Laurent au mois de juin 1759, avec à son bord 11 000 soldats aux ordres du général Wolfe, qu'elle débarque devant Québec. Un moment les Français croient que la chance va leur sourire. Amherst ne réussit pas à bousculer Bourlamaque, qui tient le lac Champlain. Wolfe, après avoir bombardé Québec et ravagé les environs de la capitale, piétine, et même se fait battre par Lévis à Montmorency, à la fin du mois d'août. Mais les informations venues du lac Champlain et de l'Ontario indiquent une dégradation de la situation, et les relations entre les deux autorités militaires françaises ne connaissent aucune éclaircie. Vaudreuil prévoit que les Anglais débarqueront au-dessus de Québec, par exemple à l'anse au Foulon. Montcalm jure que l'ennemi se présentera au sud, à Beauport. À la fin de juillet, comme le soulignent G. Frégault et M. Trudel, le gouverneur demande au général de faire occuper l'anse au Foulon, Montcalm répond avec une ironie dédaigneuse : « Il n'y a qu'à faire des patrouilles exactes, et il ne faut pas croire que les ennemis aient des ailes pour, la même nuit, traverser, débarquer, monter des rampes rompues et escalader : d'autant que pour la dernière opération, il faut des échelles. » Wolfe, remarquant que l'anse au Foulon n'est pas protégée, y accède avec 3 500 hommes, le 13 septembre au lever du jour, balayant les maigres piquets de garde. Ensuite, les Anglais marchent sur le plateau où se trouvent Québec et le camp de Montcalm. Malgré les représentations de Vaudreuil et de plusieurs officiers, qui lui demandent de rassembler toutes les forces françaises des environs, dont le corps de Bougainville, le marquis descend vers la plaine d'Abraham dans l'espoir de bousculer les Anglais. Les 3 000 Français, accueillis par le feu de l'ennemi, reculent en désordre, tandis que les deux chefs meurent sous les balles. Ce 13 septembre 1759, la France a perdu sa vieille colonie. Le jour même, sans attendre l'arrivée de Lévis, nouveau commandant général, qui arrivera le lendemain, venant de Montréal, Vaudreuil ordonne à Ramezay, chef de la garnison de la capitale, de se rendre dès qu'il manquera de vivres et sans résister à l'ennemi. Les miliciens battent en retraite dans la confusion. À peine sur les lieux, Lévis reprend les hommes en main, et, le 19 septembre marche sur Québec. Alors, il apprend que, sur la demande des habitants, Ramezay a capitulé la veille, appliquant abusivement, l'instruction du gouverneur. « Cette nouvelle, écrira le général au ministre, le 1er novembre, qui rendait inutile tout ce que j'avais fait, m'affligea profondément. Il est inouï que l'on rende une place, sans qu'elle soit ni attaquée ni investie. »

Sur les autres fronts, les Français sont en mauvaise posture. Devant les 12 000 hommes du général Amherst, Bourlamaque et ses 3 000 compagnons reculent de Carillon, au sud du lac Champlain, jusqu'au fort de l'île aux Noix, tout au nord. Sur les Grands Lacs, le général anglais Prideaux s'empare du fort Niagara et détruit une colonne de secours, formée des garnisons des autres postes français. Le Canada a les ailes coupées ; pourtant, à Montréal, Lévis décide de continuer la lutte. Le commandant général rassemble environ 3 000 réguliers et autant de miliciens, avec la ferme intention d'aller déloger de Québec le général Murray et les 8 000 garnisaires qui l'occupent. L'Anglais, informé de l'arrivée des Français, va à leur rencontre, mais se fait battre sur la plaine d'Abraham (bataille de Sainte-Foy), laissant derrière lui plus d'un millier de blessés et de morts et toute son artillerie. Lévis, qui n'a pas réussi à entrer dans la ville au moment où les Britanniques y refluaient, entreprend un siège d'autant plus difficile qu'il ne dispose pas du matériel nécessaire à ce genre d'opération. De son côté, Murray fait travailler aux fortifications, l'âme sereine, proclamant aux siens : « Une flotte est attendue, des renforts nous arrivent. » En effet, à partir du 9 mai 1760, les navires anglais mouillent devant Québec. Lévis, pour ne pas être coupé de ses arrières, lève le siège et se replie sur Montréal, où les troupes anglo-américaines venant du sud et de l'ouest bousculent les derniers défenseurs de la Nouvelle-France. Le 8 septembre, les chefs signent l'acte de capitulation, malgré l'opposition de Lévis : les lys disparaissent à jamais du ciel canadien. Peu après, Vaudreuil, Lévis, Bigot et plus de 2 000 soldats embarquent à Québec et rentrent en France. Comme le précise F.-X. Garneau : « Presque tous les habitants des villes les plus marquants abandonnèrent le pays à la suite des troupes. On encouragea leur émigration, ainsi que celle des officiers canadiens, dont les Anglais désiraient se débarrasser, et qui furent vivement sollicités de passer en France. » Soit près de 2 000 hommes et femmes.

Le naufrage canadien s'explique largement par le déséquilibre démographique et économique qui avantageait les Anglais. Cependant, comme dans toute action, il y a des responsables. À Versailles, Choiseul, choisissant pour stratégie de couper les communications entre la métropole et les colonies, afin de rassembler les escadres en vue d'un fumeux débarquement en Angleterre, mérite de figurer parmi les auteurs de la faillite de la Nouvelle-France. Cet officier orgueilleux, qui se croit des talents de stratège, en étonne plus d'un. À la cour, pendant la guerre de Sept Ans, le futur maréchal de Croÿ notant, en 1759, que le lieutenant général de Choiseul penche de plus en plus pour une campagne en Allemagne, souligne : « Ainsi, on s'écrasait pour une guerre faussée, qui n'avait point d'objet, car le nôtre c'était les colonies, et point l'Allemagne, où nous mettions pourtant des armées immensément chères. » À la fin de 1761, Croÿ écoute encore le lieutenant général duc de Choiseul dont, après avoir relevé l'erreur de jugement, il dénonce la versatilité : « M. le duc de Choiseul m'avait dit, il y avait un an, que ce n'était que par la guerre d'Allemagne, qu'on pourrait user et abattre l'Angleterre. On revint alors à croire que ce n'était que par la mer qu'on avait totalement abandonnée. » Aussi le duc prend-il la Marine à Berryer : mais l'outre-mer était déjà aux mains des hommes du grand Pitt. En deux conflits internationaux, Louis XV est dépossédé de son empire colonial territorial. Comme le relève très justement Albert Sorel : « Après avoir exposé le Canada pour conquérir la Silésie au roi de Prusse, on le perdit pour se donner le plaisir de rendre cette province à la reine de Hongrie. La France avait joué le jeu de l'Angleterre dans la guerre de succession d'Autriche, elle joua celui de l'Autriche dans la guerre de Sept Ans. » Le roi se retrouve nu pour avoir toléré les erreurs stratégiques de ses ministres. « La guerre continentale, qui n'était que l'accessoire, devint le principal », conclut A. Sorel. L'éminent historien aurait pu reprendre la réflexion que Frédéric II notait au marquis d'Argens, dans sa lettre du 27 août 1760 : « Vous voyez que votre nation est plus aveuglée que vous ne l'avez cru, ces fous perdront le Canada et Pondichéry pour faire plaisir à la reine de Hongrie et à la Czarine. » Le système autrichien, qui aurait dû dispenser la France d'affronter des hostilités importantes en Europe, a été mal maîtrisé au point de monopoliser l'effort militaire, de priver les colonies de renforts successifs et de sevrer le budget de la Marine.

Au-delà des mers, les généraux métropolitains appellent un jugement sévère tant pour leur comportement que pour leur action. Ils considèrent les officiers et habitants des colonies avec hauteur et mépris, n'écoutent pas, font la leçon, se plaignent. Dieskau, et surtout Montcalm, au Canada, n'ont que critiques pour ce qui n'est pas « français », s'abandonnent à une mauvaise humeur obsessionnelle, sèment la discorde, ne font aucun effort de compréhension et d'adaptation. En tête et à la bouche, ils n'ont que l'Europe, et au terme de leur commandement, la défaite. Le désastre de Québec, qui a valu à Montcalm d'entrer dans la légende héroïque de la France, ne ressemble pas au tableau que l'imagerie officielle a répandu. Ainsi, le comte de Maurès de Malartic, futur gouverneur général des Mascareignes pendant la Révolution mais alors major de brigade, prononce l'éloge de Lévis, pour mieux condamner Montcalm, chef des opérations, qu'il ne cite pas même une fois ! Pourtant cet officier n'est pas un chasseur de castors, amateur fruste de « ces courses éloignées, [qui] sans être jamais décisives au fond, ni aussi considérables que les relations du pays les font, sont toujours d'un merveilleux effet pour augmenter la confiance du Canadien et du Sauvage*... » Non ! le comte est un authentique Français, né à Montauban ! « J'ajoute à ce que j'ai écrit sur le Canada que si M. le Marquis de Lévis y eût commandé en chef, les Anglais ne l'auraient pas pris. Ce général eut porté, après que les Anglais eurent abandonné le camp du Sault, la majeure partie de ses forces sur les hauteurs de Québec et aurait éclairé de très près leurs mouvements dans cette partie ; s'il eût été à l'armée le 13 septembre 1759, il se serait opposé à ce que nous attaquassions ; il y avait dix à parier contre un que l'armée attaquante serait battue, étant obligée de descendre des hauteurs qu'elle occupait, de traverser un chemin de creux qui séparait les deux armées : et supposé qu'il y eut nécessité d'attaquer, il fallait faire des dispositions, former trois colonnes avec les cinq bataillons, placer les Canadiens dans les intervalles et les laisser tirer et marcher selon leur usage ; je suis persuadé que nous aurions été vainqueurs. Nous aurions encore pu attaquer le 14 septembre les Anglais qui, ayant perdu leur général, étaient au moins aussi embarrassés que nous. » De son côté, Lévis, dont l'autorité était unanimement respectée par les métropolitains et les Canadiens, confie le 1er novembre 1759, au maréchal de Belle-Isle : « On impute à M. de Montcalm d'avoir trop divisé l'armée, et d'avoir attaqué trop tôt les ennemis, sans avoir rassemblé tous les hommes qu'il aurait pu avoir. » Reproche similaire et plus marqué, dans les *Mémoires* du commandant Pouchot, où cet

---

* Lettre de Montcalm au ministre de la Marine Peyrenc de Moras, 19 février 1758

officier fait grief au marquis d'avoir abandonné les hauteurs de Québec, sans avoir rassemblé toutes les troupes françaises, dont le corps de Bougainville.

Les chefs métropolitains, Dieskau et Lally, outre Montcalm, vont à la défaite pour n'avoir pas écouté les représentations des officiers possédant la connaissance des lieux. Familiers, disent-ils, des champs de bataille européens où s'affrontent les armées les plus valeureuses et les meilleurs généraux, ils sont sûrs d'eux : le résultat final des campagnes gifle ces chefs présomptueux, plus fort qu'une condamnation en Conseil de guerre. Les préoccupations de carrière, les plaintes, l'indifférence des généraux métropolitains pour la conservation des colonies, atteignent même des hommes aussi remarquables que Lévis. Dès le 26 octobre 1756, qu'écrit-il au comte d'Argenson, secrétaire d'État de la Guerre ? « Je vous supplie de bien vouloir vous ressouvenir que je ne suis venu dans ce pays-ci que pour y chercher et y mériter mon avancement militaire. J'ai sacrifié pour cela beaucoup d'agrément que je pouvais avoir en France, et même des emplois à la cour, dont j'étais très à portée. Je me flatte que vous voudrez bien avoir la bonté de faire valoir mes services auprès du Roi ; ce sera à vous seul que je devrai les grâces qu'il vous plaira de me faire accorder. » Le 8 septembre 1757, Paulmy, neveu et successeur du comte d'Argenson, recevra le même billet. Malgré cet état d'esprit peu « citoyen » eût regretté le comte de Guibert, Lévis, se dépensant toujours à rassembler et non à diviser, se battit jusqu'à un extrême qu'il aurait poussé plus loin si Vaudreuil n'avait pas estimé, en 1760, qu'il fallait se résigner à la capitulation.

Revenus à Paris, les administrateurs et leurs comparses doivent rendre compte de leur gestion financière, car les créances canadiennes ne s'élèvent pas à moins de 90 millions de livres. Le roi, ne voulant payer que ce qu'il doit, nomme une commission, présidée par le lieutenant général de police de Sartine, qu'il charge d'enquêter et de punir. En 1763, jugement est rendu. L'intendant Bigot et le trésorier Varrin sont bannis à perpétuité, et condamnés à restituer : le premier 1 500 000 livres, le second 800 000. Le boucher Cadet, munitionnaire général des troupes, banni pour neuf ans, devra rendre 600 000 livres. Le marquis de Vaudreuil est déclaré « hors cour », mais comme le remarque finement Barbier, qui appartient à la basoche, « le hors cour ne justifie pas absolument ». Le souverain verse finalement 37 607 000 livres dont 6 665 000 vont aux Anglais. Le traité de Paris (1763) abandonne le Canada aux Anglais qui, désormais, peuvent reprendre leur politique expansionniste en toute quiétude. En France, excepté le marquis de Mirabeau, les ports de La Rochelle, de Bordeaux et de Marseille, on est presque heureux de n'avoir pas manqué l'occasion de se débarrasser d'une possession qui entretenait une perpétuelle dispute entre la France et l'Angleterre. Choiseul, fat et mal-venu, prend sa plume, le 12 octobre 1760. Écrivant à Voltaire, il commente ainsi la chute de Montréal : « Si vous comptiez sur nous pour les fourrures de cet hiver, je vous avertis que c'est en Angleterre qu'il faut vous adresser. » Quant au philosophe, il s'épuise faussement pour faire connaître l'inintérêt du Canada. Le 3 octobre 1760, il s'adresse à Chauvelin : « Si j'osais, je vous conjurerais à genoux de débarrasser pour jamais du Canada le ministère de France. Si vous le perdez, vous ne perdez presque rien ; si vous voulez qu'on vous le rende, on ne vous rend qu'une cause éternelle de guerre et d'humiliations. Songez que les Anglais sont au moins cinquante contre un dans l'Amérique septentrionale. » Puis, le 6 septembre 1762, le seigneur de Ferney flatte son protecteur, Choiseul : « Tous disent qu'on doit vous bénir si vous faites la paix, à quelque prix que ce soit. Permettez-moi donc, Monseigneur, de vous faire mon compliment. Je suis comme le public, j'aime beaucoup mieux la paix que le Canada et je crois que la France peut être heureuse sans Québec. » Le vieux flagorneur caresse un convaincu. Dans un mémoire du 16 mars 1770, le duc, plus visionnaire que jamais, n'assure-t-il pas au roi : « Je crois que je puis même avancer que la Corse est plus utile de toutes manières à la France, que ne l'aurait été le Canada. » Cette véritable campagne contre le Canada — les 70 000 Français d'outre-Atlantique étant systématiquement ignorés — prend un tour public dans le *Précis du Siècle de Louis XV*. En quelques lignes, Voltaire assassine littéralement la Nouvelle-France que voulait garder Machault, mais qui n'intéressait pas Choiseul, toujours au ministère. « Ces quinze cents lieues, dont les trois quarts sont des déserts glacés, explique le philosophe, n'étaient pas peut-être une perte réelle. Le Canada coûtait beaucoup, et rapportait très peu. Si la dixième partie de l'argent englouti dans cette colonie avait été employée à défricher nos terres incultes en France, on aurait fait un gain considérable ; mais on avait voulu soutenir le Canada, et on a perdu cent années de peine avec tout l'argent prodigué sans retour. »

Les jugements sans appel du maître à penser de l'Europe se réduisent à des boutades et railleries d'un esprit soucieux de plaire à la coterie toute-puissante des Choiseul. S'ils ne traduisent pas la pensée intime du vieil impérialiste, ils expriment la doctrine coloniale de la fin du xviiie siècle. Rompant avec la tradition dont Charles Quint avait été le porte-drapeau, et que Richelieu et Colbert ont prise à leur compte, Choiseul, les philosophes et les économistes ne considèrent plus les colonies comme le témoignage nécessaire de la puissance nationale. Dès lors, les possessions ne doivent pas être un démembrement ou un prolongement du peuple français. Il est fini le temps de « planter et provigner de Nouvelles-Frances », comme le réclamait Montchrétien au début du xviie siècle. Foin de la pensée contrariée de Colbert et des conseils de Vauban. En effet, les physiocrates, après avoir découvert que les trois facteurs de la richesse des États sont la population, l'agriculture et la liberté du commerce, inventent la démographie qui leur révèle le dépeuplement de la France. Les causes de ce terrible mal sont vite répertoriées : les guerres, la révocation de l'édit de Nantes, l'injustice du système fiscal, le luxe, les villes, le célibat des religieux et, bien sûr, les colonies. À croire ce beau raisonnement, la nationalité française ne résiste pas aux traversées maritimes ni aux établissements exotiques : on ne reste Français que dans les plis frileux de l'Europe continentale. Il n'est autorisé à aucune possession du roi de s'imaginer province de France, à plus forte raison Nouvelle-France ! L'anticolonialisme ne s'enferme pas dans une condamnation idéologique, il est aussi répudiation de la race et de la foi nationales transplantées. Le colonial est assimilé à un métèque. Les économistes concilient habilement les impératifs de leur doctrine avec la nécessité du fait colonial. Deux conditions exigent d'être remplies. Les colonies ne se consacreront qu'aux cultures de denrées que la métropole ne possède pas, à l'exclusion de toute industrie. Pour ne pas dépeupler la France, on n'enverra dans les possessions d'outre-mer que des étrangers. Toutes ces réflexions, Turmeau de La Morandière, notamment, les livre dans son *Appel des étrangers dans nos colonies,* au moment où les Choiseul font mourir 10 000 Allemands et autres Français sous les coups de la fièvre jaune, dans la criminelle et spéculative tentative de colonisation de la Guyane. L'effondrement du Canada marque un terme de l'histoire coloniale française : le royaume rejette l'idée de conquête et les emblèmes de la puissance que sont les colonies stratégiques, pour toucher la rente des sucres et des cafés, qui anesthésie l'urgente nécessité du développement de l'industrie nationale. Sanctionnant, mal à propos, le jugement de Voltaire, on a coutume de dire que la Nouvelle-France coûtait cher et rapportait peu. À première vue, en effet, elle n'exporte vers la métropole que de un million à 3,5 millions de livres par an en pelleteries : à noter que les fourrures auraient rapporté bien davantage si Louis XIV n'avait pas abandonné l'immense baie d'Hudson aux Anglais, lors de la paix d'Utrecht. De plus, Québec et la plaque tournante de Louisbourg, que fréquentent aussi contrebandiers et corsaires, entretiennent des relations commerciales de plus en plus nourries avec les Antilles, à mesure que le siècle avance, et dans la mesure où la conjoncture internationale le permet. Sur la base des travaux de l'historien canadien J. Mathieu, on peut estimer les liaisons intercoloniales entre la Nouvelle-France et les îles, à plus de 1 600, du début du XVIIIᵉ siècle à la guerre de Sept Ans. Les Canadiens livrent aux colons antillais : des farines, des pois, des morues (pour la nourriture des esclaves), des bois (pour la fabrication des barriques à sucres et à cafés), des chevaux, des briques, de l'huile, etc. De leur côté, les îles approvisionnent le Canada en sucres, cafés, tabac, coton. Elles lui vendent aussi ces sirops et tafias, si prisés des interlopes américains : le Canada consolide ainsi l'exclusif commercial, ce second principe du colbertisme colonial après le peuplement.

Or, comme le souligne J. Tarrade, la perte de la Nouvelle-France, où d'appréciables quantités de sirops et tafias étaient écoulées, explique l'offensive des planteurs antillais contre le régime de l'exclusif, à partir de la fin de la guerre de Sept Ans. Les sucriers réclameront et obtiendront que le marché des sous-produits du sucre soit ouvert aux Américains. Ainsi, les Antillais, naguère complémentaires des Français de l'Amérique du Nord, le seront désormais des Anglo-Américains des Treize Colonies.

La malaventure canadienne définit *a contrario* l'objet de la colonisation française. Si Sully s'opposait, par principe, à proviginer une Nouvelle France « en Canada », les physiocrates se consoleront de son abandon parce que son économie, plus semblable à celle de la métropole que complémentaire, ne fournit pas un revenu commercial suffisant. À ceux qui regrettent la braderie de cette terre chargée d'histoire nationale, l'abbé Baudeau, en 1766, répète brutalement dans les *Éphémérides du citoyen* : « Mais ce n'est pas la peine de faire une colonie, pour avoir un peu de grains et du bétail d'Europe. » Ce chantre du premier libéralisme ne convainc pas l'intendant du commerce Tolosan. Cet homme d'intelligence, néo-mercantiliste, formé au réalisme et à la pratique, tient, en 1789, un discours bien plus satisfaisant que celui de l'ami de Dupont de Nemours. « Le Canada, tenu longtemps sous le joug du monopole, n'avait pu étendre ses pêcheries et faire le commerce de pelleteries que sa position lui rendait facile. Les cultures n'étaient guère poussées au-delà de ce qui était nécessaire pour la subsistance des colons. » Voltaire, qui a toujours jugé les possessions d'outre-mer dans son secret ou pour un public, parle enfin vrai. Le 30 avril 1771, évoquant la décadence de sa nation à Catherine II, il avoue : les Français « ne font actuellement nulle conquête, depuis qu'ils ont perdu la fertile contrée de Canada ». Libéré de la tyrannie des Choiseul qu'il avait outrageusement flattés, le vieillard s'abandonne à la sincérité : « les arpents de neige » n'étaient que mauvais mots de courtisan. Il pensait, au fond de lui-même, comme Mme du Deffand, amie mais non sujette des Choiseul, qui lui écrivait tristement, le 28 octobre 1759 : « Le Canada est pris ; M. de Montcalm est tué, enfin la France est madame Job. » Certainement, le 11 avril 1755, n'aurait-il pas écrit dans son *Journal*, à l'instar de son condisciple Argenson la Bête, ancien ministre des Affaires étrangères : « Du moins si nous savions perdre le Canada de bonne grâce, le royaume serait sauvé. » Pour le ministère, en effet, rien ne mérite d'être sauvé, sinon les Antilles, dont l'indigo, les sucres, les cafés et le coton actionnent le négoce des ports atlantiques et redressent la balance commerciale.

Si le Canada n'a pas été une colonie de grand rapport, la métropole en porte largement la responsabilité. La France a abandonné aux Anglais Terre-Neuve, l'Acadie, la baie d'Hudson, régions particulièrement riches en poissons ou en peaux. Elle n'a pas pratiqué une politique de peuplement qui eût permis non seulement de tenir tête aux Anglo-Américains, mais aussi d'assurer le développement économique du pays. La doctrine de Colbert, sur ce point, a été rapportée, les appels de Vauban, réclamant l'envoi de 50 000 soldats-colons, et ceux de La Galissonnière, qui allaient dans le même sens ne sont pas écoutés : on se contente d'établir quelques poignées de soldats et de filles. La France, à la différence de l'Angleterre vis-à-vis des Treize Colonies, enferme le Canada dans une prison où son économie n'a pu ouvrir que deux brèches : le commerce avec les Antilles — et encore est-il en partie entre les mains du négoce national — et le trafic clandestin avec les Anglais, à qui les Canadiens vendent, à Albany, des fourrures en échange de textiles. Ne pouvant exporter largement, l'exclusif l'interdisant, la Nouvelle-France, incapable d'accumuler un capital suffisant, végète ou échoue dans nombre d'entreprises : forges du Saint-Maurice, constructions navales de Québec, mines de charbon de l'Ile Royale. Seule l'agriculture s'étend et se diversifie, ainsi que l'élevage, mais chichement. La colonie est-elle à la charge de la mère patrie, comme le dénoncent les philosophes ? Oui, et par la faute de la réglementation économique conçue et appliquée par les bureaux, sans ce pragmatisme correcteur des méfaits doctrinaux dont Colbert savait faire preuve. En temps de paix, le Canada coûte au Trésor de 300 à 600 000 livres. Les fortifications, à l'exception de Louisbourg, réclament peu ; le financement de la défense en temps de guerre exige des millions par dizaines, dont plusieurs sont détournés ! Au total, cela fait beaucoup, mais on doit largement l'imputer à la métropole qui n'a rien fait pour laisser sa colonie s'enrichir et donc participer substantiellement aux dépenses. Le déficit commercial franco-canadien, dont se plaint la cour, paraît une mauvaise querelle. Si la nation exporte plus dans sa possession qu'elle n'en retire, il serait faux d'en conclure qu'elle s'appauvrit. Au contraire, le Canada, qui n'a pas de besoins en vivres, achète à la France des produits manufacturés, aidant ainsi l'industrie du royaume à combler son retard. À quoi assiste-t-on après l'annexion anglaise ? Selon Élisabeth Schumpeter, l'Angleterre qui, de 1756 à 1760, avait vendu annuellement pour 122 000 livres à sa nouvelle colonie, la fournit chaque année, de 1796 à 1800, pour 1 063 000 livres sterling. À ce moment le Canada importe autant de produits anglais que la Hollande, pour une valeur correspondant au cinquième des achats américains, et, ce faisant, sert au succès de la révolution industrielle britannique.

La cession de la Nouvelle-France, outre l'abandon d'exportations à plus-value et l'importation de fourrures et de poissons — d'où les protestations des chambres de commerce de La Rochelle et de Bordeaux, soutenues par celles de Saint-Malo, Marseille et Montpellier — traduit une absence attristante de vision stratégique. D'une part, on abandonne l'Amérique septentrionale à la domination anglaise, d'autre part, alors que le tour du monde de l'amiral Anson

(1740-1744) pose le problème de l'exploration de l'univers maritime qui sépare l'Amérique de l'Asie, on renonce à l'expansion canadienne vers l'ouest, à la côte bordée par la fabuleuse mer Pacifique. Les Bordelais ont beau protester : « La paix n'a pas tous nos vœux s'il doit en coûter la cession du Canada, cette colonie si précieuse, par sa situation relativement à la sécurité des Îles, si utile par la nature de son commerce, si redoutable pour nous entre les mains des Anglais. » Les Rochelais ont beau s'indigner : « Plutôt une guerre éternelle, plutôt porter vers la mer toutes les finances, toutes les forces du royaume que de céder jamais le Canada et ses pêches. » Choiseul achève la partie qu'il a si mal conduite. Le traité de Paris consacre le désastre américain qu'il a accepté délibérément en privant le Canada de la sécurité de ses communications avec la métropole. La Nouvelle-France est cédée en toute propriété à Sa Majesté britannique. Toutefois, il est reconnu aux Français qui changent de souverain le droit d'exercer librement le culte catholique. Les îles de Saint-Pierre et Miquelon sont rétrocédées à Louis XV, pour servir d'abri aux pêcheurs français, à condition de ne jamais les fortifier. Enfin, le droit de pêche à Terre-Neuve est reconnu à la France du cap Bonavista à la Pointe-Riche : une faveur qui sera à l'origine de nombre de litiges. De l'empire français de l'Amérique du Nord, il ne subsiste que de pauvres îlots et un privilège qui n'est pas exclusif.

Les Antilles en danger

On s'intéresse aux affaires du Canada non seulement dans certains ports du royaume, mais aussi dans la bourgeoisie moyenne de Paris. Avocat patriote, Barbier note avec satisfaction que le 1er octobre 1758 il y a eu *Te Deum* à Notre-Dame en l'honneur de Montcalm, victorieux à Carillon et du duc d'Aiguillon qui, à Saint-Cast, a rejeté à la Manche une troupe anglaise de débarquement. Il ajoute que la lettre du souverain à l'archevêché de Paris « est bien écrite, mais bien plus longue que d'habitude. Le roi y détaille les avantages des deux actions ci-dessus, y parle en même temps des vicissitudes dans les succès, sans parler nommément de la prise de Louisbourg et de l'île Royale ; il fait connaître à ses peuples l'animosité des Anglais contre nous et leur dessein de s'emparer du commerce maritime, exclusivement à toutes les autres nations ». Au mois d'octobre 1759, le fidèle Parisien consigne avec une émotion sincère la triste nouvelle venue de l'Amérique. « Les Anglais ont fait le siège de la ville de Québec et s'en sont enfin rendus maîtres. La capitulation, avec les honneurs de la guerre, est du 18 septembre. Ils sont par ce moyen en possession de tout le Canada, dont la perte est considérable pour nous, et ils s'empareront ainsi de toutes nos possessions dans l'Amérique, les unes après les autres, par cette supériorité de marine, et feront enfin tout le commerce. Nos malheurs augmentent tous les jours, et l'on ne songe pas que notre ancienne prospérité a fait la jalousie de toute l'Europe, et qu'il est à craindre que la politique des étrangers ne joue un mauvais tour à la France. » En écho à ces propos d'un Français, analysant les événements avec lucidité et faisant corps avec sa nation, comment ne pas se rappeler la philosophie politique du « spirituel » comte de Maurepas, secrétaire d'État de la Marine qui, en 1730, écrivait dans un mémoire au roi, au sujet de la Nouvelle-France : « Le degré sous lequel cette colonie est située ne peut point lui procurer la même richesse qu'aux îles de l'Amérique : les cultures qui s'y pratiquent sont les mêmes qui se font dans le royaume, excepté le vin. » Pour le ministre, reflet de l'opinion « éclairée » de l'époque, le Canada et ses 70 000 Français de vieille race ne comptent pour rien, parce que l'économie de l'Amérique septentrionale n'est pas complémentaire de celle du royaume, alors que celle des îles l'est, grâce aux sucres, aux cafés, à l'indigo, au coton. Raisonnement borné qui éclaire le fossé profond qui sépare l'élite de progrès de la grande masse, attachée aux valeurs traditionnelles et dont les vues ne s'arrêtent pas au court terme.

Jusqu'à un certain point et à des degrés divers, les événements canadiens se reproduisent dans les autres possessions de la Couronne. L'Angleterre impose sous toutes les latitudes la *Règle de 1756*, qui interdit aux neutres de se substituer à la flotte marchande française et de commercer avec nos colonies. Pitt durcit encore la situation l'année même de son accession au pouvoir en publiant le blocus des Antilles. Partout, la Grande-Bretagne se prépare à l'attaque et à la conquête. Pendant les premièrs jours de l'âpre et interminable conflit, les îles vivent relativement à l'écart, mais dès 1756 leurs exportations vers la métropole régressent de 72 500 000 livres tournois à 27 millions, pour ne plus même atteindre 12 millions de 1757 à 1762. Peu à peu, le commerce antillais se tarit presque complètement, ce qui n'avait pas été le cas à ce point, malgré de très lourdes pertes, pendant la guerre de Succession d'Autriche, grâce à la politique de convois mise en œuvre par Maurepas, nonobstant la grogne des armateurs et des capitaines marchands. Mais le répit n'avait duré que deux ans, avant que la riposte anglaise ne paralysât les trafics. Aussi le secrétaire d'État de la Marine, Machault, plus préoccupé semble-t-il par la défense de la Nouvelle-France que de la protection du commerce antillais, peut-être impossible à ses yeux, écarte le système des convois. Comme l'observe E. Taillemite : « On se borne donc à laisser aux négociants toute liberté de naviguer. Selon une lettre de Bompar du 19 juin 1756, on s'efforcera de diriger les mouvements des escadres que le roi ferait armer de façon à protéger autant qu'il serait possible l'entrée et la sortie des navires tant aux atterrages de France qu'à ceux des colonies. » Chaque année, on essaie d'envoyer une ou plusieurs escadres aux Antilles, souvent d'ailleurs à la suite d'opérations sur la côte d'Afrique. En 1755, l'escadre de Duguay sauve des convois américains des assauts de l'amiral Hawke et leur permet d'entrer dans Brest. Aux îles mêmes, tandis que l'on révise les fortifications, que l'on dote les embarcadères de batteries, que l'on arme des corsaires et que l'on ranime le zèle des milices, l'escadre de Bart apporte des secours en 1755, relayée en 1756 par celle de Périer. L'année suivante, alors que Beauharnais et Bart prennent, le premier le gouvernement des îles du Vent, le second celui de Saint-Domingue, les escadres de Bauffremont et de Kersaint débarquent des hommes, du matériel et des munitions. Ces campagnes ont un objet essentiellement militaire et ne s'occupent de la protection du commerce que de manière très accessoire.

En 1758, Peyrenc de Moras, qui a succédé à Machault, opte pour une prudence telle, qu'il en perd Louisbourg et que les Antilles se contentent de la visite de l'escadrille de Le Borgne de Kéruzoret. Les îles sont bloquées par l'adversaire. Les ports sont animés de la seule activité des corsaires. Débarrassé de Louisbourg, Pitt lance l'année suivante une double offensive sur les possessions des Amériques septentrionale et tropicale. L'escadre de la Barbade, aux ordres de l'amiral Moore, portant 7 000 hommes, se présente devant la Martinique au début du mois de janvier 1759. Après l'échec de deux tentatives de débarquement, les Anglais font voile vers la Guadeloupe. Ils jettent l'ancre devant Basse-Terre : au bout de quelques jours, la capitale administrative de l'île se soumet. Le commandant français, Nadau du Treil, qui semble hésiter sur la conduite à adopter, se replie sur l'intérieur avec ses 2 000 hommes. Des détachements ennemis débarquent en différents points de la Guadeloupe dont ils organisent l'asphyxie. Devant le spectacle des dégâts — Basse-Terre et six autres bourgs brûlés, 84 sucreries détruites, etc. —, les colons, inquiets de voir la guérilla se prolonger et entraîner de nouvelles pertes, abdiquent tout esprit de résistance et somment Nadau du Treil de capituler, sinon, menacent-ils, ils négocieront la fin des combats. Le commandant, homme faible, par ailleurs propriétaire d'une plantation et époux d'une créole, cède aux pressions et au chantage de ses administrés. Le 27 avril 1759, les délégués des habitants, munis des pouvoirs que le gouverneur leur a délivrés, signent la capitulation de l'île au terme de laquelle ils conservent leurs lois et leurs biens. Pendant que Nadau du Treil, qui sera dégradé l'année suivante, se perdait en incertitudes, sans toutefois avoir négligé d'appeler à l'aide par deux fois son gouverneur général, celui-ci, oubliant son devoir, n'a d'yeux et de pensée que pour la demoiselle de compagnie de son épouse, la fille d'un petit colon, une certaine Marie-Euphémie-Désirée Tascher de La Pagerie. Beauharnais s'évertue à marier la jeune fille à un sieur Renaudin, afin de la garder auprès de lui sans que cela fasse trop jaser. Le 22 avril, l'union est enfin célébrée, Mme Renaudin restera la fidèle maîtresse du gouverneur et fera épouser à son fils Alexandre, une sienne nièce, la future impératrice Joséphine. Le 23 avril, le chef des îles du Vent peut enfin répondre aux appels de Nadau du Treil : suivi de troupes et de miliciens, il s'embarque sur l'escadre de Bompar, à la Martinique depuis le 8 mars, et fait voile vers la Guadeloupe. Il y arrive le 27 pour apprendre que l'île vient de capituler. Alors, comme s'en étonne Frédéric Masson, « sans rien tenter, sans un combat, sans une escarmouche, il rembarque son monde ». Sans attendre l'escadre, cet étrange officier prend place sur un navire corsaire, le *Zomby*, cingle vers la Martinique où il arrive le 2 mai. La séparation de François et de Marie-Euphémie a été brève. Mais ces petits jeux de l'amour coûtent une colonie à la France : si la Basse-Terre avait mis bat les armes, la Grande-Terre, seconde île constitutive de la Guadeloupe, ne se soumettra que le 1er mai ! Après ce succès, l'amiral Moore en remporte quelques autres, s'emparant des Saintes et de Marie-Galante. L'année 1759 est faste pour William Pitt qui, après avoir cueilli une Antille sans grande difficulté, met la main sur Québec où la résistance ne fut pas ce que l'on espérait. La mer des Antilles est toujours verrouillée par la Navy, mais celle-ci suspend les expéditions conquérantes jusqu'en 1762. En effet, une longue agitation des esclaves de la Jamaïque immobilise de nombreuses forces, et le rétablissement de l'ordre empêche l'Angleterre d'engager des actions ambitieuses contre la Martinique et Saint-Domingue. En 1760, une escadrille du roi, commandée par Macarty, réussit même à venir dans les ports des îles.

Ce long répit, pendant lequel le Pacte de Famille est signé et Pitt écarté, prend fin : la Grande-Bretagne, où le belliciste Newcastle siège toujours au gouvernement, se prépare à une rude campagne. Dans les premiers jours de janvier 1762, les escadres des amiraux Douglas et Rodney arrivent en vue de la Martinique. Le Fort-Royal, assiégé et bombardé, s'effondre le 4 février. Le gouverneur Levassor de La Touche, nommé après la destitution de Beauharnais, recule devant les 10 000 hommes du corps expéditionnaire anglais. Les colons se plaignent des dévastations que la guerre occasionne. Levassor, créole et propriétaire, se laisse fléchir par les lamentations de ses compatriotes et capitule le 13 février. Quand l'escadre de Blénac-Courbon, portant des milliers de soldats, s'approche de la Martinique le 8 mars suivant, il est trop tard, aussi file-t-il vers Saint-Domingue. Les Anglais, quant à eux, achèvent leurs opérations en s'appropriant les îles de la Grenade, de Saint-Vincent et de Sainte-Lucie. L'escadre de Blénac entre dans le Cap-Français le 17 mars. Elle y débarque les 5 500 soldats dont elle est chargée, ainsi que le gouverneur général de Bory, qui relève Bart, le commandant général de Sainte-Croix, bientôt emporté par la maladie, et auquel succédera

M. de Belzunce. Cet envoi important de troupes exprime deux réflexions que Choiseul a tirées des récents événements antillais. À ses yeux, les îles constituent l'empire colonial français à l'exclusion des autres possessions, parce qu'elles sont les seules à procurer un profit consistant. Sans vouloir revenir à une politique de protection du commerce, que les défaites de Lagos et des Cardinaux rendent impraticable, il s'impose de les défendre — impératif qui n'est pas apparu au ministre au sujet du Canada. Ensuite, depuis la reddition de la Guadeloupe, après une défense molle de la part des colons et incohérente de la part des officiers de marine de Beauharnais et de Bompar, Choiseul n'a plus confiance dans le patriotisme et le loyalisme de la population, ni dans les capacités militaires des marins. D'où le transport de valeureux bataillons de l'armée de terre et l'extension à Saint-Domingue de l'emploi de commandant général, tenu par un officier de l'armée de terre, que Dieskau, Montcalm et Lévis avaient inauguré au Canada, au grand dépit du gouverneur général issu, lui, des rangs de la Marine.

La présence de quelque 7 000 soldats sur son sol sauve Saint-Domingue d'une agression anglaise incertaine, mais la signature du Pacte de Famille autorise l'amiral Pocock à faire le blocus de Cuba et à s'emparer de La Havane et de ses chantiers de constructions navales, le 11 août 1762. Blénac et les Français assistent impassibles au désastre qui anéantit la puissance navale espagnole aux Antilles ainsi que les communications entre l'Amérique et Cadix. Pareillement, les Ibériques étaient restés insensibles aux appels désespérés de Kerlérec, gouverneur de la Louisiane, quand les Anglo-Américains bloquaient la Mobile et menaçaient d'envahir le territoire des Illinois. Quoi qu'il en soit, la chute de La Havane constitue un revers sérieux pour Choiseul qui comptait sur la marine madrilène pour tempérer les ardeurs britanniques. Le Pacte de Famille n'est pas un pare-feu aux ambitions impériales de Londres : il est déjà un boulet pour la France. L'entrée en guerre de l'Espagne contre l'Angleterre et aussi contre le Portugal, allié et vassal du cabinet de Saint-James, engendre l'élaboration d'un projet de conquête à Versailles. Durant le funeste été 1762, une escadre est formée, sous l'autorité du capitaine de vaisseau Beaussier de L'Isle, dont on dit qu'elle doit transporter huit bataillons à Saint-Domingue. Louis XV, explique J. Michel, n'éclaire Beaussier sur sa mission réelle que le 30 septembre 1762. « Vous connaissez les progrès rapides que mes ennemis ont faits en Amérique par la prise de l'Ile Royale, du Canada et de mes îles du Vent, et il est encore incertain si favorisés du même bonheur, ils ne pousseront pas plus loin leur conquête dans cette partie du monde. En considérant cette position, je n'ai trouvé d'autre moyen pour balancer leur avantage et me procurer une compensation utile que de porter mes vues sur le Brésil et de conquérir cette vaste colonie sur un Prince devenu mon ennemi par son alliance avec le roi d'Angleterre et qui m'a provoqué à lui déclarer une guerre inévitable. » Le chef du corps expéditionnaire du Brésil est un maréchal de camp peu connu, qui a servi en Europe et dans l'Inde. Il a même commandé une petite expédition navale dans la mer des Indes aussi inutile que ruineuse. On dit que cet Auvergnat au passé discret doit sa fortune soudaine à la protection d'une demi-sœur, adultérine mais reconnue, à laquelle le roi fait parfois l'hommage de sa vigueur. M. d'Estaing ne s'effraie de rien et a soif d'élévation. Sur sa demande, le voilà promu chef d'escadre le 1er octobre 1762 et nommé vice-roi et lieutenant général du Brésil. Les instructions royales sont préparées, qui définissent l'objet et les modalités de cette campagne au secret soigneusement gardé. « La première place que je vous ordonne d'aller attaquer est celle de San Salvador [Bahia] où se trouvent le Vice-Roi et tout l'État-Major. Vous prendrez possession en mon nom de cette ville, des forts qui en dépendent ainsi que de tout le Brésil, ou tout au moins de la partie septentrionale, par la capitulation que vous signerez avec le Vice-Roi, lequel vous ferez embarquer tout de suite pour la France. Vous établirez les plus notables des habitants pour gouverner en mon nom et sous mon autorité. Ensuite vous continuerez sur Rio de Janeiro qu'on peut regarder comme la clef du Brésil. L'entreprise sera, là, plus difficile, la ville est mieux défendue. Vous en prendrez possession et y fixerez votre résidence. » Les préliminaires de Fontainebleau, signés le 5 novembre 1762, abrogeront ce projet parfaitement réalisable, qui voulait rééditer le coup de main de Duguay-Trouin, mais en lui donnant les dimensions nobles d'une conquête pour la gloire du roi. Aussi, lors des négociations de paix, la France ne dispose-t-elle d'aucune monnaie d'échange procurée par la guerre.

En cette année 1762, l'opinion publique anglaise est partagée. Les uns, ayant à leur tête Pitt et Newcastle, souhaitent la guerre à outrance : la conquête de Porto Rico et de la Floride, l'ouverture des ports espagnols d'Amérique au commerce britannique. Les autres, conduits par George III et Lord Bute, inquiets du poids de l'impôt et de la dette, sensibles à la menace d'une crise économique et sociale, désirent mettre fin à un conflit dont ils redoutent qu'il ne s'achève dans une catastrophe intérieure. Heureusement pour la France et l'Espagne, la seconde tendance l'emporte ; sorte de revanche du capitalisme foncier sur les capitalismes commercial et industriel, et belle occasion manquée pour la Grande-Bretagne de dépouiller complètement ses ennemies de la totalité de leur mouvance coloniale. Les adversaires voulant s'accorder, le problème du partage de l'Amérique se pose à eux. Comme l'a remarqué l'historien anglais R. Pares, l'opinion britannique, non seulement a évolué au cours du conflit, mais encore est divisée quand il se termine. Que prendre à la France ? Les îles à sucre — Martinique et Guadeloupe — ou bien le

Canada ? Tout, répond Pitt, qui veut donner à sa patrie le monopole des sucres et celui des pêches : une position lucide qui est rejetée, parce que Versailles en dénonce l'intransigeance inacceptable, à peine de prolonger les hostilités. Le négoce anglais aimerait conserver les îles, mais les planteurs de la Jamaïque, de la Barbade et autres petites possessions penchent pour l'acquisition du Canada qui les libérera de la concurrence des sucres et de leurs sous-produits venus de la Guadeloupe, et dont l'arrivée sur le marché britannique a fait baisser les prix. L'administration choisirait volontiers de restituer à la France un Canada amoindri et inoffensif et d'annexer les îles captives. La Guadeloupe, où 20 000 esclaves sont introduits pendant l'occupation, suscite enthousiasme et projets souligne Ch. Schnakenbourg. Le 9 mai 1759, le général Barrington écrit à William Pitt, débordant de chaleureuse conviction : « Je crois, Monseigneur, que l'importance et l'immense valeur de la Guadeloupe et de la Grande-Terre ne sont pas exactement connues en Angleterre, car [...] on produit plus de sucre ici que dans les Leeward Islands, ainsi que de grandes quantités de coton et de café. » Faire de cette colonie conquise la première île sucrière des Petites Antilles britanniques, tel est le plan de l'officier, comme deux ans plus tard du gouverneur Dalrymple. L'alliance dissonante mais objective des planteurs anglais et de la diplomatie de Choiseul donne à la France une marge de manœuvre qui lui permet de soustraire ses vieilles îles à sucre aux appétits du gouvernement et du négoce ennemis. Pour recouvrer la Martinique, la Guadeloupe et ses dépendances ainsi que Sainte-Lucie, le ministère reconnaît à l'Angleterre la propriété de la Grenade, des Grenadines et de Tabago, des deux îles neutres de la Dominique et de Saint-Vincent, du Canada, de la Louisiane à l'est du Mississippi, et cède l'autre partie à l'Espagne, en compensation de la Floride sur laquelle flotte désormais l'Union Jack. La victoire anglaise coûte très cher et le stérile Pacte de Famille aussi. Tandis que Pitt, ne pouvant empêcher la ratification du traité de Paris, crie à la trahison, Choiseul, qui selon le marquis de Bombelles, « traitait la politique comme ses maîtresses », se félicite d'avoir joué les Anglais : il leur a livré des possessions sans intérêt, pour leur ravir ce qui était devenu un enjeu essentiel, la Guadeloupe. Le duc, esprit vif mais superficiel, en élevant la partie occidentale de Saint-Domingue et trois Petites Antilles au rang d'empire colonial de la nation, rétrécit le concept d'empire, qui ne signifie plus domination et force, mais commerce et revenu. Le ministre ne s'exprime plus souverainement, à la manière de Richelieu et de Colbert, soucieux de puissance dans toutes les acceptions du terme, il parle le langage du négoce et de la marchandise, celui de la bourgeoisie.

L'exploitation impétueuse et brillante de la Guadeloupe, si elle a conquis le négoce britannique, agit aussi sur l'esprit des colons Français des Antilles. La prospérité soudaine d'une possession, qui jusque-là tenait le rôle de Cendrillon, explique, selon l'abbé Raynal, que la Grenade, Saint-Vincent et Sainte-Lucie « ne firent pas acheter leur soumission d'un coup de canon ». On peut en dire autant de la Martinique. La crainte de voir cet esprit de capitulation se généraliser avait décidé Choiseul à envoyer de nombreuses troupes à Saint-Domingue : non pas tellement pour renforcer la défense de l'île par ses habitants, mais plutôt pour pallier leur défection. Commentant la conjoncture désastreuse, concrétisée par la chute des îles du Vent et par la fragilité de Saint-Domingue, l'abbé Raynal relève : « La cour de Versailles fut également étonnée et consternée des pertes qu'elle venait de faire, de celles qu'elle prévoyait. Elle s'était attendue à une résistance opiniâtre, insurmontable même. Les descendants des braves aventuriers qui avaient formé ces colonies, lui paraissaient un rempart contre lequel toutes les forces britanniques devaient se briser. Il s'en fallait peu qu'elle n'eût une joie secrète, de ce que les Anglais dirigeaient leurs efforts de ce côté-là. Le ministère avait inspiré sa confiance à la nation, et c'était être mauvais citoyen, que d'oser montrer quelques inquiétudes. » Incontestablement, après la disgrâce de Machault, et l'exécution de ses plans pour 1757 étant achevée, la prudence de Peyrenc de Moras, son successeur, puis la funeste stratégie navale adoptée par Choiseul, ont donné le sentiment aux colons des Antilles, jusqu'à la venue de l'escadre de Blénac-Courbon en 1762, que la mère patrie les abandonnait à leur sort. Les Canadiens n'avaient-ils pas de leur côté éprouvé justement ce même sentiment ?

Raynal tire alors des conséquences des guerres européennes et de l'évolution fortunée des îles une conclusion qui reflète l'état d'esprit de leurs habitants, qui sont ses amis. « Il doit être permis aujourd'hui de dire, que ce qui est arrivé arrivera toujours. Un peuple dont toute la fortune consiste dans des champs et des pâturages, défendra, s'il a de l'honneur, ses possessions avec courage. Il ne hasarde tout au plus que la récolte d'une année ; et un revers, quel qu'il soit, ne le ruine pas. Il n'en est pas ainsi des cultivateurs de ces colonies opulentes. Comme en prenant les armes, ils risquent de voir les travaux de toute leur vie détruits, leurs esclaves enlevés, les espérances même de leur postérité anéanties par le feu ou par la dévastation, ils se soumettront toujours à l'ennemi. Quand même ils seraient contents du gouvernement sous lequel ils vivent, ils sont moins attachés à sa gloire qu'à leurs richesses. » L'ancien jésuite développe son plaidoyer compréhensif en faveur d'une neutralité coloniale, répète ses conclusions, les enfonce comme un clou. « L'exemple des premiers colons, dont les attaques les plus vives n'ébranlèrent jamais la confiance, n'affaiblit pas cette observation. Alors la guerre avait pour objet de s'emparer du territoire, et d'en chasser les habitants : aujourd'hui, la guerre faite à une colonie, n'est qu'une guerre faite à son souverain. » Les colonies et les métropoles, proches par les apparences que souligne un regard superficiel, sont différentes par l'intérêt. Aussi ne peut-on exiger des riches et lointaines possessions de subir les effets de conflits auxquels elles se sentent étrangères. Elles ne sont pas liées au sort de leur souverain du moment : l'autonomie est leur destin. Telle est la leçon profonde qui se dégage des propos de l'abbé. Cette morale rompt avec la tradition, avec le système de fidélités construit autour du roi, et annonce la naissance de la théorie selon laquelle seuls des liens contractuels unissent les colonies à leur métropole. Mais cette évolution des idées ne fait que traduire les mouvements de la réalité. Les conflagrations, pendant lesquelles l'Angleterre détient la maîtrise des mers, ralentissent les échanges entre les îles et la France, quand elles ne les interrompent pas, comme pendant les deux dernières années de la guerre de Succession d'Autriche ou comme durant la guerre de Sept Ans. Alors, la France prend conscience que les Antilles, aux productions commerciales riches, forment son empire colonial par excellence, tandis que celles-ci, affranchies des raideurs du monopole métropolitain, profitent de la faculté d'acheter et de vendre sans contrainte grâce aux permissions officielles, aux navires parlementaires et surtout à un interlope insatiable. Cette liberté du commerce, dont les conflits provoquent l'essor, révèle aux îles le fait américain, leur complémentarité avec les Treize Colonies, que la perte du Canada et de la Louisiane va renforcer.

La guerre de Sept Ans marque un tournant de l'histoire coloniale française. Pendant les mêmes années, la nation, redéfinissant ses conceptions de l'outre-mer identifie l'empire aux seules Antilles, et les îles, remettant en cause l'exclusif, se découvrent une solidarité américaine avec les futurs États-Unis. Les colons sentent monter en eux la revendication de liberté qui, de la gestion des affaires, glisse à l'administration. La France localise son ambition impériale aux Antilles, quand celles-ci mesurent les avantages du patriotisme américain, par essence centrifuge. Le retour à la paix laisse présager des conflits entre une métropole désireuse de tirer des bénéfices toujours plus substantiels des sucres, cafés et cotons tropicaux, et des possessions qui aspirent à desserrer la tutelle sous laquelle les tiennent les négociants de la mère patrie et les bureaux de Versailles.

De l'Afrique aux Mascareignes

Les Anglais s'attaquent aux possessions de la France sur le littoral africain, avant même de s'en prendre aux Antilles. À dire vrai, l'emprise nationale sur le continent noir se réduit à quelques forts : point de colonies de plantation ni de peuplement. Au Sénégal, deux îles protégées, Gorée et Saint-Louis, constituent les piliers de la présence nationale. Sinon, les couleurs du roi flottent à Albréda sur la

Gambie, puis en remontant vers le nord, à Rufisque, Portudal et Joal, ainsi que sur les forts intérieurs de Podor et de Saint-Joseph de Galam, construits sur les rives du fleuve Sénégal. À la côte de Guinée, la France entretient une place sans valeur stratégique à Ouidah, petit port de l'actuelle république du Bénin. En 1758, à la demande du négoce britannique, qui veut s'approprier le monopole de la traite de la gomme, la Navy envoie une escadre pour s'emparer de Saint-Louis. Après une résistance de six jours, les 95 Français assiégés capitulent (29 avril 1758). Continuant sur leur lancée, les ennemis se présentent devant Gorée le 24 mai, convaincus de l'emporter une deuxième fois sans difficulté. Contrairement à leur attente, ils échouent. L'amirauté anglaise confie alors une escadre à l'un de ses brillants officiers, l'amiral Keppel, pour ramener le rocher français à plus de bienséance. Cette expédition est en vue de Gorée le 28 décembre. Les bombardements et débarquements décident les quelque 250 français pris au piège à se rendre. La Compagnie des Indes disparaît de la carte d'Afrique, se contentant de survivre à Ouidah. Lors du traité de Paris, en 1763, Versailles, sur l'insistance du contrôleur général Bertin, et à la grande colère de Pitt qui croit à tort que Gorée est un grand centre négrier, l'île atlantique retourne à la France, tandis que Londres conserve le plus intéressant : « La rivière du Sénégal avec les forts et comptoirs de Saint-Louis, Podor et de Galam et avec tous les droits et dépendances de la dite rivière Sénégal. » Poncet de La Rivière, premier et éphémère gouverneur de Gorée, qu'un navire de l'omniprésent négociant juif portugais Abraham Gradis a transporté jusqu'à son minuscule établissement, recouvre Albréda, Rufisque, Portudal et acquiert le territoire sur lequel Dakar s'élève aujourd'hui. Bref, si le traité de Paris n'est pas une catastrophe sur le plan commercial — la traite sénégalaise de la gomme et des esclaves se confinant dans des rapports modestes —, il représente une faillite sur le plan stratégique, car il retire à la France cette voie familière de pénétration de l'Afrique de l'Ouest que représente le fleuve Sénégal.

À l'entrée de la mer des Indes, les Mascareignes, que Boscawen avait inquiétées en 1748, ont étrangement traversé la guerre de Sept Ans à l'abri des menaces. Une négligence incompréhensible de la part des Anglais, à moins que ceux-ci n'aient découvert ni attrait ni danger dans les Îles Sœurs. Depuis le départ de La Bourdonnais, la Compagnie des Indes a nommé quatre gouverneurs généraux. David, l'homme du Sénégal et futur directeur (1748-1753), Bouvet de Lozier, gendre du précédent, dont un îlot du sud-atlantique qu'il découvrit en 1740 porte le nom (1753-1756), Magon, à qui l'on doit la prise de possession officielle des Séchelles (1756-1759), Desforges-Boucher, fils d'un gouverneur de Bourbon (1759-1763). Sous l'autorité de ces quatre chefs, la Compagnie essaie avec un insuccès toujours égal de faire de Bourbon un grenier à vivres et de l'île de France l'escale protégée et approvisionnée de l'escadre française des Indes. Bourbon envoie quelques cafés à Lorient, produit des vivres en quantités insuffisantes pour nourrir matelots et soldats que la guerre appelle au Port-Louis ; quant à l'île de France, peu préoccupée d'agriculture, délaissant l'entretien de ses fortifications et des magasins de matériel de marine, elle se livre au commerce légal, mais aussi à l'interlope et arme en course dès que la conjoncture internationale l'y autorise. Fréquentées par une marine royale rarement en opérations le long de la côte de l'Inde, point de relâche démuni d'où il faut aller chercher riz, viandes et autres provisions à Madagascar ou au Cap, les Mascareignes rendent peu de services à la nation. Aussi, malgré leur situation stratégique, n'attirent-elles pas le regard de l'ennemi et n'allument-elles pas sa convoitise. Décidément, qu'elle administre à l'Afrique, aux Mascareignes ou dans l'Inde, la Compagnie, entreprise d'État plus bureaucratique que capitaliste, est brouillée avec la fortune.

Le gouverneur général David imaginait découvrir, à l'île de France, un damier tropical de plantations où des colons affairés préparaient l'expédition des denrées amassées. Il exprime la surprise où l'île l'a plongé, dans un mémoire qui brosse un tableau vivant de la société insulaire. « Je fus extrêmement surpris, en arrivant à l'île de France, d'y voir beaucoup moins de colons que des gens de tout état, occupés entre eux d'un brocantage sordide, d'un trafic illicite, tant intérieur qu'au dehors, de diverses marchandises sauvées par la fraude ; on n'y avait point d'autre industrie ; je n'ose presque pas dire, par respect pour la Compagnie, que son nom y était à peine connu ; ceux qui croyaient avoir des idées plus justes de sa constitution, ne la regardaient que comme un établissement politique pour donner lieu aux plus habiles de s'enrichir, de là l'oubli des vrais intérêts, l'indifférence pour l'agriculture, l'éloignement du travail, à la place des soins, des attentions qui sont le partage du citoyen et qui forment les bonnes colonies. Tel était l'esprit qui régnait dans les îles, lorsque j'y suis arrivé. La fermeté, l'encouragement, l'exemple que je leur ai donné ont insensiblement banni ce désordre [...] mais qui peut se représenter les difficultés que j'y ai rencontrées, les contradictions, les murmures, l'animadversion générale de presque tous les particuliers, accoutumés à ne rien faire, ou à vivre aux dépens de la Compagnie ! Après leur avoir ôté tous les moyens de continuer leurs commerces illicites, je me donnai tous les soins possibles pour les amener à leurs véritables intérêts et les porter au travail ; le temps, l'exemple et la persuasion en sont venus à bout ; ils ont embrassé les cultures pour lesquelles ils ont plus de facilité ou d'inclination. » David, décontenancé, ne peut se faire à l'idée d'une île qui, contrairement aux Antilles, ne produit aucune denrée, et que son activité apparente à un comptoir commercial de l'Asie : le mauvais esprit en prime.

L'Inde gâchée : la faillite de Lally

Là-bas, aux horizons d'Asie, l'Inde française, une fois signé le traité conditionnel du 26 décembre 1754, voit Godeheu s'éloigner hâtivement au mois de février 1755, et Leyrit, directeur de Chandernagor, accéder au gouvernement général. Chez les Anglais, Saunders est remplacé par Pigott qui, sitôt en place, s'arme des ambitions et de la ténacité de son prédécesseur. Ignorant les clauses du traité, cajolant l'ami traditionnel qu'est Méhémet Ali, il mène une politique de protectorat sur le Carnatic. Tandis que Bussy refuse au Moghol de passer à son service, de peur de déplaire à la Compagnie, Leyrit songe de plus en plus à faire appel à lui pour reprendre la stratégie qui a perdu Dupleix : la domination du Carnatic à laquelle les Britanniques s'emploient avec succès en violation des accords conclus. Les princes indiens observent les hésitations des Français et en tirent la leçon. Les chefs mahrattes Morarao et Balagirao intriguent, dès 1756, contre le soubab du Deccan, Salabet, allié et protégé du roi. Prenant les armes, s'introduisant dans l'entourage de Salabet, jouant à la fois les amis et les ennemis du souverain, l'incroyable se produit : le soubab décide de partager son pouvoir avec ses deux frères Nizam Ali et Bassalet, pendant que son Premier ministre, Chanavas Khān lui explique l'effacement de la France et négocie avec Méhémet Ali et ses protecteurs britanniques. Reprenant l'itinéraire des Français, les Anglais, qui ont déjà placé le Carnatic sous leur tutelle, s'apprêtent à investir le Deccan. Bussy, congédié, bat en retraite et s'enferme dans Haïderabad. Il est pris au piège, et avec lui, toute l'influence française est menacée. À partir du 30 juin 1756, la cavalerie mahratte de Balagirao et les troupes ralliées par Chanavas Khān encerclent Haïderabad en nombre. Deux événements se produisent alors, qui vont sauver Bussy et son œuvre. Les perspectives d'action des Anglais sont déplacées, aussi bien du Carnatic que du Deccan, par les hostilités que Suraja Daula, jeune soubab du Bengale, engage sur son territoire. Le prince ferme la loge anglaise de Cassimbazar non sans brutalité, mais surtout envahit Calcutta où il massacre presque tous les sujets du roi George. Ce coup de main fracassant et inattendu mobilise les Britanniques, qui réunissent leurs forces pour exercer des représailles, permettant à Leyrit d'envoyer vers Mazulipatam des renforts aux ordres de Jacques Law, secondé par Saubignet. Le 15 août, les troupes de Bussy sortent d'Haïderabad et font jonction avec celles de Law. Cinq jours plus tard, Bussy est réintégré dans ses dignités et ses fonctions par Salabet, mais attendant son heure il ne demande pas la révocation de Chanavas Khān, et se contente de la destitution de personnages de moindre importance. Au mois d'octobre 1756, l'Inde apprend que l'Angleterre et la France sont en guerre. Leyrit répète le choix stratégique qui avait défait Dupleix. Il lance Auteuil et Saubinet à la conquête du Carnatic. Devant Trichonopoly, c'est une nouvelle fois l'échec ; les Anglais restent maîtres de la ville, ainsi que d'Arcate et Madras. À Haïderabad, Bussy piétine, demandant l'autorisation de marcher sur le Bengale, de s'y coaliser avec le gouverneur Renault de Saint-Germain et ses subordonnés, dont Jean Law, chef de la loge de Cassimbazar et Courtin, directeur de celle de Dacca. Le gouverneur général, s'inspirant de la doctrine officielle, invoque la primauté du revenu des *circars* de la côte d'Orissa et refuse. « Voici l'instant, signifie-t-il à Bussy dès le 19 septembre 1756, et je me hâte de vous réitérer ce que je vous ai marqué par ma lettre du 19 juillet. Je me détermine à vous renouveler le parti qu'il faut prendre ; revenez, Monsieur, avec tout votre monde sur nos provinces ; votre présence y est nécessaire en y assurant la propriété et la rentrée des fonds de la Compagnie. » Et au contrôleur général des Finances Peyrenc de Moras, Leyrit, s'exprimant comme le syndic Silhouette et le parti commerçant, confie : « M. de Bussy nous a épuisé depuis longtemps à l'armée du nabab d'armes, de munitions, d'argent et d'hommes sans beaucoup d'utilité. » En interdisant à Bussy de passer à l'offensive au Bengale, « le Paradis de l'Inde », en privilégiant le Carnatic désolé et désolant, en réduisant la domination nationale au Deccan à la présence d'un maigre détachement et à la collecte de l'impôt dans quelques cantons de la côte d'Orissa, Leyrit signe l'abdication des ambitions royales dans le sous-continent.

Pendant ce temps, les Anglais, profitant de l'immobilité des Français, réunissent leurs forces à Madras. Bientôt, l'escadre de l'amiral Watson, portant plus de 2 500 Européens et près de 2 000 *cipayes* aux ordres du célèbre Clive, fait voile vers le Gange qu'elle remonte à la mi-décembre 1756. Le 2 janvier 1757, Calcutta tombe. Le gouverneur français de Chandernagor, Renault de Saint-Germain, en accord avec Leyrit, qui, au nom de la solidarité de race et dans l'espoir d'obtenir la neutralisation du Gange, a repoussé les avances de Suraja, propose sa médiation avec le soubab aux chefs britanniques. On se fait de belles et mutuelles promesses quand, le 5 février, Clive met en déroute les troupes de Suraja. Celui-ci se tourne alors vers Leyrit et Bussy, leur réclamant des secours : il ne reçoit aucune réponse, comme l'exige la doctrine irréelle du gouverneur général. Renault continue de papoter avec l'ennemi mais frère de race. Brusquement, sans attendre les renforts partis de Bombay, Watson et Clive attaquent Chandernagor le 14 mars et s'en emparent le 23. Jean Law, frère de Jacques, qui avait débloqué Bussy à Haiderabad, quitte Cassimbazar et entame une aventure guerrière qui durera cinq ans ! Courtin, directeur à Dacca, suit l'exemple du neveu du contrôleur général des Finances du Régent, mais capitule au bout de huit mois. Les capitalistes indigènes, mécontents de leur souverain, le trahissent. Les Chets — famille indienne de banquiers —, souligne R. Glachant, en choisissant de soutenir les Anglais, « furent les liquidateurs invisibles de Suraja ». Clive, après ses premiers succès, ne s'arrête pas en chemin : il se précipite à la poursuite du soubab qui bat en retraite. Chevalier, collaborateur et compagnon de résistance de Courtin, raconte dans son *Journal,* qu'en arrivant à Mursidabad, le petit groupe de Français apprend que l'armée anglaise et celle du prince étaient en présence dans la plaine de Plassey, « et qu'à tous moments on attendait la décision d'une bataille. Nous hâtâmes notre marche, et fîmes la plus grande diligence pour nous y trouver, mais en arrivant à Bhagabanagola, place de commerce qui n'est éloignée que de deux lieues de Mursidabad, nous sûmes que, la veille, le nabab avait été défait et que lui-même avait été obligé de prendre la fuite, ayant été abandonné de tous les siens par la plus indigne des trahisons de la part de Mirjafer, son beau-père, qui commandait un corps de 20 000 hommes qui faisaient la principale force de l'armée. Ce traître, au moment de la bataille, était passé du côté des Anglais et, dès ce moment, ce ne fut plus qu'une débandade et une déroute générale. Le nabab paya cher dans cette action, la faute qu'il fit de se rendre aux avis trompeurs de son beau-père qui le pressa de livrer bataille. Si, comme il le devait, il eût attendu la jonction de M. Law qui descendait de Patna avec 400 Européens et qui était déjà rendu à Rajmahal, lieu éloigné de quatre journées de Plassey, les choses eussent changé de face. Les Anglais dont alors toutes les forces consistaient en 600 Européens et 3 000 *cipayes,* et dont tout l'espoir était dans la trahison qu'ils avaient tramée, Mirjafer en eût craint l'exécution. La nécessité l'eût forcé à faire son devoir pour n'être pas soupçonné. L'armée du nabab eût acquis une supériorité contre laquelle les Anglais n'eussent pas été en état de résister. Ils étaient perdus et loin de risquer une action, ils n'eussent eu d'autre ressource que de s'embarquer avec précipitation sur leurs bateaux et de regagner Calcutta où le nabab les eût poursuivis et d'où, suivant toutes les probabilités, il les eût chassés pour la seconde fois. Mais la fortune qui tenait entre ses mains le sort des empires donna dans cette journée le royaume du Bengale aux Anglais. Ils entrèrent en triomphe à Mursidabad et, en exécution du traité fait entre eux et Mirjafer, ils le firent proclamer nabab pour le prix de son déshonneur ».

La victoire de Clive dans la plaine de Plassey, prolongée par le rapide assassinat de Suraja, ridiculise la politique française et condamne les sujets de Louis XV à une éviction prochaine. La Compagnie anglaise, au contact de Dupleix et de Bussy, a corrigé sa politique. Contrairement à Étienne de Silhouette, raisonneur de cabinet, esprit de système aux vues fausses, elle ne choisit pas le commerce contre la domination, elle opte pour le négoce et l'empire ! Cette bataille, comme l'a marqué R. Glachant, a tout en même temps fixé le sort de l'Inde et mis « aux mains de la Compagnie anglaise les ressources énormes du Bengale. De là tout l'océan indien sera dominé comme d'un donjon. Mais elle décida de bien autre chose : de la physionomie de l'Occident et de la répartition des forces en Europe et dans le monde jusqu'au xxᵉ siècle. Napoléon n'a pas été battu en 1815, mais à Plassey ». Bussy, chef militaire à la vision politique large et cohérente, mesure la portée du succès britannique. Après la reddition de Chandernagor, il s'est emparé des factoreries anglaises de la côte d'Orissa, mais ces petites consolations n'ouvrent d'avenir ni au roi ni à son ambition. N'ayant jamais pu donner pleinement sa mesure, donner libre cours à son esprit de conquête, et considérant que la partie, où la nation disposait des moyens de l'emporter, est perdue faute d'une stratégie offensive, il demande à rentrer en France. Leyrit refuse, car l'on attend un nouveau maître. Une dernière fois, il se rend dans le Deccan, sauve la tête de Salabet contre qui ses deux frères, au début de 1758, conspiraient à nouveau. Il ne peut empêcher le meurtre du nouveau Premier ministre Aïder Jing, mais ne semble pas faire obstacle à l'assassinat de ce conjurateur tenace qu'était Chanavas Khān. Pendant que le sort de l'Inde se joue, que fait la France ? Contrairement aux clichés répandus, elle ne s'enivre pas dans les plaisirs. Machault, secrétaire d'État de la Marine, l'homme qui envoie des troupes au Canada et organise des concentrations navales annuelles devant Louisbourg, prend, de concert avec ses collègues, des mesures qui traduisent la volonté ferme de Versailles de sauver les établissements français du sous-continent. Le principe d'envoyer un corps expéditionnaire à Pondi-chéry est retenu dès le premier semestre de 1756. La désignation de son chef pose un problème. Un nom est avancé, celui du comte de Lally, maréchal de camp. Qui est ce général, dont on susurre qu'il a le caractère aventureux et le goût de l'intrigue ? Voltaire, qui n'est pas de ses ennemis, en brosse le portrait. « C'était un Irlandais de ces familles qui se transplantèrent en France avec celle de l'infortuné Jacques II. Il s'était si distingué à la bataille de Fontenoy, où il avait pris de sa main plusieurs officiers anglais, que le roi le fit colonel sur le champ de bataille. C'était lui qui avait formé le plan plus audacieux que praticable de débarquer en Angleterre avec dix mille hommes, lorsque le prince Charles-Édouard y disputait la couronne. Sa haine contre les Anglais et son courage le firent choisir de préférence pour aller les combattre sur la côte de Coromandel. Mais malheureusement il ne joignait pas à sa valeur la prudence, la modération, la patience nécessaires dans une commission si épineuse. » Dans une lettre, qu'il écrira au duc de Richelieu, le 17 mai 1766, le seigneur de Ferney complète ainsi le portrait du général : « Je le connaissais pour un Irlandais un peu absurde, très violent et assez intéressé. »

Raynal, soigneusement renseigné par ses amis officiers et commis des ministères, croque Lally d'une plume trempée dans le vitriol.

« Cet homme, dont le caractère indomptable était presque toujours en contradiction avec les circonstances, n'avait reçu de la nature aucune des qualités propres au commandement. Dominé par une imagination sombre, impétueuse, irrégulière, ses discours et ses projets, ses projets et ses démarches formaient un contraste continuel. » En un mot, le général vivait perpétuellement « dans le désordre de ses idées ». Cela chacun le savait, mais tous s'inclinaient devant sa bravoure. Contre cet homme, remarqué au combat par le roi et poussé en avant par la marquise de Pompadour, un ministre prend position, le secrétaire d'État de la Guerre. En effet, le comte d'Argenson, qui songe à Bussy dont le grade insuffisant, la fortune tapageuse et les conceptions forment autant d'obstacles au commandement de l'expédition dans l'Inde, déconseille la nomination de l'Irlandais avec une insistance dépourvue d'ambiguïté. La Compagnie, auprès de laquelle le commissaire royal de Silhouette occupe les fonctions de tuteur, demeure sourde aux objections du secrétaire d'État de la Guerre. Au contraire, le comportement du général la séduit. Lally, à l'opposé des officiers sans expérience coloniale pour qui une affectation dans une possession lointaine s'identifie à un exil — Montcalm, par exemple —, postule le gouvernement de Pondichéry. En fait, il partage les arrière-pensées de ceux qui se sont résignés à sa démarche : faire fortune et ramasser des récompenses comme le bâton de maréchal. Ce meneur d'hommes impétueux n'obéit pas qu'aux appels de la gloire, il sait emprunter les arcanes de l'intrigue. Pendant le premier semestre de 1756, il fait parvenir au contrôleur général des Finances Moreau de Séchelles un long mémoire dans lequel il expose l'action qu'il serait bon d'engager en Inde. Quels plans l'Irlandais développe-t-il pour emporter l'approbation fervente de Séchelles, de Moras et de Boullongne, titulaires successifs du contrôle général des Finances, ainsi que celle des dirigeants de la Compagnie, plus précisément Silhouette ? Il convient, dit-il, de « renoncer à toutes ces possessions onéreuses, séparées de Pondichéry par deux, trois, quatre cents lieues, divisées en quatre masses qui ne pouvaient pas s'étayer mutuellement, tant elles étaient éloignées l'une de l'autre, et d'y substituer par l'échange avec les princes, quelques domaines serrés et contigus, formant avec Pondichéry une seule masse, ni trop peu solide, ni trop étendue, telle enfin qu'on éprouvât jamais ni le besoin d'attaquer, ni la crainte de l'être ». Raynal, reprenant mot à mot cette évocation des « quatre masses » démesurément distantes les unes des autres, apporte ce commentaire éclairant : « On y voyait l'empreinte de l'esprit un peu décousu, et de l'imagination souvent gigantesque de Dupleix, qui les avait acquises. » Le projet de Lally, celui d'un courtisan de la Compagnie plutôt que du roi, condamne la politique de Dupleix et surtout celle de Bussy. Il renonce au Deccan, à la côte d'Orissa et par conséquent au si précieux Bengale, en prenant appui sur une évaluation routinière et fausse, qui veut, comme l'affirme Raynal, que le Carnatic — le futur bloc homogène — soit « la province de l'Empire Moghol la plus florissante ». Voilà qui comble d'aise Silhouette et la plupart des responsables de la Compagnie, qui ont pour credo de faire du commerce dans le sous-continent, mais sans y « être une puissance ». Une conception angélique, qu'au même moment les Anglais abandonnaient.

Une fois chantée sa bucolique commerciale, le général, libérant son naturel, entonne un hymne guerrier. « C'est une impossibilité absolue d'avoir la paix dans l'Inde avec les Anglais, et, par conséquent, d'y faire un commerce utile tant que ces derniers existeront. C'est en même temps une nécessité impérieuse, absolue, de renoncer au système de Dupleix, source de tant de désastres. Est-ce à dire qu'il faille oublier nos intérêts et notre gloire ? Non. La politique à suivre, c'est de commencer par exterminer les Anglais dans l'Inde ; cela fait, il faut donner, en plein éclat de la victoire, l'exemple d'une modération qui conciliera le respect et l'amour de tous les voisins. C'est le moment où il faudra rendre toutes les provinces usurpées à leurs souverains légitimes. » Cet écheveau de contradictions, si grossières qu'on se demande si son auteur possède sa raison, ne trouble pas Silhouette et ses amis ! Ceux-ci, enthousiasmés par les folles incohérences de l'Irlandais et par son aversion pour la stratégie de Dupleix et de Bussy, arrachent la nomination de leur candidat contre le gré du comte d'Argenson, acquis au pragmatisme souple mais conquérant du maître du Deccan. En attendant d'être élevé à la dignité de maréchal, Lally est promu lieutenant général et reçoit la grand-croix de l'ordre de Saint-Louis, témoignage, par-delà les péripéties, de la sincère confiance du roi dans le brillant et héroïque soldat de Fontenoy. Le chef de l'expédition prend rapidement connaissance des instructions que le contrôleur général de Moras a préparées, en s'inspirant largement du mémoire que Lally avait envoyé à Moreau de Séchelles, tout en y ajoutant des nuances et des précisions. Que prescrivent ces ordres ? « Expulser les Anglais de la côte de Coromandel », c'est-à-dire s'emparer du Carnatic, à commencer par son littoral où s'étendent les ports de Madras et de Gondelour, sans oublier le fort Saint-David, au sud de Pondichéry. Au sujet du Deccan, on s'en remet au général qui, sur place, se trouvera à même de juger au mieux. On penche pour l'évacuation, mais l'on n'ose pas prendre la responsabilité de la commander. « Sa Majesté laisse au sieur de Lally la liberté de rappeler les troupes du Deccan ou non, d'y laisser Bussy ou non pour commandant ou de lui en substituer un autre ; mais avant que de se déterminer à rappeler ces troupes, M. de Lally doit considérer qu'il est important de ne perdre que le plus tard possible le revenu des provinces concédées pour l'entretien de ces troupes. » En fait, on ne sait quelle politique substituer à celle hautement condamnée de Dupleix et de Bussy.

Alors, Peyrenc de Moras commet quelques réflexions filandreuses :
« Tant que l'on sera à la côte de Coromandel dans une sorte
d'équilibre avec les Anglais, et qu'on aura la guerre avec eux, celle des
deux nations qui voudrait se retirer d'avec les Maures courrait le
risque de voir les puissances du pays se réunir à son ennemi contre
elle, et, par cette raison, il ne convient pas encore de se concentrer
dans les établissements que l'on veut conserver. » Au lieu de jeter de
la lumière sur la conduite à tenir, ces instructions offrent les secours
d'un lumignon vacillant. Il faut faire la guerre à l'Angleterre, mais sur
la seule côte de Coromandel, il faut se dégager des « liaisons où la
Compagnie est entrée » avec les princes indiens, mais sans rompre
avec eux, il vaudrait mieux se retirer du Deccan, mais en demeurant
dans les *circars* de la côte d'Orissa pour y collecter l'impôt qui
entretiendra nos troupes. Enfin, dans ce désordre extravagant, tombe
la condamnation des nationalistes indiens avec lesquels Bussy désirait
s'allier pour renverser la hiérarchie musulmane du Moghol, chasser
les Anglais et faire de l'Inde un empire français. « Les Mahrattes sont
les ennemis les plus redoutables. » L'excentricité ministérielle a de
quoi faire rêver les imaginations les plus stériles : on demande à un
général d'aller s'attaquer à la première puissance navale du monde,
dont par ailleurs on a éprouvé à ses dépens la valeur de l'armée de
terre, de faire la guerre sans alliés, de se donner tout entier à la
Compagnie « et de ne s'occuper que de son commerce pour le relever
de son dépérissement ». Plutôt que d'adopter la stratégie impériale
défendue par Dupleix et Bussy, le ministère préfère n'en embrasser
aucune, mais s'acquitte de son obligation de protection en rassemblant un corps expéditionnaire et une escadre pour le transporter. La
cour accomplit son devoir moral sans se donner une finalité politique.

Lally, muni d'une commission de commandant en chef et de
commissaire du roi le plaçant au-dessus du gouverneur général de
Leyrit, et entouré d'officiers réputés comme Crillon, Conflans,
ancien collaborateur et ami de Bussy, Estaing, La Fare, Montmorency, La Tour du Pin, apprend qu'il partira sous peu sur une
escadre commandée par l'amiral d'Aché. On lui confiera six bataillons
et six millions de livres. Le 30 novembre 1756, le chevalier de
Soupire, à la tête d'une avant-garde de plus de 1 000 hommes part
pour l'Inde, où il arrive le 8 septembre 1757, plus de cinq mois après
la chute de Chandernagor. À Lorient, le général, comptant les jours
qui passent, s'agite et tempête. Le remaniement ministériel, du
1er février 1757, qui suit la tentative d'assassinat contre Louis XV, et
la défense du Canada mettent à mal le calendrier qui avait été prévu.
Le comte de Saint-Priest, officier et futur successeur de Vergennes à
l'ambassade de France à Constantinople, relève ce retard avec
justesse, mais ajoute une sévérité qu'explique son alliance avec
l'Irlandais : « M. de Machault avait préparé, contre les Anglais dans
l'Inde, une expédition dont le comte de Lally devait avoir le

commandement. Le point essentiel pour le succès était de la faire partir à la fin de janvier, afin de profiter des moussons favorables au-delà de la ligne. Non seulement Moras retarda ce départ, mais il retint deux bataillons et retrancha plus de deux millions des sommes qui devaient y être employés. Lally se récria avec amertume et ne voulait point partir ; on le supplia, il finit par se rendre, il partit, mais beaucoup trop tard. Il manqua la mousson et fut obligé de relâcher à Rio de Janeiro, ce qui donna aux Anglais le loisir de le prévenir dans l'Inde ; sans ce contretemps, il y aurait trouvé leurs établissements sans défense. » Enfin, l'escadre et l'expédition quittent la France le 3 mai 1757. L'amiral d'Aché, chemin faisant, capture un navire marchand anglais et pour le conserver réduit sa vitesse. L'escale de Rio permet de rafraîchir les équipages, atteints de scorbut, et vraisemblablement donne le temps à d'Aché de vendre en contrebande la cargaison du bâtiment ennemi qu'il avait saisie. Après quoi, la flotte reprend la mer, empruntant un itinéraire très au sud donc plus long, et arrive tardivement aux Mascareignes où elle s'immobilise pendant trois mois. Les relations entre les deux chefs s'aigrissent et tournent au conflit. Près d'un an après s'être embarqués, les Français posent le pied sur le sol indien. Lally, ne laissant pas même, quarante-huit heures de repos à ses hommes, s'élance vers le port anglais de Gondelour, au sud de Pondichéry, et en obtient la capitulation, le 4 mai 1758. Puis, il se dirige vers le fort Saint-David, qu'il assiège le 19 mai, et dont il reçoit la reddition le 2 juin. Il fait raser les fortifications : une mesure que les Britanniques n'oublieront ni ne pardonneront. « Il avait chassé les Anglais, insiste Malleson, d'un de leurs principaux établissements, celui qui était depuis longtemps le siège de leur gouvernement, qui avait résisté aux efforts de Dupleix, et dont Lawrence et Clive étaient sortis pour vaincre les armes françaises à Trichinopoly. » Descendant plus au sud encore, le général enlève le port de Devicotta. Pendant ce temps, d'Aché avait livré une bataille indécise, au large de Négapatam où, selon Jenkins, il eut « plutôt le dessus » sur son adversaire, l'amiral Pocock qui ne peut approcher le fort Saint-David et lui porter secours. Tout semble réussir au chef français dont il convient de ramener les succès à leurs vraies dimensions : exactement un an plus tôt, la victoire de Plassey livrait à Clive et à ses compatriotes les clés du richissime Bengale.

La stratégie française ne vise pas à conquérir d'opulentes provinces, mais à creuser toujours plus profondément le sillon tracé au XVIIᵉ siècle. Une démarche actionnée par la routine, non par l'appétit de puissance ou de lucre. Lally va bientôt recevoir une directive où le contrôleur général des Finances, Boullongne, lui rappelle la religion de la Compagnie et de la cour. Le 6 février 1758, le ministre lui écrit : « Le projet d'avoir de grandes possessions de terre et d'entretenir des troupes auprès du souverain du Deccan n'a jusqu'ici produit d'autre effet que d'enrichir quelques officiers particuliers et d'épuiser la

Compagnie en hommes, en argent et en munitions de toute espèce. Il y a apparence que si l'on avait pu envoyer au Bengale les secours que l'on a été obligé de faire passer à M. de Bussy, sous les ordres de M. Law, on aurait pu se garantir de l'échec essuyé à Chandernagor. La dernière révolution du Deccan a néanmoins produit le bon effet de faire sentir à Bussy même la nécessité de se retirer d'un pays qui ne couve que des trahisons et où l'on finirait par perdre toutes les troupes que la Compagnie y aurait. Il vous sera désormais d'autant plus facile de vaincre le préjugé sur ce dangereux système qu'il y aura lieu de présumer que le Conseil supérieur de Pondichéry concoura à tout ce que vous pourrez projeter pour y réussir. Vous ne pouvez mieux faire que de vous concerter avec lui et surtout avec M. de Leyrit, qui paraît par ses dernières lettres sentir les dangers et les inconvénients de maintenir une armée dans le pays de Golconde. L'objet de la Compagnie est de se borner à des établissements de commerce sur les côtes et à un terrain circonscrit autour de ces établissements. » Depuis la mort de Colbert, les robins et financiers prêchent une philosophie de gagne-petit que rien ne redresse. Boullongne rêve avec ses amis que les Anglais n'auraient pas occupé Chandernagor si la garnison avait été plus nombreuse. L'exploitation dévorante du contentieux frontalier au Canada, qui dure depuis la paix d'Utrecht, ne dessille pas ses yeux. On refuse de voir que les Britanniques, partout où ils plantent leur drapeau, mettent en œuvre une politique impériale, par définition exclusive, et hostile à tout système de neutralité commerciale ou coloniale. Aucune perspicacité dans l'analyse. Aucune ambition, non plus : quand Pitt s'adjuge ce Bengale qui émerveille les voyageurs, les ministres du roi pleurent sur leur petit Chandernagor que le capitalisme expansionniste de l'Angleterre réduira à un cercle de masures. Lally ne se perd pas dans de telles réflexions. Il tente de convaincre d'Aché de préparer une action combinée contre Madras. Le marin se dérobe. Le commandant en chef s'enfonce dans une mélancolie et une colère qui ne l'abandonneront plus. Il en veut à la Marine de s'esquiver, et s'en prend à Leyrit, à qui il reproche de ne mettre à sa disposition ni fonds ni vivres. Frappant un grand coup, il ordonne l'évacuation de l'île de Sriringam, qui tient Trichinopoly, demande à Moracin, directeur à Mazulipatam de le rejoindre : « Les Anglais une fois chassés de Madras, dit-il comme saisi par un délire, c'est mon affaire d'empêcher que la fantaisie leur prenne d'y revenir. » En réalité, il remet l'attaque de Madras au jour où les marins accepteront de s'allier à lui, puisqu'il n'a pas autorité sur eux et qu'il ne peut les forcer. Toujours dans ces mêmes moments de déception pondichérienne, il se tourne vers Bussy. Très excité, il lui envoie une missive, le 13 juin 1758. « Il est plus que temps, Monsieur, de mettre fin à une guerre dont le germe a produit une si grande multiplicité de branches, qu'il est à craindre que le tronc de l'arbre ne succombe bientôt sous leur poids.

Mon parti est pris de les élaguer et de me borner pour le moment présent au seul objet qui fait ma mission. Le Roi et la Compagnie m'ont envoyé dans l'Inde pour en chasser les Anglais ; c'est avec les Anglais que nous avons la guerre ; tout autre intérêt m'est étranger. Il m'importe peu qu'un cadet dispute le Deccan à son aîné ou que tels ou tels rajahs se disputent telles ou telles nababies. Quand j'aurai exterminé les Anglais de toute cette côte, je serai en état de faire, sans sortir de mon cabinet et à peu de frais, des opérations beaucoup plus sûres que celles qui ont coûté jusqu'ici tant de sujets au Roi et tant de roupies à la Compagnie. Vous avez travaillé jusqu'à présent pour la gloire du Roi et du nom français et pour la vôtre ; vous êtes fondé à prétendre aux grâces de Sa Majesté. Il vous manque encore un mérite pour couronner vos exploits, c'est celui de citoyen. Voici le moment de forcer vos ennemis ou vos envieux dans leurs derniers retranchements. [...] Je me borne seulement à vous retracer ma politique en trois mots ; ils sont sacramentaux : Plus d'Anglais dans la péninsule. Vous vous mettrez donc en marche, sitôt cet ordre reçu, avec tous les Européens qui sont à vos ordres, cavalerie et infanterie. » Bussy reçoit ces divagations, le 14 juillet, à Haïderabad. Il y répond le lendemain. « Ce que j'ai de mieux à faire, Monsieur, c'est d'obéir, et quoique vos ordres me jettent dans une perplexité des plus grandes, vu la situation affreuse où je me trouve, je vais les exécuter le plus promptement qu'il me sera possible. » Souriant et narquois, il ajoute à l'intention de ce César aussi présomptueux qu'ignorant des choses de l'Inde : « Si ma fortune que l'envie augmente si considérablement et avec des circonstances qui m'outragent, si cette fortune, dis-je, était ici, je la sacrifierais du meilleur de mon cœur, mais elle est en France ou en chemin. » Cette flèche décochée, il promet de venir avec 250 ou 300 000 roupies.

Lally, satisfait d'avoir rappelé Moracin, qu'il remplace par Conflans à la côte d'Orissa, et surtout Bussy, lié au comte d'Argenson, naguère secrétaire d'État de la Guerre, ainsi qu'au vieux maréchal de Belle-Isle, s'en va le 18 juin 1758 vers le Tanjore dont le souverain ne veut pas acquitter les dettes inscrites sur les livres de Pondichéry. Il pense que cette promenade militaire étanchera momentanément la soif de numéraire qui affecte toutes les colonies. Il entre dans le petit royaume, atteint Naour, ville commerçante qu'il met à sac, fusillant des prêtres brahmanes, pillant une pagode, parce que la contribution qu'il avait exigée tardait à emplir ses coffres. Il arrive devant Tanjore qui ferme ses portes : il l'assiège, certain d'en avoir fini en quelques jours. Il fulmine, mais la capitale, dont les dépôts sont pleins, résiste si bien qu'au bout d'un mois il rentre à Pondichéry à la tête d'une armée démoralisée et affaiblie par la maladie et la faim (28 août). D'Aché, qui quinze jours plus tôt a livré une bataille indécise contre l'escadre de Pocock au large de Karikal, refuse de se rendre aux supplications du général, des officiers de terre et du Conseil supérieur, et à nouveau repousse l'idée d'une action concertée contre Madras. Le 3 septembre, il abandonne l'expédition à son sort et fait voile vers les Mascareignes, un bon mois avant le renversement de la mousson : on ne peut parler de trahison, mais on doit stigmatiser le manquement grave au service du roi, que le caractère insupportable de l'Irlandais n'excuse en rien. Le général dégoûté de tous, marins, coloniaux, Indiens, sort de sa capitale et monte vers Arcate, que tiennent les Anglais. Quelques petits succès donnent de l'agrément à la marche. Sur la route, un événement : le 26 septembre, Bussy, le stratège colonial de l'Inde, haut et puissant seigneur de la hiérarchie mongole, rencontre son chef, le métropolitain Lally, héros de Fontenoy et protégé de Mme de Pompadour. Les deux hommes se méfient l'un de l'autre, mais dissimulent et font assaut de gracieusetés. Ils parlent de finances, semble-t-il. Toutefois, les ans passant, chacun conservera un souvenir différent de cette conversation. Le lieutenant général assure que son subordonné a tenté d'acheter sa faveur. L'accusé répondra sèchement dans un mémoire : « La conduite de M. de Lally autorise à croire qu'il n'avait passé dans l'Inde que pour y devenir riche et en peu de temps. Il pensait que je l'étais et m'avait couché en très gros caractères sur la liste de ceux par qui il prétendait se faire payer la peine qu'il avait prise de faire le voyage ». Que Bussy ait proposé une aide financée par les princes indiens, cela paraît d'autant plus sûr qu'il l'avait écrit au commandant en chef dans sa réponse de juillet, sur les conseils de son ami Conflans. Lally, jouant la « coquette vertueuse » selon sa propre expression, semble décidé à faire rendre gorge à son lieutenant dont on grossit exagérément la fortune, soit pour subvenir aux besoins des troupes, soit pour en faire profiter sa cassette personnelle. Un détail qui ne présenterait qu'un mince intérêt, s'il n'avait engendré haines, dissensions et ruines.

Arcate capitule le 2 octobre 1758 : l'emprise française sur le Carnatic serait complète si les Anglais de Madras et de Trichinopoly mettaient bas les armes. Bussy, à qui aucun commandement n'est donné, compte les jours. Au bout de près d'un mois d'inactivité, il envoie un mémoire au général, puis lui demande l'autorisation de repartir pour le Deccan. Dans son mémoire, Bussy explique ses vues, sa stratégie : « Le Deccan dans nos mains nous assure la possession de l'Inde » affirme-t-il. L'évacuation du Deccan amènerait fatalement la ruine de tous nos établissements de l'Inde, puisque cette politique implique nécessairement la renonciation à tout système d'alliance contractée avec les princes indigènes, et que c'est un fait indiscutable que, sans le secours de ces derniers, il est impossible de pourvoir aux besoins de l'armée, le vide se faisant devant elle. Ce n'est pas tout encore ; il faut que j'insiste sur un autre côté de la question, aussi important. La caisse de l'armée est vide. L'argent manque pour payer les troupes et entretenir la guerre. Quand recevra-t-on de France un secours pécuniaire ? On ne sait. On en est réduit aux expédients. Il est pourtant possible de se passer, du moins pendant quelque temps, des subsides de la métropole, et de trouver des ressources dans l'Inde. Les impôts des *circars*, ces provinces du Nord, dont les revenus nous ont été cédés par le soubab, sont perçus par des Paléagars, petits princes, incapables de résister à une troupe européenne. Ils détiennent aujourd'hui plus de sept millions, montant des taxes, qu'ils gardent quand on ne les exige pas. Pour faire entrer ces fonds dans nos coffres, il suffit d'envoyer un homme habitué aux choses de l'Inde, et de lui donner une escorte de deux cents Européens. Il n'y aura aucune résistance ; cette marche sera une promenade militaire, mais sous la condition absolue, que l'on se présentera sous le couvert de Salabet Jing, et pour cela il ne faut pas abandonner le Deccan. » L'Irlandais ne veut rien comprendre : ni la position stratégique du Deccan, ni le rôle du soubab qui distribue les nababies comme autant de concessions révocables, ni le protectorat français fournisseur d'un revenu fixe qui permet à notre armée de vivre sur le pays. Pour Lally, le métropolitain, toutes ces histoires coloniales ne sont que fables dignes des « Petites-Maisons », des asiles de fous ! Aussi ne prend-il même pas la peine de répondre à son brillant lieutenant : il se contente d'en dire et d'en écrire le plus grand mal. Le général n'a pas que des idées fausses, des lubies, un comportement irascible et bizarre : il est un malade mental, un paranoïaque persécuté et persécuteur, incapable d'assumer son commandement. Ses officiers, venus de France avec lui, en ont conscience et n'en apprécient Bussy que davantage. Le chevalier de Soupire, commandant en second, écrit au maréchal de Belle-Isle toute l'admiration qu'il porte au conquérant du Deccan : « C'est un homme d'un vrai mérite, bon citoyen, attaché au bien de l'État plus qu'à une fortune rapide que les circonstances lui ont fait faire. Je crains que son éloignement du Deccan ne produise des événements fâcheux. J'ai été très émerveillé et satisfait de sa conversation et de son personnel. On ne peut pas être plus modeste, plus simple et mieux rendre les affaires dont il a été chargé, appuyant chaque opération d'un raisonnement solide sans être sujet à contradiction. Il connaît toute la politique de l'Asie et est très capable de donner de bons conseils. » Ce sentiment traduit une certaine unanimité qui va s'exprimer hautement, au mépris de la tradition militaire. Estaing — qui semble à l'origine de l'affaire —, Crillon, La Fare, Verdière et Landivisiau, sachant la promotion de Bussy au grade de brigadier, et informés que la communication officielle de cette décision ne lui est pas parvenue, envoient à Lally une lettre collective, qui est un véritable mouvement de défiance, une invitation à peine voilée à céder son commandement à l'ancien second de Dupleix. « L'estime que nous avons pour M. de Bussy, ce que nous savons qu'il a fait, ce qu'il peut faire, la considération qu'il a, l'utilité dont elle doit être, la nécessité de la lui conserver, les avantages qu'il nous semble qu'elle produirait en l'augmentant, sont les motifs qui nous engagent à vous demander qu'il fasse le service de premier brigadier. Nous le désirons. Une pareille demande est peut-être sans exemple. Si elle est flatteuse pour Bussy, nous la croyons honorable pour nous ; c'est la juste preuve du zèle que nous avons pour le service du roi. » À cette gifle, infamante pour un chef, l'Irlandais réagit comme un commis de juridiction : il consulte le règlement et répond que Bussy fera son service de brigadier à son rang, le dernier.

Alors que les responsables militaires français, désorientés par la conduite du lieutenant général, cherchent des raisons d'espérer, tombe la nouvelle de la défaite de Conflans, battu à Candore, sur la côte d'Orissa par le colonel Forde, qui, après ce succès, assiège Mazulipatam où les troupes royales en déroute se sont enfermées. Il en est fini des *circars* et de leurs revenus sur lesquels Bussy avait vainement appelé l'attention de son commandant. Celui-ci, passant par les états les plus extrêmes, décide de marcher sur Madras où, depuis son arrivée, les Anglais n'ont pas manqué de renforcer les troupes et les bastions. Le 13 décembre au matin, le siège du port britannique commence par le pillage de la ville indigène. Il reste la ville blanche, à l'abri de ses fortifications, dont le gouverneur Pigott a remis la défense au colonel Lawrence. Le 14 décembre, les assiégés jugent opportun de tirer parti du désordre où se trouve l'armée française, en partie absorbée par les plaisirs du brigandage. Ils font une sortie, emmenant avec eux des pièces d'artillerie. Le comte d'Estaing, qui s'avançait en reconnaissance, est capturé. Après quelques instants de flottement, l'ennemi est repoussé. Crillon, voyant les Anglais refluer, propose de leur couper la route du fort Saint-George en occupant le pont qu'elle emprunte. Bussy, qui n'a aucun commandement, conseille la prudence, notamment de ne pas s'aventurer sans canons. Enfin Crillon s'élance, mais les rescapés de la colonne britannique déjà passés courent sans risque vers leur refuge. Aussitôt, le commandant en chef crie à la trahison de Bussy, jure qu'un peu plus de courage et de témérité auraient permis d'entrer dans Madras et de s'en rendre maître. Propos d'autant plus gratuit que Crillon était l'ancien de Bussy, et que celui-ci, présent à titre personnel comme volontaire, n'avait aucune autorité sur le champ de bataille où il occupait la dernière place parmi les brigadiers. La calomnie — plus verbale qu'écrite, au demeurant — de Lally, amplifiée par des partisans, est cependant devenue vérité pour certains historiens, selon qui Bussy a voulu nuire à l'Irlandais ou bien a fait preuve d'incompétence. Les troupes françaises qui, depuis le débarquement du lieutenant général, ont toujours été mal comman-dées, mal nourries, mal payées — d'où le sac effréné de la Ville Noire, qui donna lieu aux « scènes les plus honteuses et les plus destructives de la subordination et de la discipline » —, attendent semaine après semaine la chute de Madras. Pour en terminer, le général décide l'assaut, opération dont on peut se demander si elle avait une chance de succès. Mais le 16 février, l'escadre de l'amiral Pocock montre ses voiles : il n'y a plus rien à entreprendre, sinon le repli vers Arcate et Pondichéry, où Lally, furieux comme à l'habitude, entre le 8 mars 1759. Il accable Bussy d'injures, le rend responsable de tous ses malheurs, bien que depuis le jour de leur première rencontre il l'ait complètement annulé. Puis il lui demande de se rendre dans les *circars* — oubliant que les Anglais ont débarqué à la côte d'Orissa depuis le mois de novembre 1758 — pour finalement y envoyer Moracin. Celui-ci apprend que Conflans, réfugié et enfermé dans Mazulipatam, s'est rendu à Forde le 7 avril 1759. Les revers s'accumulent, les positions françaises s'effondrent partout sans qu'aucun plan suggère un remède et les moyens d'un redressement. Lally, toujours à son délire, à ses plaintes et à ses haines, est parti pour Arcate d'où il invite Bussy à se rendre dans le Deccan, dont jusqu'alors il ne voulait entendre parler. « Voulez-vous m'en croire, M. de Bussy, écrit-il perfide et blessant, vous vous rendrez d'abord ici. Vous n'êtes point fait pour rester bourgeois à Pondichéry. Laissez là cette séquelle de gens que l'intérêt personnel guide. » Invoquant des raisons de santé, Bussy refuse de se lancer dans une aventure qui n'a d'autre objet que de ruiner son crédit, et les 24 avril et 28 juin 1759 sollicite l'autorisation de passer en France. Le général, par jalousie personnelle pour son lieutenant trop brillant, a perdu — ce que la Cour et la Compagnie souhaitaient — l'alliance des princes du Deccan et — ce que personne ne désirait — les revenus de la côte d'Orissa. Cette politique de Gribouille permet aux Anglais de se substituer à nous, et ainsi de contrôler l'Inde orientale depuis le Gange jusqu'à Madras. Le gouverneur Pigott, Clive et Lawrence n'ont plus qu'à puiser dans les richesses du Bengale pour user la résistance des Français : une question de temps, limitée au court terme, puisque la Navy domine les mers comme ce ne fut jamais le cas.

Le 15 août 1759, une frégate du roi mouille devant Pondichéry : elle apporte des instructions du contrôleur général de Silhouette — grand ennemi du protectorat français sur le Deccan — et du maréchal de Belle-Isle. Les pouvoirs de Lally sont étendus. Désormais, il devra « connaître de toutes les parties de l'administration, corriger le despotisme du gouverneur et du Conseil, remonter jusqu'à l'origine des abus, en couper la racine, exclure le Conseil de tout intérêt direct ou indirect dans l'exploitation des revenus de la Compagnie, etc. » Suit une deuxième mesure. Bussy est promu brigadier à compter de 1758 et commandant en second à dater du 28 mars 1759. La nomination de l'homme du Deccan aux fonctions de commandant en second reflète l'indécision de Versailles, qui n'ose révoquer l'Irlandais tout en espérant limiter ses excès en plaçant à ses côtés un officier rompu aux affaires de l'Inde. Mais, et là on devine la griffe de

Silhouette, la tutelle du lieutenant général empêchera l'ancien *alter ego* de Dupleix de s'engager dans une politique de conquête. Ce compromis, comme cela se produit souvent, est mauvais : il blesse Lally, qui vitupère Belle-Isle de voir en son adjoint un second Turenne. Le général soulage sa colère et réclame à Bussy de lui expliquer son sentiment sur la situation. Le 16 août 1759, Bussy, comprenant que sa position n'est pas améliorée, réitère sa demande de congé pour raisons de santé en prenant soin de l'étayer. « Je ne vois pas ce que je puis faire dans les circonstances où nous nous trouvons. Mon crédit parmi les gens du pays, qui seul pouvait me soutenir, n'existe plus. [...] Mon inutilité me pèse parce que j'en sens toute l'étendue. Il ne me reste que du zèle et de la bonne volonté. Je les emploierais encore aux affaires, si l'on pouvait s'en promettre des fruits. Vous êtes par votre place et par vos lumières, juge compétent et même arbitre sur cette nature. Vous me parlez au nom du Roi. Ces grands objets suspendent le sentiment de mes maux. Je n'hésiterais pas à rentrer dans les affaires et à travailler sous vos ordres, si je me flattais assez pour croire que mes soins vous seraient utiles et agréables. Sans cette assurance, je ne puis rien faire avec dignité et il m'est impossible de me soumettre à ce que vous avez bien voulu me faire connaître des intentions du ministre et de vos propres dispositions. Vous sentez sûrement, Monsieur, que la nouvelle face des choses m'est étrangère à bien des égards. »

Bussy, avec une froideur calme et incisive, signifie au général qu'il a échoué dans sa mission par méconnaissance de l'Inde, voire de l'administration. Lui-même ne s'estime apte à accomplir un service utile, que s'il reçoit une délégation de pouvoirs, pour ne pas dire les pleins pouvoirs. Deux soucis occupent son esprit : disposer de la maîtrise de la politique civile et militaire qu'il jugera bon de mener, et sauver sa carrière de l'abîme où elle risque d'être happée. Lally n'en croit pas ses yeux ! À peine a-t-il achevé de lire la lettre de son subordonné, qu'il saisit sa plume et répond. Le ton est vif, celui d'un homme à qui est étrangère l'idée de remettre le sort de la colonie à son second. « Je n'imaginais pas qu'un ordre du Roi aussi précis que celui que je vous ai signifié hier de sa part, exigeât une négociation entre nous. [...] Il s'agit d'un oui ou d'un non par écrit à un ordre du Roi. [...] Au reste le Roi n'entre point dans le plus ou le moins de liaison qui peut être entre nous. Il nous ordonne de le servir en telle et telle qualité et par la même raison qu'il n'est pas en mon pouvoir de retenir ici un officier que le roi rappellerait, il n'est point non plus en mon pouvoir de laisser partir un officier que le roi fixerait ici par un ordre exprès. » Bussy s'incline. Tandis que l'amiral d'Aché, après avoir livré une bataille indécise à Pocock, au large de Porto-Novo, mouille le 15 septembre 1759 devant Pondichéry, débarquant 1 100 soldats et déposant un million de livres, et repart définitivement pour les Mascareignes dès le 27 septembre, Lally remporte sur les Anglais une victoire sans grande signification, à Vandavachy. Le général, toujours en quête d'argent, donne la nababie du Carnatic à Rajah Sahib, fils de feu Chanda Sahib, protégé malheureux de Dupleix, contre l'avis de Bussy qui considérait plus habile de la confier à Bassalet, frère du soubab du Deccan et suzerain de la province. Ainsi les Français auraient-ils pu réchauffer les cendres de la vieille alliance. Malgré le choix de Rajah, Lally ordonne à Bussy de se rendre auprès de Bassalet et d'en obtenir des troupes : au mois d'octobre, alors que le commandant en second s'efforce de séduire le prince, le général désavoue secrètement la démarche de son collaborateur. Comme pour souligner le désordre français, les troupes de Vandavachy se mutinent, jurant de ne reprendre les armes qu'après avoir été payées. Ce flot d'événements tous moins glorieux les uns que les autres convainc Bassalet et de ne s'engager à rien. Lally est content : Bussy, ce génie de l'Inde, a échoué !

L'Irlandais, prisonnier de sa dangereuse paranoïa, abreuve les coloniaux de ses injures. Étrange chef, que celui qui dit de ses administrés : « Je m'embarrasse fort peu des Français de l'Inde. » Au gouverneur général de Leyrit et au Conseil supérieur, il reproche tout et va jusqu'à les accuser d'avoir fomenté la rébellion de Vandavachy ! Mais c'est à Bussy — qui n'est ni ange ni bête — que la meilleure part est réservée. Le 10 octobre 1759, écrivant à Silhouette, Lally s'emporte si fort qu'il en atteint la démence. « M. de Bussy est l'homme le plus faux et le plus menteur, le plus avare et le plus pillard dont vous avez jamais ouï parler. C'est un homme borné d'ailleurs pour tout ce qui s'appelle connaissances et surtout celles du métier de la guerre qu'il n'a jamais faite et à laquelle il s'avoue lui-même inapte. Il a cependant l'astuce maure et il est comme Médée, versé dans l'art des trahisons et je suis assailli de plaintes par tous les officiers de son armée, dont il n'y a pas un qui n'ait quelque chose à répéter de lui. » Les coloniaux de Pondichéry, un ramassis de traîtres, de voleurs et d'incapables, aux yeux du général, manifestent ouvertement leur inquiétude et jurent que seul Bussy peut écarter la tourmente qui approche et va les balayer. Mais l'on ne se fait guère d'illusions. Le gouverneur général de Leyrit lui-même confesse au populaire commandant en second : « Vous ne pourrez rien faire, M. de Lally ne vous laissera pas le commandement de l'armée ; il craint plus vos succès que ceux de l'ennemi. » En effet, après avoir amusé l'opinion un instant, le comte part en campagne, ordonnant à son collaborateur de le suivre. Le 22 juin 1760, il livre bataille à Vandavachy. Les témoins ont peine à imaginer l'officier réputé que fut Lally : « flottant et incertain de ce qu'il devait faire, des mesures qu'il devait prendre, du terrain qu'il devait choisir, il abandonna totalement au hasard le soin de disposer son ordre de bataille. » Les Français ne reprendront pas Vandavachy, le colonel Coote les met en déroute et capture Bussy.

Les Anglais, au lieu de poursuivre Lally et de fondre sur Pondichéry, s'emparent méthodiquement de tout le Carnatic, organisent l'asphyxie de la capitale, qu'un blocus naval complète à partir du 18 mars. Le général, qui place tous ses espoirs dans l'arrivée d'une puissante escadre portant des troupes, ne voit pas venir l'amiral d'Aché, aussi tente-t-il une vaine sortie dans les premiers jours du mois de septembre 1760. La ville assiégée vit dans une dissension permanente où chacun se déconsidère. Accusations, reproches et haine forment la trame des relations que le chef métropolitain entretient avec la colonie, voire avec ses officiers. Le dénuement alourdit le climat, pousse à l'issue fatale. Le 12 janvier 1761, le commandant en chef écrit au Conseil supérieur que le temps est venu de cesser une résistance sans avenir. On se dispute sur les termes de l'acte de capitulation que l'on soumet à Coote. Celui-ci le repousse et exige une reddition sans condition qui est acceptée pour éviter que l'ennemi ne bombarde la ville et ne la prenne d'assaut. Le 18 janvier, Lally est prisonnier à Madras. Le gouverneur Pigott, pour venger l'anéantissement du fort Saint-David, et pour que la France soit incapable de se rétablir avant plusieurs décennies fait raser Pondichéry. « Cette ville superbe ne fut plus qu'un monceau de ruines », rappelle avec tristesse l'abbé Raynal. Pendant le dernier acte du drame, quand l'échec du siège de Madras est enfin connu, Versailles s'émeut. Le maréchal de Belle-Isle envoie au contrôleur général Bertin une lettre de Louis XV à Lally ordonnant à celui-ci de rentrer aussitôt en France (9 mars 1760). Il y était joint un brevet nommant Bussy maréchal de camp et commandant des troupes françaises dans l'Inde. En réponse, Bertin, administrateur prudent, propose un projet d'ordonnance qui subordonne Bussy au gouverneur général et l'emprisonne dans un comité. À ces premières réticences, la Compagnie ajoute une opposition sans nuance qu'elle s'applique à argumenter, volant ainsi au secours de Lally. Elle explique la difficulté de porter un jugement certain sur la conduite de l'ancien lieutenant de Dupleix, pour immédiatement entamer sa condamnation. « En général, on est porté à penser qu'il est aussi fin et aussi dissimulé que M. de Lally est indiscret. L'habitude de vivre avec les Maures et d'être continuellement occupé à démêler leurs intrigues peut bien lui avoir fait contracter une partie des défauts naturels à cette nation. La cupidité, l'avarice et l'ostentation sont ceux qui y règnent le plus universellement et ce sont ceux dont les ennemis de M. de Bussy l'accusent. » La Compagnie reproche au nouveau général de n'avoir jamais rendu compte, pendant son proconsulat au Deccan, de ses recettes et dépenses. Dans ces conditions, elle « ne peut accorder de confiance à M. de Bussy après une pareille administration ». Bref, les amis du sieur de Silhouette ne veulent pas voir le complice de Dupleix, leur bête noire, accéder au commandement de l'armée, où il reprendrait sa détestable politique de conquête à laquelle il reste attaché. « Si M. de Lally, peut-on lire, paraît avoir adopté le système que la Compagnie recommande si expressément depuis six ans et qui seul peut faire son salut, il s'en faut bien que M. de Bussy soit dans les mêmes sentiments. [...] On ne peut espérer qu'il se détache jamais de principes auxquels il tient depuis si longtemps et auxquels il doit sa fortune et sa gloire. »

Emboîtant le pas de la Compagnie, le contrôleur général Bertin prend sa décision, et le 27 avril 1760, en informe Belle-Isle. « Ce qui surtout m'a décidé à donner l'exclusion à M. de Bussy, est le tort qu'il a de n'avoir jamais rendu aucun compte des revenus immenses qu'il a touchés pour la Compagnie. [...] Je ne désire rien tant que de rétablir l'ordre et l'économie dans l'administration de l'Inde ; la Compagnie a envoyé à cet égard des instructions particulières et je ne pourrais me flatter de les voir exécutées si M. de Bussy y commandait en chef. J'ai donc pensé qu'il convenait que M. de Lally restât à Pondichéry et que M. de Bussy eut ordre de quitter l'Inde par la première occasion. [...] Je crois qu'il serait convenable d'ordonner que M. de Bussy restât à l'île de France jusqu'à ce que les comptes qu'il aura à présenter y aient été arrêtés. » Belle-Isle cède. Ce parti n'influencera pas les événements puisque Bussy est prisonnier des Anglais. Mais comment ne pas s'étonner qu'un serviteur de la valeur et du caractère de Bertin — dans la tradition des Orry et des Machault — s'appuie sur un raisonnement de commis aux écritures pour condamner la stratégie et l'action d'un chef militaire ? Peut-être a-t-il craint en agissant autrement de contrarier Mme de Pompadour qui protégeait Lally. Mais la robe n'a-t-elle pas le goût, qu'elle vienne des parlements ou du Conseil d'État, de faire sentir sa prééminence au personnel militaire ?

La tempête, qui a balayé l'Inde française, souffle sur Paris dès le retour de Lally, à la fin du mois d'octobre 1761. Si la Cour ignore l'ancien commandant en chef, les Français rentrés de Pondichéry, civils, militaires, agents de la Compagnie, mènent campagne contre lui et réclament qu'il rende compte de son administration devant une juridiction. Choiseul tente d'étouffer le scandale en faisant embastiller l'Irlandais. Celui-ci, au lieu de garder le silence, publie un premier mémoire justificatif, puis un second où il dénonce la culpabilité de Bussy, qu'il présente comme le responsable de tous les maux dont l'Inde a souffert. Bussy, confirmé dans son grade de maréchal de camp et devenu le parent de Choiseul par son récent mariage, fait paraître la correspondance qu'il a échangée avec Lally. Elle est accablante pour le prisonnier. Après nombre de péripéties, le Parlement de Paris condamne à mort le général en chef pour « avoir trahi les intérêts du roi ». Le 8 mai 1766, deux jours après que l'arrêt fut rendu, le général est décapité en place de Grève. Dans une lettre célèbre à Walpole, Mme du Deffand rapporte : « Le peuple battait des mains pendant l'exécution. » Après quoi, elle a cette oraison funèbre : « Lally était un grand fripon, et de plus il était très désagréable ! » Les philosophes ne suivront pas la bonne dame dans son jugement. Ils flétriront la condamnation du Parlement comme une iniquité à ranger aux côtés des procès La Barre et Sirven. Lally-Tollendal, le fils de la victime, obtiendra de Louis XVI une révision du jugement. Le parlement de Dijon, dans sa décision du 23 août 1783, n'impute plus la trahison à l'ancien chef de l'Inde, mais refuse de réhabiliter sa mémoire. L'abbé Raynal a écrit avec une sage lucidité ce qu'il convient de penser de l'Irlandais. « Dans la vérité c'était un fou noir et dangereux ; un homme odieux et méprisable ; un homme essentiellement incapable de commander aux autres. Mais ce n'était ni un concussionnaire, ni un traître ; et pour nous servir de l'expression d'un philosophe dont les vertus font honneur à l'humanité [Voltaire] : tout le monde avait droit d'assommer Lally, excepté le bourreau. »

La reddition de Pondichéry marque la fin de tous les Établissements français dans l'Inde. Ceux qui n'ont pas encore capitulé, le font peu après. Jean Law, chef de la loge de Cassimbazar, avait entamé une étonnante aventure après la prise de Chandernagor (23 mars 1757). N'ayant pu participer à la bataille de Plassey contre Clive, il s'éloigne vers Delhi. Il se met à la disposition du Moghol « auprès duquel, dit l'agent Chevalier, il acquit la plus grande considération et la confiance la mieux méritée. Il fut créé lieutenant général de l'empire et élevé à la dignité de Bakhsi qui est seconde place de la cour, immédiatement après celle de grand vizir. Il livra plusieurs combats aux ennemis du prince qu'il battit, leur enleva plusieurs forts », mais après quatre ans d'errance armée, il est battu, en janvier 1761, par les Anglais qui le rapatrient. À son retour en France, il prend la plume et, avec beaucoup de talent, compose son *Mémoire sur quelques affaires du Grand Moghol*. Ne possédant plus aucune position dans l'Inde en 1761, la France se contente, lors du traité de Paris, de prendre ce que l'Angleterre veut bien lui restituer, et aux conditions qu'on lui impose. Elle recouvre les cinq comptoirs soigneusement démantelés, mais renonce à toutes les acquisitions de Dupleix et Bussy que le traité de Godeheu avait conservées sur les côtes de Coromandel et d'Orissa ; elle reconnaît Méhémet Ali comme nabab du Carnatic et s'engage à n'entretenir aucune troupe dans la soubabie du Bengale. L'immense zone d'influence bâtie par Bussy, que des actions militaires auraient pu prolonger vers l'Indus et le Gange, est abolie, laissant les mains libres à la conquête impériale britannique. Clive le comprend. Il réclame que l'Angleterre prenne toute l'Inde à son compte, qu'elle se saisisse de toutes les possessions directes ou éminentes du Grand Moghol, et il enseigne à ses compatriotes que le temps est venu pour eux de devenir les nababs d'un continent où ils incarnent seuls la force.

La guerre de Sept Ans détruit les prétentions de la France dans cette Inde où Colbert voulait agir en grand. Avant de chercher les raisons du désastre français dans cette partie du monde, il convient de souligner que Louis XV n'a pas abandonné l'Inde à la convoitise anglaise, pas plus que le Canada, par désintérêt pour de lointains arpents de terre. Au contraire, en Inde comme au Canada, il envoie des troupes en quantité appréciable. Pendant l'entre-deux-guerres déjà, il avait soutenu l'effort de ses lieutenants. Dupleix s'était en partie ruiné tout seul en s'acharnant à réduire un Carnatic secondaire par rapport aux perspectives qu'ouvrait le proconsulat de Bussy sur le Deccan. Cet autocrate, jaloux de ne pas être le maître dans le Carnatic, comme son lieutenant l'était à Haïderabad et à Aurengabad, au lieu de porter son effort vers le riche Bengale, a gâché son énergie dans des campagnes, qu'en outre il entendait diriger. C'est avec justesse que Jean Law dénonce l'incompétence militaire du gouverneur. « Sa fureur était de commander des armées sans y être et l'on peut observer en général que toutes celles dont il a voulu régler les mouvements ont toujours été battues, tandis que celles qui par l'éloignement des lieux étaient hors de sa portée, servaient au succès de la Compagnie. » Malgré l'erreur stratégique et les fautes tactiques de son prédécesseur, Godeheu, dont on dit trop hâtivement qu'il a conclu un traité honteux, avait gardé le Deccan et la côte d'Orissa, bases idéales de la conquête de l'Inde septentrionale pour une nation à la faiblesse navale chronique. Préparer l'assaut du Bengale à partir de Pondichéry, c'est-à-dire du Carnatic, au contraire, n'appartenait pas au domaine du réalisable pour les Français. Si l'on peut affirmer que la France voulait garder ses établissements, et même chasser les Anglais, il est difficile de dire sur quelle Inde portait le choix de la métropole. En effet, le sous-continent relève de la compétence de deux secrétaireries d'État, du contrôle général des Finances et de la Compagnie. Autant dire que Versailles n'a pas une seule et unique stratégie indienne, mais au moins deux. Le contrôle général des Finances, qui dirige la Compagnie par le moyen du commissaire royal, partage la doctrine de son satellite. La conquête territoriale est proscrite, les chefs locaux ne doivent faire que du commerce à partir des ports et loges dont la recette couvrira la dépense. Donc les Finances et la Compagnie prêchent le seul négoce, et excluent toute politique expansionniste, qu'il s'agisse de prise de possession ou de protectorat. Cependant ce dogmatisme agrée les opérations qui s'écartent de sa ligne, à condition qu'elles soient réussies, rentables et sans danger : le Deccan, pendant un temps, les *circars* de la côte d'Orissa, toujours, à cause des revenus qu'ils fournissent. Le secrétariat d'État de la Marine, qui n'occupe pas la première place dans la gestion des affaires indiennes, campe sur une réserve prudente. En effet, les échanges avec les îles étant les plus profitables et relevant de son administration, il considère la mer des Antilles

comme sa zone d'intervention prioritaire. Par ailleurs, l'Inde française présente ce grave défaut — auquel il n'a jamais été remédié —
de n'offrir aucun port capable d'abriter une escadre, que ce soit par
temps calme ou dans les mois de renversement de la mousson. Dès
lors, les navires du roi ou de la Compagnie doivent quitter la côte de
Coromandel pour les Mascareignes avant le 15 octobre, et faire voile
vers le Port-Louis où ils peuvent mouiller en toute sûreté, encore que
l'approvisionnement en vivres et en matériel maritime y laisse à
désirer. Enfin, la circonspection de la Marine dans la définition d'une
stratégie indienne s'explique par le conflit qui oppose le secrétariat
d'État et le contrôle général. Maurepas, remarque Michel Antoine,
« se plaignit un jour de ce que, pour le plus grand malheur de la
Marine royale, les contrôleurs généraux des finances se soient
" appropriés le gouvernement de la compagnie des Indes, qui avait
toujours appartenu au secrétaire d'État de la Marine " ». Maurepas
voyait même dans cette annexion abusive une des causes « qui a
empêché le rétablissement des forces navales ». Les contrôleurs
généraux, ajoutait-il, « ont donné la préférence » à la marine de la
Compagnie plutôt qu'à celle du roi. Autant la Marine se sent peu
concernée par l'Inde, où elle estime faire de la figuration, autant le
secrétariat d'État de la Guerre qui, pendant cette dernière conflagration, a envoyé dans les colonies plus de 15 000 hommes, des
commandants généraux au Canada et à Saint-Domingue et Lally,
lieutenant général tenant le gouverneur général sous sa domination,
est tenté de dire son mot. Le comte d'Argenson, puis le maréchal de
Belle-Isle penchent pour le système dont l'habile Bussy les entretient
régulièrement. Mais tout en plaidant pour l'expansion, ils modèrent
leurs propos. À cela deux raisons. Ils ne souhaitent pas heurter le
contrôleur général qui, par représailles, pourrait diminuer les crédits
de leur département. Ensuite, ils sont souvent mis devant le fait
accompli : comme l'a montré Michel Antoine, les dossiers du
contrôle général sont rarement débattus dans les conseils, mais le plus
souvent sont traités de manière bureaucratique.

La décision d'envoyer un corps expéditionnaire dans l'Inde s'insère
dans le cadre général d'une politique calculée qui veut interdire aux
Anglais de mettre la main sur les possessions royales. Elle n'est pas
inspirée par le souci de protéger de modestes bénéfices commerciaux
de quelques millions de livres, mais participe d'une stratégie nationale que voile l'écran de la Compagnie, car celle-ci possède des
intérêts financiers particuliers qu'elle peut faire prévaloir contre ceux
du monarque dans le secret des arcanes bureaucratiques. La volonté
de défendre l'Inde contre l'expansionnisme britannique ne cherche
pas un appui ou des encouragements dans l'opinion, pour qui le sous-
continent est la chasse gardée d'une compagnie, qui dispose d'une
flotte et de troupes propres, et dont les agents se bâtissent des
fortunes que l'on dit colossales. Cependant, le public ratifie par

principe toutes les mesures dirigées contre cette Angleterre scélérate qui, en pleine paix, s'empare des navires marchands français et oblige le roi à la guerre. Versailles ne possède pas les moyens de sa politique. La Marine, malgré les récriminations de Machault, vient après l'armée de terre dans la distribution des crédits — le renversement des alliances aurait pu laisser espérer le contraire — aussi ne peut-elle combler le fossé qui la sépare de la Navy. Elle avait toutefois la faculté, malgré la rareté des matelots, d'acheminer des renforts dans les colonies. Après Machault, Moras, enfant de la finance et de la robe, agit timidement, Choiseul, tout à sa descente en Angleterre, tire un trait sur les colonies, et attendra 1762 — les îles du Vent étant tombées sous la domination britannique — pour envoyer des troupes à Saint-Domingue. Quelques hommes portent la totale responsabilité de la deuxième perte de l'Inde. Au premier rang Silhouette, esprit sans vision politique et plumitif pédant. Cet homme néfaste, qui croit parler comme l'oracle pour avoir découvert Confucius et être entré en philosophie, ne cesse de plaider contre les conquêtes, condamnant ainsi Dupleix et Bussy, alors que le capitalisme anglais dépouille la France de ses possessions lointaines, comme on tond un mouton. Dans tous ses emplois, commissaire royal près de la Compagnie des Indes, contrôleur général des Finances, président du comité secret de la Compagnie, ce bel exemple de penseur des Lumières fait le jeu de l'ennemi, de l'impérialisme britannique, prêchant avec succès ce qu'aujourd'hui l'on appelle pudiquement le « désengagement ». Choiseul, fat qui parle haut et ne voit qu'en surface, est coupable aussi. Sa stratégie navale a paralysé la Marine royale et l'a fait battre dans les eaux européennes, abandonnant l'Inde à l'ennemi, après le Canada. Enfin, Lally, dont le romantisme révolutionnaire fera un martyr du despotisme, par son ignorance des choses coloniales et plus encore par sa paranoïa, porte la responsabilité locale de la déchéance française dans le sous-continent. Comment s'expliquer que la monarchie ait piétiné pendant un siècle devant le portail asiatique sans avoir jamais mis toute sa détermination à le franchir ? Le revers siamois ne suffit pas à élucider le mystère d'une si longue réserve. Le souci de ne pas compromettre le commerce de Chine, où la France a envoyé 163 navires de 1698 à 1790 — soit un rapport annuel moyen de 7 millions de livres, peu de chose — constitue l'une des causes de la paralysie française. Mais le motif profond des hésitations et de la langueur de la nation réside ailleurs, il se trouve dans la nature même de la Compagnie des Indes. Celle-ci, où gouverne un agent de l'État préoccupé de sa carrière, le commissaire du Roi, a pour philosophie de commercer sans s'autoriser à nourrir des visées expansionnistes, en s'interdisant d'offrir une ambition coloniale à la nation. Voltaire, « actionnaire » de la Compagnie, comme l'a rappelé Ph. Haudrère, a mis le doigt sur le vice de la lourde entreprise. Ainsi, le 12 août 1763, écrivant de son château de Ferney, à Simon Gilly, négociant

montpelliérain et l'un des directeurs de la société parisiano-lorien-
taise, il évoque le bilan colonial de la guerre de Sept Ans et conclut à
la lumière des affaires d'Asie, plus précisément de l'Inde : « Il résulte
de tout cela que l'administration dans l'Inde a été extrêmement
malheureuse, et je pense que notre malheur vient en partie de ce
qu'une compagnie de commerce dans l'Inde, doit être nécessairement
une compagnie guerrière. C'est ainsi que les Européens y ont fait le
commerce depuis les Albuquerques. Les Hollandais n'y ont été
puissants que parce qu'ils ont été conquérants. Les Anglais en dernier
lieu ont gagné les armes à la main des sommes immenses que nous
avons perdues, et j'ai peur qu'on ne soit malheureusement réduit à
être oppresseur ou opprimé. Une des causes principales de nos
désastres, est encore de n'avoir jamais fait les choses qu'à demi. »
Pour « le vieux rat des Alpes », la Compagnie pèche par irréalisme.
Elle n'a pas de stratégie alimentée à cette évidence que le monde est
un rapport de force — « on est oppresseur ou opprimé » —, qu'il
n'existe pas de commerce sans conquête. Les Hollandais prospèrent,
appuie-t-il, « et leurs actionnaires sont payés sur le gain réel de la
compagnie. Je souhaite que nous en fassions beaucoup, que nous
dépensions moins, et que nous nous mêlions de faire des nababs que
quand nous aurons assez de troupes pour conquérir l'Inde ». Le
prophète des Lumières, chantre du progrès et admirateur de
l'Angleterre, a rendu son oracle : que la Compagnie des Indes
soumette des pays riches et alors elle fera un beau commerce, et ses
actionnaires, dont lui, se partageront des profits substantiels. Dans
les *Fragments sur l'Inde et sur le général Lalli*, le seigneur de Ferney
revient à l'assaut et insiste. Vieux monarchiste attaché à la gloire de sa
nation, célébrant les mérites des Machault et des Maupéou, mais que
le pouvoir a poussé au fourvoiement, blessant sa vanité en ne
l'utilisant pas, lui, l'admirateur de « l'immortel Colbert », a toujours
le jugement lucide. Comparant les compagnies anglaise et française,
dans une perspective globale, il souligne combien l'établissement
britannique s'élève au-dessus des seules préoccupations commerciales, pour servir à l'épanouissement de la puissance nationale. « La
Compagnie anglaise mieux dirigée, mieux secourue par des flottes
maîtresses des mers, animée d'un esprit plus patriotique, s'est vue au
comble de la puissance et de la gloire qui peuvent être passagères. Elle
a eu aussi ses querelles avec les actionnaires et avec le gouvernement ;
mais ces querelles étaient des disputes de vainqueurs, qui ne
s'accordaient pas sur le partage des dépouilles : et celles de la
Compagnie française ont été des plaintes et des cris de vaincus,
s'accusant les uns les autres de leurs infortunes, au milieu de leurs
débris. » Aux yeux du philosophe, la Compagnie britannique ne
s'enferme pas dans une ambition lucrative égoïste. Incorporée dans la
nation, elle fait partie intégrante de cette panoplie d'instruments,
complémentaires les uns des autres, dont le fonctionnement n'a

d'autre but que la plus grande force et la plus grande richesse de l'Angleterre.

Si la colonisation française en Asie, au XVIIIe siècle, n'a jamais fait que bégayer, on ne peut en accuser seulement la Compagnie, le Contrôle général. L'esprit du temps explique la facilité avec laquelle l'opinion éclairée accepte à la fois l'effondrement du premier empire colonial et l'impuissance à en bâtir un deuxième. La décadence ronge et submerge la nation. Qui révèle cette vérité morale ? le vieil aveugle de Ferney, Voltaire, cet anarchiste conservateur, ce nostalgique de la grandeur et du Grand Roi, cet éternel mécontent, ce pourfendeur de règnes ! Le philosophe, mué en procureur amer, ne cesse de fustiger son temps. Le 3 septembre 1758, il s'emporte devant Madame du Boccage. « Quel triste siècle, Madame, et que la disette des talents en tout genre est effrayante ! Je ne vois que des livres sur la guerre et nous sommes battus partout ; que de brochures sur la marine et le commerce, et notre commerce et notre marine s'anéantissent : que de fades raisonneurs qui ont un peu d'esprit, et il n'y a pas un homme de génie. Notre siècle vit sur le crédit du siècle de Louis XIV. On parle, il est vrai, dans les pays étrangers la langue que les Pascal, les Despréaux, les Bossuet, les Racine, les Molière ont rendue universelle, et c'est dans notre propre langue qu'on dit aujourd'hui dans l'Europe, que les Français dégénèrent. » Six ans plus tard, le 4 mai 1764, même révolte dans le pessimisme mordant d'une boutade. « Nous sommes bien médiocres en tout genre. Ne rougissez-vous pas quelquefois de la décadence où vous voyez notre nation ? Nous avons eu un bon moment sous Louis XIV ; mais nous n'avons aujourd'hui que l'opéra-comique et Melle Duchapt. » L'aspiration est profonde, chez le vieillard des Alpes, à voir le génie et l'ambition régénérer la nation française. Aux yeux de l'ermite et de nombre de ses contemporains, le temps français depuis la mort de Louis XIV, terni par la défaite, la dispute intérieure et l'incapacité à gouverner, s'identifie à l'insipidité et à la médiocrité, que ne peuvent voiler la croissance économique ni le rayonnement des arts et de la langue. La déception, qu'inspirait le spectacle national, commandait-elle pour autant de se pervertir et de rendre un culte à l'ennemi : célébration des Anglais, capitalistes et marins brillants, mais persécuteurs obstinés des catholiques, glorification de ces deux tyrans tudesques que furent Frédéric et Catherine. Le « siècle de Louis XV, pauvre siècle de toutes façons », comme le dit encore le seigneur de Ferney, s'il manque de vigueur, tant à l'époque du Bien-Aimé qu'à celle de son petit-fils, possède toutefois quelques mérites dans le domaine colonial, malgré un passif écrasant. Il a perdu le premier empire territorial d'outre-mer, mais en sachant conserver les possessions commerciales antillaises, et puis, il a eu l'intelligence de dessiner les contours du second empire colonial français. Le XIXe siècle et l'aurore du XXe siècle répondront aux appels de l'abbé Raynal à maîtriser l'Afrique du Nord ; ils satisferont les vœux de Chambonneau, La Courbe, Brüe, David, Lauzun et d'autres en Afrique noire ; ils combleront Colbert, relayé par Cossigny, Modave, Benyowski et Roux à l'île madécasse. Ils exauceront les souhaits de Pigneau de Béhaine et de Magon de Médine en « Indo-Chine », poussant même jusqu'au Céleste Empire où, traités et conventions donneront à la France l'accès à des ports ouverts, des concessions, comme à Shanghai, et lui loueront, pour 99 ans, le territoire de Kouang-tcheou Wan. Ils exécuteront, pour partie, le dessein de Sartine en donnant mandat à la nation sur le Liban et la Syrie, ces anciens traits d'union entre l'Asie et l'Europe méditerranéenne.

Le naufrage de l'empire territorial
et l'appel de l'abbé Raynal à la colonisation

Les affaires coloniales ne constituent pas une catégorie particulière et autonome : elles sont l'un des éléments de la politique générale dont le poids varie selon le temps. Si la guerre de Succession d'Espagne avait été pour moitié un conflit colonial, la guerre de Sept Ans le fut entièrement. Il s'agissait pour les Anglais de conquérir l'Amérique française et de s'attribuer son commerce et ses pêches. Après quelques premiers échecs, les Britanniques vont de succès en succès. Mais, nuance, P. Langford, « la victoire fut en fait acquise grâce à des éléments que Pitt ne contrôlait guère, par exemple l'incapacité des Français à financer une guerre sur mer et dans les colonies ». Allusion cruelle à la guerre de l'impôt, inaugurée par l'Église et poursuivie avec acharnement par les parlements.

Au terme de la guerre, la France cesse d'exister comme puissance stratégique mondiale, présente sur tous les continents, mais grâce aux sucres et aux cafés des Antilles, reste une puissance commerciale mondiale. Aussi, de chaque côté de la Manche, personne n'est-il satisfait. En France, le traité de Paris est considéré comme une humiliation, d'autant que les Français n'ont jamais vu l'ennemi, sauf sur le littoral breton brièvement, et à Belle-Île dont les Anglais s'emparèrent. « Cette paix est bien la preuve du mauvais état des affaires de la France », commente tristement Barbier. Voltaire se montre plus prolixe, mais d'une sincérité calculée. « L'État perdit, dans le cours de cette funeste guerre, la plus florissante jeunesse, plus de la moitié de l'argent comptant qui circulait dans le royaume, sa marine, son commerce, son crédit. [...] La France avait un si pressant besoin de cette paix, qu'elle regarda ceux qui la conclurent comme les bienfaiteurs de la patrie. Les dettes dont l'État demeurait surchargé étaient plus grandes encore que celles de Louis XIV. » Le roi est conscient de cet état de choses. Après avoir lu un mémoire sur la situation déplorable de la nation, qui a perdu à la fois sa puissance coloniale et son influence en Europe, il confie à Tercier, chef de sa diplomatie secrète, auquel l'auteur du factum succédera : « Le comte de Broglie témoigne un peu trop que la paix que nous venons de faire n'est ni bonne, ni glorieuse, personne ne le sent mieux que moi. Mais dans les circonstances malheureuses, elle ne pouvait être meilleure, et je vous réponds bien que si nous avions continué la guerre, nous en aurions fait encore une pire l'année prochaine. » La Grande-Bretagne triomphante est elle-même divisée : pour le prix acquitté il fallait annexer davantage, proteste une partie de l'opinion. En effet, comme l'abbé Raynal le souligne, la détresse envahit les esprits en 1763. « L'Angleterre sortait d'une longue et sanglante guerre, où ses flottes avaient arboré le pavillon de la victoire sur toutes les mers, où une domination déjà trop vaste s'était accrue d'un territoire immense dans les deux Indes. Cet éclat pouvait en imposer au-dehors : mais au-dedans la nation était réduite à gémir de ses acquisitions et de ses triomphes. Écrasée sous le fardeau d'une dette de 3 milliards 330 millions de livres qui lui coûtait un intérêt de 111 577 490 livres, elle pouvait à peine suffire aux dépenses les plus nécessaires avec 130 millions de livres qui lui restaient de son revenu ; et ce revenu, loin de pouvoir s'accroître, n'avait pas une consistance assurée. » La sécession des Treize Colonies, devenant États-Unis d'Amérique, sera l'effet indirect de la glorieuse, mais ruineuse guerre de Sept Ans que les Anglais ont gagnée sur mer et dans les colonies, et qu'ils ont financée en Europe en accordant d'abondants subsides à Frédéric II de Prusse.

Comment expliquer que la France se soit laissée dépouiller de son empire territorial d'outre-mer ? Élément d'un ensemble, le gâchis colonial s'inscrit dans un déclin général de la nation qui abandonne la direction des affaires à la Prusse, à la Russie de Catherine, à l'Autriche, sous l'œil de l'Angleterre, négligeant ses alliances secondaires, Suède, Pologne, Turquie et les petites Cours allemandes. Cette grave crise morale où sombrent l'élite et les institutions, ronge le pouvoir dans son cœur même. Louis XV, « despote » vilipendé par les philosophes, flattés de servir d'ornements aux régimes autocratiques de Berlin et de Saint-Pétersbourg, gouverne comme un roi constitutionnel à qui une majorité parlementaire ferait défaut. Le Bien-Aimé, répudiant les méthodes absolutistes traditionnelles, essaie de calmer les résistances les plus rétrogrades au lieu de les briser. L'Église, les parlements, les princes, les privilégiés et les affairistes lèvent la tête et disputent. Le monarque, homme de lucidité, mais esprit trop conciliant, prend des mesures sans appel, avant de reculer, sacrifiant contre sa conviction d'éminents ministres, comme Orry et Machault. Louis XV a inventé la démocratie parlementaire française et a été le premier à la faire fonctionner : pour le plus grand mal de la nation. Choiseul, accédant au ministère après le cardinal de Fleury, Orry et Machault, est le ministre que la République de l'Opinion a le plus choyé. L'homme a si bien su se construire une réputation de grand ministre qu'elle dure encore au mépris des faits. Le duc fait son entrée dans les Conseils du roi au mois de décembre 1758. À ce moment la situation, sans être brillante, n'a rien de désespérant : il y a eu Rossbach, Leuthen, la chute de Louisbourg et au mois de janvier suivant, les Anglais s'emparent de la Guadeloupe. Choiseul, très sûr de lui, prenant soin de caresser des puissances aussi différentes que Mme de Pompadour, Mme du Deffand, Voltaire, le Parlement de Paris et la banque internationale, se met au travail : il bouleverse tout mais ne révolutionne rien, gâche la Marine en voulant préparer une descente en Angleterre, perd toutes les colonies sauf Saint-Domingue et les Mascareignes. Sur le théâtre militaire européen, il reste discret, laissant agir Belle-Isle, mais ne se fait pas remarquer par son aptitude à déceler les bons stratèges ni à conseiller la meilleure organisation des commandements. Sur le plan diplomatique, il ne sait pas tirer profit de l'alliance avec Vienne, néglige l'Europe du Nord, laisse se préparer le partage de la Pologne. Il conclut le Pacte de Famille qui unit tous les Bourbons régnants, principalement la France et l'Espagne : « Ce pacte était fait, écrit l'ambassadeur de Bombelles d'accord avec Vergennes, dans le premier moment pour causer la plus vive inquiétude à l'Angleterre, mais ce ne devait être qu'une frayeur très momentanée ; aussi ne dura-t-elle pas et, aujourd'hui, nous ne devons éprouver que le regret de nous être liés par cette mauvaise besogne. » Le Lorrain échoue dans tous les domaines aussi bien pendant la guerre de Sept Ans qu'après. Cependant, il réussit à présenter le traité de Paris comme un succès, car il sauve le commerce colonial des sucres et cafés qui enrichit de plus en plus le royaume. En France même, où il travaille à l'affaiblissement de l'autorité monarchique, il parvient à se tailler la renommée d'un ministre de génie, parce qu'il flatte les ennemis du roi. Victorieux des jésuites, il se fait reconnaître comme le sauveur de la nation, malgré une diplomatie portée un jour à l'abandon, le lendemain à l'aventure, peut-être à la guerre si Louis XV ne l'avait renvoyé sur sa terre de Chanteloup, malgré les pleurs inconscients des Parisiens. Il campe dans la mémoire nationale comme le gentilhomme fier, infatigable forgeron de la revanche contre l'ennemi anglais, restaurateur de la Marine.

Dans l'empire colonial français — c'est-à-dire aux Antilles —, qui a connu les délices de l'occupation anglaise ou de l'interlope américain, la métropole découvre que le sentiment national s'affaiblit un peu plus après chaque guerre. Pour que les liens entre le royaume et ses colonies ne se distendent pas trop, Choiseul est contraint de renoncer au monopole des échanges et à autoriser les étrangers, essentiellement les Américains, à aller acheter dans certains ports des îles les sirops et tafias, que la perte du Canada laisse sans acquéreur. Assisté d'un colon de la Martinique, Dubuc, qu'il nomme premier commis des Colonies, le ministre, cherchant à apaiser les clameurs autonomistes prend des mesures qu'il remanie ou rapporte aussitôt, crée des chambres d'agriculture où les planteurs pourront exprimer leurs points de vue et faire rapport sur la gestion des gouverneurs et intendants, après le départ de ces deux chefs. Dans les années qui suivent, en 1769, affirme Talleyrand dans ses *Mémoires*, Choiseul « prévoyait la séparation de l'Amérique et de l'Angleterre », et jugeait qu'il fallait « se trouver prêt à remplacer par les mêmes productions et par un commerce plus étendu les colonies américaines, le jour où elles nous échapperaient ». L'issue de la guerre de Sept Ans fait découvrir aux bureaux de Versailles non pas le patriotisme américain, dont ils connaissaient la réalité depuis déjà de nombreuses années, mais plutôt les menaces que porte en lui le sentiment antillais : un autonomisme qui, craint-on, pourrait se muer en séparatisme. Que faire pour éviter la rupture ? L'abbé Raynal, défenseur de la colonisation et des colons, mais aussi bon patriote, prend la parole après la signature du traité de Paris, de 1771 à 1781, et conseille. Il faut d'abord débarrasser les îles de la sources de toutes les difficultés, « en mettant à la place du gouvernement militaire, violent en lui-même, et fait pour des temps de crise et de péril, une législation modérée, fixe et indépendante des volontés particulières. Mais ce projet, mille fois proposé, déplut aux gouverneurs, jaloux d'un pouvoir absolu. [...] Tous se déclarèrent hautement contre un plan de législation qui avait pour but de diminuer la dépendance des peuples. » Cet échec ne décourage pas l'ancien jésuite, qui développe ses propositions. Les Antilles seront la proie de la confusion « jusqu'à ce qu'une législation particulière aux îles, rende possibles, faciles même les décisions : mais cet ouvrage important ne saurait être fait en France. Laissez aux colons assemblés le soin de vous éclairer sur leurs besoins. Qu'ils forment eux-mêmes le code qu'ils penseront convenir à leur situation. » C'est un régime de gestion par les créoles — à la manière anglaise — que réclament les colons et que Raynal, leur porte-parole, préconise. « Rien ne paraît plus conforme aux vues d'une politique judicieuse, que d'accorder à ces insulaires le droit de se gouverner eux-mêmes, mais d'une manière subordonnée à l'impulsion de la métropole, à peu près comme une chaloupe obéit à toutes les directions du vaisseau qui la remorque. » La satisfaction raisonnable des doléances que présentent les planteurs, et qui parfois dégénèrent en violences, renforcerait la fidélité des îles pour la mère patrie. « Au lieu de cet éloignement pour la France, dont le reproche est une accusation de dureté contre ses ministres, on verrait naître dans les colonies cet attachement que la confiance paternelle inspire toujours à des enfants. Au lieu de cet empressement secret qui les fait courir durant la guerre au-devant d'un joug étranger, on les verrait multiplier leurs efforts pour prévenir ou pour repousser une invasion. » Allant jusqu'au bout de sa démarche conciliatrice et patriotique, celui qui fut l'auteur de *L'École militaire,* un proche des Choiseul, en vient à prôner la restauration vigoureuse de la puissance militaire nationale. « Philosophes de tous les pays, s'écrie-t-il, amis des hommes, pardonnez à un écrivain français d'exciter sa patrie à élever une marine formidable. »

L'abbé, à qui la guerre a fait prendre conscience du poids commercial des Antilles, se démarque de la pensée des Lumières, exaltant la patrie, les armes et la colonisation. « L'importance de conserver ces riches établissements a été sentie ; et pour y parvenir, on a eu recours à des bataillons, à des forteresses. L'expérience a prouvé la faiblesse de cette défense. Elle appartient à la marine, et ne peut appartenir qu'à elle. Qu'on mette donc les îles sous ses voiles. [...] Telle est l'espérance de l'Europe. Elle ne croira pas sa liberté assurée jusqu'à ce qu'elle voie voguer sur l'océan un pavillon qui ne tremble point devant celui de la Grande-Bretagne. Le vœu des nations est maintenant pour la puissance qui saura les défendre contre la prétention d'un seul peuple à la monarchie universelle des mers ; et il n'y a en ce moment que la France qui puisse les délivrer de cette inquiétude. » Raynal, conscient de la nécessité des colonies, invite la France à prévenir toute tentative d'indépendance en accordant un régime d'autonomie intérieure des îles et en rétablissant une Marine considérable. L'abbé ne partage pas l'inquiétude de Choiseul — une façon de voir qui se répand —, et s'il imagine la prochaine indépendance des Treize Colonies (États-Unis), il exclut que ce mouvement affecte les Antilles, car « les îles sont dans une dépendance entière de l'ancien monde, pour tous leurs besoins ». Le Languedocien prend le contre-pied des idées ambiantes — le cas des futurs États-Unis étant mis à part —, telles que le marquis de Mirabeau les avait exposées en 1756, dans *L'Ami des Hommes.* « Le nouveau monde certainement, annonce le physiocrate, sans attendre Choiseul, secouera le joug de l'ancien ; il y a même apparence que cela commencera par les colonies les plus fortes et les plus favorisées ; mais dès que l'une aura fait le saut, autant en feront toutes les autres. Vainement nos petites cervelles, tant de Londres que de Paris, se creuseront en spéculation pour empêcher cet événement, ce qu'elles feront pour le prévenir en hâtera l'accomplissement. Cet écrit durera, j'espère, plus que moi ; et j'y consigne cette prophétie, dont je n'ai assurément pas les gants ; mais je considère cette défection d'un tout autre œil que ne font les hommes d'État d'aujourd'hui ; et je pense que la nation à laquelle les colonies feront faux bond la première, sera la plus heureuse, si elle sait se conduire suivant les circonstances. Elle y perdra beaucoup de soins et de dépenses et y gagnera des frères puissants et toujours prêts à la seconder, au lieu de sujets souvent onéreux. »

Penseur pragmatique, recevant une documentation de première

main, ignorant le cosmopolitisme philosophique, les plans de paix universelle et d'organisation de l'Europe, Raynal se pose en conseiller du gouvernement, dont il attend qu'il donne à la France la plus grande puissance. D'où une rupture avec le discours philosophique, surtout avec les envolées idéologiques de Diderot, que l'abbé a intégrées dans son *Histoire des deux mondes* pour n'être pas excommunié par la république des lettres et pour appâter les lecteurs friands d'idées à la mode. Successivement l'ancien jésuite affirme le droit de coloniser, assure que la colonisation ne dépeuple ni n'appauvrit la France mais l'enrichit par le commerce des denrées tropicales qu'elle produit, d'où il conclut à la nécessité d'accorder un statut d'autonomie aux îles, et à celle de créer des forces navales imposantes pour tuer le germe séparatiste dans l'œuf. On en arrive à ce paradoxe remarquable où l'on voit un écrivain de grande célébrité et sulfureux de réputation défendre les positions des colons, du commerce et du gouvernement, célébrer l'enrichissement du royaume par ses possessions antillaises, sous les applaudissements des intelligences de progrès qui ne partagent aucun de ses avis. La guerre de Sept Ans consacre la perte d'un empire territorial en friche — le Canada et la Louisiane — et celle du vaste protectorat indien. Simultanément, elle arrache au naufrage un domaine colonial de petites dimensions, mais homogène, les Antilles, îles de commerce, que caractérisent une économie de plantation et une main-d'œuvre servile. À partir de 1763, colonie équivaut donc à esclavage. Une équation délicate sur laquelle Montesquieu et Voltaire dissertent prudemment, mais qui provoque les réquisitoires enflammés de Diderot, tandis que Raynal, réformateur d'un mal obligé, suggère d'humaniser la condition des Noirs : un conseil que le ministère s'efforcera d'inscrire dans les faits, sous le règne de Louis XVI.

Agonie de l'ambition coloniale française :
Guyane, Madagascar et Compagnie des Indes orientales

Dès la fin de 1762 — les préliminaires de Fontainebleau sont signés le 3 novembre — Choiseul, conscient de la lourde responsabilité qu'il porte dans la guerre de Sept Ans dont il a assumé la direction pendant plusieurs années, veut faire oublier les abandons territoriaux qu'il consent en faveur des Anglais. Évoquant la cession du Canada, l'abbé Raynal explique : « La perte de ce grand continent détermina le ministère de Versailles à chercher de l'appui dans un autre ; et il espéra le trouver dans la Guyane, en y établissant une population nationale et libre, capable de résister elle-même aux attaques étrangères, et propre à voler avec le temps au secours des autres colonies, lorsque les circonstances pourraient l'exiger. » Point de départ de cette entreprise de colonisation, un projet, modeste, réaliste, de Bruletout de Préfontaine, ancien officier et colon au Kourou, qui réclame des subsides pour installer 300 habitants sur le Maroni. Une camarilla, qui n'a aucune connaissance pratique de l'outre-mer et où l'on rencontre Accaron, chef du bureau des Colonies, le chevalier de Turgot, frère de l'intendant et officier étrange, le baron de Bessner, Alsacien et officier imaginatif, le sieur de Bombarde, banquier allemand, se saisit du plan de Préfontaine pour l'accommoder à la manière parisienne. Non ! On ne chaussera pas les bottes de l'auteur de *La Maison rustique à l'usage des habitants de Cayenne,* sorte de guide pratique écrit à l'intention de futurs colons, par ailleurs dédié au puissant duc et deux fois secrétaire d'État ! Ces esprits, aussi ignorants qu'ambitieux, proposent aux Choiseul, à qui l'argent n'est jamais étranger, de transférer 18 000 personnes en Guyane et d'y fonder une nouvelle colonie ! D'aussi peu de bon sens que leurs conseillers, les ducs retiennent cette idée folle et passent à l'action !

Pour commencer, ils demandent à Louis XV de leur céder en toute propriété, seigneurie et justice, des terres comprises entre la rive gauche du Kourou et la rive droite du Maroni : ils obtiennent gain de cause au début de 1763. Ensuite, ils font recruter des colons en Alsace et en Lorraine principalement, pour récupérer, prétextent-ils, un mouvement d'émigration composé de nostalgiques des princes lorrains et autrichiens et de mécontents, victimes de l'impôt. En Alsace et en Allemagne, la machine des Choiseul mène une propagande intense. On diffuse des cartes de la Guyane qu'orne une illustration champêtre et des prospectus au texte racoleur. « Les Européens, qui passent dans ce beau pays qui donne deux récoltes par an, y obtiennent un terrain en propriété en arrivant ; ils sont nourris, logés, bien habillés, et fournis de tout ce qui leur est nécessaire pour eux, leurs femmes et leurs enfants, pendant deux ans et demi ; on ne les inquiète point sur leurs croyances ; on leur paye leur voyage pour se rendre à Rochefort d'où on les transporte gratis à la Guyane. »

Choiseul et son cousin Praslin, abusant de leur position au ministère, maquillent une entreprise financière et familiale en action d'intérêt national, en projet stratégique. Pour faire front à l'expansion des Anglais, la France va transformer la déserte Guyane en un établissement de peuplement, et comme les ennemis l'ont fait dans certaines des Treize Colonies, on ne fera pas appel à des esclaves noirs. Les chefs de cette épopée sont désignés, dès le 1er janvier 1763, avant même la signature du traité de Paris à laquelle il est procédé le 10 février. Le chevalier de Turgot est nommé gouverneur général de la Guyane, bien qu'il ne possède aucune expérience tropicale, et le sieur Thibault de Chanvalon, ancien membre du Conseil supérieur de la Martinique, qui publiera dans l'année un ouvrage descriptif de son île, est promu intendant de Cayenne, alors qu'il sollicitait le même emploi aux îles du Vent. Des instructions écrites et réécrites à l'intention du gouverneur ou des deux chefs expliquent la philosophie de l'expédition. « Le sieur chevalier de Turgot ne doit point perdre de vue que l'intention de Sa Majesté est d'établir la nouvelle colonie en Blancs, tant parce que cette population est plus compatible avec les vues de justice et d'humanité qui animent Sa Majesté, que parce qu'elle est plus propre à procurer à un État un degré de force capable d'en imposer. Ce système de population est d'autant plus nécessaire que les Anglais n'ont fait leurs conquêtes dans la dernière guerre que par le moyen de leurs colonies septentrionales qui sont presque uniquement peuplées de Blancs et que, formant actuellement à la Dominique une colonie dont les Noirs sont exclus, il est aisé de voir qu'ils méditent de faire par son moyen la conquête de la Martinique et de la Guadeloupe à la première occasion de guerre. Sa Majesté ne peut donc leur opposer des forces capables de balancer les leurs qu'en peuplant aussi de Blancs la colonie de la Guyane, laquelle étant au vent des îles françaises du golfe du Mexique est très favorablement placée pour leur porter des secours et même pour agir offensivement contre les îles anglaises. »

Dans d'autres instructions communes aux deux chefs, les « principes différents », qui président à l'établissement de la nouvelle colonie, sont précisés. « Sa Majesté, lit-on, voulant multiplier et accélérer la population et les forces de cette partie de ses possessions en Amérique, interdit l'entrée de la nouvelle colonie à tout nègre, mulâtre ou autre esclave de l'un et l'autre sexe et veut qu'elle ne soit établie que par des hommes libres. Pour remplir encore plus efficacement, plus promptement cet objet, elle se propose d'attirer à la Guyane des étrangers de quelque pays et religion qu'ils soient et défend expressément au gouverneur et à l'intendant de gêner aucunement la conscience ni le culte d'aucune des personnes qui habiteront la Guyane, auxquels ils laisseront l'exercice de leur religion. Sa Majesté se propose aussi, dans les mêmes vues, de faire tirer des hôpitaux de son royaume des jeunes gens des deux sexes pour les faire passer à cette colonie. » La Guyane, échappant aux règlements traditionnels, pouvait devenir, outre une possession blanche, une terre d'accueil pour les protestants et les juifs, qui y posséderaient les mêmes droits que les catholiques. Poussant plus loin son libéralisme, le roi recommande « d'encourager les mariages entre les nouveaux colons et les Indiens ». Optimiste et philosophe, Turgot écrit à Choiseul, le 25 juin 1763 : « Vous serez le premier ministre français qui aura établi une colonie sur des principes solides et raisonnables. La Guyane est la seule possession qui puisse dédommager en partie la France des pertes qu'elle a faites. »

La faculté d'introduire des protestants en Guyane donne l'occasion à Voltaire d'apparaître sur la scène coloniale. Le philosophe, qui avait obtenu des Choiseul la délivrance d'un galérien huguenot est sollicité par Louis Necker — le frère du futur ministre —, négociant à Marseille, qui lui demande d'obtenir la même grâce pour 24 autres réformés. Le seigneur de Ferney, soucieux d'être connu de tous comme le défenseur-né du genre humain, construit un projet où le ministère et les captifs trouveront leur profit. Un moyen doit permettre de triompher des difficultés. Il s'en ouvre à Louis Necker, le 19 mars 1764. « Le ministère a une grande prédilection pour la nouvelle colonie de la Guyane, on assure que le sol y est excellent, et que les personnes industrieuses et actives peuvent s'y enrichir en peu d'années. C'est, d'ailleurs, le plus beau climat de la nature ; et les habitants des côtes méridionales de France ne trouveront pas l'air fort différent, attendu les vastes forêts qui dans ce pays tempèrent plus qu'ailleurs l'ardeur du soleil. Il me paraît qu'il vaut mieux s'enrichir à la Cayenne, que d'être enchaîné à Marseille. Vous m'avez dit, Monsieur, qu'ils pourraient fournir une somme de quinze à vingt mille livres pour obtenir leur liberté ; je peux vous assurer qu'il n'y a pas de ministre en France qui donnât sa faveur à prix d'argent ; mais si vous pouvez faire préparer cette somme pour leur faire une pacotille, pour acheter les choses nécessaires à leur établissement, et à l'espèce de culture qu'ils voudront entreprendre, s'ils se déterminent à partir avec leurs familles, s'ils peuvent même engager plusieurs de leurs amis à partir avec eux, il n'y aurait en ce cas qu'à m'envoyer un petit mémoire de leurs propositions. J'ai déjà parole qu'on fera pour eux humainement tout ce qu'on pourra pour favoriser leur établissement, leur liberté, et leur succès à la Guyane. » Le philosophe tient, toutefois, à apporter une précision sur le ton de la badinerie qui lui semble de circonstance. « Il ne faudrait pas, à mon avis, qu'ils demandassent la permission de bâtir un temple, et d'amener avec eux des ministres, il faut qu'ils se présentent comme cultivateurs soit d'indigo, ou de cochenille, ou de coton, ou de soie, ou de tabac, ou de sucre, et non comme le peuple de Dieu passant les mers pour aller chanter les psaumes de Marot. Ils pourront secrètement embarquer un ministre, ou deux, si cela leur convient ; et quand ils seront une fois à la Guyane, ils auront à faire à un gouverneur, homme de mérite, qui connaît mieux que personne au monde le prix de la tolérance, et qui ne part qu'avec la ferme résolution d'accorder à tout le monde liberté de conscience. » Les huguenots ne se laissent pas séduire par les promesses embellies de la France équinoxiale, au point que le 6 avril 1764, Voltaire se plaint à Louis Necker de n'avoir reçu aucune information sur ses « saints et imbéciles martyrs ». Le 17 juin, l'ermite se gausse auprès des Ferriol d'Argental : « Croiriez-vous que ces drôles-là quand il a fallu tenir leur parole ont fait comme les compagnons d'Ulysse qui aimèrent mieux rester cochons que de redevenir hommes ? Mes gens ont préféré les galères à la Guyane. » Un choix que les huguenots ne regretteront pas.

L'ouverture d'esprit, qui préside à la nouvelle politique de recrutement des colons et qui semble à l'image de la tolérance prônée par les Lumières, cache le racisme le plus cru, une hiérarchisation de l'humanité. Au sommet de la pyramide, les Blancs, peu importe leur religion, en bas les Nègres, bons à faire des esclaves, mais dont, pour une fois, on aimerait se passer. Et, au milieu, les Jaunes ! En effet, dès 1760, comme le signale L. Dermigny, l'abbé Beliardi, familier et collaborateur de Choiseul au secrétariat d'État des Affaires étrangères, ne propose-t-il pas au duc « de lier le commerce de l'Asie avec celui de la Guyane, de la Martinique et de Saint-Domingue », et d'importer à Cayenne des Chinois et des Indiens, qui travailleraient la soie, le coton et cultiveraient des rizières. « On sait, dit l'Italo-Espagnol, que la Guyane produit du coton en abondance, et que sa qualité est fort supérieure à celui qu'on cultive dans les autres plantations de l'Amérique. Les fabriques de Rouen ont commencé à l'employer avec succès dans différentes étoffes. [...] Peut-être que nos ouvriers parvenant à perfectionner le fil, nous aurons un jour des belles mousselines faites en France. Mais, si cet art est réservé au seul génie et à l'adresse des peuples de l'Inde, le nouveau système de commerce pourrait faciliter à Mgr le duc de Choiseul les moyens d'attirer à la Guyane des familles du Bengale et de la Chine qui y apporteraient l'art de filer nos cotons. [...] L'unique attention qu'on devrait avoir serait de laisser vivre ces familles dans leur religion et se gouverner par les mêmes lois et coutumes qu'elles auraient apportées de l'Inde et de la Chine. Nous faisons à peu près de même vis-à-vis des juifs, qui ont obtenu la permission de vivre parmi nous dans des villes catholiques. La religion et le gouvernement influant sur ces familles, il est probable qu'elles multiplieront dans cette province de la France autant qu'elles l'auraient fait dans leur pays. Des colons de cette espèce sont plus utiles que les nègres, qui coûtent beaucoup d'argent, qui ne peuplent guère et qui ne nous apportent que des bras. Les familles de l'Inde, outre les bras, nous apporteraient leur industrie et l'art inappréciable des belles toiles de l'Inde. Elles retrouveraient peut-être dans ce nouveau sol les mêmes plantes dont on tire des gommes particulières et qui servent à former le beau vernis et les belles teintures de la Chine. » Les Choiseul ne retiennent pas cette suggestion lourde de risques sur les plans humain et financier, mais le XIXe siècle, maître de techniques nouvelles, sans crainte de la distance et de la durée de la traversée, mettra l'idée de l'abbé en application, pour remédier aux effets de l'interdiction de la traite négrière, puis de l'abolition de l'esclavage.

La propagande des ducs, limitée aux marches orientales du royaume, connaît un succès prodigieux. Venant de Lorraine, d'Alsace, d'Allemagne, par divisions, environ 20 000 hommes, femmes et enfants affluent en Saintonge, tandis que 2 500 personnes arrivent à Marseille et d'autres au Havre. Ce déferlement rend inutile les Maltais et autres déserteurs dont Turgot rêvait de peupler la Guyane. Au mois d'octobre, Chanvalon se rend à Rochefort. Il est effrayé par le nombre des immigrants et par le désordre des préparatifs. Mais l'homme est sans caractère et n'a pas le coup d'œil de l'administrateur. Il lui manque le sens du commandement, de l'organisation et des responsabilités. Il refuse de se rendre à la réalité, et, au lieu de retourner à Versailles pour y obtenir des assurances ou remettre sa démission, il se contente d'écrire. Dès le 27 octobre 1763, il souligne à Accaron la nécessité de ne pas envoyer trop de colons à la fois, ni trop tôt, afin de lui laisser le temps de préparer leur arrivée. Le 29, il insiste auprès du banquier de Bombarde pour que l'on ne laisse pas partir plus de 3 à 400 hommes par mois. Précautions trop ordinaires, dont un esprit averti eût préjugé la vanité. Mais le créole, ivre de la gloire de son intendance, quitte bientôt la France et débarque à Cayenne le 20 décembre 1763.

Chanvalon est mal reçu par Béhague, commandant des troupes — qui lui aussi a des idées sur la colonisation de la Guyane! —, ainsi que par l'ordonnateur Morisse. Rapidement, et comme il en avait l'ordre de Versailles, il renvoie Béhague en métropole (février 1764) et lui substitue Fiedmont auquel, après un moment d'animosité, il ne porte plus qu'estime et amitié. Préfontaine, parti en éclaireur, le conduit au camp du Kourou, en voie d'aménagement. Alors commence le raz-de-marée des colons que Rochefort, Marseille et Le Havre déversent sur la côte guyanaise. On ne sait où les parquer ; au Kourou, à Sinamary, aux îles du Diable, rebaptisées îles du Salut. L'ancien magistrat, plumitif bavard, écrit lettre sur lettre, pérore, mais, dépassé par les événements qu'un homme de bon sens eût devinés sans peine, ne sait où donner de la tête. Les 19 mars, 7 avril et 23 juin, le malheureux demande à Versailles de suspendre les convois, précisant que la première année il comptait sur 1 500 à 3 000 hommes et non sur 12 000 ! Turgot, individu méprisable, mais ayant le sens des réalités, pressent la catastrophe : le 2 février 1764, n'ayant toujours pas quitté la France, il désavoue son intendant auprès de Choiseul et entame une campagne de dénigrement systématique. Pendant ce temps, à Rochefort, pressés par l'hostilité de la population locale et par des impératifs financiers, sanitaires et d'ordre public, les commissaires de la Marine, Malouet et Malherbe, accélèrent les départs des colons. De Cayenne, Chanvalon multiplie les appels de détresse. Le 18 février 1764, il se confie à Accaron : « Vous verrez avec quel désordre et quelle confusion nous nous sommes embarqués. Cela faisait saigner le cœur à tout le monde. Tous les effets de chacun sont dispersés et laissés à l'abandon. Les familles également dispersées et séparées. Des maris attendent leurs femmes, des enfants leurs pères ou leurs mères. Nous avons des malles que personne ne réclame, et une infinité de gens qui redemandent leurs bagages et leurs effets, dont nous n'avons aucune connaissance. Voyez comme on trompait le ministre ! comme vous étiez trompé vous-même par ceux sur lesquels vous comptiez le plus ! Rien n'était prêt à Rochefort. » Aveu d'incapacité, sinon l'intendant ne serait pas parti pour le seul plaisir d'étrenner son titre neuf à la France équinoxiale. Cri pathétique, le 7 avril 1764, à l'adresse de Choiseul : « Monseigneur, je ne dois pas hésiter à le dire, tout est perdu sans ressource, si vous ne donnez les ordres les plus prompts et les plus précis pour faire arrêter les convois prodigieux d'hommes que l'on nous fait passer ici tout à la fois. [...] Je ne saurais trop le répéter ; il ne me restera que la douleur de vous prier ensuite de vous ressouvenir que je l'avais annoncé, même en France, où j'avais pris la liberté de vous en prévenir. » Désespoir de n'être pas écouté et de voir les colons tomber par rangs entiers, le 1er juillet dans une lettre au duc : « Nous sommes entourés de malades, de morts et de mourants. On en a enterré jusqu'à vingt et un par jour. Depuis quelque temps à peine avons-nous assez d'hommes pour faire le bois nécessaire au chauffage du four. [...] Nous manquons de remèdes, nous manquons même de tout, excepté de vivres, par les achats que j'ai faits à très grand marché, parce que j'ai caché nos besoins. »

Tandis que la nouvelle colonie se débat dans la maladie et la mort, une guerre de plume s'engage entre Turgot, accusateur depuis Paris, et Chanvalon qui, en juriste consciencieux, note tout, retient tout et se justifie. Finalement, le chevalier, poussé par un Choiseul qui craint le scandale, débarque à Cayenne le 18 décembre 1764. Il jette Chanvalon en prison, nomme Morisse intendant, tandis que Béhague, de retour et devenu son affidé, recouvre le commandement des troupes. Puis il ouvre une enquête sur la gestion de Chanvalon, faisant publier par affiches et tambour qu'il recevra toute plainte contre son ancien collaborateur. Trois mois plus tard, le 5 avril 1765, il s'embarque pour la France, non sans avoir dépossédé les jésuites de leurs biens, oublié de visiter le camp de Kourou et rapatrié 2 à 3 000 colons « acclimatés ». Le bilan de cette improvisation criminelle est lourd. Selon l'état général des départs, 10 446 personnes ont fait voile vers la Guyane. Malouet avance le chiffre de 14 000. J. Tarrade évalue à 13 000 le nombre des émigrants, dont 10 000 embarqués à Rochefort. Ces deux estimations, fort proches l'une de l'autre, expriment la réalité, plus que la vérité administrative. Les victimes, maintenant ? Pas de vérité officielle à ce propos, encore que Turgot et Morisse, rentrés à Paris, évaluent leur nombre à 9 ou 10 000, dans une lettre envoyée au ministre le 9 juin 1765. J. Tarrade semble juger cette approximation légèrement excessive — peut-être pour charger Chanvalon un peu plus — et penche pour 8 à 9 000 morts. À ce bilan humain effroyable s'ajoute un coût financier ruineux, qui varie entre 25 et 30 millions de livres. Environ 9 000 individus emportés par la fièvre jaune et des complications palustres, environ 25 millions de livres prélevées sur un Trésor appauvri par la guerre de Sept Ans, le prix de l'expédition du Kourou est écrasant. Deux ministres cupides, escrocs cyniques, et des gens sans scrupules ou incapables portent la responsabilité de cet énorme gâchis, bâclé en un an. La justice pourtant les épargne presque tous. Accaron démissionne moyennant une pension, Turgot, protégé par son vertueux frère, n'est pas inquiété, encore moins les Choiseul, qui se carrent dans leurs fauteuils ministériels. Seul Chanvalon, « ce pelé, ce galeux, d'où venait tout le mal », est dépouillé et enfermé au Mont-Saint-Michel. Louis XVI effacera la rigueur de la sentence rendue contre ce magistrat honnête, égaré dans l'action par goût des honneurs.

Au terme de cette entreprise de stratégie coloniale organisée par Choiseul, il ne reste pas même un millier de personnes à la Guyane. Un échec, venant après d'autres, et qui n'est pas le dernier. Toutefois, malgré le désastre humain et financier, le projet du Kourou n'en est pas moins actionné, outre l'appât du gain, par une réflexion originale. Il s'incorpore dans la veine philosophique, et à ce titre mérite l'hommage respectueux des Lumières. La colonie choiseulienne se singularise en refusant l'apport de cette traite négrière que certains commencent à dénoncer, pour se présenter non en terre d'esclavage mais en république de la tolérance, où toutes les religions jouissent des mêmes droits. La Guyane ne fondra pas son développement économique sur l'exploitation contre nature d'une main-d'œuvre servile, mais sur la colonisation libre ; elle réalisera la vieille et inaccessible utopie en créant une société qui garantira à chacun, quel qu'il soit, d'où qu'il vienne, sans exclusive spirituelle, le refuge organisé sur les principes de la liberté, de l'égalité et de la fraternité. Si le duc fait œuvre philosophique, on a presque envie de dire maçonnique, flattant ainsi les directeurs de la pensée nouvelle, il n'en oublie pas pour autant les préoccupations du lieutenant général qu'il est. Sa colonie blanche avait deux vocations militaro-économiques. La première, défensive, celle d'une base d'assistance pour les îles commerciales, menacées par les Anglais. La seconde, offensive, celle d'un relais de l'expansion française, susceptible de lancer l'assaut contre les possessions britanniques. Ces plans, séduisants sur le papier, trahissent une rare méconnaissance des choses coloniales. Ignorance de la pathologie exotique, qui décime les Européens dans les premiers mois de leur arrivée. Incompréhension du patriotisme américain qui anime la petite population tropicale des colons : ceux-ci, entièrement consacrés aux cultures et au commerce, n'ont aucun goût pour la bataille, comme les gouverneurs l'ont abondamment écrit tout au long de la guerre de Sept Ans.

Le secrétaire d'État est mauvais joueur : il ne supporte pas la critique, et a horreur de perdre, malgré le nombre de ses fautes et de ses échecs. Ainsi, Bachaumont, évoquant l'expédition du Kourou, note-t-il, le 10 décembre 1763, une anecdote qui en dit long sur le caractère du puissant ministre. « Fréron, auteur de l'*Année littéraire*, a été arrêté avant-hier après-midi, par ordre de M. le duc de Choiseul, et conduit au Fort-l'Évêque. C'est pour avoir inséré dans son journal n° 34, il y a quinze jours, une lettre à lui adressée sur une famille d'Alsace, en route pour se rendre à Rochefort, et passer à Cayenne, arrêtée dans sa marche le 17 du mois dernier par la plus excessive misère, qu'un citoyen généreux a soulagée. Cet acte d'humanité rendu public n'a pas été vu du même œil à la cour ; on en a fait un crime politique à l'éditeur. M. le duc de Choiseul, étant à table, entend parler de cette feuille : " Ce gueux, s'écrie-t-il, ose parler de Cayenne ! Qu'on m'apporte le n° 34. " On lui dit l'endroit. " Il couchera au Fort-l'Évêque ! ", s'écrie de nouveau le ministre cour-roucé. » Le 15 décembre, Bachaumont ajoute que cette affaire entraîne un échange de lettres ouvertes entre Fréron et Choiseul. « Le ministre a répondu avec détail, en cherchant à justifier sa conduite, et en donnant à entendre quel crime politique c'était de dévoiler les négligences et l'inattention du ministère. Il a paru même révoquer en doute la vérité du fait conté par Fréron. » Le duc ne peut exprimer sa mauvaise foi avec Louis XV comme avec Fréron. Alors il parle la langue de la franchise, feignant de battre sa coulpe, pour mieux faire porter sa responsabilité à des collaborateurs qu'il assassine. Dans un mémoire de 1765, qui traite des colonies, il écrit au roi : « J'ai fait dans cette partie, ainsi que dans les autres, beaucoup de change-ments ; mais ils ont presque tous mal réussi. Je me suis trompé sur les choses et sur les hommes. J'ai engagé Votre Majesté dans des dépenses considérables en pure perte. De sorte que nos colonies, Sire, sont peut-être en plus mauvais état qu'elles n'étaient en 1755, quoique vous en ayez dépensé plus que vous n'avez dépensé à cet objet pendant l'autre paix. Mes fautes viennent de ce que j'ai été instruit on ne peut plus mal du local par le bureau que j'ai trouvé établi ; qu'à cette mauvaise instruction j'ai ajouté des idées de moi, qui portaient à faux puisque j'étais mal instruit. J'ai voulu établir en Amérique un système d'Europe ; j'ai fait choix de sujets pour gouverner qui m'ont jeté dans des écarts épouvantables ; les uns étaient intéressés, les autres despotiques, ignorants et déraisonnables. [...] M. Turgot est fou et fripon en même temps. [...] Mon expérience m'a appris à me réformer ; j'ai changé une partie des gouverneurs ; j'ai restreint les dépenses. » Le clan des Choiseul, n'ayant tiré aucun gain de sa seigneurie du Kourou, modère ses appétits et, avec une indécence stupéfiante, tourne les yeux vers Saint-Domingue où il possède des plantations. Le 26 avril 1767, le roi accorde à la comtesse de Montrevel, fille du duc de Praslin, secrétaire d'État de la Marine, le brevet de concession de l'île de la Tortue, qui restera dans cette famille jusqu'en 1785, avant d'être vendu. Le 25 août 1768, c'est au tour du vicomte de Choiseul, brigadier d'infanterie dans la Grande Île de recevoir la concession de l'île de la Gonâve, qu'il troquera en 1775 contre une pension annuelle de 12 000 livres. Enfin, le 28 janvier 1771, sur les ordres du souverain, les administrateurs généraux de Saint-Domingue concèdent l'Île-à-Vache à leur chef, le secrétaire d'État de la Marine, duc de Praslin !

Les Choiseul, outre l'édification de leur fortune privée qui coûte cher au Trésor, sont toujours disposés à s'engager dans des entreprises qui contribueraient à faire oublier les abandons de 1763. Or voilà qu'au mois de juin 1767, arrive à Paris le comte de Modave, ancien aide de camp de Lally lors de la guerre dans l'Inde, et pour l'heure, planteur improvisé à l'île de France. Ce gentilhomme dauphinois — au passé aventureux, « intelligence supérieure, mais boiteuse », diagnostique R. Glachant — a une idée en tête et un plan en poche : coloniser Madagascar, sur laquelle de temps à autre la France réaffirme sa souveraineté.

Modave commence par se confier à Dubuc, un colonial comme lui, planteur de la Martinique et premier commis des colonies, par la grâce de Choiseul. « Les îles de France et de Bourbon, séparées de Madagascar, explique le comte, ne sont qu'une occasion de dépense pour le gouvernement sans aucune utilité réelle pour le commerce. En isolant ces deux îles, il est impossible de les conserver. Madagascar seule possède des recettes suffisantes pour parer à toutes les nécessités, soit de l'entretien en temps de paix, soit de la défense en temps de guerre. La possession des îles de France et de Bourbon doit se borner à la commodité d'un entrepôt pendant la guerre, sans que le commerce et la navigation du royaume y gagnent rien ; mais en joignant à cette utilité qui, à la vérité, n'est pas à mépriser, les conséquences d'un établissement à Madagascar, on augmente la sûreté de l'entrepôt et du point d'appui et l'on se procure, du même coup, une extension de commerce qui ne peut être trop appréciée. Je prie M. Dubuc de remarquer que jamais entreprise ne coûta moins à tenter ; il n'est besoin ni de moyens, ni de fonds extraordinaires ; tout doit s'exécuter de l'île de France ; il est absolument indifférent de payer deux ou trois cents hommes dans cette colonie ou à Madagascar. Je propose donc que le ministre écrive à M. Dumas [le gouverneur] et à M. Poivre [l'intendant] qu'il a jugé nécessaire d'étayer les colonies de l'île de France et de Bourbon d'un établissement à Madagascar. » Et Modave se propose pour commander cette expédition « sous l'autorité du gouverneur de l'île de France ». Le projet semble raisonnable. « Jamais entreprise ne coûta moins à tenter et n'offrit plus d'avantages » —, aussi intéresse-t-il Praslin, secrétaire d'État de la Marine. Le comte, saisi d'enthousiasme, ne se le fait pas dire deux fois et envoie au ministre un mémoire où, dépassant l'objectif stratégique, il présente les intérêts qu'offre un établissement dans l'île de la mer des Indes. « Le pays, assure-t-il, est remarquablement fertile, surtout au point de vue de la culture des grains, qu'il produirait aussi avantageusement et avec autant de variété dans les espèces que telle autre terre que ce soit. La colonie serait de plus en état d'en exporter la quantité nécessaire à l'approvisionnement de l'île de France et de nos comptoirs des Indes. Nos vaisseaux trouveraient dans ses ports les farines et les biscuits dont ils auraient besoin. » Modave — suivant la pente de Flacourt, déjà empruntée par l'académicien Charpentier — fait une peinture paradisiaque de la Grande Île où les Français avaient si lamentablement échoué au xviiᵉ siècle, mais avec laquelle ils entretiennent depuis des liaisons permanentes. Les troupeaux fourniront viandes et salaisons, le chanvre des cordages. Les cannes à sucre, le coton, l'indigo, la soie, la cire y abondent, ainsi que le fer, et il n'y a pas à douter de l'existence de mines d'or.

L'imagination du comte s'échauffe au fil des phrases. « Je prédis qu'avant cinq ans l'établissement de Madagascar consommera dix cargaisons ou 8 000 tonneaux de marchandises du royaume qu'il paiera de l'industrie des Madécasses. » Pressé de passer à l'action, l'officier propose de partir par les premiers vaisseaux. « Je serai à l'île de France en avril et à Madagascar en juillet. Quand on recevra en France les premiers avis de mon arrivée, l'établissement sera formé, le Fort-Dauphin nettoyé et occupé, des maisons bâties. » De plus en plus exalté, le Dauphinois prophétise que le succès de son plan illustrera le ministère de Praslin jusqu'à la postérité la plus reculée, et ajoute-t-il, grandiloquent : « Il va réparer toutes nos pertes en Asie et en Amérique, assurer du même coup notre commerce des Indes et nous mettre en situation de prendre un jour la revanche la plus terrible et la plus complète de nos ennemis. » Les Choiseul, échaudés par le débâcle guyanaise, sont tentés mais craignent les désenchantements bruyants. Modave séduit : son projet ne réclame que quelques dizaines de milliers de livres. En philosophe authentique, il veut un système de travail libre, non l'esclavage : Madagascar pourrait devenir cette colonie respectueuse du droit naturel que devait être le Kourou. Il aborde et approfondit le problème très discuté en cette fin de siècle des Lumières du statut des colonisés. « La base de notre projet doit être de ne présenter l'esclavage sous aucune forme aux habitants du pays. Aussi l'usage où nous sommes de traiter les esclaves doit être aboli. Et il est à propos que je sois autorisé à empêcher les vaisseaux qui abordent dans l'île de continuer leur négoce. Notre police interdit les mariages de sang-mêlé. Ce principe est bon dans une colonie où la population est divisée en deux classes, les maîtres et les esclaves. Mais le nouvel établissement est dans un cas tout différent. Il s'agit de policer un peuple libre et de nous l'incorporer en quelque sorte. La liberté indéfinie des mariages est un excellent moyen d'y parvenir. Qu'importe d'ailleurs à l'État que l'épouse d'un forgeron ou d'un charpentier, dans une île aussi éloignée de la France, soit blanche ou noire ? [...] Les femmes de

Madagascar ont, comme par toute la terre, une suprême influence sur les esprits. Nous voyons, dans les anciennes relations, que les brigands envoyés dans cette île par M. le maréchal de La Meilleraye ne s'y soutinrent si longtemps, malgré leur cruelle rapacité, que par l'appui de quelques alliances semblables à celles que nous proposons. Les femmes de cette île sont capables de tendresse et d'attachement. On en trouve de toutes couleurs et même de blanches. La plupart des créoles de Bourbon ont une origine madécasse. C'est par l'exemple et par les mœurs, c'est par l'influence de la religion et de la supériorité de notre police, que nous devons étendre nos progrès. La société est toute formée. Nous ne devons songer qu'à nous mettre à sa tête et à la diriger suivant nos vues et nos intérêts. Le germe de tous les métiers et des arts les plus nécessaires existe parmi les Madécasses. Il ne faut que le développer. M. de Flacourt affirme dans ses relations que les Madécasses montraient une grande propension à embrasser le christianisme. C'est un grand attrait pour nous les concilier. Il serait donc à propos d'envoyer avec moi trois au quatre ecclésiastiques. [...] On ne peut cesser de le répéter, ce qui donne une juste espérance de profiter de cette contrée, c'est la facilité qu'on trouvera à civiliser les peuples qui l'habitent. »

Le système de colonisation libre et d'unions mixtes, que propose le comte, ne doit en rien à la philanthropie en vogue mais se nourrit aux vieux principes chrétiens : il reprend la lettre du projet de Flacourt et des textes qui accompagnèrent la création de la Compagnie des Indes. Quant au verbe *civiliser* — appelé à connaître le succès aux XIXe et XXe siècles, ainsi que l'expression de « mission civilisatrice » —, l'officier l'emploie alternativement avec le verbe *policer*, seul en usage au XVIIe siècle. Bref, contrairement à ce que l'on pourrait penser, Modave, que l'on présente hâtivement comme un nouveau type de colonisateur, parle comme Flacourt en 1658, comme Colbert en 1664, mais son discours, comme celui de ses prédécesseurs, ne s'adresse pas à tous les « colonisables » — non aux Africains par exemple — mais aux Madécasses, race de la mer des Indes et non de la « Négritie ». Praslin donne son agrément à l'entreprise que lui soumet le comte, mais prend garde de s'engager. On le nomme commandant pour le roi dans l'île madécasse, mais il revient au gouverneur et à l'intendant des Mascareignes de le fournir en hommes et en vivres. Cette prudence excessive surprend d'autant plus que la Grande Île, outre son importance stratégique, est connue, au moins depuis La Bourdonnais, pour approvisionner les îles de France et de Bourbon en riz, bœufs, bois et esclaves. Par opposition à la Guyane, qui se cache dans les arrière-pensées ministérielles, Madagascar ne représente pas la promesse heureuse de lendemains incertains, elle est une réalité immédiate. Après la guerre de Sept Ans, comme l'observe A. Toussaint, c'est à titre de nourricière que la Grande Île figure dans l'économie des Mascareignes.

Le 21 novembre 1767, Praslin transmet à Dumas et à Poivre un mémoire de Modave et explicite sa pensée. Le comte reconstruira le Fort-Dauphin et, sous couvert de commerce avec les Mascareignes, édifiera un établissement permanent à Madagascar qui dans l'avenir subviendra aux besoins de l'île de France. « J'ai fort à cœur le succès de cet établissement, je le crois très important et même nécessaire pour la prospérité des îles de France et de Bourbon. » Dans cette perspective colonisatrice, il conviendra de mettre un terme à la traite négrière et aux envois d'armes et de poudre qui la permettent, au moins dans la région du Fort-Dauphin. Le 15 janvier 1768, Praslin fait parvenir un nouveau mémoire du Dauphinois aux chefs des îles de la mer des Indes. Il approuve le principe d'encourager les mariages des Blancs avec les femmes indigènes à Madagascar, et insiste sur un point qu'il avait déjà évoqué dans sa précédente correspondance : « C'est du commerce de la Grande Île, que l'île de France devait attendre des vivres et non de l'Europe. » Le 14 juillet 1768, Modave débarque à Port-Louis, expose son projet au gouverneur Dumas, puis fait voile vers Fort-Dauphin, convaincu d'avoir gagné la confiance et la protection de l'administrateur général. Or celui-ci, qui a une certaine idée de Madagascar à travers ce que lui en rapportent les agents de commerce qui y résident plusieurs mois par an, fait part de ses réserves à Praslin dès le 25 juillet. Le choix du Fort-Dauphin comme foyer de colonisation ne lui paraît pas des plus judicieux : il préconise que le comte organise un établissement dans le centre de la Grande Île, d'où il pourra rayonner jusque sur les côtes. Et, très justement, il souligne que l'air est sain sur les plateaux intérieurs, alors que les fièvres sévissent sur le littoral. Dumas regrette aussi que l'on ait donné la préférence à l'entreprise malgache et que l'on néglige de renforcer la capacité militaire de l'île de France. « L'île de France doit toujours être le château fort, la citadelle qui protègera et défendra les possessions immenses. Sans le point d'appui de l'île de France, les plus grands succès à Madagascar deviendront nuls. » Modave, confiant dans la bonne volonté de tous, s'embarque. De Bourbon, où il fait escale le 30 août, puis du Fort-Dauphin, le 28 octobre 1768, il réclame à Praslin qu'on lui envoie 600 ouvriers blancs au lieu des 100 prévus. Sur le terrain il agit avec habileté, menant une politique d'alliances et de protectorat avec les chefs de la Grande Île, à la manière de Dupleix et de Bussy. Mais il doit compter avec la réalité qui ne brille pas de l'éclat merveilleux de ses promesses. Lui qui devait approvisionner les Mascareignes et les comptoirs de l'Inde, organiser des échanges fructueux entre sa conquête et la métropole, former des matelots madécasses, est contraint de réitérer ses appels premiers, de solliciter des secours en vivres et même en hommes, car le paludisme affaiblit et décime sa petite troupe. Poivre, inquiet et réservé, attend l'arrivée du remplaçant de Dumas, le chevalier Desroches, pour répondre. Mais, protégé du clan Choiseul, il fait part de son sentiment personnel à Praslin, le 12 janvier 1769. « Je redoute que l'établissement dont vous avez chargé M. de Modave ne soit un peu prématuré et que la situation où se trouve cette colonie encore trop peu avancée, ne me permette pas de fournir à tous les besoins de la nouvelle colonie de Madagascar. »

Le comte, quoique assailli de soucis, avait mesuré, dès les premiers jours de son arrivée, l'intérêt militaire de la population nombreuse qui l'entourait. Il avait vu dans la Grande Île un inépuisable réservoir de troupes, et à partir de là, avait conçu une stratégie hardie. Aussitôt, il avait expliqué au ministre son idée d'armée indigène d'intervention, lui montrant les perspectives de son utilisation. « Il serait aisé de former ici un corps de 4 000 Madécasses exercés à notre manière. Dans le cas d'une rupture avec l'Angleterre, on les ferait passer aux Indes avec 1 200 Français et un train d'artillerie. Je maintiens qu'un homme d'esprit et de cœur, qu'on laisserait maître de sa conduite, renverserait le colosse de la puissance anglaise dans les Indes. C'est un projet qu'il convient de laisser mûrir dans le silence, mais j'ose vous promettre, Monseigneur, de tenir les choses en état de vous fournir ce secours dont vous ferez l'usage que vous jugerez le plus utile. C'est une politique très sage d'employer les noirs dans ces pays. On épargne ainsi le sang national. Cent noirs d'Afrique culbutent quelques milliers d'Indiens. [...] Ce moyen diminue aussi considérablement les frais de la guerre. Je réponds qu'avec ce corps de nègres, soutenu de 1 200 Français on pourrait chasser les Anglais des deux côtés de Malabar et de Coromandel. À l'égard du Bengale, je ne connais pas assez les affaires de ce pays pour en parler. Mais les succès qu'on aurait ailleurs réveilleraient la haine secrète des puissances de l'Inde contre les Anglais. Nous n'aurions pour nous les concilier qu'à remettre les provinces conquises entre les mains de leurs anciens possesseurs. Les princes indiens ont la plus grande envie de rentrer dans le Bengale, et s'ils se sentaient appuyés, les plus grands efforts ne leur coûteraient rien. Il suffirait de faire les premières dépenses nécessaires pour la solde et l'entretien de ce corps pendant un an. Après ce temps, les princes, recueillant les fruits de nos succès, s'empresseraient d'en faire les frais. » Les difficultés et les projets du comte ne semblent intéresser personne. Son plan de colonisation ne susciterait-il plus l'intérêt ? Serait-il condamné ?

Enseveli sous le silence de ses interlocuteurs, le Dauphinois tente de sauver son dessein, qui jadis avait été celui de La Meilleraye et surtout de Colbert. Il s'apitoie quand il apprend que le ministre s'offusque de ses demandes, rappelant qu'il s'était engagé à former une colonie sans escadres ni troupes. « La seule puissance de l'exemple, des mœurs, d'une police supérieure et de la religion » lui suffirait, avait-il dit, pour opérer sa conquête : on le lui remémore. En écho inutile, le comte supplie : « Deux cents familles de paysans transportées à Madagascar y feraient des prodiges pour eux et pour l'État. » Au mois d'août 1769, Modave se rend au Port-Louis pour rencontrer le gouverneur Desroches et le convaincre de la justesse de sa cause. Dès le 12 août, le gouverneur donne son avis au ministre. Le projet de coloniser Madagascar mérite l'attention, car la Grande Île abonde de ressources diverses. Mais le comte a sous-estimé l'ampleur des moyens nécessaires à la réalisation de son plan qui, s'il aboutissait, risquerait d'appauvrir les Mascareignes en hommes et de ruiner leurs finances déjà étiques. L'administrateur approuve le principe d'une prise de possession nouvelle, tout en affichant une grande circonspection sur les moyens mis en œuvre pour y parvenir et plus encore sur l'éventuel succès de l'entreprise. Modave, enlisé dans la perplexité et le scepticisme annonciateurs d'un prochain désaveu, s'en remet à Praslin : « Je ne puis plus rien faire, Monseigneur, le prie-t-il le 16 août, si je ne reçois des colons. Je n'ai auprès de moi que quelques soldats et cinq ou six ouvriers particuliers. [...] Décidez, Monsieur le duc, s'il convient que je me morfonde inutilement à Madagascar en attendant vainement des secours qui ne viendront pas. »

Quelques jours après que le comte eut fait sa lettre au ministre, Desroches envoie plusieurs courriers alarmistes à Versailles : « Le Fort-Dauphin nous ruine, et Madagascar depuis deux ans et demi au lieu de nous rapporter 1 750 000 livres sur le pied de 750 000 francs par an nous coûte au contraire du nôtre. » Les Choiseul, occupés à exciter les Turcs contre la Russie — un désastre qui n'empêchera pas le partage de la Pologne —, au mariage du Dauphin avec Marie-Antoinette d'Autriche, et à leur guerre grotesque contre la comtesse du Barry, tirent un trait sur le rêve madécasse. On a l'impression qu'ils ont peur d'un nouveau Turgot, d'un nouveau Kourou, du fracas inopportun d'un nouveau scandale. Modave, peut-être pour échapper à ses créanciers de l'île de France, a exagérément effacé les difficultés liées aux opérations de colonisation — climat, maladies, alimentation — et excessivement magnifié les espérances dont il annonçait imprudemment la concrétisation dans l'heure et non dans le moyen terme. Les Choiseul, eux, portent totalement la responsabilité de l'échec malgache. Le projet que le Dauphinois leur a soumis n'avait rien d'une folie à la guyanaise : il s'inscrivait dans une réflexion stratégique et une approche matérielle déjà séculaires. Ils ont répété les fautes passées : envoi isolé d'une expédition — qui au demeurant n'a pas démérité —, déception devant les premiers résultats, et alors, conclusion purement commerciale : le délaissement et l'abandon. Le ministère semble concevoir la colonisation comme un don — c'est le cas des Antilles où la Couronne a récolté les fruits d'efforts particuliers — non comme un labeur systématique de conquête et de domination. Outre cette désinvolture à laquelle ne se sont jamais abandonnés les Portugais, les Espagnols, les Hollandais et les Anglais, les Choiseul cultivent le génie de l'organisation boiteuse. Au lieu de rattacher Modave directement à leurs bureaux, ils le placent sous l'autorité des seuls administrateurs que son action ne pouvait manquer de contrarier ! Les hommes avertis, connaissant la région d'expérience, ne jugent pas le Dauphinois à la manière des commis de Versailles. Ils ne lisent pas dans son entreprise le récit d'un échec par incapacité, bien au contraire. L'officier du génie Charpentier de Cossigny, dont le père avait déjà des idées de colonisation de la Grande Île, et qui lui-même dit dans son *Voyage au Bengale* (1799) avoir proposé des plans dans ce sens aux ministres de la Marine de Choiseul et de Boynes en 1764, 1772 et 1773, disculpe le comte. Dans ses *Moyens d'amélioration des colonies* (1803), il déclare : « La tentative faite par M. de Modave n'a pas échoué : c'est l'inconstance du gouvernement, vu le changement de ministre, qui a fait relever l'établissement sur des rapports faux et ridicules du chevalier Desroches, capitaine des vaisseaux du Roi, gouverneur de l'Île de France. » Il convient de nuancer la rudesse de ce jugement. Le renvoi des Choiseul n'est pas la cause du changement d'attitude du ministère de la Marine à l'égard de Modave. Bien avant son départ, Praslin, surpris que l'entreprise madécasse devînt plus onéreuse qu'annoncé, y mit un terme. Le Dauphinois, à trop jouer les conquérants sans besoins financiers, s'est fait prendre au mot. Mais, comme l'a justement observé B. Foury, le rappel du colonel marque la victoire des bureaux, qui voyaient en lui « un homme d'esprit et bien intentionné sans doute, mais plus rempli de zèle que de connaissance », et celle de l'île de France, que la mainmise sur Madagascar eût condamnés aux seconds rôles. Enfin, en 1775, le sieur Millon, ancien procureur général à Bourbon, présentant à son tour un projet de colonisation libre de la Grande Île, donne un avis plein de sérénité et d'estime, celui de quelqu'un du pays, qui connaît le problème, ses difficultés et ses incertitudes. « M. le comte de Modave n'a reçu que les secours les plus faibles pour son établissement. Il s'y est malgré cela, non seulement maintenu, mais encore fait respecter. Ce brave militaire, ce citoyen honnête, cet homme juste et équitable était l'arbitre des nations voisines. L'on ignore les causes de son rappel et celles de tous ceux qui l'ont suivi. »

À la chute des Choiseul, Modave intéresse à son entreprise le nouveau secrétaire d'État, M. de Boynes. Mais contre toute attente, celui-ci confie le commandement de l'expédition à un aventurier hongrois, le baron de Benyowski. Ce magnat, promu colonel d'un corps de volontaires de près de 300 hommes, correspondra directement avec Versailles, mais, dans l'esprit des bureaux, relèvera des Mascareignes : une combinaison encore plus compliquée que celle qu'avait adoptée Praslin, et présentant les mêmes dangers. Tandis que Benyowski sort du port de Lorient, le 22 avril 1773, Boynes annonce l'objet de sa mission au gouverneur de Ternay et à l'intendant Maillart. « Vous êtes instruits du projet que M. de Modave avait fait adopter en 1767, de former à Madagascar une colonie d'Européens, pour civiliser les habitants de cette île, et les accoutumer à nos mœurs et à nos usages. On n'a pas tardé à s'apercevoir que cet établissement portait sur de faux principes, et on a été obligé d'y renoncer par l'impossibilité de subvenir aux avances de toute espèce que M. de Modave exigeait en faveur des nouveaux colons. Malgré le peu de succès de cette tentative, on ne peut se dissimuler que l'île de Madagascar ne renferme de très grandes ressources, et qu'il ne fût utile d'y avoir un établissement : mais au lieu d'une colonie dont les vues blesseraient trop ouvertement les droits de la propriété, pour être reçue avec plaisir par un peuple pasteur et agricole, il ne doit être question que d'un simple poste, à la faveur duquel on puisse former des liaisons utiles avec les principaux chefs du pays, établir avec eux un commerce d'échanges et faire cesser l'abus de traiter en argent. Ce sera ensuite à l'intelligence de celui qui sera chargé du soin de cette entreprise, à étendre ses liaisons dans l'intérieur de l'île, pour ouvrir de nouvelles branches de traite, et, en se conduisant avec prudence, on peut espérer d'arriver un jour au but proposé par M. de Modave, et de former une colonie d'autant plus solide qu'elle serait fondée sur l'intérêt même des insulaires. »

Dans cette dissertation, encore plus philosophique que les mémoires et lettres échangés par Modave et Praslin, où s'annoncent les discours sur la mission civilisatrice de la France et où disparaît le souci de Colbert de travailler à la gloire du roi, le ministre limite la portée de l'expédition, tout en conservant les vues du Dauphinois en ligne de mire. Benyowski conçoit sa mission de manière plus grandiose. À peine débarqué aux Mascareignes, où il se brouille avec le gouverneur et l'intendant, il écrit au ministre son intention « de former non seulement une colonie vaste et ample, aussi riche que formidable, plus encore, un bouclier contre nos ennemis aux Indes ». Les administrateurs généraux des Îles Sœurs observent, se concertent et rendent compte. Le 27 décembre 1773, l'intendant taille sa plume et livre à Boynes le fruit amer de ses réflexions. « Je ne crains pas de vous annoncer que, non seulement cet officier n'exécutera rien d'utile pour le service, mais qu'il en coûtera beaucoup d'hommes et d'argent au roi. [...] Il ne met de terme à ses prétentions que celui de ses volontés, et ses volontés n'en ont pas. J'ajoute qu'il achèvera de bouleverser ce qui reste de tranquillité parmi les peuples chez lesquels il va s'établir, qu'il finira enfin par nous fermer, et peut-être pour toujours, toutes les portes par lesquelles on aurait pu réussir à former dans la suite un établissement solide à Madagascar, mais qui ne peut être stable qu'autant qu'il sera établi par les voies de la douceur et de la conciliation, vertus qui sont aux antipodes du caractère de M. de

Benyowski, et dont qui que ce soit n'est moins capable de faire usage que lui. » Le baron, qui paraît aux Lumières une brute échappée des heures violentes de la Renaissance, fait voile vers la Grande Île le 2 février 1774. À Versailles, l'accession de Louis XVI au trône s'accompagne d'un remaniement gouvernemental qui porte Turgot à la Marine pendant un mois. L'éminent physiocrate n'a pas la fibre coloniale, aussi les dépêches venues de la mer des Indes ne manquent-elles pas de le stupéfier et de l'agacer. Il répond à tous au mois de juillet 1774, et à Benyowski d'un ton vif. « Je ne puis vous dissimuler ma surprise à la lecture de vos projets sur Madagascar ; au lieu d'un simple poste de traite, c'est une colonie que vous voulez y fonder. Il faut, Monsieur, abandonner toutes ces idées pour revenir aux principes consignés dans vos instructions. Ce n'est point une colonie, mais un simple poste qu'il faut établir. Les armes et les munitions de guerre qu'on vous a accordées ne sont pas destinées à faire des conquêtes, mais à assurer votre établissement. Quoiqu'on vous ait marqué que la correspondance que vous seriez obligé d'avoir avec MM. de Ternay et Maillart relativement à vos opérations ne devait pas vous dispenser de rendre compte directement au ministre de la Marine de tout ce que vous feriez pour le succès de votre mission, on n'a jamais eu l'intention de vous laisser le maître absolu de l'établissement de Madagascar ; et il a toujours été subordonné ainsi que vous aux administrateurs de l'île de France. »

Les Lumières veulent bien faire le commerce du riz, du bétail, des bois — même la traite des Nègres, à condition de ne pas payer en argent — mais elles se refusent à conquérir. Le Hongrois n'a pas la tête philosophique, aussi, contrairement à Modave — propriétaire d'esclaves et négrier — ne prend-il pas la peine de tourner des phrases métaphysiques. Et, cet aventurier, ce condottiere des tropiques, incontestablement intelligent, charmeur et courageux, n'a pas été élevé dans la révérence du service du roi. Débarqué à Madagascar, Benyowski envoie à Versailles des lettres contradictoires, tantôt insistant sur les difficultés qu'il rencontre, tantôt se félicitant de ses succès et réussites. Le gouverneur et l'intendant des Îles Sœurs, informés par des capitaines marchands, font part au ministère de leur inquiétude sur la politique et l'administration du baron. Sartine, qui a succédé à Turgot après un court intermède, décide, le 10 février 1776, de faire inspecter Madagascar par le gouverneur de Bellecombe et l'intendant Chevreau, nommés à Pondichéry. Ceux-ci touchent la Grande Île le 16 septembre 1776, et visitent Tamatave, Foulepointe, la baie d'Antongil d'où ils se rendent à Louisbourg, la capitale. Le Hongrois les accueille en leur déclarant tout net que si le ministère ne voulait pas entretenir à Madagascar un corps de 600 hommes et y dépenser 2 millions de livres, « il fallait se dépêcher au plus vite de plier bagage ». La Pérouse, qui accompagne les deux commissaires royaux, va de surprises en étonnements. À propos d'un ouvrage défensif, il note : « C'était un fort d'où l'on ne pouvait tirer qu'aux corneilles. » De la métropole naissante, il n'aperçoit « aucune trace ». Bellecombe et Chevreau prennent des notes et rédigent leur rapport à Pondichéry, d'où il part au mois d'octobre 1777. Il est sévère. Les deux inspecteurs ne comprennent pas « comment un homme en place, à qui le ministre a donné des marques publiques de confiance, peut s'exposer à annoncer et à présenter comme certains des succès et des avantages considérables dans l'entreprise dont il est chargé, tandis que tout nous a démontré à chaque pas, pertes d'hommes, dissipation d'argent et des effets envoyés et achetés pour le compte du roi, désordre et confusion dans toutes les parties du service, mécontentement et guerre de la part des naturels, fuite et abandon de dessus leurs terres ; enfin le triste spectacle qu'offre à l'humanité le restant de nos malheureux concitoyens, qui ont échappé jusqu'à ce moment à l'air pestiféré de Madagascar, la crainte de la famine, faute de riz. Toutes ces calamités ne semblent-elles pas s'être rapprochées et confondues pour former le contraste le plus frappant avec le tableau des richesses et de la prospérité à Madagascar, que M. le baron de Benyowski s'est permis de présenter au ministre avec l'intention de le persuader ? »

N'attendant pas les effets de l'inspection qu'il vient de subir, le baron, sans demander de congé, quitte la Grande Île au mois de novembre 1776 et débarque en France au mois d'avril de l'année suivante. Il gagne Versailles — où son entregent lui vaut une provision de 50 000 livres et la croix de Saint-Louis —, rencontre Sartine, à qui il remet un plan de colonisation de Madagascar qui ne connaîtra aucune suite. Alors commencent de grandes tribulations : Autriche, de 1777 à 1781 ; États-Unis, 1781 ; Saint-Domingue, 1782 ; France et Angleterre, 1783 ; États-Unis, 1784, où il crée une société pour la traite des Nègres. On peut se demander si ce n'est pas à Baltimore que l'imaginatif Benyowski, rebuté par une Europe lasse de ses tours, a inventé que les Madécasses, à la suite des révélations d'une vieille femme et de prophéties, l'avaient reconnu, en 1776, comme *Ampansacabé* de la province de Mananhar. Cette dignité, travestie en celle d'empereur de Madagascar, a vraisemblablement convaincu plusieurs de ses auditeurs de devenir ses associés.

L'expédition part de Baltimore le 21 octobre 1784 et jette l'ancre devant Madagascar au mois de juin 1785. Les administrateurs des Mascareignes apprennent le retour de l'aventurier, mais les nouvelles sont confuses. Le gouverneur de Souillac envoie un de ses officiers de Marine, Tromelin, à Foulepointe. « Mauritius-Augustus, Dei gratia, Ampansacabé de Madagascar » signifie aux Français qu'ils peuvent s'approvisionner en vivres à la Grande Île, mais qu'il leur interdit d'y traiter des esclaves. Puis, il leur fait porter copie de lettres patentes de Joseph II d'Autriche, l'autorisant à coloniser Madagascar sous sa bannière. Souillac, craignant comme Vergennes et Castries que l'aventurier ne soit à la solde du roi d'Angleterre, commande d'en finir. Un détachement donne l'assaut au camp du baron, par ailleurs devenu comte, et s'en empare. Un seul mort : l'empereur (24 mai 1786). Pendant les échecs successifs de Benyowski, un de ses compagnons, qui a pris ses distances, Mayeur, explore la Grande Île, accédant au plateau et atteignant Tananarive, la capitale, au centre de l'Imerina (1777 et 1785). Il négocie un accord avec les Hova, peuple fort différent des ethnies côtières, pour lequel il éprouve une réelle admiration et dont il a laissé un tableau documenté et fidèle.

Les tentatives des Choiseul pour réparer les pertes coloniales sanctionnées par le traité de Paris ont échoué à la Guyane comme à Madagascar. Deux facteurs expliquent l'avortement de ces entreprises. Le premier, essentiel : la pathologie. En 1784, dans ses *Études de la Nature*, Bernardin de Saint-Pierre, qui avait manœuvré avec succès pour ne pas accompagner Modave chez les Madécasses, souligne après bien d'autres que « l'air de l'île de Madagascar est corrompu », constituant « un obstacle aux établissements des Européens ». Il faudra attendre la découverte de la quinine : une des principales clés qui ouvrira les portes de l'expansion coloniale sous les tropiques. Outre la maladie, la qualité des chefs est la cause des insuccès. Tous sont des incapables, sauf Modave, qui jouait au philosophe pour complaire aux exigences de la mode ; cet homme était un réaliste, plus soucieux de conquêtes et de richesses exotiques que de l'édification de sociétés idéales et d'utopies. Mais cet esprit pénétrant était affligé de cette tare funeste aux hommes d'action : la malchance. Comme l'a bien observé R. Glachant, « la tentative de Modave à Madagascar offre ce mélange de perspicacité et d'échec qui marque toute sa vie. »

La guerre de Sept Ans, toujours sous le ministère des deux ducs et cousins, laisse la Compagnie des Indes orientales dans une situation financière très critique. Celle-ci ne jouit pas d'une bonne réputation dans les milieux de la philosophie et de l'économie : Montesquieu la critique, tout comme l'intendant du commerce et fils de négociant malouin, Vincent de Gournay, qui publie les *Observations sur l'état de la Compagnie*, en 1755. À cette entreprise, création de Colbert, que les physiocrates n'aiment pas, on reproche son monopole et sa nature étatique et bureaucratique. On en appelle à la liberté du commerce, aux sociétés privées, constituées par des gens du négoce, dont l'activité ne peut qu'être plus fructueuse, moins onéreuse et plus souple. Le commerce de l'Asie n'a guère bonne presse. Les Européens achètent des produits de luxe payés en piastres d'argent, alors que les Asiatiques n'importent rien. Il ne faut pas oublier qu'au XVIIIe siècle, le revenu par tête en Extrême-Orient est le même que dans cette Europe triomphante, maîtresse des mers, qui domine le monde. Certes, le commerce de l'Asie n'est pas formé pour l'essentiel par les échanges avec l'Europe, mais par le commerce d'Inde en Inde, marché économique régional où l'Inde, la Malaisie, l'Insulinde, la Chine et le Japon troquent leurs produits, et où se font les bénéfices importants, que les compagnies sont obligées de partager avec leurs agents sur place, ceux que l'on appelle les nababs.

Toutefois le revenu global du commerce d'Asie est modeste, comparé à celui des Antilles, même si le taux des profits est infiniment supérieur, en moyenne de l'ordre de 30 %. Finalement, la balance commerciale de l'Europe affiche le déficit, encore que l'on ait plus d'une raison de penser que la balance des paiements, elle, ait été bénéficiaire. Le problème que les Européens ont à résoudre se réduit au financement de leurs achats sur place. La solution s'impose d'évidence aux intelligences réalistes : c'est la conquête, pourvoyeuse de revenus. Les Portugais l'avaient compris, les Hollandais aussi, tout comme Dupleix et Bussy — que les ministres et les directeurs ont désavoués —, quant aux Anglais, enfin débarrassés des Français, ils vont généraliser et systématiser l'application de la vieille technique, construisant ainsi un empire fabuleux. Dans l'immédiat, Choiseul fait consacrer un arrangement avec les actionnaires par un édit, publié le 4 août 1764, qui, au nombre de ses dispositions, compte le rachat par le roi des établissements d'Afrique et des Mascareignes. La Compagnie, qui avait possédé directement ou indirectement la vente exclusive du tabac en France de 1723 à 1747, qui avait détenu le monopole du café des îles jusqu'en 1736 et celui de Moka jusqu'en 1767, ne conserve plus que le droit de porter seule des esclaves dans les colonies d'Amérique qu'elle abandonne au commerce particulier moyennant l'achat de permissions. Or, pour relancer le commerce d'Asie, la Compagnie a besoin de fonds. Tous « sont d'accord, écrit H. Lüthy, pour affirmer que c'est Necker qui a renfloué la Compagnie des Indes au lendemain de la guerre de Sept Ans. »

Le vertueux Jacques Necker, associé de la banque Thellusson s'est déjà manifesté sur la scène des finances coloniales. Vraisemblablement de connivence avec la banque Bourdieu et Chollet de Londres, l'habile hérétique avait acheté des créances canadiennes à bas prix, dont il avait fait demander le remboursement au pair par le cabinet de Saint-James. Versailles paya, procurant à son insu « de gros bénéfices », dit R. Stourm, à MM. Thellusson et Necker : procédé, respectueux du droit, mais qui manque à l'honneur et à la morale. Le « relèvement » de la Compagnie va répéter dans l'esprit ce qui a déjà si bien réussi. L'ingénieux calviniste commence par financer une première campagne à coups de traites sur lesquelles il perçoit une substantielle commission. La deuxième fois — étant précisé que la liaison avec les huguenots Bourdieu et Chollet ne fait jamais défaut —, Necker se tourne vers les nababs anglais, leur donne des traites payables à Paris et ainsi rapatrie leurs richesses en Europe tout en disposant d'argent pour remplir les caisses de la Compagnie, sur lequel il prélève son dû. Cette transaction ne scandalise pas l'abbé Morellet, un familier devenu un adversaire doctrinal. Évoquant les origines de la richesse de son hôte, il écrit dans ses *Mémoires* : « Il a dû sa fortune à la banque et à quelques opérations avantageuses avec la Compagnie des Indes, avant qu'il en fût devenu directeur. Les profits de ce genre, quel que soit l'intérêt, sont toujours considérables avec de gros capitaux. »

Malgré ces tours de passe-passe qui enrichissent certains, la Compagnie s'endette. « Elle n'aurait pu se soutenir, dit Raynal, que par le secours du gouvernement. » Or, le 22 septembre 1768, accède au Contrôle général des Finances, Maynon d'Invault, ancien intendant, physiocrate, partisan de la liberté du commerce, homme de Choiseul, disciple de Gournay. Le 14 mars 1769, il réunit une assemblée des actionnaires de la Compagnie : elle constate qu'il lui faut trouver 18 millions pour faire face aux échéances et aux armements. Quinze jours plus tard, le 29 mars, une nouvelle assemblée estime qu'il faudra emprunter 21 millions et non plus 18. Mais surtout, un homme du pays de Vaud, banquier à Paris et à Londres, Isaac Panchaud reproche à l'administration en place de présenter une gestion déficitaire, de duper les actionnaires, après quoi, il propose à la Compagnie de renoncer au commerce des Indes et à son monopole, pour se transformer en une caisse d'escompte dont les actionnaires de la Compagnie deviendraient les propriétaires. Necker se lève et rejette critiques et suggestions de son compatriote : le contrôleur général restant silencieux, les actionnaires votent la continuation de la Compagnie. Le 3 avril suivant, troisième assemblée. Différentes mesures, dont un emprunt-loterie, que présente Necker pour financer les besoins de la Compagnie, sont adoptées. Cependant Maynon d'Invault, sortant de son mutisme, annonce que le roi approuverait la dissolution de la Compagnie et la création d'une caisse d'escompte, si on lui en soumettait le projet, tout en maintenant le commerce des Indes par d'autres moyens. Deux conceptions s'affrontent. Le ministre, conformément à la doctrine physiocratique, se prononce en faveur de la liberté du commerce, donc des armements particuliers, contre les monopoles de type colbertien, et profite de l'occasion pour défendre la création d'une banque royale. Mais celle-ci, contrairement à celle de Law, ne serait pas liée au grand commerce, notamment colonial.

Le contrôleur général demande alors à un ami de ses parents Trudaine, l'abbé Morellet, de préparer un *Mémoire sur la situation actuelle de la Compagnie des Indes*. Ce travail est communiqué à l'administration de la Compagnie, le 20 juillet 1769. « Je prouvai, d'abord, note Morellet dans ses *Mémoires,* qu'elle [la Compagnie] était hors d'état de continuer son commerce par ses propres forces, le roi ne pouvant plus lui fournir les secours qu'il lui avait constamment donnés pendant quarante ans, pour la soutenir contre les vices de sa constitution et de son administration ; et je soutins ensuite la proposition générale, qu'une compagnie privilégiée n'était ni bonne ni nécessaire, pour faire utilement le commerce de l'Inde. » À l'assemblée du 8 août, Necker lit sa *Réponse au Mémoire de M. l'abbé Morellet*, dans laquelle il se pose en thuriféraire d'une Compagnie indéfendable, exalte « la raison d'État en matière économique », comme le souligne H. Lüthy, et dénonce violemment le projet de caisse d'escompte. Cet homme, qui sera la coqueluche de l'opinion, s'inscrit en faux contre les théories libérales en vogue, et à travers son plaidoyer et son réquisitoire, apparaît comme un ennemi des Lumières et le défenseur d'intérêts égoïstes et de systèmes à privilèges. Le 13 août 1769, le Conseil du roi rend un arrêt qui suspend le monopole de la Compagnie, ouvrant par là le commerce des Indes à tous les armateurs français, à la condition de faire leurs retours à Lorient et d'acquitter un droit d'indult, variable selon qu'il portera sur des marchandises venant du sous-continent ou de la Chine. Toutefois, Necker a gagné sur un point : la Caisse d'Escompte, banque qui aurait accordé des prêts aux activités économiques et à l'État à des taux plus bas que ceux pratiqués, ne voit pas le jour. L'arrêt du 13 août pèche par l'excès de son ambiguïté. Il met en sommeil la compagnie à privilèges, en se gardant de l'abolir. La fin d'un temps paraît sonner, mais l'avènement d'une époque nouvelle, consacrant le principe de liberté dans le domaine économique, semble prématuré. Dans ce climat d'incertitude et de confusion, où personne ne triomphe complètement, les perspectives coloniales se dessinent avec une relative clarté. Les Français ne manifestent plus l'intention de vouloir disputer l'Inde aux Anglais. Davantage, alors que le capitalisme et l'impérialisme britanniques, alimentés par un nationalisme sûr de lui, atteignent leur apogée, la France, emberlificotée dans les ratiocinations d'une philosophie cosmopolite, n'ose plus s'affirmer en tant que puissance dominatrice et abdique toute idée de conquête.

Choiseul, ce grand vizir populaire qui se dit l'artisan du renouveau français et de la revanche contre l'Angleterre, a en réalité, par calcul personnel et par erreur de jugement, laissé la crise morale et institutionnelle se développer jusqu'à mettre le royaume en péril. Étrangement, une affaire coloniale, élargie aux dimensions d'un contentieux international, intervient pour une part dans la révocation du puissant duc et de son cousin. En 1763, le sieur de Bougainville, ancien avocat, puis secrétaire d'ambassade, revient du Canada où il a servi aux côtés de Montcalm avec le grade de colonel. Il obtient de passer dans la Marine, et fait agréer par Choiseul un projet de Compagnie de Saint-Malo, au capital familial. Cette société se propose de coloniser les îles Malouines, situées dans l'Atlantique sud à un demi-millier de kilomètres du détroit de Magellan, en y déposant des Acadiens. Ce dessein cache des arrière-pensées. Anson, l'illustre et glorieux amiral anglais, célèbre pour ses victoires navales mais aussi pour son tour du monde et sa découverte d'une Chine moins idyllique que celle des philosophes, n'a-t-il pas affirmé que la nation qui établirait une base dans cet archipel désolé tiendrait les clés des mers du Sud ? Or, Bougainville songe à effectuer une circumnavigation. Le marin convoie des Acadiens aux Malouines à deux reprises, entre 1763 et 1766. Mais, lors du second voyage, Charles III d'Espagne, qui avait voulu rogner la prépondérance française dans le commerce américain de Cadix et qui s'attache à défendre l'intégrité de son empire colonial, donne de la voix et rappelle que les Malouines, même inhabitées, appartiennent à la Couronne madrilène. Versailles, au nom du Pacte de Famille, et pour opposer un front uni à l'Angleterre, reconnaît les prétentions espagnoles. Les familles acadiennes seront ramenées en France en 1769, 1771 et 1775. Quant à Bougainville, le mémoire du roi du 26 octobre 1766 lui commande à la fois de remettre « les Espagnols en possession des îles Malouines » et de faire le tour du monde en prenant soin d'explorer « dans l'océan Pacifique autant et du mieux qui lui sera possible les terres gisantes entre les Indes et la côte occidentale de l'Amérique [...] et d'en dresser des actes de prise de possession au nom de Sa Majesté, sans cependant y laisser personne pour y former des établissements ».

Le 1er avril 1767, l'officier remplit la partie la plus ingrate de sa mission. « Je livrai notre établissement aux Espagnols qui en prirent possession en arborant l'étendard d'Espagne, que la terre et les vaisseaux saluèrent de vingt et un coups de canon au lever et au coucher du soleil. J'ai lu aux Français habitants de cette colonie une lettre du roi, par laquelle Sa Majesté leur permettait d'y rester sous la domination du roi catholique. Quelques familles profitèrent de cette permission ; le reste, avec l'état-major, fut embarqué sur les frégates espagnoles, lesquelles appareillèrent pour Montevideo le 27 au matin. » Cette expédition ne constitue pas un désastre humain comme celle du Kourou, mais blesse l'honneur national. Décidément, les Choiseul, si occupés d'expansion avantageuse, n'ont pas la main coloniale ! Les choses en seraient restées là si les Anglais n'avaient aussi décidé de reconnaître le Pacifique. Byron, ancien compagnon d'Anson, donne le signal du départ dès 1763, suivi bientôt par Wallis et surtout par Cook ; de son côté le Français La Pérouse ne prend le relais de Bougainville qu'après la guerre d'Indépendance des États-Unis. En 1766, un an après que Byron eut visité les Malouines, la Navy hisse les couleurs britanniques et installe un établissement permanent qui prend le nom de Port-Egmont. Les Espagnols s'enflamment. Mais leurs protestations n'ébranlant pas les Anglais, ils se présentent en force devant Port-Egmont, qui capitule le 10 juin 1770 : les indésirables rentrent chez eux le mois suivant.

Cette opération décidée localement, à Buenos Aires, reçoit l'aval de Charles III qui a beaucoup à reprocher aux sujets de Sa Gracieuse Majesté : la prise de Cuba, restitué en échange de la Floride, l'invasion momentanée des Philippines, rendues à la fin de la guerre de Sept Ans, l'occupation de Gibraltar et de Minorque, la contrebande sur le littoral de l'empire colonial espagnol, les enclaves britanniques du Yucatan, du Honduras, de Mosquitie et l'enclave portugaise de Sacramento, à la Plata. Madrid se prépare à la guerre, comptant sur l'intervention de la France, en application du Pacte de Famille, et reste sourde aux exigences de Londres, qui réclame réparation. Louis XV, absorbé par l'évolution de la guerre turco-russe et contrarié par la place de plus en plus importante de Saint-Pétersbourg dans les affaires européennes, prêche la paix à son cousin Charles III. « Le sang et les trésors de nos sujets sont entre nos mains un dépôt sacré que nous ne devons sacrifier que pour des causes justes. Il n'est pas vraisemblable que celle du Port-Egmont paraisse, aux yeux de l'Europe, un motif légitime de troubler le repos public. » Choiseul emboîte le pas de son maître, tant bien que mal.

En cette fin d'année 1770, alors que l'Espagne veut pousser la France à la guerre, Louis XV, excédé par les manœuvres des Cours, trouve, dans la personne du chancelier de Maupéou, un ministre en accord avec lui pour balayer les parlements, organes des privilégiés, et mettre en place une justice professionnelle au service du public. Choiseul se tient à l'écart de la préparation de cette réforme qu'il désapprouve, et vraisemblablement cherche-t-il la protection de Charles III, empêtré dans l'affaire des Malouines. C'est Maupéou ou les ducs. Le 21 décembre 1770, le roi écrit à Charles III d'Espagne : « Monsieur mon frère et mon cousin, Votre Majesté n'ignore pas combien l'esprit d'indépendance et de fanatisme s'est répandu dans mon royaume. La patience et la douceur m'ont conduit jusqu'à présent, mais, poussé à bout et mes Parlements s'oubliant jusqu'à vouloir me disputer l'autorité souveraine que je ne tiens que de Dieu, je suis résolu de me faire obéir par toutes les voies possibles. La guerre, dans cet état, serait un mal affreux pour moi et pour mes peuples. Mais ma tendresse extrême pour Votre Majesté me fera toujours tout oublier pour elle. Mes ministres ne sont que mes organes. Ainsi, quand je me crois obligé d'en changer, rien ne peut apporter de changement dans nos affaires et tant que je vivrai nous serons unis. Si Votre Majesté peut faire quelques sacrifices pour conserver la paix sans blesser son honneur, elle rendra un grand service au genre humain et à moi en particulier dans les circonstances présentes où je me trouve. » Le 24 décembre, Charles III reçoit sa lettre, et les ducs leur sèche révocation. L'Espagne s'incline devant l'intransigeance de Londres : elle désavoue le coup de main ordonné par Buenos Aires, restitue le Port-Egmont aux Anglais, qui en partiront en 1774 pour y revenir de manière définitive en 1832. Le monarque ibérique, bien qu'humilié par la capitulation à laquelle il a été contraint, tentera de rapprocher Choiseul de Louis XV. Celui-ci ne répondra à ces démarches que par une froideur décidée. En effet, il s'emploie, secondé par Maupéou, et malgré une opinion hostile qui n'a d'yeux que pour les privilégiés, à rendre la monarchie à sa mission.

Le règne de Louis XV s'achève en accusation et dénonciation de la Régence. Philippe d'Orléans avait choisi l'alliance avec l'Angleterre, et, pour faire casser le testament de Louis XIV, avait rétabli les parlements. Soixante ans plus tard, il faut se rendre à l'évidence : l'Angleterre est l'ennemie première de la France, et les parlements ont bloqué, jusqu'en 1770, le fonctionnement des institutions politiques, favorisant ainsi la grave crise que traverse la conscience française. Face à l'Angleterre capitaliste, nationaliste et impérialiste, la nation — à laquelle il a manqué un Colbert pour mettre les philosophes au service de la gloire du roi — exhibe un corps démantelé et gangrené. Le souverain a perdu son empire colonial territorial, ne sauvegardant que le commerce colonial, le plus appréciable, mais dans le court terme seulement. L'esprit de conquête — celui-là même qui mobilise l'Angleterre — s'est évanoui, et si l'on veut bien envisager des explorations philosophiques dans la Pacifique mal connu, on ne se propose aucune géopolitique à l'échelle du monde. Choiseul, quand il songe à la fameuse guerre de revanche que la France devra entreprendre contre Londres, avoue de bien maigres ambitions. « Je dirai en un mot à Votre Majesté, écrit-il à Louis XV en 1765, que si Elle avait la guerre contre les Anglais, il serait instant, au moment qu'on l'envisagerait, de faire passer en Amérique vingt-quatre bataillons qui trouveraient dans les îles ce qui leur serait nécessaire, resteraient pendant toute la guerre en Amérique, et seraient alimentés tant en vivres qu'en munitions, par les escadres de Votre Majesté. » En un mot, la revanche consiste à empêcher l'adversaire d'enlever trois îles à sucre au roi, pendant que la révolution d'Amérique, panacée aux maux de la nation, élèvera ses flammes vers les cieux : déjà le dessein de Vergennes. Contrairement à ce que dit Talleyrand, ce n'est pas dans son exil de Chanteloup que Choiseul pense pour la première fois à l'indépendance américaine, mais à Versailles, après avoir lu le marquis de Mirabeau. « L'Angleterre est l'ennemie déclarée de votre puissance et de votre État, écrit justement le duc au souverain en 1765, elle le sera toujours. Son avidité dans le commerce, le ton de hauteur qu'elle prend dans les affaires, sa jalousie de votre puissance, et plus que cela les particuliers des différentes cabales qui tour à tour la gouvernent, doivent nous faire présager qu'il se passera encore des siècles avant que de pouvoir établir une paix durable avec cet État qui vise à la suprématie dans les quatre parties du monde. Il n'y aura que la révolution d'Amérique qui arrivera, mais que nous ne verrons vraisemblablement pas, qui remettra l'Angleterre dans l'état de faiblesse où elle ne sera plus à craindre en Europe. » Choiseul, à l'égal de certains observateurs, décèle à l'horizon prochain une montée d'indépendances coloniales, dont celle des Treize Colonies d'Amérique. Mais grave erreur, le ministre visionnaire se trompe sur les conséquences de la sécession qu'il prédit. Les Français — comme l'a fort bien montré François Crouzet — se font une idée fausse de la puissance économique anglaise. Celle-ci ne se réduit pas au seul commerce, et de surcroît le commerce britannique n'est pas formé exclusivement d'importations, produit d'un gigantesque pillage colonial. La France, après la victoire de Washington et après le traité de commerce qu'elle signera précipitamment avec son ennemie, déchantera et mesurera la capacité industrielle et exportatrice de la Grande-Bretagne. Et elle découvrira que Londres a ravi à Amsterdam le titre significatif de premier port du monde !

À la mort de Louis XV, en 1774, l'activité coloniale de la France se limite à peu de chose. Exploitation commerciale des îles, explorations mais sans volonté arrêtée de conquête et de domination. Sous l'influence de la pensée physiocratique et libérale, on est convaincu de l'importance du commerce, mais on commence à s'interroger sur la réalité du lien qui l'associerait aux possessions d'outre-mer. L'abbé Raynal, esprit original et à contre-courant, répond en célébrant d'une même voix le commerce mondial et le commerce colonial. La France, quoique affaiblie par les premiers symptômes de la crise de la conscience nationale, avait gardé son empire colonial territorial, lors de la paix d'Aix-la-Chapelle (1748) : aussi avait-elle conservé des préoccupations stratégiques mondiales. Après la guerre de Sept Ans, en partie perdue par Choiseul, le royaume, recroquevillé sur son revenu antillais, abandonne les horizons où l'Angleterre fait flotter ses couleurs, et se cloître dans une stratégie continentale à l'objet paradoxal. Il s'agit d'abaisser la Grande-Bretagne, au nom de l'équilibre européen, mais tout en s'interdisant la moindre tentation de conquête non seulement dans le Vieux Monde, mais encore au-delà des mers.

Tandis que les esprits s'échauffent dans un pacifisme alimenté par les défaites, que les ambitions nationales déclinent, le commerce colonial, essentiellement antillais reprend, dès 1763 — l'année du traité de Paris —, son essor ample et constant, que la Révolution brisera et anéantira après une belle année 1790. Paradoxalement, le règne de Louis XV s'achève dans l'humiliation militaire, dans le souvenir amer des possessions perdues, et s'évanouit dans le crépuscule doré des échanges avec les îlots américains, qui innervent la prospérité des provinces maritimes de la France occidentale, comme l'Empire ottoman, satellite économique de Marseille, irrigue les régions méridionales de son trafic. Les ports importent les denrées exotiques, les réexportent vers Amsterdam, les quatre villes hanséatiques et le Levant, et approvisionnent leurs dépendances d'au-delà des mers en produits agricoles, mais aussi en textiles, dont certains sont fabriqués dans des manufactures, avant-garde du capitalisme industriel national. Par les marchés qu'il ouvre et contrôle, le commerce colonial incite à une légère industrialisation, même si les armateurs placent peu de leurs capitaux dans cette activité naissante. Les façades maritimes de la nation travaillent d'abondance avec les petites mais riches possessions à sucre, café, indigo et coton, comme elles n'auraient jamais imaginé de le faire avec le Canada et l'Inde onirique des nababs.

La stratégie coloniale de la France, loin de jouir d'une pleine autonomie, est soumise à de nombreuses contraintes : financières, navales, et diplomatiques aussi. Or, en matière de politique étrangère, le renversement des alliances — éloignement d'avec la Prusse et rapprochement franco-autrichien — commande un choix. Conformément à la tradition, le royaume peut entretenir une entente passive, à sa lointaine périphérie, avec la Turquie, la Suède et la Pologne, gouvernements que le temps a amoindris. Sinon, s'appuyant sur l'allié viennois, il prépare un partage de l'Empire ottoman, pour atténuer la perte du Canada, de la Louisiane et de sa zone d'influence indienne, mais également pour paralyser les ambitions russes et contrebalancer la puissance anglaise. Cette seconde hypothèse invite le roi à tourner son regard vers Chypre, la Crète, l'Égypte, l'Afrique orientale, Madagascar, à terme à affronter la Grande-Bretagne dans l'Inde, bref « franciser » la route qui va de la Méditerranée à l'Asie extrême. Tandis que la fidélité au « Pacte de Famille », à l'Espagne implique le renoncement à toute conquête, une coalisation maîtrisée avec les Habsbourg offre des perspectives d'expansion territoriale. Opter entre ces deux éventualités, tel est le dilemne — après la résolution des problèmes intérieurs — que la monarchie doit résoudre après la malheureuse guerre de Sept Ans. De la politique internationale mise en œuvre, découlera le destin colonial de la France.

DEUXIÈME PARTIE

Le tableau colonial français

CHAPITRE VI

Le Ponant colonial

Familière depuis les premiers jours du xvie siècle des eaux poissonneuses de Terre-Neuve, la France, sous l'impulsion de François Ier qui refuse le partage du monde entre les deux nations ibériques, se sent une vocation américaine. Verrazzano reconnaît les côtes des États-Unis actuels, Cartier entre dans le Saint-Laurent, rêvant d'or et de passage vers la Chine, les négociants normands envoient leurs capitaines commercer sur les côtes du Brésil et aux Antilles : les efforts publics et privés convergent vers le continent occidental.

Au milieu d'un déferlement d'Anglais, puis de Hollandais, les Français multiplient leurs tentatives, freinées par des échecs, interrompues par des temps morts. Sous Henri IV, plusieurs entreprises, mais rien de concret. Sous Louis XIII, enfin, Champlain établit la colonie de la Nouvelle-France, tandis qu'Esnambuc convainc Richelieu de l'intérêt des îles du Vent, Saint-Christophe, la Martinique, la Guadeloupe. Le Ponant colonial est fondé, qui s'agrandira de la Guyane et de Saint-Domingue, et touchera l'Afrique qui fournira la main-d'œuvre servile des plantations insulaires. Malgré les ambitions de Colbert, de Seignelay et les appels de Ducasse, les Français ne donneront pas l'assaut à l'empire espagnol d'Amérique.

LA NOUVELLE-FRANCE

Une stratégie reniée

Les Français, abandonnant la route et les belles ambitions de Verrazano, apparaissent 10 ans plus tard, en 1534-1535 dans le golfe et l'estuaire du Saint-Laurent. Le Breton Jacques Cartier, suivant le sillage de ses compatriotes qui vont pêcher la morue à Terre-Neuve, érige le grand fleuve septentrional au climat rigoureux en axe de la pénétration française dans le Nouveau Monde continental. Les premiers efforts sombrent dans l'insuccès : point d'or, mais du fer, point de passage de la mer du Sud, ce raccourci fabuleux qui relierait l'Atlantique aux eaux de la Chine. Malgré leurs espérances déçues, les Français n'abandonnent pas les parages : la pêche les retient. La fréquentation des côtes, où ils rencontrent des Indiens, leur révèle la fourrure, qui, leur ouvre des perspectives commerciales : en 1600, Chauvin fonde l'établissement, maintenant sédentaire, de Tadoussac. Cette amorce de trafic ranime les velléités conquérantes, leur donne consistance : en 1604-1605, le sieur de Monts s'installe en Acadie, créant le Port-Royal, tandis que Champlain commence à bâtir Québec, en 1608.

Entraînés par l'appétit d'atteindre les pays toujours riches en castors, les Français marchent vers les Grands Lacs, jalonnant leur itinéraire des bourgs de Trois-Rivières et de Montréal. Cette pénétration, que favorisent les Hurons, se heurte bientôt à la concurrence des Hollandais, établis à la Nouvelle-Amsterdam, la future New York, et de leurs fournisseurs iroquois. Cette compétition dans l'approvisionnement en pelleteries tourne, en 1648, en conflit militaire où les Hurons et les Français subissent de graves pertes. La colonie du Saint-Laurent végète dans la guérilla et la crainte de l'anéantissement jusqu'en 1665. Louis XIV, libéré de la tutelle de Mazarin depuis quatre ans, ayant cédé la Nouvelle-France à la Compagnie des Indes occidentales dont il attend beaucoup, décide de vider l'onéreux abcès hollando-iroquois par la force. L'intendant Talon, appelé bientôt à connaître la célébrité de troisième fondateur de la France d'Amérique, après Cartier et Champlain, lit avec confiance les instructions que le jeune monarque a signées à son intention, le 27 mars 1665. « Les Iroquois, qui sont distingués en diverses nations et qui sont tous ennemis perpétuels et irréconciliables de la colonie, ayant, par le massacre de quantité de Français et par les inhumanités qu'ils exercent contre ceux qui tombent en leur pouvoir, empêché que le pays ne soit pas peuplé plus qu'il ne l'est à présent, et par leurs surprises et leurs courses inopinées tenant toujours le pays en échec, le Roi, pour y apporter une remède convenable, a résolu de leur apporter la guerre jusque dans leurs foyers pour les exterminer entièrement, n'y ayant aucune sûreté dans leur parole, et violant leur foi aussi souvent qu'ils trouvent les habitants de la colonie à leur avantage. Pour cet effet, il a ordonné au sieur de Tracy [gouverneur et lieutenant général de toute l'Amérique française] d'y passer des Antilles avec quatre compagnies d'infanterie de troupes réglées pour y commander cette expédition ; en outre, il envoie mille bons hommes sous la conduite du sieur de Salières, ancien mestre de camp d'infanterie, avec toutes les munitions de guerre et de bouche qui ont été estimées nécessaires pour cette entreprise. » Ces troupes, venant simultanément de la Vieille France et des Antilles, anéantissent les Iroquois qui font leur soumission (1665). De très nombreux hommes du régiment de Carignan-Salières restent dans la colonie où, quittant le service, ils s'habituent, renforçant ainsi la puissance de la milice locale, et donnant des bras aux cultures. Comment expliquer ce déploiement de force, sinon par la volonté arrêtée du ministre de « provigner », définitivement et avec force, une *Nouvelle-France* dans cette immensité qui court du rivage acadien jusqu'à des limites encore inconnues. Le programme ambitieux que Colbert commande aux intendants et gouverneurs généraux, ne se lassant pas d'en répéter régulièrement les termes, ne donne-t-il pas à chacun le sentiment que la nation française édifie un second royaume au-delà de la mer Océane ? Le 5 avril 1668, alors que le roi met fin à la guerre de Dévolution en préparant la paix d'Aix-la-Chapelle, le Rémois résume, en une instruction brève mais complète, la mission que l'intendant de Bouteroue se devra d'accomplir « incontinent après son arrivée ». La Cour a hâte de voir son projet prendre corps, mûrir et atteindre son plus grand épanouissement.

Première tâche : faire du Canada une colonie de peuplement, aussi bien par reproduction naturelle que par immigration. « L'augmentation de la colonie doit être la règle et la fin de toute la conduite de l'intendant », qui s'appliquera « incessamment à trouver tous les expédients imaginables pour la conservation des habitants et pour leur multiplication par les mariages, et pour y en attirer de nouveaux ». Un recensement annuel permettra de mesurer la croissance démographique de la possession. « Il ne faut pas qu'un intendant croie avoir jamais bien fait son devoir qu'il ne voie au moins deux cents familles d'augmentation tous les ans. » Dans cette perspective, « il faudra empêcher autant qu'il se pourra la trop grande quantité des prêtres, religieux et religieuses ; il suffit qu'il y en ait le nombre nécessaire pour le besoin des âmes et pour l'administration des sacrements ». Dans le même souci, « il faut, autant qu'il se pourra, procurer les mariages des garçons à l'âge de dix-huit à dix-neuf ans, et des filles, à quatorze et quinze ». Enfin, il conviendra de lutter contre la politique des jésuites qui « ont cru conserver plus purement les principes et la sainteté de notre religion en tenant les sauvages convertis dans leur forme de vivre ordinaire qu'en les appelant parmi les Français ». Au lieu de préserver la personnalité indienne de la corruption blanche, il convient, au contraire, de pratiquer une assimilation hardie des indigènes, de favoriser les unions interraciales. La conduite des fils de Loyola ne satisfaisant pas à la nécessité, « il faut agir doucement pour la leur faire changer et employer et attirer toute l'autorité temporelle pour attirer les sauvages parmi les Français, ce qui peut se faire par les mariages et par l'éducation de leurs enfants ». Toujours afin de peupler rapidement le Canada, Colbert promet l'envoi de filles, tirées des hôpitaux généraux ou recrutées par les curés des paroisses du royaume, et réclame au gouverneur et à l'intendant de retenir sur place les militaires en fin de service. Également, il ne cesse d'exiger le rassemblement des Canadiens. « Il faut convier, par tous moyens possibles les habitants à établir leurs demeures ensemble pour former des villes et bourgades, afin qu'ils soient plus en état d'attaquer et de se défendre, et établir quelque police parmi eux. » Dans cet arsenal de multiplication démographique, une dernière arme : la lutte contre ce millier d'acculturés, plus Indiens qu'Européens, ces célibataires qui ont adopté les mœurs des Sauvages. Le 13 juin 1673, le secrétaire d'État de la Marine, s'adressant au gouverneur général de Frontenac, lance de premiers ordres qu'il réitérera inlassablement. « Il n'y a rien à quoi sa Majesté veuille que vous vous appliquiez plus fortement qu'à détruire les coureurs et chasseurs français qui se retirent dans les bois avec insubordination, n'y ayant rien qui soit plus contraire à l'union qu'il faut faire de tous les habitants dudit pays et à l'augmentation de la colonie que ce libertinage, dont elle veut que vous fassiez punir les auteurs avec une très grande sévérité. » Dès lors, les mesures répressives contre les coureurs de bois se succèdent à un rythme soutenu.

Colbert prêche la peuplade à outrance. Mais les idées du temps, hostiles à tout transfert de population dans les colonies, auxquelles s'ajoutent l'engrenage de la guerre perpétuelle et surtout le désaccord du roi, l'obligent à se contredire dès les premiers jours. Le 5 janvier 1666, il avertit l'intendant Talon, son homme de confiance, de ne pas attendre de nombreux convois maritimes chargés de familles, qui débarqueraient à intervalle régulier pour occuper le territoire du Canada et le mettre en valeur. Davantage, il l'invite à se débrouiller par ses propres moyens. « Vous connaîtrez assez par ce discours que le véritable moyen de fortifier cette colonie est d'y faire régner la justice, d'y établir une bonne police, de bien conserver les habitants, de leur procurer la paix, le repos et l'abondance, et de les aguerrir contre toutes sortes d'ennemis, parce que toutes ces choses qui sont les bases et les fondements de tous les établissements étant bien observées le pays se peuplera insensiblement, et avec la succession d'un temps raisonnable pourra devenir fort considérable, d'autant plus qu'à proportion que Sa Majesté aura plus ou moins d'affaires au-dedans de son royaume, elle lui donnera les assistances qui seront en son pouvoir. » Avant même d'être pleinement engagée, la stratégie d'immigration massive est abandonnée ! Le 13 novembre, Talon, qui nourrissait des rêves trop beaux, fait entendre son amertume au Rémois, naguère si sûr de lui. « Monseigneur, je n'aurai plus l'honneur de vous parler du grand établissement que, ci-devant, j'ai marqué pouvoir se faire en Canada à la gloire du Roi et à l'utilité de son État puisque vous connaissez qu'il n'y a plus dans l'ancienne France assez de surnuméraires et de sujets inutiles pour peupler la nouvelle et entrant dans toutes les raisons de votre dernière dépêche, je tournerai mes soins à ce que vous m'ordonnez jusques à ce que cette matière informe vous paraisse digne de quelque plus grand secours que celui qu'elle a reçu cette année. Souffrez seulement, Monseigneur, que je vous dise que, si elle paraissait à vos yeux ce qu'elle est, vous ne lui refuseriez pas votre application. »

Les faits justifient-ils la mauvaise humeur de Talon à qui le ministre a tenu deux discours opposés en moins de deux ans ? Selon le démographe québécois Hubert Charbonneau et sa brillante équipe, l'analyse confirme que la mère patrie a peu apporté à sa colonie, espérant que la seule reproduction naturelle suffirait à peupler l'immensité canadienne. De 1608 à 1699, 14 393 Français (5 396 militaires, 2 600 engagés, 1 772 femmes et 4 625 indéterminés) ont émigré vers la Nouvelle-France, soit huit personnes par million de métropolitains, et environ les deux tiers de ces émigrants sont repartis ou sont morts célibataires, sur place. L'immigration pionnière, celle qui a fait souche, outre-Atlantique — évaluée à 4 997 personnes pour tout le XVIIe siècle — ne s'élève, en 1680, qu'à 3 380 individus : 1 955 hommes et 1 425 femmes. Le XVIIIe siècle fournira un nombre comparable de pionniers, soit un nombre inférieur à 10 000, en quelque 150 ans ! À la lecture de ce constat Hubert Charbonneau diagnostique avec justesse : « La réalité économique explique, au premier chef, la faiblesse de l'immigration et l'ampleur des retours dans la métropole. » Toutefois, à cette première cause, il convient d'en ajouter une seconde : l'absence de volonté politique que les guerres continentales ne suffisent pas à justifier. Vauban le comprendra et l'écrira à J. de Pontchartrain, le 7 janvier 1699, à qui il propose d'utiliser les troupes pour coloniser une Nouvelle-France dangereuse-ment vide, à côté des colonies anglaises en croissance continue. C'est une grande honte que, si longtemps après son établissement, « cette colonie qui devrait avoir produit plus de quinze cent mille âmes depuis ce temps, et qui aurait pu bâtir quantités de belles villes bien situées pour le commerce, le bon air, la fertilité de la terre, et pour le choix des situations militaires, c'est une grande honte, dis-je, pour nous qu'elle soit encore dans l'enfance et qu'elle ne puisse subsister par elle-même et sans le secours de la Vieille France. » À ce propos classique, comme l'observe Mme Dechêne, mais néanmoins plein de bon sens, l'intelligent J. de Pontchartrain, répond, le 21 janvier, en égrenant un chapelet de platitudes ministérielles. « Il est certain que le Canada n'est pas, à beaucoup près, peuplé comme il le devrait être depuis le temps que l'on y fait passer du monde. [...] L'expédient que vous proposez d'y faire passer cinq ou six bataillons pourrait peut-être avoir son utilité, mais j'appréhenderais que les inconvénients n'en fussent encore plus grands », etc. La cour, après avoir décidé la mise en œuvre d'une stratégie de peuplements change de voie et choisit de s'en remettre au fil de l'eau. À la politique de colonisation militaire que Vauban propose avec insistance, Jérôme de Pontchartrain objecte d'ultimes fadaises. « Si ces soldats en se mariant dans le pays multipliaient autant que vous le croyez, ne serait-ce pas en quelque façon dérober ce grand nombre de sujets à la France, que vous savez être considérablement dépeuplée par la guerre, par la disette et par l'évasion des huguenots, et qui par conséquent a besoin de réparer toutes les pertes qu'elle a souffertes. » Les Pontchartrain, père, fils et petit-fils, ne cesseront jamais de renier Colbert et Seignelay. Après la mort de ces deux ministres, le grand projet canadien, dont le peuplement formait l'axe, est abandonné — sans recours. De plus, comme la Nouvelle-France, prisonnière du carcan protectionniste à courte vue de la métropole, est mal exploitée et ne procure pas ces denrées commerciales qui assurent un bon revenu, les métropolitains ne s'y portent pas spontanément pour y faire fortune : les réseaux familiaux et provinciaux recrutent essentiellement pour les Antilles.

Cet abandon d'une politique de soutien extérieur à la peuplade s'accompagne, en corollaire, de la crainte de voir les gouverneurs généraux pousser trop loin l'exploration, et la recherche, pourtant commandée, du passage de la mer du Sud. À la veille de la guerre de Hollande, le 4 juin 1672, Colbert ne réitérait-il pas à Talon : « Comme après l'augmentation de la colonie du Canada, il n'y a rien de plus important pour ce pays-là et pour le service de Sa Majesté, que la découverte du passage de la mer du Sud, Sa Majesté veut que vous assuriez une bonne récompense à ceux qui feront cette découverte. » Mais après que le conflit avec les Provinces-Unies eut éclaté, les instructions changent du tout au tout : le 17 mai 1674, Colbert demande avec insistance au gouverneur général de Frontenac, de cesser toute exploration. « Vous connaîtrez parfaitement par ce que je viens de vous dire, et encore par l'état des affaires de l'Europe que je vous ai expliquées au commencement de cette lettre, que l'intention de Sa Majesté n'est pas que vous fassiez de grands voyages en remontant le Saint-Laurent, ni même qu'à l'avenir les habitants s'étendent autant qu'ils l'ont fait par le passé. » Le 22 avril

1675, Louis XIV, préoccupé par la guerre de Hollande qui se prolonge, n'a pas un mot de félicitations pour Frontenac qui vient d'établir un fort, au point stratégique où l'on passe du bassin laurentien à celui des Grands Lacs. « Je ne doute point que le poste que vous avez pris l'année dernière sur le lac Ontario ne soit avantageux, et qu'il n'ait attiré un grand nombre de sauvages dans les habitations françaises ; mais vous devez toujours observer de resserrer, autant qu'il se pourra, les habitants afin d'augmenter le peuple, et qu'il soit plus uni et plus assemblé pour pouvoir se défendre. » Le 28 avril 1677, alors que les hostilités avec les Provinces-Unies approchent de la fin, Colbert interdit encore à l'intendant Duchesneau de favoriser l'exploration du Canada et toute extension. « Sa Majesté ne veut point accorder au sieur Jolliet la permission qu'il demande de s'aller établir avec vingt hommes au pays des Illinois. Il faut multiplier les habitants de Canada avant que de penser à d'autres terres, et c'est ce que vous devez avoir pour maxime à l'égard des nouvelles découvertes qui sont faites. » Quelque temps après avoir prescrit de chercher le passage de la mer du Sud, la monarchie met en cause la vieille stratégie française d'exploration et d'établissement. On oublie Champlain, qui découvrit, au sud de Montréal, en descendant vers la rivière Hudson, le lac qui porte son nom ! On oublie encore le Saintongeais, qui découvrit la *mer douce* ou lac des Hurons ! On oublie Jean Nicolet, le coureur de bois, qui, en 1634, marcha jusqu'à la rivière Wisconsin ! On oublie Radisson, le coureur de bois, et son beau-frère Groseillers, qui, en 1654, reprirent le chemin de Nicolet et allèrent jusqu'au confluent du Missouri et du Mississippi ! On oublie les jésuites et les récollets, qui sillonnèrent le bassin des Grands Lacs ! Et maintenant, on veut reléguer dans l'obscurité le marchand de fourrures Jolliet et le jésuite Marquette qui, en 1673, ont descendu le Wisconsin jusqu'au Mississippi, se laissant entraîner au-delà des confluents du Missouri, puis de l'Ohio, enfin de l'Arkansas, avant de remonter le grand fleuve, baptisé Colbert, et de revenir par la rivière des Illinois !

La Cour n'en finit pas de renverser ses stratégies, et s'en prend au plus illustre des découvreurs, Cavelier de La Salle, qui, le premier reliera les Grands Lacs au golfe du Mexique, sous le prétexte de reconnaître le passage de la mer du Sud. Encouragé par le gouverneur général de Frontenac, homme à la vision stratégique certaine, le Normand se heurte à l'hostilité de l'intendant Talon qui suscite celle de Colbert. Celui-ci lui signifie, en 1674 : Sa Majesté « estime bien plus convenable au bien de son service de vous appliquer à bien défricher et à bien habiter les endroits les plus fertiles, les plus proches des côtes de la mer et de la communication avec la France, que non pas de pousser au loin des découvertes au-dedans des terres si éloignées qu'elles ne peuvent jamais être habitées ni possédées par les Français ». Malgré les difficultés naturelles, matérielles et la contrariété royale, Cavelier n'abdique pas. En 1681, il prépare son expédition décisive. Le 30 mai, Louis XIV mande dédaigneusement à Frontenac : « J'ai vu jusqu'à présent le peu de succès de l'entreprise du sieur de La Salle pour la découverte de la partie occidentale du Canada ; et comme on prétend qu'il a donné des permissions à plusieurs particuliers de traiter avec les sauvages, sous prétexte de cette découverte, vous devez bien lui expliquer que mon intention n'est pas qu'il donne de pareilles permissions. » Frontenac, rappelé en France, à la hâte et imprudemment, le Rouennais, quoique privé de protecteur, accomplit son projet avec succès en 1682 : la Louisiane est née, la France est dotée d'un deuxième royaume américain. Le nouveau gouverneur général, le sieur de La Barre, se croit obligé de prendre le contrepied de la politique de son prédécesseur : il met en doute l'exploit de Cavelier. Colbert se laisse circonvenir et convainc le roi qui écrit à son représentant dans la Nouvelle-France : « Je suis persuadé comme vous que la découverte du sieur de La Salle est fort inutile, et il faut dans la suite empêcher de pareilles entreprises qui ne vont qu'à débaucher les habitants par l'espérance du gain et à diminuer la ferme des castors. » Venu défendre sa cause à Versailles, le Normand emporte l'adhésion du roi. L'habile Seignelay — successeur de Colbert, son père — a montré au monarque le danger d'abandonner à l'Espagne la tapisserie territoriale qui tombe, gigantesque, de la baie d'Hudson (où les Anglais prennent pied) couvrant les grands lacs et le Mississippi, pour se noyer dans le golfe du Mexique et dans cette mer des Antilles d'où la France, appuyée sur ses îles, peut mener de dangereux assauts contre l'empire américain de Madrid. Ce refus de l'agrandissement territorial du Canada, auquel la conjoncture a contraint Colbert, devient une politique rigide avec les Pontchartrain. À Vauban qui prône le défrichement de terres neuves par des soldats qui ensuite bâtiraient des bourgs protégés, Jérôme de Pontchartrain répond de la manière la plus négative et la moins intelligente, le 21 janvier 1699. Évoquant ces militaires colons, il écrit : « Vous dites qu'après avoir défriché et cultivé les terres, on pourrait les employer à faire en différents endroits des peuplades de 100 à 200 feux, que vous marquez qu'il faudrait dans la suite former et fortifier. Ne croyez-vous point, Monsieur, que sans compter la dépense des matériaux qui ne laisserait pas [d'] aller loin, ce serait établir un trop grand nombre de places et trop petites, et qui néanmoins auraient besoin chacune et de garnisons, faibles à la vérité, mais qui occuperaient beaucoup de monde par rapport à la grande quantité de lieux différents. D'ailleurs quelque précaution que l'on pût prendre, ces bourgs ne sauraient jamais être assez forts pour résister aux incursions des Anglais et des Iroquois qui, en moins d'un jour, pourraient en brûler et ravager une partie. J'ajouterai aussi que les habitants des places principales comme Québec, Montréal, etc., abandonneraient peut-être leurs habitations pour venir s'établir dans ces bourgs s'ils y trouvaient plus de liberté et de profit, ce qui apporterait un préjudice considérable à ces villes et à la colonie en général. » Comme la sagesse populaire le dit : il n'est pire sourd que celui qui ne veut entendre.

L'exploration et l'expansion du Canada, d'abord voulues par la monarchie, ont finalement été réalisées en dehors d'elle, sous le règne du Grand roi. Aux temps du Bien-Aimé, Versailles perpétuera cette politique. La Vérendrye reçoit commission du gouverneur général de Beauharnais pour chercher la mer du Sud ou mer de l'Ouest, de l'autre côté de laquelle la Chine étendrait son rivage, et pour prendre possession des pays qu'il découvrira. Mais aucune assistance financière n'était accordée à cet ancien officier, afin qu'il n'en coûtât rien au roi : simplement on lui octroie le monopole d'une traite à conquérir, et on lui prodigue les plus vifs encouragements. La Vérendrye et son expédition atteignent le lac Winnipeg : sur le site de la ville qui porte aujourd'hui ce nom, ils élèvent un fort. Puis, marchant en zigzag, au milieu de tribus indiennes en fermentation, ils parviennent à l'actuel État du Wyoming, enterrant de-ci, de-là des plaques de plomb aux armes de France, dont certaines seront retrouvées. Le débordement du Canada jusqu'aux Montagnes Rocheuses, opéré de manière marginale, gratuite pour le Trésor, a ruiné son héros : il rend sa commission en 1744. Pour faire oublier ses 40 000 livres de dettes au vieil homme, la Cour le promeut au grade de capitaine et lui décerne la croix de Saint-Louis. Le naturaliste suédois Kalm ne manquera pas de commenter cette épopée dans son *Voyage en Amérique*. En 1749, il note : « Le but principal de cette expédition, savoir de parvenir à la mer du Sud et d'examiner la distance entre elle et le Canada, n'a pas été atteint. Le parti d'exploration s'étant laissé entraîner à prendre part à une guerre qui éclata entre plusieurs des nations indiennes les plus éloignées, quelques-uns des Français furent faits prisonniers, et le reste fut obligé de s'en retourner. Ils apprirent des peuplades de l'extrême occident, au milieu desquelles ils se trouvèrent en dernier lieu, que la mer du Sud n'était plus qu'à quelques journées de marche, et que les Indiens trafiquaient souvent avec les Espagnols sur cette côte, et quelquefois se rendaient à la baie d'Hudson, pour faire le commerce avec les Anglais. » Quoi que dise le Suédois, l'entreprise de La Vérendrye présentait un double bilan positif, qui ne réclamait que d'être renforcé. D'abord, elle ouvrait la marche française vers l'Ouest, jalonnée de forts : cette avance conquérante compensait les pertes orientales consenties à Utrecht, Acadie maritime, Terre-Neuve. Ensuite, elle enfermait les Anglais dans leurs postes de l'Hudson, leur interdisant toute progression, dans quelque direction que ce fût. Toutefois, une menace pesait sur cette aventure audacieuse : l'hostilité irrémédiable des Treize Colonies qui, elles aussi, rêvent d'expansion à l'occident.

Dans le domaine économique, Colbert voit grand. Les instructions qu'il donne à l'intendant Bouteroue, le 5 avril 1668, reprennent celles de Talon : il importe de faire du Canada une puissance à l'abri de toute faiblesse, de toute insuffisance. « Exciter, par tous les moyens possibles, les peuples au travail, tant pour le défrichement des terres que pour la bonne culture, à l'établissement des manufactures et à faire quelque commerce par mer. Leur faire connaître les grands avantages qu'ils recevraient en établissant les pêches sédentaires dans la rivière de Saint-Laurent, ou dans les mers voisines, et en envoyant leur poisson en France. Ils pourraient encore établir un autre commerce dans les îles de l'Amérique occupées par les Français, en leur portant du poisson, des viandes et du bois de merrain dont ils ont tant besoin. Rechercher avec grand soin des mines qui peuvent être dans le pays, comme charbon de terre, fer et plomb, et en établir le travail. Il faut prendre même soin, à proportion, de la conservation et multiplication des bestiaux nécessaires à la vie et à la culture des terres, comme chevaux, bœufs et vaches et moutons, que de celle de l'homme. » Le Rémois veut doter la Nouvelle-France d'une économie puissante, active dans tous les secteurs. Outre une agriculture, une pêche et des manufactures satisfaisant aux besoins intérieurs, le ministre veut que le Canada exporte ses matières premières et ses produits vers les îles et éventuellement vers la métropole. Il conçoit pour la possession royale un grand avenir commercial, de type triangulaire (Saint-Laurent-Antilles-France), qui implique la création d'un arsenal, de forges et de multiples manufactures produisant toiles, goudron, potasse, assurant la tannerie, la brasserie, le sciage, l'extraction du fer, du cuivre et de l'étain. Dans cette conception, les « arpents de neige » figurent une France nouvelle, un autre royaume, entretenant des relations de quasi-égalité avec la Vieille Nation. Ainsi raisonne l'intendant Talon, qui partage la pensée de Colbert. Le 4 octobre 1665, réclamant d'arracher le Canada au privilège de la Compagnie — un conseil qui sera suivi presque aussitôt — il souhaite que le roi regarde « ce pays comme un beau plan, dans lequel on peut former un grand royaume et fonder une monarchie ou du moins un État fort considérable ». Le ministre doit lui-même assassiner ce bel enthousiasme et ce projet grandiose dont il avait si bien convaincu son agent. Le 5 janvier 1666, dans une lettre qu'il lui fut certainement pénible d'écrire, il annonce à Talon la ruine inattendue et prématurée de la deuxième France. « Le Roi ne peut convenir de tout le raisonnement que vous faites sur les moyens de former du Canada un grand et puissant État, y trouvant divers obstacles qui ne sauraient être surmontés que par un très long espace de temps, parce quand même il n'aurait point d'autre affaire, et qu'il pourrait employer, et son application, et sa puissance à celle-là, il ne serait pas de la prudence de dépeupler son Royaume comme il faudrait pour peupler le Canada. [...] Il est notoirement impossible que toutes ces pensées de former de grands et puissants États puissent réussir si l'on n'a des

peuples inutiles à faire passer dans les lieux où on veut les établir. »
L'argument du peuplement dissimule le choix politique. Comme il
était dit dans les *Instructions* remises à Talon, le 27 mars 1665, le roi
considère « tous ses sujets du Canada depuis le premier jusqu'au
dernier, comme s'ils étaient presque ses propres enfants » : ce *presque*
établit les limites, qui interdisent d'assimiler le Canada à une nouvelle
France. Il y a une mère patrie et de l'autre côté de l'océan, une
possession — pas davantage. Dès lors les ambitions économiques
qu'affichait Colbert n'expriment qu'un vœu personnel, un abus de
confiance involontaire.

Privé d'une main-d'œuvre suffisante et spécialisée pour accomplir
des actions d'importance, dépourvu de capitaux conséquents, souffrant d'une faiblesse générale de ses structures, n'ayant pas le droit
d'entrer en concurrence commerciale avec la métropole, à quel destin
peut aspirer le Canada, si ce n'est à celui de satellite économique
mineur ? Il se contente de produire sa subsistance, dont, aux belles
années, il exporte les excédents vers les îles, envoyant en France les
fourrures que la fraude n'a pas détournées vers les Treize Colonies,
ainsi que quelques articles subalternes. Bref, il vivote. La métallurgie
et la construction navale — si chantées par le Rémois — languissent,
alors qu'Anglais et Espagnols ne manquent pas d'entretenir de grands
arsenaux coloniaux. Quant aux pêches — célébrées elles aussi —,
après la cession de Terre-Neuve aux Anglais (1713), elles ne
procurent pas plus de 3 500 000 livres par an, en période de paix.
Qu'a-t-il manqué au Canada pour devenir un géant économique, à
l'image des Antilles ? D'abord, la volonté métropolitaine de faire de
cette colonie de provinciaux le prolongement de la nation. Ensuite,
l'absence d'une économie complémentaire de celle du royaume qui
aurait provoqué un mouvement d'échanges attractifs avec la métropole, suscité des investissements ou des prêts nationaux, et finalement associé la colonie à la croissance du capitalisme commercial qui
faisait la prospérité des places maritimes françaises. À ce propos,
l'habile et intelligent Maurepas, oubliant la volonté de Colbert de
faire du Canada une Nouvelle-France, ne lui octroie pas même le
statut inférieur de possession commerciale, de métairie du royaume.
En effet, que dit-il dans son fameux mémoire de 1730 ? « Le degré
sous lequel cette colonie est située ne peut point lui procurer la même
richesse qu'aux îles de l'Amérique. Les cultures qui s'y pratiquent
sont les mêmes qui se font dans le royaume, excepté le vin. » Dans
l'esprit du ministre aux bons mots, le Canada « a été établi pour en
tirer du castor et des pelleteries, et pour fournir en partie à la
subsistance des îles de l'Amérique ». Après le volontarisme du
Rémois, peut-être trop administratif, mais grand néanmoins, quelle
médiocrité, quelle pauvreté de pensée chez l'héritier des Pontchartrain !

Colbert avait compris l'utilité pour une colonie de posséder une économie complémentaire de celles de la métropole et des îles, mais jamais il n'en avait fait une nécessité, contrairement aux trois Pontchartrain, qui l'érigeront en axiome. À leurs yeux une trop grande identité des productions placerait la métropole en position de faiblesse. Jérôme expliquera à Vauban « que ce serait manquer dans le principe que de mettre nos colonies en état de se passer absolument de nous, quand même nous serions au pouvoir de le faire, et je crois au contraire que l'on doit toujours s'appliquer à les tenir dans la dépendance par les secours qu'elles sont obligées de tirer de la France. D'ailleurs avec quoi pourrions-nous mieux payer les marchandises qu'elles nous fournissent que par d'autres espèces de marchandises que nous leur portons, et qui tiennent lieu de l'argent, que sans cela nous serions obligés de leur donner et de faire sortir du royaume. » Insensible à ces développements, y compris à l'argument mercantiliste, le célèbre ingénieur, partisan de la liberté du commerce et ennemi des grandes compagnies, plaide en faveur du Canada, quand bien même son climat ressemblerait trop à celui de la mère patrie. « En ce pays-là, comme en tous ceux que l'on veut habiter, il faut occuper uniquement les colonies au défrichement, à la culture des terres et à la nourriture des bestiaux, afin de rendre incessamment le pays capable de fournir à la subsistance de ses habitants, non pour une année mais pour plusieurs, non pour ses vieux habitants seuls, mais aussi pour les nouveaux qu'on y voudra envoyer. » Alors le futur maréchal élève le débat avec brusquerie. Du Canada, il se fait une haute idée, il le conçoit comme un royaume d'outre-mer au même titre que la France. Avec une vivacité d'homme d'armes, il lance au ministre : « Mais quant à la gloire de Sa Majesté, je ne vois point d'endroit où on la puisse mieux placer que dans l'accroissement et établissement de ces colonies qui par les suites pourront devenir de très grandes monarchies. » Ce raisonnement paraît une incongruité bien méchante à Jérôme de Pontchartrain. Encore une fois apostasiant le vœu de Colbert et l'œuvre de Talon, le ministre s'irrite de cette folie de vouloir enter une monarchie française au cœur de cette Amérique primitive et grossière. Les enfants de cette contrée barbare ne sont pas fils de la nation. « Car on ne doit pas regarder les Canadiens sur le même pied que nous regardons ici les Français. C'est tout un autre esprit, d'autres manières, d'autres sentiments, un amour de la liberté et de l'indépendance, et une férocité insurmontable contractée par la fréquentation continuelle qu'ils ont des sauvages. » À lire, sous une plume ministérielle, ce procès de l'esprit et des hommes de l'outre-mer, caricatural au point qu'on n'oserait l'imputer au boutiquier le plus obtus, on comprend l'incompréhension qui, depuis les premiers jours, a opposé métropolitains et coloniaux. Plus au fond, ces lignes expriment le sentiment intime des gouvernants : il ne peut y avoir de Nouvelle-France aux bords du Saint-Laurent. Vauban, choqué par le propos de J. de Pontchartrain, répond avec mauvaise humeur : « Voyez les Français sont toujours Français. [...] Mais quel exemple avons-nous que l'esprit des Français du Canada soit différent de celui de la Vieille France ? Qu'ont-ils fait pour nous donner de si mauvaise opinion de leur conduite ? »

Dernier domaine sensible où la stratégie initiale ne se développe pas dans la cohérence, la défense. Louis XIV et Colbert, au long de leurs instructions, recommandent aux gouverneurs généraux de la Nouvelle-France « d'exercer les habitants au maniement des armes » (22 avril 1675), ou d'exciter « fortement tous les habitants à se fournir d'armes et de munitions de guerre, et à se mettre en état, non seulement de se défendre en cas qu'ils soient attaqués, mais même d'attaquer, s'il est nécessaire » (21 mars 1678). Outre ces invitations à se tirer d'affaire par soi-même, grâce aux milices locales, que fait la Cour pour sauvegarder l'intégrité du territoire canadien ? Elle envoie le régiment de Carignan-Salières pour mettre fin à la première guerre iroquoise, en 1655. Pendant la seconde guerre iroquoise (1680-1701) le gouverneur général de La Barre obtient l'envoi de compagnies franches, détachées de la Marine, groupant 500 hommes. Son successeur, le marquis de Denonville, arrachera 1 250 soldats supplémentaires. Frontenac, lors de son second gouvernement (1689-1698), ne dispose que de 1 750 hommes, qu'il utilise avec talent à la fois contre les Iroquois et les Anglais, qui se font menaçants devant Québec, dans la baie d'Hudson et à Terre-Neuve. À découvert, sur son flanc oriental, depuis la paix d'Utrecht (1713), le Canada se couvre d'un nombre impressionnant de forts destinés à interdire l'accès du Saint-Laurent et à empêcher l'expansion britannique dans l'intérieur continental. Les sites fortifiés de Plaisance (Terre-Neuve) du Port-Royal ainsi que le Fort-Anne, que les Anglais ont rebaptisé Annapolis (Acadie), appartiennent au passé louis-quatorzien. Dès 1714, est entreprise la construction de la citadelle de Louisbourg, à l'île Royale. Cette forteresse à la Vauban, jamais achevée mais déclarée imprenable, doit fermer le golfe du Saint-Laurent et protéger l'île Saint-Jean. Sur l'isthme de Chignecto, les forts Beauséjour et Gaspareaux sont censés garantir l'Acadie continentale et française d'agressions anglaises préparées dans la Nouvelle-Écosse. Dans les villes de Québec et de Montréal, on dépense aussi à ériger des remparts. Plus loin du lac Ontario ou Frontenac, au lac Manitoba, et du Mississipi au lac Champlain, se dresse un semis de forts, certains maçonnés, d'autres en bois, sur lesquels les expéditions anglaises partant des Treize Colonies ou de la baie d'Hudson doivent buter. Parmi les plus connus, les forts Chambly, Saint-Jean, de l'Île-aux-Noix, Saint-Frédéric, Carillon, du Saint-Laurent à l'extrémité du lac Champlain ; Presqu'Île, Rivière-aux-Bœufs, Machault, Duquesne, couvrant l'Ohio jusqu'au lac Érié ; Détroit, des Miamis, Saint-Joseph, Chicago, Saint-Louis des Illinois, des Ouyatanons, qui contrôlent la route vers Frontenac, Niagara, Sault-Sainte-Marie, Michillimakinac, Maurepas, Saint-Charles, de La Reine, Beauharnais, qui étendent leur barrière du lac Ontario au lac Manitoba à l'extrême Ouest, et au pays des Sioux. Ces postes militaires dispersés, aux effectifs trop maigres qui, le plus souvent, ne peuvent compter sur la venue de renforts, impressionnent les Indiens et les petits partis de miliciens américains, mais ne sont pas à même de contrarier la pénétration en force de l'armée régulière anglaise.

Les forts avaient montré leur faiblesse lors de la guerre de Succession d'Autriche ! Cette couverture d'ouvrages imparfaits est d'autant plus vulnérable qu'elle est éloignée de la population civile, concentrée sur les berges du Saint-Laurent, à l'exception de Louisbourg, ville et citadelle, et qu'elle n'est pas assurée du secours d'une escadre, ni même d'unités régulières. Mesurant le danger, le maréchal de Noailles, dès 1749, propose au Conseil du roi de « monter à six ou sept mille hommes le nombre de troupes qu'il conviendrait d'envoyer en Amérique ». On n'écoute pas le vieux soldat, qui, le 24 avril 1755, écrira avec amertume au duc de Duras, ambassadeur à Madrid : « On aurait pu, comme je le proposai en 1749, faire défiler successivement, sans éclat et sans bruit, des troupes dans le Canada, qui y seraient entrées sans courir aucun risque, et qui y auraient contenu les Anglais dans les bornes de leurs possessions ; au lieu que nous ne saurions être aujourd'hui bien rassurés sur le sort de celles que nous y envoyons. Les Français que nous y avons déjà sont exercés dans le métier de la guerre ; les Anglais, au contraire, n'y sont que de simples cultivateurs. Nous n'avons pas su profiter, quand il en était temps, de nos avantages ; et je ne connais point ceux que nous pouvons nous permettre dans l'état où se trouvent les choses, par notre inaction et notre indolence. » La sévérité du maréchal-mémorialiste est justifiée, même si au début de la guerre de Sept Ans les effectifs des troupes de la Marine, les seuls permanents, étaient passés de 1 200 à 2 700, auxquels l'armée de terre, de retour comme au temps de la première guerre iroquoise, ajoutait quelques 6 000 hommes ; sans compter 10 000 miliciens environ. Mais ce contingent ne compensait pas les déficits français, qui étaient énormes dans tous les domaines : Marine, troupes régulières, milices, alimentées par une population américaine près de vingt fois supérieure à celle des Canadiens. Système fortifié inachevé, évanouissement de la Marine, hommes en nombre insuffisant, malgré les appels vigoureux de gouverneurs généraux comme Beauharnais et surtout La Galissonnière. Incapable d'exporter des hommes et des femmes, chiche en soldats, refusant de voir grand et d'envisager pour sa colonie un avenir autre que celui d'un foyer de laboureurs obéissants, la Vieille France a condamné sa fille à une mort anglaise. Comme l'observe très justement Mme Louise Dechêne : « Même avec une population légèrement supérieure, le pays n'était pas militairement défendable. »

Pendant la guerre de Sept Ans, la triple poussée anglaise, par la mer et le Saint-Laurent, par le lac Champlain et la rivière Richelieu, enfin par les Grands Lacs, renverse les forts français les uns après les autres, malgré des victoires et une belle résistance : la chute de Louisbourg marque le commencement de la fin, les capitulations de Québec et de Montréal expulsent la France de l'Amérique septentrionale. « La paix est nécessaire, ou le Canada est perdu », suppliait Montcalm, le 1er septembre 1758, dans une lettre au maréchal-duc de Belle-Isle, secrétaire d'État de la Guerre. « Si le Roi a pitié de la situation de cette colonie, il n'y a que la paix qui puisse la rétablir », implorait Lévis, le 1er novembre 1759, dans une autre dépêche à Belle-Isle. Les stratégies ambitieuses, que Colbert avait affirmées et détaillées, ont toutes été reniées : dans aucun domaine, parole n'a été tenue. Le Canada — pas plus que la Louisiane — n'a jamais été une Nouvelle-France : au plus, fut-il une Cendrillon sans secret.

Pourquoi avoir renié les projets premiers ? Parce que la monarchie a changé leur objet. Au xvie siècle, puis sous Henri IV et Louis XIII, il était convenu que des colons, sujets de la Couronne, iraient provigner la France dans l'Amérique, donnant au monarque des royaumes supplémentaires. Sous Louis XIV, l'idée de reproduire la nation sur un autre continent s'efface au profit d'un dessein colonial, tel qu'il se concrétise aux Antilles. Au fil de l'expérience acquise, on désigne par colonie, un territoire offrant une économie complémentaire de celle de la métropole et présentant une physionomie différente de celle de la mère patrie. La colonie cesse de figurer une Nouvelle France, un deuxième royaume, pour apparaître sous les traits d'une possession, au climat tropical, à la structure sociale caractérisée par la présence d'une classe servile. Or, rien ne ressemble moins à une dépendance de la zone torride, où des esclaves travaillent sur des plantations, que le Canada, avec ses seigneuries et son peuple de paysans français. La patrie du Saint-Laurent représente une incongruité, dont on ne sait que faire. Au moins, dans les Treize Colonies, des climats, des denrées et des systèmes sociaux dissemblables coexistent ! Le concept de colonie, en se spécialisant, pour ne plus désigner que des pays chauds et assujettis, exclut le Canada de son empire, sans pour autant lui ouvrir la catégorie des Nouvelles Frances, des Nouveaux Royaumes, ni même celle des provinces nationales ! L'ensevelissement vif de la race sœur d'outre-Atlantique est largement imputable à l'irruption de l'idéologie coloniale moderne, qui connaîtra son plein épanouissement aux xixe et xxe siècles.

Monsieur de La Hontan découvre la Nouvelle-France

Au mois de mai 1684, La Hontan débarque au Canada. Il rapporte ses impressions sur le paysage, l'agriculture et la population, d'une encre acide que les Canadiens n'ont pas toujours goûtée. « Dès que nous eûmes mis pied à terre l'année dernière, M. de la Barre * envoya nos trois compagnies en quartier aux côtes du voisinage de Québec. Ce mot de Côtes n'est connu en Europe que pour côtes de la mer, c'est-à-dire les montagnes, les dunes et tout autre sorte de terrain qui la retient dans ses bornes ; au lieu qu'en ce pays où les noms de bourg et de village sont inconnus on se sert de celui de côtes qui sont des seigneuries, dont les habitations sont écartées de deux ou trois cents pas les unes des autres, et situées sur le rivage du fleuve de Saint-Laurent. On dit telle côte a quatre lieues d'étendue, une autre en a cinq, etc. Les paysans y vivent sans mentir plus commodément qu'une infinité de gentilshommes en France. Quand je dis paysans je me trompe, il faut dire habitants, car ce titre de paysan n'est non plus reçu ici qu'en Espagne, soit parce qu'ils ne paient ni sel ni taille, qu'ils ont la liberté de la chasse et de la pêche, ou qu'enfin leur vie aisée les met en parallèle avec les nobles. Leurs habitations sont situées sur les bords du fleuve de Saint-Laurent. Les plus pauvres ont quatre arpents de terre de front et trente ou quarante de profondeur. Comme tout ce terrain n'est qu'un bois de haute futaie, ils sont obligés de couper les arbres et d'en tirer les fourches avant que d'y pouvoir mettre la charrue. Il est vrai que c'est un embarras et de la dépense dans les commencements, mais aussi dans la suite on s'en dédommage en fort peu de temps, car dès qu'on y peut semer, ces terres vierges rapportent au centuple. On sème le blé dans le mois de mai et la récolte s'en fait à la mi-septembre. Au lieu de battre les gerbes sur les champs on les transporte dans les granges jusqu'au plus grand froid de l'hiver, parce qu'alors le grain sort mieux de l'épi. On y sème aussi des pois qu'on estime beaucoup en France. Tous les grains sont à très bon marché dans ce pays aussi bien que la viande de boucherie et la volaille. Le bois ne coûte presque rien d'achat en comparaison du transport, qui cependant est fort peu de chose. La plupart de ces habitants sont des gens libres qui ont passé de France ici avec quelque peu d'argent pour commencer leurs établissements. D'autres qui après avoir quitté le métier de la guerre il y a trente ou quarante ans lorsque le régiment de Carignan fut cassé, embrassèrent celui de l'agriculture. Les terres ne coutèrent rien ni aux uns ni aux autres, non plus qu'aux officiers de ces troupes qui choisirent des

* M. de la Barre fut gouverneur général de la Nouvelle-France de 1682 à 1685.

terres incultes couvertes de bois (car tout ce vaste continent n'est qu'une forêt). Les gouverneurs généraux leur donnèrent des concessions, pour trois ou quatre lieues de front et de la profondeur à discrétion, en même temps que ces officiers accordèrent à leurs soldats autant de terrain qu'ils souhaitèrent, moyenne un écu de fief par arpent. Après la réforme de ces troupes, on y envoya de France plusieurs vaisseaux chargés de filles de moyenne vertu, sous la direction de quelques vieilles béguines★ qui les divisèrent en trois classes. Ces vestales étaient pour ainsi dire entassées les unes sur les autres en trois différentes salles, où les époux choisissaient leurs épouses de la manière que le boucher va choisir les moutons au milieu d'un troupeau. Il y avait de quoi contenter les fantasques dans la diversité des filles de ces trois sérails, car on en voyait de grandes, de petites, de blondes, de brunes, de grasses et de maigres ; enfin chacun y trouvait chaussure à son pied. Il n'en resta pas une au bout de 15 jours. On m'a dit que les plus grasses furent plutôt enlevées que les autres, parce qu'on s'imaginait qu'étant moins actives elles auraient plus de peine à quitter leur ménage, et qu'elles résisteraient mieux au grand froid de l'hiver, mais ce principe a trompé bien des gens. Quoiqu'il en soit on peut ici faire une remarque assez curieuse. C'est qu'en quelque partie du monde où l'on transporte les plus vicieuses européennes, la populace d'Outre-Mer croit à la bonne foi que leurs péchés sont tellement effacés par le baptême★★ ridicule dont je vous ai parlé, qu'ensuite elles sont sensées filles de vertu, d'honneur et de conduite irréprochable. Ceux qui voulaient se marier s'adressèrent à ces directrices auxquelles ils étaient obligés de déclarer leurs biens et leurs facultés, avant que de prendre dans une de ces classes celles qu'ils trouvaient le plus à leur gré. Le mariage se concluait sur-le-champ par la voie du prêtre et du notaire, et le lendemain le gouverneur général faisait distribuer aux mariés un bœuf, une vache, un cochon, une truie, un coq, une poule, deux barils de chair salée, onze écus avec certaines armes. Les officiers plus délicats que leurs soldats s'accommodaient des filles des anciens gentilshommes du pays ou de celles des plus riches habitants, car il y a près de cent ans, comme vous le savez, que les Français possèdent le Canada. Tout le monde y est bien logé et bien meublé, la plupart des maisons sont de bois à deux étages ; les cheminées sont extrêmement grandes car on y fait des feux prodigieux pour se garantir du froid qui est excessif depuis le mois de décembre jusqu'en avril. Le fleuve ne manque jamais d'être gelé durant ce temps-là, malgré le flux et le reflux de la mer, et la terre est aussi couverte de trois ou quatre pieds de neige, ce qui paraît surprenant pour un pays situé au 47e de latitude et quelques minutes. La plupart des gens l'attribuent à la

★ Religieuses.
★★ Fête organisée par les marins à la hauteur de Terre-Neuve.

quantité de montagnes dont ce vaste continent est couvert. Quoi qu'il en soit, les jours y sont en hiver plus longs qu'à Paris, ce qui me paraît extraordinaire. Ils sont si clairs et si sereins qu'il ne paraît pas en trois semaines un nuage sur l'horizon. »

D'où viennent les Français qui s'habituent à la Nouvelle-France ? De quelles contrées de la mère patrie ? Marcel Trudel l'a établi pour 1 246 immigrants, en 1663. La façade maritime de la France occidentale et son arrière-pays fournissent 80,6 % de ce déplacement de population : Normandie, 282 ; Aunis, 204 ; Perche, 142 ; Poitou, 95 ; Paris, 90 ; Maine, 65 ; Saintonge, 65 ; Anjou, 61. Soit 1 004 personnes. À ces huit provinces pourvoyeuses, on peut en ajouter six autres, quoique moins prolifiques : Île-de-France, 40 ; Orléanais, 32 ; Bretagne, 27 ; Champagne, 27 ; Angoumois, 22 ; Picardie, 22. Au total 14 provinces occidentales — à l'exception de la Champagne — d'où 1 174 personnes sont parties, représentent 93,7 % du flux migratoire de 1663. Parmi les provinces à recrutement inexistant on remarque : Béarn, 1 ; Provence, 2 ; Berry, 4 ; Limousin, 2 ; Lyonnais, 3 ; etc.

Cette immigration française de 1 253 personnes, où les hommes sont deux fois plus nombreux que les femmes, s'additionne à 1 175 personnes, nées au Canada, selon un rapport rééquilibré où le nombre des hommes ne dépasse celui des femmes que de 53 unités, et à un certain nombre d'indéfinis pour former, en 1663, une population totale de 3 035 personnes. Où ces individus choisissent-ils de vivre sur le territoire de la Nouvelle-France ? 1 976 dans la région de Québec (65,1 %) ; 597 dans la région de Montréal (19,7 %) ; 462 dans la région des Trois-Rivières (15,2 %) : le long du Saint-Laurent.

Comment va évoluer cette population au caractère rural prononcé ? Les hommes se marient vers 27 ans, les femmes vers 21-22 ans et les familles, compte tenu des mortalités, ont en moyenne de 5 à 6 enfants. Un âge au mariage plus jeune aurait permis aux Canadiens, non de rivaliser avec leurs voisins anglais, mais d'arriver plus nombreux au moment de la guerre de Sept Ans. Cependant, même dans cette hypothèse, le rapport démographique ne leur aurait donné aucun espoir d'échapper à la défaite.

Québec et Montréal

De Québec, seul « port de mer » de la Nouvelle-France, comme le naturaliste Kalm l'observe justement, le baron de La Hontan a laissé une description qui, aux derniers jours de la colonie, restait toujours fraîche. « Québec est partagé en haute et basse ville, les marchands demeurent à la basse pour la commodité du port, le long duquel ils ont fait bâtir de très belles maisons à trois étages d'une pierre aussi dure que le marbre. La haute ville n'est pas moins belle ni moins peuplée. Le château bâti sur le terrain le plus élevé, la commande de tous côtés. Les gouverneurs généraux qui font leur résidence ordinaire dans ce fort y sont commodément logés, jouissant en même temps de la vue la plus belle et la plus étendue qui soit au monde. La ville manque de deux choses essentielles, qui sont un quai et des fortifications, il serait facile d'y faire l'un et l'autre, car les pierres se trouvent sur le lieu même. Elle est environnée de plusieurs sources d'eau vive la meilleure du monde, mais comme il ne se trouve personne qui entende assez bien l'hydrostatique pour les conduire à quelques places où l'on pourrait élever des fontaines simples ou jaillissantes, chacun est obligé de boire de l'eau de puits. Les gens qui habitent au bord du fleuve de la basse ville ne ressentent pas la moitié tant de froid que ceux de la haute, outre qu'ils ont la commodité de faire transporter en bateau jusque devant leurs maisons, le blé, le bois et les autres provisions nécessaires. Si ceux de la haute sont exposés aux vents froids de l'hiver, ils ont aussi le plaisir de jouir du frais en été. Il y a un chemin assez large de l'une à l'autre, mais un peu escarpé, et des maisons à droite et à gauche. Le terrain de Québec est fort inégal, et la symétrie mal observée. L'Intendant demeure dans un fonds un peu éloigné sur le bord d'une petite rivière, qui se joignant au fleuve de Saint-Laurent renferme la ville dans un angle droit. Il est logé dans le palais. [...] On voit à côté de grands magasins de munitions de guerre et de bouche. Il y a six églises à la haute ville ; la cathédrale est composée d'un évêque et de douze chanoines qui font de bons prêtres, vivant en communauté comme des religieux, dans la maison du Chapitre, dont la grandeur et l'architecture sont surprenantes. [...] La seconde est celle des jésuites située au centre de la ville. Elle est belle, grande et bien éclairée. Le grand autel est orné de quatre grandes colonnes cylindriques et massives d'un seul bloc, de certain porphyre de Canada noir comme du jais sans tache et sans fils. Leur maison est commode en toutes manières, car il y a beaucoup de logement. Ces Pères ont de beaux jardins, plusieurs allées d'arbres si touffus, qu'il semble en été qu'on soit dans une glacière plutôt que dans un bois. On peut dire aussi que la glace n'en est pas loin, car ils ne manquent jamais d'en conserver en deux ou trois endroits, pour avoir le plaisir de boire frais. Leur collège est si petit qu'à peine ont-ils jamais eu cinquante écoliers à la fois. »

Montréal appelle le regard élogieux du jésuite Charlevoix. L'île « a dix lieues de long, de l'Est à l'Ouest, et près de quatre lieues dans sa plus grande largeur. La montagne d'où elle tire son nom, et qui a deux têtes de hauteur inégale, est presque dans le milieu de la longueur de l'île, mais elle n'est qu'à une demi-lieue de la côte méridionale, sur laquelle on a bâti la ville. Cette ville a été nommée *Ville-Marie* par ses fondateurs, mais ce nom n'a pu passer dans l'usage ordinaire. [...] La ville de Montréal a un aspect fort riant ; elle est bien située, bien percée, et bien bâtie. L'agrément de ses environs et de ses rues inspire une certaine gaieté, dont tout le monde se ressent. Elle n'est point fortifiée, une simple palissade bastionnée et assez mal entretenue fait toute sa défense, avec une méchante redoute sur un petit tertre, qui sert de boulevard, et va se terminer en douce pente à une petite place carrée. C'est ce qu'on rencontre d'abord en arrivant de Québec. Il n'y a pas même quarante ans, que la ville était ouverte, et tous les jours exposée à être brûlée par les Sauvages, ou les Anglais. [...] Montréal est un carré long, situé sur le bord du fleuve, lequel s'élevant insensiblement, partage la ville dans sa longueur en Haute et Basse ; mais à peine s'aperçoit-on que l'on monte de l'une à l'autre. L'Hôtel-Dieu, les magasins du roi et la place d'Armes sont dans la Basse Ville ; c'est aussi le quartier de presque tous les marchands. Le séminaire et la paroisse, les Récollets, les Jésuites, les filles de la Congrégation, le Gouverneur et la plupart des officiers sont dans la Haute. Au-delà d'un petit ruisseau, qui vient du Nord-Ouest, et borne la ville de ce côté-là, on trouve quelques maisons et l'Hôpital Général ; et en prenant sur la droite au-delà des Récollets, dont le couvent est à l'extrêmité de la ville du même côté, il commence à se former une espèce de faubourg, qui avec le temps sera un très beau quartier. »

Franquet, ingénieur militaire en inspection à la Nouvelle-France en 1752 et 1753, abandonne le ton de propagandiste du père Charlevoix, pour présenter sur Montréal les réflexions d'un officier préoccupé d'urbanisme et de défense. Son récit, contrairement à celui du jésuite, n'est pas destiné à être publié sous les auspices du secrétariat d'État de la Marine : il est donc plus sévère, plus proche de la vérité. « 5-8 août 1752. Pendant mon séjour en cette ville, j'en parcourus l'intérieur. Sa situation, partie sur le penchant d'une hauteur et partie sur le sommet, la fait distinguer haute et basse. Elle est assez bien placée. Les rues de traverse cependant sont roides et rampantes, mais celles en longueur sont de niveau et assez droites. L'église de la paroisse a été mal placée ; elle coupe l'alignement de la rue principale, établie sur le sommet de la dite hauteur, inconvénient auquel on ne saurait remédier pour le présent. Mais l'on serait d'avis que toutes les maisons construites en bois qui tombent en ruines ne fussent rétablies qu'en maçonnerie, que tous les terrains concédés et restés en souffrance jusqu'à aujourd'hui, fussent bâtis de face, en vue en dedans, sous peine d'être remis au domaine. Après ce terme expiré qu'on ne souffrit les clôtures de maisons à autres que de bons murs et nullement de pieux, et enfin, que l'ingénieur fût chargé des alignements et de tenir la main à tout ce qui peut concourir à décorer une ville. »

La société de la Nouvelle-France

La vie sociale à la Nouvelle-France ressemble à celle d'une province métropolitaine qu'un climat rigoureux soumettrait à des contraintes particulières. Aussi, à l'exception des courses en carrioles ou traîneaux, les distractions canadiennes ne présentent pas un caractère de grande originalité. On va à la chasse, à la pêche, on fait visite aux voisins, on fréquente les tavernes, et l'on joue. La religion, qui ici est pratiquée, alors qu'elle est négligée dans les pays tropicaux, rythme l'année de ses cérémonies et fêtes traditionnelles. Les gens aisés échappent à cette ambiance assez frugale, donnant des bals, recevant à souper. Franquet conserve le souvenir précis d'une soirée passée chez le gouverneur de Trois-Rivières, en 1752. Plus tard l'ingénieur découvrira la table célèbre du non moins célèbre intendant Bigot — lié au ministre de Puisieux —, qui, avant d'être condamné pour concussion, aimait le faste que lui procuraient ses revenus illégaux. « M. Bigot est homme fort honorable, d'une attention pour tout le monde, dont peu de gens sont capables. Quoique d'une santé fort délicate, il aime le plaisir, n'est jamais si content que quand il peut obliger. »

La société rurale, qui représente 80 % de la population canadienne, à la fin de l'époque coloniale française, est distribuée en 180 seigneuries, qui sont partagées en 8 000 censives. Kalm l'évoque avec minutie. La vie quotidienne des Français du commun, fort éloignée de celle des riches sucriers des Antilles, s'apparente à celle des paysans laborieux de la mère patrie. « Les habitants de la campagne paraissent très pauvres. Ils n'ont guère plus que le strict nécessaire. Ils se contentent de pain et d'eau et portent tous leurs autres produits, tels que le beurre, le fromage, les viandes, les œufs et les volailles, à la ville, pour les convertir en argent avec lequel ils achètent des vêtements et de l'eau-de-vie pour eux, et des robes pour leurs femmes. Malgré leur pauvreté, ils sont toujours d'humeur joyeuse et gaillarde. » Kalm porte sur les Canadiens le regard d'un étranger courtois, plein de gratitude pour l'accueil aimable qui lui a été réservé. Les Français de la métropole — qui par principe détestent les coloniaux et pleurent sur leur exil quand on les affecte au-delà des mers — empruntent, pour observer leurs compatriotes transplantés, un ton de supériorité qui verse facilement dans le mépris. Il en est ainsi de Bougainville. Ce fils d'avocat sait caresser gentiment avant d'assassiner. « Les simples habitants seraient scandalisés d'être appelés paysans. En effet, ils sont d'une meilleure étoffe, ont plus d'esprit, plus d'éducation que ceux de France. Cela vient de ce qu'ils ne payent aucun impôt, de ce qu'ils ont droit d'aller à la chasse, à la pêche, et de ce qu'ils vivent dans une espèce d'indépendance. Ils sont braves, leur genre de courage, ainsi que les sauvages, est de s'exposer peu, de faire des embuscades ; ils sont fort bons dans les bois, adroits à tirer ; c'est ainsi qu'à la Belle-Rivière ils ont défait le général Bradock. Il faut convenir que les sauvages leur sont supérieurs dans ce genre de combattre, et c'est l'affection qu'ils nous portent qui jusqu'à présent a conservé le Canada. Le Canadien est haut, glorieux, menteur, obligeant, affable, honnête, infatigable pour la chasse, les courses, les voyages qu'ils font dans les Pays d'en Haut, paresseux pour la culture des terres. Parmi ces mêmes Canadiens, on met une grande différence pour la guerre et les voyages d'en Haut entre ceux du gouvernement de Québec et ceux du gouvernement des Trois-Rivières et de Montréal, qui l'emportent sur les premiers, et ceux de Québec valent mieux pour la navigation ; parmi ces habitants, ceux qui voyagent dans les Pays d'en Haut sont réputés les plus braves. » Comme Bougainville, mais d'une manière plus franche et plus souriante, Franquet émet quelques réserves sur les Canadiens. « L'aisance qu'ils contractent les rend négligents à leur métier. Ils sont avantageux pour le genre de guerre avec les sauvages et pour les fatigues des voyages, sont généreux, obligeants, mais la plupart d'un caractère subordonné ; ils aiment la parure et le faste, sont forts et vigoureux, assez pourvus d'esprit, mais l'éducation leur manque, de sorte que s'ils étaient instruits, je les croirais capables de pénétrer les sciences et de posséder les charges qu'exigent l'administration d'un État. [...] Les Canadiens de l'état commun sont indociles, entêtés et ne font rien qu'à leur gré et fantaisie. »

Moutons de Québec et *Loups* de Montréal — distinction par laquelle les habitants de la Nouvelle-France marquent leur caractère — changent de moyen de transport selon la saison. Comme l'observe Bougainville, tous « ont beaucoup de chevaux et vont toujours en voiture. L'été on se sert toujours de voitures appelées calèches, ressemblant aux cambiatières d'Italie, et l'hiver de voitures appelées carioles, espèces de traîneaux pour aller sur la glace et sur la neige ; un seul cheval mène aisément deux personnes dans ces sortes de voitures ; le transport des marchandises se fait l'été en barques ou canot et l'hiver en traîneaux. » À cette époque où le pays s'engonce dans son uniforme blanc, les habitants prennent des dispositions particulières, ajoute Franquet. « Quand les Canadiens voyagent l'hiver, ils se précautionnent beaucoup contre le froid ; à cet effet, ils prennent des souliers sauvages, faits seulement de peau de chevreuil et garni en dedans d'un chausson de laine, portent des bas drapés, se couvrent le corps d'un capot de castor, le poil en dehors, et la tête d'un casque de peau de martre. »

Le naturaliste Kalm, toujours attentif et fin, remarque deux traits caractéristiques des campagnes de la Nouvelle-France : dispersion et modestie de l'habitat, absence de véritables villages, à la fois centres populeux et foyers d'activités diverses. « Les fermes en Canada sont séparées les unes des autres, de manière que chaque propriétaire a son bien entièrement distinct de celui de son voisin. Chaque église, il est vrai, est entourée d'un petit village ; mais il est formé principalement du presbytère, d'une école pour les garçons et les filles, et des demeures de commerçants et artisans, rarement d'habitations de fermiers, et quand il y en a, les terres sont séparées. Les maisons des paysans sont généralement bâties sur les bords de la rivière, à une distance plus ou moins grande de l'eau, et à trois ou quatre arpents les unes des autres. Quelques cultivateurs ont des vergers, c'est le petit nombre ; mais chacun a son jardin potager. » « Les maisons des fermiers sont généralement bâties en pierre, ou en bois de charpente, et contiennent trois ou quatre chambres. Les fenêtres sont rarement garnies de vitres ; le plus souvent des carreaux de papier remplacent le verre. Un poêle en fonte chauffe toute la maison. Les toits sont couverts en bardeaux. On calfeutre les fentes et les lézardes avec de la terre glaise. Les dépendances sont couvertes en chaume. » « De temps en temps nous voyons des moulins à vent près des fermes. Ils sont généralement bâtis en pierre et couverts d'un toit en planches, qui tourne avec les ailes suivant la direction du vent. » À propos de la dispersion de l'habitat et de l'inexistence d'agglomérations rurales, de type européen, Mme Louise Dechêne, dans son ouvrage sur Montréal, apporte de judicieuses explications. « Les habitants ne groupent pas leurs maisons dans les bourgs parce qu'ils mettraient trop de temps à se rendre sur leur habitation, travailler aux champs, faire les foins, couper du bois, soigner les bêtes soir et matin. Le bourg en tant que communauté d'exploitants ne peut naître que là où existent des usages collectifs, de petites propriétés morcelées. Le bourg en tant que marché ne peut apparaître qu'à partir d'une certaine densité rurale, comme relais entre la terre et la ville éloignée. L'absence d'industrie rurale interdit de même toute forme prématurée d'agglomération et quarante à cinquante feux disséminés de part et d'autre du bourg ne sauraient suffire pour faire vivre des taillandiers, menuisiers, maçons, etc., uniquement de leur métier. » Bougainville s'est inquiété de ce trop grand éparpillement et plaide en faveur d'une politique de rassemblement, essentiellement pour améliorer le système de défense et de sécurité de la Nouvelle-France. « Toutes les habitations sont éparses ; il n'y a que deux ou trois villages où elles soient rassemblées. L'habitant a plus songé à sa commodité qu'à se défendre contre l'ennemi en se rassemblant. Il y a eu souvent des ordres et des projets de la cour pour rassembler des villages ; cela a toujours souffert des contradictions. M. de La Galissonnière est un des gouverneurs généraux qui a eu le plus à cœur ce projet, sur lequel il y aurait, je crois, un parti mitoyen à prendre fort sage, qui serait de ne l'exiger que dans de nouvelles concessions, ou dans les villages absolument sur la frontière. » La modeste politique de peuplement, que l'administration pratique à l'égard des troupes, découragerait les meilleures volontés. Kalm décrit l'installation misérable des militaires métropolitains quittant le service et choisissant de vivre au Canada. « Les soldats qui ont été licenciés après la guerre, se sont bâti des maisons autour du fort, sur des terrains qui leur ont été assignés ; mais la plupart de ces demeures ne sont que de pauvres chaumières, guère mieux construites que celles que l'on voit dans les parties les plus misérables de la Suède, avec cette différence, cependant, qu'ici les habitants souffrent rarement de la faim, et ont à discrétion du bon pain de froment. Les huttes qu'ils se sont érigées consistent en planches juxtaposées perpendiculairement, sous un toit en bois. On bouche les fentes avec de la terre glaise, pour empêcher le froid de pénétrer. Le pavé est généralement, aussi, en terre glaise ou en une sorte de pierre à chaux noire, qui est commune ici. » Moins imaginatif que Lescarbot, Bougainville suggère de poursuivre dans cette voie et de ramasser, en France, « dans les différentes grandes villes les gens sans aveu pour les envoyer ici ». Le Parisien n'a vraiment rien compris à la société canadienne !

Une économie mal conduite

Les économies française et canadienne, souffrant de trop se ressembler, les échanges entre les deux rivages de l'Atlantique s'enferment dans des dimensions modestes. Une constatation que La Hontan exprime en quelques lignes. « Les Normands sont les premiers qui aient entrepris ce commerce ; et les embarquements s'en faisaient au Havre de Grâce ou à Dieppe ; mais les Rochelais leur ont succédé, car les vaisseaux de La Rochelle fournissent les marchandises nécessaires aux habitants de ce continent. Il y en a cependant quelques-uns de Bordeaux et de Bayonne qui y portent des vins, des eaux de vie, du tabac et du fer. [...] Dès que les vaisseaux de France sont arrivés à Québec, les marchands de cette ville qui ont leurs commis dans les autres villes, font charger leurs barques de marchandises pour les y transporter. Ceux qui sont pour leur propre compte aux Trois-Rivières ou à Montréal descendent eux-mêmes à Québec pour y faire leur emplette, ensuite ils frettent des barques pour transporter ces effets chez eux. S'ils font les paiements en pelleteries, ils ont meilleur marché ce qu'ils achètent, que s'ils payaient en argent ou en lettre de change, parce que le vendeur fait un profit considérable sur les peaux à son retour en France. Or, il faut remarquer que toutes ces peaux leur viennent des habitants ou des sauvages, sur lesquelles ils gagnent considérablement. Par exemple, qu'un habitant des environs de Québec porte une douzaine de martres, cinq ou six renards, et autant de chats sauvages à vendre chez un marchand, pour avoir du drap, de la toile, des armes, des munitions etc., en échange de ces peaux voilà un double profit pour le marchand. L'un parce qu'il ne paye ces peaux que la moitié de ce qu'il les vend ensuite en gros aux commis des vaisseaux de La Rochelle ; l'autre par l'évaluation exorbitante des marchandises qu'il donne en paiement à ce pauvre habitant. Après cela faut-il s'étonner que la profession de ces négociants soit meilleure que tant d'autres qu'on voit dans le monde. »

Ce modeste commerce du castor et des peaux, qui est de l'ordre d'un million de livres par an, ne dépassant deux millions que quatre fois, de 1718 à 1761, représente toutefois 70 % des exportations canadiennes et illustre remarquablement les mécanismes du trafic colonial, où le troc élimine la monnaie mais laisse place à la lettre de change, et où le négociant métropolitain impose sa loi le plus souvent, dominant, tant à l'importation qu'à l'exportation. Quant aux marchands, seuls capitalistes de la Nouvelle-France, peu nombreux et d'une assiette limitée, ils inspirent à La Hontan l'aigreur du commun. « Il n'y a d'autre différence entre les corsaires qui courent les mers, et les marchands de Canada, si ce n'est que les premiers s'enrichissent quelquefois tout d'un coup par une bonne prise, et que les derniers ne font leur fortune qu'en cinq ou six ans de commerce sans exposer leur vie. » Le négoce de la fourrure fonctionne selon des règles que la simplicité n'inspire pas toujours. Parfois, il est libre ; le plus souvent, il est accordé en monopole à une société ou à de grandes compagnies : celles des Indes occidentales puis du Domaine d'Occident. Fondé sur le troc, mettant en action des marchands, des coureurs de bois ou voyageurs et les tribus indiennes, il se développe dans des régions proches et soumises à l'administration royale, ou dans des territoires lointains et libres. Dans ses *Mémoires*, le commandant Pouchot distingue trois régimes de traite. Dans les postes du roi — où un magasin est établi —, les gardes magasins, qui relèvent de l'intendant, sont seuls chargés du trafic de la fourrure avec les sauvages. Dans les postes de l'intérieur, le commandant et le garde magasin, associés financièrement à des marchands, achètent un congé des chefs de la colonie, et exploitent le privilège commercial qui leur a été accordé. Enfin, hors de la portée des postes, des marchands, alliés à des coureurs de bois, obtiennent le monopole de la traite avec les tribus, moyennant un congé. Interdite aux serviteurs du roi, exclus du champ des permissions, comme le gouverneur général et l'intendant, la traite dispense, en réalité, ses largesses à tous, réparant dans le cas des officiers civils et militaires, la ladrerie du ministère. L'ingénieur Franquet s'offusque que chacun s'adonne au commerce des pays d'En Haut. « Les officiers mêmes s'en mêlent. Il n'y en a que peu qui n'aient un magasin chez eux, de manière qu'ils sont tous à leur aise, et plus occupés de leur profit, lorsqu'ils sont détachés dans leurs postes, que des intérêts du service. » En période de monopole, les marchands, ultimes collecteurs, déposent les pelleteries au bureau de la compagnie titulaire du privilège, qui les rémunère en application d'un tarif réglementaire, dont les prix, nettement inférieurs à ceux que proposent les Anglais, provoquent un important courant de fraude vers les Treize Colonies.

Montréal est la capitale du commerce de la fourrure, le carrefour français où se réunissent tous ceux qui participent à la traite et en tirent profit. En quelques lignes, d'une plume qui va droit au vif, La Hontan met en scène les acteurs de ce rassemblement traditionnel. « Il n'y a que les marchands qui trouvent leur compte, car les Sauvages des grands lacs du Canada descendent ici presque tous les ans avec une quantité prodigieuse de castors qu'ils changent pour des armes, des chaudières, des haches, des couteaux et mille autres marchandises pour lesquelles on gagne jusqu'à deux cents pour cent. les gouverneurs généraux s'y trouvent ordinairement dans ce temps-là pour partager le gâteau, et recevoir les présents de ces peuples. Ce séjour me paraît assez agréable l'été, car on dit qu'il y pleut rarement en cette saison-là. Les coureurs de bois portent d'ici tous les ans des canots pleins de marchandises chez toutes les nations sauvages de ce continent d'où ils rapportent de bons castors. J'en vis revenir, il y a sept ou huit jours 25 ou 30, chargés excessivement. Il n'y avait que deux ou trois hommes pour conduire chaque canot qui portait 20 quintaux pesant, c'est-à-dire quarante paquets de castors valant cent écus chacun. Ils avaient demeuré un an ou 18 mois en leur voyage. Vous seriez surpris de voir les débauches, les festins, les jeux et les dépenses que ces coureurs de bois font tant en habits qu'en femmes, dès qu'ils sont arrivés. Ceux qui sont mariés se retirent sagement chez eux, mais ceux qui ne le sont pas font comme les matelots qui viennent des Indes, ou de faire des prises en course. Ils dissipent, mangent, boivent et jouent tout pendant que les castors durent, et quand ils sont à bout, ils vendent dorures, dentelles et habits. Ensuite ils sont obligés à recommencer des voyages pour avoir lieu de subsister. » Outre les coureurs de bois rentrant de leurs longues expéditions, Montréal accueille chaque année, sous ses murs et en ses murs, les Indiens, descendus des Grands Lacs, tous chargés de castors et de peaux. La Hontan brosse ce spectacle d'un ton fidèle que déride son humeur narquoise. « Premièrement, ils se campent à cinq ou six cents pas de la ville. Le jour de leur arrivée se passe tant à ranger leurs canots et débarquer les marchandises, qu'à dresser leurs tentes, lesquelles sont faites d'écorce de bouleau. Le lendemain, ils font demander au gouverneur général une audience, qu'il leur accorde le même jour en place publique. Chaque nation fait son cercle particulier, ensuite ces Sauvages étant assis par terre, la pipe à la bouche, et le gouverneur dans son fauteuil, l'orateur de l'une de ces nations se lève et dit en forme de harangue : " Que ses frères sont venus pour le visiter, et renouveler en même temps avec lui l'ancienne amitié. " Puis, le porte-parole indien dit sa satisfaction d'apporter des peaux aux Français, ajoutant " que pour avoir le moyen d'en apporter davantage une autre année, ils sont venus prendre en échange des fusils, de la poudre et des balles, pour s'en servir à faire des chasses plus abondantes, ou à tourmenter les Iroquois, en cas qu'ils se mettent en devoir d'attaquer les habitations françaises. " » Pour confirmer l'alliance et l'amitié unissant Indiens et Français, l'orateur offre un collier et des peaux de castor au gouverneur général. Celui-ci, se lève, remercie et offre quelques menus présents.

À la manifestation politique, succèdent les opérations commerciales, la foire. « Le jour suivant chaque Sauvage fait porter ses peaux par ses esclaves chez les marchands qui leur donnent à meilleur prix les hardes qu'ils demandent. Tous les habitants de cette ville ont permission de faire ce commerce ; il n'y a que celui du vin et d'eau de vie qui soit défendu, parce que la plupart de ces Sauvages, ayant des castors de reste après avoir fait leur emplette, boivent excessivement. [...] Ils se querellent, se battent, se mangent le nez et se tueraient infailliblement si ceux qui détestent ces sortes de breuvages ne les retenaient. Il faut que vous remarquiez qu'aucun d'eux ne veut manier de l'or ni de l'argent. C'est un plaisir de les voir courir de boutique en boutique l'arc et la flèche à la main, tout à fait nus. Les femmes les plus scrupuleuses portent leur éventail sur leurs yeux, pour ne pas être effrayées à l'aspect de si vilaines choses ; mais ces drôles qui connaissent aussi bien que nous les jolies marchandes, ne manquent pas de leur offrir ce qu'elles daignent quelquefois accepter, quand elles voient la marchandise de bon aloi. Il y en a plus d'une, s'il faut en croire l'histoire du pays, que la constance et le mérite de plusieurs officiers ne sauraient fléchir, pendant que ces vilains Cupidons ont l'entrée libre chez elles. Je m'imagine que c'est moins *per il gusto, che per la curiosita*, car enfin ils ne sont ni galants ni capables d'attachement. » Une fois leur besogne achevée les Indiens prennent congé du gouverneur et s'en retournent vers les Grands Lacs. L'allusion gaillarde de La Hontan aux mœurs libertines des Canadiennes vaudra à son auteur — excellent observateur — l'indignation de la Nouvelle-France, qui le mettra à l'index. Le R. P. Charlevoix, de la Compagnie de Jésus, apporte sa caution à l'anathème qui trop longtemps a frappé l'œuvre du Gascon dans sa totalité. Dans son *Journal d'un voyage dans l'Amérique septentrionale*, le vertueux jésuite assurera hâtivement : « Les femmes de Montréal n'ont jamais donné lieu à ce que cet auteur y met sur leur compte, et il n'y a rien à craindre pour leur honneur de la part des Sauvages. Il est sans exemple qu'aucun d'eux ait jamais pris la moindre liberté avec les Françaises, lors même qu'elles ont été leurs prisonnières. Ils n'en sont pas même tentés, et ils seraient à souhaiter que les Français eussent le même dégoût des Sauvagesses. La Hontan ne pouvait pas ignorer ce qui est de notoriété publique en ce pays ; mais il voulait égayer ses *Mémoires,* et pour y réussir, tout lui était bon. »

Quelles marchandises, les gardes magasins, commandants et coureurs de bois utilisent-ils pour commercer avec les Sauvages ? Un ensemble hétéroclite de produits qui évoquent ceux dont disposent les capitaines négriers pour traiter avec les chefs et courtiers africains. Des fusils de chasse, des balles, de la poudre, des briquets, des pierres à fusil, des couteaux, des haches, des chaudières, de la verroterie, des textiles, des chapeaux, des miroirs, des peignes, des rasoirs, des rubans, des galons et enfin du tabac et de l'eau-de-vie. En échange, les Indiens livrent des peaux de castor, les plus estimées, dont l'industrie métropolitaine fait du feutre, et ce que l'on appelle communément les fourrures et pelleteries : renards, martres, loutres, ours, cerfs, chevreuils, loups, caribous, etc. La traite du castor et de la fourrure, entreprise spéculative, a davantage rapporté aux particuliers et aux Anglais qu'au roi. Et, loin d'apaiser le vieux conflit entre Iroquois et Hurons, elle l'a exacerbé, provoquant la destruction de la Huronie. Toutefois on lui doit, en partie, l'exploration des terres inconnues par les coureurs de bois, ainsi que l'expansion du Canada. Mais on peut lui imputer, dans une certaine mesure, l'encerclement des Treize Colonies et le blocus de la baie d'Hudson, actions qui détermineront les Anglais à chasser les Français du Canada pour libérer les Grands Lacs et les voies de pénétration vers l'Ouest.

L'agriculture représente la seconde source locale de la modeste fortune canadienne — les pêches ayant leur site au large de Terre-Neuve et faisant transiter la morue à destination des Antilles par Louisbourg. Elle s'organise et se développe dans le cadre de seigneuries, importées de France dans l'esprit de fournir à leurs titulaires les moyens de recruter de la main-d'œuvre, de faire exploiter les terres données en propriété à des défricheurs, moyennant le paiement d'un cens, bref de constituer une paysannerie productive. Cette institution, grevée de charges légères mais caractéristiques de la vieille Europe, surprend d'autant plus qu'elle ne correspond pas à l'idée égalitaire qui anime la mise en valeur des autres possessions d'Amérique, où l'octroi d'une concession, à tout candidat colon est la règle. Par sa lourdeur et un certain archaïsme, elle ne s'accorde pas avec l'interdiction monarchique de transplanter la société d'ordres outre-mer, elle s'allie encore moins avec l'humeur du Nouveau Monde, où démocratie et capitalisme s'associent. Dès lors, faut-il s'étonner que la structure seigneuriale ait formé des paysans obéissants — avec le concours d'un pouvoir spirituel devant lequel Versailles s'inclinait en maugréant — mais se soit révélée incapable d'édifier une agriculture puissante, malgré le frein des règlements métropolitains ? Le régime seigneurial n'a pas mis en place une féodalité canadienne, mais en s'écartant des valeurs capitalistes, il a choisi les préjugés pour les uns, la porte étroite pour les autres : une certaine médiocrité pour tous.

Les voyageurs n'ont pas manqué d'observer ce phénomène. Charlevoix, relevant que la Nouvelle-France compte plus de nobles que « toutes nos autres colonies ensemble », déplore que ceux-ci ne se comportent pas différemment. « Après tout c'est un peu leur faute s'ils souffrent de la disette : la terre est bonne presque partout, et l'agriculture ne fait point déroger. Combien de gentilshommes dans toutes les provinces envieraient le sort de simples Habitants du Canada, s'ils le connaissaient ? Et ceux qui languissent ici dans une honteuse indigence, sont-ils excusables de ne pas embrasser une profession, que la seule corruption des mœurs et des plus saines maximes a dégradée de son ancienne noblesse ? » La disette ignore les classe sociales, et frappe jusqu'aux paysans. « Le Canada est obligé dans les mauvaises années et en temps de guerre, de tirer des farines de France », constate Bougainville de ce ton froid des mathématiciens. L'ingénieur Franquet s'étonne de la fragilité du rendement agricole de la Nouvelle-France, au point de commettre un *Mémoire sur les moyens d'augmenter la culture*. « Il est étonnant qu'un pays tel que le Canada, établi depuis environ 150 ans, où les terres sont bonnes, produisent beaucoup sans grande culture, et où chaque laboureur peut en cultiver et en défricher, ne soit pas en état de produire non seulement la substance de ses propres habitants, mais encore de fournir des farines et autres denrées convenables pour différentes branches du commerce, et qu'il soit exposé à éprouver des disettes qui sont toujours d'autant plus fâcheuses. » Franquet, qui ne peut se résoudre à admettre la vulnérabilité contre nature d'un système, s'efforce de chercher quelques explications ailleurs. « On a permis en différents temps et presque toujours à des particuliers, soupçonnés d'être singulièrement protégés par les personnels qui occupent les premières places — ces soupçons n'ont malheureusement que trop de fondement —, d'acheter ou de faire acheter tout ce qu'il y avait de blé et de farines dans la colonie, d'en faire des amas considérables, de les envoyer même d'autorité, sous prétexte de service du Roi, soit pour la subsistance des villes, des troupes, des différentes garnisons de cette colonie, soit pour les laisser perdre ou bien pour les employer à leur commerce, en faire par là des sorties nécessaires hors de cette colonie, de sorte qu'au milieu de l'abondance même, on a souvent trouvé les moyens de faire naître une disette affreuse. On n'avance rien en cela qu'on ait vu maintes et maintes fois, et pour s'en assurer il suffit d'interroger les habitants sensés et raisonnables du Canada. » Imputant à la seule spéculation les maux qui découlent en premier lieu d'une marge de production trop étriquée, Franquet, bien de sa nation, rêve de règlement et propose de créer « un bureau uniquement occupé de prendre soin de la police, de la culture des terres, du commerce des farines, tant de celles qui se consomment dans l'intérieur de la colonie que de celles qui en sortent. » Après quoi, il préconise à son tour de « mettre des soldats en garnison dans les paroisses de la campagne, afin qu'ils prennent du goût pour la culture de la terre et que, par là, ils deviennent artisans et cultivateurs ». Hormis des conseils et instructions qu'elle prodigue d'abondance, l'administration décourage les Canadiens de défricher plus, de cultiver davantage, d'accroître les rendements. Ne fait-elle pas venir de France les farines que consomment les troupes de la colonie ! Seule incitation à une explosion agricole, le commerce avec les Antilles : mais il est quasiment inexistant jusqu'en 1730, et interrompu dès les premières craintes de guerre maritime.

Malgré la pauvreté du bilan, Bougainville célèbre la fertilité de la Nouvelle-France, et Kalm prend son pinceau pour en rapporter fidèlement les couleurs. D'un coup d'œil, il embrasse les environs riches et divers de Québec. « Les terres que nous parcourons sont partout divisées en champs et en prairies ou pâturages. Nous ne voyons que fermes et maisons de fermiers. Près de la ville, le sol est plat et coupé, ci et là, par des ruisseaux limpides. Les chemins sont excellents, larges et bordés de fossés de chaque côté, dans les terrains bas. Mais à mesure qu'on s'éloigne de la ville, le sol devient plus élevé ; on dirait des terrasses échelonnées les unes au-dessus des autres. [...] Toutes les collines sont cultivées ; sur le sommet de plusieurs on distingue des villages pittoresquement groupés autour de belles églises. Les prairies sont généralement dans les vallées, quoiqu'il y en ait sur les coteaux. Bientôt après, nous jouissons de la plus belle perspective possible, du haut d'une de ces éminences. » Allant du général au particulier, le Suédois fixe maintenant son regard. « Chaque ferme est pourvue de son jardin potager rempli d'herbages et surtout d'oignons dont les paysans font une grande consommation et qui avec un peu de pain composent tout le menu de leur dîner, les vendredis et samedis et les jours de jeûne. Je ne puis dire cependant que les Français soient de stricts observateurs du jeûne ; plusieurs de nos rameurs ont mangé de la viande aujourd'hui, vendredi. On reconnaît les gens du commun à leur haleine quand on les rencontre tant l'usage de l'oignon est fréquent parmi eux. La citrouille est pareillement très abondante dans les jardins potagers. On la sert de diverses manières, mais généralement on la coupe, par le milieu, en deux morceaux qu'on met rôtir devant le feu, l'intérieur tourné du côté de la flamme ; on en mange la pulpe après l'avoir pelée ; les gens à l'aise la saupoudrent de sucre. Le petit potager contient aussi des carottes, de la laitue, des fèves de France [haricots] des concombres et des gadelliers [groseilliers]. Chaque fermier plante près de sa maison une quantité de tabac plus ou moins considérable, suivant que sa famille est plus ou moins nombreuse. Il faut bien que les paysans s'adonnent à la culture du tabac ; il est d'un usage universel parmi les gens du peuple. On voit des gamins de dix à douze

ans courir les rues, la pipe à la bouche, imitant l'exemple de leurs
aînés. Des personnes au-dessus du vulgaire ne dédaignent pas de
fumer une pipe par-ci par-là. Dans les parties les plus septentrionales
du Canada on fume généralement le pétun sans mélange. Mais dans le
sud et aux environs de Montréal, on y mêle l'écorce intérieure du
cornouiller sanguin pour le rendre plus faible. La tabatière aussi, est
fort à la mode. »

Le bel aspect des terres canadiennes, autant que les techniques
culturales, tout retient l'attention du naturaliste. « Les champs sont
très grands. Je n'ai pas vu de fossés nulle part : ce n'est pourtant pas
manque de besoin, ainsi qu'il m'a semblé en certains endroits. Ces
champs sont divisés en planches larges de deux ou trois verges entre
les raies. La hauteur perpendiculaire d'une planche de son milieu au
fond du sillon, est de près d'un pied. [...] Près de chaque ferme on
voit un carré planté de choux, de citrouilles et de melons. [...] Chaque
année, une moitié des champs est laissée en friche en alternant, et la
partie ainsi laissée en friche n'est jamais labourée pendant l'été, ce qui
permet aux animaux de brouter les herbes sauvages qui y poussent. Je
l'ai déjà dit, on ne sème ici que du blé d'été. Quelques cultivateurs
labourent les terrains en friche, tard en automne, d'autres attendent
jusqu'au printemps pour le faire ; mais le premier mode est, dit-on,
préférable au second, et donne une bien meilleure récolte. Le blé,
l'orge, le seigle et l'avoine sont hersés, mais les pois sont semés avant
le labour. L'ensemencement se fait ordinairement vers le 15 avril, et
on commence par les pois. Parmi les espèces différentes de pois que
l'on peut se procurer ici, les pois verts sont préférés pour la semence.
Ils viennent très bien dans un sol pauvre, mais élevé, sec et mélangé
de sable grossier. La récolte commence vers la fin et quelquefois au
milieu d'août. Le blé rapporte généralement quinze ou vingt minots
pour un, l'avoine de quinze à trente. Le rendement des pois va parfois
jusqu'à quarante minots pour un ; mais d'autres années il ne dépasse
pas dix et varie beaucoup. La charrue et la herse constituent tout
l'outillage aratoire du paysan canadien, et encore ces instruments ne
sont-ils pas de la meilleure qualité. On fume les friches au printemps.
Le sol se compose d'une terre grise pierreuse, mélangée de glaise et de
sable. On ne sème d'orge que ce qu'il en faut pour la nourriture des
bestiaux ; il ne se fait pas de malt ici. On sème beaucoup d'avoine,
mais seulement pour les chevaux et les bestiaux. » Avant de quitter
les champs ensemencés et les pâturages herbus, Kalm interroge une
dernière fois ces maisons paysannes, peu préoccupées d'élégance,
mais robustes et bien assises, héritières des anciennes *abitations*, ces
fermes-fortins des premiers temps. « Les habitations dans la campagne sont bâties indistinctement en pierre ou en bois. Il n'entre pas
de brique dans la construction des maisons en pierre, on n'en fait pas
encore assez pour cela, ici. On emploie les matériaux que l'on trouve
dans le voisinage, l'ardoise noire surtout. Cette ardoise qui paraît

compacte lorsqu'on la casse, se fendille lorsqu'elle est exposée à l'air ; cependant cela ne tire pas à conséquence, vu que les pierres tiennent ferme au mur, et ne s'en détachent pas. À défaut de cette espèce de schiste, on construit les maisons avec des moellons ou de la pierre à sablon, et quelquefois avec une pierre grisâtre. Les murs ont deux pieds d'épaisseur, rarement moins. On peut se procurer la pierre à chaux partout dans le voisinage. Presque toutes les maisons à la campagne sont en bois ; quelques-unes sont enduites à l'extérieur. Les joints sont remplis avec de la glaise au lieu de mousse. Les maisons ont rarement plus d'un étage de haut. Chaque chambre a, ou sa cheminée, ou un poêle, ou les deux ensemble. Les poêles ont la forme d'un carré oblong ; quelques-uns sont entièrement en fer et [...] viennent tous de la fonderie des Trois-Rivières. D'autres sont en brique ou en pierre, de la grandeur à peu près des poêles en fonte, et recouverts au sommet d'une plaque de fer. La fumée est conduite dans la cheminée par un tuyau de fer. En été les poêles sont enlevés. » Dans ces demeures lourdes, abris contre l'intempérie et la menace, une vieille race régénère son sang, amasse et multiplie ses forces pour se bâtir une patrie nouvelle.

Comme dans tous les empires régis par le protectionnisme, les établissements industriels sont interdits dans les colonies, lesquelles doivent se fournir en produits ouvrés auprès de la métropole. La Nouvelle-France est assujettie à cette règle, note Kalm. « Il n'y a pas encore de manufactures en Canada ; cela est dû, probablement, à ce que la France ne veut pas perdre l'avantage d'y vendre ses propres marchandises. Cependant, les habitants du Canada aussi bien que les Indiens, souffrent beaucoup, en temps de guerre, du manque d'établissements industriels. » Même constatation chez Bougainville, qui souligne l'avance des Anglais des Treize Colonies. « Nous n'avons encore établi en Canada aucune espèce de manufactures, et il y a bien loin de notre industrie à celle des colonies anglaises, et leur attention pour la population de ces mêmes colonies. » L'artisanat lui-même semble retardataire au Suédois. « Les arts mécaniques tels que l'architecture, l'ébénisterie, la confection des ouvrages au tour, etc., ne sont pas aussi avancés ici qu'on devrait s'y attendre, et les Anglais sous ce rapport l'emportent sur les Français. » Les efforts de l'intendant Hocquart, soutenus par le ministre Maurepas, en faveur de l'industrialisation du Canada, n'aboutirent que partiellement. Parmi ces demi-succès, les forges de Saint-Maurice, que Poulin de Francheville a fondées dans les années 1730. Kalm ne manque pas de les visiter avec attention. « L'usine, qui est le seul établissement de ce genre dans le pays, est à trois milles à l'ouest de Trois-Rivières. Il y a là deux grandes forges, avec deux plus petites adossées à chacune d'elles, sous un même toit. Les soufflets sont en bois, ainsi que tout le reste, comme dans les usines de Suède. Les hauts-fourneaux sont près des forges et ressemblent aux nôtres. La mine est à deux lieues et demie de la fonderie, et le minerai y est charroyé sur des traîneaux [...] on y fond des canons et des mortiers de diverses grandeurs, des poêles qui sont en vogue dans tout le Canada, des chaudrons, etc., sans compter le fer en barres. On a essayé de fabriquer de l'acier, mais sans pouvoir l'amener au degré de perfection requis, faute de connaître la meilleure manière de le tremper. L'usine est sous la surveillance de beaucoup d'officiers et d'inspecteurs, qui habitent de très bonnes maisons bâties exprès pour eux. Tout le monde convient qu'elle ne paie pas ses dépenses et que pour la maintenir le Roi est obligé d'en combler les déficits chaque année. On attribue ce résultat à l'insuffisance de la population, les habitants du pays ayant assez à faire de cultiver leurs terres et ce n'est qu'à force d'argent, et avec beaucoup de peine, que l'on peut se procurer des ouvriers d'ailleurs. »

L'ingénieur Franquet, lui aussi, se rend aux forges de Saint-Maurice. En quelques phrases ramassées, il montre l'essentiel. « Cet établissement est considérable ; il y a au moins 120 personnes qui y sont attachées. On ne brûle dans les fourneaux que du charbon de bois que l'on fabrique à une distance un peu éloignée de l'endroit, la mine est belle, bonne et assez nette ; ci-devant on la tirait sur les lieux, mais aujourd'hui il faut l'aller prendre à deux ou trois lieues de loin [...] le fer est estimé au-dessus de celui d'Espagne. » Quant à la construction navale, sur laquelle on avait fondé beaucoup d'espoir, car le ministère attendait que la forêt canadienne remplaçât pour partie les bois de l'Europe du Nord, Bougainville n'a que quelques lignes où la déception transparaît. « Il faudrait renoncer à construire des bâtiments de guerre en Canada, mais y construire des bâtiments marchands qui dureraient moins et qui se donneraient à meilleur marché. » Le Canada, malgré les efforts individuels de certains administrateurs généraux, ne s'est jamais arraché à son premier âge. Il n'est pas devenu la colonie puissante que Colbert voulait bâtir, ni le second royaume que Talon avait rêvé.

Les Bons Sauvages *de la Nouvelle-France*

Quand les Français débarquent au Canada, à la recherche de métaux précieux et du passage qui, dit-on, relie au plus court l'Atlantique à la mer de Chine, ils découvrent les rigueurs de l'hiver, l'immensité forestière et d'étranges hommes nus, vivant en union étroite avec la nature sauvage. Après les déceptions du XVIᵉ siècle, les tentatives d'implantation aboutissent au XVIIᵉ. En cette époque de foi, la Contre-Réforme catholique envoie ses clercs, franciscains, récollets, sulpiciens et surtout jésuites, dépêche aussi ses laïcs, tous soutenus en France par la Compagnie du Saint-Sacrement, la duchesse d'Aiguillon, nièce de Richelieu, et la famille royale elle-même, que des associations relaient sur place pour faire de la Nouvelle-France une terre de croisade spirituelle, d'évangélisation. Cité-phare de ce mouvement, Ville-Marie, consacrée à la Vierge, le 15 août 1642, et connue plus tard sous le nom de Montréal.

Qui sont les indigènes de l'Amérique septentrionale à qui les Français veulent enseigner le nom de Dieu et la civilité ? Les jésuites, esprits investigateurs et critiques, tout autant que politiques domina-teurs, ont tracé le portrait et le caractère des Sauvages dans leurs *Relations*, leurs correspondances, dans les *Lettres édifiantes*, voire dans des ouvrages particuliers, imités dans cette démarche morale et scientifique par un officier, cousin du célèbre seigneur d'Artagnan, le piquant baron de La Hontan, interdit de renommée, pour des raisons inexplicables. Aux yeux des fils de Loyola, les Indiens sont « bien faits, forts, de bonne façon, doués d'un bon sens naturel ». Le P. Gabriel Marest répète : ils « ont le corps bien fait ; ils sont grands, robustes, alertes, endurcis au froid et à la fatigue », les uns paraissant « avoir beaucoup de flegme », les autres semblant « plus vifs, toujours en action, toujours dansant ou chantant ». Le P. Sébastien Rasles essaie de se montrer plus précis. « Pour vous donner l'idée d'un sauvage, représentez-vous un grand homme fort, agile, d'un teint basané, sans barbe, avec des cheveux noirs, et dont les dents sont plus blanches que l'ivoire. Si vous voulez le voir dans ses ajustements, vous ne lui trouverez pour toute parure que ce qu'on nomme des *rassades* : c'est une espèce de coquillage ou de pierre, qu'on façonne en forme de petits grains, les uns blancs, les autres noirs, qu'on enfile de telle sorte, qu'ils représentent diverses figures très régulières qui ont leur agrément. [...] L'occupation des hommes est la chasse ou la guerre. Celle des femmes est de rester au village, et d'y faire, avec de l'écorce, des paniers, des sacs, des boîtes, des écuelles, des plats, etc. [...] Rien n'égale la tendresse que les sauvages ont pour leurs enfants. » Après avoir rendu hommage à l'homme beau, jamais bossu, ni boiteux, ni estropié d'aucune sorte, ainsi qu'à sa sagesse innée, les jésuites, par la plume du P. Marest, dénoncent vivement les défauts de leurs nouveaux catéchumènes, dont la conversion difficile, à l'indicible, relève du « miracle de la miséri-corde du Seigneur ». Comme ils sont maîtres absolus d'eux-mêmes, « sans être assujettis à aucune loi, l'indépendance dans laquelle ils vivent les asservit aux passions les plus brutales ». De cette liberté totale, que ne limite pas le pouvoir des chefs qui n'ont nulle autorité, naissent « toutes sortes de vices qui les dominent. Ils sont lâches, traîtres, légers et inconstants, fourbes, naturellement voleurs jusqu'à se faire gloire de leur adresse à dérober ; brutaux, sans honneur, sans parole, capables de tout faire quand on est libéral à leur égard, mais en même temps ingrats et sans reconnaissance. [...] La gourmandise et l'amour du plaisir sont surtout les vices qui règnent le plus parmi nos sauvages : ils se font une habitude des actions les plus malhonnêtes, avant même qu'ils soient en âge de connaître toute la honte qui y est attachée ». Malgré cette peinture aussi sombre que tous les péchés capitaux, le religieux s'attache à louer les qualités qu'il décèle et apprécie chez les sauvages : ils *ne manquent pas d'esprit* et *sont naturellement curieux*, ils savent nourrir de *grands sentiments de piété* et un *attachement inviolable au christianisme*, ils sont capables de donner *le respect et l'amitié*. Et nonobstant l'*inconstance* et la *légèreté* de ses néophytes, le jésuite ne désespère pas des bienfaits de la politique de protectorat moral appliquée par son ordre, au point de redouter l'intrusion de Français ! En effet, « si par malheur quelques-uns d'eux venaient à faire profession de libertinage, et peut-être d'irréligion, comme il est à craindre, ce serait fait de notre mission : leur pernicieux exemple ferait plus d'impression sur l'esprit des sauvages que tout ce que nous pourrions dire pour les préserver des mêmes dérèglements ».

Les « robes noires », malgré les déboires et les déconfitures, malgré les souffrances et parfois le sang de l'ultime tourment, s'attachent à ces peuples, à la fois anciens et neufs, s'intéressent à eux, veulent connaître tous les ressorts de leur vie morale. Bien avant les temps prétentieux et pédants, ils adoptent, autant que faire se peut, une démarche scientifique. Contrairement à certains de leurs contemporains illustres, Montesquieu, Voltaire, De Brosses, Diderot, grands découvreurs en chambre, ils travaillent sur le terrain où ils se comportent en premiers anthropologues et ethnologues. Le P. Gabriel Marest compte parmi ceux-là. Immobilisé par la saison à Michillimakinack, à l'intersection des Grands Lacs, il observe les Outaouacks qui l'entourent avec attention et rigueur. « Les uns sont de la famille de *Michabou*, c'est-à-dire, du Grand-Lièvre. Ils prétendent que ce Grand-Lièvre était un homme d'une prodigieuse grandeur ; qu'il tendait des filets dans l'eau à dix-huit brasses de profondeur, et que l'eau lui venait à peine aux aisselles ; qu'un jour, pendant le déluge, il envoya le castor pour découvrir la terre ; mais que cet animal n'étant point revenu, il fit partir la loutre, qui rapporta un peu de terre couverte d'écume ; qu'il se rendit à l'endroit du lac où se trouvait cette terre, laquelle formait une petite île ; qu'il marcha dans l'eau tout à l'entour, et que cette île devint extraordinairement grande. C'est pourquoi ils lui attribuent la création de la terre. Ils ajoutent qu'après avoir achevé cet ouvrage, il s'envola au ciel, qui est sa demeure ordinaire. » Le religieux prolonge sa recherche et fouille ce monde superstitieux. « La seconde famille des *Ouataouacks* prétend être sortie de *Namepich*, c'est-à-dire de la Carpe. Ils disent qu'une carpe ayant fait des œufs sur le bord de la rivière, et le soleil y ayant dardé ses rayons, il s'en forma une femme de laquelle ils sont descendus : ainsi ils se disent de la famille de la Carpe. La troisième famille des *Outaouacks* attribue son origine à la patte d'un *machova*, c'est-à-dire d'un ours ; et ils se disent de la famille de l'Ours, mais sans expliquer de quelle manière ils en sont sortis. Lorsqu'ils tuent quelqu'un de ces animaux, ils lui font un festin de sa propre chair ; ils lui parlent, ils le haranguent. » Curieux de la crédulité ambiante, Marest se penche sur les croyances magiques de ses hôtes et sur leurs manifestations. « Où la superstition de ces peuples paraît la plus extravagante, c'est dans le culte qu'ils rendent à ce qu'ils appellent leur *manitou* : comme ils ne connaissent guère que les bêtes avec lesquelles ils vivent dans les forêts, ils imaginent dans ces bêtes, ou plutôt dans leurs peaux, ou dans leur plumage, une espèce de génie qui gouverne toutes choses, et qui est le maître de la vie et de la mort. Il y a, selon eux, des *manitous* communs à toute la nation, et il y en a de particuliers pour chaque personne. *Oussakita*, disent-ils, est le grand *manitou* de toutes les bêtes qui marchent sur la terre ou qui volent dans l'air. C'est lui qui les gouverne ; ainsi, lorsqu'ils vont à la chasse, ils lui offrent du tabac, de la poudre et du plomb, et des peaux bien apprêtées. [...] Ils nomment *Michibichi* le *manitou* des eaux et des poissons, et lui font un sacrifice à peu près semblable, lorsqu'ils vont à la pêche ou qu'ils entreprennent un voyage. Ce sacrifice consiste à jeter dans l'eau du tabac, des vivres, des chaudières, en lui demandant que les eaux de la rivière coulent plus lentement, que les rochers ne brisent pas leurs canots, et qu'il leur accorde une pêche abondante. Outre ces *manitous* communs, chacun a le sien particulier, qui est un ours, ou un castor, ou une outarde, ou quelque bête semblable. Ils portent la peau de cet animal à la guerre, à la chasse, et dans leurs voyages, se persuadant qu'elle les préservera de tout danger, et qu'elle les fera réussir dans leurs entreprises. Quand un sauvage veut se donner un *manitou*, le premier animal qui se présente à son imagination durant le sommeil, est d'ordinaire celui sur lequel tombe son choix : il tue une bête de cette espèce ; il met sa peau ou son plumage, si c'est un oiseau, dans le lieu le plus honorable de sa cabane ; il prépare un festin en son honneur, pendant lequel il lui fait sa harangue dans les termes les plus respectueux ; après quoi il est reconnu pour son *manitou*. » Pensée magique, théisme mélangé d'aninisme, tel apparaît l'univers mental et religieux des Indiens de la Nouvelle-France. Perspicace, intuitif, le soldat de Loyola, loin de se laisser déconcerter et entraîner à des jugements dogmatiques, s'abandonne à une réflexion souriante : « *Ces bons sauvages* m'ont souvent donné les preuves du plus sincère attachement. » Les jésuites voient-ils deux réalités, là où il n'y en a qu'une, parlent-ils deux langages à l'opposé l'un de l'autre ? Sans doute s'expriment-ils tantôt au travers des peines que leur impose leur apostolat, tantôt en empruntant les mots de charité que les Évangiles leur enseignent. Il n'y a pas là de contradiction, mais de la lucidité et la volonté d'accomplir le bon plaisir du Christ. Aux religieux qui viendraient servir la Croix « en la Nouvelle-France, et particulièrement au pays des Hurons », Jean de Brébeuf et Le Jeune peignent la vie sauvage avec un réalisme à faire fuir les âmes tièdes. Ils promettent les rigueurs du froid, la promiscuité et la fumée des cabanes, la provocation, la menace et l'injure des sorciers. Les jésuites disent même les moments d'horreur. Ainsi, en 1652, le P. Ragueneau relate *l'heureuse mort du P. Jean de Brébeuf et du P. Gabriel Lallemant.* Les Iroquois « avaient taillladé leurs corps... et, pour accroître le sentiment de la douleur, ils avaient fourré dans ces plaies des haches toutes en feu. Le P. Jean de Brébeuf avait eu la peau arrachée, qui couvre le crâne... Ils lui avaient coupé les pieds et décharné les cuisses jusqu'aux os... Le P. Gabriel Lallemant avait reçu un coup de hache sur l'oreille gauche, qu'ils lui avaient enfoncée jusque dans la cervelle qui paraissait à découvert. Nous ne vîmes aucune partie de son corps, depuis les pieds jusqu'à la tête, qui n'eut été grillée... même les yeux où ces impies avaient fourré des charbons ardents ».

Après cette description d'un monde « que le diable tient encore maintenant en sa puissance », Joseph-François Lafitau, membre, lui aussi de la Compagnie de Jésus, présente, en 1724, une image fort différente des Sauvages, à faire oublier le sang des martyrs et les atrocités commises sur les Européens, civils ou militaires, par temps de paix comme par temps de guerre, ou sur les ennemis indigènes. Ce fils de négociants bordelais, frère d'un séculier intrigant, dont usa Dubois avant de borner ses ambitions à l'évêché de Sisteron, s'est employé dans les *Mœurs des Sauvages américains,* publié en 1724, à montrer que les Indiens sont hommes comme les autres et que leur société s'apparente à cette cité antique, chère aux esprits férus de culture classique. Le jésuite rappelle, d'abord, le préjugé que les Européens nourrissent à l'égard des Indiens. « L'idée qu'on se formait autrefois des Sauvages était d'une espèce d'hommes nus, couverts de poils, vivant dans les bois sans société comme des bêtes, et qui n'avaient de l'homme qu'une figure imparfaite. » Ensuite, il oppose à cette opinion préconçue, la réalité physique et morale. « Les Sauvages à l'exception des cheveux et des sourcils, que quelques-uns même ont soin d'arracher, n'ont pas un poil sur le corps, et s'il leur en vient quelqu'un, ils en ôtent de bonne heure jusqu'à la racine. La première fois qu'ils virent des Européens, leur étonnement fut incroyable, et la longue barbe que ceux-ci nourrissaient en ces temps-là les leur fit paraître étrangement laids. [...] Ils naissent blancs comme nous. Leur nudité, les huiles dont ils se graissent, le soleil et le grand air leur hâlent le teint dans la suite ; mais du reste ils sont grands, d'une taille supérieure à la nôtre, bien faits, bien proportionnés, d'un bon tempérament, lestes, forts et adroits ; en un mot pour les qualités du corps, ils ne nous cèdent en rien, si même ils n'ont sur nous quelque avantage. »

Après le portrait, le religieux, familier du Canada, en vient à l'évocation morale des Indiens. « Le caractère de leur génie et de leur esprit est plus difficile à prendre, et semble renfermer quelques contradictions. Le premier coup d'œil ne leur est pas favorable. [...] On ne croirait pas devoir se tromper en les peignant comme gens grossiers, stupides, ignorants, féroces, sans sentiment de religion et d'humanité, adonnés à tous les vices, que doit naturellement produire une liberté entière, qui n'est gênée ni par le sentiment de la divinité, ni par les lois humaines, ni par les principes de la raison et de l'éducation. Ce portrait ne serait cependant pas fidèle. Ils ont l'esprit bon, l'imagination vive, la conception aisée, la mémoire admirable. Tous ont au moins des traces d'une religion ancienne et héréditaire, et une forme de gouvernement. Ils pensent juste sur leurs affaires, et mieux que le peuple parmi nous. Ils vont à leurs fins par des voies sûres. Ils agissent de sens froid, et avec un flegme qui lasserait notre patience. Par raison d'honneur et par grandeur d'âme ils ne se fâchent jamais, paraissent toujours maîtres d'eux-mêmes, et jamais en colère. Ils ont le cœur haut et fier, un courage à l'épreuve, une valeur intrépide, une constance dans les tourments qui est héroïque, une égalité que les contretemps et les mauvais succès n'altèrent point. Entre eux ils ont une espèce de civilité à leur mode, dont ils gardent toutes les bienséances, un respect pour leurs anciens, une déférence pour leurs égaux qui a quelque chose de surprenant et qu'on a peine à concilier avec cette indépendance et cette liberté dont ils paraissent extrêmement jaloux. Ils sont peu caressants, et font peu de démonstrations ; mais nonobstant cela, ils sont bons, affables, et exercent envers les étrangers et les malheureux une charitable hospitalité, qui a de quoi confondre toutes les nations de l'Europe. » Dans ce tableau, la part laudative submerge les réserves, et, sans bruit, adhère aux « théories figuristes » des jésuites français, envoyés en Chine par Louis XIV. Lafitau et les fils de Loyola, missionnaires au Canada, sachant l'origine asiatique des Sauvages, ne peuvent considérer ceux-ci qu'avec faveur. En effet, ils portent en eux la révélation des enseignements transmis par Dieu à Adam et par Adam à Seth, premier législateur chinois. Le Sauvage est bon, non à cause de sa barbarie, mais parce qu'il conserve le souvenir confus, les traces d'une révélation primitive, de l'antique consentement universel de toute l'humanité à la loi divine. L'opinion gommera cette vision universelle pour ne voir que vertu dans l'individu à l'état de nature, encore épargné par les vices de la civilisation, image de l'égalité. S'efforçant d'oublier ses conceptions théologiques, la domination mondiale de l'homme européen et le calvaire sanglant de certains de ses frères, Lafitau, abandonnant les cimes pour le plain-pied, se regarde et décrit l'humanité indigène de l'Amérique du Nord avec les yeux de l'Indien. Après cet exercice de compréhension, que l'époque n'est pas portée à admettre, il remplit le devoir que l'on attend de lui.

Il dénonce les défauts des Sauvages : ils sont légers, volages, fainéants, ingrats, soupçonneux, traîtres, vindicatifs, cruels, brutaux, vicieux, tous traits qui appartiennent à l'imagerie vulgaire de l'Ancien Monde. Mécontent de cette concession formelle, le jésuite biaise, ruse pour revenir à son premier jugement, à pas feutrés. Lui, l'amoureux de l'Antiquité, découvre les vertus lacédémoniennes chez ces peuples anciens. « Leur rusticité et la disette où ils sont presque de toutes choses leur donnent sur nous cet avantage qu'ils ignorent tous ces raffinements du vice qui ont introduits le luxe et l'abondance. [...] Peut-être devrait-on admirer en eux cette modération qui a su se contenter de peu. [...] Nous serions sans doute plus heureux si nous avions comme eux cette indifférence qui leur fait mépriser et ignorer beaucoup de choses. » La conclusion s'abat, logique. Comme la sévère Sparte n'avait rien à apprendre de la corruption d'Athènes, les Sauvages n'ont rien à tirer de bon de leur fréquentation avec les Européens : « Ils ont moins gagné à s'aider des arts qui pouvaient les mettre à leur aise et leur faciliter les commodités de la vie qu'ils n'ont perdu à imiter nos vices. » *La théorie de l'homme de la nature* conjointement avec la légende américaine a-t-elle été inventée par les jésuites, comme l'a répété Gilbert Chinard, éminent spécialiste de l'exotisme d'outre-Atlantique ? « L'école des sauvages » a-t-elle séduit les religieux, que les Indiens auraient convaincus « de la bonté foncière de leur genre de vie et de leurs qualités naturelles » ? Brillant paradoxe de huguenot, que de faire de Jean-Jacques Rousseau l'héritier de la pensée des soldats d'Ignace ! Que les pères, ordre militaire, aient goûté le mode de vie spartiate des Iroquois et autres tribus, n'est pas contesté, mais qu'ils aient découvert, dans les huttes canadiennes, la prééminence de l'immanence sur la transcendance, de la religion naturelle sur la foi chrétienne révélée, de l'état sauvage sur la civilité des mœurs, participe du mauvais procès ou des plaisirs du paradoxe. Le figurisme est une autre affaire : il ne faut point tout mélanger.

Le bon sauvage contestataire, le bonheur vertueux de la vie de nature et la négation implicite du péché originel, ne sont pas découvertes des jésuites : au contraire, ces notions représentent un détournement de leur pensée, les mots d'ordre du combat contre leur philosophie. La Hontan en constitue le meilleur exemple qui, en 1703, publie, à La Haye, ses *Nouveaux Voyages,* ou lettres sur le Canada, des *Mémoires de l'Amérique septentrionale,* essentiellement consacrés à décrire la vie morale indienne, et un troisième volume contenant les *Dialogues curieux entre l'auteur et un Sauvage de bon sens qui a voyagé.* Une autre conversation, *De l'intérêt propre,* paraîtra en 1705. Ces ouvrages forment une œuvre militante contre l'action des « robes noires », auxquels le R. P. Lafitau répondra en 1724, quand il leur opposera ses *Mœurs des Sauvages américains.*

Dans les *Mémoires,* qui forment la matière brute des *Dialogues,* quel florilège de la sagesse des philosophes nus le gentilhomme gascon présente-t-il ? Presque aussitôt, une réflexion fondamentale : « Les Sauvages ne connaissent ni le tien, ni le mien, car on peut dire que ce qui est à l'un est à l'autre. » Voilà affirmé ce communisme primitif, négateur de la propriété privée, cette égalité entre les hommes, principes du bonheur que dispensait un âge d'or révolu, nostalgie des utopies. Le deuxième propos apporte ses réponses à plusieurs questions, d'importance elles aussi. « Ils se moquent des Sciences et des Arts, ils se raillent de la grande subordination qu'ils remarquent parmi nous. Ils nous traitent d'esclaves, ils disent que nous sommes des misérables dont la vie ne tient à rien, que nous nous dégradons de notre condition, en nous réduisant à la servitude d'un seul homme qui peut tout, et qui n'a d'autre loi que sa volonté. [...] Ils prétendent que leur contentement d'esprit surpasse de beaucoup nos richesses ; que toutes nos Sciences ne valent pas celle de savoir passer la vie dans une tranquillité parfaite. » En quelques mots, la hiérarchie sociale, la monarchie, l'utilité du savoir au bonheur sont jetés à terre : la paix de chacun réside dans une ligne républicaine, égalitaire, où il n'est d'autre connaissance salutaire que la maîtrise et la domination par chacun des appétits et besoins contraires à la nature de l'homme. Les philosophes rustiques s'offrent en modèle. « L'on peut dire qu'ils s'abandonnent tout à fait à leur tempérament et que leur Société est toute machinale. Ils n'ont ni lois, ni juges, ni prêtres, ils ont naturellement du penchant pour la gravité, ce qui les rend fort circonspects dans leurs paroles et dans leurs actions. » Que les Français l'apprennent ! Il n'est de règle et de sagesse que dans l'enseignement ouvert à tous du grand livre de la Nature. Forts de ces premiers principes, les Indiens atteignent à une sorte d'ataraxie existentialiste. « Les Sauvages sont des gens sans souci, qui ne font que boire, manger, dormir, et courir la nuit, dans le temps qu'ils sont à leurs villages. Ils n'ont point d'heures réglées pour leur repas ; ils mangent quand ils ont faim, et le font ordinairement en bonne compagnie à des festins deçà et delà. » Ces philosophes nus, à qui la satisfaction des besoins les plus simples suffit, trouvent dans la métaphysique des voies supplémentaires à l'appréhension et à la conservation de la félicité. « Tous les Sauvages soutiennent qu'il faut qu'il y ait un Dieu, puisqu'on ne voit rien parmi les choses matérielles qui subsiste nécessairement et par sa propre nature. Ils prouvent son existence par la composition de l'univers qui fait remonter à un être supérieur et tout-puissant ; d'où il s'ensuit [disent-ils] que l'homme n'a pas été fait par hasard, et qu'il est l'ouvrage d'un principe supérieur en sagesse et en connaissance, qu'ils appellent le GRAND ESPRIT ou le maître de la vie, et qu'ils adorent de la manière du monde la plus abstraite. Voici comment ils s'expliquent sans définition qui puisse contenter. L'existence de Dieu étant inséparablement unie à son essence, il contient tout, il paraît en tout, il agit en tout, et il donne le mouvement à toutes choses. Enfin tout ce qu'on voit, et tout ce qu'on conçoit est ce Dieu. [...] Ce qui fait qu'ils l'adorent en tout ce qui paraît au monde. » L'inutilité de la religion révélée par le Christ est très affirmée, en même temps que le caractère suffisant de la religion naturelle, laquelle se concilie avec le principe de l'immortalité de l'âme qui promet réparation des malheurs que traverse la vie. Les Sauvages, qui pratiquent la religion naturelle, n'ont rien d'enfants prolongés qui promènent sur le monde des yeux parfois éblouis, mais toujours obéissants. « Ils soutiennent que l'homme ne doit jamais se dépouiller des privilèges de la raison, puisque c'est la plus noble faculté dont Dieu l'ait enrichi, et que puisque la religion des chrétiens n'est pas soumise au jugement de cette raison, il faut absolument que Dieu se soit moqué d'eux en leur enjoignant de la consulter pour discerner ce qui est bon de ce qui ne l'est pas. De là ils soutiennent qu'on ne lui doit imposer aucune loi, ni la mettre dans la nécessité d'approuver ce qu'elle ne comprend ; et qu'enfin ce que nous appelons article de foi est un breuvage que la raison ne doit pas avaler, de peur de s'enivrer et s'écarter ensuite de son chemin, d'autant que par cette prétendue foi on peut établir le mensonge aussi bien que la vérité, si l'on entend par là une facilité à croire sans rien approfondir. » La déesse Raison chasse l'homme-Dieu : une espèce de géométrie sociale se substitue à la foi, cet élan de charité et d'exigence où chacun prépare son salut. Rien ne résiste à la religion rationaliste, sublime clairvoyance. À preuve, les Sauvages bannissent « cette sorte de fureur aveugle que nous appelons amour. Ils se contentent d'une amitié tendre, et qui n'est point sujette à tous les excès que cette passion cause à tous ceux qui en sont possédés. En un mot, ils aiment si tranquillement qu'on pourrait appeler leur amour une simple bien-veillance. Ils sont discrets au-delà de tout ce qu'on peut s'imaginer, leur amitié quoique forte est sans emportement, veillant toujours à se conserver la liberté du cœur, laquelle ils regardent comme le trésor le plus précieux qu'il y ait au monde. D'où je conclus qu'ils ne sont pas tout à fait si sauvages que nous. » Quant à la famille, les Indiens, uniquement préoccupés de raisonnable, la réduisent au respect pour les aïeux et à une tendresse relativement indifférente pour leurs enfants.

Les thèses, développées dans les *Mémoires*, sont reprises dans les *Dialogues* entre La Hontan et le Sauvage Adario ; la forme changeant, sous l'influence du polygraphe Gueudeville — ami de Bayle —, le fonds demeurant intact. Au plus, obtient-on d'Adario quelques précisions sur la norme qui régit la société indienne. « Nous vivons simplement sous les lois de l'instinct, et de la conduite innocente que la Nature sage nous a imprimée dès le berceau. Nous sommes tous d'accord, et conformes en volonté, opinions et sentiments. Ainsi nous passons la vie dans une si parfaite intelligence, qu'on ne voit parmi nous ni procès, ni dispute, ni chicane. » Le Gascon a rapporté de ses séjours à la Nouvelle-France un appel au grand bouleversement et à l'anarchie. D'une plume vive et cinglante, il renverse le trône et l'autel, abolit la propriété et la famille. Ces textes brefs, d'une violence renouvelée de ligne en ligne, d'une lecture infiniment plus captivante que le pathos pédagogique de Rousseau et les incantations interminables de Diderot, n'ont pas reçu l'hommage des philosophes du siècle des Lumières, auxquels ils ont pourtant fourni le matériau de leurs réflexions. La Révolution française a-t-elle pris naissance clandestinement dans le Canada de Louis XIV ? Le contenu de sa doctrine reproduit à n'en pas douter les théories du baron, officier sans le sou, suppliant en vain Seignelay d'éteindre ses petites dettes. Aigreur, vengeance, défi d'un laissé-pour-compte ? Misère ? L'important est ailleurs : dans la présence des colonies au sein du domaine fermé de ces idées qui agitent le monde et parfois le mènent. Le bon sauvage américain, prêchant l'ordre naturel et l'égalité, fonction dans laquelle il sera relayé par le bon esclave noir des Antilles, revendiquant la liberté universelle, mettra l'Ancien Régime à mal, tout comme la morale « laïque » de Confucius et l'anti-despotisme chinois que les jésuites ont enseignés à Voltaire et autres philosophes, impatients de lendemains nouveaux.

Les Sauvages de la Nouvelle-France, auxquels les jésuites portent intérêt, dévouement et affection, malgré de cruelles vicissitudes, n'inspirent pas aux philosophes institutionnels ce même sentiment de mépris dégoûté que les Noirs leur commandent. Comme Mme Michèle Duchet le souligne avec pertinence, ces peuples primitifs, c'est-à-dire vivant à l'état de nature, bref, ces êtres bruts « forment une sorte d'humanité en marge de l'histoire de l'Homme », aux yeux d'un penseur du siècle des Lumières aussi éminent que M. de Buffon. L'auteur respecté des *Époques de la nature* place l'Indien, après l'Africain, dans la catégorie des races dégénérées, épigones déshérités de l'espèce. À la question, qui est l'indigène américain, le savant répond, imperturbable : « Ne s'étant jamais soumis, ni les animaux ni les éléments, n'ayant dompté les mers ni dirigé les fleuves, ni travaillé la terre, *il n'était en lui-même qu'un animal du premier rang*, et n'existait pour la nature que comme un être sans conséquence. » Voltaire, toujours égal et fidèle à lui-même, utilise le même langage. Il fait mine de prendre du champ, pour conclure plus vite et plus fort. Les peuplades d'Amérique « vivent sous des huttes ; elles se vêtissent de peaux de bêtes dans les climats froids, et vont presque nues dans les tempérés. Les unes se nourrissent de la chasse, les autres de racines qu'elles pétrissent : elles n'ont point recherché un autre genre de vie, parce qu'on ne désire point ce qu'on ne connaît pas. Leur industrie n'a pu aller au-delà de leurs besoins pressants. Les Samoyèdes, les Lapons, les habitants du Nord de la Sibérie, ceux du

Kamtschatka, sont encore moins avancés que les peuples de l'Amérique. La plupart des Nègres, tous les Cafres sont plongés dans la même stupidité, et y croupiront longtemps. » En quelques mots de l'*Essai sur les mœurs*, les choses sont entendues. Toutefois, le seigneur de Ferney juge bon de se répéter. Évoquant l'Amérique, il estime que « la stupidité de l'espèce humaine, dans une partie de cet hémisphère, a dû influer beaucoup sur la dépopulation ». Après quoi, il enchaîne : « On a connu, en général, que l'entendement humain n'est pas si formé dans le nouveau monde que dans l'ancien. » Le racisme inné des Lumières, maître des grands esprits, ne néglige pas l'adhésion d'intelligences moins célébrées. Ainsi le Hollandais Cornélius De Pauw, lu en son temps, un peu oublié aujourd'hui, dénonce dans les Sauvages, chers à Lafitau, « une espèce dégénérée du genre humain, lâche, impuissante, sans force physique, sans vigueur, sans élévation dans l'Esprit. » Les *Recherches philosophiques sur les Américains* (1768) ne pèchent pas par originalité : c'est le moins que l'on puisse dire.

Autant les esprits distingués de la métropole n'éprouvaient que dédain et répulsion pour les Sauvages du Canada — à l'exception de Lesage, à qui l'on doit les *Aventures du chevalier de Beauchêne, Canadien français élevé par les Iroquois et qui devint capitaine de flibustiers*, adaptation, vraisemblablement d'un manuscrit ou d'un récit authentique —, autant certains Français du Nouveau Monde cèdent à la tentation indienne. Après son maître, Richelieu, Colbert, avait érigé les mariages interraciaux et le métissage en doctrine de gouvernement dans la colonie, reprochant aux jésuites d'empêcher Européens et Sauvages de se fondre en une seule race. En réalité, les fils de Loyola ne s'opposent pas à cette politique, mais y adjoignent une condition. Le P. de Sesmaisons s'en ouvre, vers 1648, dans un mémoire ayant pour titre : *Raisons qui peuvent induire Sa Sainteté à permettre aux Français qui habitent la Nouvelle-France d'épouser des filles Sauvages, quoique non baptisées ni même encore instruites à la chose chrétienne*. Le religieux demande « que tout Français qui voudra prendre à femme une fille sauvage, sans doute il la prendra jeune, de peur qu'elle ne soit corrompue, et n'aura point plus de douze ans qui est un âge si tendre qu'elles seront en état d'être instruites à ce que l'on voudra ». En effet, avant le mariage, jeunes Indiens et Indiennes ont la réputation de mener une vie libertine et de « courir l'allumette » avec gourmandise. Ayant fixé le temps de l'union à un âge dont la précocité garantit la pureté, le missionnaire assure que les jeunes Sauvages, « par la douceur qu'elles goûteront en cette sorte de vie, au sortir d'une si misérable que la leur, elles auront une grande amitié pour leurs maris, en sorte qu'elles se porteront d'elles-mêmes à tout ce que l'on voudra comme naturellement. Les femmes des Sauvages sont fort complaisantes et fort obéissantes à leurs maris, supportant toutes les fatigues imaginables dans la misère de leur condition ». Et le jésuite poursuit, révélant une adhésion aux principes de Colbert que celui-ci ne soupçonnait pas. « Ces mariages avanceront beaucoup la peuplade de ce grand pays où Dieu n'est point servi. Car nos Français s'y étant mariés, ils seront retenus par les liens sacrés du mariage, et ne repasseront pas en France comme ils font pour y venir prendre femme. [...] La situation et la nature du pays requièrent cette permission, car étant comme il est au-delà des mers, il est très difficile pour ne pas dire quasi impossible de trouver des filles (au moins à suffisance), qui aient le courage de s'exposer au danger du passage et, néanmoins, il est nécessaire qu'il y en ait si on y veut augmenter la foi chrétienne. » Pour remédier à la pénurie de Françaises, que la traversée de l'Atlantique rebuterait, les fils de Loyola incitent donc le pape « à permettre aux Français qui habitent la Nouvelle-France d'épouser les filles Sauvages, quoique non baptisées ni même encore beaucoup instruites ».

Cette stratégie de fusion des races avortera : au xviiie siècle, les mariages mixtes seront même interdits, non pour des raisons de couleur, mais pour empêcher nombre de Français de passer à la vie sauvage. Jusqu'en 1663, Marcel Trudel ne relève que quatre mariages avec des Indiennes et un cinquième avec une métisse. Mais sur les 2 087 esclaves sauvages, répertoriés sous la domination française (contre 1 517 Noirs), M. Trudel compte 34 mariages interraciaux. Paradoxalement, il était plus facile à un Blanc d'épouser légitimement une esclave qu'une libre : en effet, les femmes en servitude étaient considérées comme francisées, sédentarisées. Les unions entre les deux races s'opèrent donc dans l'illégitimité française. Elles se multiplient, disséminées au Canada et en Louisiane, ignorant les frontières. Placées sous le signe de la chasse et de la traite de la fourrure, elles visent une partie de la population des coureurs de bois. Peu à peu, comme l'observe Ph. Jacquin, elles donnent naissance à de véritables communautés franco-indiennes, dans les régions riches en peaux, qui forment ce gigantesque empire s'étendant des Grands Lacs aux Rocheuses, et se baignant dans les vallées du réseau fluvial du Mississipi et du Missouri. Un mouvement d'acculturation réciproque, où chaque race trouve son compte, s'ébranle, engendrant un métissage des sangs plus important qu'il n'y paraît. Les Blancs s'ensauvagent, observe le chevalier de Tonti, bras droit de Cavelier de La Salle. « Ils courent les bois en bas et en souliers, sans culotte avec un simple braguet. Ils se plaisent surtout à se faire piquer et il y en a qui, au visage près, le sont presque par tout le corps. J'en ai vu plusieurs et surtout un officier, homme de condition, dont vous pourriez connaître le nom, qui, outre une image de la Vierge avec enfant Jésus, une grande croix sur l'estomac avec les paroles miraculeuses qui apparurent à Constantin et une infinité de piqûres dans le goût des Sauvages, avait un serpent qui lui faisait le tour du corps dont la langue pointue et prête à darder venait aboutir sur une extrémité que vous devinerez, si vous pouvez. » De leur côté, les

Sauvages acceptent ces intrusions étrangères, qui s'intègrent, au lieu de détruire comme le rhum et la variole des Anglais. Dans ses *Nouveaux Voyages*, Bossu rapporte l'invitation à l'hospitalité qu'un chef adresse à la jeunesse de son village. « Jeunes gens et guerriers, ne soyez point fols, aimez le Maître de la vie ; chassez pour faire vivre les Français qui nous apportent nos besoins ; et vous jeunes filles, ne soyez point dures ni ingrates de votre corps, vis-à-vis des guerriers blancs pour avoir de leur sang ; c'est par alliance que nous aurons de l'esprit comme eux, et que nous serons redoutés comme eux. »

À la fin du xviie siècle et surtout au xviiie siècle, les relations entre Sauvages et Français, que les guerres iroquoises ne troublent plus, s'améliorent malgré quelques tribulations suscitées par les Anglais. Le commerce, la chasse, l'exploration rapprochent les deux races, et la guerre aussi : les tribus alliées ne fournissent-elles pas des contingents de francs-tireurs aux troupes de la colonie ? Loin de Québec et de Montréal, on assiste à des adoptions de Français ou de prisonniers anglais, par des familles huronnes, illinoises ou autres, à des mariages coutumiers, le plus souvent avec des coureurs de bois, parfois aussi avec des militaires qui souffrent d'isolement et de solitude. L'ingénieur Franquet, au cours de sa visite du Canada, à la moitié du xviiie siècle, observe les Hurons des environs du fort du Détroit, soulignant l'union originale dans laquelle ils vivent avec les Blancs. « La plupart parlent français, sont assez vêtus de même ; néanmoins ils portent toujours un braguet et une couverture de laine dont ils s'enveloppent ; ils élèvent des volailles et des bestiaux ; ils ont même des chevaux qu'ils conduisent eux-mêmes, attelés à des carrioles pour se rendre en ville. Le sang parmi eux est mêlé aujourd'hui ; d'autant qu'il y a en hommes et en femmes des esclaves anglais faits prisonniers dans les guerres et qu'ils ont adoptés, qui y prennent des habitudes et s'y marient. Il y a même des femmes françaises qui épousent des sauvages ; d'ailleurs, il n'est point sans exemple qu'on y porte des bâtards qui, élevés dans les manières sauvages, ne tiennent à rien de celles de notre nation. Il est aisé de distinguer tous ces étrangers à la couleur de leur peau, qui est autant blanche que celle des sauvages est bronzée. Les maisons sont bâties à l'instar et dans le goût de celles de nos habitants, de pièces sur pièces, couvertes en planches et distribuées avec cheminées, portes et fenêtres. Ils s'y procurent assez les mêmes commodités ; entre autres des poêles en hiver, de sorte que leur malpropreté se trouvant échauffée, répand une odeur qu'eux seuls sont capables de supporter. Les hommes néanmoins, malgré toutes ces aisances qu'ils se procurent à force d'argent, conservent toujours l'usage de la chasse en hiver, mais ils ne s'éloignent guère plus de 30 à 35 lieues. » Ces Indiens et ces Français acculturés de plus en plus proches les uns des autres, que renforce le peuple toujours plus nombreux des métis, étendent les zones de chasse. Ils participent, s'appuyant sur le lacis des forts et postes, à la politique de blocus des Anglais dans leurs comptoirs de la baie d'Hudson, d'interdiction des Grands Lacs, et de cantonnement derrière les rivières Richelieu, Ohio, et Alabama en Louisiane.

Si quelques coureurs de bois trahissent le roi, la nébuleuse franco-indienne, dans son ensemble, reste fidèle et combat aux côtés des troupes régulières. Quand, en 1763, la France abandonne le Canada et la Louisiane orientale aux Britanniques et l'Ouest du Mississipi à l'Espagne, les communautés métisses ne quittent pas leurs territoires tandis que les « voyageurs » français refluent vers le haut Mississipi et le Missouri chez les Sioux, les Cheyennes et les Arapaho, d'autres se réfugiant plus au sud, chez les Kiowas et les Comanches. Tous épousent des Indiennes, ont des enfants : des groupes de sang-mêlé se forment, alliés aux Sauvages. En 1875, précise Ph. Jacquin, 21 691 métis sont éparpillés à l'ouest du Mississipi, alors que 11 230 vivent dans la Prairie canadienne : ces *Indiens Blancs* parlent le français qui demeure la langue de la fourrure. Les métis du Canada tentent de s'affranchir de la domination anglaise et de se constituer en une entité autonome. À leur tête, Louis Riel organise la résistance dans la région de la rivière Rouge, au sud du lac Winnipeg : nommé à la tête d'un gouvernement provisoire indépendant, en 1869, il est contraint, l'année suivante, de se replier aux États-Unis après l'intervention des troupes canadiennes, commandées par le colonel Wolseley. Revenu au Canada, il prend la tête de la révolte de Saskatchewan en 1884, et assume à nouveau la présidence du gouvernement métis. Vaincu à Basoche, trahi, il est condamné à mort et pendu par les Britanniques en 1885. L'ultime épopée de Riel fait écho à celle du baron de Saint-Castin, fils d'une Abénaqui, qui, pendant la fatale guerre de Succession d'Espagne avait lutté jusqu'à l'épuisement pour empêcher les Anglais de mettre la main sur l'Acadie maritime.

L'attraction, que les Français des territoires isolés du Canada éprouvent pour les Indiennes, date des premiers temps de la pénétration française, et survit à la colonisation proprement dite. Tous notent ce goût des enfants de l'Europe pour les femmes sauvages : jésuites, administrateurs, voyageurs, les uns pour le déplorer, certains pour s'en étonner, d'autres pour en sourire. Parcourant la Nouvelle-France, Kalm observe les Indiens dans leurs rapports généraux avec les Blancs de l'Amérique. Il va de surprise en surprise, à commencer par la personnalité de l'indigène, chargé de le guider dans une excursion aux alentours de Québec. « Cet Indien était un Anglais de naissance qui fut pris par les sauvages il y a trente ans, alors qu'il n'était encore qu'un petit garçon, et adopté par eux, suivant leur coutume, pour tenir la place d'un des leurs tué par l'ennemi. Depuis ce temps il est toujours resté avec eux ; devenu

Catholique Romain, il s'est marié avec une femme indienne, s'habille comme un Indien, parle anglais et français et plusieurs des idiomes sauvages. Dans les guerres entre les Français et les Anglais, les tribus amies des Français ont fait beaucoup de prisonniers des deux sexes dans les colonies anglaises, les ont adoptés et mariés avec des gens de leur nation. Il s'en suit que le sang indien au Canada est très mélangé de sang européen, et une grande partie des sauvages maintenant vivants peuvent se dire d'origine anglaise. Chose remarquable, la plupart des individus qu'ils ont ainsi pris pendant la guerre, et incorporés à leurs nations, les jeunes gens surtout, ont refusé de retourner dans leur pays natal, alors même qu'il était en leur pouvoir de le faire, résistant aux sollicitations de leurs plus proches parents, venus exprès pour les chercher, et préférant la vie licencieuse des sauvages aux douceurs du foyer paternel. Ces Indiens d'adoption s'habillent comme les sauvages, et font tout à la mode indienne. Ce n'est pas chose aisée que de les distinguer des vrais Indiens, si ce n'est par leur couleur, qui est un peu plus blanche. Il y a aussi un grand nombre de Français qui sont allés habiter avec les Indiens et ont adopté leur manière de vivre. » Le naturaliste réitère sa réflexion quelque temps plus tard, lui donnant par là un caractère de banalité. « Il faut remarquer qu'il est difficile de juger de la vraie complexion des sauvages du Canada, tant leur sang s'est mélangé avec celui des Européens, soit par suite de leur coutume d'adopter des prisonniers des deux sexes, ou bien à cause de leur fréquent commerce avec les Français qui, en voyageant dans le pays, contribuent pour une bonne part à l'accroissement des familles des Indiens, dont les femmes ne sont pas très farouches. »

Cette confusion raciale, contrainte dans le cas des Britanniques, spontanée quand il s'agit des Français, entraîne le Suédois aux bords des profonds étonnements. « Chose curieuse ! tandis que beaucoup de nations imitent les coutumes françaises, je remarque, qu'ici, ce sont les Français qui, à maints égards, suivent les coutumes des Indiens, avec lesquels ils ont des rapports journaliers. Ils fument, dans des pipes indiennes, un tabac préparé à l'indienne, se chaussent à l'indienne et portent jarretières et ceintures comme les Indiens. Sur le sentier de guerre ils imitent la circonspection des Indiens ; de plus, ils leur empruntent leurs canots d'écorce et les conduisent à l'indienne ; ils s'enveloppent les pieds avec des morceaux d'étoffe carrée au lieu de bas et ont adopté beaucoup d'autres façon indiennes. [...] Au contraire, c'est à peine si l'on connaît un Indien qui ait adopté les coutumes européennes ; ceux qui ont été faits prisonniers pendant la guerre ont toujours cherché à retourner au milieu des leurs, même après avoir joui, pendant plusieurs années de captivité, de tous les privilèges des Européens en Amérique. » En sous-entendu, affleure le discours sur l'excellence de l'état de nature et sur les vices de la civilisation, inauguré par le baron de La Hontan et maintenant repris, à grand fracas, par Jean-Jacques Rousseau. Ce thème — de l'irrésistible attraction des coutumes indiennes et de leur supériorité — sera traité de manière historico-littéraire par Jean de Crèvecœur, Normand, ancien officier sous Montcalm, passé en 1759 dans les Treize Colonies où il se marie et s'établit. Ce personnage étrange au point que l'on ne sait qu'en penser, devenu propriétaire terrien, loyaliste au moment du soulèvement des Américains contre Londres, publie en 1782 un ouvrage qui le rend célèbre, *Lettres d'un fermier américain,* qui sera traduit en francais en 1784, 1785 et 1787. Venu en France en 1781, d'où il repartira pour diriger le consulat de New York de 1784 à 1790, il fréquente Brissot, Clavière et Bergasse, avec qui il fonde la Société gallo-américaine, se lie avec Madame d'Houdetot et son amant, Saint-Lambert — auteur de contes sauvages, *Les Deux Amis* et *L'Abénaki* —, ainsi qu'avec d'autres Lumières du siècle, Condorcet, Lacretelle, Target, la princesse de Beauvau, les La Rochefoucauld, le comte de Jarnac, La Fayette, le marquis de Turgot (l'homme du Kourou), le comte de Buffon, etc., sans oublier le maréchal de Castries. Cet anglophile devenu américanophile par la grâce d'une révolution réussie, célèbre, dans ses *Lettres,* les enfants de Washington, car ils « réunissent toutes les lumières de la civilisation à la simplicité des temps antiques ». Au travers d'une foule stupéfiante de clichés et de poncifs, tantôt il pleure sur les horreurs de l'esclavage, tantôt il chante les vertus de la société sauvage. S'inspirant de Kalm, traduit en allemand, ou reprenant à son compte un lieu commun, Crèvecœur raconte l'histoire d'un Suédois et d'un Français, prisonniers des Indiens pendant vingt mois, qui, adoptés par deux femmes Sauvages qu'ils avaient épousées, apprennent avec dépit que les autorités européennes se préparaient à racheter leur liberté. Le village laissant aux deux Blancs le choix de partir ou de rester, ceux-ci choisissent le dernier parti, faisant à la fois l'éloge de la société indienne et le procès de celle où ils avaient vécu une trentaine d'années. « Où irons-nous, dirent-ils, pour être plus libres que nous le sommes ici ? Nous étions soldats avant notre captivité, et que deviendrons-nous à notre retour ? Tandis que nous n'avons plus de chaîne, irons-nous rentrer dans l'esclavage pour dix sols par jour ? Ici nous vivons bien et avec peu de travail ; nous ne connaissons plus cette foule de soins et de désirs perpétuels, que font naître des besoins qui se renouvellent chaque jour ; nous nous souvenons trop encore de ces sollicitudes affligeantes que nous avons tant de fois essuyées ; de ces craintes de châtiment ; châtiment souvent terrible, cruel et destructeur de l'espèce humaine, de ce respect éternel que nous devions à tout le monde, de cette gradation de supérieurs qui ne finit point, de cette contradiction perpétuelle de volonté qui nous empêche à chaque minute de parler ou d'agir. [...] Telles sont en raccourci les réflexions qui leur firent préférer la vie sauvage à celle qu'ils auraient pu se procurer. Genre de vie dont vous semblez cependant entretenir une opinion si effrayante. Il y a donc dans leurs système social quelque chose de singulièrement captivant, quelque chose de supérieur aux charmes de nos mœurs et de nos coutumes, puisque des milliers d'Européens sont devenus volontairement sauvages, et que depuis la découverte de l'Amérique, nous n'avons pas un seul exemple qu'aucun de ces *Aborigènes* ait par goût et par choix adopté nos lois et nos usages ? On y trouve donc quelque chose de plus conforme aux inclinations naturelles que dans la société améliorée, au milieu de laquelle nous vivons, et que vainement peut-être nous croyons supérieure à tout autre. »

Peu importe que Crèvecœur, l'Américain, ait copié Kalm en l'accommodant à sa manière, car son apologie de la société sauvage n'est qu'un mensonge destiné à satisfaire aux goûts de la mode. En effet, dans son *Voyage dans la Haute Pennsylvanie et dans l'État de New York,* paru après la Révolution, en 1801, le Normand, toujours étrange, mais cette fois jurant de sa sincérité, stigmatise les Sauvages et ceux qui les ont loués ! « Il y a cependant eu de grands écrivains, répliqua M. Herman, qui ont fait de beaux discours pour prouver que la civilisation n'est point un avantage, mais un éloignement funeste de l'empreinte primitive et sublime que nous avons reçue du Créateur. Moi-même j'en étais persuadé. — Ce qu'en ont dit ces écrivains, lui répondis-je, n'était inspiré que par l'esprit de censure et de singularité : ils préconisaient l'être sauvage qu'ils ne connaissaient pas pour faire la satire de leurs contemporains. Si, comme moi, ils eussent accompagné ces indigènes dans leurs guerres dévastatrices ; si leurs yeux eussent été témoins des tourments qu'ils infligent à leurs prisonniers, ainsi que ces abstinences meurtrières, fruit de la plus aveugle imprévoyance ; si enfin ils eussent assisté à ces repas de cannibales, à ces scènes d'ivresse dont le souvenir fait frémir, très certainement ils auraient été ailleurs que chez des hommes de la nature chercher l'original de leurs tableaux mensongers. » Cette palinodie, outre qu'elle met à nu la tromperie d'un philosophe adulé de la fin d'un siècle des Lumières, dont elle éclabousse la réputation, montre l'infini qui sépare les coureurs de bois, Riel et Saint-Castin d'avec les idéologues, pétris de préjugés, parmi lesquels, le racisme. Le mythe virginal et égalitaire du bon Sauvage inventé aux temps paisibles par La Hontan et Rousseau, amateurs d'architectures intellectuelles, n'a pas survécu aux violences du « rasoir national ». Et l'Indien, animal brut, méprisé de Voltaire et de Buffon, est renvoyé à son néant par le reniement du philosophe Crèvecœur.

LA LOUISIANE

La Louisiane ou Mississipi, comme la Guyane, est tout ensemble un mythe, un échec et une ombre de colonie. À la fin du XVIIe siècle, coureurs de bois et religieux, les uns à la recherche de fourrures, les autres s'inquiétant d'âmes à évangéliser, forment un groupe d'éclaireurs, qui partent à la découverte, que marchands et officiers suivent à la trace pour créer ici et là les établissements et des forts. Ainsi, en février 1682, reprenant l'itinéraire exploratoire de Jolliet et du P. Marquette, qui avaient descendu le Mississipi jusqu'à son affluent l'Arkansas, Cavelier de La Salle, commandant du fort Frontenac, et ses hommes descendent la « grande rivière » jusqu'à son delta, dans le golfe du Mexique. Là ils prennent possession de la Louisiane au nom du Grand Roi. Puis, en avril, l'expédition entreprend la remontée du Mississipi, atteignant le poste de Michillimackinac, à la jonction des lacs Michigan, Huron et Supérieur, au mois de septembre. Le Normand a gagné la bataille qui l'oppose aux jésuites pour le gain d'une gigantesque concession. Le Mississipi ne sera pas un nouveau Paraguay où les Sauvages seront préservés des effets meurtriers de l'eau-de-vie, mais un territoire à privilège commercial, sous l'autorité du roi. Découvertes nationales et trafic particulier marchent de conserve. Quand, en 1684, le découvreur quitte La Rochelle à la tête de quatre navires, pour trouver l'embouchure de la « grande rivière », il erre et échoue. Il meurt, assassiné par l'un des siens, sur le rivage du Texas, en mars 1687, sans avoir revu le chevalier de Tonty, à qui il avait demandé de redescendre le fleuve et de venir l'attendre sur les plages où le Mississipi déverse ses eaux boueuses.

À la fin de la guerre de la ligue d'Augsbourg, en 1697, Louis XIV règne toujours sur une colonie fantôme qui porte son nom. Consciente de l'importance de l'axe Saint-Laurent-Grands Lacs-Mississipi, la Cour, à l'instigation de Louis de Pontchartrain, donne des ordres significatifs aux négociateurs des traités de Ryswick. « Sa Majesté croit devoir leur faire observer à cet égard que cette rivière [le Mississipi] est le seul endroit par où l'on peut tirer les marchandises de la Louisiane, que Sa Majesté a fait découvrir depuis plusieurs années, et qui lui deviendrait inutile si elle n'était pas maîtresse de cette embouchure. Elle veut bien aussi leur confier que son dessein est d'envoyer dans peu de temps des vaisseaux pour s'assurer la possession de ce pays, dont elle peut tirer dans la suite de très grands avantages, et elle est persuadée qu'ils ne se serviront de ce secret que pour s'opposer avec plus de vivacité aux Anglais, dans le cas où ils voudraient prétendre à l'embouchure du Mississipi. »

Une colonie franco-canadienne

Louis XIV, mesure que l'accession des Hanovre au trône d'Angleterre fera éclater l'hostilité du cabinet de Saint-James, silencieuse — moyennant subsides — mais latente et toujours prête à franchir le pas. Aussi, pour prendre Londres de vitesse dans cette Amérique que la Succession d'Espagne agitera peut-être, jette-t-il les yeux sur le capitaine de frégate Le Moyne d'Iberville, le « Cid canadien », et lui confie-t-il, le 23 juin 1698, de s'en « aller reconnaître l'embouchure du fleuve Mississipy dont la découverte a été tentée jusqu'à présent avec si peu de succès ». Le 2 mars 1699, Iberville a accompli sa mission et rentre à La Rochelle après avoir remonté la partie inférieure de la « grande rivière » et établi un fort sur la côte orientale, à Biloxi. Le Canadien revient l'année suivante, en 1700, malgré la mauvaise humeur des Anglais et des Espagnols, renforce la garnison de Biloxi, rencontre les tribus indiennes et promet la protection de la France à celles qui resteront sourdes aux menées des émissaires de la Caroline, installés parmi les Chicachas. Enfin, Le Moyne effectue son troisième et dernier voyage à Mississipi pendant les derniers mois de 1701 et les premiers de 1702, après que le roi eut décidé, le 31 mai 1701, de faire de Mississipi un gouvernement indépendant. À cette occasion, conformément aux instructions de la Cour, qui veut ménager Madrid, il détruit le fort de Biloxi et en construit un autre à l'embouchure de la Mobile. Toujours en application des instructions royales, il renforce, avec le concours de Tonty, l'alliance des Français avec les tribus des Chicachas et des Chactas contre les Anglais de la Caroline et les huguenots français, se félicite — contrairement au gouverneur du Canada — de l'arrivée de coureurs de bois, venus des Grands Lacs et, son remplaçant étant mort, confie le commandement de la colonie à son frère cadet, Bienville. Malgré la menace de l'Angleterre, toujours suivie de la Hollande, malgré le refus espagnol de lui céder Pensacola et même de fortifier la Mobile, Louis XIV passe outre pour affirmer les intérêts français dans le golfe du Mexique, avant l'ouverture de la succession madrilène. Le monarque trouve dans le marin canadien un exécutant fidèle et efficace. Mais celui-ci nourrit une double ambition : assurer l'expansion de la France en Amérique, mais aussi bâtir un axe militaire Québec-Grands Lacs-la Mobile afin d'empêcher les Anglais de concentrer, en toute tranquillité, leurs efforts contre le Canada. Le

Grand Roi agit en pensant à la puissance de la France ; Iberville sert ses deux patries, le royaume et la Nouvelle-France. Il ne s'en cache pas et expose son opinion, qui est une vision stratégique, consciente de la géopolitique régionale : il l'expose dans ses mémoires et dans plusieurs de ses lettres. Au mois de janvier 1701, après sa deuxième expédition, le Canadien envoie à Jérôme de Pontchartrain un mémoire sur les territoires que les Anglais occupent dans l'Amérique septentrionale. Il met en relief le double mouvement de progression des sujets du Hanovrien : à partir de la Virginie, ils marchent à l'ouest vers les tribus des Arkansas, chez qui ils commencent à s'établir, et avancent plus au nord, vers la Wabash, affluent de l'Ohio, en direction du pays des Illinois et du lac Michigan ; à partir de la Caroline, ils descendent vers la Floride espagnole et le Mississipi. Iberville dénonce ce danger qui menace la présence française dans le Nouveau Monde et propose le moyen d'y faire face. « Si l'on veut faire un peu d'attention au pays occupé par les Anglais de ce continent et qu'ils ont dessein d'occuper, des forces qu'ils ont dans ces colonies, où il n'y a ni prêtres ni religieuses et où tout peuple, et de ce qu'ils seront dans trente ou quarante ans, on ne doit faire nul doute qu'ils n'occupent le pays qui est entre eux et le Mississipy, qui est un des plus beaux pays du monde. Ils seront en état, joints aux Sauvages, de lever des forces suffisantes par mer et par terre pour se rendre les maîtres de toute l'Amérique, du moins de la plus grande partie du Mexique, qui ne se peuple pas comme font les colonies anglaises, qui se trouveront en état de mettre en campagne des armées de trente et quarante mille hommes, et seront rendus où ils voudront aller avant que l'on le sache en France ni en Espagne, où on n'est guère informé de ce qui se passe dans ces colonies. Quoique le pays occupé à présent par les Anglais ne soit pas considérable, ce ne doit pas être une raison pour empêcher la France de remédier de bonne heure à la ruine entière des colonies françaises et espagnoles de l'Amérique, surtout du Mexique, en jetant promptement une bonne colonie aux environs du Mississipy, qui tombe au milieu du golfe, occuper la Mobile et empêcher les progrès des Anglais dans ce pays sur les nations des Indiens. »

Le Moyne insiste sur la nécessité d'édifier au plus vite une colonie dans le prolongement de la rivière de la Mobile et de mettre en œuvre une politique d'alliance avec les Indiens pour couper la route du Mississipi aux Anglais. Les instructions royales d'août 1701, reprendront la philosophie du plan que le Canadien avait lui-même proposée. « Il me paraît qu'il est absolument nécessaire de jeter une colonie dans le Mississipy à la rivière de la Mobile, et se joindre aux Indiens, qui y sont assez nombreux, par villages et nations séparées, et les armer pour se soutenir contre ceux que les Anglais ont dans leur parti et faire repasser les Anglais au-delà des montagnes, ce qui est facile, à présent qu'ils ne sont pas encore puissants dans l'ouest d'elles, n'ayant encore à eux de nations considérables que les Chicachas, avec lesquels nous sommes en pourparler de paix et les Chaouanons, dans l'espérance d'avoir plus facilement de nous toutes les denrées d'Europe et à meilleur marché qu'eux, en ce que nous les leur porterons par les rivières, au lieu que les Anglais leur portent par les terres sur des chevaux. C'est ce que je leur ai fait proposer l'année dernière, et ils m'ont promis de se trouver à une assemblée de tous les chefs des nations, qui doit se faire au fort du Mississipy au printemps prochain, où il sera facile de les engager à faire une paix générale entre eux et à nous remettre les Anglais interprètes qu'ils ont dans leurs villages, moyennant quelque présent, et y établir aussitôt des missionnaires, qui les entretiendront dans nos intérêts et attireront un très grand nombre de peuples à la Religion. Tout cela peut se faire avec peu de dépense, au lieu que, si l'on attend plus tard, cela ne sera pas si facile : les Anglais, s'y fortifiant, ou diminueront les nations qui sont dans nos intérêts, ou ils les obligeront de se mettre dans les leurs. » Au retour de sa troisième expédition, au mois de novembre 1702, le marin justifie la fortification de la Mobile qu'il avait suggérée et que le roi a commandée. Puis en quelques lignes il révèle sa stratégie : prendre l'Amérique anglaise en tenaille entre le Canada et la Louisiane soutenue par les Antilles et lui faire la guerre jusqu'à son anéantissement. « Quelque chose que l'on puisse dire contre l'établissement que le Roy a fait à la Mobile, c'est le seul qui puisse soutenir l'Amérique contre les entreprises que pourront faire les Anglais de ce continent dans quelques années, qui seront en état de transporter par le moyen de leur grand nombre de bâtiments, en quinze jours, plus de vingt et trente mille hommes dans telle île française qu'ils voudraient attaquer, n'en étant éloignées que de cinq à six cents lieues, les vents y portant du même bord. Par terre, ils pourront aller au Mexique et se joindre à plus de cinquante mille familles sauvages qui sont de ce continent. Par le moyen de l'établissement de la Mobile nous les mettons dans nos intérêts et couvrons les provinces de la vice-royauté du Mexique, et nous nous mettons en état de ruiner toutes les colonies anglaises de ce continent, qui tiennent une frontière de côtes de plus de six cent lieues, que nous pouvons attaquer à revers par terre, soit par un bout ou par le milieu, sans qu'elles puissent facilement se secourir. Examinant mûrement la situation de celle de la Mobile, c'est la seule que le Roy puisse avoir dans l'Amérique, la plus facile à faire, capable de détruire celle des Anglais, et à laquelle on doit faire le plus d'attention pour la mettre en état de faire en peu de temps des entreprises contre le pays anglais, avant qu'il devienne plus considérable, ce qui mettra le Canada dans une entière sûreté et l'Acadie, sans quoi ils ne se pourront soutenir par la mauvaise situation où ils sont, sans des dépenses considérables. »

Alors que Ducasse, gouverneur de Saint-Domingue, lui aussi chef aux vues amples et hardies, rêve d'arracher aux Espagnols une part de l'Amérique espagnole et regrette que la France gâche son énergie sur la côte misérable du Mississipi, Iberville pousse sa stratégie anti-anglaise à son terme. Lui, le Canadien, raisonne dans le cadre de l'Amérique septentrionale. Dans un mémoire du 20 juin 1702 sur l'établissement de la Mobile et du Mississipi, l'enfant de Montréal qui a la connaissance de la géographie de sa région et du caractère des Sauvages, se prend à parler en colonial, langage où les métropolitains, jusqu'à Montcalm, ne voudront jamais entendre que forfanteries et rodomontades. Le Moyne ne propose rien moins que de former une ligue ou une armée indienne pour verrouiller les voies de pénétration des Anglais, puis passer à l'attaque. « Il n'est rien de plus nécessaire que de fortifier ce pays-là et d'y rassembler des forces considérables pour en former une armée et des partis assez forts pour détruire les établissements de la Virginie, Maryland et Pennsylvanie. » Déraisonnable ce plan ? Certainement irréalisable pour un Français fraîchement débarqué, peut-être à la portée d'un chef colonial ayant la trempe d'un Iberville. En effet, on ne peut juger dans l'abstrait et décréter de la valeur et de la validité d'une stratégie en partant de prémisses erronées, c'est-à-dire de la confusion de ce qui n'est pas comparable : les conflits coloniaux et les guerres européennes.

Dans ce domaine, le Canadien n'a pas convaincu, comme on l'écoute d'une oreille sourde quand il réclame que l'on peuple la colonie qu'il vient de créer. Avec une amertume quelque peu agressive, il ajoute : « Ce n'est pas le penchant des Français de quitter de si loin leur pays quand ils ont leurs commodités. Ce qui fait que nos colonies avancent si peu, c'est que l'on n'y envoie et qu'il n'y va que des gueux pour s'y enrichir, qui y passent leur vie que d'être en état de faire des entreprises, et la colonie languit pendant ce temps-là. Il est à souhaiter qu'il n'en soit pas de même de celle de la Mobile. » Trois ans auparavant, le 28 avril 1699, Vauban, blessé des résultats de la « malheureuse paix de Ryswick », exhortait vainement aussi Jérôme de Pontchartrain, au nom de l'honneur et de la nécessité, à donner aux colonies d'Amérique des hommes, des femmes, des troupes et des fortifications à peine d'être à jamais détruites. « Si l'on fait attention à la nature et à la qualité de ces établissements coloniaux, on ne trouvera rien de plus noble ni de plus nécessaire. Rien de plus noble en ce qu'il n'y va pas moins que de donner naissance et accroissement à deux grandes monarchies qui, pouvant s'élever au Canada, à la Louisiane et dans l'Île de Saint-Domingue, deviendront capables par leur propre force, aidées de l'avantage de leur situation, de balancer un jour toutes celles de l'Amérique et de procurer d'immenses richesses aux successeurs de Sa Majesté. Rien de plus nécessaire, parce que, si le Roy ne travaille pas vigoureusement à l'accroissement de ces colonies, dès la première guerre qu'il aura avec les Anglais et les Hollandais qui s'y rendent de jour en jour plus puissants, nous les perdrons et pour lors nous n'y reviendrons plus jamais, n'ayant plus en Amérique que la part qu'ils nous voudront bien faire par le rachat de nos denrées, auxquelles ils mettront le prix qu'ils voudront. Songez donc, Monsieur, au plaisir et à l'honneur que cela vous ferait si vous deveniez le fondateur de l'un des plus grands royaumes du monde. »

Mythe fabuleux et mauvaise réputation

Après avoir traversé la guerre de Succession d'Espagne sans difficultés majeures, la Louisiane entre dans le merveilleux avec l'accession du duc d'Orléans à la régence et surtout l'action de Law, fondateur de la Compagnie d'Occident bientôt Compagnie des Indes, et sa nomination au Contrôle général des Finances. Bien que l'Écossais ne s'intéresse pas outre mesure aux colonies, il les met en avant pour rendre son entreprise spectaculaire, infaillible. Dans le concert de propagande qu'il organise, la Louisiane, concédée au financier Crozat en 1712, absorbée par le Système en 1717, occupe une place de choix, vantée et célébrée par le *Nouveau Mercure*, factums, prospectus et opuscules. La *Description du Mississipi* du chevalier de Bonrepos, parue à Rouen en 1720, a de la peine à esquisser la réalité de la colonie tellement elle participe de la légende. « On peut regarder le Mississipi comme un fleuve, comme une île, comme un continent ou Terre ferme. C'est un fleuve, et le plus grand de l'Amérique septentrionale, après celui de Saint-Laurent. » Pareillement, les *Relations de la Louisiane et du Mississipi* du chevalier de Tonty, publiées aussi dans le maelström publicitaire de 1720, célèbre la contrée mythique à la manière naïve et éblouie des découvreurs du XVIᵉ siècle. « L'on peut voir, par cette Relation, la richesse et la beauté de toutes ces Terres habitées par tant de peuples, qui sont déjà presque tous soumis, et qui sont parfaitement prévenus de la grandeur de notre Monarque. On ne saurait croire l'abondance de ce pays, tant en grains, en fruits, qu'en bétail. Il est entouré de tous côtés de grandes mers, dont les bords qui sont très profonds, semblent nous y présenter des ports naturels. Trois ou quatre havres sur le golfe de Mexique nous en assureraient indubitablement la possession. Les Français y sont si aimés, que pour s'en rendre les maîtres, ils n'ont qu'à vouloir s'y établir. Ce qui manque peut y être porté par nos vaisseaux ; et ce qui manque dans nos terres, peut nous venir de celles-là. C'est d'elles que nous viennent nos pelleteries. Nous pourrions en tirer des soies, du bois pour des vaisseaux, et d'autres commodités. S'il y manque du vin et du pain, c'est moins le défaut du terroir que celui de l'agriculture. Enfin, pour en retirer tous les trésors de la nature, il ne faut que les chercher ou les cultiver. Tel est l'état de ce pays. Plaise au ciel qu'une heureuse paix nous en procure la jouissance. » L'année 1719 porte haut les couleurs triomphantes de la colonie de feu M. d'Iberville. Dans ses *Mémoires*, Saint-Simon commente du ton réprobateur des jansénistes cette fête de l'argent et de l'affairisme. « Law faisait toujours merveille avec son Mississipi. On avait fait comme une langue pour entendre ce manège et pour savoir s'y conduire, que je n'entreprendrai pas d'expliquer, non plus que les autres opérations de finances. C'était à qui aurait du Mississipi. Il s'y faisait presque tout à coup des fortunes immenses. Law, assiégé chez lui de suppliants et de soupirants, voyait forcer sa porte, entrer du jardin par ses fenêtres, tomber dans son cabinet par sa cheminée. On ne parlait que de millions. » Les mois passent et, constate le duc, le succès s'amplifie. « La banque de Law et son Mississipi étaient alors au plus haut point. La confiance y était entière. On se précipitait à changer terres et maisons en papier, et ce papier faisait que les moindres choses étaient devenues hors de prix. Toutes les têtes étaient tournées. » Bientôt pour le bonheur des endettés et des spéculateurs et le malheur des rentiers, le Système s'effondre.

Le mythe du Mississipi change alors de nature, devenant dans l'opinion populaire des villes, surtout de la capitale, l'insigne du malheur. Des mesures législatives ou réglementaires effraient les pauvres et bientôt le petit peuple. Les quelque 400 habitants qui vivent en Louisiane, au moment où Crozat cède son privilège à Law, ont vu débarquer 7 020 personnes de 1718 à 1721. Selon un état de la Compagnie des Indes, ce contingent se décompose en plusieurs catégories : 122 officiers, 977 soldats, 43 commis et employés, 302 ouvriers pour la Compagnie, 119 chefs ou conducteurs de concessions, 2 462 engagés des concessionnaires, 1 278 faux-sauniers, fraudeurs ou exilés, 1 215 femmes et 502 enfants. Sur cet effectif total, on relève environ 800 Allemands. Bien que le contingent pénal ne représente qu'un cinquième de ce flot d'émigrants, la Louisiane symbolise les arrestations et la déportation. On se rassemble, on manifeste, on récite « les tristes adieux d'une fille de joie au départ pour Mississipi ». La rumeur déforme la réalité et véhicule la peur, la colère et la compassion. Jean Buvat, qui a accès à tous les milieux, traduit fidèlement l'état d'esprit de la masse, dans son *Journal de la Régence*. À ce titre, son témoignage retient l'attention ; peu importe qu'il exagère les chiffres de la déportation. Le 4 septembre 1719, il s'émeut. L'on apprit « de La Rochelle que les cent cinquante filles qu'on y avait envoyées de Paris pour être transportées au Mississipi s'étaient jetées comme des furies sur les archers, leur arrachant les cheveux, les mordant en leur donnant des coups de poing, ce qui avait obligé les archers de tirer leurs fusils sur ces pauvres créatures, dont six avaient été tuées et douze blessées ; ce qui avait intimidé les autres de telle sorte qu'elles se laissèrent embarquer ». Même émotion au mois de mars 1720, dans un tableau contrasté des malheurs qu'engendre le projet de Law de coloniser chez les Sauvages. « Le 27, on fit partir six cents jeunes gens des deux sexes tirés des hôpitaux de Paris, et on leur fit prendre le chemin de Rouen pour y être embarqués jusqu'à La Rochelle, et de là transportés au Mississipi. Les garçons marchaient à pied enchaînés deux par deux, et les filles étaient dans des charettes. Cette troupe était suivie de huit carrosses remplis de jeunes gens bien vêtus, dont quelques-uns étaient galonnés d'or et d'argent. Et tous étaient escortés par une trentaine d'archers bien armés. »

Si Jean Buvat, copiste et secrétaire, s'émeut de l'action des « bandouliers » — dont on peut se demander si les historiens ne minimisent pas la portée —, le haut et puissant duc de Saint-Simon, homme de caste mais à la morale exigeante, réagit semblablement. « À force de tourner et retourner ce Mississipi de tout sens, pour ne pas dire à force de jouer des gobelets sous ce nom, on eut envie, à l'exemple des Anglais, de faire dans ces vastes pays des établissements effectifs. Ce fut pour les peupler qu'on fit à Paris et dans tout le royaume des enlèvements des gens sans aveu et des mendiants valides, hommes et femmes, et de quantité de créatures publiques. Si cela eût été exécuté avec sagesse, discernement, les mesures et les précautions nécessaires, cela aurait rempli l'objet qu'on se proposait, et soulagé Paris et les provinces d'un lourd fardeau inutile et souvent dangereux ; mais on s'y [prit] à Paris et partout ailleurs avec tant de violence et tant de friponnerie encore pour enlever qui on voulait, que cela excita de grands murmures. On n'avait pas eu le moindre soin de pourvoir à la subsistance de tant de malheureux sur les chemins, ni même dans les lieux destinés à leur embarquement ; on les enfermait les nuits dans des granges sans leur donner à manger, et dans les fossés des lieux où il s'en trouvait, d'où ils ne pussent sortir. Ils faisaient des cris qui excitaient la pitié et l'indignation ; mais, les aumônes n'y pouvant suffire, moins encore le peu que les conducteurs leur donnaient, [cela] en fit mourir partout un nombre effroyable. Cette inhumanité, jointe à la barbarie des conducteurs, à une violence d'espèce jusqu'alors inconnue et à la friponnerie d'enlèvements de gens qui n'étaient point de la qualité prescrite, mais dont on se voulait défaire, en disant le mot à l'oreille et mettant de l'argent dans la main des préposés aux enlèvements, que les bruits s'élevèrent avec tant de fracas, et avec des termes et des tons si imposants qu'on trouva que la chose ne se pouvait plus soutenir. Il s'en était embarqué quelques troupes, qui ne furent guère mieux traitées dans la traversée. Ce qui ne l'était pas encore fut lâché, et devint ce qu'il put, et on cessa d'enlever personne. Law, regardé comme l'auteur de ces enlèvements, devint fort odieux, et M. le duc d'Orléans eut à se repentir de s'y être laissé entraîner. » En 1731, l'abbé Prévost inscrira la légende noire de Mississipi dans la mémoire de la postérité, en racontant l'infortune de la belle Manon Lescaut et du sentimental chevalier des Grieux. La conviction que le peuplement du désert américain a été accompli par des moyens arbitraires et brutaux reste si ancrée dans les esprits, qu'en 1750, pendant plusieurs mois, le petit peuple vit dans la psychose des enlèvements d'enfants qui, parfois, dégénère en émeutes. Au mois d'août, trois malheureux seront pendus pour violence : cette condamnation mettra un terme à une vague d'hystérie collective qui allait en s'amplifiant.

Illustration de l'inhumanité, la Louisiane symbolise aussi la maison de correction, de redressement, le pénitencier où les familles demandent qu'un enfant dénaturé ou un sujet vicieux soit relégué par lettre de cachet. Dès 1718, des familles réclament à l'administration de les débarrasser de rejetons indésirables ; les requêtes sont examinées attentivement et souvent rejetées. Arlette Farge et Michel Foucault ont publié l'une d'elles, envoyée en 1728 au lieutenant général de Police de Paris, le sieur Hérault : « La veuve Barbion demeurant rue de Paradis chez le sieur Georges Tacheron, maître rôtisseur représente humblement à Votre Grandeur que le nommé Jacques Barbion, âgé d'environ vingt-cinq ans, compagnon maçon, l'un de ses quatre enfants, a déjà fait plusieurs mauvais tours, se prend de vin très souvent, fait des juruments exécrables, casse et brise tout dans la maison, et non content de ce désordre menace la suppliante de la tuer, tantôt avec son compas, tantôt à coups de couteau ; dans la triste situation où la suppliante se trouve réduite, à chaque moment à la veille de périr par les mains d'un fils dénaturé, elle a recours à l'autorité de Votre Grandeur et la supplie très humblement d'ordonner que ledit Jacques Barbion soit arrêté et mis en lieu de sûreté par la première occasion *être envoyé à Mississipy* afin d'éviter les malheurs qui pourraient s'en ensuivre. Et la suppliante fera des vœux chaque jour pour la prospérité et conservation de la précieuse santé de Votre Grandeur. » L'image de la Louisiane, foyer de criminels et de libertins pèsera sur la représentation générale que les Français se feront des colonies jusqu'au xxᵉ siècle. Quant à Mississippi, il ajoute à son lourd passif, la marque de la désolation, de l'échec. Des 400 habitants originels, auxquels la Compagnie des Indes a ajouté 7 020 recrues volontaires ou forcées, il ne reste plus, le 1ᵉʳ janvier 1726, que 2 228 personnes ! Épargnées par la famine et la maladie ! Voltaire lui-même, qui souhaitait que Choiseul transformât ce territoire maudit en une nouvelle Saint-Domingue, avoue ses craintes dans l'*Essai sur les mœurs*. « Peut-être un jour, s'il y a des millions d'habitants de trop en France, sera-t-il avantageux de peupler la Louisiane ; mais il est plus que vraisemblable qu'il faudra l'abandonner. » Or le 1ᵉʳ novembre 1760, alors que la guerre de Sept Ans courait vers son terme, qu'écrivait la marmotte du Mont-Jura à son « divin ange », le comte d'Argental ? « En vérité vous devriez bien inspirer à M. le duc de Choiseul mon goût pour la Louisiane, je n'ai jamais conçu [...] qu'on ait abandonné le plus beau climat de la terre dont on peut tirer du tabac, de la soie, de l'indigo, mille denrées utiles, et faire encore un commerce encore plus utile avec le Mexique. Je vous déclare que si j'étais jeune, si je me portais bien, si je n'avais pas bâti Ferney, j'irais m'établir à la Louisiane. » Le même jour, le contempteur par courtisanerie de ce Canada glacial interroge Chauvelin : « Par quelle démence horrible a-t-on pu négliger la Louisiane pour acheter tous les ans 3 millions cinq cent mille livres de tabac de vos vainqueurs ? N'est-il pas absurde que la France ait dépensé tant d'argent en Amérique pour y être la dernière des nations de l'Europe ? » Non, jamais Mississippi ne sera la colonie couverte de plantations bourdonnant du travail de centaines de milliers de Nègres que rêve le vieux roué, plus soucieux d'accroître sa fortune que d'abolir l'esclavage.

Une colonisation difficile et embryonnaire

L'abbé Raynal, porte-parole de l'expansion coloniale française, juge comme Voltaire : la Louisiane, par sa nature, semblait appelée à la plus grande prospérité. Qu'en fut-il ? L'ancien jésuite répond dans l'*Histoire des deux Indes*. « Jamais, dans son plus grand éclat, la colonie n'eut plus de sept mille Blancs, sans y comprendre les troupes qui varièrent depuis trois cents jusqu'à deux mille hommes. Cette faible population était dispersée sur les bords du Mississippi, dans un espace de cinq cents lieues, et soutenue par quelques mauvais forts, situés à une distance immense l'un de l'autre. Cependant elle n'était point engendrée de cette écume de l'Europe, que la France avait comme vomie dans le Nouveau Monde au temps du Système. Tous ces misérables avaient péri sans se reproduire. Les colons étaient des hommes forts et robustes sortis du Canada, ou des soldats congédiés qui avaient su préférer les travaux de l'agriculture à la fainéantise où le préjugé les laissait orgueilleusement croupir. Les uns et les autres recevaient du gouvernement un terrain convenable et de quoi l'ensemencer, un fusil, une hache, une pioche, une vache et son veau, un coq et six poules, avec une nourriture saine et abondante durant trois ans. Quelques officiers, quelques hommes riches avaient formé des plantations assez considérables qui occupaient huit mille esclaves. Cette peuplade envoyait à la France quatre-vingt milliers d'indigo, quelques cuirs et beaucoup de pelleteries. Elle envoyait aux îles du suif, des viandes fumées, des légumes, du riz, du maïs, du brai, du goudron, du merrain et des bois de charpente. Tant d'objets réunis pouvaient valoir 2 000 000 livres. Cette somme lui était payée en marchandises d'Europe et en productions des Indes occidentales. La colonie recevait même beaucoup plus qu'elle ne donnait ; et c'étaient les frais de souveraineté qui lui procuraient ce singulier avantage. Les dépenses publiques furent toujours trop considérables à la Louisiane. Elles surpassèrent souvent, même en pleine paix, le produit entier de cet établissement. Peut-être les agents du gouvernement auraient-ils été plus circonspects, si les opérations eussent été faites avec des métaux. La malheureuse facilité de tout payer avec du papier, qui ne devait être acquitté que dans la métropole, les rendit généralement prodigues. Plusieurs même furent infidèles. Pour leur intérêt particulier, ils ordonnèrent la construction de forts qui n'étaient d'aucune utilité, et qui coûtaient vingt fois plus qu'il ne fallait. Ils multiplièrent, sans motif comme sans mesure, les présents annuels que la Cour de Versailles était dans l'habitude de faire aux tribus sauvages. Les exportations et les importations de la Louisiane ne se faisaient pas sur des navires qui lui fussent propres. Jamais elle ne s'avisa d'en avoir un seul. Il lui arrivait quelquefois de faibles embarcations des ports de France. Quelquefois les îles à sucre lui envoyaient de gros bateaux. Mais le plus souvent des vaisseaux partis de la métropole pour Saint-Domingue, déposaient dans ce riche établissement une partie de leur cargaison, allaient vendre le reste au Mississippi, et s'y chargeaient en retour de ce qui pouvait convenir à Saint-Domingue, de ce qui pouvait convenir à la métropole. » La population de Mississipi, formée de Français et de Canadiens, végète : en 1737, on ne compte que 2 449 Blancs. Plus tard, au temps des Espagnols, 2 500 Acadiens, chassés par le Grand Dérangement, viendront renforcer l'humble peuplade louisianaise. La colonie commerce avec ses voisins — sans regarder s'ils sont étrangers, malgré les lois prohibitives. Elle fournit les Antilles françaises en bois et viandes, tandis que le Canada leur livre des morues et du blé. Elle exporte vers la France des denrées d'une valeur qui oscille entre un et deux millions de livres, alors qu'elle coûte 500 000 livres par an à la métropole. Le pays est divisé en neuf provinces ou quartiers : Nouvelle-Orléans, Biloxi, pays des Alibamons, pays des Natchez, pays des Yasons, pays des Natchitoches, pays des Arkansas et pays des Illinois. Une dizaine de postes ou forts quadrillent ce territoire gigantesque.

La capitale, que l'on a hésité à construire à la Mobile ou au nouveau Biloxi, est bâtie sur le Mississipi et reçoit le nom de Nouvelle-Orléans, en hommage au Régent. Bienville avait lui-même désigné le site, en 1717. Au dire de Le Page du Pratz, débarqué en 1718 et auteur, en 1758, de la première *Histoire de la Louisiane*, « il avait choisi cet endroit par préférence à beaucoup d'autres plus beaux et plus convenables ; mais pour ce temps-là, celui-ci suffisait ; d'ailleurs tous les hommes ne voient pas aussi loin les uns que les autres ». L'ingénieur Adrien de Pauger trace le plan de la ville et en dirige l'exécution. Dans son *Voyage en Louisiane*, le sous-ingénieur Franquet de Chaville relate l'établissement de la capitale, qui débute en

1722. « Il fallut commencer par lui donner de l'air en défrichant et en faisant des abattis de bois qui étaient épais comme les cheveux. Nous n'y perdîmes point de temps, nous étant exposés à l'ardeur du soleil et aux attaques des insectes, depuis la pointe du jour jusques au soir. On éclaircit, en moins de trois mois, un grand quart de lieue de forêt, en carré. En suite de quoi, pour donner une forme à cette ville, on engagea les habitants de construire les maisons sur les emplacements que nous leur marquions. Un chacun s'empressait à l'envie d'avoir plutôt fait la sienne, de manière qu'en très peu de temps, tout le monde se trouva logé, et les marchandises de la Compagnie furent à couvert dans deux beaux magasins dont la charpente de l'un fut apportée du Biloxy. La distribution du plan en est assez belle. Les rues y sont parfaitement bien alignées et de largeur commode. Dans le milieu de la ville qui fait face à la place, se trouvent tous les besoins publics, dans le fond est l'église, d'un côté la maison des directeurs, de l'autre les magasins. L'architecture de tous les bâtiments est sur un même modèle, très simple. Ils n'ont qu'un rez-de-chaussée élevé d'un pied de terre, portant sur des blocs bien assimilés et couverts d'écorce ou de bardeaux. Chaque quartier ou île est divisé en cinq parties pour que chaque particulier puisse se loger commodément et avoir une cour et un jardin. » Les Français « qui étaient restés sur la côte du Biloxy, que la disette des vivres avait mis hors d'état de se transporter aux lieux de leur destination, vinrent s'établir aux environs de cette ville et y prirent des emplacements pour y bâtir des maisons. Là tout le monde était occupé à se loger, à défricher et à travailler la terre pour faire des retours en France qui repayassent les frais immenses qu'on avait fait pour l'établissement de cette colonie, qui aurait pris une forme considérable en très peu de temps, sans les mêmes maux que nous avions essuyé au Biloxy et qui revinrent nous affliger. Ceux qui échappèrent à la mort, à la première maladie, succombèrent à celle-ci, et ce qui est resté, n'a fait que languir et prolonger une vie misérable par les secours des fèves, du riz et maïs, que leurs travaux avaient produits. L'étendue de leur terre consistait en un terrain plus ou moins déboisé et mis en état de valeur, selon que leurs forces le permettaient. Tout ce qui est resté d'habitants, quand j'en suis parti, pouvait se monter à près de deux mille âmes européennes. »

La prise de possession a pour objet la mise en valeur de ce « nouveau pays de cocagne ». À cette fin, la Compagnie, puis ensuite l'administration royale utilisent la technique simple de la concession. Dans une lettre du 9 octobre 1727, le père jésuite du Poisson définit la terminologie de la colonisation royale de la Louisiane. « On appelle *concession* une certaine étendue de terrain *concédée* par la compagnie des Indes à un particulier ou à plusieurs qui ont fait société ensemble pour défricher et faire valoir ce terrain. C'est ce que l'on appelait, dans le temps de la plus grande vogue du *Mississippi*, les comtés, les marquisats du *Mississippi*; ainsi les concessionnaires sont les gentilshommes de ce pays. La plupart n'étaient point gens à quitter la France ; ils ont équipé des vaisseaux remplis de directeurs, d'économes, de gardes-magasin, de commis, d'ouvriers de différents métiers, de vivres et d'effets de toutes les sortes. Il s'agissait de s'enfoncer dans les bois, d'y cabaner, d'y choisir un terrain, d'en brûler les cannes et les arbres. Ces commencements paraissaient bien durs à des gens nullement accoutumés à ces sortes de travaux ; les directeurs et leurs subalternes s'amusèrent pour la plupart dans des endroits où il y avait déjà quelques Français établis, ils y consommèrent leurs vivres ; à peine l'ouvrage était-il commencé, que la concession était déjà ruinée : l'ouvrier, mal payé ou mal nourri, refusait de travailler, ou se payait par lui-même ; les magasins étaient au pillage : ne reconnaissez-vous pas là le Français ? C'est en partie ce qui a empêché que ce pays ne s'établît comme il devrait l'être, après les dépenses prodigieuses que l'on a faites pour cela. On appelle *habitation* une moindre portion de terre accordée par la compagnie. Un homme avec sa femme ou son associé défriche un petit canton, se bâtit une maison sur quatre fourches qu'il couvre d'écorce, sème du maïs et du riz pour sa provision ; une autre année il fait un peu plus de vivres et une plantation de tabac : s'il vient enfin à bout d'avoir trois ou quatre nègres, le voilà tiré d'affaire ; c'est ce qu'on appelle habitation, habitant : mais combien sont aussi gueux que lorsqu'ils ont commencé ? On appelle *établissement* un canton où il y a plusieurs habitations peu éloignées les unes des autres, qui font une espèce de village. » Le père du Poisson, familier des longs déplacements entrecoupés de haltes ou *cabanages,* observe la composition de la population européenne des campagnes. « Outre les concessionnaires et les habitants, il y a encore dans ce pays des gens qui ne font d'autre métier que de courir : 1° *femmes* ou *filles* tirées des hôpitaux de Paris, de la Salpétrière ou autres lieux d'aussi bon renom, qui trouvent que les lois du mariage sont trop dures, et la conduite d'un ménage trop gênante ; les voyages de quatre cents lieues ne font pas peur à ces héroïnes ; j'en connais déjà deux dont les aventures feraient la matière d'un roman. 2° Les *voyageurs :* ce sont pour la plupart des gens envoyés pour causes au Mississippi par leurs parents ou par la justice, et qui, trouvant que la terre est trop basse pour la piocher, aiment mieux s'engager pour ramer et courir d'un bord à l'autre. 3° Les *chasseurs ;* ceux-ci remontent le Mississippi sur la fin de l'été jusqu'à deux ou trois cents lieues, dans le pays où il y a des bœufs ; ils font des plats côtés, c'est-à-dire qu'ils font sécher au soleil la chair qui est sur les côtes du bœuf ; ils salent le reste, et font de l'huile d'ours ; ils descendent vers le printemps et fournissent de viande la colonie. Le pays qui est depuis la Nouvelle-Orléans jusqu'ici, rend ce métier nécessaire, parce qu'il n'est pas assez habité ni assez défriché pour y élever des bestiaux. À trente lieues d'ici on commence seulement à trouver les bœufs ; ils sont par troupeaux dans les prairies ou sur les rivières ; un Canadien descendit l'année passée à la Nouvelle-Orléans quatre cent quatre-vingt-cinq langues des bœufs qu'il avait tués pendant son hivernement, avec son associé seulement. »

Après avoir quitté La Nouvelle-Orléans, le jésuite remonte le Mississipi ou fleuve Saint-Louis. Il fait étape, le premier jour aux Chapitoulas, ancien séjour d'une tribu de Sauvages, où cinq concessionnaires se sont habitués. « M. *Dubreuil*, Parisien, nous reçut dans la sienne. Les trois suivantes appartiennent à trois frères canadiens qui sont venus dans ce pays, le bâton blanc à la main et le brayer autour des reins, pour s'y établir, et qui ont plus avancé leurs affaires que les *concessionnaires* de France, quoique ceux-ci eussent envoyé des millions pour fonder leurs concessions qui sont *fondues* à présent pour la plupart. La cinquième est à M. *de Koli*, Suisse de nation, seigneur de la terre de Livry, près de Paris, un des plus honnêtes hommes qu'on puisse voir. » Le lendemain, le religieux repart et cette fois va coucher aux *Cannes brûlées*, chez M. de Blénac, directeur de la concession du maréchal, comte d'Artagnan. Tout au long de la Grande Rivière, bénéficiant d'une irrigation parfaite, les domaines s'étendent, l'un à la suite de l'autre, appartenant souvent à des propriétaires au nom connu : comte de Bellisle, descendant du surintendant, marquis de Mézières, Pâris, ces frères financiers qui ont fait de Mme de Pompadour un personnage politique. Diron d'Artaguiette, ancien directeur de la Compagnie d'Occident, puis des Indes, qui a séjourné à Mississipi où vivent deux de ses fils. D'autres noms parlent moins, mais n'en désignent pas moins d'importantes entités économiques : ainsi Delaire, Chastang, Dubuisson, Drouot, Desmarches, etc. Après ce chemin parcouru, épuisant, dans la boue, au milieu des maringouins, c'est un repos bien mérité à Bâton-Rouge, actuelle capitale de l'État de Louisiane. Le Page du Pratz, vieil habitant, rappelle l'origine de cette dénomination curieuse. « C'est là que l'on voit ce fameux cyprès duquel un charpentier de bateaux voulait faire deux pirogues, l'une de seize tonneaux, et l'autre de quatorze. Comme le cyprès est un bois rouge, quelqu'un des premiers voyageurs qui arrivèrent dans ce canton, s'avisa de dire que cet arbre ferait un beau bâton ; on l'a surnommé ensuite le Bâton-Rouge : sa hauteur n'a pu encore être mesurée ; elle est à perte de vue. »

La Louisiane appartient à l'univers des Indiens. Sur son territoire vivent de nombreuses tribus : les Natchez forment la plus connue, tant par la révolte de 1729 qui aurait pu détruire la colonie, que par la plume romantique de M. de Chateaubriand. Dans une longue lettre du 12 juillet 1730, le père Le Petit, jésuite, les a étudiés en anthropologue de talent. Il porte, pour commencer, un regard attentif sur la religion. La croyance des Natchez prend place dans la grande famille des religions solaires. « Le soleil est le principal objet de la vénération de ces peuples : comme ils ne conçoivent rien qui soit au-dessus de cet astre, rien aussi ne leur paraît plus digne de leurs hommages ; et c'est par la même raison que le grand chef de cette nation, qui ne connaît rien sur la terre au-dessus de soi-même, prend la qualité de frère du soleil : la crédulité des peuples le maintient dans l'autorité despotique qu'il se donne. » Toutes les activités de la tribu sont soumises à des rites fidèlement répétés : alliance, guerre, paix. « Pour mériter le titre de " grand tueur d'hommes ", il faut avoir fait dix esclaves ou enlevé vingt chevelures. »

Cette société théocratique, hiérarchisée, esclavagiste, cruelle quoique de mœurs libres, décline. « Autrefois la nation des Natchez était considérable ; elle comptait soixante villages et huit cents *soleils* ou princes ; maintenant elle est réduite à six petits villages et à onze soleils. » Le choc européen, assortiment de variole et d'affections pulmonaires a, ici comme dans le reste de l'Amérique, décimé, parfois anéanti, la population indienne. En réaction contre l'intrusion meurtrière, contre l'appropriation des terres, contre l'autorité d'une race étrangère, poussés à la révolte par les Caroliniens qui achètent les fourrures à de meilleurs prix que les Français, les Natchez, alliés aux Chicachas et aux Chactas se soulèvent contre les sujets de Louis XV, au mois de décembre 1729. Ils tuent 238 colons, dont 36 femmes et 56 enfants, tandis qu'une trentaine de personnes meurent sous les coups de complices. Le gouverneur Périer, profitant de la défection des Chactas qui le rallient, sauve la colonie du massacre auquel les Français étaient promis si les tribus, solidement liguées, avaient lancé une attaque massive. Ce drame connaît une conclusion inattendue : la Compagnie des Indes perd son privilège, moyennant une indemnité de 1 400 000 livres et l'administration royale, à la tête de laquelle est à nouveau porté le Canadien Bienville, prend en main la destinée de la colonie.

De nouveaux arpents de neige ?

Jérôme de Ponchartrain s'était interrogé : ne conviendrait-il pas d'échanger une Louisiane vide de Français avec l'Espagne, contre la partie orientale de Saint-Domingue ? Qui, depuis M. d'Ogeron jusqu'à Ducasse, tous deux gouverneurs de la partie française de la Grande Île, n'avait songé à mettre la main sur la partie madrilène ? Les choses avaient suivi un cours différent. En 1733, M. de Maurepas, fils et petit-fils de Jérôme et de Louis de Pontchartrain, avait vendu l'île de Sainte-Croix au roi de Danemark pour le prix modeste de 138 000 livres tournois. Les colonies, bien qu'elles appartiennent au domaine royal, n'en font pas partie, dans la réalité. Ces possessions ne sont pas soumises à la loi d'inaliénabilité qui couvre toutes les parcelles du territoire national. Les colonies appartiennent au plus fort, ou, dans les négociations internationales servent de monnaie d'échange.

Voilà pourquoi le lieutenant général, duc de Choiseul, ministre d'État de Louis XV demande à M. Accaron, premier commis des Colonies, de lui « dire son avis » sur un mémoire secret relatif à un éventuel troc de la Louisiane. Ce document de sept pages, sans nom d'auteur, est donc résumé et jugé par Accaron en une note de deux pages et demie, qui a pour titre : *Projet de cession de la Louisiane au Dannemark en échange de l'île d'Islande*. « Le mémoire secret que Monseigneur m'a fait remettre est bon, et son objet est simple. L'auteur suppose que la France est encore la maîtresse de disposer de la rive droite du Mississipy, et de toute la partie de la Louisiane qui en dépend, et dans cette supposition, il propose de la céder au Roy de Dannemarck en échange de l'Isle d'Islande que ce Prince donnerait à la France. Les avantages qui résulteraient de la cession de la Louisiane au Dannemarck seraient. 1°. L'inutilité de cette province entre les mains des Français s'ils ne la cultivaient pas, et le danger pour eux de la perdre avec toute la population et les dépenses qu'ils y auraient faites lorsque les Anglais la verraient en valeur. 2°. Nulle espérance de la voir fleurir entre les mains de l'Espagne si on la lui cédait, et d'en tirer aucun secours contre l'ennemi commun, et bien loin que la France enfin dédommagée par la cession de la partie espagnole de Saint-Domingue, elle se priverait par là des espèces qu'elle retire d'un commerce de contrebande. 3°. La diminution de puissance des Anglais en Amérique, si les Danois qui n'ont que le faible établissement de l'Isle Saint-Thomas dans le golfe du Mexique, avaient de plus à leur disposition une colonie aussi considérable que celle de la Louisiane qu'ils établiraient au préjudice des Anglais par des nations allemandes, à quoi il faut ajouter l'association du commerce français avec celui des Danois qui nous feraient jouir des fruits de leurs travaux dans la Louisiane, et celle d'une marine active dont la protection s'étendrait également à leurs bâtiments et aux nôtres. Les avantages de l'acquisition que la France ferait de l'Isle d'Islande, seraient. 1°. de dominer en tous temps les possessions anglaises de l'Amérique septentrionale par les forces de terre et de mer qu'on pourrait y réunir, d'y attirer tous les anciens habitants du Canada, de l'Acadie et de l'Isle Royale dont on augmenterait la population, par des familles suisses et allemandes qui formeraient par la suite une peuplade immense de pêcheurs et de matelots pour notre Marine. 2°. ce que l'auteur n'a pas dit, d'avoir la plus grande facilité pour faire la pêche de la baleine, ce qui formerait une branche de commerce considérable, et de nous mettre en état d'ouvrir un commerce direct avec la Russie à quoi nous visons depuis longtemps sans pouvoir y réussir, et enfin de nous procurer des bois et d'autres effets propres pour la Marine. L'idée de l'auteur du mémoire sur l'échange réciproque de ces deux colonies entre la France et le Danemark est très bonne, en ce que d'une part, la France qui n'a qu'un allié faible en Amérique, c'est l'Espagne, y acquerrait un allié utile ayant une Marine et un commerce toujours actif, et toujours occupé à diviser les forces de notre ennemi et à nous faire participer aux fruits de ses travaux et d'autre part en ce que la France privée de toute possession dans l'Amérique septentrionale, trouverait dans l'Islande une colonie capable de lui procurer dès à présent des avantages considérables et de la mettre en état de réparer un jour toutes ses pertes ; si cet échange était possible je pense, puisque Monseigneur veut bien me demander mon sentiment, qu'il n'y aurait pas à balancer de le faire, la France et même l'Espagne y gagneraient considérablement en faisant un traité de commerce avec le Danne-marck. Les autres détails de ce mémoire, roulent sur le climat de nos colonies méridionales, sur les moindres garnisons a y employer, et sur les places fortes à construire dans l'intérieur des terres. » L'intérêt que Choiseul porte au mémoire secret laisse à penser que des considérations militaires antibritanniques dirigent l'esprit du duc, à l'exclusion de toute idée d'expansion coloniale. Accaron a incomplè-tement résumé la pensée de l'auteur du mémoire secret. Celui-ci, on songe à un officier, imagine l'utilité de l'occupation française du *pays de glace*. « Alors l'Islande sera l'entrepôt de nos forces comme l'aurait dû être le Canada. On y aura établi une puissante marine et nous menacerons également d'une invasion le Canada et les côtes d'Écosse. Les Anglais seront forcés de tenir sur tous les points où nous pourrions aboutir, des escadres et des armées ruineuses, tandis que, tranquilles dans nos ports d'Islande, nous pourrons diriger nos coups. » Vraisemblablement, le lieutenant général de Choiseul, qui rêve de débarquement en Angleterre, surtout après son échec de 1759, aura pesé le projet de transformer l'Islande en base d'agression contre les côtes septentrionales du Royaume-Uni. Ainsi des escadres royales venant simultanément du nord et du sud, de l'île glacée et des ports français auraient pris la Grande-Bretagne en tenaille : de quoi séduire un moment le ministre à l'imagination féconde et téméraire. La décision personnelle et définitive de Louis XV de donner la Louisiane à l'Espagne, pour réparer la perte de la Floride, devait balayer les calculs dont Mississipi pouvait faire l'objet.

LES ANTILLES

Sitôt après la découverte des Indes « occidentales » par Christophe Colomb, en 1492, les Espagnols s'implantent et mettent en valeur les Grandes Antilles et le continent américain. Comme l'a rappelé J.-P. Moreau dans ses travaux récents, Français et Anglais, au gré de la situation politique européenne, sont immédiatement présents dans la mer des Antilles, s'en retirant en période de paix, ou par temps d'alliance, comme ce fut le cas lorsque Henry VIII se coalisa avec Charles Quint contre François Ier. Pendant la première moitié du xvie siècle, les Français vont commercer sur les côtes des Grandes Antilles et de la Terre-Ferme, ou agir par coups de main si Paris et Madrid sont en conflit. Pendant la seconde moitié du xvie siècle, cette stratégie se prolonge et se complète de la recherche d'escales régulières et sûres dans les Petites Antilles. Enfin, au xviie siècle, les Français ne se contentent plus d'opérations de course, de traite négrière clandestine, de contrebande, de chargements discrets de cuirs, bois tinctoriaux ou médicinaux, éventuellement de denrées ; ils veulent coloniser ces îlots que l'Espagne n'occupe pas et où ils font habituellement relâche.

Les îles du Vent, premières Antilles françaises

D'un mot devenu célèbre, « que l'on me montre la clause du testament d'Adam qui m'exclut du partage du monde », François Ier avait rejeté le monopole hispano-portugais sur les terres à découvrir. Sous son impulsion et sous celle de ses successeurs, les marins français se familiarisent avec les côtes de l'Afrique, les îles du Pérou ou Antilles et la Terre-Ferme ou Venezuela, ainsi qu'avec les rivages de l'Amérique septentrionale. Pendant le xvie siècle, les Dieppois, Rouennais, Malouins, Rochelais et Bayonnais, ayant échoué au Brésil et en Floride, fréquentent sans cesse le bassin mexicano-antillais. Ils font du troc avec les Indiens, de la contrebande avec les Espagnols, se livrant à la course, épigone du conflit biséculaire entre la France et les Habsbourg, échangeant des ferrements, verroteries et étoffes contre des écailles de tortue (carets), achetant des cuirs et du pétun (tabac), coupant des bois recherchés, livrant des Nègres aux Espagnols, en violation du monopole lusitanien, s'emparant de caboteurs madrilènes, chargés de denrées locales. Bref, à l'orée du XVIIe siècle, les Français, toujours de passage, mais toujours présents, prenant leurs quartiers d'hiver sous les tropiques où certains ne rechignent pas à faire des cultures, sont conduits lentement à envisager leur établissement aussi bien à la Guyane qu'aux Petites Antilles, territoires vides d'Espagnols et de Portugais. Pendant les règnes d'Henri IV et de Louis XIII, les trafics prolifèrent à l'Amérique; le Béarnais veut planter des colonies au Canada et à la Guyane, malgré les objections de Sully; aux îles, les échanges s'intensifient, les séjours et les petites cultures se multiplient. Aussi la fondation de la première colonie française aux Antilles, proposée par Esnambuc et décidée par Richelieu, ne doit-elle rien à la Providence, comme J.-P. Moreau l'a très justement souligné. En fait, la Compagnie de Saint-Christophe n'a pas inventé, elle a entériné une réalité. Les Français, qui cultivent les terres insulaires, sont placés « sous l'autorité et puissance du Roy » : ces défricheurs recevront l'aide prochaine de « quantité » de sujets, recrutés dans le royaume. En 1627, Esnambuc et du Rossey, munis d'une commission du Cardinal, et suivis d'une petite troupe en mauvaise santé, débarquent dans l'île : ils la partagent avec les Anglais, les uns et les autres convenant qu'ils « ne recevront d'ordre et ne relèveront » que de leur monarque respectif. Possession royale française, même si les Espagnols ne la reconnaissent pas comme telle, Saint-Christophe, malgré ses faibles dimensions, va propager la colonisation française dans la mer des Antilles.

Ce mouvement d'expansion se déploie en 1635, après la création de la Compagnie des îles d'Amérique, qui succède à la Compagnie de Saint-Christophe. Une expédition, forte de 400 personnes, quitte Dieppe, le 25 mai 1635, pour étendre la domination de la France sur la Dominique, la Guadeloupe et la Martinique. À sa tête, deux hommes. Le premier, L'Olive, lieutenant d'Esnambuc, a assisté au développement difficile de Saint-Christophe : attaque espagnole, conflit avec les Anglais, et disette, marquée paradoxalement par une ordonnance royale du 25 novembre 1634, interdisant le commerce étranger. Cet homme, qui connaît les problèmes inhérents à la colonisation et aux tropiques est accompagné d'un métropolitain, qui a tout à apprendre. Dans son *Histoire générale des Antilles*, le père J.-B. Du Tertre, qui débarque à la Guadeloupe en 1643, rapporte d'abord ce que fut la traversée : « On peut dire que les misères de cette Colonie commencèrent dès le navire, les viandes et les morues étaient toutes pourries; et l'on avait embarqué si peu de cidre, qu'au milieu du voyage l'on fut contraint d'y mettre la moitié d'eau de mer : ce qui causa une altération incroyable à tous les passagers, et une chaleur d'entrailles si violente que plusieurs en moururent sitôt qu'ils furent à terre. Cette cruelle lésine est l'effet de l'avarice des marchands, et des commis des vaisseaux, qui ne cherchant que leur profit, n'avitaillent les navires que de ce qu'ils trouvent à bon marché, ce qui fait périr la plupart des Français qui passent dans les îles : car ces mauvaises nourritures leur corrompant le sang, les fatigues et les misères qu'ils souffrent pendant un si long trajet, leur font trouver la mort sitôt qu'on les mis à terre. » Arrivés à la Martinique, le 28 juin 1635, M. de L'Olive et M. du Plessis effectuent une brève inspection de l'île qui les incite à choisir d'aller s'habituer à la Guadeloupe. Ils y débarquèrent, suivis de leurs compagnons, ne disposant pas de vivres à bord et ignorants des ressources locales. Le père Breton, qui fait partie de l'expédition, note sobrement, à la fin de l'année : « En peu de temps la maladie nous frappa à peu près tous, en raison du changement de nourriture et de climat. » Le père Du Tertre trempe sa plume dans l'encre de l'école naturaliste et peint un tableau expressif des débuts de la colonisation de la Guadeloupe. Les hommes sont démoralisés. « Quelques-uns des plus forts, voyant leurs compagnons mourir si misérablement, et craignant avec sujet d'être bientôt réduits aux mêmes extrémités, se retirèrent parmi les Sauvages, qui les reçurent avec humanité, et les traitèrent avec abondance, ne le pouvant faire avec délicatesse. La famine fut si grande qu'on mangea les chiens, les chats, et les rats, comme de friands morceaux. Depuis qu'on eut déclaré la guerre aux Sauvages, nos gens n'osant plus sortir du Fort, mangèrent jusques à l'onguent des chirurgiens, et au cuir des baudriers, qu'ils faisaient bouillir pour le réduire en colle. On en a vu quelques-uns brouter l'herbe, d'autres manger les excréments de leurs camarades, après s'être remplis des leurs : on a même cru qu'un certain jeune homme de Dieppe, avait mangé de la chair d'un sien compagnon, et qu'à ce dessein il lui avait coupé le bras auparavant que de l'enterrer : l'on dit en effet que l'on aperçut sa bouche ensanglantée, et que l'on vit toutes les marques qu'il avait mordu à belles dents, dans ce bras qu'il avait séparé du corps. L'on a souvent vu la terre des fosses, où nos Pères avaient enterré les morts, toute bouleversée le matin, avec beaucoup d'apparence qu'on les avait fouillées, pour déterrer les corps, et pour en couper quelque membre pour vivre. » Le gouverneur du Plessis, emporté par la maladie, laisse le commandement de l'île à L'Olive.

L'année 1636 n'apporte aucune amélioration. Les Français, attachés à leurs traditions alimentaires, préfèrent souffrir les affres de la faim et de l'épuisement plutôt que d'adopter les habitudes culinaires des Caraïbes. Ensuite la fièvre jaune se glisse parmi ces Blancs pouilleux et affaiblis et les tue en grand nombre. Du Tertre, qui a écouté les survivants et pris des notes, raconte la découverte de cette maladie tropicale implacable et celle des affections palustres qui abattent les Européens, les rendant inaptes au travail, ce que les maîtres ne comprennent pas. « Cette famine, qui dura près de cinq ans [...] fut suivie d'une mortalité presque générale, à laquelle outre la famine, deux choses contribuèrent particulièrement. La première fut une certaine maladie qu'on nomme communément dans les Îles, *le coup de Barre*, elle cause ordinairement à ceux qui en sont surpris, un mal de tête fort violent, accompagné d'un battement d'artères aux tempes, et d'une grande difficulté de respirer, avec une lassitude et douleur de cuisses, comme si l'on avait été frappé de coups de barre, ce qui a donné sujet au nom qu'on lui a imposé. Elle attaque ordinairement ceux qui défrichent les terres des Iles, à cause des vapeurs vénéneuses, qu'elles exhalent : la cruauté des commandants qui présidaient au travail, fut l'autre cause de la mort de la plupart de la Colonie ; car bien que ces pauvres engagés, tant aux seigneurs de la colonie qu'aux marchands de Dieppe, fussent extraordinairement affaiblis par la misère et par la faim, on les traitait plus mal que des esclaves, et l'on ne les poussait au travail, qu'à coups de bâtons et de hallebardes ; si bien que quelques-uns d'eux qui avaient été captifs en Barbarie, maudissaient l'heure qu'ils en étaient sortis, invoquant publiquement le diable, et se donnant à lui, pourvu qu'il les reportât en France ; et ce qui est de plus horrible, quelques-uns sont morts, avec ces paroles excécrables dans la bouche. » Le père Breton juge 1636 encore plus catastrophique que l'année précédente. « En 1636, beaucoup des nôtres périrent, moins de maladie, mais de faim, car ils n'avaient plus que la peau et les os, et c'est quatre par quatre que nous les déposions au tombeau. » Les Français, qui refusent pour la plupart de s'accoutumer à la nourriture indienne, se prennent peu à peu d'animosité contre leurs hôtes ou pour le moins leurs voisins. « On soufflait déjà le feu qui s'embrasa bientôt après contre les Caraïbes [...] cependant comme les sauvages virent qu'on chargeait dans le bateau un bâtiment de charpente, se doutèrent bien ce qui en était, savoir qu'on les voulait aller déloger et prendre leur place, pour avoir leurs vivres, se hâtèrent de s'en retourner. » Entre Indiens et Blancs, les relations se tendent et dégénèrent en violences, que la misère attise. « Une fois épuisées les provisions trouvées chez les indigènes — ce qui ne tarda guère — une famine encore plus cruelle nous éprouva, personnellement je dus me nourrir de racines (nous les appelons ici : patates) bouillies, mélangées à un peu d'eau de mer en guise de condiment — encore n'avais-je pas cette nourriture à volonté ! La soif aussi nous dévora, que l'eau de pluie ne suffisait pas à apaiser. Nous puisions dans les mares une eau boueuse, chaude et que la putréfaction des feuilles rendait fétide. Les bestioles y grouillaient et c'est, narines pincées et yeux fermés, que nous la buvions après l'avoir filtrée dans un linge. Ce n'est pas qu'il n'y eût des rivières, mais les indigènes, par représailles, tuaient tous ceux qui s'aventuraient sur leurs abords. Pour cette raison on ne pouvait sortir qu'en groupe et armés, jusqu'au moment où la paix fut conclue avec eux. »

Les années s'écoulent sans que la situation des Français s'améliore. Les engagés, personnel recruté par le gouverneur ou de maîtres pour défricher et cultiver pendant 36 mois, manquent, la dissension aigrit les relations : chacun regrette cette malaventure. Les chefs eux-mêmes, loin de donner l'exemple, se disputent, la Compagnie, loin d'apaiser les esprits les excite, les imaginations et les ambitions s'échauffent au point que l'on voit le successeur d'Esnambuc, le commandeur de Poincy, lieutenant général des îles (Saint-Christophe, Guadeloupe, Martinique, Sainte-Lucie) refuser de remettre son commandement à Thoizy, nommé à sa place par le roi ! La misère, la maladie, la mort, la guerre contre les Caraïbes, mais aussi un régime féodal traversé d'anarchie et de violences, prêt à la trahison, ont présidé à la naissance de l'archipel colonial des îles du Vent. Malgré une accumulation décourageante de malheurs et d'obstacles, le projet de Richelieu, repris par Mazarin et Fouquet a été accompli. Toutefois, Colbert ne tirera pas la conclusion de cette expérience, heureuse dans son issue, mais décevante dans sa longue et difficile concrétisation. Les compagnies gouvernées par des manieurs d'argent, gens d'affaire métropolitains et hommes de pouvoir, ne constituent pas le meilleur instrument pour organiser des échanges commerciaux, prendre possession de territoires lointains et les peupler. Si la France a mis la main sur les îles du Vent et bientôt sur les îles sous le Vent, elle en est redevable à ces Français, armateurs, marins, engagés, recrutés dans les campagnes et les villes, qui en créant de petits établissements à Saint-Christophe, la Tortue et Saint-Domingue, ont posé la première pierre de la domination française dans les Antilles. Davantage, la Guadeloupe, colonie dieppoise, sera aidée dans sa détresse par Saint-Christophe, et, cette île, par elle-même, grâce à l'initiative de M. d'Esnambuc, donnera la Martinique au roi.

Boucaniers, habitants, engagés et flibustiers

Les Français trafiquent dans la mer des Antilles depuis l'aube du xvie siècle. Saint-Domingue, la Grande Île découverte par Colomb dès son premier voyage, appartient à leur circuit. Dès 1525, rappelle J.-P. Moreau, ordre est donné de mieux protéger certains ports de la côte septentrionale de l'île, contre les attaques françaises. Malgré la répétition des instructions espagnoles, les Français attaquent Puerto Plata en 1539, Jacquanna en 1541-1543 et capturent de nombreux navires. Dans les années 1550, un capitaine gascon « met le grappin » sur plusieurs bâtiments madrilènes. Dans les années 1557, le capitaine Mesnin, de La Rochelle, court de succès en malheurs, mais sort gagnant de son périple aux Indes occidentales. En 1572, le capitaine Maillart, originaire de Fécamp, cherche fortune au large de Saint-Domingue. En 1582, le capitaine Roussel recueille à la Tortue les rescapés du *Lion d'Or*, que commandait Jehan Retout du Havre.

En 1599, Champlain qui navigue sur une escadre espagnole voit deux navires dieppois sur la côte de Saint-Domingue, où il aperçoit aussi 13 « grands vaisseaux tant français, anglais, que flamands, armés ». La Grande Île, précise-t-il « est fort bonne et marchande en cuirs, gingembre et casse, tabac que l'on nomme autrement petung ou herbe à la Reine ». Hispaniola, comme toutes les îles de la mer des Antilles, est fréquentée par les sujets du roi, naviguant avec des intentions variées, qui vont de l'humble troc à la contrebande et à la course. Eaux, côtes et sites sont connus grâce à une expérience qui s'affine et à des cartes de plus en plus précises.

Les Espagnols partent nombreux vers la Nouvelle-Espagne ou d'autres provinces continentales, désertant l'île de la Tortue et la partie occidentale de Saint-Domingue. Ce vide, au cœur des Grandes Antilles, ne manque pas d'attirer les capitaines de commerce et les corsaires de différentes nations : France, Angleterre et Provinces-Unies. Dans la petite république égalitaire de la Tortue, à quelques brasses au nord de Saint-Domingue, les Anglais rompent bientôt l'équilibre en leur faveur et avouent leur volonté dominatrice. Les *avanturiers* français décident alors d'envoyer une députation à Saint-Christophe pour y demander des secours au commandeur de Poincy. L'année suivante, en 1640, Levasseur, à la tête d'une petite troupe déterminée débarque discrètement sur la côte de la Grand Terre, rassemble tous ses compatriotes, et part à l'assaut de la Tortue, d'où il chasse les Anglais. L'aventure française de Saint-Domingue, dont les résultats économiques éblouiront la seconde partie du XVIIIe siècle, en gestation depuis déjà assez longtemps, est sauvée. Comme Esnambuc avait donné à Louis XIII une île de Saint-Christophe déjà apprêtée par l'action de quelques Français, Poincy établit les droits de Louis XIV à la Tortue et Coste de Saint-Domingue, grâce à la présence et à l'effort de fidèles expatriés. Le royaume devra la future « perle » des Antilles, joyau des colonies européennes de la fin du siècle des Lumières, à un isolat ou plutôt à une diaspora de nationaux, alimentée par le commerce particulier ; il ne l'aura pas reçue d'une grande compagnie dirigée par des traitants. Îles du Vent et îles sous le Vent s'inclinent devant l'autorité royale au terme d'opérations où les Français habitués hors de France tiennent le premier rôle, les métropolitains venant, au second rang, à la rescousse. Ce schéma, loin d'être exceptionnel, est général. L'initiative privée a désigné partout et toujours les positions à occuper ; l'État, au lieu d'aider, s'est substitué, stérilisant souvent les actions esquissées, et toujours incapable de peupler. Aussi l'histoire coloniale française raconte-t-elle avant tout les heurs et les malheurs d'une poignée de sujets, entraînés par quelques chefs éprouvés sur le terrain : ainsi Esnambuc à Saint-Christophe et prochainement Bertrand d'Ogeron à la Tortue et Coste de Saint-Domingue, tous deux anciens capitaines de *La Marine* et flibustiers ensuite. Les Espagnols cessent leurs actions de représailles contre La Tortue en 1654, et les Anglais, maîtres de la Jamaïque, renoncent tacitement à s'emparer de l'îlot et de sa Grand Terre en 1663. Venant après Levasseur, délégué de Poincy, après Jérémie du Rausset, qui a reçu une commission royale de gouverneur en 1656, le fondateur de la colonie, gouverneur pour le roi, débarque en 1665, un an après la création de la Compagnie des Indes occidentales, à laquelle a été accordé le monopole du commerce avec les possessions de l'Amérique. À quelle époque les Français se sont-ils établis à la Tortue et à la Grande Île ? On l'ignore. On sait que depuis le début du xviie siècle des navires y chargent des bois et des cuirs notamment. Comme M. Camus l'a souligné récemment, on sait aussi que les Espagnols ont pris, en 1606, la décision de se retirer de la partie occidentale d'Hispaniola. À partir de cette date, comment ne pas penser que des équipages ont hiverné dans cette campagne riche et giboyeuse, que des matelots naufragés et déserteurs, rejoints par des esclaves fugitifs de la partie espagnole, ont commencé une vie nouvelle, chassant et préparant des cuirs, coupant des bois recherchés, et peut-être brûlant des places où faire pousser du pétun. Comme à Saint-Christophe, ces premières initiatives, ces établissements modestes attirent les éléments de cette population flottante que les Espagnols bousculent épisodiquement. À la fin de 1629, 80 Français, chassés de Saint-Christophe, s'installent à la Tortue ; l'année suivante, des Anglais, débusqués de Nevis, font de même. La population croissante de l'îlot cultive des vivres et du tabac, tandis que les boucaniers de Saint-Domingue les fournissent en viande et leur remettent leurs cuirs.

Dans les années 1650, la Tortue et Saint-Domingue sont peuplées de 500 Blancs chacune, semble-t-il. Mais dans un mémoire adressé à Colbert en 1669, Bertrand d'Ogeron se montre moins optimiste. « La colonie de la Tortue et Coste Saint-Domingue était environ de 400 hommes lorsque j'en fus reçu gouverneur [1665], il y a quatre ans. Elle est à présent de plus de 1 500, tant gens de guerre que chasseurs, habitants ou engagés. » Huit ans plus tard, en 1677, un dénombrement chiffrera la population de la colonie à environ 3 500. Une chose est sûre pendant le gouvernement de l'Angevin, qui s'achève en 1676, la nouvelle possession prend son essor. Dans un premier temps, la Tortue, résidence du gouverneur, patrie des flibustiers et des habitants, vend les denrées que produisent ses plantations, alors que Saint-Domingue, chasse vaste et monstrueuse des boucaniers, commerce ses cuirs ; puis, la population abandonnera la Tortue, trop étriquée, pour s'établir à la Grand Terre où la culture du tabac se généralise, alors qu'aux îles du Vent, en avance par rapport à Saint-Domingue, mais en retard sur la Barbade, les plantations sucrières entrent dans leur phase d'expansion. À la Tortue, symbole de la colonisation française dans l'Amérique et de la richesse des tropiques, le créole Moreau de Saint-Méry rendra un hommage chaleureux dans sa *Description de la partie française de l'isle de Saint-Domingue*. « Je te salue, berceau de la plus brillante colonie que possède la France dans le Nouveau-Monde ! Asile de ces hommes qui, après avoir étonné l'univers par leur audace, consacrèrent à l'agriculture des bras si longtemps employés par la victoire ! Lieu où a été préparé l'un des plus grands succès obtenus par les puissances européennes, au-delà des mers ! Je te salue, rocher où les destinées de Saint-Domingue ont été si longtemps agitées ; et encore dans l'état auquel t'a réduit ta propre utilité, je vénère en toi la cause de tous les miracles que l'industrie a créés dans une vaste colonie. Plus la gloire de celle-ci a été rapidement acquise et plus elle me rappelle que tu en posas les premiers fondements. Qu'on me pardonne cet élan, il exprime ce que j'ai senti, lorsque j'ai mis le pied sur le sol de l'île la Tortue. »

En 1666, Alexandre Oexmelin, jeune parpaillot d'Honfleur et chirurgien de surcroît, embarqué sur le *Saint-Jean*, au milieu de boucaniers qui sont allés recruter des engagés en France, mouille devant le Port-Margot où Ogeron possède une cacaoyère. Le Normand ouvre des yeux ronds à la vue du spectacle qu'il découvre. « Aussitôt vint à nous un canot où il y avait six hommes, qui causèrent assez d'étonnement à la plupart de nos Français qui n'étaient jamais sortis de France. Ils n'avaient pour tout habillement qu'une petite casaque de toile et un caleçon qui ne leur venait qu'à la moitié de la cuisse. Il fallait les regarder de près pour savoir si ce vêtement était de toile ou non, tant il était imbu de sang. Ils étaient basanés ; quelques-uns avaient les cheveux hérissés, d'autres noués ; tous avaient la barbe longue et portaient à leur ceinture un étui de peau de crocodile, dans lequel étaient quatre couteaux avec une baïonnette. Nous sûmes que c'étaient des boucaniers. J'en ferai, dans la suite, une description particulière, parce que je l'ai été moi-même. » Dans son *Histoire des avanturiers*, parue en hollandais en 1678, en allemand l'année suivante, en espagnol en 1681, en anglais en 1684, en français en 1686, et depuis lors rééditée sans cesse, le praticien, promis à une gloire littéraire immortelle, peint le monde nouveau où il atterrit. À l'origine, dans les années 1630, les aventuriers organisent leur établissement. « Quelques-uns, voyant des habitations commencées, et la commodité qu'ils recevaient de la Grande-Île, d'où ils pourraient tirer de la viande quand ils voudraient, avantage qui leur manquait à Saint-Christophe, résolurent de se fixer dans celle de la Tortue, et jurèrent à leurs compagnons qu'ils ne les abandonneraient pas. La moitié de ceux-ci alla à Saint-Domingue tuer des bœufs et des porcs, pour en saler la viande, afin de nourrir les autres qui travaillaient à rendre l'île habitable. On assura ceux qui allaient en mer, que, toutes les fois qu'ils reviendraient de course, on leur fournirait de la viande. Voilà donc nos aventuriers divisés en trois bandes : Ceux qui s'adonnèrent à la

chasse, prirent le nom de *boucaniers ;* ceux qui préféraient la
« course », s'appelèrent *flibustiers,* du mot anglais « flibuster » qui
signifie corsaire ; ceux qui s'appliquèrent au travail de la terre
retinrent le nom d'*habitants.* Les habitants qui étaient en fort petit
nombre, ne laissèrent pas de demeurer possesseurs de l'île, sans qu'on
pût les en empêcher. Quelques Anglais, qui se présentèrent pour
augmenter le nombre, furent très bien reçus. Il vint des navires de
France traiter avec eux ; les flibustiers apportaient dans l'île un butin
considérable, et les boucaniers, des cuirs de bœuf ; en sorte que les
navires qui y négociaient, trouvaient leur compte, et remportaient la
valeur de leur cargaison, non seulement en cuirs, mais encore en
tabac, en pièces de huit et en argenterie. »

Les boucaniers, qui, à partir du gouvernement de M. d'Ogeron,
s'effaceront peu à peu au profit des habitants ou colons, appellent
l'attention d'Oexmelin qui fut des leurs. Aussi aime-t-il à les raconter.
« Les Caraïbes, Indiens naturels des Antilles, ont coutume de couper
en pièces leurs prisonniers de guerre et de les mettre sur des manières
de claies, sous lesquelles ils font du feu. Ils nomment ces claies
barbacoa : le lieu où ils sont, *boucan* et l'action, *boucaner,* pour dire
rôtir et fumer tout ensemble. C'est de là que nos boucaniers ont pris
leur nom, avec cette différence qu'ils font aux animaux ce que les
Indiens font aux hommes. Les premiers qui ont commencé à se faire
boucaniers étaient habitants de ces îles et avaient conversé avec les
sauvages. Ainsi par habitude, lorsqu'ils se sont établis pour chasser et
qu'ils ont fait fumer de la viande, ils ont dit : boucaner de la viande. »
À force de dépeupler Saint-Domingue de ses bœufs et de cochons
marrons, les boucaniers se sont condamnés eux-mêmes à changer
d'état, à devenir flibustiers, galopant les mers, ou habitant, cultivant
le tabac. « Le genre de vie de l'habitant était plus doux que le métier
de chasseur », note malicieusement le Normand, qui s'applique à
décrire les principes d'action de cette classe d'hommes. D'abord,
c'est la préparation à l'établissement. « Quand ils veulent commencer
une habitation, ils s'associent à deux, quelquefois trois, comme je l'ai
dit des boucaniers, et se nomment matelots ; ils font un contrat, par
lequel ils mettent en commun tout ce qu'ils ont, et ils le rompent
quand ils jugent à propos. Si, pendant la société, l'un des deux meurt,
l'autre demeure possesseur de tout le bien, au préjudice des héritiers
qui pourraient venir d'Europe le réclamer. Leurs conventions étant
faites, ils demandent de la terre au gouverneur, qui envoie un officier
du quartier leur mesurer une habitation. S'ils sont deux, on leur
donne ordinairement quatre cents pas géométriques de large et
soixante de long. S'ils sont trois, ils ont à proportion, afin que s'ils
viennent à partager leur habitation, chacun puisse en avoir une de
deux cents pas de large sur la même longueur. L'habitation étant
bornée, ils en choisissent l'endroit le plus commode pour y planter
leur domicile, et c'est communément assez près de la mer. Lorsque

toutes les habitations du premier étage sont prises [on appelle ainsi celles qui touchent au bord de la mer], il faut se contenter de celles qui en sont plus éloignées, et quand le quartier est bon, il s'y forme jusqu'à quatre étages. Les habitants de chaque étage, quel qu'il soit, sont obligés de donner aux autres un passage libre sur leur propre fonds. Cependant les habitations les plus voisines de la mer sont les meilleures et les plus commodes, non seulement pour le transport des marchandises, mais encore parce que les habitants ont besoin de l'eau de la mer pour tordre leur tabac. Pour profiter entièrement de cette place, ils abattent les arbres de haute futaie qui leur nuisent. Quand, au bout de cinq ou six mois, le bois est sec, ils y mettent le feu. »

Viennent, ensuite, la culture des vivres et la construction du logis. « Les habitants commencent par planter les légumes. D'abord ils sèment des pois, ensuite des patates, du manioc, dont ils font de la cassave, des bananiers et des figuiers, qui, dans ces premiers commencements, leur servent de nourriture. Ils plantent ces figuiers dans les lieux les plus bas et les plus humides, le long des rivières et auprès des sources ; car il n'y a guère d'habitant qui n'ait sa demeure proche d'une rivière ou d'une source. Après avoir pourvu à la nourriture, ils bâtissent une plus grande loge, qu'ils nomment *case*, à l'imitation des Espagnols ; ils en sont eux-mêmes, ou leurs voisins, les charpentiers et les entrepreneurs ; chacun y donne son avis. Pour cela, ils taillent, en fourches, trois ou quatre arbres de quinze à seize pieds de haut, qu'ils enfoncent en terre ; et, sur les fourchons, ils mettent une pièce de bois, qui forme le faîte. [...] Ils amassent quantité de feuilles de palmier, ou de roseaux, ou de cannes à sucre, pour couvrir le bâtiment, et les voisins s'aident les uns les autres. En un jour, la case est couverte. Ils la ferment d'une palissade de roseaux ou de planches de palmier. Au pourtour du logis, ils plantent quantité de petites fourches de la hauteur de deux ou trois pieds hors de terre, sur lesquelles ils mettent des bâtons entrelacés en forme de claie. Ils jettent là-dessus des paillasses remplies de feuilles de bananier, et chacun a la sienne ; car c'est là où couchent tous les habitants de la case. Chaque lit est couvert d'une toile de tente blanche, qu'ils nomment pavillon, et le tout s'appelle une cabane. » Enfin, arrive le temps de la mise en valeur, la culture du tabac. « L'habitant, ainsi accommodé, est au-dessus de ses affaires ; il n'a plus qu'à cultiver les légumes qu'il a plantés, et à abattre du bois pour découvrir une place où il puisse pareillement planter du tabac. Il en abat suivant le monde qu'il a pour le cultiver ; car on compte un homme pour deux mille pieds de tabac. Le lieu où on le plante veut être net de toute sorte d'ordure ou d'herbe étrangère, et, pour cela, on est obligé de sarcler tous les huit jours. Pendant que le tabac croît, les habitants bâtissent une ou deux cases, pour le mettre à mesure qu'ils le recueillent. Ils en bâtissent aussi une autre moins grande pour le tordre et le serrer, en attendant la commodité de l'embarquer. Dès qu'ils en ont une certaine quantité, ils l'envoient en France et se procurent alors haches, houes, grattoirs, couteaux, toile pour faire des sacs à manioc et pour s'habiller. Quant au vin et à l'eau-de-vie, c'est la première chose que ces gens-là songent à acheter. Il y en a qui passent en France lorsqu'ils ont gagné quelque chose ; ils achètent eux-mêmes des marchandises, et engagent des hommes qu'ils amènent aux colonies pour se faire servir, comme je l'ai dit des boucaniers. Comme ils sont ordinairement deux associés, l'un demeure sur l'habitation pendant que l'autre voyage. Quand ils reviennent de France, ils amènent avec eux cinq ou six hommes ou plus, selon qu'ils ont le moyen de payer leurs passages, qui coûtent cinquante-six livres pour chacun. [...] Si un habitant a plusieurs engagés, il ne travaille point ; il a pour faire travailler ses gens, un commandant, auquel on donne deux mille livres de tabac par an, ou une part du produit du domaine. »

Le jeune chirurgien est venu à la Tortue en qualité d'engagé. Il a connu cet état et en a souffert ; aussi sait-il en parler mieux que quiconque. « Voici de quelle manière ces engagés sont traités. Dès que le jour commence à paraître, le commandant siffle afin que ses gens se rendent à l'ordre ; il permet à ceux qui fument d'allumer leur pipe, et il les mène au travail, qui consiste à abattre du bois ou à cultiver le tabac. Il est là avec un bâton, qu'on nomme une *liane* ; si quelqu'un d'eux s'arrête un moment sans agir, il frappe dessus comme un maître de galère sur des forçats ; malades ou non, il faut qu'ils travaillent. J'en ai vu battre quelques-uns à un tel point qu'ils ne s'en sont jamais relevés. On les met dans un trou à un coin de l'habitation, et on n'en parle point davantage. [...] Lorsqu'ils vont le matin au travail, l'un d'entre eux a le soin de donner à manger aux porcs, car les habitants nourrissent là toute sorte de bestiaux. Il leur porte des feuilles de patates, ensuite fait cuire des patates et, les ayant préparées avec de la sauce de pimentade, il appelle ses camarades qui sont au travail pour déjeuner. Quand ils ont mangé, ils allument leur pipe et chacun retourne au travail. Celui qui a la charge de la cuisine, met cuire des pois avec de la viande et des patates hachées en guise de navets. Lorsque son pot est au feu, il va travailler avec les autres ; et quand il est temps de dîner, il revient pour l'apprêter. Dès qu'on a dîné, on retourne travailler jusqu'au soir ; et on soupe comme on a dîné ; ensuite, on s'occupe à éjamber du tabac, à fendre du mahot, qui est une écorce d'arbre propre à lier le tabac, ou enfin à faire de petits liens pour le pendre, et, dès que minuit sonne, il est permis d'aller prendre son sommeil. Les fêtes et les dimanches, ils peuvent aller se promener. Les mauvais traitements, le chagrin et le scorbut font mourir beaucoup d'engagés. Si l'on n'a pas de la résolution, et qu'on ne fasse quelque exercice, on devient comme insensé, et l'on piquerait un homme en cet état qu'il ne le sentirait pas. Les Anglais traitent leurs engagés encore plus mal que les Français ; ils les retiennent pour sept ans, au bout desquels ils les font boire démesurément et, à la faveur de l'ivresse, les rattrapent pour sept autres années. »

Sur les flibustiers, Oexmelin disserte longuement. Il raconte la signature de la chasse-partie, contrat conclu entre capitaines et marins avant toute expédition, il dit la grande solidarité et le code d'honneur qui unit les Frères de la Côte, il chante les exploits, évoque la répartition des butins, le jeu, la bonne chère et autres débauches. Et un brin moraliste, il conclut : « C'est ainsi que les aventuriers passent leur vie ; lorsqu'ils n'ont plus d'argent, ils retournent en course. »

Oexmelin est un excellent analyste qui mérite davantage que la réputation d'auteur hollywoodien de films d'aventures qu'on lui a faite. Il a très bien remarqué la carrière transitoire à laquelle étaient promis les boucaniers : pendant leur âge, ils ont contribué à animer le commerce français dans les Antilles et ont joué le rôle de pourvoyeurs d'une main-d'œuvre, qui se sédentarisera et participera à la mise en valeur de l'île. Il a vu avec une grande pertinence la difficulté de créer des plantations. Faute de capitaux, pour acheter du matériel, recruter des engagés et surtout acheter de ces Nègres qui résistent au climat — c'est-à-dire immunisés contre les maladies tropicales qui anéantissent les Blancs —, le colon utilise la formule de l'association. Comme *alter ego*, le planteur potentiel, sans refuser de s'allier avec un insulaire, cherchera à se coaliser avec un marchand, connu dans le port de sa province d'origine. Grâce à ce lien, il aura en France un correspondant, à qui il pourra demander aussi bien de lui avancer des fonds que de lui embaucher du personnel, et de faire parvenir ses lettres à sa famille, et à ses amis. De cette coopération entre le colonial et le métropolitain naîtra un réseau aux facettes multiples, où se mêleront les affaires, la famille et les amitiés provinciales. Ainsi se peuplera la colonie : sans le secours des compagnies publiques ni des financiers.

Paradoxalement, Oexmelin se montre moins riche sur la flibuste qui lui a donné une gloire répétée et rafraîchie par les siècles qui se succèdent. Or, l'interrogation s'impose : ces marins, le plus souvent munis de lettres de course officielles, parfois agissant sans autorisation, donc en pirates, ont-ils occupé une place appréciable dans l'édification de l'une des plus riches colonies du monde ? Sans hésitation : oui. Ils ont, avec les boucaniers qui abandonnent à l'occasion la terre pour la mer, découragé les Espagnols d'exercer leur souveraineté légitime sur la Tortue. Des années 1630 aux années 1660, les « aventuriers » français, tantôt traqués, tantôt chassés, reviennent toujours et finalement pour rester. Pareillement, ils ont dégoûté la *Providence Company* et les Anglais qui, en 1655, avaient ravi la Jamaïque aux Madrilènes, renoncent à leurs prétentions. Le traité de Nimègue (1678) reconnaîtra à la France un droit sur la Tortue et la partie occidentale de Saint-Domingue, la cession étant consacrée par la paix de Ryswick (1697). Jusqu'à cette date, qui annonce la Succession d'Espagne, donc la fin des hostilités avec le Roi

Catholique, les flibustiers participent à la défense de la politique royale. Comment ? En créant, souvent alliés à Morgan, un climat d'insécurité dans les possessions espagnoles. Ils pillent Sancti Spiriti de Cuba, en 1665, Granada et Maracaïbo, en 1666, Veragua, en 1667, Puerto Principe de Cuba en 1669, Panamá, en 1671, Vera Cruz, en 1683, Carthagène et Campêche en 1686, époque à laquelle une partie d'entre eux, franchissant l'isthme de Darien [Panamá] pour la seconde fois, ou empruntant le détroit de Magellan, ils écument les côtes du Pérou pendant sept ans, avant de rentrer, qui au Brésil, qui à Cayenne, qui par l'Asie ! Ducasse, homme d'affaires, excellent marin et tête politique, gouverneur de Saint-Domingue depuis 1691, prend la tête des flibustiers et, en 1694, opère avec eux plusieurs descentes, à la Jamaïque. Le père Labat, qui se frotte les mains de satisfaction, en racontant la campagne du Gascon, en dresse le bilan : « Le dommage que cette entreprise causa aux ennemis a été de plus de douze millions, sans compter un vaisseau de guerre de cinquante canons qu'on leur enleva, et quantité de vaisseaux marchands, et autres bâtiments qu'on prit, ou qu'on fit échoir, ou qu'on brûla sur la côte. Les esclaves Nègres qui furent partagés, étaient au nombre de dix-huit cents, mais ceux qui furent enlevés par les particuliers, et qui ne furent point rapportés à la masse du butin, étaient en bien plus grand nombre, et quant à l'argent monnayé ou travaillé, aux meubles, aux marchandises, et aux ustensiles des sucreries, il a été impossible jusqu'à présent d'en fixer au juste la valeur. Il suffit de dire, que ce qui a été rapporté à la masse commune a enrichi un très grand nombre de flibustiers et d'habitants de la côte, et que M. du Casse et ses officiers y ont fait des fortunes si considérables, qu'elles auraient pu faire envie aux plus riches particuliers de l'Europe. » En 1697, Ducasse et ses flibustiers sauveront Pointis du désastre et lui offriront Carthagène : ils seront mal récompensés. Le gouverneur n'a pas des goûts de pillard de profession ni même de planteur : mais il souhaite avec ardeur et insistance que sa nation adopte une stratégie expansionniste aux dépens de l'Espagne. Seignelay le comprenait, alors que L. de Ponchartrain préfère louer la Marine royale à des armateurs en course et ne pas se risquer. Néanmoins, le Gascon à l'esprit vif signifie à son ministre, le 13 janvier 1699 : « Je ne regarde pas cette colonie de Saint-Domingue par la culture du sucre, indigo et tabacs, ni autres denrées qui se font dans l'Amérique, mais comme une place d'armes pour unir à la monarchie française les importantes clefs du Mexique, du Pérou et du Royaume de Santa-Fé. » Un langage incompréhensible pour les Pontchartrain qui, tout en mesurant l'intérêt des colonies, préfèrent les projets modestes et les méthodes commerciales, aux desseins vastes servis par la force.

À travers les expériences du général de Saint-Domingue, les flibustiers se révèlent sous deux aspects originaux. Un chef, par le caractère et l'expérience, peut les utiliser comme de véritables auxiliaires des armées. Ensuite, ces hommes dont on dénonce qu'ils n'ont ni foi ni loi, aident au développement de la colonie. Les descentes victorieuses à la Jamaïque se traduisent par une vigoureuse injection de capitaux, de main-d'œuvre et de matériel dans l'économie insulaire. Avec moins de fracas, mais assez souvent, la flibuste fournit aux habitants des esclaves en nombre d'autant plus appréciable que l'île se trouve dans une phase de démarrage. Quelle est la nature de cette flibuste, si utile à la formation de la colonie ? Multiple. Il en existe une, française, constituée de bâtiments armés venant des ports de la métropole. Mais la plus importante réside dans Saint-Domingue et regroupe toute la société insulaire autour de sa puissance à la fois combattante et économique. Le gouverneur de Cussy, étrange prédécesseur de Ducasse, explique et illustre ce fait dans une lettre qu'il envoie le 24 août 1684, à Seignelay. Avant les réflexions de l'administrateur, la « liste du nombre des flibustiers et de leurs vaisseaux ».

	Canons	Hommes
le Sieur de Grammont, commandant le Hardy	52	300
le capitaine Laurent Graf, Danois commandant le Neptune	54	200
le capitaine Michel, la Mutine	44	280
le capitaine Jonquay, Hollandais, la Dauphine	30	180
le capitaine Le Sage, le Tigre	30	130
le capitaine Dedenant, le Chasseur	20	120
le sieur Du Mesnil, la Trompeuse	14	100
le capitaine Foccart, l'Hirondelle	18	110
le capitaine Bréa, la Fortune	14	100
la prise du capitaine Laurent	18	80
le capitaine Bernanos, la Seitie	8	60
le capitaine Cachemarée, le Saint Joseph	6	70
le capitaine Blot, la Guagnone	8	90
le capitaine Vigneron, la Barque La Louise	4	30
le capitaine Petit, le bateau le Rusé	4	40
le capitaine Lagarde, la Subtile	2	30
le capitaine Verpré, le Postillon	2	25
	328	1 945

« C'est Monseigneur tout ce qu'il y a de flibustiers, sans exception, dont il y en a plus de la moitié qui sont habitants, la plus grande partie ayant fait quelques profits achetant des habitations sur lesquelles ils se retirent et vivent doucement. Ainsi le nombre des habitants s'augmente sans diminuer celui des flibustiers, parce qu'ils vont alternativement en course, laissant le soin de leur habitation à leurs associés. » Tout s'éclaire. Sur quelque 4000 Blancs que compte Saint-Domingue en 1684, la moitié appartient à la flibuste ! Autant dire que le colon, quand il ne participe pas directement à l'activité flibustière, y est indirectement associé par le biais d'une prise de participation. Avec la bienveillance de la Providence, le Domingois doit gagner sur les deux tableaux : flibuste et plantation, donc engranger un double revenu.

De la Martinique à Saint-Domingue : villes et campagnes

Comme l'a justement remarqué G. Bodinier, nombreux furent les officiers envoyés sous Rochambeau lors de la guerre d'Indépendance américaine, qui tinrent un journal. Parmi eux, le lieutenant du Perron de Revel, qui s'est rendu dans la patrie de Washington, en passant par les Antilles. À la fin du mois d'avril 1781, il débarque au Fort-Royal, devant lequel le contre-amiral Hood a refusé le combat à l'amiral de Grasse en faveur de qui le rapport des forces penchait. « Il est aisé de se figurer la curiosité de ceux qui, comme moi, n'étaient jamais venus dans ce nouveau monde. Les premiers objets sur lesquels nous la fixâmes furent une foule de petits bateaux faits d'un tronc d'arbre, chargés de nègres et de négresses qui nous apportaient des fruits à vendre. Nous descendîmes à terre dans l'après-midi et, en y mettant le pied, il me semblait que mes jambes engourdies n'avaient plus leur jeu naturel. Une foule d'êtres noirs et jaunes nous entouraient et parlaient une langue que je n'entendais point. J'entrai ensuite dans une rue que je trouvai bien bâtie, bien alignée et garnie de boutiques comme dans les villes de France. Je fus au café où je retrouvai le tapage et les propos de nos cafés de garnison ; enfin, au bout de quelques instants, je ne fis plus d'attention aux différentes couleurs des êtres qui passaient et repassaient, et je fus bientôt accoutumé aux nouveaux objets que mon imagination m'avait d'abord représentés sous un point de vue des plus merveilleux. Je fus promener vers la fin du jour sur une petite place dont une partie est couverte des différents fruits et des productions du pays, que vendent aux passants les négresses et mulâtresses dont le ton, les manières et le caquet ressemblent beaucoup à ceux de nos revendeuses européennes. Je m'arrêtai avec plaisir à l'examen de tous ces différents fruits qui diffèrent infiniment de ceux de France et pour la forme et pour le goût, et dont aucun, selon moi, ne peut être préféré même à nos plus médiocres ; ils sont presque tous excellents confits, mais, si on veut les manger à la main, on trouve les uns d'un fade insupportable, tels que l'avocat, la banane, la figue banane, le coco, etc. ; d'autres ont le goût le plus désagréable, tels que la balbadille et la gouliave qui a une odeur de punaise ; d'autres enfin flattent le goût dans les premiers moments, mais ennuient à la longue et sont d'ailleurs très malsains par le grand acide qu'ils renferment, tels que l'ananas que les colons mettent au premier rang et qui est assurément bien inférieur à une bonne poire, une bonne pomme, une bonne pêche, etc. Je quittai ce quartier pour me rendre en haut de la place, où promenaient plusieurs groupes d'hommes et de femmes blanches très élégamment vêtus, qui discouraient sur les nouvelles du jour et qui, par parenthèse, ne nous épargnaient pas. Le faiseur de sucre était sorti de son moulin, l'artisan de son atelier, le marchand de sa boutique et l'habitant de dessous sa moustiquaire pour venir à ce rendez-vous médire à son aise sur le compte de M. de Grasse et de toute son armée. »

L'officier retire une impression mitigée de ses premiers pas martiniquais : surprise devant le bariolage des couleurs et la saveur fade des fruits, sentiment de familiarité pour une ville qui aurait fui sa province pour les tropiques, et retrouvailles avec l'esprit national qui, où que ce soit, remanie l'ordre du monde et fait la leçon. Après la prise de Tabago, l'escadre et les troupes reviennent au Fort-Royal. Le lieutenant du Perron profite de ces jours d'escale pour visiter une sucrerie sur laquelle il est invité. « Nous vîmes des nègres et négresses, mettre ces cannes précieuses (dont la forme ressemble beaucoup à celles que nous cultivons dans nos jardins en Europe) entre deux cylindres de métal placés très près l'un de l'autre, qui tournaient à contresens par le moyen d'un moulin à eau ; ces cannes, par la pression des deux cylindres étaient écrasées et rendaient un jus abondant qui était porté par un petit canal dans un bâtiment très vaste où il y avait plusieurs chaudières sous lesquelles il y avait grand feu. Ce jus, après avoir subi plusieurs préparations et différents degrés de cuisson, qui produisent plusieurs espèces de sirop, du tafia, du rhum, etc. était enfin réduit en un sel brun, que l'on mettait dans des pots de grès pour le faire sécher. Dès que ce sel avait pris une certaine consistance, on le sortait de ces pots et on le mettait dans une étuve très chaude, où il achevait de se sécher entièrement ; après quoi, on le pilait et on en remplissait des barriques pour l'envoyer en France, où on le raffine et où on le blanchit. Il y a quelques habitants où on le vend tout raffiné. De la sucrerie, nous fûmes dans la campagne, pour voir travailler cette malheureuse classe d'êtres que nous arrachons chaque année des rivages de l'Afrique, pour assouvir notre insatiable cupidité, notre avarice et notre inhumanité. Nous trouvâmes dans un champ une quarantaine d'hommes ou femmes qui n'avaient d'autre vêtement qu'une mauvaise culotte ou un mauvais linge autour de la ceinture, et qui, une bêche à la main, remuaient tristement une terre qu'ils ne devraient creuser que pour s'y ensevelir, tant ils sont malheureux. Un vieux nègre armé d'un grand fouet de poste et tout fier de la confiance de ses maîtres, se tenait à quatre pas, derrière ses tremblants compatriotes, où il saisissait la moindre occasion de prouver qu'il était parfaitement de la même espèce que nous, c'est-à-dire aussi cruel et aussi ardent à tourmenter ses semblables. [...] Nous entrâmes dans les cases à nègres, qui sont de petites cahutes en bois couvertes d'une espèce de jonc, larges d'environ sept ou huit pieds, au milieu desquelles il y a pour tout meuble une natte sur laquelle ils couchent. Ces petites maisons entourent la maison de l'habitant et du maître, où viennent se rassembler touts ces malheureux aux heures qui leur sont indiquées, soit pour le travail, soit pour la prière, habitation bien réglée qui ressemble à un couvent, où l'on n'a cependant pas fait vœu de chasteté, ce qui serait contraire aux intérêts de l'habitant qui naturellement désire que ses négresses fassent beaucoup d'enfants pour lui éviter la dépense qu'il serait obligé de faire en achetant à la côte de Guinée. »

Revel poursuit sa visite, indigné par les mœurs coloniales, que caractérisent l'esclavage et la licence. Toutefois, sa philosophie et sa sensibilité sont mises à rude épreuve, par les femmes de couleur qui lui inspirent un sentiment de répulsion raciste aussi tenace que spontané. « Quelle inconséquence dans nos principes ! Ce que nous regardons comme un libertinage affreux, un crime digne de toutes les vengeances de l'Église, en Europe, n'est ici qu'une obéissance aux lois de la nature, une chose très permise parce qu'il y va de notre intérêt ! Bien plus, il y a des habitants dont le revenu ne provient que d'une taxe imposée sur leurs esclaves femelles : " Tu me donneras tant par jour, tant par mois ", disent-ils à leurs négresses ou mulâtresses, " moyennant quoi, tu feras tout ce que tu voudras, et je n'exigerai aucun service de toi ". Ce qui fait que ces êtres voluptueux n'ayant d'autre plaisir et d'autre occupation que l'amour, et ne s'attachant qu'à la jouissance physique du moment, s'abandonnent entièrement aux impulsions d'un climat brûlant, et parviennent à captiver des hommes qui les préfèrent aux blanches les plus jolies. Leur air, leur maintien, leur démarche, leurs chants et surtout leurs danses ne respirent que la passion. Je me rappelle avoir vu en Europe des femmes prétendre que l'allemande était une danse très indécente : que diraient-elles si elles voyaient danser le chica, le Kalenda, etc. Elles sont, en général, grandes et bien faites ; celles de la Martinique n'ont pour tout habillement qu'une chemise et une jupe toujours très blanches, et quelquefois un mouchoir sur le cou ; elles ont pour coiffure un autre mouchoir qui entortille une espèce de turban assez élevé qui emboîte tous leurs cheveux. Elles ont grand soin de se laver souvent et sont très propres, afin de diminuer une odeur très forte et très désagréable, qui leur est naturelle et qui répugne beaucoup à ceux qui n'y sont pas habitués. Dans le vrai, je n'ai jamais pu concevoir comment, avec un peu de délicatesse, un homme peut balancer entre une blanche et une femme de couleur. Une peau couleur d'ébène, chocolat ou citron, huileuse et d'une odeur forte, peut-elle se comparer à cette carnation vive et animée, à cette peau douce, fine et transparente, à cette aimable rougeur de nos Européennes ? Les moestives et carteronnes, qui nées d'un blanc et d'une mulâtresse, sont quelquefois très blanches, offrent toujours une couleur morte et n'ont jamais le coup d'œil coloré d'une Française. »

Le lieutenant, qui vit dans le souvenir des jeunes beautés de son Dauphiné natal, partage avec de nombreux voyageurs, son éloignement pour les créoles blanches. « Si quelque chose peut excuser le mauvais goût des hommes à cet égard, c'est l'extrême mauvaise éducation des créoles en général : habituées à commander à des esclaves, elles sont extrêmement volontaires, impérieuses, indolentes et maussades. Étendues dans un hamac, elles s'égosillent à appeler Zabeau, pour ramasser leur éventail ou leur mouchoir ou pour lui faire enfiler une aiguille. Remplies de fantaisies et de caprices, elles dédaignent les attentions, les petits soins dus à la société et absolument nécessaires dans un bon ménage. Rapportant tout à elles-mêmes et prêtes à tout sacrifice pour leurs plaisirs, elles ont rarement ces manières aisées, douces et liantes d'une Européenne bien élevée. Les premiers jours de juillet se passèrent en fêtes et en réjouissances chez les généraux ; on y dansa et on y joua beaucoup. »

Le jeune homme n'a pas le loisir d'approfondir son étude de la Martinique. Bientôt, l'escadre fait voile vers Saint-Domingue. Après quelques jours de navigation, elle mouille au Cap-Français. « Nous fûmes étonnés, au premier abord, de l'air opulent de cette magnifique colonie : une grande et superbe rade couverte d'une forêt de bâtiments et invinciblement défendue par une chaîne de rochers à fleur d'eau, qui en ferment exactement l'entrée à l'exception d'un seul passage très étroit et très dangereux et absolument impraticable sous le feu de plusieurs forts garnis de mortiers et canons et qu'il faut ranger à portée de fusil. Au lieu d'une plage sablonneuse et incommode comme dans les îles du Vent, nous trouvâmes un quai immense et bien construit, garni de débarcadères au bout de l'un desquels était une fontaine à quatre tuyaux à l'usage des vaisseaux qui avaient besoin d'eau. Sur ce quai aboutissent une grande quantité de rues bien alignées et bordées de superbes maisons, régulièrement bâties, couvertes d'ardoises et assez exhaussées. Plusieurs places publiques ornées de fontaines et de promenades, un beau gouvernement, un corps de casernes plus joli qu'aucun de ceux que j'ai vus en Europe, de beaux magasins, de magnifiques arsenaux, etc., embellissent cette ville à laquelle il ne manque plus qu'une agréable situation. Placée au pied d'une montagne qui l'entoure exactement, elle reçoit la double réverbération des rayons de soleil, ce qui en fait une fournaise, surtout lorsque la brise ordinaire de l'est ne se fait pas sentir. »

Les villes antillaises ne se réduisent pas à une vitrine pour courtisanes ou prostituées. Que sont-elles, passé le premier regard, toujours superficiel ? Toujours des ports, ancrés aux marches d'une plaine. Toujours des centres commerciaux, où navires et charrois se donnent rendez-vous, où les magasins s'emplissent et se vident, au rythme irrégulier des exportations et des importations. Ces agglomérations où circule la marchandise, éprouvent-elles l'orgueil de sublimer leur richesse dans un urbanisme grandiose et dans une parure ornementale majestueuse ? À écouter le lieutenant du Perron décrire le Cap, on pourrait le croire. Le capitaine Berthier, qui sera un jour maréchal d'Empire et prince, confirme le propos de son camarade d'expédition. « Cette ville, le Paris de nos colonies, est très bien bâtie, et habitée par des gens très riches. On y rencontre beaucoup de voitures fort élégantes, qui vont et viennent des habitations de la riche et belle plaine du Nord, qui annonce partout l'aisance et l'abondance. » Ces jeunes officiers, proies d'un jour de créoles affamés de distractions, aperçoivent le décor à travers la chaleur de l'accueil qu'on leur réserve : autant dire, que dans ces pays si étrangers et si hospitaliers, ils ne voient pas grand-chose. Le lieutenant-colonel Desdorides, en service à Saint-Domingue dans les années 1777, a, semble-t-il, le temps de visiter le Cap à son aise. Après quelques compliments d'usage, il enfourche le ton sévère du censeur. « Presque toutes les rigoles des rues sont comblées d'une boue noire et puante, parce que les Blancs ont la négligence de ne pas faire laver et balayer ces ruisseaux. La police devrait obliger chaque habitant à maintenir constamment son ruisseau très propre et faire payer de très grosses amendes à quiconque ne serait pas exact. C'est cette vase qui répand, en partie, la malignité dans l'air ; les reflets de la chaleur que renvoie le morne en augmentent la corruption ; aussi meurt-il étonnamment de monde au Cap. On ne devrait pas souffrir qu'il restât le plus petit emplacement dans le Cap, occupé par de la boue ou par des eaux qui séjournassent et qui croupissent. La pente des rigoles ne saurait être trop vérifiée par les ingénieurs du Cap, pour que Monsieur le gouverneur en ordonnât au cas qu'elle ne fut pas suffisante partout. » En écho, Descourtilz, quoique allié à une importante famille créole, ne se montre pas plus indulgent pour la métropole du Nord. « Les colons, qui n'ont point quitté leur île, osent comparer cette capitale à Paris ; mais ces deux cités ne souffrent point de parallèle. [...] Les bâtiments du Cap étaient, à cette époque, construits sans goût, les rues étroites et horriblement pavées. »

Le Port-au-Prince fait l'objet de jugements aussi contradictoires. Selon le Gascon Joinville-Gauban, la capitale administrative de Saint-Domingue est « bâtie en bois ; mais la plupart des maisons à étages couvertes en essentes ou ardoises. Les rues sont larges et bien alignées ; chaque maison appelée communément *case*, a une galerie qui met les passants à l'abri du soleil et de la pluie. Les habitants sont pourvus de bonne eau par un aqueduc de plus de mille toises, qui alimente quatre belles fontaines de charmants jets d'eau et d'utiles abreuvoirs. Ses promenades sont bornées à cause de sa situation, mais ses remparts et l'esplanade de l'Intendance en offrent de passables. M. Barbé-Marbois, intendant de la colonie en 1789, est l'auteur de ces établissements d'utilité générale et particulière, qui donnent la vie et la santé aux habitants. Son église est médiocre : elle est desservie par un archiprêtre. Son hôpital est bon et parfaitement pourvu de ce qui peut être nécessaire à mille malades. Ses casernes peuvent loger 3 000 militaires ; son arsenal est digne de remarque. [...] On rencontre quelques artistes qui se livrent seulement à la réparation d'objets de nécessité absolue ; mais le reste des habitants s'adonne entièrement au trafic : les hommes, les femmes, les enfants partagent cette utile profession avec avidité : le climat inocule, ce semble, ce goût à tous. Les juifs y sont peu nombreux et font cause à part, comme ailleurs. Beaucoup de nègres y sont laissés libres, moyennant tant par mois, qu'ils donnent à leurs maîtres ; dans cette position, ils font valoir leurs métiers et leur industrie selon leurs volontés légales. Le port est très agréable, à cause de ses eaux dormantes ; il est si commode, que les navires marchands viennent s'y décharger à quai. Sa baie a plus de deux lieues de large, sur une de profondeur. La rade, parfaitement sûre, peut permettre le mouillage à plus de cinquante vaisseaux de ligne qui y seraient en grande sûreté. » À cette fresque, qui se veut magnifiante, le lieutenant-colonel Desdorides répond d'un coup de crayon impitoyable. « La ville du Port-au-Prince est mal bâtie. Ses maisons éparses, sans alignement, ses rues sans continuité, représentent un camp en désordre. Le gouvernement est le seul édifice qui mérite d'être remarqué ; encore est-il en bois, qui ne résiste pas à l'air. » Descourtilz s'émerveille de l'abondance des marchés, qui, chaque jour étalent leurs produits, mais déplore que les rues de cette capitale ne soient point pavées. Un voyageur anonyme fait lui aussi la moue, devant le spectacle rustique et cruel du Port-au-Prince. « La ville toute bâtie en bois comme Châlons est grande, les rues larges et tirées au cordeau, bordées des deux côtés de galeries pour des gens à pied ; quelques-unes conservent encore deux rangées d'arbres qu'on a coupés dans les autres ; presque toutes les maisons n'ont qu'un rez-de-chaussée, les croisées sans vitres ont seulement des jalousies ; les façades peintes de diverses couleurs donnent à l'ensemble l'air d'une décoration d'opéra, ou d'un camp de tartares. [...] Mille figures plus ou moins noires achèvent ce tableau singulier ; ces malheureux vont la plupart nus, ou couverts de mauvais haillons [...] ce qui me peine davantage, un jeune enfant lavait dans l'eau du ruisseau au milieu de la rue son pauvre derrière déchiré ; je le fixai tout attendri, il me regarde, mais je ne pus distinguer dans ses yeux ni douleur ni confusion. [...] Combien la cruauté abrutit ses victimes ! » Enfin, le baron Alexandre-Stanislas de Wimpfen, bannissant toute considération morale, n'examine le grand port que sous l'angle de l'esthétique. « La comparaison qui se présente le plus naturellement à la vue de cette ville, est celle d'un camp tartare, tel que les voyageurs le décrivent, et qu'avec la meilleure volonté de se prêter à l'illusion, avec toute l'indulgence que réclame la prétention patriotique, tout homme raisonnable me saura gré de mettre un terme aux mensonges, aux exagérations avec lesquelles la bêtise et la mauvaise foi en imposent à l'inexpérience. »

Dans la dispersion contrastée de ces tableaux, où faut-il découvrir l'image moyenne de la ville coloniale française ? Dans l'esquisse du juste milieu ? Non. Les grandes cités royales des Antilles ne reflètent en aucune manière le triomphe économique des îles. Dans leurs flancs, elles ne recèlent ni cathédrales, églises ou chapelles, inondées d'ors et de peintures, ondulant dans un mouvement efféminé de courbes baroques. Point de ces places vastes, de ces universités nombreuses, antiques parfois comme celles de Mexico et de Lima, point de ces bibliothèques, de ces écoles spécialisées, de ces arsenaux, comme à La Havane, point de ces palais altiers, de ces beaux hôtels particuliers, point de ces fontaines majestueuses ni de ces longues façades mi-closes derrière lesquelles réguliers et religieuses chantent la gloire de Dieu. Désordre et lignes droites, amas de dépôts et de maisons, la ville coloniale française, boueuse, encombrée de porcs et de chiens qui se vautrent dans les immondices, traversée par les lourds cabrouets qui éventrent les rues, ne ressemble en rien aux capitales de l'Amérique ibérique. Sous le soleil lourd des tropiques, auquel elle n'offre aucun miroir, elle exprime l'argent mal économisé, la hantise de la dépense, le souci de durer dans le provisoire. La ville coloniale française, peut-être comparable à Charlestown en Caroline, mais non à La Havane, se repaît dans sa médiocrité rustique. Aux Antilles, la ville occupe toujours la seconde place, derrière la terre, productrice de ces denrées commerciales si prisées, dont le commerce répand l'opulence. Déjà en 1725, après l'âge du tabac, alors que les cultures se partageaient en sucreries et en indigoteries, le père Margat découvre dans les entours du Cap les agréments divins de la nature « Cette île présente d'abord un coup d'œil charmant à un missionnaire nouvellement débarqué. Une vaste plaine, de vertes prairies, des habitations bien cultivées, des jardins plantés, les uns d'indigo, et les autres de cannes à sucre, rangées avec art et symétrie ; l'horizon borné, ou par la mer, ou par des montagnes couvertes de bois qui, s'élevant en amphithéâtre, forment une perspective variée d'une infinité d'objets différents. Des chemins tirés au cordeau, bordés des deux côtés par des haies vives de citronniers et d'orangers ; mille fleurs qui réjouissent la vue et parfument l'air. Ce spectacle persuade à un nouveau venu qu'il a trouvé une de ces îles enchantées qui ne subsistent plus que dans l'imagination des poètes. »

Le vicomte de Ségur, revenant de la guerre d'Indépendance américaine où il ne fit qu'une apparition, mais combien fructueuse, s'arrête à Saint-Domingue où, par sa mère — une Montholon — il possède une belle plantation. Le jeune colonel, comme d'autres officiers, découvre l'île dans une double émotion, esthétique voire sensuelle, et morale. « Saint-Domingue présentait alors à l'observation deux spectacles opposés : cette île, cultivée partout avec soin, ressemblait à un magnifique jardin, percé de routes bien entretenues, et de nombreux sentiers bordés de haies de citronniers et d'orangers. À chaque pas, autour des champs de cannes à sucre et des savanes où paissaient de nombreux troupeaux, on voyait, sous des formes variées, les maisons élégantes des riches possesseurs de ces plantations. Les routes étaient sans cesse couvertes de voitures qui portaient leurs denrées dans les ports, et d'une foule de chars légers qui promenaient les colons voluptueux d'habitation en habitation. Tous se visitaient, se réunissaient continuellement ; ce n'étaient sans cesse que festins, danses, concerts et jeux ; dans ces jeux souvent les plus grandes fortunes se dissipaient en peu d'heures. Ces riches plaines de la colonie offraient en quelque sorte l'image, par leur luxe et par leur mouvement, de ces grandes capitales divisées en nombreux quartiers, où le commerce, les affaires, les intrigues et les plaisirs entretiennent une perpétuelle agitation et un mouvement sans repos. Tel était le tableau que présentait à mes yeux l'activité, les mœurs voluptueuses et la prospérité de la population blanche. Mais, en sortant de ce tourbillon d'un monde séduisant, et rentré dans les champs de mon habitation, quelle triste et différente perspective ! Là, je voyais mes malheureux nègres nus, n'ayant de vêtement qu'un caleçon, brûlés sans cesse par un soleil ardent, par une chaleur de vingt-huit à trente degrés, courbés du matin au soir sur la terre endurcie, forcés à la bêcher sans relâche, réveillés, s'ils suspendaient un moment leur travail, par le fouet des commandeurs qui déchiraient impitoyablement leur peau, et enviant presque le sort des bœufs et des chevaux qui n'avaient d'autre peine que de porter au moulin les cannes recueillies. »

D'autres, qui n'ont pas l'âme philosophique, pour la raison qu'ils vivent du travail des Nègres, se plaisent à évoquer les images parfumées et sonores de la colonie merveilleuse. Le colon Drouin de Bercy atteint, à sa manière, les cimes d'un romantisme colonial tout à la fois naturaliste et utilitaire. « De quelque côté qu'on tourne ses regards, on est enchanté par la variété des objets colorés d'une lumière pure ; ici, c'est une rivière paisible dont les eaux limpides permettent de compter à loisir le sable ou le gravier de son lit, sur lequel de nombreux poissons attendent sans défiance, le filet qui doit les arracher à leur élément et à la vie ; là, des troupeaux immenses de bêtes à cornes, de chevaux, de mulets, de moutons, et des volées de pigeons, de canards, de dindes, d'oies, de gibier de terre et de mer, proclament de toutes parts le bonheur de l'existence. L'odorat est agréablement satisfait par le parfum de sucreries, et l'attention de l'observateur s'égare malgré lui au bruit des moulins, des voitures et des mouvements incalculables d'une habitation ; le ciel est tempéré pendant le jour par des brises continuelles, et les nuits constamment fraîches préparent un soleil moins brûlant. Les habitants des plaines où cet astre darde ses rayons les plus vifs, vont dans les montagnes respirer un air frais et boire des eaux salubres. » Joinville-Gauban, le petit-Blanc de La Réole, économe puis gérant, aime à se souvenir de la côte occidentale de Saint-Domingue, qu'il a suivie pour débarquer au Port-au-Prince : « La belle mer, les vents alizés de ces parages, permettent aux bâtiments de se rapprocher très près de la côte, et de louvoyer avec sécurité dans le canal que forment les îles des Gonaves : conséquemment les arrivants peuvent admirer la magnifique nature de ces contrées : aussi, pendant les trois derniers jours de navigation, mes yeux furent frappés, sur la côte, du spectacle riant des campagnes, de la fécondité des montagnes, de la symétrie, de l'ordre des plantations, et de la diversité des sites. En effet, rien ne saurait flatter la vue comme ces plaines productives et inépuisables des Gonaïves, Saint-Marc, Montrouis, Arcahaie, Varreux et Léogane ; toutes sont parsemées d'habitations à sucre, à coton, à indigo, entourées de haies vives de campêche et citronniers, plantées avec goût et taillées avec soin : elles ressemblent à des lieux de plaisance embellis uniquement pour l'agrément de la vie. Les montagnes qui couronnent le plat pays paraissent presque inaccessibles ; elles sont néanmoins couvertes çà et là, et dans tous les sens, de bois champêtres, de productives habitations à café ou de places à vivres, dirigées avec la prévoyance de l'art, pour les mettre à l'abri des dégradations des pluies et pour en faciliter l'exploitation. »

L'île aux jardins, tantôt camaïeu de verts dans les plaines sucrières, tantôt écharpes sombres au semis de cerises rouges des caféteries, tantôt champs d'écumes immaculées des cotonneries, multiplie les images à la géométrie coloriée, décuple la volupté troublante des senteurs, et, dans le silence chaud que seul rompt le bruit des moulins et des charrois, elle fait entendre le chant rythmé des Nègres au travail, sorte de chœur par qui tout entre en mouvement. Cet ensorcellement féerique des sens, que procure la liturgie solennelle de la nature, est à chaque instant menacé par la colère subite de cet ordre apparemment immobile : ouragan ou tremblement de terre, ravageant tout, ne laissant derrière eux que mutilations et débris.

La société blanche des colonies antillaises

La société coloniale qui vit sous les tropiques organise sa hiérarchie en fonction de trois critères principaux, la couleur, la propriété et la liberté. Comme le note le baron de Wimpfen dans son *Voyage* : « C'est ici la couleur de la peau qui, dans toutes les nuances du blanc au noir, tient lieu des distinctions du rang, du mérite de la naissance, et même de la fortune. » Ainsi, par préjugé racial, l'Africain appartient automatiquement à la classe servile. D'ailleurs, l'on emploie l'un pour l'autre les termes *Nègres* et *esclaves*. Ceux-ci ne peuvent accéder à la liberté, et du même coup à la propriété, qu'à la suite de leur affranchissement : ils entrent alors dans la catégorie des affranchis, puis à la génération suivante, dans celle des Nègres libres. Pareillement, les métis, enfants d'un Blanc et plus généralement d'un homme libre, n'échappent à la servitude qu'après affranchissement : ils rejoignent, à cet instant, le groupe des affranchis. La descendance des personnes libres mais colorées — même quand le pigment mélanique n'a pas d'effets visibles — forme la caste des gens de couleur libres. Enfin, comme l'esclavage naturel découle de la couleur noire, la liberté naturelle se déduit de la couleur blanche. En résumé la population servile rassemble la masse des Noirs et des métis, tandis que la population libre, minoritaire mais plus variée, compte les Blancs, les gens de couleur et Nègres libres, et les affranchis métis et noirs.

L'intervention du critère de la propriété va durcir la hiérarchisation de la population blanche. Dans la société créole — dont les officiers du roi ne font pas partie —, les propriétaires de terres cultivées et d'esclaves, c'est-à-dire les Habitants, colons ou planteurs, viennent en tête : et encore, faudrait-il classer ce monde des propriétaires en fonction de critères subsidiaires. Au-dessous, des possesseurs de domaines et de Nègres se glissent les professions libérales, médecins, avocats, apothicaires, entrepreneurs, qui peuvent se constituer une fortune respectable en investissant leur revenu dans des acquisitions immobilières : en effet, le tarif des locations, comme tous les prix coloniaux, est fort élevé. Enfin, au bas de la société européenne, croupissent les petits-Blancs, un tiers des Français, amers et aigris, qui ne possèdent pas de plantations, ni de Nègres. Les cadres de plantations, sous-économes, économes, gérants forment le principal de ces petits-Blancs où l'on remarque aussi les artisans, les employés, cabaretiers, pacotilleurs et chômeurs. De même, chez les libres et les affranchis, les maîtres de jardins et d'esclaves occupent la première place, suivis des gens du commerce et au plus bas des artisans, économes, etc. À Saint-Domingue, ceux que l'on appellera les

« Grands Blancs », à la fin de l'Ancien Régime, grouperont 5 000 personnes sur 30 000, l'aristocratie des propriétaires fonciers. Chez les gens de couleur libres, la possession d'une habitation et d'esclaves dégage une première élite, de laquelle s'extraira la fraction des propriétaires au teint le plus clair. Ainsi, après la guerre d'Indépendance d'Amérique et aux débuts de la Révolution française, Julien Raimond et ses amis ne cachent pas que l'extension aux seuls propriétaires quarterons des droits politiques réservés aux colons blancs, les comblerait. Or, une telle mesure n'affecterait dans la Grande Île que quelques centaines de familles sur plus de 30 000 individus. Au total, les privilégiés de la liberté ne coalisent qu'une fraction de 6 à 10 fois moins nombreuse que la masse des esclaves. Collectivité hiérarchisée, la société coloniale, particulièrement celle des Antilles, se rigidifie d'autant plus au cours des ans que l'administration royale veut la réformer.

À la fin de l'Ancien Régime, l'immigration française représente les trois quarts de la population domingoise estime le vénérable Moreau de Saint-Méry, approuvé par J. Houdaille, alors que depuis le milieu du siècle, la Martinique n'a plus besoin d'un flux migratoire constant et abondant. Quel mobile pousse ces hommes jeunes — campagnards au xviie siècle, villageois au xviiie — à partir seuls, sans femme, vers un pays où ils espèrent que des parents, des amis, des compatriotes, pour lesquels ils emportent des recommandations, leur mettront le pied à l'étrier ? Le désir banal mais vif de s'enrichir. Les malheureux risquent de courir à de cruelles déceptions. Hilliard d'Auberteuil, avocat au Cap, que ses *Considérations sur la colonie de Saint-Domingue* ont rendu célèbre, les met en garde non sans brutalité. « Ô vous qui croyez être propres aux emplois les plus utiles, et qui tiennent le premier rang dans la société ! cherchez un pays où vos talents puissent être accueillis ; ils seront négligés à Saint-Domingue : ils y ont rarement ouvert le chemin des richesses ; ils y ont lutté sans cesse contre l'aveuglement et la méchanceté : mais vous dont l'existence dépend uniquement de l'effort de vos bras, vous ne serez pas réduits à demander la permission d'être utiles, on ne vous laissera pas dans l'inaction. Un maçon, un charpentier, un forgeron est heureux, personne ne lui conteste l'usage de sa hache, de sa truelle ou de son marteau ; il n'est obligé à aucune de ces dépenses que l'on ne fait que pour les autres, et qui ne peuvent satisfaire qu'une folle vanité ; il est habillé proprement et commodément, avec une grande culotte et une chemise de *ginga** ; il n'a pas besoin de protecteurs ; et quand il a passé la revue, il peut se moquer avec raison de tant d'hommes moins sages, que leur ton prépondérant soumet à la dérision publique. Qu'un charpentier se présente, les cultivateurs l'emploieront en arrivant, ils lui avanceront des Nègres : il sera bientôt entouré d'une

* Toile teinte, dont on fait grand usage dans les îles.

foule d'ouvriers qui lui appartiendront, et seront autant de moyens de fortune ; il ne tiendra qu'à lui d'être aussi opulent qu'un homme de son état puisse aspirer à l'être. »

Si le candidat à la fortune ne possède aucun métier utile, qu'il ne s'attende pas à recevoir l'accueil chaleureux des coloniaux. « On souffre que cinq cents sujets qui doivent être précieux à la France, viennent tous les ans, sans état, sans emploi, souvent sans aptitude, ou avant l'âge qui développe le germe des talents, languir ou périr dans la Colonie ; on ne s'occupe point à les retirer de la misère où les plonge une démarche inconsidérée. Toujours il en arrive, et tous sans destination, sans objet. Il semble qu'avant de souffrir qu'un homme coure les risques d'un si grand déplacement, il serait important de savoir à quoi il voudrait s'employer, et s'il y serait propre. [...] Si on continuait d'infecter la Colonie en purgeant la métropole, le désordre s'accroîtrait avec la population. » Hilliard sait que toute loi implique des dérogations, aussi se refuse-t-il à fermer la porte des colonies aux individus courageux. « Un homme laborieux qui vient à Saint-Domingue sans protection convenable, doit se mettre au service d'un cultivateur ; en se comportant bien, il pourra acquérir sa confiance, et dans le cas où il s'absenterait, être chargé de la régie de ses biens : il pourra devenir propriétaire lui-même, et s'il est au fait de la culture, s'il sait se ménager du crédit, il pourra entreprendre avec de faibles capitaux. Mais l'économe d'une sucrerie doit être debout jour et nuit, faire chaque matin le tour de l'habitation à pied ou à cheval, selon son étendue, afin de connaître les travaux et d'étudier la manière de les disposer le plus avantageusement. Souvent on est obligé de veiller la nuit à la fabrication du sucre et à la conduite des Nègres qui y travaillent. Pour mener une vie si laborieuse, il faut être d'un tempérament robuste et n'aimer point le repos : dans les caféières et indigoteries, la conduite des travaux n'est pas si fatigante, on a toujours le temps de dormir ; mais l'économe gagne moins, et ses espérances ne sont pas semblables. » Le Breton ne promet pas le succès, encore moins la facilité, mais le labeur — principe de l'action coloniale — jusqu'à l'épuisement. « Personne ne doit être dans l'inaction : à Saint-Domingue l'homme bienfaisant rend service sans craindre de faire des ingrats ; mais qu'est-ce que rendre service à un coloniste ? C'est le mettre en état de travailler. On ne suppose pas qu'il soit venu pour ne rien faire, dans un pays où tout le monde est occupé : s'il a fait vœu d'être à charge aux autres, on l'abandonne, on l'exclut de la société, comme la chenille sous la main du jardinier vigilant, est détachée de la plante qu'elle s'attachait à ronger et qu'elle eût détruite. » La colonie n'est pas un établissement de redressement, mais une école de formation et d'exigence. Toutefois, il existe un sentier qui mène directement à la richesse. « Si l'on prétend à la fortune dans cette colonie, c'est la culture des terres en propriété qui doit la donner ; mais cette propriété est devenue bien difficile à acquérir. Pour entreprendre les grandes cultures, il faut avoir des capitaux et du crédit. » Mais ces quelque mille jeunes hommes qui débarquent chaque année à Saint-Domingue, disposant au mieux d'une petite pacotille, vont aux îles pour se constituer un capital qui leur servira une rente avec laquelle ils pourront finir leurs jours dans une certaine aisance. À posséder, d'entrée, les moyens d'acquérir une plantation aux réserves satisfaisantes, il n'existe que M. de Laborde, banquier de la Cour, ami de Choiseul, et les armateurs de Bordeaux, Nantes, Rouen et autres places maritimes !

Alors qu'à la Martinique, l'économie et la population déclinent et se replient sur elles-mêmes, Saint-Domingue et la Guadeloupe poursuivent leur expansion dans un climat où le travail et son corollaire le revenu dominent tout. Point d'arts d'agrément, rien de gratuit, aucune curiosité, si ce n'est dans le domaine professionnel, observe le Martiniquais Moreau de Saint-Méry, à qui la création du Cercle des Philadelphes du Cap, devenue Société royale des Sciences et des Arts, n'a valu que les quolibets et la suspicion des colons qui craignent que cette académie de médecins, chirurgiens, apothicaires, avocats, ne verse dans la philanthropie et ne pousse ses actions dans le domaine réservé aux propriétaires. Dans cette ambiance, gouvernée par l'argent et, à la fin de l'Ancien Régime, par la peur et la colère de voir l'administration s'immiscer dans la gestion des plantations et entreprendre la réforme de l'esclavage, quels sont les axes de la vie sociale ? Les repas, aux plats épicés, la boisson jusqu'à l'intempérance, les parties de jeu, les liaisons avec mulâtresses ou Négresses, les conversations interminables sur les cultures, le prix des denrées, des Nègres, des produits importés et du fret, l'arrivée et le départ des navires, les disputes — en 1786, il est intenté 34 409 procès à la Grande Île, et 30 766 jugements sont rendus ! ; on aime aussi à colporter des ragots émaillés de plaisanteries grasses, l'on s'inquiète de la situation internationale — on vit dans l'appréhension de la guerre —, des nouvelles de la métropole, enfin, on tempête contre l'exclusif, la vie chère et la pénurie d'esclaves, on se plaint des chefs, despotes au service du despotisme. Sinon l'on travaille, inspectant places, bâtiments, réservoirs d'eau et canaux d'irrigation, surveillant les cultures et la qualité des denrées, on écrit lettre sur lettre aux négociants, leur commandant tout ce que nécessite le bon fonctionnement d'une plantation et leur réclamant des services plus personnels, on tient la comptabilité, on visite commissionnaires, notaires et avocats, on monte sur le pont d'un navire négrier en quête de quelques esclaves à acheter aux meilleures conditions. Au terme de ces journées, le colon a besoin de choses simples, à l'image de sa maison et de son intérieur. Un genre de vie auquel l'intellectuel Moreau de Saint-Méry ne se fait pas. « Il se forme à Saint-Domingue très peu de ces liaisons agréables, qu'on nomme de la société. Les hommes, tout occupés de leurs affaires, ne se rassemblent en quelque sorte que pour en parler ; et les femmes se réunissent peu. Cependant, à certaines époques, des fêtes rapprochent presque tous les habitants de la même ville et de ses environs. C'est principalement le bal qui jouit de ce privilège. » Tandis que le magistrat pleure, les planteurs qui tiennent caféteries dans les mornes, séquestrés dans un isolement où la moindre visite est un événement, rêvent de la vie animée des Habitants de la plaine qui ont toujours un pied à la ville !

La répétition perpétuelle des jours crée l'apparence fausse de l'immobilité. Derrière cette image, Saint-Domingue cache même les moteurs d'une instabilité profonde. Le rapport entre sexe masculin et féminin est frappé d'un grave déséquilibre : en 1788, la gent masculine se chiffre à 19 257 personnes, contre 8 461 à la féminine. Le rapport entre la population blanche des trois villes du Cap, du Port-au-Prince et des Cayes — à la fonction en partie parasitaire — écrase, toujours en 1788, par sa concentration et son nombre, 14 500 personnes, le peuple productif et dispersé des campagnes, 13 217. De plus l'hétérogénéité des peuplements urbains, où 5 850 individus relèvent de la rade et de la garnison, et rural, où, officiellement, 7 561 gérants, économes, raffineurs, chirurgiens, commis et ouvriers, forment le second groupe des petits-Blancs, qui, au total, dépassent l'évaluation des 10 000 calculés par La Luzerne, pour atteindre le chiffre de 13 411 et vraisemblablement davantage, car le gouverneur général a formulé son hypothèse des 10 000, sur la base du recensement (27 717) qui n'englobe pas les hommes des garnisons et des rades. L'absence permanente de 1 000 à 1 200 propriétaires, ainsi que l'errance de 1 000 à 2 000 jeunes gens, courant les Habitations pour se faire embaucher, ajoutent à l'instabilité de la population domingoise. Celle-ci, par ailleurs, ne peut qu'être aggravée par la mobilité des hommes des rades et garnisons, par celle des Domingois qui meurent davantage qu'ils ne rentrent en France, et aussi par celle qu'entretient l'immigration annuelle moyenne de plus de 1 000 jeunes gens. Enfin, la concurrence agressive que petits-Blancs et gens de couleur libres se font dans le domaine professionnel, accroît les tensions sociales et la fragilité du peuple blanc de la Grande Île.

La démographie des îles du Vent comparée à celle de la Grande Île, présente de nombreux recoupements. Les Blancs, comme en France, se marient encore plus tard qu'au Canada : entre 31 et 34 ans pour les hommes ; entre 20 et 21 ans pour les femmes. Les familles coloniales comptent davantage d'enfants que les métropolitaines : de 5 à 6 contre un peu plus de 4. Quant à la mort, elle frappe, dans les deux Mondes, entre 35 et 40 ans. Pas de mariages interraciaux officiels à la Martinique et à la Guadeloupe, toutefois quelques-uns se font discrètement. Des naissances illégitimes importantes chez les gens de couleur, mais infiniment moindres qu'à la Grande Île où le métissage — libre et servile — représente plusieurs dizaines de milliers d'individus. Enfin les immigrants, qui arrivent aux îles, viennent

Blancs de Saint-Domingue	1780	1788
Hommes	7 259	9 699
Femmes	2 548	3 535
Veuves	619	947
Garçons : plus de 12 ans	1 633	2 401
Garçons : moins de 12 ans	1 706	2 296
Filles : plus de 12 ans	1 126	1 798
Filles : moins de 12 ans	1 591	2 181
Régisseurs	864	1 269
Économes	1 636	1 833
Raffineurs	388	325
Chirurgiens	277	308
Commis	203	614
Ouvriers	693	510
Domestiques		2
TOTAL	20 543	27 718

surtout — comme au Canada — de la façade occidentale de la France : Aquitaine, Poitou-Charentes, Labourd, Bretagne, Pays de la Loire, Normandie, et en arrière, l'Île-de-France. Mais l'on observe une progression régulière du nombre des Provençaux que le commerce phocéen, en pleine expansion, pousse devant lui, dans la seconde moitié du XVIIIe siècle. Les Blancs sont beaucoup plus nombreux que les Blanches dans le rapport de 4 à 6 hommes pour une femme à Saint-Domingue, colonie en construction, alors que dans les îles du Vent, le rapport tend à l'égalisation au XVIIIe siècle. Force concubinages officiels à la Grande Île, beaucoup moins nombreux aux îles du Vent. Dans toutes les colonies, la mortalité infantile est forte : environ la moitié des enfants meurent avant dix ans. Chez les Blancs, l'espérance de vie se situe autour de 40 ans, de dix ans plus élevée que chez les esclaves. Les possessions d'outre-mer frappent le regard du visiteur par la jeunesse de leur population. Mais dans les colonies tropicales, la progéniture des Blancs et des sang-mêlé est proportionnellement beaucoup plus nombreuse que celle des Noirs où l'on ne compte que 2,9 enfants par femme.

Les difficultés de ce monde en rupture se traduisent dans les mœurs à la fois dures, dissolues, et rendent le poids de la solitude et des heures, écrasant jusqu'à l'obsession. Écrivant à son épouse, le 10 mars 1789, le comte de La Barre, sucrier à Saint-Domingue avoue sans joie cet ennui lancinant qui le traque et le ronge doucement, sans violence : « Je me couche de bonne heure et me lève de même. De temps en temps, je vais déjeuner ou dîner chez ma plus proche voisine

Mmes Jouette et Masson. Ici comme ailleurs, les jours passent à faire toujours la même chose. » Brièvement en service à Saint-Domingue, Aristide du Petit-Thouars, officier de marine, sous Louis XVI, ne cesse de se plaindre auprès de ses sœurs. « Nous cherchons à tuer le temps [...] (l'année 1785) fut longue et monotone ; pour énumérer les seuls plaisirs qui m'empêchèrent de vieillir sans profit durant cette morne période, je compte vos lettres. [...] Pourquoi sommes-nous si loin ! [...] Notre patience est à bout ! Nous ne savons plus que faire pour passer le temps. » Les petits-Blancs, qui travaillent comme cadres sur les plantations, n'ont pas le temps d'interroger leur âme. Ils crèvent de travail, de maladie, d'épuisement. Comme dit le proverbe domingois, « malheureux qui a des nègres, plus malheureux qui n'en a pas ». Ces jeunes, accourus pour « faire un million », limitent bientôt leurs ambitions, partagés entre le désespoir, la révolte et la haine. Ainsi, le Landais Jean-Baptiste Massié, vingt-quatre ans, quatre ans de séjour, confesse-t-il, le 4 janvier 1790, à sa mère : « On sait bien quand on passe dans la colonie, on ne sait pas quand est-ce qu'on pourra la quitter. [...] Les personnes qui passent dans ce pays se figurent qu'il n'y a qu'à arriver pour faire fortune et que l'on doit trouver l'or et l'argent dans les rues et qu'il n'y a qu'à se baisser et ramasser. Ils se trompent bien fort. Il y a un million de fois plus de difficultés à s'y procurer quelque chose qu'en France. [...] J'en juge par ceux qui ont passé avec moi dans le bâtiment de mon oncle ; de dix que nous étions [...] la plupart sont morts de misère et de chagrin de ne pouvoir pas se réembarquer pour aller rejoindre leur famille. » Dans la lassitude des uns, dans la misère des autres et l'absence des colons les plus riches, Saint-Domingue, comme toutes les posses-sions, est en gestation d'une patrie nouvelle. L'île créole, en dépit de sa hiérarchie sociale et raciale, mais allégée des contraintes institu-tionnelles de tout genre, même religieuses, se constitue en démocratie américaine où le racisme voisine avec la fréquentation des races et le métissage : selon J. Houdaille, les unions mixtes légitimes, non comptés les concubinages, ne représentent-ils pas quelque 17 % des mariages ! Un voyageur a deviné cette démarche originale de la Grande Île, ce divorce d'avec la France traditionnelle : A. du Petit-Thouars. Le jeune officier de marine, dans une lettre qu'il envoie à sa sœur Félicité, le 22 août 1786, révèle, malgré l'ennui qui l'accable, une grande pertinence dans l'observation. « On trouve de bonnes gens partout, et peut-être plus parmi les habitants de ce pays-ci que partout ailleurs ; il règne chez eux une liberté de costumes et d'étiquette, une tolérance de mœurs et de religion qui convient parfaitement à des garnements comme nous. J'allai, entre autres, dans une maison où, au bout d'un quart d'heure de séjour, j'étais chantant, dansant et faisant ce que l'on ne se permet souvent pas chez des gens que l'on connaît depuis vingt ans. La famille se composait d'un père et d'une mère qui n'étaient que les aînés de leurs enfants, de trois jeunes filles, d'un oncle, mon interlocuteur, qui donnait cent démentis par quart d'heure à ses cheveux gris ; il y avait en outre un mourant qui, dans une chambre voisine, voulait rendre l'âme au son des violons et des chansons ; enfin, des petits enfants de toutes les couleurs, des noirs surtout, qui venaient se faire caresser par les mains blanches des demoiselles. Celles-ci avaient été l'écueil de beaucoup d'officiers de la marine reçus chez elles comme moi ; heureusement on me les avait balisées ; j'étais donc sur mes gardes..., mais leurs yeux ont une chaleur progressive qui laisse peu de ressources à ceux qui demeurent longtemps exposés à leurs rayons. »

Les plantations : des exploitations capitalistes et serviles

Les sociétés coloniales, qui se sont constituées dans les contrées chaudes du globe, ont choisi l'économie d'Habitation ou de *plantation*, pour parler anglais, d'abord comme mode d'exploitation et de mise en valeur des terres tropicales et équatoriales, ensuite comme mode de production, qui a pour spécificité de reposer sur l'esclavage. Ce domaine colonial, pas plus que celui de France, n'a jailli du sol, comme Minerve casquée, de la cuisse de Jupiter. Les Français, qui au XVIIe siècle, avant la colonisation, et peut-être même plus tôt ont vécu dans les îles, seuls, parfois associés, ont dépensé leurs efforts pour amasser des marchandises susceptibles d'être achetées par les navires capitaines de passage : écailles de tortue, bois de teinture ou aux vertus médicinales, cuirs, et puis un produit de la culture, le tabac. L'Européen ou l'Indien, d'avant l'âge des compagnies, sème les graines de cette solanacée, de préférence aux lisières d'une forêt et en repique les plants dans une clairière culturale où après quatre mois, il coupe l'herbe et ses feuilles pour les préparer à la consommation. Le débarquement de petits contingents de colonisateurs permettra, comme en France, de passer de la clairière au champ, à la dimension du labeur du maître, de sa famille et de ses domestiques. Mais la maladie tropicale tue presque tous les Blancs qui n'ont contre elle aucune défense naturelle. Alors, pour aller de l'avant, pour que le sol produise du revenu, les Français conviennent, après l'autorisation du roi, d'imiter leurs prédécesseurs portugais et espagnols, et même anglais et hollandais. Ils iront à leur tour chercher en Afrique de cette main-d'œuvre servile qui résiste aux fièvres, et grâce à elle ils pourront étendre les limites de leurs exploitations.

L'achat d'esclaves, l'entretien de domestiques, l'acquisition d'outils, nécessitent de l'argent. Aussi la traite négrière ne règle-t-elle pas d'un coup de baguette magique l'apparition du domaine colonial, de la plantation. D'abord apparaissent les « places » où l'on travaille de quelques-uns à une cinquantaine de personnes. Places à tabac, point de départ du défrichement et de la constitution d'un petit groupe de travailleurs. Places à cacao et à indigo, ensuite, plus étendues, disposant d'un équipement modeste, et d'un personnel de quelques dizaines d'individus. La première évolution — sauf abandon — consiste à passer de la place à tabac ou de la hatte, savane ou se pratique l'élevage, à la place à indigo, pour progresser vers un capitalisme limité. La seconde étape, l'accession à l'Habitation sucrière, implique la constitution d'un ensemble de terres — en moyenne de 200 à 300 hectares — par acquisitions successives de places à tabac, à indigo et de hattes, par l'achat d'esclaves — 100 à 300 en moyenne —, et de bétail, par le recrutement de quelques cadres européens. Ce mouvement s'accompagne de la construction de la grand-case du maître, d'un moulin, d'une sucrerie dotée de son ou de ses équipages de chaudières, de purgeries en brut et en blanc, d'une étuve de séchage, d'une tonnellerie où sont confectionnés les tonneaux à sucre pour le transport en France, des magasins, une machoqueterie ou forge, un four à chaux, une guildiverie à tafia, des cases pour le personnel blanc, des cases à nègres et, marque de distinction, un colombier. Un tel rassemblement de terres, la constitution d'une pareille entreprise agricole et semi-industrielle, soulignent la capacité d'investir longuement et en quantités appréciables. Le propriétaire d'une place à tabac n'a aucun espoir de devenir Habitant, du jour au lendemain. Des officiers, décidés à ne pas quitter la colonie, sont mieux placés pour réussir : leur état leur servant de caution, ils peuvent faire appel à leurs amis, des négociants. Mais surtout, ils possèdent ce petit pouvoir qui permet de trafiquer sans risques et ainsi d'amasser une épargne prête à être placée à tout moment. Outre cette méthode, pratiquée par nombre de chefs, petits et grands, il existe d'autres voies pour devenir maître d'Habitation. Les emprunts familiaux multipliés, les associations avec un homme de l'île pour une mise en valeur rapide, avec un marchand pour disposer plus vite de quelques capitaux. Chacun agit à sa guise, selon son flair : il n'existe pas de recette infaillible. La plantation française, aux dimensions médiocres, à côté des vastes domaines des colonies ibériques, est une école de débrouillardise et de rigueur à la fois, de défi et de réalisme, d'absence de scrupules et de conformisme. Que d'Habitations, en partie jamais payées, ou d'autres achetées avec l'argent de l'interlope, ou avec des fonds détournés ! Mais, la prise de parts dans les opérations flibustières et armements en course — procédure parfaitement régulière — a rapporté de beaux profits à plus d'un qui, ainsi, ont pu agrandir leur bien ou l'équiper tant en matériel qu'en esclaves enlevés. L'Habitant en herbe sait aussi jouer avec les délais. Le transfert d'une propriété se conclut sur l'heure par contrat signé chez un notaire. À cet instant, le nouveau propriétaire n'acquitte qu'une partie du prix arrêté : le reste fera l'objet de paiements successifs qui, parfois s'éterniseront, ouvrant des contentieux impénétrables. Le colon, mieux qu'un autre, excelle à acheter sans regarder et à oublier l'échéance de ses dettes. Enfin, il est une technique gratuite, inventée pour favoriser le colonat et le peuplement des colonies, c'est l'octroi d'une concession par les administrateurs généraux à qui elle a été demandée. Mais la concession sera à la mesure des moyens du demandeur : s'il n'a ni capitaux, ni esclaves, on lui accordera généreusement une « place à vivres » où il cultivera les légumes indispensables aux villageois. S'il est déjà Habitant, s'il occupe des fonctions rassurantes, receveur de fonds, notaire, curateur aux successions vacantes, officier de milice, lieutenant du roi, alors les chefs s'emploieront à exaucer les vœux du candidat. Cependant, l'on ne s'improvise pas Habitant. Celui-ci doit posséder un certain nombre de réflexes qui guideront ses choix. Celui du site : de préférence proche de la mer pour disposer d'un embarcadère particulier, à l'abri du vent, à proximité du chemin menant au port voisin. Celui de la terre : après le défrichement, technique ancienne et bien connue, il est souhaitable d'avoir à travailler une terre de bonne qualité, dotée d'une source, si possible, pour irriguer ses jardins à sa guise, ou proche d'une rivière, sur laquelle on ouvrira une dérivation, à tout le moins à côté d'un réservoir collectif ; on veille aussi à ce que la concession enferme dans ses limites un pâturage et une futaie où, immédiatement on tirera du bois pour construire les bâtiments qui, à la génération suivante seront maçonnés, au moins à leur base.

L'acquisition d'une Habitation, c'est-à-dire d'un domaine spécialisé dans la culture de la canne à sucre, entreprise relativement importante, tant par sa superficie, ses bâtiments industriels et sa main-d'œuvre achetée, réclame des connaissances techniques, mais aussi de remplir quelques conditions délicates : disposer de capitaux, cultiver des relations apaisantes aussi bien pour le créancier que pour l'administrateur, enfin jouir soi-même d'une position sociale honorable. Quant aux autres propriétés, la culture du tabac disparaissant dès la fin du xviie siècle et celle des cacaoyers ne survivant que partiellement, places à vivres, à indigo, à café sorte de peuple que les plantations sucrières, dans leur aristocratie monarchique maintiennent dans l'ombre leur achat ne présente pas les mêmes exigences : on ne voit même aucun inconvénient à ce que des gens de couleur libres en possèdent. C'est tout dire ! En effet, à la hiérarchie des épidermes correspond celle des denrées ! Au fil des ans, les sucreries se sont appropriées les plaines, abandonnant les lopins plats, les terres médiocres et les mornes aux autres cultures auxquelles la vanité des maîtres donne des noms anoblissants : indigoterie, caféyère ou caféterie, cacaoyère ou cacaotière, cotonnerie.

L'organisation d'une sucrerie ne manque pas de surprendre. Toutes les activités du domaine convergent vers un cœur géographique qui rassemble les bâtiments industriels autour du moulin à écraser les cannes, d'où le jus ou *vesou* coule vers les chaudières. Dominant ce centre industriel et les cases des esclaves, la grand-case du maître. Cette bâtisse, naguère bousillée, plus tard, aux murs maçonnés, pansus, entourés d'une galerie, surveille, du haut du monticule planté d'ombrages rafraîchissants. La rusticité de la demeure laisse entrevoir où les masses principales du capital se porteront. Le cas de l'Habitation de La Barre, étudiée par G. Debien, est explicite.

1 — Terres	120 000 L.
120 carreaux★ dont 60 en cannes	
2 — Bâtiments	65 000 L.
(dont 6 000 L. pour la grand-case)	
3 — Esclaves = 115	207 000 L.
4 — Bétail	40 000 L.
	432 000 L.

★ 1 carreau = 1,13 ha.

À l'évidence, les aises du planteur ne comptent pour rien, alors que le reste — les éléments productifs — monopolise la totalité des capitaux.

Sur l'Habitation Foäche de Jean Rabel, à Saint-Domingue, comme la précédente, G. Debien reconstitue le capital sous ses quatre rubriques traditionnelles :

1 — Terres	1 000 000 L.
315 carreaux, dont 185 en cannes	
2 — Bâtiments	850 000 L.
3 — Esclaves = 512	1 600 000 L.
4 — Animaux	50 000 L.
	4 400 000 L.

Ces rapides exemples révèlent que l'on ne peut discuter le caractère capitaliste et semi-industriel de l'Habitation. Ils montrent aussi la modicité des terres cultivées en canne, au milieu de domaines qui paraissent en friche. À quoi servent ces surfaces de première importance par leur superficie, où l'on ne plante pas de « roseaux à miel » ? À cultiver les vivres des esclaves. À y couper le bois dont on emplira le fourneau des chaudières. Enfin à paître le bétail. Contrairement aux apparences, tout le sol d'une Habitation, jusqu'au dernier pas, est utile à la domination du roi Sucre. L'exploitation des jardins coloniaux par une main-d'œuvre servile, que le propriétaire doit entretenir mais sans lui verser salaire, a incité plus d'un plumitif à conclure que les Habitants percevaient des revenus de nababs. Les colons eux-mêmes avouent dans leur correspondance privée un rapport annuel de 10 %, que bien des historiens estiment démesurés. Or, que disaient les gens de l'époque qui savaient compter. Selon les Domingois Page et Drouin de Bercy, une sucrerie fournit un revenu annuel de l'ordre de 12 à 13 %. Selon le publiciste britannique Bryan Edwards, le seuil des 14 % peut être légèrement dépassé. Quant à Girod de Chantrans, capitaine du Génie, voyageur sans propriété, il note dans son *Voyage :* « La meilleure sucrerie ne saurait rendre, année courante plus de quinze pour cent, et la médiocre plus de dix. » Pour obtenir ce résultat — auquel nous adhérons —, il convient que l'Habitant dirige lui-même son exploitation, qu'il ne la confie pas aux soins malhonnêtes d'un gérant. Quoique avertis, les sucriers préféreront se faire voler par leurs auxiliaires, auxquels les négociants prêtent renfort, et crier à l'endettement. Toujours selon Girod, un esclave produit environ une tonne de sucre ou 500 kg de café par an : des chiffres moyens que la confiance invite à retenir. Les cultures antillaises procurent un revenu très honorable : à 12 %, on double son capital en 8 ans, et à 15 % en moins de 7 ans. Voilà de bons résultats pour un gestionnaire réaliste, mais qui ne donnent pas le vertige, comme les opérations réussies de traite négrière. En revanche, cette activité spéculative est soumise à des risques et à des contraintes infiniment plus lourds, où parfois l'on perd toute sa mise.

Les Habitations — les décennies passant on désigne finalement toutes les exploitations sous ce nom, à l'exception des « places à vivres », jugées trop petites, quoique d'un bon rapport — connaissent, dans le domaine du travail, des similitudes et des différences. L'esclave est présent partout, mais en nombre incomparable, de la sucrerie au jardin vivrier. Hommes et femmes sont affectés aux mêmes tâches — sauf la coupe de la canne et la tenue des chaudières, réservées aux hommes. Mais on trouve l'esclave aussi bien aux travaux de force que dans des emplois spécialisés ou même d'artisans. Au-dessus du monde de la couleur, on rencontre partout (sauf sur les places à vivres) des cadres européens auxquels incombe la surveillance permanente du labeur servile, de l'irrigation, des clôtures, des bâtiments, du bétail ; parmi ces hommes, vieillards avant l'âge, l'un d'eux assure parfois les fonctions plus reposantes de copiste. Blancs et Noirs, libres et esclaves, obéissent non tant à la loi des saisons, comme en France, mais de la récolte en cours. Qu'il s'agisse de la roulaison — coupe de la canne et fabrication du sucre —, de la récolte et du traitement de l'« herbe bleue », l'indigotier, du ramassage du café, du coton, éventuellement du cacao, et de leur apprêt, alors le temps ne s'arrête plus — surtout sur les sucreries où les chaudières bouillent en permanence —, on travaille jour et nuit, s'arrêtant pour quelques heures de sommeil, jusqu'à ce que ce cycle de naissance de la denrée ou du produit ait pris fin. Généralement le temps de la roulaison sur les sucreries a été peint sous des couleurs sombres du bagne et de l'enfer. En effet, l'Habitation coloniale, entreprise agricole esclavagiste, est une unité semi-industrielle, de manière indiscutable dans le cas des sucreries. Ici, on part d'un végétal brut, la canne, fourni sans cesse en quantités massives auxquelles on fait subir une succession d'opérations de transformation qui, au rythme d'une usine, livrent un produit fabriqué, le sucre. Le propriétaire domingois, Barré de Saint-Venant, membre de la Chambre d'agriculture du Cap, président du Cercle des Philadelphes, s'emploie à le démontrer dans un ouvrage qu'il publie en 1802 : *Des colonies modernes de la zone torride*. Hâtivement, il porte les yeux sur le cœur industriel de la plantation. « La forme et le mouvement du moulin sont remarquables. Seize piliers de dix-huit pieds de hauteur sont autour d'une enceinte circulaire de soixante-dix pieds de diamètre ; ils soutiennent un énorme cône, dont la base est de la même grandeur, et son axe a 45 pieds ; en tout, environ soixante pieds d'élévation. Il est couvert d'ardoises et forme toit. L'intérieur est divisé en deux parties : le milieu est une salle basse de trente pieds de diamètre : c'est là où est placée la machine ou moulin à exprimer le suc des cannes. Il est composé de trois cylindres de bois très dur, qui sont revêtus de manchons de fer ; le tout est fortement serré et comprimé avec des coins de fer. » Cette machine à broyer représente l'axe à partir duquel le phénomène industriel va se développer. « Autour de la salle du moulin, est un trottoir élevé qui a quinze pieds de largeur. C'est là que six mulets sont attelés aux deux leviers ; ils partent au galop, tournent et donnent un mouvement horizontal au cylindre du milieu, dont l'engrenage entraîne les deux autres. Alors on engage des paquets de cannes entre les cylindres ; elles passent et repassent. Environ cinquante barriques de suc de cannes couleront dans la journée, et arriveront dans les bassins et dans les chaudières de la sucrerie, pour faire soixante formes de sucre, et dans les grandes habitations, il en faut le double ; mais alors on double les postes. On conçoit qu'alors la vitesse des mulets doit être très grande. » Nombre de moulins ne sont pas à bêtes, mais à eau : un aqueduc conduit alors l'énergie sur les pales de la roue qui actionne les broyeurs. Dans tous les cas, dès que le jus des cannes est exprimé, les opérations se suivent avec rapidité. Le mouvement « du laboratoire qui est auprès, est plus surprenant encore. Sous une galerie extérieure, sont deux ou quatre hommes qui servent et se reposent alternativement. Avec des fourches qui leur servent à prendre le chauffage, ils alimentent sans cesse le fourneau ; tout ce qui les entoure est très combustible, plusieurs serviteurs leur approchent le chauffage. Aussitôt un torrent embrasé circule sous les chaudières, dans un espace de 25 pieds ; il parcourt la même étendue dans la cheminée ; une colonne enflammée s'élance hors du cratère, a trente pieds de hauteur ; elle est accompagnée d'un énorme tourbillon de fumée noire et épaisse, qui dans les temps calmes s'élève jusqu'aux nues ; elle obscurcit l'atmosphère lorsqu'elle est agitée. Une pluie de feu inonde les environs qui sont couverts de cendres ; elle menace de dévorer tout le combustible qui est épars alentour, et de porter l'incendie partout, mais elle s'éteint dans sa chute. Un autre nuage blanc dérobe à la vue la couverture du bâtiment ; il est produit par les vapeurs qui s'élèvent des chaudières : le tout présente l'image d'un embrasement. »

Saint-Venant, animé du même sentiment d'admiration que les Dietrich et les Wendel devant leurs forges, se laisse entraîner : son verbe a des sonorités dignes de Jules Verne et de Victor Hugo. « Et vous n'avez pas tout vu ; entrez dans le laboratoire, c'est souvent un bâtiment de cent vingt pieds de long, sur une largeur de trente pieds. D'un côté, sont les différents équipages de chaudières et de bassins destinés à la raffinerie, à la cuite des sirops, à la fabrication du sucre ; il faut les avoir doubles pour qu'un accident n'arrête pas la fabrique. Un de ceux qui servent à évaporer le suc de canne, est en train ; une nappe bouillante de vingt-cinq pieds de long, sur six pieds de large, présente des millions de bulles en mouvement ; toutes sont brillantes et irisées ; c'est un pactole de perles en agitation : elles laissent échapper une vapeur si considérable, que les 7 dixièmes du suc de cannes doivent s'évaporer ; 2 dixièmes ne seront encore que du sucre brut, qui doit éprouver un autre déchet dans le blanchissage, et un autre dixième n'est guère que du sirop qui peut être converti en eau-de-vie, et rendre velte pour velte ; mais il en faut distribuer aux nègres, pour leur boisson : on en donnera aussi aux bestiaux, à qui il tient lieu d'avoine. Vous voyez devant les chaudières cinq, six, quelquefois huit à dix nègres avec de larges écumoires ; ils sont chargés d'enlever les parties hétérogènes et solides que la chaleur dilate et fait surnager, surtout lorsque, par la précision de la lessive, elles ont été justement séparées du corps muqueux auquel elles étaient unies. » L'étonnante manipulation d'alchimie tropicale touche à son but. « Lorsque le moment de la cuite approche, alors tous les yeux sont fixés sur la matière en ébullition. [...] Aussitôt le feu est suspendu, quatre larges cuillères marchent ensemble ; elles plongent, se relèvent, versent, sans se heurter, la matière bouillante dans un rafraîchissoir qui est tout près. Cette opération se nomme *batterie*. On la transvase de suite dans un cristallisoir, où elle doit refroidir lentement. On recharge sur-le-champ la batterie qui a été vidée, le feu est déjà en activité : une seconde batterie va bientôt succéder à la première ; les deux réunies formeront un *empli* de douze formes qui doivent subir d'autres opérations encore, pour arriver à l'état de sucre blanc. Sur le même plan, vous apercevez les purgeries : c'est un bâtiment de trois ou quatre cents pieds de développement ; il sert à terrer le sucre pour le blanchir. Soixante, quatre-vingt lits de sucre brut sont établis sur la poterie ; les uns sont déjà blanchis et vont passer à l'étuve ; d'autres sont à la première, à la deuxième ou à la troisième terre. Ceux-ci y seront bientôt, on travaille pour les terrer ; ceux-là sont encore trop chauds, en voilà qui arrivent de la sucrerie. Plus loin, vous en voyez qui brillent sur un glacis ; ils sont exposés au soleil avant de les porter à l'étuve. Elle a été vidée depuis deux jours. Vous entendez les chansons des nègres et le bruit des pilons, qui brisent les pains de sucre pour les mettre en barrique. [...] Le bruit des tonneliers, celui des poids et des balances où l'on pèse les barriques, le mouvement des voitures qui chargent et partent rapidement pour livrer les sucres directement au navire qui les attend ; le vacarme des pilons qui vont toujours, le bruit de cent cinquante voix très animées forment un bacchanal qui vous oblige de sortir. Mais vous admirez l'étendue des bâtiments, l'ordre et l'arrangement qui y règnent ; vous récapitulez les nombreux ustensiles, la quantité d'hommes et de bestiaux qui y sont employés ; tout vous donne une haute idée de la richesse et de l'intelligence du maître. »

La fabrication du sucre nécessite seule le fonctionnement d'un mécanisme industriel. Toutefois les autres cultures réclament, pour la livraison de simples denrées, un appareillage spécifique : cuves à eau pour l'indigo, moulins à décortiquer et à vanner pour le café, moulins à éplucher pour le coton. Sans ce machinisme rudimentaire et sans connaissances techniques approfondies, le colon irait au-devant de déboires graves, qui le mèneraient à sa perte.

La société des gens de couleur libres

Les gens de couleur libres ne sont pas des individus sans liens les uns avec les autres. Comme les Blancs, ils forment un groupe hiérarchisé : au sommet figurent les colons, possédant indigoteries, caféteries et cacaoyères, souvent défricheurs de mornes, puis viennent les propriétaires de places à vivres, de hattes, d'immeubles ; plus bas figurent les artisans, les ouvriers, les pacotilleurs, caboteurs, etc., enfin apparaissent les marginaux de la liberté, itinérants ou sédentaires, vivant de petits travaux, à la ville comme dans les campagnes, sur les bords de mer et dans les bourgs. Cette classe qui, seule avec les Européens, jouit de la liberté, fait partie intégrante du système colonial, possédant des esclaves qui travaillent sur ses terres ou qui exercent des talents particuliers à son service. Mais cette faculté de disposer de soi n'implique pas l'égalité avec le colonisateur qui marque sa prééminence en se réservant la vie publique, certaines professions et en imposant des contraintes réglementaires et sociales humiliantes. Les sang-mêlé, comme leurs concurrents et ennemis naturels, les petits-Blancs, vivent dans une liberté surveillée que marquent deux mesures, édictées l'une et l'autre par Reynaud de

Villeverd, officier et propriétaire colonial, à l'occasion de remplacements du gouverneur général titulaire de Saint-Domingue. Le 9 juillet 1722, dans une lettre co-signée par l'intendant de Montarcher, il notifie au sénéchal du Cap : « Toutes les fois qu'il vous sera porté plainte contre les gens de couleur, nous ne voyons aucun inconvénient que vous preniez sur vous de les faire arrêter quand ils vous paraissent dans leur tort ; si elles regardent des Blancs domiciliés, vous devez en user avec beaucoup plus de prudence et de ménagement ; et vous ne devez sévir contre eux avec cette rigueur que lorsque ce sont des artisans pauvres et obscurs, ou dont le personnel ne mérite aucun égard. » Le 28 février 1781, Reynaud, dans une lettre aux commandants en second, précise l'identité des petits-Blancs assimilés aux gens de couleur : il s'agit des « économes, ouvriers et autres gens à gages » ; tous doivent être « contenus dans les égards qu'ils doivent aux Habitants ». Tenus en suspicion et contraints à la soumission par les Européens, à cause de la tache de couleur originelle, les libres ne sont pas plus aimés des Noirs, qui leur reprochent leur zèle dans les milices et la maréchaussée, leur comportement de gardiens ardents de l'ordre esclavagiste, leur trahison à l'égard du sang africain. En fait, même s'ils aiment les danses de Guinée, s'ils sont superstitieux, s'ils pratiquent une polygamie informelle, les mulâtres ont rompu avec l'Afrique. Ils ignorent les fidélités ethniques et adoptent la démarche rationaliste de préférence à la pensée magique. Craignant le poison, tant sous sa forme de toxique que d'envoûtement, ils ne l'utilisent pas : d'ailleurs le sang blanc, qui coule dans leurs veines, ne les exclut-ils pas du réseau des sorciers noirs et du maniement des forces surnaturelles ? Ils ne sont pas initiés aux secrets de la Négritie, et même les mulâtres esclaves ne reçoivent jamais la confiance totale des Nègres, qui sont pourtant leurs frères de condition. À la fois tenus en lisière par la

Mulâtres libres de Saint-Domingue	1780	1788
Hommes	2 203	3 493
Femmes	2 265	4 139
Veuves	349	636
Garçons : plus de 12 ans	1 548	2 890
Garçons : moins de 12 ans	1 357	2 892
Filles : plus de 12 ans	1 747	2 584
Filles : moins de 12 ans	1 358	2 474
Domestiques		2 700
TOTAL	10 427	21 808

masse servile, et spontanément méfiants à l'égard de celle-ci, les gens de couleur n'appartiennent pas plus à la société des Noirs qu'à celle des Blancs.

Enfants impurs de l'Europe et de l'Afrique, les libres ne sont reconnus en pleine légitimité par aucune des deux races mères. Ils forment une catégorie de bâtards, souvent organisés en familles parallèles aux familles blanches d'où ils sont issus. De celles-ci, ils reçoivent généralement aide, protection, éducation et même de petites propriétés, sans compter des emplois de confiance : gérants, ou surveillants secrets du gérant, quand la famille française rentre en métropole. La population métisse ne s'accroît pas seulement par le concubinage des Blancs et les affranchissements, mais surtout par autoreproduction ; à Saint-Domingue, 1775 marque le début d'une période de multiplication des affranchissements et d'un envol démographique qui, en 1789, conduira les libres à l'égalité numérique avec les Européens, si ce n'est au premier rang. Cette génération autonome, hors de la voie de la bâtardise, confère aux gens de couleur une personnalité propre qui, se doublant de l'essor quantitatif, les métamorphose en peuple naturel, indigène. Sans que chacun en prenne conscience, deux sociétés créoles se construisent en même temps, l'une blanche, l'autre de sang-mêlé. Les débuts de la Révolution ouvrent les yeux. Le décret du 15 mai 1791, accordant l'égalité des droits aux mulâtres, nés de parents libres, déchire le voile. Un correspondant de Moreau de Saint-Méry, à l'identité inconnue, dont G. Debien a publié les lettres, examine les conséquences de l'apparition subite d'une nation créole colorée et conclut à la nécessité pour les Blancs américains de sceller une alliance avec elle. On n'est que le 18 juin 1791, à peine un mois après le vote du célèbre décret. « Unis aux gens de couleur nous serons sûrs de la soumission des esclaves et de la conservation de nos propriétés. Il ne faut pas se dissimuler que le nombre des gens de couleur est égal à celui des Blancs, que, faits au climat, ils finiraient par nous dicter des lois s'ils venaient à s'armer ; que d'un mot ils peuvent mettre les esclaves de leur côté. Dans quelques années la population mêlée sera le double de celle des blancs. Il viendra un moment où ils seront les seuls propriétaires des terres des colonies. Que les Colons, à qui cet ordre de choses ne conviendra pas, évitent son époque en vendant leurs biens lorsque la paix aura ramené l'ordre et rendu à leur possession leur valeur. Un blanc de race blanche sera toujours blanc, comme en Espagne on distingue la race des Vieux chrétiens de ceux qui se sont alliés avec les Maures d'abord leurs maîtres et ensuite leurs vaincus. Enfin elle doit venir l'époque où le travail de l'esclave sera plus cher que celui de l'affranchi. Le décret change la colonie de Saint-Domingue qui n'était qu'une factorie. Il la change en une nation qui existera par elle-même, qui aura en elle-même ses principes de vie, ses moyens de subsistance et de force. Je ne serais pas étonné que nos lois nouvelles n'attirent une grande quantité d'Espagnols et des affranchis des autres îles. Je crois aussi que les gens de couleur useront modestement de leurs droits, si on ne les pousse pas à bout. J'espère que ceux qui sont à Paris se calmeront; qu'ils verront les choses comme elles sont. Le commerce, en protégeant les affranchis a voulu assurer l'esclavage des lois prohibitives. Il nous est aisé de gagner les gens de couleur, et puis laissons faire l'intérêt particulier. Il saura bien leur montrer qu'il leur est utile d'acheter les subsistances à bas prix et cette vente sera surtout sentie par la partie des colons qui n'ont pas en possession des richesses. »

Le correspondant de Moreau de Saint-Méry, un esprit libéral, vraisemblablement officier retiré — il porte la croix de Saint-Louis — non seulement ne rage pas contre le décret du 15 mai, à l'égal de ses compatriotes, mais se laisse aller à parler des gens de couleur en des termes moqueurs mais affectueux, dans lesquels on lit que la réalité d'une patrie créole commune, portée par deux nations, l'une blanche, l'autre de sang-mêlé ne relevait pas de la chimère, puisque le maintien de l'esclavage, pilier de l'ordre colonial, faisait une unanimité enthousiaste. Cette deuxième lettre est vraisemblablement du mois d'août 1791. « Il fallait donner ou le mal de mâchoire [tétanos] à tous les enfants des affranchis, ou faire ce qu'on a fait *. Le progrès de leur population est tel que bientôt ils seront les plus nombreux. Leur analogie avec le climat les rend propres à ces régions. Les affranchis lorsqu'ils seront citoyens seront la sauvegarde contre les révoltes des esclaves et les conquêtes de l'ennemi. Si les événements amenaient les Antilles à former des États indépendants ce ne serait que par le moyen des affranchis. Si les affranchis continuent à se multiplier dans la même proportion, vous aurez un peuple qui se livrera à la navigation, à la culture. [...] Je ne doute pas que beaucoup d'Espagnols mésalliés ne vinssent s'établir parmi nous. N'aimez-vous pas mieux des mulâtres et des quarterons que des petits-Blancs? J'aime les gens de couleur — Ils ne sont point méchants. Ils sont seulement plus créoles que les créoles blancs. Ils imitent nos défauts et nos ridicules. Il y a longtemps que je prévois une époque où le travail du journalier de couleur coûtera moins que celui de l'esclave. Je suis persuadé que les gens de couleur vont devenir dignes de ce bienfait. Pourvu que les colons ne soient pas injustes et ne refusent pas de se soumettre aux décrets. Je voudrais avoir votre avis sur ces objets. Je n'ai jamais eu de maîtresse de couleur, jamais d'enfant coloré. Mais j'ai eu un frère et j'ai une sœur (de couleur) qui ont mérité l'estime de toutes les classes. Que serait-ce donc si on n'avait pas avili le caractère de cette classe d'hommes! Ces idées sur les gens de couleur datent de loin dans ma tête et dans mon cœur. Vous avez parmi les papiers que je vous ai livrés une note sur les affranchis, où vous verrez l'origine de mon

---

* Accorder l'égalité politique aux libres.

opinion actuelle. Il y a longtemps que je prévoyais la révolution et que je désirais voir réaliser presque toutes les réformes qui ont été faites. J'étais mûr à peu près pour elle. Je me rappelle que vous m'avez demandé quelques réflexions sur les colonies et je vous ai répondu qu'il était inutile d'élever de petits châteaux de cartes, que l'ouragan [aurait] bientôt [fait] de se lever et [de] balayer toutes ces institutions subalternes. » Étonnante confession, dégagée de toute acrimonie, de toute résignation, pleine au contraire de satisfaction de voir jaillir la patrie créole de l'alliance de deux nations libres. Comme toute solution implique des exclus, ici, les Noirs et les petits-Blancs sont associés dans le sort commun de victimes.

La lecture de ces lignes, auxquelles beaucoup de colons de Saint-Domingue auraient souscrit, explique la méfiance de Toussaint Louverture à l'égard des mulâtres, son soupçon toujours à l'esprit de voir gens de couleur et Blancs se coaliser, enfin sa politique d'élimination systématique des Européens et des sang-mêlé. Était-ce un retour à la colonie métissée des premiers temps, que les deux populations libres voulaient préparer ? Il serait téméraire de le dire à propos des Français. Mais il en va différemment en ce qui concerne les Libres. Que réclame Julien Raimond, leur porte-parole, dans son opuscule sur l'*Origine du préjugé des Blancs contre les hommes de couleur des colonies,* publié à Paris en 1791 ? Le droit pour les métis d'épouser des Blanches, comme il est des Blancs qui s'unissent à des mulâtresses : ainsi les descendances des frères et des sœurs ne se sépareront pas en couleurs de plus en plus opposées. Fusion des intérêts et finalement autorisation légale du mélange des sangs, tel apparaît le programme du planteur d'Aquin. À la suite du décret du 15 mai, prescrivant l'égalité des droits entre Européens et mulâtres, nés de parents libres, qu'écrivent Raimond, Fleury, Honoré Saint-Albert, Dusouchay de Saint-Réal, à leurs compatriotes de la Grande Île ? « Les premiers moyens de prospérité pour tous les états, sont une grande population indigène, des mœurs et beaucoup d'activité. Quant à la population indigène, la force des choses l'accroît de manière à ne rien laisser à désirer, et le décret du 15 mai ne peut que concourir à l'augmenter, par l'impulsion qu'il va donner en détruisant un préjugé qui pouvait la retarder. Il concourra également au rétablissement des mœurs ; car son effet devant entraîner l'extinction du préjugé, il en résultera que les mariages entre toutes les classes de citoyens libres deviendront plus communs, et détruiront le concubinage que le préjugé y faisait régner. » D'une patrie créole à deux nations, blanche et mêlée, le chef des gens de couleur assigne aux siens une politique volontariste pour souder la patrie créole sur le socle d'une nation, créole elle aussi, dans le respect de l'ordre économique et social esclavagiste. Alors que les Blancs des Antilles, particulièrement de Saint-Domingue, concevaient le phénomène créole comme une société en rupture avec la métropole, les gens de couleur lui apportent un complément. Ils définissent l'entité créole comme une collectivité neuve qui absorbera le sang blanc, et en généralisera la prééminence à l'ensemble des populations libres et maîtresses de plantations. Un projet d'intégration totale de deux composantes raciales fondé sur l'asservissement indestructible des Noirs.

Bâtards issus d'unions illégitimes, les gens de couleur libres sont devenus, sous la contrainte d'un rapport de forces raciales défavorable, un groupe solidaire, ajoutant son propre renouvellement aux affranchissements, pour se muer en une caste dont l'expansion numérique s'est doublée d'une ambition politique, que la revendication de l'égalité des droits traduit incomplètement. Ce schéma valable pour Saint-Domingue, l'est infiniment moins pour les îles du Vent où les colons, évitant de multiplier les libérations de mulâtres, ont freiné le développement de la classe de couleur qui, ainsi, n'a pu atteindre les dimensions d'un corps rival. Toutefois, le premier geste des gens de couleur exprime partout le vœu du bâtard d'être légitimé et de voir le foyer paternel lui ouvrir enfin ses portes. Une démarche douloureuse, teintée de l'agressivité du reproche, qui ne sera pas entendue.

La traite atlantique

Les esclaves des colonies tropicales, qui travaillent sur les Habitations à sucre, les places à café, indigo ou coton, viennent de l'Afrique où ils ont été achetés, captifs, par des capitaines négriers à des chefs, des commissionnaires et des marchands du continent maudit où, aux traites transaharienne et orientale s'ajoute la traite atlantique, menée par les nations européennes qui cherchent une main-d'œuvre nombreuse et gratuite pour assurer le bon rendement de leurs plantations et mines de l'Amérique. Les Français apparaissent dans les circuits de la traite négrière, après les Portugais, les Hollandais et les Anglais, ne disposant pas, comme leurs prédécesseurs, de forts protecteurs et ravitailleurs à la côte d'Afrique, à l'exception du Sénégal — Saint-Louis — de ses dépendances méridionales, et de Judah au Bénin. Des sociétés commerciales, puis des négociants, fournissent les Noirs : la Compagnie des Indes de Colbert, en 1664, puis la Compagnie du Sénégal, en 1672, associée à la Compagnie de Guinée, à partir de janvier 1685 ; la Nouvelle Compagnie du Sénégal, à partir de mars 1696 ; la Compagnie royale de Saint-Domingue, à partir de septembre 1698, d'où se dégage, en 1701, la Compagnie royale de Guinée qui, jusqu'en 1713, exerce le monopole de l'*Asiento*. La deuxième Compagnie des Indes, celle de Law, concentre entre ses seules mains le monopole précédemment partagé. Elle absorbe la Compagnie du

Sénégal le 15 décembre 1718, celle de Guinée le 27 septembre 1720. Quant au privilège de la Compagnie de Saint-Domingue, qu'elle avait acquis le 10 septembre 1720, elle le perd en 1724, quand le Sud de l'île est rattaché à l'administration de la Couronne. La Compagnie des Indes, incapable de satisfaire aux exigences de la demande coloniale en esclaves, conserve le monopole de la traite négrière au Sénégal, mais, par décision des directeurs prise le 8 août 1725, abandonne le trafic de Guinée aux armateurs, à la condition de recevoir 10 livres par tête de Nègre importé. L'arrêt du 31 juillet 1767 transfère au roi le versement de cette « taxe ». Les associations financières, scellées entre membres du commerce des places maritimes, ont dominé le trafic négrier. Cependant, ce système présente de larges échancrures. Ainsi le 7 septembre 1748, Wailsch et le célèbre financier de la capitale, Pâris de Montmartel, lancent la Société d'Angole. Seize actionnaires sur vingt-six, parmi lesquels, les banquiers Tourton et Baur, apportent 67,50 % du capital qui s'élève à 2 millions de livres. Deux mois plus tard, le 5 novembre, Grou et Michel, créent la Société de Guinée, avec le fermier général Dupleix de Bacquencourt que soutiennent quelques amis de la finance. Les Parisiens contrôlent à 78,41 % le capital de l'entreprise qui se monte à 2 400 000 livres. Ces deux affaires échappent à la direction des Nantais, sauf sur le plan technique. L'apport financier extérieur représente 84,15 % de l'investissement total qui a été engagé. La Société d'Angole ploiera très vite sous le poids d'une ambition mal étayée, tandis que la Société de Guinée poursuivait sa route avec bonheur. En vingt-sept ans, de 1750 à 1776, le capital initial produit un profit de 2 659 000 livres.

La traite enrichit non seulement par les bénéfices que procure la vente des Africains, mais aussi par les avantages que le gouvernement consent à ceux qui la pratiquent. Dès le 9 mars 1688, un arrêt du Conseil d'État confirme que les navires négriers ne paieront que la moitié des droits sur les denrées antillaises achetées avec le produit de la vente des Noirs et transportées en France. Des lettres patentes du 2 décembre 1724 accordent une prime de 13 livres par esclave introduit aux îles ; cette subvention ne disparaît que le 17 juillet 1767, quand l'État ne fait plus supporter l'obligation d'entretien des forts de la côte d'Afrique au négoce privé. L'arrêt du 26 octobre 1784, établissant l'exclusif mitigé, supprime l'exemption du demi-droit, mais accordera aux navires négriers une gratification de 40 livres par tonneau et une prime de 100 livres par Africain vendu dans la partie sud de la Grande Île. Même si quelques historiens réputés affirment que la concrétisation des risques — pathologiques surtout — réduisait le revenu de la traite à de modestes profits, nous ne partageons pas ce point de vue. Le commerce des Africains — activité soumise comme toute autre à des aléas —, réclamant un capital moindre qu'on ne l'assure, rapportait bien plus aux armateurs que le trafic en droiture liant la France aux Antilles. Dans un mémoire du 30 septembre 1762, les chambres de commerce de France déclarent : « Le commerce de l'Afrique n'est pas seulement précieux par l'or et l'ivoire, il l'est infiniment plus par les Noirs qu'il procure, seuls capables de supporter les travaux pénibles que la culture et les raffineries exigent dans les colonies où la chaleur du climat est un poids accablant. Quel commerce pourrait être comparé à celui dont le résultat est d'obtenir des hommes en échange de marchandises ! On doit réellement le regarder comme le principal ressort de notre commerce maritime, le principal actif de la France. » Historiens et démographes éprouvent les plus grandes difficultés à avancer le nombre total d'Africains que les négriers ont transportés en Amérique : 9 millions selon l'historien américain Curtin, 15 millions selon d'autres, sans compter la mortalité sur les bateaux que l'on estime à 16 %. Toujours selon Curtin, les Antilles françaises auraient ainsi acheté entre un million et demi et deux millions d'esclaves : autant que les Antilles anglaises. Les capitaines, spécialisés dans ce trafic, font ce que l'on a appelé le commerce court-circuiteux ou triangulaire. Un navire quitte la France avec sa cargaison (étoffes, tabacs, alcools, armes, *clinquaillerie*), la troque en Afrique contre des captifs, qui sont à leur tour échangés contre des denrées coloniales, aux Antilles. Les esclaves, dont le prix progresse de 400 à 2 000 livres du XVIIe siècle à la fin du XVIIIe siècle, sont payés pour trois quarts au cours de la première année de l'acquisition. Ensuite le commerce national, qui pratique des prix abusifs — le versement des trois quarts du prix lui fournit déjà un bon profit — utilise sa créance pour imposer des conditions d'échanges qui lui permettront d'assujettir les colons.

Les négriers se dirigent vers les régions les plus riches des îles, mais quand ils se retrouvent à plusieurs dans une rade, et que la concurrence menace de faire tomber les prix trop bas, ils préfèrent repartir et faire voile vers des lieux moins connus. Enfin, le navire négrier entre dans le port de son choix. Les officiers de l'amirauté montent à bord, font la visite des captifs, rédigent un certificat qui en autorise la vente. Le capitaine les rétribue, un peu plus que le règlement ne le prévoit, fait transporter les matelots souffrant à l'hôpital, et les Noirs épuisés, les « exténués » dans la savane d'une plantation. Le chirurgien et l'équipage s'occupent de « maquiller » la cargaison, d'effacer les traces de fatigue, de maladie ou les imperfections physiques, qui marquent le corps des esclaves pour leur donner l'apparence d'une pleine santé. En ville, on pose des affiches annonçant le jour de la « foire », tandis que des messagers sillonnent la campagne, déposant chez les Habitants des circulaires prometteuses. Aux îles du Vent, Martinique et Guadeloupe, l'exposition des esclaves est organisée à terre ou à bord du négrier. À Saint-Domingue, elle a toujours lieu sur le pont du voilier. Les Conseils supérieurs du Cap-Français et de Port-au-Prince, avaient promulgué, le 9 mars 1764, que les foires aux bois d'ébène se tiendraient dans des hangars construits sur le sol de l'île, mais le gouverneur général d'Estaing suspendit l'application de cette mesure quelques semaines après, le 27 avril. Il s'agissait, dans l'esprit de l'administrateur, d'empêcher les maladies contagieuses de contaminer et de décimer la population du pays. Au jour fixé par les officiers de l'amirauté, environ une semaine après l'arrivée, le canon tonne, informant chacun que la vente débute. Des canots accostent le quai : les colons, hommes et femmes, y prennent place. Les rames balaient la mer en cadence. La ville aux rues droites et perpendiculaires s'éloigne, les cris et les gestes de la foule, qui grouille sur l'embarcadère, perdent de leur relief, la rade se dessine dans son étau de mornes. L'embarcation s'arrête. Le navire dresse devant les regards sa coque suintante. Avec l'aide de l'équipage et de l'état-major, chacun se hisse à bord. L'air prend à la gorge : odeurs de transpiration, d'urine, de défécation, auxquelles les lavages au vinaigre donnent l'âcreté violente de l'ammoniaque. Dans la lumière dévorante et lourde des tropiques, le pont ressemble à un village irréel. Des tentes le couvrent presque entièrement. Dans leur ombre, où les imperfections des victimes, voilées par les chirurgiens, paraîtront moins, les prisonniers attendent, généralement libérés de leurs chaînes. Les colons s'enfoncent dans la chaleur épaisse, qui croupit sous les toiles, et commencent leur inspection, de la manière rapportée par le P. Labat. « Il est de la prudence de ceux qui veulent acheter des Nègres de les visiter, ou par eux-mêmes, ou par quelque personne entendue dans ce métier, pour voir s'ils n'ont point quelque défaut car, quoiqu'ils soient tout nus et que les parties même que l'on cache avec le plus de soin ne le soient pas trop bien chez eux et beaucoup moins quand ils sortent du vaisseau, il est contre la pudeur de faire soi-même cet examen et d'entrer dans le détail. On s'en rapporte pour l'ordinaire au chirurgien de la maison. »

Quelques jours plus tard, une fois la vente finie, les Noirs qui n'ont pas trouvé de maître sont acheminés vers les remises. Dans une telle occasion, le 24 mai 1784, les administrateurs de Saint-Domingue rendent une ordonnance interdisant aux capitaines de déposer dans l'intérieur du Cap ces « queues de cargaison », à peine de 1 000 livres d'amende, et leur enjoignent de les diriger vers des bâtiments spéciaux au quartier extérieur de la Fossette. En effet, ils s'indignent du danger dont la ville est menacée, « par l'usage d'entasser, dans des magasins particuliers, les Nègres nouveaux qui n'ont pu être vendus à bord des bâtiments mouillés dans cette rade. La visite que le ministère public a fait faire de sept de ces magasins actuellement remplis, nous a présenté le tableau révoltant de morts et de mourants jetés pêle-mêle dans la fange. Indépendamment de l'outrage que cet abus fait à l'humanité, il est absolument préjudiciable à la santé des citoyens et aux intérêts des armateurs ». Ce texte restera lettre morte.

La traite apporte chaque année — même en temps de guerre, grâce

à l'interlope — sa cargaison de captifs. Saint-Domingue possède les
« statistiques » de l'odieux trafic depuis 1715, date où le sucre, en
retard sur celui du Brésil, de la Barbade et des îles du Vent, y prend
son essor. Bien que la culture de la canne réclame des propriétés
d'une taille respectable et beaucoup de main-d'œuvre, la Grande Île
attend 1764 pour atteindre un rythme d'achat annuel de 10 000
Nègres. Dans une deuxième étape, quand Saint-Domingue prend la
tête des producteurs mondiaux de sucre et se lance hardiment dans la
culture du café, le seuil des 20 000 captifs acquis dans l'an est atteint
en 1784. Le mouvement d'expansion économique de l'île et par
conséquent celui de ses besoins en esclaves, en croissance rapide
depuis la fin de la guerre de Sept Ans, arrive à son apogée en 1787 :
30 000 Noirs sont vendus dans les ports de la gigantesque manufacture insulaire. Comment se décompose cette entrée forcée d'Africains
dans la colonie ? En 1789, quand le monde servile domingois est
originaire de *Guinée* pour moitié environ, les amirautés indiquent
27 212 achats : les officiels auxquels s'ajoutent les « inavoués » de la
fraude et de l'interlope. Sur cet effectif, on compte 14 203 hommes
(52,19 %) ; 6 765 femmes (24,86 %) 4 010 négrillons (14,73 %) ; 2 234
négrittes (8,20 %).

De quelles régions d'Afrique, vient cette foule dont l'essentiel sera
conduit sur les plantations ? Les principaux pays, dont les ethnies
peuplèrent les colonies françaises, se trouvent en Afrique de l'Ouest :
le complexe Congo-Angole (Congo, Zaïre, Angola), la mosaïque du
golfe de Guinée (Togo, Bénin, Nigeria, Cameroun), les côtes des
Graînes et de l'Ivoire (Liberia, Côte-d'Ivoire), la Côte-de-l'Or
(Ghana), la Sénégambie (Sénégal, Gambie, Guinée-Bissao, Sierra
Leone) et sur la côte occidentale du continent, le Mozambique
(Mozambique et Tanzanie). La Sénégambie, malgré les desseins de
Versailles, n'envoie que quelques milliers de captifs par an. Avant la
guerre de Sept Ans, le golfe de Guinée arrive en tête des fournisseurs
de captifs. Parmi ceux-ci, les Dahomeys qui véhiculeront leur
croyance — le vaudou — à Saint-Domingue et l'y généraliseront, le
superposant au culte catholique. Après la guerre de Sept Ans, période
de gros achats, le Congo et la côte d'Angole, qui vendent leurs enfants
depuis le XVIIe siècle, deviennent les premiers producteurs. Des
captifs du Mozambique apparaîtront après la guerre d'Indépendance
américaine : quelques dizaines de milliers d'hommes, peu de chose, si
l'on pense à la saignée occidentale. Ces hommes, aux mille dialectes,
ont en commun la couleur, la pensée magique, la familiarité de
l'esclavage, institution diversement imposée selon les régions de
l'Afrique, et enfin, le rejet par leur société originelle, l'expulsion du
foyer ancestral. Avant même l'achat des négriers, ces malheureux ont
été réduits à l'état de déracinés, d'anonymes, de sans-patrie. Pour
tout bagage, on leur laisse ce que l'on ne peut leur arracher : la race et
la mémoire.

Au fil des arrivées dans les colonies, au long des ans qui conduisent à la fin de l'Ancien Régime, la traite et l'autoreproduction engendrent une population coloniale. Celle-ci varie avec la taille des possessions et surtout avec la vitalité de l'économie. Ainsi, en 1780, Saint-Domingue, l'Antille la plus peuplée, dénombre officiellement 251 806 esclaves — les administrateurs évaluant le sous-recensement au cinquième de l'indication statistique officielle. Comment se compose cette population pour partie créole, pour partie africaine ? Hommes : 116 090 (46,10 %) ; femmes : 87 344 (34,69 %) ; filles : 22 327 (8,87 %) ; garçons : 26 045 (10,34 %). Sans atteindre ces cimes abusives, la masculinité de ce groupe — 4 hommes pour 3 femmes — traduit un déséquilibre anormal. Quant au rapport entre femmes et enfants, même s'il additionne des éléments incompatibles — femmes créoles et femmes déportées, enfants créoles et progéniture africaine de la traite —, on obtient 0,55 enfant par femme, un résultat où se reflète une population en difficulté avec son destin.

La société des Nègres

Qui est l'Africain qu'achète le capitaine négrier ? C'est une unité numérique au sein de la famille, du clan et de la tribu, c'est encore, dit le gouverneur Delafosse, « un homme qui a peur, parce qu'il se sent faible en face de sa collectivité, en face de ses superstitions, en face de vous ». Écrasé par sa race, soumis à l'âme de ses ancêtres et aux esprits de la nature qui l'entoure depuis le premier jour, cet individu, qui monte dans le navire négrier et débarque aux îles, déambule dans les ruines d'un effondrement universel. L'Afrique, cette mère si terriblement possessive, n'a plus voulu de lui. Elle l'a renié, elle l'a vendu : de l'opprimé d'hier, elle a fait un rejeté. Exclu, privé de ses références habituelles, le captif découvre dans l'Amérique, les affres de l'inconnu, les abîmes définitifs de la rupture : noyé au plus profond d'un état de commotion aiguë, il affleure à une seconde vie, avec le goût décomposé de la mort.

Cet homme, broyé sous le poids de deux passés, africain et maritime, entre dans un monde où sa couleur domine. En effet les îles, contrairement aux colonies de l'Amérique continentale, sont formées d'une population noire où les Blancs n'apparaissent que dans la proportion de 10 %, parfois bien moins, comme dans le cas de Saint-Domingue. Cette révélation d'un monde noir, au terme d'un voyage infernal, n'apaise pas le nouveau venu. Déjà, sur le négrier, la barrière ethnique, l'empêchant de parler avec tous, lui avait fait prendre conscience d'une première solitude. Mais dans la colonie, il se heurte à des Nègres moqueurs, majoritaires, chez eux, qui utilisent une langue étrangère au continent noir, le créole. Et lui, le « bossale », né à l'Afrique, ne comprend guère mieux les déportés, tant ils parlent de dialectes différents. Sur ses épaules épuisées, la solitude pèse cette fois plus lourd, comme irrémédiable. Les colons n'ignorent pas ce bouleversement qu'engendre la transplantation, aussi s'emploient-ils à l'atténuer en achetant des ménages constitués, s'il s'en trouve, ou des hommes et des femmes de la même « nation ». Sur la plantation, village noir de quelques dizaines à quelques centaines d'esclaves, que gouvernent deux ou trois Blancs, le déporté s'acclimate lentement, aidé dans son initiation par des Noirs qui usent de sa langue. Séparés de leur famille, de leur clan, de leur tribu, les bossales n'en demeurent pas moins Africains, cherchant les rapprochements ethniques, et réclamant des explications à la pensée magique qu'on leur a enseignée. Hormis quelques cas de suicide, les exilés acceptent leur nouvelle existence. Toutefois l'entrée dans l'engrenage de la machinerie européenne ne va pas sans souffrance : c'est l'étampage au fer rouge, comme on le pratique sur le bétail, c'est surtout le travail dans les jardins, du lever du jour au coucher du soleil, avec un premier repos d'une demi-heure à huit heures, suivi d'un second d'une heure à midi. Dans son ouvrage, *Des colonies et particulièrement de Saint-Domingue*, le colon Malenfant précise le nouvel emploi du temps de l'Africain. « Les cultivateurs travaillaient depuis cinq heures du matin jusqu'à la nuit. Dans la fabrication du sucre, ils passaient aussi la nuit, et ne murmuraient jamais, quoiqu'ils vissent le fouet toujours prêt à les frapper s'ils restaient un seul instant dans l'inaction, où s'ils témoignaient le désir de se reposer. À midi, heure de leur repas qui consistait en quelques patates que leurs femmes leur préparaient, ils couraient à leurs petits jardins, y travaillaient avec ardeur, jusqu'à ce qu'ils retournassent aux travaux de l'habitation ; et lorsque le clair de lune leur permettait de cultiver leurs propriétés, ils ne les négligeaient point. » Cette débauche de travail, à laquelle la contrainte africaine avait familiarisé les femmes, saisit les hommes, les épuise et les tue en plus grand nombre que leurs compagnes, qui effectuent les mêmes travaux, à l'exception de la coupe des cannes et de la cuite du sucre.

Au labeur sur l'Habitation, dont il est maintenant un élément du mobilier, l'esclave, qui est toujours jeune, s'intègre dans son nouveau milieu, après un temps d'adaptation. « Les Noirs de la côte d'Afrique, observe Malenfant, sont remplis de vanité, ils ont bientôt pris l'orgueil des nègres créoles. Après un an de séjour c'est leur faire injure et les irriter que de les traiter de bossales, ce qui veut dire *nouveau venu*. Lorsque vous dites à un Noir : es-tu créole, il vous répond : oui, Monsieur, moi fin créole ; c'est-à-dire que son père et sa mère sont nés dans la colonie. » Le nouveau discerne sans tarder la hiérarchie qui régit la petite société noire de la plantation. Au sommet, formant une catégorie particulière, plus ou moins nombreuse selon que le maître est présent ou absent, les esclaves de case : valets, servantes, cuisinier, lingère, cocher, jardinier. Cette poignée d'individus, où figurent aussi bien des bossales que des créoles, constitue un groupe privilégié, bien nourri, bien vêtu, chargé des tâches les moins fatigantes et toujours aux côtés du maître, source de tous les bienfaits. Parallèlement, mais davantage soumis aux exigences pénibles du travail, les ouvriers d'habitation : sucriers, servant le plus souvent sous les ordres d'un maître-sucrier blanc, cabrouetiers, charrons, maçons, charpentiers, tonneliers. Enfin, au bas de la pyramide, les esclaves de jardin ou esclaves de place, répartis en grand ou petit atelier, selon la force physique de chacun, les tâches les plus dures, comme la coupe des cannes, incombant au grand atelier. À la tête de chaque atelier est placé un commandeur — à l'origine blanc, noir créole par la suite — qui dirige les Nègres dans l'accomplissement des travaux agricoles, sous la surveillance du gérant et des économes. Ce personnage, esclave de confiance, qui tient à la main un « coco-macaque » ou bâton de commandement, occupe une position centrale sur l'Habitation, à la fois interlocuteur naturel du propriétaire ou de ses agents et gouverneur de la masse servile chargée des cultures. Le bossale, à moins d'être très bien fait et digne de figurer dans la domesticité du colon, prendra place aux côtés des esclaves de place. Chacune des catégories de la hiérarchie noire est logée sur la plantation, mais de manière distincte : domestiques, ouvriers et commandeurs vivent à l'écart, mais sans se mélanger, tandis que le commun occupe les cases à Nègres, près desquelles s'étendent généralement les jardins à Nègres, où les esclaves cultivent eux-mêmes leurs propres vivres.

Les cases, aux premiers temps du XVIIe siècle, se construisaient et s'organisaient à la manière africaine. Bientôt la pression de l'urbanisme et de l'architecture classiques balayèrent cette survivance d'un autre continent, pour imposer l'alignement et l'uniformité des logements, sans jamais atteindre, toutefois, la géométrie carcérale d'un Ledoux. Ainsi, en 1786, dans son *Discours sur l'esclavage des Nègres*, Duval de Sanadon, grand propriétaire et futur animateur du Club Massiac, évoque-t-il la créolisation du logement noir voulue par les maîtres : « Une rue tirée au cordeau et dont chaque maison est à la distance des autres de 36 à 40 pieds. » Si l'extérieur de la case à nègres présente un compromis antillais de la petite maison paysanne française, l'intérieur obéit à la loi d'Afrique, jusqu'à barricader toutes les ouvertures par crainte des esprits malveillants et des actions de magie noire. Les cases des esclaves « sont closes comme une boîte », note Du Tertre. À son tour, et tout aussi involontairement, le P. Labat, souligne le caractère africain de l'intérieur servile dans son *Nouveau voyage aux îles françaises de l'Amérique*. Il est rare, que les Nègres ouvrent « plus d'une fenêtre, elle est toujours au pignon, parce que la porte leur donne assez de jour », et la plupart font feu et cuisine au milieu de leur logement. « C'est ce qui fait que leurs cases sont toujours enfumées, et qu'eux-mêmes contractent une odeur de fumée et de bouquin, qu'ils sentent avant qu'ils se soient lavés, à laquelle on a bien de la peine à s'accoutumer. » L'ameublement consiste « en des calebasses, des coûis, des canaris, des bancs, des tables, quelques ustensiles de bois, et quand ils sont un peu accommodés, en un coffre ou deux pour serrer leurs hardes ». Quant à la couche des esclaves, elle est aussi celle que les voyageurs voient en Négritie. Ainsi le P. Du Tertre peut-il écrire dans son *Histoire naturelle des Antilles* : « Leur lit fait peur à voir, et il n'y a personne qui ne le crut plus propre à faire souffrir un corps, qu'à lui procurer le repos nécessaire pour réparer les forces. Ce lit est composé de branches d'arbres entrelacées en forme de claie, et élevé à trois pieds de terre sur quatre gros bâtons. Mais il n'y a ni draps ni paillasse, ni couverture. Quelques feuilles de balisiers, dont ils ôtent la grosse côte, leur servent de paillasse, et ils se couvrent de méchants haillons pour se garantir du froid, qui leur est d'autant plus sensible pendant la nuit, qu'ils ont eu pendant tout le jour les pores ouverts par la chaleur extrême où ils sont exposés en travaillant. » Ces descriptions recoupent à s'y méprendre la peinture qu'Adanson fait de l'intérieur des cases sénagalaises.

Au travers de l'évocation de l'habitat, surgit une réalité double et discrète : le couple d'esclaves sans enfants et la famille servile, parfois élargie aux petits-enfants. Aux premiers temps de la colonisation, Du Tertre relève déjà ce phénomène. « Chaque Nègre qui n'est point marié a sa petite case à part, l'homme et la femme n'en ont qu'une pour eux deux, et pour leurs petits enfants ; mais dès qu'ils sont grands, le père a soin de leur en bâtir quelqu'une proche de la sienne. [...] Tous les esclaves d'une même famille bâtissent leurs cases en un même lieu, en sorte néanmoins qu'ils laissent dix ou douze pas de distance. Quand ils sont beaucoup ils font ordinairement un cercle, et ils laissent une place commune au milieu de toutes les cases, qu'ils ont grand soin de tenir toujours nette. » Et, précise le missionnaire, « il faut donner cette louange à nos habitants, qu'ils font tout ce qu'ils peuvent pour donner à leurs esclaves des femmes de leur terre qu'ils aiment incomparablement plus que les autres » : une observation que les très rares inventaires par familles ne confirment que partiellement. Un siècle plus tard, Duval de Sanadon souligne l'existence du phénomène familial, en traitant des maisons d'esclaves. « Sur quelques Habitations, chaque ménage a la sienne. Dans d'autres, une seule en réunit deux et jusqu'à trois, mais dans tous les cas une famille que l'on suppose composée du père, de la mère et de deux ou trois enfants, est logée dans une superficie de 20 pieds en longueur sur 15 de largeur. » Indiscutablement, la foule noire qui travaille sur une Habitation n'est pas une addition d'individus, reflet de l'émiettement engendré par la traite : sous la contrainte de l'esclavage, elle s'organise en couples et en familles. Projetant sur les îles françaises les méthodes d'analyse de la démographie historique anglophone, Mme Myriam Cottias a montré, à partir des inventaires d'esclaves de plantation, l'existence de « familles maternelles » — le nom de la mère étant suivi de ceux de ses enfants âgés de moins de 12 ans. Cette entité soigneusement mentionnée, se prolonge en une réalité masquée : le mari se trouve sur la liste des hommes, des fils éventuellement, parmi les jeunes, peut-être aussi des filles, jeunes aussi, sur la liste des femmes, mais sans que jamais le lien familial soit porté. Ainsi on peut avancer que les Nègres d'une habitation, loin de former une multitude d'êtres errants, se répartissent pour le grand nombre en réseaux familiaux. À Saint-Domingue, ceux-ci apparaîtront au grand jour au xixe siècle, après la guerre d'Indépendance, dans le *lacou :* ce système de solidarité familiale à plusieurs chaînons, qui exploite en communauté des jardins dont les produits suffisent à sa subsistance, recréera en le créolisant l'ancien clan africain ou groupement de familles. Hilliard d'Auberteuil, plus favorable à la reproduction naturelle des Noirs, qu'à la reproduction par la traite, avait perçu cette reconstitution des familles sur les plantations. « Il ne faut que de faibles encouragements pour porter au plus haut degré la population des Nègres de la colonie ; il y a de grands ateliers entièrement composés de créoles. J'ai vu cinquante-trois Nègres, Négresses, Négrillons ou Négrittes de la même famille ; le père vivait encore, il était né dans le Sénégal, il avait quatre-vingt sept ans d'esclavage ; il avait eu vingt-deux enfants de trois Négresses, qui toutes étaient mortes, et commençait à voir sa quatrième génération. »

En milieu servile, couples et enfants procèdent rarement d'un mariage catholique. Presque toujours, ils résultent d'une union monogamique ou polygamique libre ou formelle, dégagée, au moins la première fois, de l'une des caractéristiques institutionnelles africaines — pacte entre deux familles et élargissement de la parenté —, tout en en conservant une autre, essentielle, qui est le primat de la descendance. Exilé aux îles, le bossale devient l'ancêtre, fondateur d'une famille, d'une lignée : on le retrouvera au xixe siècle, sous les traits de son successeur, le patriarche, maître du *lacou*. Moreau de Saint-Méry a noté, inconsciemment semble-t-il, cette créolisation du mariage africain. Une preuve, dit-il, « du prix que les négresses attachent à la maternité, c'est l'usage où sont plusieurs d'entre elles de se faire désigner par le nom de mère de leur fils aîné ; ainsi une négresse dont le fils s'appellerait Louis, serait nommée Man-Louis », c'est-à-dire la maman de Louis. Ce faisant, la mère fonde la famille, dont elle a été un instrument créateur, non sur son union avec le père mais, comme en Afrique sur sa descendance. Les esclaves reconstituent donc la famille de Négritie, non dans le respect de l'institution dans sa totalité, mais dans la fidélité à son principe.

Aussi peut-on envisager que, comme en Afrique occidentale, réservoir de l'esclavage américain, le principe de descendance s'opère en ligne paternelle (système patrilinéaire). Les îles sont un monde noir où la famille africaine se reconstitue en se créolisant. Sur les vieilles plantations, donc sur les sucreries principalement, non seulement les couples avec enfants se sont multipliés, mais aussi un groupe de parenté s'est formé : une réalité qui détruit l'image stéréotypée de l'Habitation, broyeuse et destructrice d'humanité. Dans ces unités économiques, les Noirs, plus par vitalité, semble-t-il, que par esprit de résistance contre un groupe dominateur mais très minoritaire, se sont perpétués, malgré la traite et l'esclavage, sans renier l'esprit de leur modèle originel.

Quelle est la condition de ces esclaves au sujet de laquelle, *Amis des Noirs* et partisans des colons, se disputeront si fort, à partir de 1789 ? L'Habitant Lory, esprit lucide, Lory, dont G. Debien a publié les meilleures pages d'un mémoire intitulé l'*Esprit de Saint-Domingue*, écrit ce qu'il en pense dans le secret de son cabinet. « Il est surprenant que la plupart des colons fassent aussi peu de cas du nombre prodigieux d'esclaves qui sont attachés à leur service. La plupart sont si mal vêtus que l'humanité souffre de voir l'état d'indigence dans lequel on les laisse ; on est encore bien plus sensiblement touché, lorsque pour la moindre faute, on leur fait porter des châtiments de toute espèce ; combien de fois n'a-t-on pas vu que pour un verre cassé, un habitant faisait donner par son commandeur cent coups de fouet au malheureux à qui cet accident était arrivé ; si on consultait le motif pour lequel un nègre vole quelquefois, soit patates, maïs ou bananes à son voisin, on verrait que c'est souvent la faute des propriétaires ou fondés de pouvoirs qui, par négligence, ne font pas assez d'attention aux besoins de leurs nègres ; alors la crainte d'un châtiment sévère leur fait abandonner l'habitation, et lorsqu'ils sont arrêtés, ce qui arrive plus ou moins promptement, on les transfère dans des cachots, chargés de chaînes, après avoir subi un châtiment proportionné au délit. On ne fait peut-être pas assez d'attention que l'esclavage entraîne nécessairement après lui la timidité, et que le nègre, crainte d'être refusé de la part de son maître, se livre quelquefois à ces sortes de larcins : il n'est presque point d'européen qui en arrivant à Saint-Domingue ne se sente le cœur navré en voyant l'air de pauvreté et le peu d'humanité des colons envers cette espèce d'être si utile et si nécessaire à la colonie, et ce qui surprend sans doute, c'est que les mêmes personnes venant à prendre les rênes de quelques grands biens, deviennent souvent plus cruelles que ceux qui les ont devancés ; telle est l'influence de l'habitude sur le cœur des hommes que ce qui leur répugnait dans le principe, leur devient familier, et qu'ils s'abandonnent aux plus violents excès envers des malheureux qui font leur fortune et leur bien-être ; il faut cependant convenir que l'habitant est aujourd'hui bien moins rigide envers ses esclaves qu'il ne l'était autrefois, soit que le prix excessif auquel il est obligé de les acheter lui ait fait faire des réflexions, ou soit qu'il ait entrevu que plus il exerçait de rigueur à leur égard, moins ses travaux prospéraient, on remarque que les grands châtiments sont moins multipliés que ci-devant. »

Mal nourris — alimentation insuffisante en viande ou poisson —, mal vêtus, couchant souvent sur une natte à même le sol, éreintés par la durée et les rythmes du travail, les esclaves supportent d'autant plus mal le choc de la plantation qu'ils sont affaiblis par des maladies de carence, des parasitoses, la tuberculose ou des maladies vénériennes. Les Noirs succombent nombreux et de manière continue : environ un tiers au cours des trois premières années de l'acquisition et environ 50 % au bout de huit ans de colonie. Approximativement, le taux annuel de mortalité oscille entre 8 et 11 %. Plutôt qu'à ces chiffres, que le planteur perçoit comme une menace au rendement, le voyageur mesure les épreuves de l'esclavage au contraste de la nudité des Nègres qui travaillent en chantant, alors qu'en réalité, les esclaves reproduisent les modalités du travail collectif africain, qui resurgira à Haïti, à l'ère du *lacou,* sous la forme des « sociétés » et du « coumbite ». C'est enfin aux châtiments — le fouet étant visible à l'exclusion des atrocités — que l'observateur étranger au monde colonial conclut à la barbarie de l'état servile et à son immoralité. Néanmoins, c'est le déséquilibre des sexes, le faible taux de natalité, de l'ordre de 3 %, la forte mortalité, notamment chez les nouveau-nés, qui illustrent le mieux les rigueurs de la servitude et qui rendent la traite négrière indispensable. L'odieux commerce, en transplantant plus d'un million et demi de captifs aux Antilles françaises sous l'Ancien Régime, a ainsi régénéré régulièrement le monde africain d'Amérique. Si les îles du Vent (Martinique, Guadeloupe, Sainte-Lucie, Tabago) importent modestement quelque 5 300 Noirs, en 1789, Saint-Domingue en a absorbé 27 212. L'ampleur de cette migration forcée gonfle la population sombre des Antilles, qui deviennent des îles noires, au point que leur faiblesse numérique ne permettrait pas aux Blancs d'imposer leur volonté par la force. À la fin de l'Ancien Régime, à Saint-Domingue, la possession par moins de 30 000 Européens de quelque 21 000 fusils et 30 000 pistolets ainsi que la présence de 2 000 soldats dont un bon tiers est malade, ne suffisent pas à combler l'énorme disproportion des couleurs, que souligne la présence effective, quoique non recensée, d'une masse d'environ 550 000 esclaves. Ce déséquilibre stupéfiant, mais accepté, au point que l'esclavage apparaît comme une institution fiduciaire, pose un problème. Le système de pensée magique des Africains et des créoles, qui engendre des comportements de résignation, d'obéissance craintive à la réalité, ne prédispose-t-il pas ses victimes à se soumettre à cette institution « naturelle » qu'est devenu l'esclavage ? Au contraire, un raisonnement rationnel décelant et mesurant la fragilité du pouvoir des Blancs, minoritaires à un point démesuré et irrémédiable, n'aurait-il pas prescrit d'entreprendre aussitôt le renversement du rapport de force ? La servitude n'appartient-elle pas à l'organisation sociale traditionnelle du continent noir ? L'accepter ne relève-t-il pas dès lors de la norme, plutôt que de la transgression de la loi ? Le poids de l'explication surnaturelle des phénomènes et celui de la structure sociale, ne condamnent-ils pas le Nègre à se croire victime d'un malheur inéluctable, d'un destin sur lequel sa volonté ne peut avoir prise ?

L'abondance incessante de la traite « négrise » les îles chaque année davantage, mais sans pour autant paralyser le mouvement d'acculturation, c'est-à-dire de créolisation des Noirs et des Blancs. Ainsi tous parlent le créole, esclaves et maîtres, blancs ou de couleur. Ainsi des traditions alimentaires nouvelles se substituent aux premières : l'Amérique cultive quelques plantes étrangères, pois, sorgho et igname d'Afrique — sans oublier le café qui serait originaire d'Abyssinie ou de l'Arabie sa voisine —, le riz, et les bananiers, les orangers, venus de la mer des Indes ou de la mer de Chine, ainsi que la canne à sucre, dont le mâchonnement produit un jus sucré riche en calories et dont les distilleries tirent le tafia apprécié de tous. Mais surtout, l'Amérique dispense ses produits : manioc, patates, maïs, haricots, piments, tomates, avocats et goyaves, sans compter le tabac que l'on fume dans de petites pipes de terre cuite. Quant aux protéines, hormis la pintade américaine, ce sont des salaisons de bœuf et de morue, importées d'Europe et de Terre-Neuve. La créolisation prend d'autres formes encore : alors que le *bossale* était étampé, les enfants des îles ne le sont plus, de même qu'ils ne portent plus sur le visage les scarifications distinctives des ethnies africaines. Ce courant, malgré la profusion continue de la traite — au moins à Saint-Domingue —, se développe par l'action du groupe des créoles, les moins prolifiques, mais largement majoritaires aux îles du Vent et légèrement dans la Perle des Antilles, à la grande satisfaction des Blancs. En effet, en marge des qualités et des défauts inhérents à chaque race du continent noir, l'opinion coloniale, par la voix de Moreau de Saint-Méry, ne voit dans les Africains qu'insouciance, besoins infiniment bornés, indolence, et terreurs de l'ignorance. Au contraire, elle regarde les nègres créoles avec complaisance. Ils « naissent avec des qualités physiques et morales qui leur donnent un droit réel à la supériorité sur ceux qu'on a transportés d'Afrique [...] les qualités de nègre créole ont elles-mêmes des degrés de comparaison, parce que le produit de deux nègres créoles, par exemple, a de l'avantage sur celui de deux nègres Bambaras ». À l'intelligence, le nègre créole réunit la grâce, l'agrément dans la figure et un langage plus doux. « Il n'est aucun objet pour lequel on ne préfère les nègres créoles », et une prédilection assez générale les fait préférer pour l'état de domestiques ainsi que pour les différents métiers. Le vêtement de l'esclave rompt avec l'Afrique, particulièrement le dimanche et lors des fêtes. Alors qu'en semaine les esclaves portent culotte et parfois chemises, quand ils ne se contentent pas de hardes, le dimanche et lors des fêtes, ils s'habillent d'une chemise et d'une culotte blanches, dit Moreau de Saint-Méry. « Un chapeau plus ou moins beau, mais presque toujours rabattu, une plus grande finesse dans la toile, l'addition d'une veste, et enfin celle des souliers, car les nègres ont les pieds nus [...] il faut cependant ajouter que des mouchoirs plus ou moins chers, sont sur la tête, au cou et dans les poches. » Pour la négresse, poursuit Moreau, « une chemise, une jupe et puis un mouchoir qui couvre la tête, voilà pour le vêtement ordinaire. Mais de combien de nuances il est susceptible, depuis la grosse toile de Vitré en Bretagne, le *Brin* et le *Ginga*, jusqu'à la toile de Flandres et la baptiste ! Et ce mouchoir qui ceint le chef, la mode a-t-elle jamais rien trouvé qui se prêtât mieux à tous ses caprices, à tout ce qu'elle a de gracieux ou de bizarre. Tantôt il est simple, et n'a d'autre valeur que dans ses contours, tantôt la forme de la coiffure exige que dix ou douze mouchoirs soient successivement placés les uns par-dessus les autres, pour former un énorme bonnet. [...] Le mouchoir de cou qui doit, pour l'élégance, être assorti à celui de la tête, augmente la dépense, et ceux de la poche la porte très haut. » Des bijoux et autres ornements de fantaisie peuvent rehausser cet équipage des grands jours. « De beaux pendants d'oreille d'or, dont la forme varie, des colliers à grains d'or mêlés de grenats, ou bien de grenats seulement, ajoutent à l'ornement, ainsi que des bagues d'or. Un beau chapeau uni de castor blanc ou noir, ou ayant un ruban de soie ou d'or autour de la forme, ou même enrichi d'un large bordé d'or, indique encore un ton plus élevé, ainsi que le corset ; et enfin le casaquin, à la façon des Blanches, puis des souliers de cuir en forme de mules, et parfois même des bas. »

Inépuisable, Moreau de Saint-Méry s'étonne de la dépense que Nègres et Négresses peuvent faire pour se parer. « Ce n'est pas seulement dans les villes, que le luxe des esclaves est très apparent. Dans plusieurs ateliers, celui qui a manié la houe ou les outils pendant toute la semaine, fait sa toilette pour aller le dimanche à l'église ou au marché, et l'on aurait de la peine à le reconnaître sous des vêtements fins. Cette métamorphose est encore plus grande pour la négresse qui a pris une jupe de mousseline et ses mouchoirs de Paliacate ou de Madras. Je l'assure ici, il est bien peu de nègres exempts de reproches, lorsqu'on les voit couverts de haillons, et lorsque enfin on ne peut leur en faire, c'est à la mauvaise administration des maîtres qu'ils s'adressent, et peut-être plus justement encore, à l'administration publique. » Ces lignes, où le magistrat capois sonne le glas du pagne africain, surprennent tant elles semblent pécher par édénisme. En effet, une question assaille l'esprit : comment des esclaves, à qui les vêtements bleus de travail sont donnés deux fois par an, peuvent-ils acquérir des parures de prix ? Simplement parce qu'il existe une économie servile active, parallèle aux travaux. Les moyens de réunir un petit pécule ne manquent pas : vente sur les ports — au prix fort — ou sur les marchés des vivres que produisent les jardins à nègres, vente aussi de volailles, parfois de porcs, location par l'esclave de ses services, le samedi, quand il en dispose, et vraisemblablement certains dimanches, trafic de tafia et de sirops, etc. Les domestiques, contrairement aux nègres de places et aux ouvriers, reçoivent des cadeaux de leurs maîtres : argent, vêtements fins, colifichets. Les Négresses, seules femmes sur une plantation, que les cadres blancs entourent de leurs assiduités, bénéficient d'attentions particulières et sont récompensées de leur fidélité. Les esclaves des Habitations, tout comme ils ont une famille, ont aussi leurs finances qu'ils tirent de travaux particuliers et de petits commerces. Enfin, comme le souligne G. Debien avec à propos, les Noirs sont préoccupés de leurs vêtements de fête, qui leur appartiennent, par lequel ils se montrent sous le meilleur jour, alors qu'ils n'accordent guère de prix à l'uniforme quotidien de la soumission. L'esclave habillé avec un soin un peu voyant non seulement fait *nègre fin*, n'ayant rien de commun avec l'Africain, mais aussi porte les apparences de la liberté. La chemise, la culotte et la jupe ont transformé l'image des Noirs, les ont américanisés, en détrônant le pagne traditionnel de la mère Guinée.

Dans ce mouvement perpétuel de créolisation, quelle place la religion catholique, apostolique et romaine tient-elle ? Au xviie siècle, temps de la Contre-Réforme et aussi de la naissance du jansénisme, auquel correspond aux îles un relatif équilibre numérique des populations blanches et noires, la foi chrétienne, notamment quand les jésuites en ont la charge, contribue à gommer la marque de l'Afrique. En 1659, dans *Les Desseins de son Éminence de Richelieu pour l'Amérique*, le P. A. Chevillard, de l'ordre des Frères Prêcheurs, explique sa manière d'enseigner la vraie religion à un Noir. « Toi savoir qu'il y a UN DIEU. Lui grand Capitou : lui savoir tout faire sans autre pour l'aider. [...] Enfin lui envoyer méchant en bas en enfer, au feu. [...] Mais pour bon Chrétien, lui bon pour mettre en son Paradis, où se trouve tout contentement, nul mal, nul travail, et nulle servitude ou esclavage, mais une entière joie et parfaite liberté. » Ce discours, où le religieux reconnaît et légitime la servitude, annonce cependant l'égalité de tous au Jugement dernier, où il ne sera pas distingué entre maîtres et esclaves mais entre bons et méchants. Chevillard, comme tous les religieux, prenant le contre-pied de l'Afrique, nie l'omnipotence des forces occultes, pour promettre le bonheur éternel à tout ceux qui prépareront leur salut. Le propos ne manque pas d'audace, même s'il n'a pas la portée révolutionnaire du prêche du jésuite portugais Vieira qui, en 1633, déclarait devant les esclaves de Bahia : « Vous êtes les imitateurs du Christ crucifié parce que vous souffrez de manière très semblable ce que ce même Seigneur souffrit sur la croix. [...] Le Christ était nu et vous êtes aussi nus. Le Christ était en tout maltraité et vous êtes aussi maltraités en tout. » Le P. Mongin, soldat de Saint-Ignace, dira sa satisfaction d'évangéliser les Africains qui, en découvrant Dieu, apprennent les bonnes mœurs. Pareillement, le P. Margat, dans sa lettre du 27 février 1725, se félicite du comportement de ses catéchumènes : « Quand ils sont parvenus à un certain âge, et qu'on les a fixés par le mariage, il n'est pas rare de trouver parmi eux de saintes familles où règnent la crainte de Dieu, l'attachement constant à leurs devoirs, l'assiduité à la prière et aux plus fervents exercices du christianisme. »

Sous la férule des missionnaires, les Nègres vont-ils rompre définitivement avec la Guinée et adopter la conduite religieuse de l'Europe ? Au XVIIIᵉ siècle, moment où le déséquilibre des couleurs atteint son paroxysme, les maîtres, aidés par les idées des Lumières et la guerre contre les jésuites, s'opposent au développement de l'action de l'Église, qu'ils jugent dangereuse. Émilien Petit, magistrat colonial, établit un premier constat, en 1777, dans son *Traité sur le gouvernement des esclaves*. « L'exercice de la religion, de la part des esclaves, se borne en général à des mariages très rares, et à des baptêmes très hasardés, et souvent répétés sur les mêmes esclaves qui s'en font des occasions de festins et de présents, parce qu'on n'exige pas les billets des maîtres, qui devraient exiger de leurs esclaves le report des billets, endossés des certificats des desservants. Les esclaves des villes où il y a un curé catéchiste, ont seuls un peu plus de moyens de s'instruire ; les esclaves des habitations n'en ont aucun. Les premiers peuvent quelquefois assister au service ; les autres n'y assistent jamais. Il n'y a point de proportion entre le nombre de prêtres, ou la grandeur des églises, et la grande quantité d'esclaves de chaque quartier. Il y aurait même du danger à les réunir et à les faire trouver ensemble. » Le même magistrat, hostile à la généralisation des curés des nègres, ne peut s'empêcher une observation dans son *Traité,* postérieur au bannissement prononcé contre les jésuites des colonies en 1763 : « La conduite des jésuites, et ce qui en résulterait, offraient cependant, un exemple utile à imiter. L'un d'eux était le catéchiste et l'aumônier des esclaves de leurs Habitations ; ils engageaient les esclaves nubiles à se marier, par les facilités qu'ils leur donnaient, pour monter et entretenir leurs petits ménages ; de là leurs terres se peuplaient d'esclaves créoles. Lorsque cet ordre a cessé à la Martinique, leurs ateliers, depuis bien des années n'attendaient plus les cargaisons importées de Guinée pour se recruter. »

En ce XVIIIᵉ siècle de commerce, d'idées utilitaristes, où le vrai Dieu est devenu Grand Architecte ou Être suprême, et où enfin les îles à plantation nourrissent incomparablement plus de Noirs que de Blancs, les colons acceptent ce qu'ils appellent des concubinages, qui sont en réalité des mariages créoles, mais refusent le mariage catholique, la famille chrétienne et d'une manière générale l'usage commun des sacrements. Les maîtres, même s'ils souhaitent réduire la mortalité de leurs esclaves, se préoccupent avant tout du revenu, dont ils jugent qu'il dépend de la souveraineté de leur gouvernement sur les Habitations. Dans ces conditions, ils ne peuvent envisager que l'impératif de gestion obéisse à la norme religieuse. Ils n'ont donc que faire de ces missionnaires acculturateurs qui enseignent l'égalité devant Dieu, qui, prêchent que tous les hommes sont soumis au choix entre le bien et le mal, qui au nom du Christ se prononcent sur tous les aspects de la vie servile, travaux, châtiments, vêtement, nourriture, conditions des femmes enceintes et des enfants. Les jésuites, convaincus de leur mission tutélaire, l'ont accomplie avec fermeté. Parlant des esclaves de Saint-Domingue, dans sa lettre du 27 février 1725, le P. Margat avoue le prestige de sa fonction. « On ne peut rien ajouter à la confiance et au respect que ces pauvres gens ont pour les missionnaires : ils nous regardent comme leurs pères en Jésus-Christ. C'est à nous qu'ils s'adressent dans toutes leurs peines [...] c'est par notre intercession qu'ils obtiennent souvent de leurs maîtres le pardon des fautes qui leur auraient attiré de sévères châtiments ; ils sont convaincus que nous avons leurs intérêts à cœur, et que nous nous employons à adoucir la rigueur de leur captivité, par tous les moyens que la religion et l'humanité nous suggèrent ; ils y sont sensibles, et ils cherchent en toute occasion à nous en marquer leur reconnaissance. » Les jésuites, frappés d'ostracisme — pour assistance aux nègres marrons ou fugitifs et aux empoisonneurs —, la religion romaine perd son rayonnement. La catéchèse s'effondre, le baptême individuel se dégrade en cérémonie collective des « baptisés debout », les sacrements sont administrés chichement, les associations religieuses sont proscrites, par crainte des attroupements : il ne subsiste que la prière du matin et celle du soir sur certaines plantations. De l'intrusion catholique endiguée, à Saint-Domingue plus qu'aux îles du Vent, il reste chez les maîtres un geste de « désafricanisation » : le prénom chrétien donné aux bossales.

Les planteurs l'ayant emporté, l'Église du XVIIIe siècle, surtout celle de la seconde période des Lumières, se met au service des propriétaires et de l'ordre colonial esclavagiste. En 1777, le P. Coutances, préfet des capucins aux îles du Vent, rend cette doctrine publique en envoyant aux curés un « règlement de discipline pour les Nègres ». Que dit cet ecclésiastique obéissant ? « L'instruction religieuse des Nègres doit faire dans les colonies un des principaux objets du ministère de la religion. La sûreté publique, l'intérêt des maîtres, le salut de leur âme, sont les motifs qui doivent engager le missionnaire à y travailler... » Ensuite, le capucin réclame « l'établissement d'une discipline pénitentielle » sur les Nègres. En effet, « il règne surtout parmi eux trois de ces vices capitaux qu'il n'est pas moins de l'intérêt commun, que de celui de la religion, de réprimer,

savoir le marronage, les empoisonnements et les avortements ». Dans
le prône les curés devront célébrer l'obéissance aux maîtres, condamner le marronage — ou fuite —, le libertinage et le vol. Enfin, les
sacrements seront dispensés avec parcimonie et la communion sera
donnée « seulement une ou deux fois tout au plus par an, aux Nègres
dont la bonne conduite aura été vérifiée, et qui présenteront un
certificat de leur maître. L'obstruction des planteurs, la tiédeur du
clergé, à l'exception des jésuites, la désaffection pour la foi romaine,
ont empêché la formation aux Antilles d'une société noire chrétienne,
en rupture définitive avec l'Afrique, sans pour autant éradiquer le
sentiment de respect porté par la masse servile des « baptisés
debout » à la vraie religion et à toutes ses expressions, sans même
altérer la dévotion profonde et la ferveur ardente des Nègres. Les
colons croient dominer une poussière d'individus, indifférents à leur
sort, comme le disait jadis le P. Chevillard, partant inoffensifs mais
productifs. Ils se trompent. Dans la réalité, ils sont plongés dans une
société noire créole, construite à partir de la superposition, de la
stratification d'éléments empruntés à l'Afrique et à l'Europe. La
traite et l'esclavage, malgré les chocs et les violences, n'ont pas détruit
la race déportée. Les Africains d'Amérique ont reconstitué la famille
et la société noires : mais dans ce mouvement original d'acculturation
ou de métissage, les créoles apparaissent à la fois comme des
recréateurs et des créateurs. La familiarité avec la race blanche
gouvernante, qui se manifeste tous les jours, particulièrement chez les
enfants, et les domestiques et artisans, mais aussi chez les Nègres de
place, se prolongeant parfois en concubinages qui donnent naissance
à des progénitures de sang-mêlé, différencie gens des îles et gens
d'Afrique de manière tranchée : elle empêche les créoles de n'être que
des restaurateurs de la Guinée aux Antilles pour en faire les *inventeurs*
d'un modèle humain original et neuf.

Sur les plantations, unions, enfants, familles, groupes de parenté se
sont formés. Entre les esclaves des plantations existent des relations
de parenté, à la suite d'achats ou de ventes entre colons, et de
relations clandestines notamment. Mais outre ce lien particulier,
d'autres rapports se sont établis entre Nègres des plantations. Une
sucrerie, une indigoterie, une caféterie ne ressemblent en rien à des
geôles, séparées les unes des autres de manière hermétique. Les
dimanches, les créoles et les femmes surtout, munis d'un billet de
permission, se rencontrent au grand jour et publiquement par les
chemins, sur les marchés, devant les églises et se font visite,
d'Habitation à Habitation pour manger, jouer et danser. À vingt et
une heures, l'ordre quotidien rétablit sa loi. Comme l'a observé le
P. Labat, les esclaves se réunissent aussi à l'occasion de la fête de l'un
d'entre eux et, plus encore, lors des funérailles. « La plupart des
Nègres, pour peu qu'ils soient accommodés, ne manquent pas de
faire un petit festin à leurs parents et à leurs amis, le jour de leur fête :

les enfants se croient chargés de cette obligation après la mort de leur père. S'ils meurent sans laisser d'enfants, leurs parents, leurs amis, et surtout leurs filleuls se chargent de ce soin, et continuent ce petit régal. Quand leurs moyens ne suffisent pas, ils viennent prier leurs maîtres d'entrer dans une partie de la dépense, en leur donnant quelque bouteille d'eau-de-vie pour la fête. Pour peu qu'on soit raisonnable, on ne leur refuse pas ces bagatelles. Ils ne manquent jamais d'y convier ceux que le défunt avait coutume d'y appeler, sans compter tous ceux de l'Habitation qui ont droit de s'y trouver, et qui pour l'ordinaire n'y viennent jamais les mains vides. Après qu'ils sont assemblés, celui qui les a invités leur fait un petit discours à la louange de celui dont il renouvelle la fête : il leur dit ses bonnes qualités, il exagère la perte qu'ils ont faite par sa mort, et conclut en les priant de se souvenir de lui dans leurs prières, et de se joindre à lui pour prier Dieu pour le repos de son âme. Alors ils se mettent tous à genoux, et récitent toutes les prières qu'ils savent ; après ils mangent ce qui est apporté, et boivent à la santé du défunt. »

Derrière ces repas se cachent des célébrations héritées des croyances de l'Afrique : offrandes aux génies qui veillent sur la case et la famille, rites funéraires, suivis de danses. En l'absence de chrétientés noires, l'Afrique a repris ses droits. Des sociétés secrètes perpétuent le legs magique africain, en y introduisant des éléments de magie européenne et des emprunts tirés du catholicisme. Dans le monde noir des Antilles, essentiellement à Saint-Domingue, l'efface-ment de l'Église, après le départ des jésuites, donne une large liberté spirituelle aux esclaves, et ainsi, assure la domination de la pensée magique, de la croyance dans la toute-puissance des forces occultes et surnaturelles, âmes des ancêtres et esprits de la nature, par qui tout se fait et s'explique. À Saint-Domingue, que la disgrâce des jésuites laisse sans protection, l'Afrique submerge la population noire. Le vaudou, croyance du Bénin, qui fédère tous les cultes de la Négritie, dont nombre des aspects sont identiques — raisonnement magique, sacrifices, danses, crises de possession —, règne sous une forme traditionnelle et sous une forme créole, plus violente, la *danse de Don Pèdre* ou *rite pétro*. Des féticheurs-sorciers, intercesseurs entre leurs compatriotes et les Esprits, capables d'empoisonner par toxiques ou sortilèges, prennent en main la foule noire, qui déjà pratique le vaudou domestique dans ses cases. Par l'intermédiaire des sectes qu'ils dirigent, ils imposent une Guinée créole à la masse servile, sans qu'aucun contrepoids temporel — comme le pouvoir des chefs en Afrique — puisse freiner leur action. De nombreux observateurs de l'Ancien Régime ont témoigné de la réalité du vaudou, que, dans les régions de faible métissage, les colons considéraient avec mépris tout en le craignant. Le magistrat Moreau de Saint-Méry, aux côtés du naturaliste Descourtilz, des gérants Joinville-Gauban et Malenfant, compte parmi ceux qui n'ignoraient pas le vaudou. Il conclut, sans se perdre en interrogations ou équivoques. « On ne saurait croire jusqu'à quel point s'étend la dépendance dans laquelle les chefs du Vaudoux tiennent les autres membres de la secte. Il n'est aucun de ces derniers, qui ne préférât tout, aux malheurs dont il est menacé, s'il ne va pas assidûment aux assemblées, s'il n'obéit pas aveuglément à ce que Vaudoux exige de lui. On en a vu que la frayeur avait assez agités, pour leur ôter l'usage de la raison, et qui, dans des accès de frénésie, poussaient des hurlements, fuyaient l'aspect des hommes, et excitaient la pitié. [D'autres sont morts de l'excès de leurs fatigues.] En un mot, rien n'est plus dangereux sous tous les rapports que ce culte du Vaudoux, fondé sur cette idée extravagante, mais dont on peut faire une arme bien terrible, que les ministres de l'être qu'on a décoré de ce nom, savent et peuvent tout. »

L'emprise des sorciers du vaudou s'exerce de manière directe sur les sectateurs, indirecte sur les autres. Ainsi au pouvoir blanc des maîtres de plantations, expression de la pensée rationnelle, se superpose le pouvoir noir des féticheurs, expression de la pensée magique, soumettant créoles et bossales et formant dans la peur une conscience et une solidarité noires, une Afrique créole, une société où familles, parentèles et sectes cultuelles initiatiques se mêlent, débordant les unes sur les autres. La réalité de ces phénomènes souterrains, mais visibles aux observateurs attentifs — Blancs vivant avec des Négresses et des femmes de couleur, par exemple —, éclateront au grand jour à Saint-Domingue, lors du soulèvement des esclaves d'août 1791. Le vaudou, croyance des Noirs, couvrira les campagnes de ses danses, du sang des animaux sacrifiés, accompagnera incendies et combats de ses chants et du grondement lancinant de ses tambours. Il mettra au service de la lutte des Noirs contre les Blancs, les réseaux de ses sectateurs, sa magie fédératrice et mobilisatrice, l'affirmation de l'Afrique majoritaire, en rébellion, contre la race minoritaire des Européens. La guerre s'achevant le 1er janvier 1804 par la proclamation de l'indépendance d'Haïti, que voit-on apparaître derrière l'écran de la dictature militaire qui tente de sauver l'économie de plantation que sa dégradation rend supportable aux anciens esclaves ? Une société africaine créolisée, confédération de « lacou », c'est-à-dire de parentèles réunissant jusqu'à une douzaine de « cailles » — créolisation de cases —, apparaît, qui adapte le collectivisme africain en conciliant notamment la propriété privée — enseignée par la culture des jardins à Nègres — et le travail agricole communautaire. Le père exerce publiquement ses fonctions de chef de famille à qui la femme — parfois les femmes — et les enfants obéissent comme des subordonnés exécutent la volonté d'un supérieur. Mais en allait-il différemment au temps de la colonie ? Il ne semble pas, quoique les Blancs, rarement curieux de ce qui leur était étranger, soient fort silencieux sur ce sujet, comme sur ce qui touche au monde noir en général. Un témoignage cependant, celui du dominicain Labat, qui illustre la réalité de la famille servile, du système patrilinéaire et de l'autorité paternelle. « J'ai souvent pris plaisir à voir un Nègre charpentier de notre maison de la Guadeloupe lorsqu'il dînait. Sa femme et ses enfants étaient autour de lui, et le servaient avec autant de respect que les domestiques les mieux instruits servent leur maître ; et si c'était un jour de fête ou de dimanche, ses gendres et ses filles ne manquaient pas de s'y trouver et de lui apporter quelques petits présents. Ils faisaient un cercle autour de lui, et l'entretenaient pendant qu'il mangeait. Lorsqu'il avait fini, on lui apportait sa pipe, et pour lors il leur disait gravement, allez manger vous autres. Ils lui faisaient la révérence, et passaient dans une autre chambre, où ils allaient manger tous ensemble avec leur mère. » Cette recréation créole de la famille africaine, quand celle-ci est monogamique, s'accomplit dans un assentiment général auquel se mêle, tacitement, celui de la religion catholique, même si le sacrement du mariage est négligé, ce qui, d'ailleurs, était déjà le cas à l'époque coloniale.

Le monde noir — dominant — des Antilles n'est pas le magma informe auquel on imagine parfois à tort que la traite et l'esclavage avaient condamné la foule des déportés. Les esclaves ont reconstitué — avec des libertés — une Afrique à eux dans les eaux américaines, une Guinée créole. La société africaine réapparaît, fidèle à la pensée magique, oppressée par les forces de la nature et les âmes des morts, craignant et sollicitant l'action des sorciers. La famille s'est formée à nouveau, mais hors des contraintes institutionnelles africaines — et catholiques —, ce qui a porté certains observateurs à penser que les Nègres vivaient dans un libertinage constant. Les Antilles, patrie nouvelle des Blancs, nation originelle des mulâtres, entretiennent un mouvement continu où les cultures de l'Afrique et de l'Europe se frottent les unes aux autres. Les îles du Vent, où la domination française se maintiendra, et où les créoles sont majoritaires, largement et depuis longtemps, donneront naissance à une société métissée. Saint-Domingue évoluera de manière très différente. La masse noire, écrasante, pour moitié *bossale*, s'affranchit, rejetant le modèle européen contre la volonté de Toussaint Louverture et de Christophe, notamment, et transforme la Grande Île en un conservatoire d'une Afrique créole. Elle jette le masque, exhibe sa réalité aussi ancienne que la colonie. Finalement, là où le déséquilibre numérique atteint la démesure et où le pouvoir blanc s'efface, l'acculturation des Noirs, c'est-à-dire le métissage de leur esprit, demeure superficielle. Aussi la culture noire — celle des temps serviles et de l'indépendance — apparaît-elle non comme un mélange, mais comme une superposition de traits spécifiques, où l'Afrique se tient prête à absorber l'élément européen.

LA GUYANE

Dans l'esprit des Européens, la Guyane s'identifie au mythe resplendissant de l'*El Dorado*, roi indien, au corps enduit de poudre d'or, vivant dans une capitale aux pavés, aux murs et aux toits d'or. Depuis la moitié du XVIIᵉ siècle, les propagandistes, laïcs et religieux, vantent les mérites de cette contrée et invitent à s'y aller habituer. Des prospectus circulent dans les campagnes, des placards sont affichés aux portes des églises. Des cartes sont distribuées, comme celle dont G. Debien et M. Chatillon ont publié la légende merveilleuse : « Carte de l'isle de Cayenne, située à 5 degrés de latitude septentrionale en la terre ferme de l'Amérique, appelée vulgairement Guaiane, côte sauvage, royaume du roi doré, pays des Amazones et aujourd'hui France Équinoctiale. L'isle de Cayenne [...] se trouve à l'embouchure de la rivière du même nom. Cette assiette lui facilite le commerce de la mer et du dedans des terres. À cause de la fertilité et des belles rivières du pays, la plupart des nations d'Europe a eu à dessein de s'établir en la côte de la Guaiana. [...] Les Français ont particulièrement choisi leur demeure en cette île de Cayenne où ils ont débarqué pour la seconde fois, l'an 1652. Plusieurs lieux y sont propres pour la culture du coton, du sucre, du tabac ; plusieurs endroits fournissent des gommes, des bois et des pierres de diverses sortes, des guenons, des perroquets. La chasse et la pêche y sont également divertissantes. Les Habitants y vivent longtemps à cause de la température de l'air, car bien qu'ils soient en la zone torride, les vents d'Orient y soufflent toujours. Les nuits y sont égales aux jours. Les rosées y tombent abondamment. »

L'île de Cayenne et ses habitants

Dans sa *Nouvelle relation de la France équinoxiale*, publiée en 1743, Pierre Barrère, qui occupa les fonctions de médecin botaniste du Roi dans l'île de Cayenne, résume d'une phrase le panorama qui attend le voyageur. « Toute la côte de la Guyane est admirable par sa verdure. Ce ne sont que d'épaisses forêts de différents arbres toujours verts, qui couvrent toute cette étendue de pays, et des futaies qui s'étendent si avant dans les terres qu'on les perd de vue. » Quoique déporté par le Directoire, après le coup d'État de fructidor, Lafond de Ladébat, négociant bordelais et ci-devant président du Conseil des Anciens libère son émotion à l'approche du rivage guyanais. « La vue de la terre en arrivant à Cayenne est magnifique ; quelques îlots détachés de l'île principale, couverts d'arbres du plus beau vert jusqu'au bord des eaux, les accidents de la lumière si brillante dans ce climat, tout contribue à ajouter à la beauté du spectacle. » Un autre déporté, Barbé de Marbois, ancien intendant de Saint-Domingue, malgré une intelligence toute portée aux règlements et à la comptabilité, laisse parler sa sensibilité. « Nous mouillâmes, au soir, à quatre lieues de Cayenne, en vue d'une côte où la nature étale une grande magnificence. Ces beautés ne se trouvent qu'entre les tropiques. La mer baigne ici un rivage couvert d'une verdure continuelle. Les regards, bordés au loin par des montagnes, reviennent se reposer sur des collines dont les pentes sont faciles et les aspects variés. La nature n'est plus inanimée pour nous. Des canots se font voir au sommet de la vague qui les porte, et disparaissent aux yeux quand elle s'abaisse. Des Indiens et des Nègres, armés de flèches et de harpons, poursuivent le poisson. La fumée s'élève du faîte des quelques cases éparses le long de la côte. Elles sont environnées d'arbres que leurs formes et leurs nuances nous firent reconnaître. Nous remarquâmes les orangers, les manguiers, le cocotier, le palmiste et l'utile bananier. Quelques-uns de nous crurent même distinguer les odeurs du girofle, de la fleur d'oranger et du cannelier. »

Cayenne n'appartient pas à la famille des grands ports antillais comme Saint-Pierre, le Cap-Français, Santo-Domingo ou La Havane. Barrère regarde sa patrie d'un temps, avec l'œil méthodique et précis de l'homme de science. « Ce bourg, qui porte le même nom que l'île, est à une pointe, au bord de la mer, presque tout à l'entrée du port. C'est là où l'on a coutume de se rendre pour s'embarquer, quand on veut passer à la grande terre, et qu'on veut aller aux habitations qui sont autour de l'île, afin d'éviter les courants qui sont d'une rapidité incroyable sur la côte. Le port n'est proprement qu'une rade assez découverte, et exposée au vent du nord qui souffle quelquefois furieusement ; et dont l'entrée qui regarde le nord est assez difficile, à cause des bancs de sable et quelques rochers qui sont presque à fleur d'eau : ce qui oblige souvent les vaisseaux de mouiller deux lieues au large, et de demander un pilote, pour les entrer avec sûreté : on est même obligé de ranger la terre, et de venir passer presque à une portée de pistolet des murailles de Cayenne. Il n'y a guère plus de cent cinquante *cases* ou maisons dans le bourg, d'assez mauvaise apparence, et dont la plupart, ou, pour mieux dire, presque toutes ne sont bâties que de boue, ou *bouaillées*, comme l'on dit communément. On enduit le dedans de bouse de vache ; après quoi on blanchit par-dessus. Il y en a quelques-unes qui sont de charpente, et à deux étages. Elles étaient autrefois couvertes de feuilles de palmier ; mais les pertes que causaient les incendies qui y étaient assez ordinaires, et la crainte qu'elles ne réduisissent un jour tout le bourg en cendres, ont obligé les habitants, depuis quelques années, à les couvrir de bois ou *bardeaux* ; aussi depuis ce temps-là, quoique les maisons soient sans cheminées, et qu'on y allume le feu sans ménagement, il arrive très rarement aucun mauvais accident. » À ce premier dessin, un officier de marine en mission hydrographique, le vicomte de Galard-Terraube, apporte quelques touches complémentaires, dans son *Tableau de Cayenne*, publié en l'an VII ou 1799 : « Il n'y a d'édifices un peu remarquables que le Gouvernement, et la ci-devant maison des Jésuites, qui occupent en entier les deux grandes faces opposées de la place d'armes. Celle-ci offre d'abord, un aspect infiniment agréable pour tout le monde et d'un genre tout à fait neuf pour des Européens ; elle est entièrement entourée d'une double rangée d'énormes orangers, dont les fleurs répandent un parfum délicieux, et attirent sans cesse une foule de colibris, qui errent de l'un à l'autre et se balancent au-dessus comme des papillons. La ville de Cayenne ayant reçu dans les derniers temps, un accroissement de population assez considérable, et son enceinte n'ayant pas permis de l'étendre à proportion, on a bâti dans la Savane, ou grande Pelouse, qui n'en est séparée que par la largeur du fossé. Cette nouvelle ville, déjà plus considérable que la première et qui s'accroît tous les jours, est tirée au cordeau ; les rues en sont larges et bien aérées, et l'on y remarque même plusieurs fort belles maisons, qui frappent d'autant plus, que tout, autour d'elles, porte l'empreinte de la pauvreté et de la misère. »

La Guyane, vaste forêt, aux côtes basses, noyées, couvertes de palétuviers — que les Hollandais voisins, ont asséchées, irriguées et mises en culture —, est un désert humain. Environ 1 500 Blancs et gens de couleur libres, garnison comprise, quelque 10 000 Noirs et autant d'Indiens qui nomadisent dans la forêt, le long des rivières. De cette poignée d'Européens, Barrère a brossé le tableau. « La nécessité de faire valoir les terres, oblige tous les Français de se tenir sur ses habitations. C'est ce qui rend le bourg de Cayenne ordinairement fort désert. On ne voit pas même quelquefois une âme dans les rues : et on pourrait, pour ainsi dire, tuer une personne en plein jour, sans risquer d'être aperçu par qui que ce soit. Ce n'est donc qu'aux grandes fêtes, ou dans le temps des revues que Cayenne est peuplée. On voit venir alors les habitants dans leurs canots, et quelquefois les créoles dans leur hamak, avec une suite de nègres et de négresses, qui portent de la volaille, de la cassave, du tafia, des racines, et les autres provisions nécessaires pour tout le temps qu'ils ont à rester. Les habitants de Cayenne sont fort affables, libéraux, et reçoivent les étrangers avec tous les agréments possibles. Quoiqu'ils parlent tous français, à peine leurs enfants savent-ils deux mots de cette langue. Leur jargon tient beaucoup du nègre, surtout par la manière de prononcer. Les négresses, à qui on est obligé de confier l'éducation des enfants, ont introduit une infinité de mots de leur pays. On peut cependant dire que le langage créol de Cayenne est moins ridicule que celui des Îles. Les créoles sont aussi mieux faites qu'ailleurs : elles n'ont pas le teint jaune ou pâle, comme celles de la Martinique et de Santo Domingo. Elles ont naturellement beaucoup d'esprit, qui se fait remarquer surtout en celles qui ont été élevées en France. La propreté, qui leur est naturelle, et qui ne contribue pas peu à l'heureuse santé dont elles jouissent, serait fort louable, si elle ne passait pas les justes bornes. En effet, elles aiment beaucoup le faste : et Cayenne a cela de commun avec les autres Îles, où, pour satisfaire la vanité des femmes, les maris sont obligés, pour ainsi dire, de mettre la main à la bourse à chaque bâtiment qui arrive ; ce qui dérange infiniment leurs affaires. Aussi une loi qui éloignerait le luxe des familles particulières, serait la richesse et l'avancement des colonies. » Galard-Terraube revient sur cette esquisse, la complète et insiste sur la place importante du hamac dans la vie quotidienne. « La toilette des hommes consiste habituellement en un pantalon bien large et une veste de toile, et les femmes passent une grande partie de leur vie dans un hamac. Nulle part, peut-être, on n'est aussi recherché pour cette espèce de meuble, qui est en même temps un objet de luxe, d'ornement et de commodité. Ces hamacs, toujours en coton, ont ordinairement six ou sept pieds de long, sur une largeur à peu près pareille, mais on ne s'aperçoit de leur énorme ampleur que lorsqu'on essaye de s'y coucher. Ils sont soutenus aux deux extrémités par une multitude de petites tresses de coton, tissées en même temps, qui leur font prendre des plis naturels, et se réunissent à chaque bout à une grosse corde de la même matière. Ce sont ces dernières qui supportent tout le poids : on les fixe par de grands crochets aux deux murailles contiguës dans l'angle d'un appartement, et le hamac pend en guirlande dans cet intervalle, comme une véritable escarpolette. J'ai vu des salons dont les quatre coins étaient garnis de hamacs arrangés de la sorte, et s'il y avait quatre femmes, on était à peu près sûr qu'ils étaient tous les quatre occupés. »

La chaleur humide et lourde commande une nourriture fortement épicée, et des boissons alcoolisées qui donnent aux corps l'impression de revenir à la vie et de recouvrer un dynamisme neuf. Galard-Terraube s'étonne de ces habitudes inconnues de la métropole. « Les habitants de la Guiane, pourraient profiter avec beaucoup d'avantages des ressources que la nature a multipliées autour d'eux pour faire bonne chère. Ils sont en général très peu recherchés, ou du moins leur genre de recherche est loin de convenir à tout le monde. C'est ce dont on ne tarde pas à s'apercevoir en arrivant à Cayenne, et dont on est tout de suite frappé, pour peu qu'on s'en éloigne pour aller dans les habitations. Par un goût que les Européens ont de la peine à concevoir, mais qui est plus ou moins celui de toutes les Colonies, ils préfèrent le poisson et la viande salée, à ces mêmes objets frais et font une consommation énorme de salaisons de toute espèce. Cela tient à ce que les organes y sont en général un peu blasés comme dans tous les pays très chauds, et l'on conçoit combien une pareille habitude doit y ajouter encore ; peut-être aussi est-ce une indication de la nature, que cet attrait pour les aliments qui ont moins de tendance à la putridité ? Quoi qu'il en soit, ils font un cas particulier de tout ce qui est piquant et fort, et en conséquence ils cultivent différentes espèces de piment, dont quelques-uns sont d'une violence insupportable, et en font un usage continuel dans leur cuisine. Il joue surtout un grand rôle dans les soupers, dont le plat de fondation est ordinairement une pimentade, espèce de ragoût de prédilection, qui n'est autre chose que du poisson cuit avec beaucoup d'eau, et ordinairement assaisonné de piment à emporter la bouche. On a néanmoins assez souvent l'attention de servir à part, dans une salière, ces piments qui ne sont pas plus gros qu'une pistache, et alors chacun en prend sur son assiette, et le presse plus ou moins fortement selon son goût ; la moindre pression suffit pour donner une saveur piquante à la sauce la plus copieuse. On a de la peine à concilier un goût aussi fortement prononcé pour les salaisons et les épiceries, avec celui presque aussi général parmi les Créoles de Cayenne, et surtout chez les femmes, pour la *Cassave*, l'aliment le plus fade dont on puisse se former l'idée. C'est une espèce de grand gâteau rond, de trois lignes d'épaisseur, et uniquement composé de farine de Manioc, grossièrement triturée, qu'on fait à peine cuire sur une plaque de métal. Rien n'est plus commun que de voir les Créoles, dans les habitations, ne manger que de la *Cassave* en guise de pain, et la préférer, dans les grands repas à la ville, au pain le plus blanc et le meilleur. C'est, surtout, avec la pimentade, qu'elles lui donnent constamment la préférence. On retrouve d'ailleurs à la Guiane, la plupart des mets connus dans les autres Colonies, et entr'autres le *Calalou*, espèce de ragoût gluant, dont le fruit d'une plante, appelée *Combau**, fait la base. Un dernier usage, qui ne mériterait pas d'être relevé, s'il ne donnait occasion de parler d'autre chose, se pratique exactement dans tous les repas. Un nègre, armé d'une bouteille de Tafia, s'ébranle entre les deux services, fait le tour de la table pour en offrir à tous les convives, et essuie rarement beaucoup de refus. C'est ce qu'on appelle le coup-du-milieu. Le Tafia de Cayenne, toujours limpide comme de l'eau de roche, est une liqueur fort saine, et susceptible de devenir très agréable en vieillissant, surtout depuis que l'introduction des plants à épicerie, a appris à le distiller avec de la canelle fraîche. »

* Le Gombo est le fruit d'un hibiscus, probablement originaire de l'Inde.

Indiens de la Guyane et Indiens des Lumières

Les Indiens, quoique indigènes de la colonie, sont relativement mal connus, malgré l'effort d'évangélisation des jésuites, dans les missions du Kourou, Sinnamary, et de l'Oyapock, de 1711 à 1768, et quelques explorations scientifiques. Peu nombreux, quelques centaines sur la côte, 2 à 3 000 à l'intérieur, semi-nomades pacifiques, ils s'organisent en tribus et villages dont les chefs ou capitaines sont reconnus par les autorités. Galard-Terraube a tracé le portrait de ces personnages. « Chaque petite peuplade a son chef à part, et l'on avait imaginé, sous le règne de Louis XV, de les distinguer par quelques décorations extérieures. Elles consistaient en un habit bleu galonné en or, qui ressemblait assez à l'uniforme des officiers généraux ; une canne à grosse pomme d'argent, presque comme celle des tambours majors, et une médaille du même métal, représentant le buste du Roi, qu'ils portaient sur la poitrine ». Peu avant la Révolution directoriale, Laffon de Ladébat, visitant un village du bord du Sinnamary, est reçu par le capitaine. « Il s'était, pour nous faire honneur, revêtu d'une chemise européenne très sale, et il avait à la main le bâton de capitaine, qui est un jonc à pomme d'argent, qui leur est donné par le gouvernement de Cayenne. »

Les Indiens, contrairement aux Noirs, dont la couleur porte la marque de l'esclavage, jouissent d'un statut de Libres. Cela n'avait pas toujours été le cas. Comme le remarque Pierre Barrère, en 1743, la cessation de la culture de l'indigo avait interrompu le « commerce des Indiens esclaves. Ce commerce était autrefois considérable, et enrichissait beaucoup la colonie, tant par le grand nombre, que par le bon marché auquel on les achetait ; et qu'on revendait ensuite le triple, et même davantage, aux marchands qui allaient aux Îles. Ordinairement un grand Indien se vendait cent écus ; et une Indienne ne coûtait pas davantage de deux cents, ou deux cent cinquante livres : au lieu qu'aujourd'hui, non seulement on n'en voit que très rarement ; mais même, supposé qu'il y en ait quelqu'un à vendre, on ne les lâche pas à moins de huit cents francs. Depuis que les Portugais de Para se sont établis dans nos terres, les Français n'oseraient s'écarter guère loin de Cayenne, et ne sauraient monter un peu avant dans les rivières, sans beaucoup de risques. La manière qu'on avait coutume de faire cette sorte de commerce, se pratiquait ainsi. Les *Traiteurs* étant arrivés en quelque *Karbet* commencent d'abord à faire *Banaret* avec le capitaine de la Nation, et les autres Indiens du lieu ; c'est-à-dire, leur faire beaucoup d'amitié, et leur témoigner vouloir être bon camarade avec eux. Après les compliments ordinaires, qui ne sont pas fort longs, on sert à boire aux traiteurs, qui ne doivent pas manquer, surtout quand ils connaissent qu'il y a quelque chose à faire, à débuter par un présent au capitaine, et lui demander ensuite s'il y a quelques esclaves à traiter chez lui. Pour l'ordinaire, le capitaine et les autres Indiens, ne s'ouvrent pas tout à coup, quoiqu'il y ait véritablement des esclaves, et qu'ils aient bonne envie de s'en défaire. S'il y en a plusieurs, ils disent qu'il n'y en a qu'un ou deux : ils ajoutent toujours, qu'ils sont fort loin, quand bien même ils sont près du *Karbet*. Le traiteur fait un choix de la traite qu'il apporte, et en remplit autant de *Kourkourous* qu'on dit qu'il y a d'esclaves à vendre. Un *Kourkourou* est une corbeille à jour ronde, de la longueur d'environ deux pieds, et large à son ouverture d'un pied. La valeur de la traite qu'on donne pour chaque Indien, se monte ordinairement à une douzaine d'écus. Un *Kourkourou*, pour être bien assorti, doit être composé de six haches, six houes, six serpes, ou davantage, deux ou trois livres de belle rasade, la blanche et la bleue est celle que les Indiens aiment le mieux, deux douzaines de couteaux flamands, quelques brasses de toile blanche, comme platille, et toile de Saint-Jean. Les petits miroirs, les zings ou hameçons, les gros peignes de corne, des platines de fer à faire la cassave, quelques meules à aiguiser les couteaux, sont encore des marchandises très propres pour faire le commerce. Enfin l'adresse du traiteur est de ne montrer que petit à petit ce qu'il a envie de donner afin que si les Indiens voyaient tout à la fois, ils exigeraient toute la traite pour un ou deux esclaves, en eût-on pour en traiter une centaine. Il est nécessaire de donner aussi un présent aux Indiens qui vont chercher les esclaves ; et on est obligé de leur confier sur leur parole, les merceries. Ils reviennent, pour l'ordinaire ; et rarement font-ils banqueroute. Ils restent plus ou moins de temps, selon l'éloignement où sont les Indiens dont on veut se défaire. Quand ils sont de retour ; et qu'ils en emmènent plusieurs, ils n'ont garde de les conduire tous devant les traiteurs. Ils se contentent d'en amener un ou deux seulement ; et ils laissent dans le bois les autres, qu'ils ont eu la précaution de bien cacher. Ils disent fort souvent au traiteur, en lui livrant un ou deux esclaves : Tiens, *Banaret*, voilà tout ce que j'ai pu trouver ; j'ai même donné toute la traite que tu m'avais confiée. Si le traiteur sait son métier, il caresse les Indiens du *Karbet*, et fait surtout la cour au capitaine, qui conduit ordinairement toute l'intrigue, afin de les porter à ne rien cacher. Si le capitaine est content, il fait semblant d'envoyer voir s'il est possible d'en trouver quelque autre. On reste quelques jours à venir, pour faire accroire qu'on a été bien loin chercher ceux qu'on amène derechef, et qui sont toujours du nombre de ceux qu'on a mis en réserve à quelques pas du *Karbet*. Enfin, si le Traiteur fait les choses fort honnêtement, et qu'il n'épargne pas surtout les présents, il a insensiblement tous ces pauvres malheureux. Les Sauvages de la Guyane commercent avec toutes les ruses et toute la fourberie qu'ils savent : et il faut être un peu faits à eux pour ne pas se laisser tromper, et pour mettre à l'abri de leurs mains, la traite qu'on apporte, et qui les affriande infiniment. »

Barbé de Marbois, ancien administrateur colonial, confirme la véracité du témoignage du médecin. « Jusqu'au milieu de ce siècle, nous avons acheté des Indiens, les prisonniers des deux sexes qu'ils avaient faits à la guerre. Ces esclaves indigènes n'étaient pas aussi bons travailleurs que les nègres. Ce commerce a entièrement discontinué à Cayenne il y a plus de quarante ans. » Le 2 mars 1739, le roi l'avait interdit par une ordonnance, qu'enregistrèrent les Conseils supérieurs des îles du Vent.

L'Indien, à qui le xixe et le xxe siècle donneront des protecteurs sincères, ne fait pas l'admiration de cette éminente figure des Lumières qu'est La Condamine. Aux yeux de l'académicien, comme à ceux de Voltaire et de Buffon, cet être grossier témoigne de la supériorité de la civilisation sur l'état de nature, cher à Rousseau, où l'individu tombe au niveau de l'animal. Les rejetons de ces races, que le savant a rencontrés du Pérou à l'Amazonie, ont toujours un même fond de caractère. « L'insensibilité en fait la base. Je laisse à décider si on la doit honorer du nom d'apathie, ou l'avilir par celui de stupidité. Elle naît sans doute du petit nombre de leurs idées, qui ne s'étend pas au-delà de leurs besoins. Gloutons jusqu'à la voracité, quand ils ont de quoi se satisfaire ; sobres, quand la nécessité les y oblige, jusqu'à se passer de tout, sans paraître rien désirer ; pusillanimes et poltrons à l'excès, si l'ivresse ne les transporte pas ; ennemis du travail, indifférents à tout motif de gloire, d'honneur ou de reconnaissance ; uniquement occupés de l'objet présent, et toujours déterminés par lui ; sans inquiétude pour l'avenir ; incapables de prévoyance et de réflexion ; se livrant, quand rien ne les gêne, à une joie puérile, qu'ils manifestent pas des sauts et des éclats de rire immodérés, sans objet et sans dessein ; ils passent leur vie sans penser et ils vieillissent sans sortir de l'enfance, dont ils conservent tous les défauts. Si ces reproches ne regardaient que les Indiens de quelques provinces du Pérou, auxquels il ne manque que le nom d'esclaves, on pourrait croire que cette espèce d'abrutissement naît de la servile dépendance où ils vivent ; l'exemple des Grecs modernes prouvant assez combien l'esclavage est propre à dégrader les hommes. Mais, les Indiens des missions et les sauvages qui jouissent de leur liberté étant pour le moins aussi bornés, pour ne pas dire aussi stupides, que les autres, on ne peut voir sans humiliation combien l'homme abandonné à la simple nature, privé d'éducation et de société diffère peu de la bête. » La civilisation représente la bonté, la Nature incarne la grossièreté ou la cruauté. Le bon Sauvage est un mythe stupide : La Condamine l'a mesuré, le martyre atroce des jésuites de la Nouvelle-France en atteste dans le sang. L'égalité entre les hommes participe d'un principe métaphysique que l'observation de la réalité rejette.

La Condamine vole la découverte du caoutchouc à Barrère

P. Huard et J. Chaia ont fait remarquer avec discrétion et pertinence que le caoutchouc est « signalé et figuré » pour la première fois en France, par Pierre Barrère, dans la *Nouvelle Relation de la France équinoxiale,* en 1743. La Condamine attira à nouveau l'attention sur les qualités du latex dans sa *Relation abrégée d'un voyage dans l'intérieur de l'Amérique méridionale,* publié en 1749, avant de faire paraître en 1755, un *Mémoire sur une résine élastique, nouvellement découverte à Cayenne par M. Fresneau, et sur l'usage de divers sucs laiteux d'arbres de la Guiane ou France équinoctiale.* Ce *Mémoire* avait pour base une communication de La Condamine, envoyée à l'Académie des sciences, en 1736, et une grosse étude de l'ingénieur militaire Fresneau, que Maurepas reçut en 1749. Ayant été le premier imprimé, Barrère, qui fut médecin botaniste du roi à l'île de Cayenne de 1722 à 1725, bénéficie, par rapport à La Condamine — tempérament impérialiste — d'une antériorité indiscutable. « Ce sont ces mêmes Indiens qui font aussi des *Balons,* des Anneaux, et des Seringues, autre sorte de Balon, si recherchée par les curieux. La matière dont ces ouvrages sont faits, est le lait qui découle d'une liane qui doit être rangée, par rapport à la structure du fruit et de la fleur, au genre des Apocins. Ils ramassent une certaine quantité de ce suc laiteux, qu'ils font bouillir environ un gros quart d'heure, pour lui donner un peu de consistance ; après quoi ils disposent les moules qu'ils ont préparés pour diverses choses. Ils les font ordinairement d'un peu d'argile, qu'ils pétrissent avec du sable, afin qu'on puisse les casser aisément. Les moules de Seringue ont la figure d'une perle, ou d'une grosse poire, longue de cinq ou six pouces. On met par-dessus ces moules plusieurs couches de cette espèce de bouillie, sur laquelle on trace, avec la pointe d'un couteau, ou un poinçon, plusieurs traits figurés : on a soin de les sécher ensuite à un petit feu ; et on achève de les noircir à la fumée. Après quoi on casse le moule. On fait aussi avec la même matière, des bottes, des sceaux, qui résistent mieux à l'eau que le cuir ordinaire. Les Balons ont beaucoup d'élasticité, et font cinq ou six bonds de suite, dès qu'on les a jetés une fois. Les Anneaux sont encore bien plus admirables. Leur ressort est extraordinaire ; et ils prêtent infiniment. Ils sont ordinairement gros comme le petit doigt, sur un pouce et demi de diamètre. Un Anneau, par exemple, qui serre exactement les cinq doigts de la main, réunis ensemble, peut s'étendre assez pour laisser passer non seulement le bras, mais encore tout le corps : il se rétrécit ensuite, et devient, par sa propre élasticité, dans son premier état ». Des dessins, représentant un anneau et deux ballons, illustrent la description du médecin-botaniste qui, moins perspicace que ses successeurs — surtout Fresneau —, ne voyait dans cette utilisation du latex que de « petits amusements ».

L'esclavage à la Guyane

La Guyane, pas plus que les autres îles françaises de plantation, n'a souffert d'une hémorragie d'esclaves marrons ou fugitifs, ni été menacée par des bandes révoltées, bien que certains entretiennent ce mythe. Évoquant la police des Nègres dans sa correspondance avec Versailles, l'ordonnateur Malouet met les choses au clair. Cinq ordonnances, observe-t-il, aménagent la discipline des esclaves, « mais rien ne s'exécute. La fréquentation des cabarets par les noirs, leur châtiment, les moyens de prévenir ou d'arrêter le marronage, la défense de porter du feu pendant l'été dans les plantations, chemins et savanes ; celle de confier des armes à un nègre chasseur, sans billet du maître ; celle de laisser vendre des vivres, sans la même précaution ; de les envoyer hors des habitations, dans les bourgs et marchés, sans une permission par écrit, etc. Tout est dit. Mais les maîtres négligent de se conformer à ce qui est prescrit ; les officiers de police n'y tiennent pas la main : les réprimandes infructueuses des administrations lassent leur patience. Lorsqu'on n'est pas très convaincu que l'inexactitude dans les devoirs de sa place, est et doit être irrémissible, chacun fait ce que bon lui semble et se tient pour offensé lorsqu'on le contrarie. » Loin de vivre dans la terreur de ses Noirs, la Guyane française, au contraire, offre le refuge de sa forêt et de ses rivières aux nombreux esclaves qui fuient les plantations hollandaises du Surinam voisin. Ainsi, dans la seconde moitié du XVIIIᵉ siècle, les Djuka s'établissent-ils sur le cours moyen du Maroni, et les Bonis sur le haut Maroni. Galard-Terraube remarque le caractère original de l'esclavage à la Guyane française : « Il est moins rigoureux que partout ailleurs. » Et il explique les motifs de cette humanité. « Trois raisons principales sont cause que les nègres y sont en général traités avec plus de douceur, et les deux premières tiennent à la pauvreté même de la Colonie. Les habitants n'ayant guère eu jusqu'ici que des prétentions de fortune extrêmement bornées, la cupidité a été aussi moins vivement excitée dans leurs âmes, et c'est elle surtout qui rend si inhumain et si cruel dans la Zone-Torride. De plus, c'est qu'à la Guiane les nègres sont sous la direction immédiate des propriétaires eux-mêmes, essentiellement intéressés à leur conservation, tandis que la plupart des riches habitants de Saint-Domingue, consomment leurs revenus en Europe, et confient le soin de leurs ateliers à des mercenaires, qui ne songent qu'à forcer les moyens pour augmenter les produits. La dernière raison enfin, c'est que la crainte de voir leurs esclaves déserter sur un vaste continent, où il est si aisé de se soustraire à toutes les recherches, les engage à ne pas les réduire à cette extrémité. » Comme tous les Européens débarquant dans les colonies de la zone torride, Galard-Terraube s'étonne, à son débarquement, de la multitude des Noirs, que dans les ports ou à Paris il n'avait aperçu qu'un à un ou par petits groupes. Il remarque les Nègres qui chassent ou pêchent pour le compte d'habitants. Mais, ce qui frappe le plus l'officier de marine, c'est la quasi-nudité des Noirs de l'île de Cayenne. « On ne rencontre presque dans toutes les rues et dans les maisons que des femmes entièrement nues de la ceinture en haut, et des hommes dont tout le vêtement consiste en une bande de toile, large de quatre doigts, qui fait le tour des reins, et passe entre les jambes ; cet habillement de *confiance* s'appelle *Calimbé,* et fait à peine l'effet de la feuille de vigne dont un ciseau chaste voile ordinairement ses statues. On s'accoutume difficilement à se trouver à table avec des femmes, et à s'y voir servi par des nègres dans ce costume. »

La Guyane, terre connue des Français, dès les premiers temps, n'a guère progressé depuis le mois de novembre 1643, date à laquelle la première expédition de Poncet de Brétigny débarqua à l'île de Cayenne. Tout semble destiné à l'échec dans cette contrée aux abords magnifiques. M. de La Fayette lui-même, fat et sûr de soi, a manqué le projet d'abolition progressive de l'esclavage qu'il avait commandé de mener sur son habitation, la *Gabrielle.* Dans son *Journal d'un déporté,* Barbé de Marbois mentionne cette tentative malheureuse, avec une satisfaction mal déguisée. « C'est là que le marquis de Lafayette, constamment animé de sentiments généreux, voulut faire en grand un essai de noirs affranchis, et en même temps cultivateurs. Il ignorait que les races africaines, essentiellement fainéantes, ne croient à la liberté qu'autant qu'elle a l'oisiveté pour compagne. L'expérience n'a pu être conduite à son terme. L'habitation de *la Gabrielle* est aujourd'hui cultivée par de prétendus affranchis retombés dans une condition très voisine de l'esclavage. On y comptait [en 1796] cinq mille girofliers sur vingt-huit carrés, le carré ayant cinquante toises sur chaque côté. Un seul arbre a donné jusqu'à cinquante-quatre livres de fruits. Cette fécondité est rare. » Manquant de capitaux, de propriétaires entreprenants, souffrant d'aller d'initiatives folles — le Kourou — en projets contrariés et à la rentabilité peu évidente — les épices —, la Guyane attend les lendemains meilleurs. Elle regarde les riches plantations voisines des Hollandais, parmi lesquels on compte de nombreux protestants d'origine française. Cette médiocrité de l'économie et la quasi absence de sucreries assurent aux esclaves une condition de vie incomparablement moins dure qu'à leurs frères de Saint-Domingue.

LES ÉTABLISSEMENTS FRANÇAIS À LA CÔTE D'AFRIQUE

La France, bien qu'elle possède des colonies de plantation qui réclament chaque année un effectif nombreux d'esclaves noirs, n'entretient que trois établissements à la côte d'Afrique : Saint-Louis ou Sénégal et l'île de Gorée auxquels sont rattachés quelques forts et comptoirs ; Juda, sur la côte du Bénin. L'ensemble formé par le Sénégal et Gorée revêt une certaine importance dès l'Ancien Régime, non tant pour le maigre contingent de 1 500 à 2 000 captifs qu'il envoie chaque année à l'Amérique, que pour sa situation stratégique qui, plus tard, en fera la base de départ de la colonisation française en Afrique occidentale. Le comptoir de Juda, par les souvenirs laissés, comptera parmi les mobiles qui inciteront les Français à conquérir le Dahomey. Mais sous la monarchie, ce poste, malgré son bastion, le fort Saint-Louis, et sa résidence directoriale agréable, demeure modeste : on n'y rencontre qu'une trentaine de Blancs et la traite négrière s'est déplacée vers d'autres points du littoral. Au contraire, Gorée et Saint-Louis, où le directeur, au temps de la Compagnie des Indes, puis le gouverneur, siègent alternativement, présentent un état et des perspectives infiniment plus riches. N'a-t-on pas déjà pénétré à l'intérieur du continent noir et construit le fort Saint-Joseph au Galam ? Ne songe-t-on pas, mais sans jamais aller jusqu'à la concrétisation, à introduire l'économie de plantation dans les sites les plus propices ? Malgré son ancienneté, la colonie du Sénégal a son avenir devant elle, ce qui ne manque pas d'exciter la curiosité des esprits et la protection attentive du ministère. En 1757, le naturaliste aixois Adanson, lié au personnel provençal de la direction de la Compagnie des Indes, publie une *Histoire naturelle du Sénégal, avec la relation abrégée d'un voyage fait pendant les années 1749-1753*. Ceux qui voudront faire connaître cette partie de l'Afrique se référeront et emprunteront à cet ouvrage premier du futur membre de l'Académie des sciences.

Un officier métropolitain sous les tropiques

Pendant les deux séjours qu'il fait en Afrique occidentale, de 1785 à 1787, Boufflers, homme de salon, possédant la culture, le talent de la conversation et le goût de rimailler, ne cesse de se plaindre, à l'égal d'ailleurs de ses camarades métropolitains qui reprochent aux colonies d'être des terres d'expatriation, voire des dépotoirs, regrettant avec une belle imagination la grisaille des villes de garnison du Vieux Monde. Le gouverneur gémit ce cet exil — qu'il a d'ailleurs demandé pour des raisons pécuniaires — où l'absence de toute société élevée le condamne à une solitude terrible. La plupart des Français qu'il rencontre, non seulement sont inintéressants, mais encore sont affligés de tous les défauts et les vices imaginables. La colonie s'identifie à l'enfer. Ce monde clos s'abandonne à la négligence, rien ne s'y construit de méritoire ; il désagrège au moral et détruit même au physique sous les coups de la maladie.

Le 6 mars 1786, Boufflers, résidant alors à Saint-Louis, confie à son oncle le maréchal prince de Beauvau, ses déboires, sa détresse. Propos typiques de métropolitain allergique à toute transplantation, même provisoire, incapable de s'extraire de sa routine et de s'adapter à des conditions de vie nouvelles. « Je ne sais point encore si je surmonterai les difficultés que je suis venu chercher, mais au moins elles ne m'abattront point. Si je suis quelquefois tenté de me décourager (comme vous semblez le soupçonner), au moins la honte suit de près la tentation, et je retrouve mes forces avant d'avoir montré ma faiblesse. Tout est à faire dans ce pays-ci, et même à défaire ; jamais la tâche et les moyens n'ont été aussi disproportionnés entre eux. [...] Depuis six semaines que je suis ici, je me suis toujours assez bien porté ; mais j'ai senti que le climat exigeait des ménagements auxquels je ne suis point accoutumé : il faut peu manger, peu boire, peu marcher, peu dormir, peu s'occuper, etc. De tout un peu, mais peu de tout. Le pain est actuellement mauvais, par des causes que vous verrez dans un mémoire ci-joint ; l'eau l'est habituellement la mieux choisie, la mieux filtrée est toujours saumâtre. J'avais demandé au ministre une machine à dessaler de M. Poissonnier ; elle m'était promise : il y en a à Rochefort ; l'intendant de Rochefort me l'avait promise aussi, bien sûr que le ministre l'approuverait, et elle ne m'est point parvenue. Ce serait un trésor pour le Sénégal : la machine doit, d'après les comptes qui en sont rendus, suffire aux besoins d'un vaisseau de guerre ; c'est, par malheur, plus qu'il ne nous en faut. Son inconvénient sur mer était d'occuper trop de place et d'exiger trop de bois ; ici, la place et le bois ne manqueront point. Depuis quelques jours j'y supplée imparfaitement, pour moi, en faisant distiller mon eau ; mais je jouis mal, et même je rougis d'un avantage auquel tout le monde a dans le fond autant de droit que moi, et que je ne partage avec personne. Je passe ma vie dans mes différents ateliers à presser des travaux qui ne finiront jamais, tant à cause de la besogne qu'à cause des ouvriers. On ne peut se faire idée de la lenteur et de l'inertie que les gens les plus actifs contractent ici à l'exemple des naturels du pays. D'ailleurs, les ouvriers sont rares ; il n'y en a pas de bons ; le temps du travail est court ; la journée commence et finit à six heures : dans les douze heures, il y a environ deux heures pour le déjeuner et environ cinq heures pour le dîner et le goûter ; en sorte qu'on peut à peine compter sur cinq heures d'ouvrage, et ces cinq heures-là n'en valent pas trois des ouvriers de France. Je radoube quelques vieilles embarcations et j'en fais de nouvelles avec des bois du pays, faute de mieux ; car, en arrivant, je n'ai pas trouvé un canot en état de nager, et j'ai été forcé d'emprunter les quatre premiers avirons dont je me suis servi. Je travaille aux affûts et aux plates-formes, où il n'y a pas un morceau de bois qui ne soit pourri. Je fais réparer et faire les lits et les fournitures des casernes, dont le délabrement m'a fait venir les larmes aux yeux à mon arrivée ; je fais remanier toutes les cloisons, tous les murs, toutes les toitures de l'hôpital pour le mettre en état de recevoir la foule des malades qui doit y entrer dans la mauvaise saison. Je suis en même temps obligé de faire quelques réparations urgentes à ce qu'on appelle mon gouvernement ; c'est la plus pauvre, la plus sale et la plus dégradée de toutes les masures. Je ne parle pas des fortifications, et je ne m'en occupe pas encore ; elles sont dans un tel état, qu'elles seraient nulles quand même elles seraient bonnes, et elles sont tellement mauvaises, qu'elles seraient nulles quand même elles seraient en état. Mais c'est ici la chose la moins nécessaire ; des trois grands fléaux, celui qui aura le plus de peine à nous approcher, c'est la guerre ; aussi, d'ici à longtemps, je ne songerai à éloigner que la peste et la famine. L'une et l'autre sont plus près qu'on ne pense : la mauvaise farine que nous mangeons fait que nous avons beaucoup plus de malades qu'on n'en a ordinairement sur pareil nombre d'hommes, à pareille époque, et cette mauvaise farine, notre unique ressource, nous n'en avons plus que pour trois mois. »

Le gouverneur, intarissable dans sa plainte, la prolonge, le 22 avril, en peignant devant les yeux de sa sœur, Mme de Boisgelin, l'atroce insipidité de son existence sénégalaise. À lire les lignes de cet homme de belle intelligence, on comprend que métropole et colonies forment deux mondes distants, étrangers par l'état d'esprit, et l'on s'explique mieux l'incompréhension qui sépara, même à la dernière heure, les coloniaux de la Nouvelle-France et les hommes frais débarqués de la mère patrie. « Je t'écris en attendant que je te lise, ma bonne enfant, pour m'arracher au moins pendant quelques minutes à l'ennui qui me dévore. [...] Je remarque en général, non pas tout à fait par moi-même, que ce climat est contraire à tout, car le physique et le moral s'y altèrent également. En effet, que peut-on faire sans société, sans amusements, entouré d'esclaves et de coquins, avec l'idée que tout ce que vous aurez fait de bien sera inutile, ignoré ou mal interprété, au lieu que cinq ou six coquineries vous assurent un heureux avenir (au moins dans ce monde) ? Il faudrait une religion à ces gens-là, mais on ne voit pas qu'il y en ait beaucoup entre les tropiques, et d'honneur encore moins. Pour mettre ces messieurs-là à la raison, je leur chercherai querelle, s'il le faut, et je les condamnerai à des restitutions proportionnées à leur friponneries. Les bâtiments et mes autres travaux sont toujours suivis avec la même ardeur, et l'on commence à se soumettre à mon goût, presque puéril, pour la symétrie. J'ai cru qu'il était nécessaire de l'introduire ici comme un contre-poison au désordre, au délabrement, à l'incurie qui y régnaient depuis si longtemps ; car, de tout ce qui était ici avant moi, personne n'avait imaginé de relever un mur d'aplomb, de mettre une porte ou une fenêtre d'équerre, de les placer à la même distance et à la même hauteur. On se remparait avec des débris de chaloupe, on bouchait les trous avec de la paille, on regardait comme volé tout ce qu'on n'aurait pas employé à acheter des captifs, et l'on consacrait tous ses soins à les bien enchaîner, à les bien embarquer et à les bien vendre. Je crois bien que cette maladie-là n'est point guérie radicalement ; mais j'espère que ni M. Blanchot, ni moi, nous ne la gagnerons jamais, et que nous arrêterons une partie de ses ravages. »

Le métropolitain tout à son introversion et à la lamentation, macère dans la haine et le mépris de ce qui l'entoure, pendant que le colonial, homme d'une autre race, extraverti, ne cherche pas à reproduire sa patrie dans la colonie, mais à s'en construire une nouvelle. Deux tempéraments inconciliables. Dans le journal qu'il tient à l'intention de Mme de Sabran, tout est sujet à critique et à plainte. Le 21 janvier 1785 : « Si tes yeux étaient aussi bons qu'ils sont beaux, et s'ils perçaient tout ce qu'ils rencontrent, comme tout ce qui les voit, tu me verrais ici dans ma maison hideuse, délabrée, dont aucune porte ne ferme, dont aucun plancher ne se soutient, dont tous les murs se réduisent en poudre, dont toutes les chambres sont meublées de haillons couverts de poussière ; ces haillons, ces bois de chaise cassés, ces tables brisées sont, dit-on, les meubles du Roi, et me font beaucoup d'honneur en me servant. » Le 25 janvier : « J'ai bien des peines et bien des ennuis, ma chère femme ; je commence à voir que j'ai eu jusqu'ici trop bonne opinion de l'humanité. C'est à force de vivre avec toi que j'ai gagné ce défaut-là. Je prévois que je serai mal secondé, même par les gens qui m'inspiraient confiance. Le premier est plein de vanité et ne veut point soumettre son esprit à l'idée d'un autre ; celui que j'ai fait rétablir dans la charge d'ordonnateur est corrompu jusqu'à la moelle des os, personnel, avide, fâcheux, dur, impertinent, et je crains fort d'ici à peu d'être obligé d'en venir à un éclat, qui me ferait de la peine, parce que cet homme que j'ai tiré de l'abîme y retomberait sans ressource. » Le 26 janvier : « Tout ce que je vois ne montre que faiblesse, vice et misère. J'ai bien peur d'être obligé de renoncer à presque toutes mes chimères, car je sens que je serai mal servi par les uns et contrarié par les autres. Il faudra en revenir à ce qu'il ne fallait jamais quitter, à toi. » Le 27 janvier : « Toujours mêmes chagrins, ennuis, impatience, désolation, défiance des autres et de moi-même, obligation de dissimuler ; c'est là ce qui coûte le plus, tu le sais bien, cher enfant, et sûrement tu me plains. Adieu ; je te baise et je te quitte. On m'avertit que le feu est dans l'île. » Le 28 janvier : « Je n'en puis plus, ma fille. J'ai passé la nuit au milieu des flammes, à porter le peu de secours qui dépendait de moi à ces pauvres malheureux. Je me suis brûlé une jambe et meurtri l'autre. Faute de moyens, j'ai voulu au moins encourager par mon exemple. Imagine qu'il n'y avait ni pompes, ni seaux, ni haches, ni pelles ; il a fallu voir brûler soixante cases de paille et se contenter de faire de grands abatis du côté où le vent soufflait, pour sauver le reste de l'île, et particulièrement le gouvernement et le magasin à poudre. »

Boufflers, homme si brillant dans les cercles parisiens, le regard fixé sur lui, pleure sur son sort et débite infatigablement ses pleurnicheries. Le 3 février : « L'ennui me gagne, ma fille ; je me vois également loin du repos et de l'action ; car je n'ai pas un instant à moi, et je n'avance pas d'un pas vers mon but. » Le 6 février : « Rien ne va mieux, parce que rien ne va. Cette colonie-ci est un corps étique où la circulation ne se fait pas. Si cela dure, j'ai bien peur que le mien ne devienne de même, à force de faire du mauvais sang. Adieu ; je te baise pour me distraire. » Le 10 février : « Point de gabare, point de Blanchot, point d'hommes, point de machine à dessaler, point de ventilateur, point de planches, point d'outils, point d'ouvriers ; tout cela doit venir ensemble ; juge de ma situation. Je m'étourdis tant que je peux là-dessus, et quand je ne puis pas m'étourdir, je me raisonne ; mais souvent je ne puis ni l'un ni l'autre, et alors je me désole. » Enfin le 12 février : « Ma vie se passe à m'ennuyer, à attendre, à jurer, à désirer, à regretter, à me lever tard, à me coucher de bonne heure, à être endormi toute la journée par découragement, à être éveillé toute la nuit par inquiétude ; malgré cela, je vis, mais c'est dans l'espoir et par l'espoir de te revoir ; sans cela, je ne vivrais pas, et je ne voudrais pas vivre. » Une attitude déjà romantique dans ces confidences, la vérité dans l'aveu toujours ressassé de l'incapacité à vivre hors de France. Mais où sont les Lacourbe, les Brüe, les David ?!

Le fort Saint-Louis ou île du Sénégal, l'île de Gorée et Dakar

En 1749, après avoir franchi la redoutable *barre*, cette lame qui renverse les canots et noie leurs passagers, Adanson arrive devant Saint-Louis. « Cette île est à trois lieues de l'embouchure du fleuve, et à deux tiers de lieue de l'îlet aux Anglais. C'est le chef-lieu de la concession du Sénégal ; et le directeur général y fait sa résidence. Nous arrivâmes à l'entrée de la nuit au port oriental du fort, où nous débarquâmes. Aussitôt que j'eus mis pied à terre, je me rendis chez M. de la Brue, qui était directeur général. Il me fit l'accueil du monde le plus gracieux. Les lettres de recommandation que je lui remis de la part de M. David son oncle, directeur de la Compagnie des Indes, qui voulait bien s'intéresser pour moi, eurent leur effet au-delà même de ce que j'en pouvais attendre dans un pays rempli de difficultés. [...] Malgré sa stérilité, cette île était habitée par plus de trois mille nègres, attirés par les bienfaits des blancs au service desquels la plupart sont fort attachés. Ils y ont bâti leurs maisons, ou autrement leurs cases, qui occupent plus de la moitié du terrain. Ce sont des espèces de colombiers ou de glacières, dont les murs sont des roseaux bien joints les uns aux autres, et soutenus par des poteaux plantés en terre. Ces poteaux ou piquets s'élèvent à la hauteur de cinq à six pieds, et supportent une couverture ronde de paille, de même hauteur, et terminée en pointe. Chaque case n'a que le rez-de-chaussée, et porte depuis dix jusqu'à quinze pieds de diamètre. Il n'y a pour toute ouverture qu'une seule porte carrée, encore est-elle fort basse, et souvent avec un seuil élevé d'un bon pied au-dessus de terre ; de sorte que pour y entrer il faut incliner le corps en levant fort haut la jambe, ce qui fait prendre une attitude aussi ridicule que gênante. Un ou deux lits donnent souvent à coucher à toute une famille, y compris les domestiques, qui sont pêle-mêle et côte à côte de leurs maîtres et des enfants de la maison. Ces lits consistent en une claie posée sur des traverses, soutenues par de petites fourches, à un pied au-dessus de terre. Une natte qu'ils étendent dessus, leur tient lieu de paillasse, de matelas, et pour l'ordinaire de draps et de couverture ; pour des oreillers ils n'en connaissent point. Leurs meubles ne les embarrassent pas beaucoup : ils se bornent à quelques pots de terre, qu'on appelle *canaris*, à des calebasses, à des sébilles et autres ustensiles semblables. Toutes les cases d'un même particulier sont fermées d'une muraille ou palissade de roseaux d'environ six pieds de hauteur : on donne à ces sortes de murs le nom de tapade. Quoique les nègres gardent peu de symétrie dans la position de leurs maisons, les Français de l'île du Sénégal les ont accoutumés à observer une certaine régularité et uniformité dans la grandeur des tapades, qu'ils ont réglées de manière qu'elles forment une petite ville, percée de plusieurs rues bien alignées et fort droites. Elles ne sont point pavées, car on serait embarrassé de trouver la moindre pierre à plus de trente lieues à la ronde. Les habitants tirent même un parti avantageux de leur terrain sablonneux : comme il est fort profond et très meuble, il leur sert de siège ; c'est leur sopha, leur canapé, leur lit de repos. Il y a encore quelques autres bonnes qualités ; c'est que les chutes n'y sont point dangereuses, et qu'il est toujours d'une grande propreté, même après les plus grandes pluies, parce qu'il imbibe l'eau facilement, et qu'il ne faut qu'une heure de beau temps pour sécher. Au reste cette ville ou village, comme on voudra la nommer, est la plus belle, la plus grande et la plus régulière de toutes les villes du pays. »

Dominique Lamiral, ancien agent de la compagnie de Guyane et petit-blanc prolixe, publie en 1789, *L'Affrique et le peuple affriquain*, où il décrit Saint-Louis, quarante ans après le passage d'Adanson. « Ce fort qui est très peu de chose par lui-même, est défendu au-dehors par de belles et nombreuses batteries de canons de gros calibre, qui protègent en même temps un bourg ou village établi des deux côtés du Fort, au Nord et au Sud. Ce village est habité par environ trois cents habitants libres, nègres ou mulâtres, et environ cinq à six mille esclaves, ou étrangers de diverses nations qui avoisinent le pays. La garnison est composée d'un bataillon, nommé bataillon d'Affrique : il est commandé par un major commandant qui commande aussi la colonie. Le seul officier public qu'il y ait au Sénégal, est un greffier garde-note. Il n'y a point de justice réglée. »

Gorée, siège officiel du gouvernement de la côte d'Afrique jusqu'à la Sierra Leone, est un îlot qui contrôle la rade de Dakar, dont Poncet de La Rivière avait obtenu la concession en 1764. Un mémoire du roi au sieur de La Gastière, nommé commandant du lieu en 1767, regrettait que cet établissement ait toujours failli à la vocation qu'on lui avait assignée. « L'île de Gorée n'est susceptible d'aucune espèce de culture ; l'établissement de cette île n'a pu être destiné qu'à protéger la traite des Noirs, à servir d'entrepôt pour cette traite, à offrir une relâche et des rafraîchissements aux navigateurs français qui vont commercer en Guinée. Telles sont les vues d'après lesquelles cette île devrait être gouvernée ; il fallait donc y attirer les marchands du pays qui traitent des captifs le long de la côte ; il fallait également y attirer toutes les subsistances que pouvaient désirer les habitants de l'île et les navigateurs de France. Mais au lieu de cette marche, si simple de la liberté, si nécessaire au succès de cet établissement, S. M. a été informée que les chefs, qui ont gouverné cette colonie depuis qu'Elle en a pris possession, ont constamment gêné et captivé à leur profit tout ce qui pouvait être à Gorée objet de commerce. »

En 1754, un officier de la Compagnie des Indes, M. du Tour de Noirfosse, y avait fait escale en compagnie de Godeheu qui se rendait à Pondichéry pour signifier à Dupleix la fin de son proconsulat. Le jeune officier raconte son escale africaine à sa famille. « Gorée n'est proprement qu'un rocher de trois quarts de lieue de tour, mais d'une grande importance pour les Français. On a bâti sur le terrain le plus élevé un fort quadrangulaire défendu par un bon nombre de canons. Sur un des bastions est arboré le pavillon de la nation ; mais ce qui fait la plus grande force de l'île, ce sont les batteries rasantes qui en font le tour. Gorée est habitée par un gouverneur, quatre ou cinq conseillers, 40 hommes de garnison commandés par un sergent et deux ou trois blancs. Le reste n'est composé que de nègres esclaves de la Compagnie et de négresses libres qui ont à elles beaucoup d'esclaves des deux sexes. Ces signardes sont les femmes à bail des officiers de l'île, des capitaines et officiers de vaisseaux qui ont coutume d'y relâcher. Elles portent toutes le nom de leurs maris, de sorte que l'une est " madame la gouvernante une telle ", l'autre " madame la conseillère ". J'ai eu l'avantage de faire blanchir mon linge par une " madame la conseillère " à qui j'ai donné deux bouteilles d'eau-de-vie ; une négresse en boit fort bien une bouteille à un repas. Les signardes sont habillées très simplement, mais proprement et avec assez de goût. Elles portent une chemise à la française à grandes manchettes ; pour jupon elles ont une pièce de toile de coton blanche qu'elles tournent autour d'elles et qui est soutenue par une ceinture de soie. Elles ont une autre pièce de la même étoffe dont elles se couvrent le corps, tantôt d'une façon, tantôt de l'autre. Elles ne connaissent pas les bas, elles portent seulement de petites sandales de maroquin jaune. Leur coiffure consiste en un mouchoir dont elles forment une espèce de bonnet orné d'un ruban d'or noué galamment. Leurs oreilles sont toujours chargées de deux gros anneaux d'or, et leurs doigts d'une quantité de bagues du même métal. Plusieurs portent aussi des chaînes d'or au-dessus de la cheville du pied. » En 1802, J.-B. Durand, ancien directeur de la compagnie du Sénégal, publie *Le Voyage au Sénégal,* dans lequel, reprenant Adanson et le complétant — comme Lamiral l'avait fait pour Saint-Louis — il brosse une peinture fidèle : « L'île de Gorée s'étend au nord-nord-ouest et au sud-sud-est, à une portée de canon du continent. Elle est très petite, et n'offre qu'environ quatre cent cinquante toises de longueur sur cent vingt de large. Sa circonférence n'excède pas deux milles de France ; c'est un rocher fort élevé dans la mer. Elle est défendue par deux forts en très mauvais état, et qui sont négligés depuis longtemps. [...] La situation de Gorée est d'ailleurs assez agréable : au sud, la vue n'est bornée que par l'horizon de la mer ; au nord, elle s'étend jusqu'au Cap Vert et dans les terres voisines, sur des sites très pittoresques. On y respire presque toute l'année, un air frais et tempéré ; c'est le résultat des vents de la mer qui le rafraîchissent continuellement, et de l'égalité des jours et des nuits. Les maisons y sont commodes et assez bien bâties en briques. L'île est naturellement stérile : le fond du terroir est une sorte de sable rougeâtre qui ne produit ni bois ni pâturage ; cependant on y voit quelques jardins qui sont assez bien cultivés et qui produisent d'excellents légumes : ils avaient été plantés d'arbres fruitiers qui donnaient de bons fruits, mais ils se sont perdus faute de soins ; il est facile de les remplacer, et de se procurer, à peu de frais, une si douce et si salutaire jouissance. »

Boufflers découvre Gorée après Saint-Louis. Dans cet univers minuscule, il se retrouve et recouvre sa bonne humeur. Le 6 mai 1785, il note dans le journal qu'il tient à l'intention de Mme de Sabran : « Si j'avais de sublimes talents pour le paysage, je t'enverrais une petite vue de Gorée. Imagine-toi un des rochers d'où l'on tire des pierres à Spa, placé sur une surface plane, et [qui] figure comme un jambon. Au-dessus du rocher est un petit fort ; au bas est une petite ville ; de droite et de gauche sont des batteries aux trois quarts démolies. Les jardins sont bien entourés et bien cultivés ; les maisons ne sont point mal bâties, toutes en pierres, et la plupart ont des toits en paille, en attendant qu'on ait des planches et de la chaux pour les mettre à l'italienne. C'est à quoi chacun travaille ; mais tout se fait lentement, parce qu'on ne peut avoir de la chaux qu'à cinq lieues d'ici et qu'il faut l'apporter en pirogue. Enfin, j'ai le plaisir de voir pour la première fois, depuis que je suis en Afrique, quelque chose qui tend à sa perfection au lieu de s'en éloigner. C'est tout ce qu'on peut demander aux choses de ce monde. » Le 9 mai, de retour de Dakar, sur la côte continentale, le gouverneur explose d'enthousiasme et bâtit des projets. « Oh ! mon enfant ! que n'étais-tu avec moi toute la journée ! Comme tu aurais joui dans une promenade que je viens de faire à la grande terre ! Une fraîcheur délicieuse, des prés verts, des eaux limpides, des fleurs de mille couleurs, des arbres de mille formes, des oiseaux de mille espèces. Après les tristes sables du Sénégal, quel plaisir de retrouver une véritable campagne, et surtout de penser que, moyennant un petit traité et un présent médiocre, je ferai pour le Roi, et peut-être même pour moi, l'acquisition d'une province superbe, cent fois plus suffisante pour fournir aux besoins de tous les Français employés dans cette partie-ci. Je vois ce que j'avais prévu, avant mon départ de France, que c'est à Gorée que je transporterai ma demeure afin d'être plus en mesure de recevoir les ordres de la cour et surtout les tiens, aussitôt qu'ils seront arrivés, afin de pouvoir garder de plus gros bâtiments et en plus grand nombre, afin d'attirer des familles françaises et acadiennes dans un pays sain et fertile, et de jeter les fondements du plus grand établissement qui aura jamais été fait hors de la France. Plus de danger pour la navigation, plus de risque de famine, plus d'inquiétude sur le climat, enfin les choses sont telles que je te ramènerai ici sans la moindre crainte. » Mais, le Lorrain n'est pas un colonial. Le 25 septembre 1787, revenant de Saint-Louis, il ne reconnaît plus à Gorée les grâces qu'il lui accordait deux ans plus tôt, même s'il tente de persévérer dans ses projets de mise en valeur de l'Afrique continentale. Inapte, comme beaucoup, à vivre loin des paysages et des habitudes nationales, Boufflers rentre en France en ayant endossé la docte pelisse des physiocrates. Il faut transformer l'Afrique en pays producteur de denrées que les places maritimes échangeront contre les produits ouvrés, fabriqués par les manufactures du royaume.

Les Africains

Le xviiie siècle européen est raciste. Le Blanc, conscient de la supériorité que démontre sa domination sur le monde, ne voit autour de lui que des êtres inférieurs. L'Africain figure au bas de la hiérarchie des espèces humaines. Le doux Adanson, qui compare gentiment les cases des Ouolofs à des colombiers ou à des glacières, exprime l'idéologie de son temps quand il écrit : « Les nègres sont négligents et paresseux à l'excès. » Boufflers, qui condamnera l'esclavage devant les académiciens français, en 1789, et qui s'inscrira à la *Société des Amis des Noirs,* adopte lui aussi le jugement normatif. Le 11 mai 1785, il parle dans son journal, « des nègres qui sont l'indolence et l'insouciance personnifiées ». Le 22 avril 1786, dans une lettre à sa sœur, il relève, « la maladresse et l'insouciance des nègres ». Enfin, le 15 novembre 1787 : « Je me trouve presque entièrement à la discrétion de mes nègres, qui sont maladroits pour tout, sauf pour me voler. » Le 15 avril 1785, le gouverneur philanthrope note à Podor où il a rencontré le chef local : « Oh ! mon enfant, le vilain lieu et les vilaines gens ! Ce pauvre Sénégal dont je t'ai fait de si tristes peintures, est un Louvre, un Élysée en comparaison. » Avec les femmes, l'officier-poète ne montre pas plus de tendresse. Le 18 août 1787, après avoir essayé de peindre une mulâtresse, il consigne à l'intention de Mme de Sabran : « Ce mélange informe de couleurs et de traits si opposés, ces visages qui nous parlent tantôt du père, tantôt de la mère, et qui par conséquent disent tantôt blanc, tantôt noir, te donneraient à toi-même de la tablature. » Quant aux négresses, observe-t-il, le 21 août 1787, « on ne peut pas compter pour des femmes ces figures noires, auxquelles on porte ici ce qui ne serait dû qu'aux blanches ». Avec des opinions semblables — jugements de valeur tranchés —, on ne s'étonne pas que certains membres des *Amis des Noirs* aient cherché refuge au *Club Massiac.*

Lamiral, malgré son goût pour les Saint-Louisiennes, rallie la doctrine générale, parlant même comme un adepte de la philosophie mécaniste : « Le nègre à proprement parler n'a point de caractère moral : il n'a guère qu'un instinct. Il est capable d'imiter tout ce qu'il voit lorsqu'il est dirigé ; mais, semblable à un oiseau qui chante un air de serinette, il ignore les principes qui le font mouvoir et il ne les approfondit jamais ; il est incapable de sortir du cercle de sa routine, faute de jugement, au point que s'il perd son guide et qu'il soit livré à lui-même, il rentre dans une sorte de néant moral [...] le défaut de réflexion et de jugement rend le Nègre dangereux, parce qu'une fois lancé, il se porte au bien comme au mal avec impétuosité. » Durand se fige en conformisme : lui non plus ne se fait pas une haute idée de l'Afrique et de ses habitants. La Négritie, à ses yeux, constitue un musée des horreurs humaines. « Considérez l'existence des peuples de l'intérieur ; c'est une suite affligeante d'ignorance, de superstition de barbarie, de pillages de cruautés. À mesure qu'ils s'éloignent des côtes, ils deviennent plus sauvages, parce qu'ils sont errants, sans asile, toujours en état de guerre, et qu'ils vivent ainsi de privations et de crimes ; ils n'achètent même pas à ce prix ce bien que l'on fait sonner si haut, et qui existe moins dans l'état de nature, LA LIBERTÉ. Le prince africain est maître de la personne de chacun de ses sujets ; il les tue quand il lui plaît, mais le plus souvent il les rend esclaves et les vend à son profit. » Boufflers, Lamiral, Durand et tous les autres ne sont que les élèves des maîtres qui tout au long du siècle ont prôné le postulat raciste en l'entourant d'une ornementation scientifique. Montesquieu a construit une hiérarchie des climats d'où découle une hiérarchie des races. Voltaire résume ses théories d'une phrase allègre dans l'*Essai sur les mœurs* : « La race des nègres est une espèce d'hommes différente de la nôtre, comme la race des épagneuls l'est des lévriers. » C'est-à-dire que les Africains forment une classe peu avancée, et que « si leur intelligence n'est pas d'une autre espèce que notre entendement, elle est fort inférieure ». Buffon, la Science institutionnalisée, laisse tomber sur la race noire un avis impitoyable. « Quoique les nègres aient peu d'esprit, ils ne laissent pas d'avoir beaucoup de sentiments [...] ils ont le *germe* de toutes les vertus. » Quant à l'intendant Poivre, le philanthrope manchot, qui prêche aux colons des Mascareignes de traiter les esclaves avec humanité et dont la veuve s'inscrira aux *Amis des Noirs,* il n'a que mépris pour les habitants de la Négritie et l'exprime sans ambiguïté dans les *Voyages d'un philosophe :* « Les îles et les terres occidentales de cette partie du monde, sont la plupart des terres en friche, habitées par des Nègres malheureux. Ces hommes stupides qui s'estiment eux-mêmes assez peu pour se vendre en détail les uns et les autres, ne pensent guère à la culture de leurs terres. Contents de vivre au jour la journée sous un ciel qui donne peu de besoins, ils cultivent que ce qu'il leur faut pour ne pas mourir de faim. » L'Africain, condamné à l'abattement du corps et de l'esprit par le climat, selon Montesquieu, « animal noir qui a de la laine sur la tête, marchant sur deux pattes, presque aussi adroit qu'un singe, moins fort que les autres animaux de sa taille, ayant un peu plus d'idées qu'eux, et plus de facilité pour les exprimer », selon Voltaire, reconnu à l'état d'embryon par Buffon, l'Africain, à en croire les prophètes des Lumières, ne peut se comparer au Blanc auquel il est inférieur en tout.

Malgré le racisme ambiant du XVIIIe siècle français, notamment chez ceux que le public révère comme les plus grands penseurs, Durand, ancien directeur de la Compagnie du Sénégal ou marchand d'esclaves, se laisse aller à un préromantisme interracial qui manque même chez l'officier du Génie Bernardin de Saint-Pierre. « L'union d'un blanc avec une fille noire a un caractère de convention tout à fait particulier. Elle n'est pas indissoluble ; elle ne dure d'autant que les parties n'ont pas à s'en plaindre, ou que l'une n'est pas obligée de s'éloigner de l'autre pour toujours. Si l'absence ne doit durer qu'un certain temps, la femme restée seule, attend patiemment et sans manquer à ses devoirs, le retour de son époux ; elle n'en choisit un autre qu'en cas de mort ou d'assurance qu'il ne reviendra plus. Cette union ne porte aucune atteinte à l'honneur, à la réputation de la femme. Lorsqu'un blanc veut se marier et qu'il a fait son choix, il va trouver les parents de la fille qu'il désire épouser ; il demande leur agrément ; s'il l'obtient, le jour est fixé pour la cérémonie. La jeune fille, voilée du haut en bas, est conduite par ses parents et ses meilleures amies, dans la maison du mari : on y trouve tout disposé pour une fête, et une table copieusement servie ; les convives boivent, mangent, chantent et dansent au son des instruments pendant toute la nuit ; ils font un tapage épouvantable. Les mariés sont conduits dans une chambre séparée, et les *griottes*, musiciens, farceurs et charlatans attendent à la porte que le mariage soit consommé, pour annoncer publiquement le succès de l'époux et les vertus de l'épouse ; ils en portent, dans les rues, sur une toile de coton blanche, les preuves écrites en lettres de sang : ce sang est quelquefois celui d'un poulet ; si la mariée est veuve, cette farce ridicule n'a pas lieu. La fille ainsi mariée prend le nom de son mari et fait les honneurs de sa maison ; les enfants qui proviennent de cette union, portent le nom de leur père : de là vient qu'on trouve à l'île Saint-Louis et à Gorée plusieurs familles mulâtres, dont les noms sont français ou anglais. La femme se croit honorée de partager la couche d'un blanc ; elle est soumise, fidèle, reconnaissante, et jusqu'aux plus petits soins ; elle met tout en usage pour captiver sa bienveillance et son amour. Si le mari s'embarque pour traverser les mers, la femme désolée l'accompagne jusqu'au bord du rivage, quelquefois même elle suit à la nage, tant que ses forces le lui permettent, la barque perfide qui le lui enlève ; elle ramasse toujours le sable sur lequel il a posé ses derniers pas, l'enveloppe dans une toile de coton et le place au pied de son lit. » L'auteur semble parler d'expérience, et dissimule son émotion derrière la relation des faits. Quel paradoxe qu'un marchand de chair humaine ne mette pas dans son propos cette sécheresse pédante, habituelle aux philosophes, qui tout en célébrant les droit inaliénables dispensés à tous par la Nature, affirment la supériorité immuable de l'homme blanc civilisé. Est-ce à dire que Durand n'aurait pas souscrit au jugement que Boufflers notait le 14 février 1786 : « Le sentiment ni la philosophie ne sont pas faits pour l'Afrique » ? Si, certainement, mais par accident le cœur impose sa raison.

LA FRANCE À L'HEURE DES TROUBLES AMÉRICAINS :
TABAC, CHOCOLAT, INDIGO, SUCRES, CAFÉS ET MÉTAUX PRÉCIEUX.

L'Amérique tropicale, dans ses débuts, a affecté les États et leur
économie, déversant ses métaux précieux et entraînant une hausse
générale des prix, comme l'ont observé les penseurs mercantilistes.
Dans un deuxième temps, les tropiques américains ont lentement
transformé certaines habitudes de l'Europe : l'alimentation s'enrichit
de légumes nouveaux, tomates, pommes de terre, maïs ; les colorants,
après avoir utilisé le bois rouge du Brésil, emploient l'indigo, enfin
d'autres denrées créent des cadres de la vie publique et modifient le
cours de la vie privée.

Première plante américaine, cultivée par les Espagnols, à Saint-
Domingue et à Cuba, dès 1520, le tabac, qui pousse à l'état naturel
dans les régions chaudes du Nouveau Continent. Avant l'arrivée des
Européens, les Indiens ne manquaient pas d'en cultiver pour leur
propre usage. Aussi le jésuite Lafitau en disserte-t-il assez longuement dans les *Mœurs des sauvages américains*. « Le père Brébeuf, qui a
longtemps vécu parmi les Sauvages, et qui a consommé son sacrifice
dans les feux des Iroquois, dit qu'ils passent quelquefois les trente
jours à jeûner " ne mangeant autre chose que du petun ". Le père
Biard ne nous assure-t-il pas aussi " qu'ils usent de petun, et qu'ils en
boivent la fumée, de la façon commune en France ". Ne jugerait-on
pas sur ces expressions qu'ils avalent en effet cette fumée, et qu'ils
mangent le tabac comme les autres choses comestibles ? Et est-il
personne qui voulût manger du tabac ? Est-il aucun fumeur qui ne
s'exposât à vomir s'il en avalait seulement quelques gorgées de
fumée ? Le père Ducreux, dans son *Histoire du Canada,* est tombé
dans la même pensée que les Anciens, et s'est persuadé que les
Sauvages ne fumaient que pour avoir le plaisir de s'enivrer. " Ils ne
marchent jamais, dit-il, sans porter avec eux un tuyau assez long, par
lequel, ils attirent cette sorte de fumée presque jusqu'à l'ivresse ; car
avec cela ils ébranlent toutes les fibres de leur cerveau et s'enivrent
enfin comme s'ils avaient bu du vin avec excès. " Benzoni et plusieurs
autres auteurs après lui ont donné dans la même idée. Tous
déclament contre le tabac avec force, et le regardent comme une peste
et un poison sortis de l'enfer. » Ces témoins, qui dénoncent dans le
petun une plante enivrante, se trompent conclut Lafitau, avant de
s'expliquer. « Il est certain que le tabac est en Amérique une herbe
consacrée à plusieurs exercices et à plusieurs usages de religion. Outre
ce que j'ai déjà dit de la vertu qu'ils lui attribuent pour amortir le feu

de la concupiscence et les révoltes de la chair ; pour éclairer l'âme, la purifier, et la rendre propre aux songes et aux visions extatiques ; pour évoquer les esprits, et les forcer de communiquer avec les hommes ; pour rendre ces esprits favorables aux besoins des nations qui les servent, et pour guérir toutes les infirmités de l'âme et du corps. » Herbe d'agrément, le tabac appartient également à la magie, permet l'accès au surnaturel, de même qu'il est offrande aux Esprits. Enfin Lafitau n'a jamais vu les Indiens consommer le petun « en poudre ni en mâchicatoire » ; ils « n'en usent qu'en fumée ».

Le tabac apparaît en Europe dans les dernières heures du xve siècle : il ne conquiert aucun public. En France, le cordelier André Thévet, de retour de l'établissement brésilien fondé par Villegagnon, en aurait cultivé dans son jardin d'Angoulême, dès 1556. Mais, il revient à Jean Nicot, ambassadeur à Lisbonne, d'avoir mis le petun à la mode. En 1560 il en aurait fait parvenir à la reine Catherine de Médicis et lui aurait suggéré d'en priser pour calmer ses céphalées. La souveraine est enchantée des effets de la drogue américaine, qui porte un moment son nom : Herbe de la Reine. Aussitôt la Cour adopte cette panacée, qu'on appelle aussi Nicotiane, en l'honneur de Nicot. Mais, peu à peu, on prend du plaisir à fumer cette médecine dont on entreprend la culture en Gascogne, en Bretagne, en Flandre et en Alsace. Aux Antilles, les Français, relayant les Indiens, cultivent le tabac sur de modestes places. Toutefois la production progresse. Mais en 1674, le monopole de la vente du tabac est affermé à des traitants, personnages à qui les préoccupations du service public, de la colonisation et du commerce national sont étrangères. La Ferme du Tabac étend le champ de son monopole et, comme l'importation de tabac virginien lui est d'un meilleur revenu, elle fait limiter puis interdire la production antillaise, et enfin réduire le nombre des plantations métropolitaines. En 1791, la Révolution rétablira la liberté totale de culture, de fabrication et de vente et interdira l'importation des tabacs fabriqués.

Le tabac entre dans les mœurs européennes en s'entourant d'une profusion d'objets nouveaux et fonctionnels. Tabatières simples et luxueuses, en bois, en or, ornées d'une miniature en émail, pour conserver la poudre à prise que l'on obtient en frottant des carottes de tabac sur des râpes, dont certaines, en ivoire, en faïence ou en émail, parées d'un décor polychrome, sont de petites merveilles. Pour célébrer l'entrée du « râpé » dans les narines de la meilleure société, l'abbé de l'Attaignant compose un quatrain à chanter, toujours familier : « J'ai du bon tabac dans ma tabatière... » Les fumeurs du xviie siècle utilisent la pipe de terre, fabriquée en Angleterre, dans les Provinces-Unies, à Gouda, puis la pipe en métal, fer, argent, ceux du xviiie, les pipes d'ivoire et de porcelaine, et ceux de la Révolution la pipe de bois, la plus usitée aujourd'hui. Sur un meuble trônent les pots à tabac en faïence, tandis que bourre-pipe et cure-pipe sont rangés dans un tiroir. Sur lui, l'amateur porte sa gourde de tabac, en ivoire ou en métal, et son briquet silex.

La consommation du tabac engendre deux mouvements dans le royaume : l'un commercial, l'autre industriel ou artisanal. L'établissement du monopole (1674) s'accompagne de la désignation des ports d'entrée et de sortie du tabac. À l'importation, figurent : Dieppe, Morlaix, Rouen, Saint-Malo, Nantes, La Rochelle, Bordeaux et Marseille. Quant aux places maritimes autorisées à exporter, elles comptent les ports d'entrée auxquels s'ajoutent Saint-Valéry-en-Caux, Les Sables-d'Olonne, Narbonne, Sète, Agde et Toulon. Denrée commerciale, le pétun est un produit presque brut, que des manufactures vont traiter de manière différente selon qu'elles le proposeront aux priseurs, aux chiqueurs ou aux fumeurs. Les deux plus grands centres français de l'Ancien Régime sont Dieppe — qui emploie de 1 000 à 1 500 ouvriers — et Morlaix, que le père de Dupleix dirigea. En outre, nombre de villes disposent d'un établissement industriel aux dimensions moins importantes mais appréciables : Charleville que remplacera Valenciennes, Le Havre, Paris, Nancy, Clermont-Ferrand, Tonneins, Toulouse, Arles et Sète. La fabrication des pipes suscite, elle aussi, l'apparition d'un artisanat et d'une petite industrie. D'abord localisée dans le Nord, Flandres et Artois, à la frontière des Provinces-Unies. Puis les techniques de confection de ces objets de terre et de porcelaine se diffusent et sont mises en œuvres dans plusieurs villes : Dunkerque, Saint-Omer, Dieppe, Rouen, Saint-Malo, Quimper, Rennes, Niderviller, Givet, Onaing, Montereau, Forges, Nîmes, Avignon et Marseille. Sous l'Ancien Régime, il s'est constitué une véritable culture du tabac, d'autant qu'à côté de la satisfaction de priser, fumer ou mâcher, chacun est convaincu de s'approprier les vertus médicinales de l'herbe américaine, désormais indispensable dans toutes les couches de la société. Dès 1688, Baillard, dans un *Discours du Tabac en poudre*, riche en enseignements, avait exposé les qualités du produit indien. « Il échauffe au second degré, et dessèche au troisième. Il a une odeur forte, mais aromatique ; une saveur âcre, salée, mordicante ; il ouvre, il incise, il atténue, il évacue la pituite et les sérosités. Il fait suer, et provoque l'insensible transpiration ; il unit et fomente les esprits [...] il consolide les ulcères et les plaies même empoisonnées ; il fait dormir et rêver. [...] S'il agite les humeurs, et purge par haut et par bas, il ne laisse aucune marque de malignité. Aussi par ses excrétions il excite l'appétit, et renouvelle pour ainsi dire l'économie du corps humain. » La prise de tabac, considérée comme une habitude française, a eu la faveur de l'élite aux XVIIe et XVIIIe siècles, du peuple au XIXe siècle, jusqu'à la Deuxième Guerre mondiale, pour ces mêmes qualités hygiéniques qui font sourire sous la plume du praticien qui sévissait à Paris sous le Grand Roi. L'irruption du cigare à la fin du Siècle des Lumières et de la cigarette au siècle suivant, portera un coup à la vieille croyance dans ce remède universel décrit par Baillard. De plus en plus l'herbe d'Amérique ne représentera plus qu'un plaisir savouré ou une manie irrépressible.

Au XVIIe siècle, peu après avoir entrepris la culture du tabac, les Français plantèrent des « places à cacao » dénommées aussi cacaoyères ou cacaotières. Ces essais ne connurent par le plus grand succès. Arbre fragile, le cacaoyer craint à la fois la violence des vents et l'ardeur du soleil ; il éprouve de la difficulté à prospérer dans des pays que traversent les ouragans — les cyclones d'aujourd'hui — et où la chaleur brûle les végétaux trop sensibles. Des colons tentèrent d'employer la lisière des forêts pour protéger leurs places, ou d'entourer celles-ci de plusieurs rangs d'orangers. Jamais les résultats ne furent convaincants. Aussi chacun renonça-t-il à cette culture, à l'exception des gens de couleur libres de Saint-Domingue qui la pratiquèrent au XVIIIe, à l'abri de massifs montagneux. L'insuccès des cacaotières ne brisa pas l'avenir du chocolat, que l'Espagne avait fait connaître et qu'elle avait adopté, tout comme l'Italie, sa semi-colonie. D'ailleurs, ce sont deux infantes devenues reines de France, Anne d'Autriche, épouse de Louis XIII, et Marie-Thérèse, épouse de Louis XIV, qui convertirent la cour au chocolat. Ce breuvage possédait d'antiques lettres de noblesse. Bernard Diaz del Castillo, dans son *Histoire véridique de la conquête de la Nouvelle-Espagne*, raconte que Cortés et les siens découvrirent son existence à la cour aztèque de Montezuma, à l'occasion d'un repas public du souverain. « De temps en temps, on lui apportait des tasses d'or très fin, contenant une boisson fabriquée avec du cacao ; on disait qu'elle avait des vertus aphrodisiaques, mais alors nous ne faisions pas attention à ce détail. Ce que je vis réellement, c'est qu'on servait environ cinquante pots d'une boisson faite avec du cacao, avec beaucoup d'écume ; c'est de cela qu'il buvait, et les femmes le lui présentaient avec le plus grand respect. » Cette étrange bouillie, faite de cacao grillé, de farine de maïs, de rocou, relevée de piment et autres épices, se maintint, et la société qui consomma cette nouveauté, la considéra comme une drogue et la savoura comme une rareté. Mme de Sévigné, qui aime à étaler les secrets de sa santé, entretient avec le breuvage exotique une liaison aussi capricieuse qu'avec un amant incertain. Des Rochers, le 28 octobre 1671, elle confesse à Mme de Grignan, sa fille : « J'ai voulu me raccommoder avec le chocolat ; j'en pris avant-hier pour digérer mon dîner, afin de bien souper, et j'en pris hier pour me nourrir, et pour jeûner jusqu'au soir : [il me fit] tous les effets que je voulais ; voilà de quoi je le trouve plaisant, c'est qu'il agit selon l'intention. » Mais la marquise — à qui un chocolatier empruntera son nom, au XIXe siècle — n'est pas Bretonne pour rien. La voilà qui donne dans la superstition. Ne révèle-t-elle pas à sa fille le 25 octobre 1671 : « La marquise de Coetlogon prit tant de chocolat, étant grosse l'année passée, qu'elle accoucha d'un petit garçon noir comme diable. » Mais peut-être la chère Marie affecte-t-elle la naïveté pour mieux acérer sa perfidie ! Drogue, plaisir, la boisson aztèque à la consistance épaisse est aussi un aliment, auquel l'Église reconnaît la vertu de ne pas rompre le jeûne. Le médecin Nicolas Lémery l'a fort bien défini dans son *Traité des drogues simples*, édité en 1759. « Le chocolat en quelque manière qu'il soit pris, est un bon restaurant, propre pour rappeler les forces abattues et pour exciter de la vigueur. Il résiste à la malignité des humeurs ; il fortifie l'estomac, le cerveau et les autres parties vitales, il adoucit les sérosités trop âcres qui descendent du cerveau sur la poitrine, il excite la digestion, il abat les fumées du vin. » Ce roboratif délicat, affirme le médecin Bachot, en 1684, « est une si noble confection, qu'elle est, plutôt que le nectar et l'ambroisie, la vraie nourriture des dieux ». Néanmoins, les Parisiens des derniers jours de l'Ancien Régime consomment peu de chocolat, relève Lavoisier dans la *Richesse territoriale du Royaume de France* : 125 000 kg, soit pour une valeur de 500 000 francs.

Les livres de cuisine expliquent les recettes pour faire le meilleur chocolat mais on lit la plus authentique dans le *Nouveau Voyage aux isles françaises de l'Amérique* du R.P. Labat, le savant dominicain. « Supposez donc qu'on veuille faire huit tasses de chocolat d'une grandeur raisonnable, on met une chopine d'eau sur le feu dans un vaisseau * tel qu'il puisse être, afin de le faire bouillir, et on met dans la chocolatière deux onces de pâte de cacao râpé en poudre, avec trois onces de sucre et jusqu'à quatre onces lorsque la pâte est récente et par conséquent plus huileuse et plus amère ; on y joint un œuf frais, blanc et jaune, et tant soit peu d'eau froide ou chaude, cela est indifférent ; on y met la cannelle en poudre passée au tamis de soie autant qu'il en peut tenir sur un liard, et si l'on veut que la cannelle ait un goût plus piquant et plus relevé, on pile douze clous de girofle dans deux onces de cannelle, pour composer la poudre dont je viens de parler. On délaie autant qu'il faut la pâte, le sucre et la cannelle avec l'œuf et le peu d'eau qu'on y a joint ; et lorsque l'eau est bouillante, on la verse peu à peu dans la chocolatière, et on agite fortement la matière avec le moulinet, non seulement pour bien préparer et dissoudre les parties du cacao et du sucre, mais principalement pour la faire bien mousser. Lorsque toute l'eau est dans la chocolatière, et qu'on a bien fait agir le moulinet, on la met au feu, où on la laisse jusqu'à ce que l'écume ou la mousse soit prête à passer par-dessus. » Cette recette abrégée, déjà moins lourde que celle des Espagnols, subira quelques allègements avec le temps. Au xixe, l'ennuyeux Brillat-Savarin appelle chocolat le mélange de l'amande de cacao grillée, de sucre et de cannelle. Cependant, ajoute-t-il, quand « on joint l'arôme délicieux de la vanille, on atteint le *nec plus ultra* de la perfection ».

* Bouilloire.

Pour préparer et servir la chaude liqueur aztèque on a inventé une verseuse spéciale, la chocolatière. Ce récipient en faïence, en porcelaine ou en argent, est fermé par un couvercle comportant une ouverture circulaire pour laisser passer le *moussoir* ou moulinet. Cet instrument est une sorte de pilon en bois, à la tête cannelée ou ajourée, dont le manche peut être en céramique ou en métal, avec lequel on agite et fait mousser le chocolat. On boit ce mélange onctueux dans une tasse à chocolat, qui présente la particularité d'être plus grande que la tasse à thé. Cette petite civilisation exotique — où l'on voit des Européens déguster une boisson d'asiatico-américains dans de fines porcelaines chinoises ! — étend plus loin son délicieux empire. Dès le crépuscule du Grand Siècle, le R.P. Labat le constate : « On se sert du chocolat pour faire de petites tablettes, des dragées, des pastilles qu'on appelle diablotins, et une espèce de marmelade sur laquelle on met des pignons confits. » Et le dominicain gourmet d'ajouter : « J'ai aussi mangé des massepains composés de cacao et de noix de cajou au lieu des amandes ordinaires, à la réserve de la couleur qui était brune ; ils étaient d'un très bon goût. » Quelques décennies plus tard, un autre bec fin, Grimod de La Reynière, confie à son *Itinéraire nutritif* l'adresse d'un bon chocolatier. En remontant la rue Saint-Antoine, « arrêtons-nous au n° 36, dans la fabrique de M. Millerant, dont les chocolats ont obtenu depuis plus de 20 ans les éloges de la Faculté et de la Société royale de médecine de Paris. [...] Il en fabrique à la crème, au cacao du Mexique, à la vanille, au lait d'amande, à la crème de riz, depuis 40 sols jusqu'à 12 francs. Il a trouvé le secret de purifier le cacao de manière à tirer un excellent chocolat des plus avariés : du beurre de cette substance, il compose une pommade qui est un excellent cosmétique : il a perfectionné le Baume de longue vie de Le Lièvre, au point de prolonger indéfiniment celle des Gourmands, en les mettant à l'abri des indigestions. [...] C'est un des premiers fabricants de la capitale, et ses marchandises sont avantageusement connues dans toute l'Europe. » Qui, après cette invite, refuserait de se fournir chez M. Millerant ? Certainement pas les lecteurs du médecin Buc'hoz : ils ont appris que le chocolat a des qualités balsamiques et toniques et qu'il agit contre « la phtisie pulmonaire, ou contre toute autre, qui serait occasionnée par la présence d'un amas purulent dans quelques viscères ». Ô divin chocolat ! chargé de tant de mérites que Vénus même succombe. « Je ne puis, confie le médecin Blégny, me dispenser de donner une idée de sa nature et quelques règles pour son usage, afin que ceux qui aiment le chocolat et qui auront le malheur de se trouver atteints de la plus universelle des maladies galantes, y puissent trouver les éclaircissements nécessaires pour leurs consolations. » Les Européens doivent aux mêmes Indiens de l'Amérique la syphilis et le chocolat ! Voilà des apports sur lesquels on regrette que Candide et le docteur Pangloss n'aient pas philosophé !

Aux cacaoyers trop fragiles, cassant sous les coups du vent, les colons, qui disposaient de certains moyens et d'une main-d'œuvre servile d'une cinquantaine d'esclaves, ont préféré l'indigotier dont ils ont fait la culture sur des places. Ces indigoteries, comme l'on disait aussi, formaient un premier stade de concentration capitaliste des terres ou des investissements. La fabrication de l'indigo ne réclame pas le matériel et les bâtiments indispensables à une sucrerie. Ici on aménage trois cuves en cascade. Dans la première, la trempoire, « l'herbe bleue » trempe et fermente, avant de se déverser dans une deuxième cuve, de moitié plus petite, où l'on agite la teinture, avec doigté, presque jusqu'à coagulation. Cette mixture tombe dans la troisième cuve, la plus petite, appelée diablotin, et parfois reposoir. Ici, à nouveau le maître doit posséder la science et l'instinct, pour séparer, au bon moment, la fécule bleue de l'eau qui subsiste. Une fois séchée, la matière bleue — peu pondéreuse — sera mise en tonneau ou dans des sacs de cuir et expédiée à Bordeaux, Nantes ou Marseille. Au XVIIe siècle et au début du XVIIIe siècle, l'indigo, qui remplace le pastel de la vallée du Pô et du Languedoc, est fort prisé en France et en Europe. Il est utilisé par les peintres, il sert à teindre les papiers, et surtout on l'emploie dans la teinturerie des étoffes, notamment des indiennes.

À la fin du XIIe siècle et au XIIIe, comme M. Pastoureau l'a montré dans ses travaux, le bleu avait fait sa révolution et battu en brèche la primauté du rouge pour s'imposer — non dans les campagnes où il reflète la tristesse — mais à la Cour et à la ville, lumineux et intense, saturé et éclatant. Plus tard, les pays réformés et l'Espagne opteront pour le noir, symbole d'austérité et de dignité, aussi les cargaisons américaines débarquent-elles sur un marché fragile. Si la Cour de France aime toujours la couleur, les bourgeois affectionnent le noir, à l'image des magistrats. Heureusement, les femmes nobles et bourgeoises, séduites par l'éclat vif des indiennes demandent des étoffes au coloris attrayant. Mais la révolution industrielle, ou celle des techniques, pénètre tous les domaines. En 1704, le Berlinois Dippel découvre le bleu de Prusse : un ton lumineux « qui pouvait rivaliser avec la transparence et le brillant du plus beau saphir ». Dès 1750, le chimiste français Macquer met au point l'application industrielle de la formule allemande. La lutte inégale entre colorant synthétique et colorant végétal s'engage. Comment réagissent les Antilles où l'on perçoit les premières réticences des teinturiers. La Martinique, qui comptait 77 indigoteries en 1696, et la Guadeloupe qui en dénombrait 86 en 1719, n'en recense plus une seule en 1735 ! Saint-Domingue, au contraire, résiste. En 1739, ses places à indigo, au nombre de 3 445, atteignaient leur zénith ; en 1789, elles sont encore 3 159. Cette permanence apparente cache en réalité un mouvement social et économique. Les sucriers se sont approprié toutes les bonnes terres des plaines. Après la guerre de Sept Ans, les nouveaux Blancs et les gens de couleur libres achètent ce qu'il reste et défrichent les mornes, créant indigoteries, caféteries et cotonneries. De plus, le cours européen de « l'herbe bleue », qui s'était effondré en 1760, se reprend en 1770 pour se stabiliser en 1780. Néanmoins à terme, l'avenir appartient aux teintures de synthèse. Pour l'heure, les Antilles, qui se sont introduites dans l'histoire culturelle de la couleur sous la symbolique de l'azur, s'éteignent aux confins marins, alors que le rideau de l'opéra du château de Versailles, semé de lys d'or, éclaire Louis XV et la Cour de la lumière bleue, lointaine et secrète du *Sublime Indigo*.

Les îles du Vent, avides d'une rapide fortune, font feu de tout bois, s'attelant à toutes les cultures, bien décidées à tenter avec succès, la plus importante, celle de la canne à sucre. Ce roseau sucré vient d'Asie, mais les botanistes se divisent sur son origine exacte : Inde (le Bihar ?) ou Indo-Chine. D'autres, plus catégoriques, affirment qu'elle est originaire de l'Inde et de l'Indo-Chine à la fois, et qu'elle possède de nombreux clones améliorés dans les îles de l'Indonésie, de la Mélanésie et de la Polynésie. Les Perses et les Grecs ont découvert cette grande et étrange graminée en Inde. Sa culture — très ancienne, que les Perses ont acclimatée en Susiane (Iran occidental actuel) au VIᵉ siècle — progresse vers l'Irak, la Syrie, l'Égypte, le Maroc, l'Espagne méridionale et la Sicile ; la conquête musulmane, précise André Miquel, ne fera, ici, que renforcer des habitudes anciennes, alors qu'elle introduira la culture du coton, de la soie, de l'indigo, du kermès (teinture rouge) et révélera le papier. Plus tard, grâce aux croisades, la canne et le cotonnier seront cultivés dans les colonies vénitiennes de Crète (1204-1669) et de Chypre (1489-1571). Le roseau sucré, dans son invasion méditerranéenne, n'oublie pas la France, dans sa côte provençale. En 1598, le Rochelais Jacques Esprinchard note, dans son *Journal de voyage*, l'étonnement que lui procure la découverte de l'ancienne possession du Roi René. « Il ne se trouve rien de singulier en Europe qui ne croisse en ce pays, car il y a abondance de grains, d'olives, de figues, d'oranges, de citrons, de miels, de safrans, de pastels, de riz, de dattes, et même de cannes de sucre qu'on plante dans le comté d'Hyères. » L'irruption turque en Orient, le reconquête ibérique et la recherche de l'Asie par les Européens entraînent la graminée indienne vers de nouveaux horizons. Du Sud de l'Espagne et de l'Algarve portugais, elle va s'établir dans les îles Atlantiques, lesquelles, vers 1470, ravissent le monopole du sucre à Venise. Elle ne s'arrête pas là. Suivant les voyages d'exploration et de colonisation des Ibériques, elle devient américaine : en 1570, le Brésil, possession de Lisbonne, prend le contrôle du marché du sucre européen. En même temps, les Portugais transforment l'antique plantation en changeant l'énergie qui actionne son moulin : des bras ils passent aux bêtes, permettant à la culture de la canne d'entrer dans l'ère capitaliste et semi-industrielle. La malaventure hollandaise au Brésil disperse de nombreux artisans dans les Antilles. Les Anglais de la Barbade en recrutent, qui maîtrisent les techniques de la fabrication du sucre, et se rendent discrètement au Brésil pour y regarder les Portugais travailler ; aussi en 1640-1650, rivalisent-ils déjà avec les Brésiliens, avant d'entrer en concurrence avec les Français. La production sucrière de la Martinique et de la Guadeloupe prend son essor vers 1660 pour s'affirmer après la guerre de Hollande (1680) ; la Jamaïque, anglaise depuis Cromwell, prend la relève de la Barbade qui s'épuise ; finalement, vers 1750, la dernière venue, Saint-Domingue, impose sa suprématie.

À l'origine, après les croisades, le sucre, comme nombre de denrées et produits, avait été une drogue, que les apothicaires se devaient de posséder. D'où l'expresion péjorative, « être comme un apothicaire sans sucre ». On utilise cette substance pour faire des sirops, pour atténuer l'amertume d'autres médicaments, mais on l'emploie aussi pour ses propres vertus laxatives et cordiales et comme antiseptique sternutatoire quand elle est réduite en poudre. Plus important, le *sel blanc* ou le *sel indien*, comme l'on disait aussi, appartient à l'histoire du goût qui distingue quatre saveurs cardinales : sucrée, salée, aigre, amère. Or, à partir de la seconde moitié du xvie siècle et au cours du Grand Siècle — quand le sucre atlantique, brésilien, puis antillais est débarqué par cargaison de tonneaux —, les Français séparent le sucré du salé que jusque-là ils avaient coutume de mélanger. Un art nouveau apparaît, celui de la confiserie, dont les livres spécialisés exposent les règles. Ainsi, en 1550, édite-t-on *La Manière de faire toutes confitures*, et cinq ans plus tard, Nostradamus publie-t-il un ouvrage sur le même sujet. En 1653, Jean Gaillard offre au public *Le Pâtissier françois*, suivi en 1660, par *Le Confiturier françois*. Désormais le sucré et le salé relèvent de deux arts autonomes — reliés par quelques dérogations : la pâtisserie n'est plus un épigone de la cuisine, elle ne se réduit plus à la manière de confectionner des pâtés de viande. Certes, *Le Pâtissier françois* enseigne encore « la manière de mettre un jambon en paste », mais c'est l'exception qui sert de préambule aux procédés classiques : la manière de faire de la crème de pastissier, la manière de faire de la glace de sucre. Les recettes se suivent pour faire des gaufres, des petits choux, des beignets, des casse-museaux, du massepain, du macaron, des biscuits, etc. *Le Confiturier françois*, quant à lui, s'ouvre par un hommage technique au sucre. « Si vous voulez faire votre profit de ce livre, remarquez bien toutes les cuissons du sucre ; et lorsque je dis cuit à lisse gros, à lisse menu, à perle grosse, à perle menu, menu est le moins cuit, le gros est le plus cuit : quand je dis cuit en gelée, c'est lorsque le sucre est mêlé avec des décoctions, ou des jus de fruits. La gelée est faite alors en prenant du sirop avec une cuillère, le versant en bas, il tombe par gros morceaux et ne coule plus comme le fait le sirop. » *Le Confiturier* apprend alors au lecteur les secrets : de la *clarification du sucre et castonnade, et cuisson du sucre,* des *breuvages délicieux et eaux d'Italie* (la limonade par exemple), des *sirops rafraîchissants,* des *praslines,* de toutes sortes de confitures et des dragées.

Le sucre fait voler en éclats la cuisine lourde, monolithique, héritée du Moyen Âge. Dorénavant le salé s'allège, se débarrasse de ses excès d'épices, s'entoure de sauces et se mange chaud, tandis que le sucre prend son indépendance, multiplie ses formes, comme le relève Brillat-Savarin : gâteaux, glaces, sorbets, crèmes, blancs-mangers, biscuits, confitures, pâtes, fruits confits, bref, « il n'est pas de substance alimentaire qui ait subi plus d'amalgames et de transformations ». Grimod n'a pas attendu son pédant rival. Au mois de janvier du *Calendrier nutritif,* il dit : ce moment « est celui de la circulation des bonbons et des sucreries de toutes espèces ; et la rue des Lombards l'emporte alors sur la rue Saint-Honoré ». Dans *L'Itinéraire nutritif,* La Reynière reprend son sujet, soulignant à quel point le sucre a envahi la vie quotidienne en peu de temps : du siècle de Louis XIV à celui de Louis XV. Il revient rue des Lombards, « pour ses aimables confiseurs, dont la renommée flaire comme baume dans toute l'Europe, où il n'est pas un enfant qui ne suce ses lèvres au seul nom de cette rue fameuse, le chef-lieu sucré de l'univers. C'est là que le sucre, depuis deux siècles, se combine de mille manières pour piquer la sensualité friande ». L'ancien fermier général flâne devant les grandes confiseries de Paris. Le *Fidèle Berger* « qui, depuis un siècle a fait peu d'inconstants ». Le *Grand Monarque,* « si justement célèbre il y a quinze ans, et si complètement oublié aujourd'hui. Le nom peu démocratique de son enseigne y a peut-être contribué dans les premiers temps de la Révolution ». Si le public républicain a abandonné le *Grand Monarque,* au moins a-t-il conservé sa fidélité aux *Vieux-Amis.* C'est le magasin de la rue des Lombards « où l'on voit le plus de monde, et surtout de marchands, pendant tout le cours de l'année ; et les marchandises s'y pèsent continuellement au quintal, plutôt encore qu'à la livre. C'est la première fabrique du sucre-d'orge de Paris. [...] Tout se travaille en grand dans cette maison ; confitures sèches et liquides, fruits au candi *, sirops, dragées, pralines, sucre de pomme, sucre tors, pastilles de guimauve, pistaches assortis, pâtes de jujubes et de guimauve ; objets qui sont, comme l'on sait, les articles les plus courants et les plus solides de l'état de confiseur. Tout y est d'excellente qualité, fabriqué sans minutieuse recherche, mais dans les bons principes de l'art ; et la manière loyale et coulante de M. Oudard, ne contribue pas moins que la qualité de ses marchandises à lui mériter la palme. C'est la maison qui fait le plus d'affaires, et d'affaires solides. Il expédie aux quatre coins de la France, et aux

---

* De Candie, la Crète, l'île aux plantations vénitiennes.

deux bouts de l'Europe ». Le sucre, que l'on mélange avec du thé ou du café, se présente dans un appareil particulier. De la moitié du XVIIe siècle aux environs de 1750, on l'offre dans de petits récipients élégants, sans anses, au couvercle bombé et ajouré par où tombe la poudre que l'on obtient en pilant dans un mortier des morceaux cassés avec une hachette. Au XVIIIe apparaît le sucrier, qu'accompagne une pince quand le sucre est servi en morceaux.

Le sucre des îles, purifié, travaillé, est devenu ce produit de luxe dont les philosophes ne cessent de dénoncer qu'il a été fabriqué dans les souffrances de l'esclavage. Lavoisier, dans son étude intitulée *De la richesse territoriale du Royaume de France*, dont l'Assemblée commanda la publication en 1791, révèle que dans les derniers jours de l'Ancien Régime, Paris consommait 3 250 000 kg de sucre, soit pour 7 800 000 francs. À l'évidence la célèbre denrée des Antilles et des Mascareignes ne fraie pas avec les milieux démunis et populaires : d'où l'énorme volume des réexportations. Toutefois, le sucre colonial donnait du travail aux couches humbles : dans les raffineries et les distilleries. Grâce à Colbert qui, à certains moments, manifeste une humeur protectionniste et à d'autres, libérale, la France possède un important réseau de centres sucriers au XVIIIe siècle. Tout au Nord du royaume, la nébuleuse Dunkerque, Bergues, Ypres, Lille, Saint-Omer, Boulogne-sur-Mer, puis celle de Dieppe, Rouen, Nantes avec derrière elle Angers, Saumur, et surtout Orléans, qui a compté jusqu'à plus de 30 raffineries ; La Rochelle, Bordeaux, où l'on dénombre 26 raffineries en 1780, Marseille, où l'on en comptait 14 en 1754, le lacis languedocien Sète, Montpellier, Nîmes. Dans certaines villes, une petite entreprise s'installe, comme à Caen, Dax et Dijon. Des Bordelais s'établissent à Bercy avec des ambitions déclarées. *Le Voyageur à Paris*, de 1789, mentionne leur manufacture : elle « fournit du sucre très blanc et très beau : les ateliers en sont curieux ». Parcourant Orléans, Arthur Young, une fois n'est pas coutume, se montre prolixe et bienveillant. « La raffinerie de sucre est une chose considérable ; elle occupe dix grandes maisons et dix-sept plus petites ; les premières emploient, chacune, de 40 à 50 ouvriers, les autres, de 10 à 12 ; l'une des principales, que j'ai visitée, fabrique 600 000 livres de sucre et le reste en proportion. Le meilleur sucre est celui de la Martinique, mais on mêle les sucres de toute provenance. On ne fait jamais de rhum avec les mélasses, qui sont vendues aux Hollandais à 3 sous la livre. L'écume est pressée et on étend le rebut sur la prairie pour détruire les mousses, ce qu'elle fait très efficacement. » Dernière activité sucrière, celle qui rapporte le plus à la métropole, la réexportation : un point noir toutefois, elle est assurée par les navires marchands étrangers.

Le café est avec le coton la dernière culture en grand que les colons entreprirent. Les places à café voient le jour aux îles du Vent pendant la première moitié du XVIIIe siècle, tandis qu'à Saint-Domingue elles se développent vigoureusement après la guerre de Sept Ans, pour atteindre leur zénith après la guerre d'Indépendance d'Amérique. Le caféier, assurent les botanistes, est originaire d'Abyssinie d'où il émigra vers le Yémen et l'Arabie. Partout, il fait l'objet d'une simple cueillette, mais alors qu'en Éthiopie, on mange les cerises bouillies, écrasées dans du beurre mélangé de gros sel, on affirme que les Arabes de la péninsule, buvaient, comme aujourd'hui, l'infusion noire de grains de café grillés. Ainsi l'arbuste, qui poussait à l'état naturel dans la province africaine du Kaffa aurait-il procuré, de l'autre côté de la mer Rouge, une décoction appelée cahoua. D'abord interdite au Caire et à La Mecque, la boisson brune est acceptée à Constantinople dans les années 1554-1555. En décembre 1655, Jean Thévenot — futur garde de la Bibliothèque du roi où il exploita honteusement Jean Buvat, le célèbre auteur du *Journal de la Régence* — débarque à Constantinople. Il part à la découverte des choses et des Turcs. Sur son chemin, le *cahvé*, dont on use à toutes les heures du jour. « Cette boisson se fait d'une graine dont nous parlerons ci-après. Ils la font rôtir dans une poêle ou autre ustensile sur le feu, puis ils la pilent et mettent poudre fort subtile, et quand ils en veulent boire ils prennent un coquemar fait exprès, qu'ils appellent ibrik, et l'ayant rempli d'eau la font bouillir ; quand elle bout ils y mettent de cette poudre, pour environ trois tasses d'eau une bonne cuillerée de ladite poudre, et quand cela bout, on la retire vitement de devant le feu, ou bien on le remue, autrement il s'enfuirait par-dessus, car il s'élève fort vite ; et quand il a bouilli dix ou douze bouillons, ils le versent dans des tasses de porcelaine, qu'ils rangent sur un tranchoir de bois peint, et vous l'apportent ainsi tout bouillant ; il faut le boire aussi chaud, mais à plusieurs reprises, autrement il n'est pas bon. Ce breuvage est amer et noir, et sent un peu le brûlé. [...] Cette boisson est bonne pour empêcher que les fumées ne s'élèvent de l'estomac à la tête, et par conséquent pour en guérir le mal, et par la même raison il empêche de dormir. Lorsque nos marchands français ont beaucoup de lettres à écrire, et qu'ils veulent travailler toute la nuit, ils prennent le soir une tasse ou deux de cahvé ; il est bon aussi pour conforter l'estomac, et aide à la digestion. Enfin, selon les Turcs, il est bon contre toutes sortes de maux, et assurément il a au moins autant de vertu qu'on en attribue au thé ; quant au goût, on n'en a pas eu deux fois qu'on s'y accoutume ; et on ne le trouve plus désagréable. Il y en a qui mettent des clous de girofle et quelques grains de cardamone [...], d'autres y ajoutent du sucre, mais ce mélange qui le rend plus agréable le fait moins sain et profitable. » Dix ans plus tard, Tavernier consignera dans ses *Voyages* que les Perses se délectent eux aussi de petites tasses de café. Comme le thé est la boisson nationale de la Chine et de l'Extrême-Orient en général, le bétel, le masticatoire des Indiens, le café serait-il le vin de l'islam ? D'une partie seulement, car nombre de mahométans adopteront le thé à la menthe.

Au même moment que Thévenot, l'Italie et la France découvrent le breuvage noir des Ottomans. Dans son *Voyage de l'Arabie heureuse*, publié en 1716, le sieur de la Roque rapporte que le premier café du royaume fut ouvert à Marseille, en 1671. « On y fumait et on y jouait. Le concours ne manqua pas d'y être fort grand, surtout de la part des Levantins. Outre que les marchands et tous les marins trouvèrent ce lieu-là commode pour conférer de leur commerce et pour s'entretenir sur la navigation. Ce qui fit bientôt augmenter le nombre de ces lieux publics, sans que pour cela on prit moins de café dans les maisons particulières. On en prenait aussi sur les galères du roi, et c'étaient les Turcs qui le préparaient. » La connaissance du café, qui se limitait à l'Arabie au xve siècle, touche Constantinople au xvie siècle, et l'Europe au xviie siècle. Paris, hésitante depuis une vingtaine d'années, est définitivement séduite en 1669, à l'occasion de la venue d'un ambassadeur de la Sublime Porte qui conquiert la Cour à la nouvelle boisson. Cette mode, qui emporte toute l'Europe, soulève le problème de la production et du commerce de ces grains qui viennent tous d'Arabie. Les Hollandais agissent les premiers. Vers 1660, ils partent du port de Moka avec la précieuse semence : bientôt, ils cultivent les caféiers en plantations, à Ceylan et aux îles de la Sonde. En 1715, nouvelle atteinte à l'ancien monopole yéménite : les Malouins déposent des plants de caféiers aux Mascareignes. La culture caféière renie chaque jour un peu plus ses origines géographiques : la voici introduite par les Hollandais dans leur colonie américaine de Surinam, d'où un vol la porte dans la Guyane française en 1720. Enfin, en 1723, le chevalier de Clieu transporte un plant du Jardin du roi à la Martinique. Dès lors, le café de l'Arabie heureuse fleurit de l'Asie au Nouveau Monde : une cinquantaine d'années ont suffi à la mondialisation d'une culture jusque-là localisée à l'extrême.

Désormais, les barriques de café des Antilles et des Mascareignes sont débarquées dans les ports français. Selon Lavoisier, le Paris des derniers jours de l'Ancien Régime en consomme 1 250 000 kg, soit pour 3 125 000 francs. Pourquoi aime-t-on boire du café ? Pour la même raison que l'on prise du tabac ou que l'on prend du thé ou du chocolat. D'abord parce que l'on trouve de l'agrément à savourer un arôme nouveau et plaisant, ensuite parce que, tels ses frères du commerce colonial, il est une drogue aux vertus protectrices et hygiéniques, dont chacun peut mesurer l'effet. Ici encore, la Faculté se divise et dispute. L'éternel sieur de Blégny, médecin du roi et auteur, en 1687, d'un ouvrage sur *Le Bon usage du thé, du café et du chocolat pour la préservation et pour la guérison des malades*, assure que le breuvage noir triomphe des maladies hystériques, de la jaunisse, des abcès intérieurs et des maux de dents, notamment. Le médecin Dufour, à qui l'on doit les *Traités nouveaux et curieux du café, du thé et du chocolat* (1685), ne connaît pas de rival dans l'hyperbole. Quant à Buc'hoz, le médecin du comte de Provence, il relève, en 1788 : « les ennemis du café lui attribuent les qualités dangereuses de l'opium. » Revenant à plus d'orthodoxie, il constate : « les vertus spécifiques et particulières du café sont principalement pour la tête et pour l'estomac. » Audacieux, il affirme : « il fait dormir et il réveille. » Perplexe sur l'usage habituel du café, il suppute : « Il y a des personnes qui en contractent une espèce de tremblement ; d'autres sont devenues sujettes à des maux de tête, qui les rendaient inhabiles à tout, et qui n'ont cessé qu'après une privation absolue de café. » La mère du Régent, la célèbre Palatine, se gausse de la passion de la Cour pour les mixtures tropicales. Le 8 décembre 1712, elle éclate. « Je ne peux souffrir ni le thé, ni le café, ni le chocolat ; ce qui me ferait plaisir, ce serait une bonne soupe à la bière, mais c'est ce qu'on ne peut se procurer ici : la bière en France ne vaut rien. » Paradoxalement, la bière fait son entrée en France en même temps que le café ! Malgré les emportements de la princesse, les engouements d'une époque vont devenir des habitudes et s'insérer dans la culture nationale. Quelques décennies plus tard, Louis XV commandera, lui-même, avec attention, un service à café en or et un autre à la manufacture de porcelaine de Vincennes et aimera à préparer, sans aide, le café qui clôt un dîner de familiers. Les moments du café, comme aussi ceux du thé et du chocolat, et de plus en plus les repas, sont à la fin du xviiie siècle, qui rompt en cela avec les époques antérieures, des instants d'intimité où l'individu et ses élus se retranchent de la société, repoussant le public pour savourer le plaisir des heures privées ; la fumerie du cigare accentuera ce phénomène. En un siècle, la consommation des produits coloniaux a étendu le champ de la vie privée et créé une nouvelle manière de vivre. Le café, en s'introduisant dans la vie quotidienne, s'est accompagné de l'apparition de pièces qui permettent de le savourer. Tout au commencement du rite, se pose le problème de la torréfaction. Il est résolu à domicile, au moyen d'un grilloir ou même d'une poêle. Pour réduire les grains brûlés en poudre, le xviie siècle a commencé par les piler, serrant les minuscules parcelles brunes dans une bourse en cuir graissée ou cirée, puis a utilisé le vieux moulin à épices ; le moulin à café apparaît sous Louis XIV, mais ne se généralise qu'à la fin du siècle des Lumières. Quand le Bien-Aimé prépare le breuvage exotique devant ses proches, il se fait apporter une cafetière, verseuse plus élancée que la chocolatière et la théière, une bouilloire posée sur un support au bas duquel rougeoie un réchaud, une boîte à café, où se trouve la poudre. Les tasses du service à café, les plus petites de ce type de récipient, remplacent, au xviiie siècle, les bols en porcelaine chinoise ou japonaise que l'on employait naguère.

Si le café prend ses aises dans la vie privée des bourgeois et des nobles de l'Ancien Régime, il impose, pour son usage public, la

création d'un lieu particulier, le café, à l'image des *cavehanes* de
Constantinople. Le premier établissement parisien de ce genre fut
ouvert, en 1672, sur l'emplacement de l'actuel marché Saint-
Germain, par un Arménien du nom de Pascal. Cette initiative obtint
un succès de curiosité : sans plus. Trois ou quatre ans plus tard, un
autre Arménien, le sieur Maliban, établit une « maison de café » rue
de Bussy. Des imitateurs apparaissent ici et là, quand en 1702
Francesco-Procopio dei Coltelli, ancien garçon de Pascal, achète un
café déjà fréquenté, en fait une salle de compagnie qui, avec ses
glaces, ses tapisseries, ses lustres et ses tables au plateau de marbre,
respire le luxe et le confort. Le *Procope* est né, où s'assembleront
Voltaire, Fontenelle, Marmontel, Diderot, d'Alembert et plus tard
Danton, Camille Desmoulins, Marat, Billaud-Varenne. Peu à peu, la
vogue de la boisson coloniale multiplie les établissements spécialisés
où l'on peut se rencontrer dans un cadre agréable que les cabarets
n'offrent pas. En 1716, la capitale compte 300 cafés, puis 380, en
1723, et de 7 à 800 à la fin du siècle. En 1721, dans sa trente-sixième
Lettre persane, Montesquieu rend compte de ce mouvement, avec une
pointe d'acidité pour ses confrères en philosophie. « Le café est très
en usage à Paris : il y a un grand nombre de maisons publiques où on
le distribue. Dans quelques-unes de ces maisons, on dit des
nouvelles ; dans d'autres on joue aux échecs. Il y en a une où l'on
apprête le café de telle manière qu'il donne de l'esprit à ceux qui en
prennent : au moins, de tous ceux qui en sortent, il n'y a personne
qui ne croie qu'il en a quatre fois plus que lorsqu'il y est entré. » Aux
côtés du *Procope*, d'autres cafés atteignent la célébrité : ainsi la
Régence dont Diderot écrit à Sophie Volland : « c'est le rendez-vous
des joueurs d'échecs de la grande classe. »

Louis-Sébastien Mercier, qui s'adonne au journalisme documen-
taire dans son *Tableau de Paris*, n'oublie pas de rédiger une notice sur
les nouveaux lieux de sociabilité, dans lesquels il voit « le refuge
ordinaire des oisifs et l'asile des indigents ». Il poursuit, de la même
encre acerbe : « Nos ancêtres allaient au cabaret, et l'on prétend
qu'ils y maintenaient leur belle humeur. Nous n'osons plus guère
aller au café ; l'eau noire qu'on y boit est plus malfaisante que le vin
généreux dont nos pères s'enivraient. La tristesse et la causticité
règnent dans ces salons de glaces, et le ton chagrin s'y manifeste de
toute part : est-ce la nouvelle boisson qui a opéré cette différence ? En
général, le café qu'on y prend est mauvais et trop brûlé, la limonade
dangereuse ; les liqueurs sont malsaines, et à l'esprit de vin. Mais le
bon Parisien, qui s'arrête aux apparences, boit tout, dévore tout,
avale tout. » Grimod de la Reynière, homme à l'affût de toutes les
formes du plaisir, évoque, dans son *Almanach des gourmands*, les
quelques cafés qui méritent d'être nommés. « On ne comptait jadis au
Palais-Royal que deux cafés, celui de *Foi* et le *Caveau*, et tous deux
étaient excellents. S'il faut en croire ceux qui n'ont point cessé de les

fréquenter, tous deux soutiennent encore leur ancienne gloire, et occupent toujours le premier rang. Le premier vient d'être vendu à Madame Lenoir déjà en possession de celui de *Corazza*, comme nous l'allons voir. Nous faisons des vœux pour que la gloire des Foi et des Jousseran ne s'éclipse point sous son règne. Elle s'est chargée là d'un immense fardeau, sans doute ; mais en n'épargnant rien pour soutenir la qualité de ses marchandises, le public lui sera d'autant plus fidèle, qu'elle a, par ses agréments personnels et son excellent ton, de nouveaux moyens de le fixer. Elle en fait déjà l'épreuve depuis qu'elle préside en personne à ce café, devenu tous les soirs le rendez-vous de la meilleure compagnie en hommes ou en femmes, qui vient y prendre d'excellentes glaces. C'est le *Frascati* d'hiver. » Après ces deux cafés, viennent celui des *Étrangers*, renommé pour son café et son punch, celui de *Tortoni*, réputé pour son chocolat, le *Corazza*, dirigé par cette Madame Lenoir, « l'une des plus belles limonadières de Paris, des mieux élevées et des plus aimables », et le café *Borel*, « où l'on prend, dit-on, de très bon punch ».

Indispensables par les marchés exclusifs qu'elles proposent aux différentes activités de la métropole, les colonies du Ponant sont également présentes dans la vie quotidienne de la nation par leurs exportations. Même si, pour un temps, les denrées — tabac, cacao, sucre, café — appartiennent au cercle clos de la noblesse et de la bourgeoisie, elles n'en modifient pas moins le goût, la vie sociale de tous les Français. Les nouveaux établissements de consommation publique se sont imposés aux mœurs : le café, ouvert aux deux sexes, s'est réconcilié dans les murs des bistrots avec les cabarets de jadis, le salon de thé, gynécée moderne, et enfin, le magasin de tabac, héritier de la *Civette*, le plus ancien et le plus connu, ouvert à Paris, en 1716, à deux pas du Théâtre-Français... et du *Procope*.

Pendant que les nouveaux plaisirs américains, qui vont devenir des habitudes, tiennent le devant de la scène culturelle, un puissant mouvement d'exportation de métaux précieux s'infiltre dans les mécanismes économiques européens. Dans son remarquable ouvrage, *Incroyables gazettes et fabuleux métaux*, Michel Morineau établit la répartition des arrivages américains. Le xvie siècle reçoit 150 tonnes d'or et 7 500 d'argent ; le xviie, 158 et 26 168 ; le xviiie, 1 400 et 39 157. En trois siècles, un total de 2 708 tonnes d'or et de 72 825 tonnes d'argent. Les réserves métalliques européennes s'américanisent ; le Vieux Monde ne les alimente que pour un dixième et l'Afrique pour un cinquantième. Elles passent de 15 000 tonnes-argent en 1500 à 93 439 en 1800. Cet afflux est-il à l'origine de la croissance économique de l'Europe et de la Révolution industrielle ? Michel Morineau, observant qu'autrefois, « l'économie était loin d'être entièrement monétarisée », répond avec prudence : « au moment où l'on croit toucher du doigt l'efficacité des métaux précieux, les dévaluations, les crises, les faillites attirent au contraire l'attention sur leur impuissance à assurer un fonctionnement régulier de la vie économique. » Tout en adhérant à cette analyse on peut penser que les entrées d'argent — les plus importantes en France — et d'or ont favorisé l'enrichissement des provinces maritimes, dont, en moyenne, le royaume intérieur a infiniment moins profité.

CHAPITRE VII

L'Orient colonial

L'Orient a toujours fait rêver les Européens : de l'Antiquité à la Renaissance. Au xvᵉ siècle, les Portugais, bien formés par les Génois, partent à l'assaut des Indes, détruisent la flotte arabe qui servait d'intermédiaire entre l'Orient lointain et l'Occident, et bâtissent un empire des mers, comme on n'en avait jamais conçu : épopée d'Albuquerque, échappant aux limites des royaumes de l'Ouest ! Mais le petit Portugal, malgré sa vaillance, doit reculer devant l'ambition vorace des Espagnols, des Hollandais et des Anglais. Les Français ne font que des apparitions, en curieux. Au xviiᵉ siècle, Louis XIV veut donner à ses peuples de grands desseins à exécuter. Il commande que l'on se saisisse d'une part de l'Asie, dans sa terre et dans son commerce, depuis le Levant jusqu'à la Chine. Depuis lors, la nation caresse les projets fabuleux les uns après les autres et essuie des échecs. Tous les règnes ont leurs idées, rarement une stratégie servie par une ferme volonté de conquête. Aussi, en 1815, la France d'Asie se réduit-elle à un îlot et à cinq comptoirs indiens. Une misère que les œuvres d'art égyptiennes, offertes à Paris par Bonaparte, éclairent d'une lueur pleine de promesses reportées à un plus tard certain.

L'ÉGYPTE

Louis XIV s'est intéressé à l'Égypte parce qu'il y voyait la route commerciale la plus courte pour relier l'Asie à l'Europe. Sartine puis Castries se sont passionnés pour la patrie des pharaons, parce qu'ils considèrent sa conquête comme la meilleure compensation aux pertes coloniales de 1763 et à la menace de sécession des Antilles. Vergennes, se refusant à attenter à l'intégrité de l'Empire ottoman, fera avorter le projet, qui aboutira, dans les dernières années du Directoire, sous le commandement de Bonaparte. L'Égypte, depuis les vieilles relations comme le *Voyage du Levant* de Thévenot, n'est connue que d'un cercle d'initiés, marins et Marseillais qui, tous, invitent le roi à s'emparer de ce pays mythique, proche de Toulon et de son escadre. À la fin de l'Ancien Régime, le voyageur Claude Savary tente de vulgariser le Nil et les contrées qu'il traverse en des *Lettres* pleines d'optimisme. Paraît alors, en 1787, le *Voyage en Syrie et en Égypte* de Volney, en qui J. Gaulmier veut voir un agent secret que Vergennes aurait chargé de ruiner dans l'opinion les projets colonisateurs de Sartine et du marquis de Castries. Opinion séduisante à laquelle le personnel directorial et l'ancien chef de l'armée d'Italie n'auraient pas succombé. L'ouvrage du membre distingué de l'Institut deviendra même le bréviaire de Bonaparte et de ses lieutenants : tous, à leur retour, en loueront la justesse et la vérité. De cette Égypte, française pendant quelques années, que le Corse a gouverné malgré la coalition anglo-ottomane, que Kléber conserve et qu'enfin Menou perdra, M. Chassebœuf dit Volney avait peint un tableau aux couleurs le plus souvent sombres et sans espoir.

Les plaies de l'Égypte : les mamelouks et l'islam

À la fin du XVIIIᵉ siècle, le royaume des Ptolémée est gouverné par une caste d'esclaves militaires blancs qui, sans rompre avec Constantinople, ont su se dégager de la domination effective de l'Empire. Les mamelouks, « nés pour la plupart dans le rite grec, et circoncis au moment qu'on les achète, ils ne sont aux yeux des Turcs mêmes, que des renégats, sans foi ni religion. Étrangers entre eux, ils ne sont point liés par ces sentiments naturels qui unissent les autres hommes. Sans parents, sans enfants, le passé n'a rien fait pour eux ; ils ne font rien pour l'avenir. Ignorants et superstitieux par éducation, ils deviennent farouches par les meurtres, séditieux par les tumultes, perfides par les cabales, lâches par la dissimulation, et corrompus par toute espèce de débauche. Ils sont surtout adonnés à ce genre honteux qui fut de tout temps le vice des Grecs et des Tartares ; c'est la première leçon qu'ils reçoivent de leur maître d'armes. »

Pour des hommes de cette espèce le gouvernement se réduit à quelques coups de sabre et de l'astuce. « La souveraineté n'est pas pour eux l'art difficile de diriger vers un but commun les passions diverses d'une société nombreuse, mais seulement un moyen d'avoir plus de femmes, de bijoux, de chevaux, d'esclaves, et de satisfaire leurs fantaisies. L'administration, à l'intérieur et à l'extérieur, est conduite dans cet esprit. [...] Du reste, nulle idée de police ni d'ordre public. L'unique affaire est de se procurer de l'argent ; et le moyen employé comme le plus simple, est de le saisir partout où il se montre, de l'arracher par violence à quiconque en possède, d'imposer à chaque instant des contributions arbitraires sur les villages et sur la douane, qui les reverse sur le commerce. »

Pour le philosophe, qui au passage fustige la théorie des climats de Montesquieu, « pur paradoxe », que l'on a admis « sans prendre le temps d'y réfléchir », le régime des mamelouks représente le despotisme dans toute son horreur. Il est des religions, il est des mœurs qui corrigent les lois et maîtrisent l'arbitraire. « Mais il s'en faut beaucoup que l'esprit de l'islamisme soit propre à remédier aux abus du gouvernement ; l'on peut dire, au contraire, qu'il en est la source originelle. Pour s'en convaincre, il suffit d'examiner le livre qui en est le dépôt. En vain les musulmans avancent-ils que le Coran contient les germes et même le développement de toutes les connaissances de la législation, de la politique, de la jurisprudence : le préjugé de l'éducation, ou la partialité de quelque intérêt secret, peuvent seuls dicter ou admettre un pareil jugement. Quiconque lira le Coran, sera forcé d'avouer qu'il ne présente aucune notion ni des devoirs des hommes en société, ni de la formation du corps politique, ni des principes de l'art de gouverner, rien en un mot de ce qui constitue un code législatif. Les seules lois qu'on y trouve se réduisent à quatre ou cinq ordonnances relatives à la polygamie, au divorce, à l'esclavage, à la succession des proches parents : et ces ordonnances, qui ne font point un code de jurisprudence, y sont tellement contradictoires, que les docteurs disputent encore pour les concilier. Le reste n'est qu'un tissu vague de phrases vides de sens, une déclamation emphatique d'attributs de Dieu, qui n'apprennent rien à personne ; une allégation de contes puérils, de fables ridicules ; en total, une composition si plate et si fastidieuse, qu'il n'y a personne capable d'en soutenir la lecture jusqu'au bout. [...] Que si à travers le désordre d'un délire perpétuel, il perce un esprit général, un sens résumé, c'est celui d'un fanatisme ardent et opiniâtre. L'oreille retentit des mots d'impies, d'incrédules, d'ennemis de Dieu et du prophète, de rebelles à Dieu et au prophète, de dévouement à Dieu et au prophète. Le ciel se présente ouvert à qui combat dans leur cause ; les houris y tendent les bras aux martyrs : l'imagination s'embrase, et le prosélyte dit à Mahomet : Oui, tu es l'envoyé de Dieu ; ta parole est la sienne ; il est infaillible ; tu ne peux faillir ni me tromper : marche, je te suis ! Voilà l'esprit du Coran ; il s'annonce dès la première ligne : " Il n'y a point de doute en ce livre ; il guide sans erreur ceux qui croient sans douter, qui croient ce qu'ils ne voient pas. " Quelle en est la conséquence, sinon d'établir le despotisme le plus absolu dans celui qui commande, par le dévouement le plus aveugle dans celui qui obéit ? Et tel fut le but de Mahomet : il ne voulait pas éclairer, mais régner ; il ne cherchait pas des disciples, mais des sujets. Or, dans des sujets, l'on ne demande pas du raisonnement, mais de l'obéissance. C'est pour y amener plus facilement qu'il reporta tout à Dieu. En se faisant son ministre, il écarta le soupçon d'un intérêt personnel ; il évita d'alarmer cette vanité ombrageuse que portent tous les hommes ; il feignit d'obéir, pour qu'on lui obéît à lui-même ; il ne se fit que le premier des serviteurs, sûr que chacun tâcherait d'être le second pour commander à tous les autres. »

Au terme d'une analyse fine et violente, Volney montre du doigt le principe générateur du despotisme oriental : l'islam et son livre sacré, le Coran. Quant au prophète, le philosophe l'accable, lui attribuant la paternité des malheurs qui frappent les nations où sa parole est devenue loi. « Il faut le dire : de tous les hommes qui ont osé donner des lois aux peuples, nul n'a été plus ignorant que Mahomet ; de toutes les compositions absurdes de l'esprit humain, nulle n'est plus misérable que son livre. Ce qui se passe en Asie depuis 1 200 ans peut en faire la preuve ; car si l'on voulait passer d'un sujet particulier à des considérations générales, il serait aisé de démontrer que les troubles des États, et l'ignorance des peuples dans cette partie du monde, sont des effets plus ou moins immédiats du Coran et de sa morale. » L'islam, tel jadis le Hun, stérilise tout sur son passage. Il étouffe les arts et les sciences, au point que « la barbarie est complète dans la Syrie comme dans l'Égypte ». Sous l'administration des successeurs de Mahomet, « nul espoir de considération ou de fortune par les arts, les sciences ou les belles-lettres : on aurait le talent des géomètres, des astronomes, des ingénieurs les plus distingués de l'Europe, que l'on ne languirait pas moins dans l'obscurité, ou que l'on gémirait peut-être sous la persécution. Or, si la science, qui par elle-même coûte déjà tant de peine à acquérir, ne doit encore amener que des regrets de l'avoir acquise, il vaut mieux ne jamais la posséder. Ainsi les Orientaux sont ignorants et doivent l'être, par le même principe qui les rend pauvres, et parce qu'ils disent pour la science comme pour les arts : À quoi nous servira de faire davantage ? » Despotisme, arbitraire, ignorance, fatalisme destructeur, résignation servile, telle est la loi de la « grande oasis », dont Bonaparte, emporté par son imagination, écrit dans ses *Campagnes* : « L'Égypte est un des plus beaux, des plus productifs et des plus intéressants pays du monde ; c'est le berceau des arts et des sciences. » Cette Égypte mythique appartenait au passé depuis de nombreux siècles : le jeune général ne la rencontrera jamais.

Tentations. Répulsions. Révolution ?

L'Orient, malgré un despotisme brutal, que les diplomates en poste à Constantinople et les négociants des Échelles ont eu maintes fois l'occasion d'éprouver, n'en exerce pas moins une fascination certaine sur l'Europe. Si le XVIIIe siècle raffole de chinoiseries et autres produits de l'Inde, il a aussi le goût des turqueries. Comme dans le cas de l'Asie, cette mode est alimentée par le commerce. Au Levant, les Italiens furent jadis omniprésents, et aujourd'hui les Anglais rivalisent avec les Français qui y vendent les draps du Languedoc, des cochenilles achetées à Cadix, des sucres, des cafés, des étoffes de Lyon, des savons, etc., et de l'argent sous la forme de *thalers*. Les retours vers Marseille se font en produits bruts comme du coton, de la laine, des cuirs, des drogues, des soies, etc. Les échanges avec l'Égypte, la Syrie et la Turquie proprement dite, arrivent au deuxième rang des mouvements coloniaux : après les Antilles, mais avant les Indes orientales. C'est dire que le négoce attache du prix à ce marché et qu'il s'emploie à le conserver, tantôt contre les Hollandais, tantôt contre les Anglais. Ombre à cette vieille prospérité commerciale, les avanies que souffrent les commissionnaires des Échelles, malgré la protection des consuls et de la Marine royale. Au Caire, note Volney, « la France avait entretenu un consul jusqu'en 1777 ; mais à cette époque les dépenses qu'il causait engagèrent à le retirer : on le transféra à Alexandrie, et les négociants, qui le laissèrent partir sans réclamer d'indemnités, sont demeurés au Caire à leurs risques et fortune. Leur situation, qui n'a pas changé, est à peu près celle des Hollandais à Nagazaki ; c'est-à-dire que, renfermés dans un grand cul-de-sac, ils vivent entre eux sans beaucoup de communications au dehors ; ils les craignent même, et ne sortent que le moins qu'il est possible, pour ne pas s'exposer aux insultes du peuple, qui hait le nom des Francs, ou aux outrages des Mamelouks, qui les forcent dans les rues de descendre de leurs ânes. Dans cette espèce de détention habituelle, ils tremblent à chaque instant que la peste ne les oblige de se clore dans leurs maisons, ou que quelque émeute n'expose leur contrée au pillage, ou que le commandant ne fasse quelque demande d'argent, ou qu'enfin des beks ne les forcent à des fournissements toujours dangereux. »

Le totalitarisme et l'obscurantisme de l'islam, qui condamnent les chrétiens, les Francs, à vivre enfermés et cachés dans leur ghetto, étend sa menace jusqu'à l'activité même des négociants étrangers. « Leurs affaires ne leur causent pas moins de soucis. Obligés de vendre à crédit, rarement sont-ils payés aux termes convenus. Les lettres de change même n'ont aucune police, aucun recours en justice, parce que la justice est un mal pire qu'une banqueroute : tout se fait sur conscience, et cette conscience depuis quelque temps s'altère de plus en plus : on leur diffère des paiements pendant des années entières ; quelquefois on n'en fait pas du tout, presque toujours on les tronque. Les chrétiens, qui sont leurs principaux correspondants, sont à cet égard plus infidèles que les Turcs mêmes ; et il est remarquable que dans tout l'empire, le caractère des chrétiens est très inférieur à celui des musulmans ; cependant on s'est réduit à faire tout par leurs mains. Ajoutez qu'on ne peut jamais réaliser les fonds, parce que l'on ne recouvre sa dette qu'en s'engageant d'une créance plus considérable. Par toutes ses raisons, Le Caire est l'échelle la plus précaire et la plus désagréable de tout le Levant : il y a quinze ans l'on y comptait neuf maisons françaises ; en 1785 elles étaient réduites à trois, et bientôt peut-être n'en restera-t-il pas une seule. Les chrétiens qui se sont établis depuis quelque temps à Livourne, portent une atteinte fatale à cet établissement, par la correspondance immédiate qu'ils entretiennent avec leurs compatriotes ; et le grand-duc de Toscane, qui les traite comme ses sujets, concourt de tout son pouvoir à l'augmentation de leur commerce. »

Devant le spectacle contradictoire d'un pays riche où « l'étranger qui arrive est frappé d'un aspect général de ruine et de misère », où « l'on détruit sans rien réparer » ; devant le mouvement de plusieurs races sans destin, « parce que dans la barbarie d'un despotisme ignorant, il n'y a pas de lendemain » ; devant cette théocratie turque où religion, mœurs et lois sont confondues, que dire, que faire ? Volney répond, mais elliptique, comme s'il était tenu de respecter une mystérieuse obligation de réserve : « Si l'on approfondit les causes de l'accablement des Égyptiens, on trouvera que ce peuple, est bien plus digne de pitié que de mépris. » On l'avait compris. « L'État est proprement divisé en deux factions ; l'une, celle du peuple vainqueur, dont les individus occupent tous les emplois de la puissance civile et militaire ; l'autre celle du peuple vaincu, qui remplit toutes les classes subalternes de la société. » Cet antagonisme social se muera-t-il en guerre de libération ? « Pour détruire ou réformer les Mameluks, il faudrait une ligue générale des paysans, et elle est impossible à former : le système d'oppression est méthodique. [...] Ce n'est que dans les pays de montagnes que la liberté a de grandes ressources. » Cette région ne doit-elle donc rien attendre d'elle-même ? « Un obstacle puissant à toute heureuse révolution en Égypte, c'est l'ignorance profonde de la nation. » Volney, qui hait de toutes ses fibres la tyrannie mahométane des Turcs, par définition anti-philosophique, n'allumera-t-il aucune lumière d'espoir ? Si, avec discrétion, après avoir déploré la mauvaise conservation des temples et pyramides de la vieille Égypte. « C'est l'intérêt de ce peuple, sans doute, plus que celui des monuments qui doit dicter le souhait de voir passer en d'autres mains l'Égypte ; mais, ne fût-ce que sous cet aspect, cette révolution serait toujours très désirable. » Aux yeux du voyageur l'affranchissement des Égyptiens et Syriens passe par une intervention étrangère, qui disloquerait l'Empire ottoman. Réflexion bien surprenante de la part d'un homme soupçonné de travailler pour Vergennes, lequel, d'ailleurs, meurt l'année de la publication du *Voyage* (1787).

La campagne d'Égypte : de Volney à Bonaparte

En 1788, Volney publie les *Considérations sur la guerre actuelle des Turcs*, où, comme dans son ouvrage précédent, il argumente tantôt dans un sens, tantôt dans l'autre comme s'il jouait de la balançoire, mais prenant soin de fournir une étude minutieuse de ce qu'il faudrait faire ou ne pas faire en cas d'intervention. Le *Voyage* était le rapport d'un agent de renseignement apparemment impartial, les *Considérations* ont échappé à la même plume, prudente et prolixe en informations. Une question urgente se pose : que faire si l'Autriche et la Russie envahissent les États du Grand Seigneur, pour s'en approprier une partie ? « Le cas arrivant, a-t-on dit ou a-t-on dû dire, que l'Empereur et l'Impératrice se partagent la Turquie d'Europe, un seul objet peut indemniser la France, un seul objet est digne de son ambition, la possession de l'Égypte : sous quelque rapport que l'on envisage ce pays, nul autre ne peut entrer avec lui en parallèle d'avantages. L'Égypte est le sol le plus fécond de la terre, le plus facile à cultiver, le plus certain dans ses récoltes. [...] L'Égypte, par son étendue, est égale aux deux tiers de la France, et par la richesse elle peut en surpasser deux ou trois fois le revenu ; elle réunit toutes les productions de l'Europe et de l'Asie, le blé, le riz, le coton, le lin, l'indigo, le sucre, le safranon, etc., et avec elle seule nous pourrions perdre impunément toutes nos Colonies ; elle est à la porte de la France, et dix jours conduiront nos flottes de Toulon à Alexandrie ; elle est mal défendue, facile à conquérir et à conserver. Ce n'est point assez de tous ces avantages qui lui sont propres, sa possession en donne d'accessoires qui ne sont pas moins importants. Par l'Égypte nous toucherons à l'Inde, nous en dériverons tout le commerce dans la mer Rouge, nous rétablirons l'ancienne circulation par Suez, et nous ferons déserter la route du Cap de Bonne-Espérance. Par les caravanes d'Abyssinie, nous attirerons à nous toutes les richesses de l'Afrique intérieure, la poudre d'or, les dents d'éléphant, les gommes, les esclaves : les esclaves seuls seront un article immense ; car tandis qu'à la côte de Guinée ils nous coûtent 800 liv. la tête, nous ne les payerons au Caire que 150 liv., et nous en rassasierons nos îles. En favorisant le pèlerinage de la Mecque, nous jouirons de tout le commerce de la Barbarie jusqu'au Sénégal, et notre Colonie ou la France elle-même deviendra l'entrepôt de l'Europe et de l'Univers. Il faut l'avouer ; ce tableau qui n'a rien d'exagéré est bien capable de séduire, et peu s'en faut qu'en le traçant le cœur ne s'y laisse entraîner : mais la prudence doit guider même la cupidité ; et avant de courir aux amorces de la fortune, il convient de peser les obstacles qui en séparent, et les inconvénients qui y sont attachés. »

Dans ces propos, où l'on retrouve des lignes du *Voyage en Syrie*, consacrées aux conditions d'une conquête éventuelle de l'Égypte et de sa voisine, Volney procède comme à son habitude. Il expose l'intérêt de la colonisation de l'Égypte, pour la déconseiller de manière brusque et inattendue. Le philosophe pousse son analyse plus avant. « Ils sont grands et nombreux ces inconvénients et ces obstacles. D'abord, pour nous approprier l'Égypte, il faudra soutenir trois guerres ; la première, de la part des Turcs ; car la religion ne permet pas au Sultan de livrer à des infidèles ni les possessions ni les personnes des vrais croyants ; la seconde, de la part des Anglais ; car l'on ne supposera pas que cette nation envieuse nous voie tranquillement faire une acquisition qui nous donnerait sur elle tant de prépondérance, et qui détruirait sous peu toute sa puissance dans l'Inde ; la troisième enfin, de la part des naturels de l'Égypte, et celle-là, quoiqu'en apparence la moins redoutable, serait en effet la plus dangereuse. [...] Mais je suppose les Mamelouks exterminés et le peuple soumis, nous n'aurons encore vaincu que les moindres obstacles ; il faudra gouverner ces hommes, et nous ne connaissons ni leur langue, ni leurs mœurs, ni leurs usages : il arrivera des malentendus qui causeront à chaque instant du trouble et du désordre. Le caractère des deux Nations opposé en tout, deviendra réciproquement antipathique : nos soldats scandaliseront le peuple par leur ivrognerie, le révolteront par leur insolence envers les femmes ; cet article seul aura les suites les plus graves. Nos officiers même porteront avec eux ce ton léger, exclusif, méprisant, qui nous rend insupportable aux étrangers, et ils aliéneront tous les cœurs. Ce seront des querelles et des séditions renaissantes : on châtiera, on s'envenimera, on versera le sang. [...] Ainsi l'Égypte n'aura fait que changer de Mamelouks, et nous ne l'aurons conquise que pour la dévaster : mais alors même il nous restera un ennemi vengeur à combattre, le climat. »

Au tableau convaincant, prêté aux partisans de la conquête de l'Égypte, succède l'argumentation de Volney qui détruit la persuasion des premiers effets. Ce jeu de sophiste s'achève en point d'interrogation. Le philosophe envisage une victoire de l'Empereur ou de l'Impératrice sur les Ottomans et conclut : « Si donc la Puissance qui s'établira à Constantinople sait user de sa fortune, si dans sa conduite avec ses nouveaux sujets elle joint la droiture à la fermeté, si elle s'établit médiatrice impartiale entre les diverses sectes, si elle admet la tolérance absolue dont l'Empereur a donné le premier exemple, et qu'elle ôte tout effet civil aux idées religieuses ; si la législation est confiée à des mains habiles et pures, si le législateur saisit bien l'esprit des Orientaux, cette Puissance fera des progrès qui laisseront bientôt en arrière les anciens Gouvernements [...] quand un pays est bien gouverné, il se peuple toujours assez par ses propres forces : d'ailleurs les Arméniens, les Grecs, les Juifs et les autres Nations persécutées de l'Asie, s'empresseront d'accourir vers une terre qui leur offrira la sécurité ; et les Musulmans eux-mêmes, surtout les paysans, sont tellement fatigués de la tyrannie Turque, qu'ils pourront consentir à vivre sous une domination étrangère. Alors le bien qu'aura produit la révolution actuelle fera oublier les maux qu'elle va coûter : le bonheur de la génération future séchera les larmes de l'humanité sur la génération présente, et la philosophie pardonnera aux passions des Rois qui auront eu l'effet d'améliorer la condition de l'espèce humaine. » Si les Russes ou les Autrichiens peuvent, par des lois distinctes de la religion, libérer les Arabes de l'oppression quotidienne de la domination du Turc, les Français en seraient-ils incapables ? Un raisonnement par analogie met toutes les puissances sur le même pied et donc autorise Louis XVI à envoyer ses escadres et ses troupes à Alexandrie. Tel semble bien être le sentiment profond de Volney, qui s'expliquera clairement dans les *Ruines* et dans le *Moniteur*, quand Bonaparte, son disciple, foulera le sol de l'Orient. Alors pourquoi, jusque-là, tant de cachotteries ? Peut-être pour ne pas contrevenir ostensiblement au pacifisme dont Vergennes avait convaincu la nation, tout en ruinant son Trésor dans une guerre inutile.

Le 9 mai 1798, le jeune vainqueur de la campagne d'Italie arrive à Toulon. Aussitôt, il lance une proclamation à l'armée. « Soldats ! Vous êtes une des ailes de l'armée d'Angleterre. Vous avez fait la guerre des montagnes, de plaines, de sièges ; il vous reste à faire la guerre maritime. Les légions romaines, que vous avez quelquefois imitées, mais pas encore égalées, combattaient Carthage tour à tour sur cette même mer et aux plaines de Zama. La victoire ne les abandonna jamais, parce que constamment elles furent braves, patientes à supporter les fatigues, disciplinées et unies entre elles. Soldats ! l'Europe a les yeux sur vous. Vous avez de grandes destinées à remplir, des batailles à livrer, des dangers, des fatigues à vaincre. Vous ferez plus que vous n'avez fait pour la prospérité de la patrie, le bonheur des hommes et votre propre gloire. Soldats, matelots, fantassins, canonniers ou cavaliers, soyez unis ; souvenez-vous que, le jour d'une bataille, vous avez besoin les uns des autres. Soldats-Matelots, vous avez été jusqu'ici négligés. Aujourd'hui, la plus grande sollicitude de la République est pour vous. Vous serez dignes de l'armée, dont vous faites partie. *Le génie de la Liberté, qui a rendu la République dès sa naissance l'arbitre de l'Europe, veut qu'elle le soit des mers et des contrées les plus lointaines.* » Cette proclamation contient et exprime la pensée de Volney. La République française, selon l'idéologie en cours, a pour mission de restaurer la liberté en Europe et hors d'Europe et de briser les chaînes des nations asujetties. Le 19 mai, Bonaparte, à la tête d'une armada, portant 54 000 marins et soldats, sans oublier les savants, quitte Toulon pour les rivages de l'Orient.

Le 22 juin 1798, en pleine mer, après s'être emparé de Malte, le général en chef lance une proclamation dénonçant l'impérialisme anglais, mais aussi — toujours fidèle à Volney — condamnant les mamelouks à une disparition prochaine et promettant aux Égyptiens la liberté et le respect. « Soldats ! Vous allez entreprendre une conquête dont les effets sur la civilisation et le commerce du monde sont incalculables. Vous porterez à l'Angleterre le coup le plus sûr et le plus sensible, en attendant que vous puissiez donner le coup de mort. Nous ferons quelques marches fatigantes ; nous livrerons plusieurs combats : nous réussirons dans toutes nos entreprises ; les destins sont pour nous. Les Beys mamelouks, qui favorisent exclusivement le commerce anglais, qui ont couvert d'avanies nos négociants et tyrannisent les malheureux habitants du Nil, quelques jours après notre arrivée n'existeront plus. Les peuples avec lesquels nous allons vivre sont mahométans leur premier article de foi est celui-ci : IL N'Y A PAS D'AUTRE DIEU QUE DIEU, ET MAHOMET EST SON PROPHÈTE. Ne les contredisez pas : agissez avec eux comme nous avons agi avec les Juifs, avec les Italiens ; ayez des égards pour leurs muftis et leurs imams, comme vous en avez eu pour les rabbins et les évêques. Ayez pour les cérémonies que prescrit l'ALCORAN, pour les mosquées, la même tolérance que vous avez eue pour les couvents, pour les synagogues, pour la religion de Moïse et de Jésus-Christ. Les légions romaines protégeaient toutes les religions. Vous trouverez ici des usages différents de ceux de l'Europe ; il faut vous y accoutumer. Les peuples chez lesquels nous allons traitent les femmes différemment que nous ; mais, dans tous les pays, celui qui viole est un monstre. Le pillage n'enrichit qu'un petit nombre d'hommes ; il nous déshonore ; il détruit nos ressources ; il nous rend ennemis les peuples, qu'il est de notre intérêt d'avoir pour amis. La première ville que nous allons rencontrer a été bâtie par Alexandre. Nous trouverons à chaque pas de grands souvenirs dignes d'exciter l'émulation des Français. »

Napoléon, note Sainte-Beuve dans les *Causeries du lundi*, envisage l'Égypte comme Volney, « en observateur sévère qui n'oublie rien. Géographie, configuration, climat, mœurs, religion, obstacles et ressources, il analyse tout, il mesure tout. Puis, quand il a poussé à bout ses calculs d'ingénieur et de politique ; quand la population, dans ses diverses races, est tenue en échec ; quand il a régularisé l'inondation et organisé le désert, que tous les puits sont occupés, que pas un pied cube d'eau n'est perdu, alors seulement il lâche bride à son imagination ; il se retrace le beau idéal d'une Égypte bien gouvernée ». Dans ses *Campagnes*, Bonaparte peint l'Égypte nouvelle, d'où un vent de libération soufflerait vers l'Inde et l'Afrique intérieure. « Mais que serait ce beau pays après cinquante ans de prospérité et de bon gouvernement ? L'imagination se complaît dans un tableau aussi enchanteur ! Mille écluses maîtriseraient et distribueraient l'inondation sur toutes les parties du territoire ; les 8 ou 10 milliards de toises cubes d'eau qui se perdent chaque année dans la mer seraient répartis dans toutes les parties basses du désert, dans le lac Maréotis et le Fleuve-sans-eau, jusqu'aux oasis et beaucoup plus loin du côté de l'est, dans les lacs Amers et toutes les parties basses de l'isthme de Suez et des déserts entre la mer Rouge et le Nil ; un grand nombre de pompes à feu, de moulins à vent, élèveraient les eaux dans des châteaux d'eau, d'où elles seraient tirées pour l'arrosage ; de nombreuses émigrations, arrivées du fond de l'Afrique, de l'Arabie, de la Syrie, de la Grèce, de la France, de l'Italie, de la Pologne, de l'Allemagne, quadrupleraient sa population, le commerce des Indes aurait repris son ancienne route par la force irrésistible du niveau ; la France, maîtresse de l'Égypte, le serait d'ailleurs de l'Hindoustan. Mais j'entends dire qu'une colonie aussi puissante ne tarderait pas à proclamer son indépendance. Sans doute, une grande nation, comme du temps des Sésostris et des Ptolémée, couvrirait cette terre aujourd'hui si désolée ; par sa main droite, elle appuierait aux Indes, et par sa gauche à l'Europe ; si les circonstances locales devaient seules décider de la prospérité et de la grandeur des villes, Alexandrie, plus que Rome, Constantinople, Paris, Londres, Amsterdam, aurait été et serait appelée à être à la tête de l'univers. Il y a aussi loin du Caire à l'Indus que de Bayonne à Moscou. Une armée de 60 000 hommes, montés sur 50 000 chameaux et 10 000 chevaux, portant avec elle des vivres pour cinquante jours et de l'eau pour six jours, arriverait en quarante jours sur l'Euphrate et en quatre mois sur l'Indus, au milieu des Sikhs, des Mahrattes et des peuples de l'Hindoustan, impatients de secouer le joug qui les opprime. Après cinquante ans de possession, la civilisation se serait répandue dans l'intérieur de l'Afrique par le Sennaar, l'Abyssinie, le Dârfour, le Fezzân ; plusieurs grandes nations seraient appelées à jouir des bienfaits des arts, des sciences, de la religion du vrai Dieu, car c'est par l'Égypte que les peuples du centre de l'Afrique doivent recevoir la lumière et le bonheur. »

Le 27 juin 1798, le commandant en chef de l'armée d'Orient ordonne le débarquement simultané de ses troupes en trois points : Alexandrie, Rosette et Damiette. Le même jour — aidé par Michel Venture de Paradis, ancien secrétaire-interprète du roi, chargé de la réorganisation des consulats hors des pays chrétiens, puis professeur de turc à l'École des Langues orientales —, il rédige sa célèbre proclamation aux habitants du Nil. « Égyptiens, on vous dira que je viens pour détruire votre religion ; c'est un mensonge, ne le croyez pas ! Répondez que je viens vous restituer vos droits, punir les usurpateurs ; que je respecte plus que les Mamelouks, Dieu, son prophète Mahomet et le glorieux Coran. Dites-leur que tous les hommes sont égaux devant Dieu ; la sagesse, les talents et les vertus mettent seuls de la différence entre eux. Or, quelle sagesse, quels talents, quelles vertus distinguent les Mamelouks, pour qu'ils aient exclusivement tout ce qui rend la vie aimable et douce ? Y a-t-il une belle terre ? Elle appartient aux Mamelouks. Y a-t-il une belle esclave, un beau cheval, une belle maison ? Cela appartient aux Mamelouks. Si l'Égypte est leur ferme, qu'ils montrent le bail que Dieu leur en a fait. [...] Il y avait jadis parmi vous de grandes villes, de grands canaux, un grand commerce : qui a tout détruit, si ce n'est l'avarice, les injustices et la tyrannie des Mamelouks ? [...] N'est-ce pas nous qui avons été dans tous les siècles les amis du Grand Seigneur [que Dieu accomplisse ses désirs !] et l'ennemi de ses ennemis ? Les Mamelouks au contraire ne sont-ils pas toujours révoltés contre l'autorité du Grand-Seigneur, qu'ils méconnaissent encore ? Ils ne font que leurs caprices. Trois fois heureux ceux qui seront avec nous ! Ils prospéreront dans leur fortune et leur rang. Heureux ceux qui sont neutres ! ils auront le temps d'apprendre à nous connaître, et ils se rangeront avec nous. Mais malheur, trois fois malheur à ceux qui s'armeront pour les Mamelouks et combattront contre nous ! Il n'y aura pas d'espérance pour eux : ils périront. » Dans cet appel, Bonaparte, en disciple de Volney, s'adresse aux Égyptiens en tant que nation, vouant les Mamelouks, étrangers, à l'anéantissement. Mais, comme l'avait fait, en 1786-1787, un lieutenant du Grand Seigneur, venu pour briser l'indépendance des beys caucasiens et géorgiens, il se pose en représentant de la légitimité politique et religieuse de l'Empire ottoman. L'article cinq et dernier de la proclamation résume la pensée du général, au jour du débarquement : « Chacun remerciera Dieu de la destruction des Mamelouks et criera : *Gloire au Sultan, gloire à l'armée française son amie !* Malédiction aux Mamelouks et bonheur au *peuple d'Égypte.* »

Après la victoire des Pyramides, la reddition du Caire, mais aussi le désastre d'Aboukir, le général en chef, toujours fidèle à la pensée de Volney, entre en guerre contre l'ignorance, mais sans ouvrir les hostilités contre l'islam. Le 22 août 1798, il réunit l'élite de la Commission des sciences et des arts de l'armée d'Orient et l'organise en *Institut d'Égypte.* Cette « académie », composée de quatre sections : mathématiques, physique, économie politique, littérature et arts, a pour objet : « 1) Le progrès et la propagation des lumières en Égypte. 2) La recherche, l'étude et la publication des faits naturels, industriels et historiques de l'Égypte. 3) De donner son avis sur les différentes questions pour lesquelles il sera consulté par le Gouvernement. » L'Institut dispose d'une publication, la *Décade égyptienne* dont le premier numéro rend compte de l'élection de son bureau, à laquelle il a été procédé le 23 août : président, Monge, vice-président, Bonaparte, secrétaire perpétuel, Fourier, naguère professeur à l'École polytechnique. L'Institut, phare de la connaissance, instrument de la régénération du peuple égyptien et outil de civilisation, publiera de nombreux travaux de grande qualité, dont la fameuse *Description de l'Égypte* en neuf volumes, parue de 1809 à 1828.

Si le commandant en chef écrase les mamelouks, comme il l'avait promis, il ne réussit pas à convaincre les habitants des rives du Nil de sa sincérité islamique. Ils y sont aidés par la propagande antifrançaise déployée par Constantinople, à l'instigation des Anglais qui, pendant ce temps, en finissent brutalement avec les dernières résistances indiennes. Bonaparte essaie alors de susciter la naissance d'un nationalisme arabe contre les Ottomans. Il dit dans ses *Campagnes* : « Plus tard, le sultan El-Kébir [Bonaparte] toucha la corde du patriotisme arabe : " Pourquoi la nation arabe est-elle soumise aux Turcs ? Comment la fertile Égypte, la sainte Arabie, sont-elles dominées par des peuples sortis du Caucase ? Si Mahomet descendait aujourd'hui du ciel sur la terre, où irait-il ? Serait-ce à La Mecque ? Il ne serait pas au centre de l'empire musulman. Serait-ce à Constantinople ? Mais c'est une ville profane, où il y a plus d'infidèles que de croyants : ce serait se mettre au milieu de ses ennemis. Non, il préférerait l'eau bénie du Nil ; il viendrait habiter la mosquée de Gâma-el-Azhar, cette *première clef* de la sainte Kaaba ! " À ces discours, les figures de ces vénérables vieillards s'épanouissaient, leurs corps s'inclinaient, et, les bras croisés, ils s'écriaient : "Tayeb, tayeb ! ah ! cela est bien vrai. " Lorsque Mourad-Bey eut été rejeté dans la Thébaïde, Napoléon leur dit : " Je veux rétablir l'Arabie ; qui m'en empêchera ? J'ai détruit les Mamelouks, la plus intrépide milice de l'Orient. Quand nous nous serons bien entendus, et quand les peuples d'Égypte sauront tout le bien que je veux leur faire, ils me seront sincèrement attachés. Je ferai renaître les temps de la gloire des Fatimides. » Mais à ces mots, le général entend avec consternation le chef des ulémas de Gâma-el-Azhar lui répondre : « Vous voulez avoir la protection du Prophète, il vous aime ; vous voulez que les Arabes musulmans accourent sous vos drapeaux, vous voulez relever la gloire de l'Arabie, vous n'êtes pas idolâtre. Faites-vous Musulman ; 100 000 Égyptiens et 100 000 Arabes viendront de l'Arabie, de Médine, de La Mecque, se ranger autour de vous. Conduits et disciplinés à votre manière, vous conquerrez l'Orient, vous rétablirez dans toute sa gloire la patrie du Prophète. »

Alors que Bonaparte échoue dans sa tentative de forger un sentiment patriotique chez les Égyptiens, comme Volney le disait possible, le philosophe, remarque justement H. Laurens, persiste dans son idée et s'en explique dans le *Moniteur* du 16 novembre 1798.

Le général, assure-t-il, loin de marcher sur l'Inde comme le pensent certains, « crée une nation, et, maniant le ressort puissant de l'enthousiasme, il rappelle aux Arabes la gloire de leurs ancêtres ; il leur montre dans l'armée française l'instrument miraculeux des décrets de la Providence, qui veut ressusciter la puissance des anciens Arabes, et les délivrer du joug des barbares Osmanlis, épurer la loi du Prophète, altérée par des ignorants et des impies, et ouvrir pour l'Asie un siècle nouveau de grandeur, de science et de gloire ».

Il n'y aura pas de « colonie franco-arabe », selon le vœu de Volney. En 1799 le général, lassé, entre en Syrie, remonte vers Constantinople, mais Saint-Jean-d'Acre se dresse, qui met fin au rêve. Le général comte de Ségur, évoquant ses souvenirs, écrira dans *Histoire et Mémoires* l'aventure brisée. « Saint-Jean-d'Acre l'avait vaincu ! Mais tout en lui était trop vaste pour qu'un si grand dépit n'eût pour cause que la résistance d'une place forte. Derrière elle il avait entrevu, d'une part la possession de toute la Syrie, de l'Euphrate, du golfe Persique, et d'autre part surtout, avec le secours des Druses et de toutes les peuplades ennemies de la Porte, la conquête du Liban, celle de l'Asie Mineure, un nouvel Empire d'Orient, et son retour en Europe par Constantinople ! [...] Rappelons-nous que Constantinople avait, dès 1795, occupé les méditations du génie de Bonaparte. Enfin pour nous, qui, la veille d'Austerlitz, dans une chaumière, et pendant les causeries d'un repas prolongé plus que de coutume, avons entendu de la bouche même de Napoléon l'aveu détaillé de ce gigantesque espoir, il est hors de doute. Ce fait confirme les souvenirs d'Andréossy, quand il nous racontait que, remplaçant au siège d'Acre Berthier momentanément malade, Bonaparte lui dit : " Si nous prenons Acre, je marche sur Constantinople, et je suis Empereur d'Orient ! " Cette confidence, que m'a répétée Andréossy lui-même, atteste la réalité de l'épanchement de confiance, que, avant le dernier assaut, Bonaparte eut avec son secrétaire, lorsqu'il lui dit : " Cette misérable bicoque m'a coûté bien du temps et bien du monde, mais les choses sont trop avancées, je dois tenter un dernier assaut. S'il réussit, les trésors, les armes de Djezzar, dont la Syrie maudit la férocité, me fourniront de quoi armer trois cent mille hommes ! Damas m'appelle ; les Druses m'attendent ; j'en grossirai mon armée ; j'annoncerai l'abolition de la tyrannie des Pachas, et j'arrive à Constantinople à la tête de ces masses. J'y renverse l'Empire Turc ; j'y fonde un nouvel et grand Empire ; j'y marque ma place dans la postérité ; et peut-être alors retournerai-je à Paris par Vienne, en anéantissant la Maison d'Autriche ! " » De tous côtés, Anglais et Turcs se font plus pressants. La population locale s'agite. Les vivres manquent. La maladie frappe. Le moral se délite. Le pari oriental s'abîme dans les sables. Bonaparte s'esquive. Kléber, son successeur, expire sous le poignard d'un mahométan. Menou, dernier commandant en chef, se convertit à la religion du Prophète. L'islam a vaincu les Lumières.

L'ÎLE DES MADÉCASSES

Les grandes puissances maritimes de l'Europe qui, à partir du xvie siècle, ont emprunté la voie du cap de Bonne-Espérance pour se rendre en Asie — les Espagnols y allant depuis l'Amérique, en traversant le Pacifique — ont noté l'existence de Madagascar, petit continent insulaire, et des Mascareignes, points de verdure dans la mer des Indes, puis ont continué sans se laisser distraire de l'objet de leurs expéditions : les richesses de l'Asie, épices, soieries, cotonnades aux couleurs fraîches, meubles laqués, porcelaines, thés, etc. Au contraire, les Français, Normands et Malouins, notamment, échouent dans leurs tentatives d'établir des communications directes, ou quasi directes, avec l'Asie. Comme s'ils manquaient de souffle, ils se donnent l'ensemble disparate des Mascareignes et de Madagascar pour escale où se rafraîchir et s'habituer. Cette stratégie prend naissance sous la protection de Richelieu et de Mazarin. Dès 1642, une Compagnie des Indes orientales prévoit l'établissement d'une colonie de Français au pays des Madécasses. Deux hommes s'illustrent sous la bannière de cette société, que le maréchal de La Meilleraye, cousin de Richelieu, dont le fils sera duc de Mazarin, arrache à l'épuisement en 1660 : Pronis, et Flacourt, premier historien de la Grande Ile.

M. de Flacourt : un physiocrate chez les Madécasses au XVIIe siècle

En 1658, Flacourt rentre en France pour rencontrer le maréchal, duc de La Meilleraye qui a pris en main les destinées de la Compagnie des Indes, fondée sous les auspices de son cousin, le cardinal de Richelieu. L'année même de son débarquement, il publie une *Histoire de la Grande Ile de Madagascar*, une *Relation de la Grande Ile de Madagascar* (1642-1645) et un factum de 42 pages, riche en informations et suggestions. L'*Histoire* est précédée d'une dédicace à Nicolas Fouquet, surintendant des Finances et homme d'affaires actif, actionnaire de la Compagnie des Indes orientales, comme le maréchal de La Meilleraye à qui est dédicacée la *Relation*. Dans son envoi à Fouquet, Flacourt présente un tableau encourageant de Madagascar, sans nier pour autant qu'elle représente une richesse brute, indigne de comparaison avec les contrées fabuleuses de l'Asie. Pour que la

Grande Ile produise un revenu appréciable, il demande deux choses : des travailleurs français, le soutien politique sans réserve du ministre et, à travers lui, celui du Roi et de la nation. « Il y a plusieurs Français mariés à des femmes du pays converties à la religion chrétienne et beaucoup d'enfants qui en sont issus. C'est une peuplade qui est en son enfance, qui de foi est si faible, qu'elle ne se peut pas encore soutenir d'elle-même jusqu'à ce qu'elle soit parvenue en un âge plus fort et plus avancé. C'est ce qui fait qu'elle a besoin de votre assistance, Monseigneur, secourez-là, assistez-là, et n'abandonnez pas les avantages que vous avez à présent. Mais envoyez-y des navires et des Français le plus promptement que vous pourrez, afin que l'on voie aussi les Fleurs de Lys arborées en même temps que la croix, pendant votre ministère et par vos soins, dans toute l'étendue de la plus grande île du monde. Que le zèle que vous m'avez fait paraître par vos lettres ne se refroidisse pas ? que la mauvaise intention, que quelques particuliers ont eu, pour en ruiner les progrès, portés par quelque intérêt, ne vous fasse pas désister d'un si généreux dessein autant noble et glorieux à l'honneur de la France, comme avantageux à la religion chrétienne, et à la gloire immortelle d'un si grand nom que le vôtre. Je vous offre donc cette île, Monseigneur, non point parée ni enrichie, comme sont la Chine, le Japon, la Perse, ni la Grande Inde : Mais comme elle est dans sa rudesse et dans sa naïveté, aussi est-elle sans fard et sans artifice. »

Dans le courant de son *Histoire*, Flacourt présente les Madécasses, comme un peuple simple de paysans heureux, et brosse une peinture flatteuse du climat, de la faune et des conditions d'établissement. « Ils vivent toutefois à plus prêt à la façon de nos anciens patriarches, ils nourrissent des troupeaux de bœufs, cabris et moutons, ils n'ont que de petites maisons assez commodes pour eux. Ils vivent de ce que leur rapporte la terre qu'ils cultivent ; ils ont des serviteurs et des esclaves, par lesquels ils se font servir avec douceur ; ils se contentent pour vêtement d'une pièce d'étoffe, avec la ceinture : et les femmes avec une pagne en forme d'une jupe et d'un corps de cotte, sans linge, bonnet ni souliers. Ils sont sans ambition et sans luxe, et vivent plus contents des fruits que la terre leur donne, et des bestiaux qu'elle leur nourrit, passant plus doucement leur vie que les autres habitants de l'Europe. Ils ne sont point sujets à beaucoup d'incommodités que l'on a dans les grandes villes. La terre ne s'y vend point, les bâtiments, les bois, et les couvertures des maisons ne leur coûtent que la peine de les aller quérir et de les choisir à leur gré. Le poisson ne leur coûte qu'à pêcher, et le gibier qu'à prendre à la chasse. Ils n'ont que faire d'avoir peur des bêtes farouches, n'y en ayant point, et moins encore de bêtes venimeuses ; d'autant qu'il n'y a aucun serpent nuisible à l'homme, quoiqu'il y en ait de très gros. Les froidures, les gelées, les neiges, ni les glaces, ne leur donnent point d'appréhension, d'autant qu'il n'y en a point. Les grandes chaleurs n'y sont point si incommodes comme elles sont en été en France, d'autant que comme les jours y sont presque égaux aux nuits, elles ne durent pas si longtemps. Et en outre le grand chaud, commençant durant l'été à neuf heures du matin est terminé à trois heures après midi, pendant lequel temps il s'efflue une brise de la mer qui modère tellement la chaleur, même en plein midi, que plusieurs fois je n'en ai point été incommodé à cause de ce vent frais qui la tempérait ; ce qui dure environ trois ou quatre mois de l'année, les huit autres n'étant qu'un perpétuel printemps. »

Dans le factum annexe, Flacourt expose la nécessité d'établir plusieurs colonies françaises dans la Grande Ile pour développer la quantité et la variété des denrées que le commerce international apprécie. Les colons trouveront sur place la main-d'œuvre dont ils auront besoin. S'ils savent s'adapter aux mœurs madécasses, ils recruteront des travailleurs volontaires ou achèteront des esclaves à leurs propriétaires. Le Blanc n'arrivera donc pas à Madagascar avec l'idée d'imposer le système esclavagiste à tous les insulaires. Il pratiquera les deux formes de colonisation que les coutumes locales autorisent : libre, ou servile par achat régulier. Flacourt insiste sur ce point : les Malgaches forment un peuple libre avec qui les Blancs peuvent se marier — chose inconcevable avec les habitants de la Négritie —, aussi la colonisation devient-elle alors une action et une œuvre communes. En cette moitié du XVIIᵉ siècle, le commandant français tient le langage que les physiocrates parleront un siècle à un siècle et demi plus tard. « Afin que les habitants de cette île se puissent accoutumer à un bon négoce, et y prendre goût, il est besoin d'y établir diverses colonies de Français, qui eux-mêmes, ainsi que par toutes les îles de l'Amérique, cultivent le tabac, l'indigo, le coton, les cannes de sucre, y ramassent la soie qui vient partout en abondance, y nourrissent les vers à soie à la façon de l'Europe, entretiennent quantité de ruches à miel, recueillent les gommes de Benjoin, tacamacha, et autres gommes odoriférantes, cultivent la racine d'exquine, le poivre blanc qui est partout en abondance, ramassent l'ambre gris le long de la côte de la mer, négligé par les habitants du pays, cherchent dans les rivières plusieurs pierres précieuses de diverses espèces qui s'y peuvent trouver, observent les montagnes, qui contiennent l'or, et le séparent d'avec le sable, où il se trouve en quelques ruisseaux. Établissent des forges de fer et d'acier, qui y est partout en abondance, aillent à la chasse des bœufs sauvages en plusieurs provinces pour en amasser les cuirs, et conservent ceux des domestiques que les habitants nourrissent en quantité, et par troupeaux. » Les pionniers seraient si faciles à les y établir et à les faire subsister, qu'il n'y peut avoir que la difficulté du trajet depuis la France ; car l'Ile a toutes les choses avec excès pour le vivre, le vêtement et le logement avec plus d'avantage que pas une des îles de l'Amérique, ni même les terres fermes du Brésil, de la Floride et du Canada. Il n'est pas besoin d'aller chercher des esclaves au loin, pour les amener dans l'île ; ainsi que l'on fait aux pays sus-dits : car elle en est assez fournie, les nègres servent volontairement les Français, et si l'on en veut acheter, on en a très grand marché. Les maîtres de villages offrent même aux Français de cultiver leurs terres, et les planter à moitié, et ceux qui veulent aller demeurer avec eux, contracter amitié et alliance avec eux en épousant leurs filles et leurs parentes, obtiennent d'eux tout ce qu'ils veulent. Ce sont des hommes qui sont humbles et soumis, et ne ressemblent pas à ceux de l'Amérique, qui, pour quoi que ce soit au monde, ne se veulent point assujettir au travail. »

La mise en valeur de la Grande Ile réclame, comme aux Amériques française et anglaise, l'envoi d'engagés. « Leurs trois ans accomplis, si ils désiraient demeurer dans l'Ile pour habitants, on leur distribuerait des terres ainsi qu'aux autres habitants. » Revenant sur le thème de la mixité qui lui tient à cœur, Flacourt répète : « Pour l'Ile Madagascar, il y a assez de femmes de toutes couleurs, blanches et noires, au choix de ceux qui les voudront épouser. » Le directeur de la Compagnie à Madagascar propose alors une géographie dispersée de la pénétration française. « Il est nécessaire de faire plusieurs colonies et habitations en divers endroits de l'Ile et d'avoir plusieurs barques longues pour se les rendre communicables les unes aux autres. La principale colonie doit se faire au Fort-Dauphin, d'autant que c'est à l'extrémité de l'Ile du côté du Sud, et la plus propre pour faire partir les navires pour venir en France, pour aborder l'Ile en venant de France, et pour y construire les magasins de la Compagnie. » Et Flacourt invite à fonder un chapelet de colonies, sur les côtes orientale et occidentale, de la baie de Saint-Augustin à la baie d'Antongil, et suggère enfin d'ériger un réseau de forts. « Toutes ces colonies, avoue le directeur, ne se peuvent pas faire en si peu de temps, à moins que de faire un embarquement où on passe 500 hommes à la fois, l'on avancera beaucoup l'affaire. » Avant Vauban, mais dans des proportions moindres, Flacourt penche pour un peuplement conséquent et rapide, où des convois débarqueraient simultanément des artisans et des soldats, des colons miliciens. L'île madécasse non seulement peut produire des denrées complémentaires des cultures européennes, mais encore est à même de fournir les possessions françaises d'Amérique en vivres que la France achète aux étrangers. « Qui est-ce qui empêchera, en retournant en France, de l'Ile Madagascar de porter la charge d'un navire de riz et de viandes salées de Madagascar et de Mascareigne, au Brésil, au Maragnon et aux îles de l'Amérique, à vendre et échanger contre du tabac, du sucre et de l'indigo. » Le commerce triangulaire France-Canada-Antilles ou France-Louisiane-Antilles était formulé dans son principe bien longtemps avant son application, mais à aucun moment Flacourt n'a envisagé un trafic à trois pôles dont la transportation de captifs vers les colonies de plantation eût été une branche. À plus d'un titre, qu'il s'agisse de la manière de coloniser ou de la nature du commerce colonial, ce chef du xvııe siècle expose des vues dont l'originalité ne sera pas concurrencée avant la deuxième moitié du xvıııe siècle.

Les projets de la Compagnie des Indes de Colbert

En 1664, Colbert indemnise le duc de Mazarin, fils du maréchal de La Meilleraye et principal actionnaire de la Compagnie des Indes fondée avec la participation du père du surintendant des Finances, Fouquet notamment, et crée sa grande Compagnie des Indes orientales. Fidèle aux principes de Richelieu et de Mazarin, le ministre de Louis XIV assigne deux tâches exclusives à cette société : coloniser Madagascar, baptisée île Dauphine, complémentairement l'île de Bourbon, et faire le commerce de l'Inde et de la Chine. Malgré la bonne volonté d'hommes comme le marquis de Montdevergue, Lacase, Champmargou et La Bretèche, la faillite du projet, l'abandon de la métropole en guerre et l'hostilité meurtrière des indigènes — que Flacourt avait tue — contraignent les Français à se replier sur l'île de Bourbon, non sans avoir incendié les magasins du Fort-Dauphin, établissement méridional et capitale mal choisie de l'action et de la pénétration nationales. En juin 1664, quand la Compagnie portait tous les espoirs de Louis XIV et de Colbert, la propagande avait usé des armes de la séduction pour fixer l'attention de la nation sur la mise en valeur de l'île madécasse. Le monarque signe 119 lettres de cachet à l'intention des maires et échevins des principales villes du royaume « en faveur de la Compagnie et pour exhorter les particuliers de s'y intéresser ». Les syndics de la Compagnie envoient cette missive à leurs destinataires en y joignant le *Discours d'un fidèle sujet du Roi*, rédigé par l'académicien Charpentier, et une lettre de leur part. Ensuite la publicité s'adresse aux populations. Pour recruter les ouvriers nécessaires, « on mit des affiches dans toutes les rues de Paris, afin d'apprendre aux artisans, les privilèges que le Roi avait accordés à ceux qui iraient s'habituer dans l'Ile ». Que dit ce placard populaire ? « La Compagnie des Indes orientales fait avertir tous les artisans et gens de métier Français, qui voudront aller demeurer dans l'Ile de Madagascar, et dans toutes les Indes, qu'elle leur donnera le moyen de gagner leur vie fort honnêtement, et des appointements et salaires raisonnables. Et que s'il y en a qui veuillent y demeurer huit ans, Sa Majesté veut bien leur accorder d'être Maîtres de chef-d'œuvre dans toutes les villes du Royaume de France où ils voudront s'établir, sans en excepter aucune, et sans payer aucune chose. Ceux qui seront dans cette résolution, se présenteront à la maison de la Compagnie. » Après avoir diffusé les privilèges octroyés aux artisans qui choisiraient de partir pour Madagascar, la Compagnie répand à Paris et dans les provinces une adresse royale qui décrit la Grande Ile sous des couleurs édéniques et précise les conditions d'établissement de chacun dans ce paradis lointain.

DE PAR LE ROY

« L'air de cette île est fort tempéré, les deux tiers de l'année sont semblables à la saison du printemps, l'autre tiers n'est pas si chaud que l'été en France, les personnes y vivent jusques à cent et six vingt ans. Les fruits y sont très bons, en grande quantité, les légumes, pois et toutes sortes de racines y sont bonnes et fort saines, le riz se recueille trois fois l'an, les graines d'Europe y produisent mieux qu'en France, et il y a là de la vigne qui étant cultivée produira de fort bon vin. Il y a grande quantité de bœufs, vaches, moutons, chèvres, cochons et autre bestial, la volaille privée est pareille à la nôtre, beaucoup de venaison et gibier de toutes sortes, et de très bon poisson, tant de mer que d'eau douce. Les vers à soie y sont communs sur les arbres, et produisent de la soie fine et facile à filer. Il y a des mines d'or, de fer, de plomb ; du coton, de la cire, du sucre, du poivre blanc et noir, du tabac, de l'indigo, de l'ébène et toutes sortes de bois de teinture et autres bonnes marchandises. Il ne manque que des hommes qui aient l'adresse de s'en servir et faire travailler les Nègres habitants du pays, qui sont dociles, obéissants et soumis à tout ce qu'on leur veut commander. Ceux qui auront connaissance de la culture de ces sortes de marchandises y profiteront extraordinairement. Pour donner moyen à chacun de participer à ces avantages, toutes personnes de l'un et l'autre sexe qui se présenteront, seront passés sur les vaisseaux que la Compagnie fera partir au mois de juillet prochain de l'année présente 1665, pour être établis en Colonies dans la dite île Dauphine, en laquelle incontinent après leur arrivée il leur sera distribué des Terres pour leur demeurer en propre à perpétuité et à leurs hoirs ou ayant-cause, moyennant une légère redevance annuelle par arpent et sans aucune autre charge, et seront nourris pendant leur passage et trois mois après leur arrivée en ladite Île ; de laquelle dépense ils feront le remboursement à la Compagnie, à condition fort raisonnable, et la somme qui aura été convenue sera par eux payée en marchandises qu'ils auront recueillies et négociées en ladite île, en trois termes de chacun un an, le premier échéant un an après leur établissement, et leur sera fourni les marchandises, outils et habits nécessaires dans ladite île, en les payant à prix raisonnable. [...] Pour le salut et instruction des passagers, la Compagnie a fait et fera passer à tous les armements des missionnaires et ecclésiastiques, et des Frères de la Charité, médecins, chirurgiens et apothicaires, pour leur conservation. Ceux qui désireront passer en ladite Île Dauphine et obtenir des concessions de terre, s'adresseront à Paris au Bureau de ladite Compagnie, rue Saint-Martin. »

Une affiche est également placardée dans la capitale, dans les villes et campagnes, qui adapte les techniques de recrutement de la Nouvelle-France à Madagascar. Elle s'adresse à deux catégories de colons. Les uns, petits notables, qui partiront, accompagnés d'hommes, de femmes, voire de familles, les autres qui s'en iront seuls. Les premiers recevront une avance au départ, et, une fois arrivés, jouiront d'un statut de seigneur, comme au Canada, tandis que les autres seront soumis au régime commun des colons. Enfin, le règlement de police que la Compagnie arrête le 26 octobre 1664 pour être appliqué à Madagascar, s'imprègne de la philosophie que prêchait Flacourt dans son *factum*. En effet, l'article XII de cette ordonnance dispose : « Il est très expressément défendu de vendre aucuns habitants originaires du pays comme esclave, ni d'en faire trafic, sur peine de la vie. Et il est enjoint à tous les Français qui les loueront ou retiendront à leur service, de les traiter humainement, sans les molester ni les outrager, à peine de punition corporelle s'il échet. » Cette réglementation qui interdit la colonisation servile à Madagascar, opère une distinction radicale entre Africains que la couleur destine à l'esclavage, et habitants de la mer des Indes que la Nature destine à vivre et à travailler en liberté. D'ailleurs, ce texte s'efforce, dans plusieurs de ses dispositions, d'organiser la protection des Madécasses, hommes et femmes, et de leurs biens. L'île Dauphine n'appartient pas à l'univers esclavagiste des colonies de mines et de plantations : les projets de colonisation élaborés au xviiie par des Cossigny ou des Modave n'innoveront pas mais respecteront un principe affirmé par Étienne de Flacourt et consacré par Colbert.

L'échec madécasse de la Compagnie

Bernardin de Saint-Pierre, officier du Génie, plus soucieux de ses aises que de conquêtes tropicales ne suivit pas Modave à qui Praslin l'avait attaché ! Des jardins de l'île de France, il a pourtant su caractériser la Grande Île d'une phrase. Évoquant, dans ses *Études de la Nature*, les marais miasmatiques, il écrit : « En Afrique, l'air de l'île de Madagascar est corrompu par la même cause pendant six mois de l'année et y sera toujours un obstacle aux établissements des Européens. Toutes les colonies françaises qu'on y a établies y ont péri successivement par la corruption de l'air, et j'y aurais moi-même perdu la vie si la Providence divine, par des moyens que je ne pouvais prévoir n'avait mis un empêchement au séjour que j'y devais faire. » L'île madécasse est frappée du sceau de la malédiction, tout ce que l'on y entreprend échoue dans le sang, la maladie ou la misère : en cela, elle s'apparente à la Guyane et à la Louisiane.

La première expédition de la Compagnie des Indes, ayant à son bord François Martin, qui plus tard donnera Pondichéry à la France, arrive à la Grande Île au cours du premier semestre 1665. Après un crochet à Mascarin ou Bourbon, Martin débarque sur la côte orientale de Madagascar, à l'île Sainte-Marie, lieu déjà ancien de l'implantation française. Il esquisse, dans ses *Mémoires*, son premier contact avec la terre paradisiaque qu'on lui a décrite. « L'habitation du sieur de Belleville consistait en une grande case, quatre ou cinq autres petites cases et deux magasins pour le riz ; sa famille était composée de sa femme, fille d'un Grand de l'Île de Madagascar, dont il avait deux enfants, un fils et une fille, le reste quatorze ou quinze esclaves des deux sexes. La femme du sieur de Belleville nous reçut du mieux et, au souper, nous régala des vivres du pays, ainsi que du vin de miel. » Ces lignes brèves recèlent la déception, mais la taisent. Le commis quitte la petite île Marie et se rend en face, à la Terre Ferme. « L'Habitation des Français à Ghalemboule, nommée par eux le Fort Gaillard, avait cinquante pas en carré ; elle renfermait une grande case, cinq autres petites cases et un magasin pour garder du riz. Cette habitation était formée de deux palissades de gros pieux, distante l'une de l'autre de dix pieds, à l'exception néanmoins du côté du Nord, où était l'entrée et où il n'y avait qu'une palissade : deux formes de demi-tours, aussi de pieux à deux angles opposés, flanquaient les courtines. Au reste, c'était la plus méchante situation du monde : un terrain bas, toujours plein d'eau, joignant un grand bois, en sorte que deux personnes pouvaient à peine passer de front du côté de l'Ouest entre le bois et la palissade ; il n'y avait que la place devant l'entrée de l'Habitation qui était très belle ; la mer battait au pied. Je fis faire un inventaire de ce que nous trouvâmes dans l'habitation, qui consistait en deux pièces de canon, l'une de 3 balles et l'autre de 2, et 30 à 35 vieux mousquets hors de service. Je m'informai, des deux Français que nous trouvâmes dans l'Habitation, de l'état du pays ; ils me dirent qu'un ouragan, qu'il avait fait au mois de mars dernier, avait ruiné une partie des plantages et détruit tous les bananiers, et qu'il n'y avait pas apparence de traiter beaucoup de riz. »

Martin comprend que les établissements des premiers habitants, sur lesquels comptait la Compagnie pour engager une colonisation rapide ne représentent que les vestiges d'une faillite aux causes multiples. Aussi s'en prend-il à la crédulité des directeurs qui se sont gorgés des fables qu'on leur a servies. « Ce que l'on apprit des anciens habitants de l'île de l'état du pays parut différent des relations imprimées et par écrit que l'on en avait données ; l'on s'était attendu d'y trouver de l'abondance partout, cette partie du Sud de l'île presque toute chrétienne et la paix affermie avec les habitants, et, cependant, il n'y avait rien de tout cela. Le Fort-Dauphin s'entretenait, ainsi que l'on lit en plusieurs endroits de l'*Histoire de l'île de*

Madagascar du sieur de Flacourt : dans des temps, abondance de riz et manque de bétail, dans d'autres temps, le bétail y abondait et l'on y manquait de riz. » À l'impréparation, la Compagnie ajoute la précipitation. Il avait été convenu, dit le commis, « que la Compagnie ne ferait partir la grande flotte qu'après que l'on y aurait reçu des relations exactes de l'état de l'Île de Madagascar, ainsi que des utilités que l'on verrait que la Compagnie pourrait en tirer ». Même si le siège parisien peut émettre quelques critiques, « il est constant néanmoins que l'on ne négligea rien pour prendre des connaissances exactes de ce que l'on pouvait faire dans l'île, particulièrement dans les lieux de la côte de l'Est reconnus des Français. On en envoya des relations exactes par le navire *la Vierge* et, si ces relations étaient arrivées en France avant le départ de cette grande flotte, l'on est bien persuadé que la Compagnie aurait pris d'autres mesures pour l'établissement de son commerce des Indes. Cependant, par une impatience naturelle à notre nation, et encore par la croyance que les personnes, qui étaient pour lors à la tête des affaires, donnèrent à des mémoires et à des rapports particuliers de l'état de l'île de Madagascar, qui étaient fort contraires à la vérité, [on] fit précipiter le départ d'une flotte dont le bon succès, ce semble, devait servir de fondement à l'affermissement de l'entreprise. » Indigné contre la hâte irréfléchie de la Compagnie, qui n'attend pas les informations que lui envoie la première expédition dont il fait partie, Martin stigmatise une nouvelle fois l'incompétence des directeurs et la nocivité de la propagande. « La Compagnie poussa encore plus loin la créance qu'elle donna aux mémoires que des particuliers avaient envoyés sur l'état de l'Île de Madagascar, soutenue par les rapports que des personnes, qui y avaient été, lui firent de vive voix, et persuada MM. les Directeurs généraux que l'on pouvait envoyer des colonies de Français dans l'île à l'imitation de ce que l'on a fait dans les îles de l'Amérique pour y faire valoir les terres et cultiver les cannes de sucre, l'indigo et le tabac. La Compagnie traita avec des gens qui s'engagèrent de mener des colons, de faire valoir les terres moyennant les choses nécessaires que l'on devait fournir et qui étaient portées sur les traités faits avec ces chefs des colonies qui s'embarquèrent avec leurs gens. Cette flotte composée de personnes de tant de différents états, arriva au Fort-Dauphin. L'on reconnut d'abord la fausseté des mémoires et des rapports qui avaient été faits et présentés à la Compagnie et sur quoi l'on avait agi en France ; les principaux de la flotte trouvèrent le fort sans vivres et sans bâtiments pour loger les nouveaux venus ; l'on rejeta cette prétendue mauvaise conduite sur les personnes du Conseil de la première flotte. »

En 1667, le marquis de Montdevergue, chef de la deuxième et grande expédition, nommé par le roi pour son lieutenant général à Madagascar et amiral des mers du Sud, débarque, escorté d'un Conseil supérieur et de directeurs pour la Compagnie. Il découvre avec stupéfaction mais trop tard, que l'état de Madagascar était « bien différent des mémoires que l'on avait vu en France ». Dans la capitale, le Fort-Dauphin, il n'y avait « aucune forme de fort dans l'enceinte qui en portait le nom », et les « bâtiments des habitants étaient assez limités, et plutôt pour la nécessité que pour la commodité ». La disette et la maladie déciment les nouveaux venus dans la chaleur lourde de la côte. À Madagascar comme partout ailleurs, les compagnies étatiques exhibent leur incapacité à peupler les colonies, à en développer les cultures et le commerce. Chaque fois, le fiasco se répète, entassant les morts — à la Grande Île, à la Louisiane, à la Guyane — ou provoquant des mouvements de colère et d'insurrection aux Antilles. Le peuplement des colonies — sans lequel il n'y a pas de mise en valeur — s'est opéré par la reproduction sur place d'un petit groupe de pionniers, comme au Canada, ou par la migration libre d'hommes et de femmes unis par les liens familiaux, provinciaux ou professionnels, comme aux îles d'Amérique. La leçon madécasse aura compté pour rien, tant l'État paraît, en France, destiné et apte à accomplir tout et n'importe quoi.

Dans son juste agacement contre la malignité des faux mémoires et des rapports édéniques, Martin en arrive à prendre pour cible le grand pontife de cette propagande mensongère : Flacourt lui-même, dont Modave sera le disciple fidèle. « Le sieur de Flacourt, dans sa *Relation de Madagascar*, traite assez amplement des lieux où il faudrait faire des établissements dans l'île pour en tirer des avantages et qui paraissent, dans son discours, assez spécieux. Cette relation imprimée et quelques autres faites à la main et des récits de vive voix firent déterminer la Compagnie à s'y établir, à faire à Fort-Dauphin une espèce d'entrepôt où les vaisseaux, qui viendraient de France, même destinés pour aller aux Indes, auraient ordre de mouiller et, de même, pour les vaisseaux qui reviendraient des Indes, chargés de marchandises pour la France, que ce serait là un comptoir général où l'on dirigerait les choses suivant les intentions de la Chambre générale ou suivant ce que les officiers, qui y auraient été, auraient jugé à propos de faire. Il n'est pas extraordinaire que des personnes donnent créance à des choses qu'ils croient être décrites et rapportées suivant la vérité ; cependant, si l'on avait été informé en France de l'état véritable de Madagascar, il est constant que l'on y aurait pris des mesures plus justes dans les commencements de l'entreprise du commerce des Indes. Quoique le sieur de Flacourt parle de diverses sortes de marchandises que l'on peut tirer de Madagascar, considérant la terre en l'état où elle est avec ses habitants, je ne crois pas que l'on doive faire fond sur une autre chose que sur les cuirs, qui, assurément, sont la meilleure marchandise. » L'île madécasse n'aurait-elle rien d'autre à offrir que de vulgaires cuirs ? Non, répond Martin, elle peut aussi fournir du sucre, du tabac et de l'indigo. Mais ces denrées posent deux questions. D'abord à qui les vendre ? Les

Antilles et l'Amérique les fournissent à l'Europe et les Indes orientales les produisent elles-mêmes. Ensuite, « le plus important est de les cultiver dans l'île ». Pour cela il faudrait réduire les Madécasses en esclavage, et l'on ne pourrait y réussir qu'en rassemblant « des forces considérables ». Même dans cette hypothèse, irréalisable aux yeux du commerçant, la force ne transformerait pas la race des insulaires. « J'ai déjà dit que leur haine passe de père en fils. Il y faudrait faire un nouveau peuple, ou, par une espèce de miracle, changer les mœurs des habitants afin d'y pouvoir prendre confiance. »

Les Madécasses

Martin ne regarde pas les Madécasses en propagandiste, mais en utilisateur ; aussi ne les décrète-t-il pas doux et dociles. Au contraire, il se sent empli d'une méfiance invincible, ce qui ne l'empêche pas d'observer ces peuples — d'Antongil à Fénérive — avec curiosité et intérêt. Les habitants de la Grande Île, constate-t-il, sont noirs pour la plupart, avec des cheveux crêpus, mais n'ont pas le nez aplati comme les Cafres d'Afrique ; certains sont d'une couleur rougeâtre et tous paraissent bien faits et dispos. Ils ne possèdent rien de commun avec les Africains, pas même le vêtement. De l'observation de leurs coutumes si étrangères à l'Européen, le commerçant ne conclut pas à la supériorité des Blancs, comme l'on sera porté à le faire au siècle des Lumières : il ne décide pas d'une hiérarchie des races. « L'on a tort, dans certaines relations, d'appeler ces peuples sauvages, si ce n'est que l'on croit que ce nom convient aux hommes qui vivent sans religion, qui ne suivent que leurs passions et les mouvements de la nature. Parmi eux, il y en a de bons sens, qui raisonnent bien et qui seraient capables des sciences et des arts s'ils y étaient instruits. »

Très longtemps après Martin, aux heures dernières du XVIIIe siècle, un créole des Mascareignes, philosophe, poète, membre de l'Académie française, le chevalier de Parny compose des *Chansons madécasses* où il célèbre la belle Nélahé et la belle Nahandove. Dans un bref avertissement, il évoque, le peuple de la Grande Île. « L'île de Madagascar est divisée en une infinité de petits territoires qui appartiennent à autant de princes ; ces princes sont toujours armés les uns contre les autres, et le but de toutes ces guerres est de faire des prisonniers pour les vendre aux Européens : ainsi, sans nous, ce peuple serait tranquille et heureux. Il joint l'adresse à l'intelligence : il est bon et hospitalier. Ceux qui habitent les côtes se méfient avec raison des étrangers, et prennent dans leurs traités toutes les précautions que dicte la prudence et même la finesse. Les Madécasses sont naturellement gais. Les hommes vivent dans l'oisiveté, et les femmes travaillent. Ils aiment avec passion la musique et la danse. » Aux filles brunes qu'il chante et à leurs frères de la Grande Île, l'aimable rimeur, qui a lu les pages révoltées de Diderot, ne prêche pas les massacres des Blancs, mais enseigne de les fréquenter avec la plus grande circonspection. « Méfiez-vous des Blancs, habitants du rivage. Du temps de nos pères, des Blancs descendirent dans cette île. On leur dit : Voilà des terres, que vos femmes les cultivent ; soyez justes, soyez bons, et devenez nos frères. Les Blancs promirent, et cependant ils faisaient des retranchements. Un fort menaçant s'éleva ; le tonnerre fut renfermé dans des bouches d'airain ; leurs prêtres voulurent nous donner un Dieu que nous ne connaissons pas : ils parlèrent enfin d'obéissance et d'esclavage. Plutôt la mort ! le carnage fut long et terrible ; mais malgré la foudre qu'ils vomissaient, et qui écrasait des armées entières, ils furent tous exterminés. Méfiez-vous des Blancs. Nous avons vu de nouveaux tyrans, plus forts et plus nombreux, planter leur pavillon sur le rivage. Le ciel a combattu pour nous. Il a fait tomber sur eux, les pluies, les tempêtes et les vents empoisonnés. Ils ne sont plus, et nous vivons, et nous vivons libres. Méfiez-vous des Blancs, habitants du rivage » (chanson V).

Abandonné, le rêve de bâtir une « France orientale » sur ce continent insulaire ! Colbert lui-même, freiné par l'insuccès répété des expéditions, avait modéré ses vues, mais sans se résigner. Dans un mémoire du 8 mars 1669, le ministre, lucide dans le bilan, essaie de sauver ce qui, à ses yeux, peut l'être. « Quant aux fautes commises à l'isle Dauphine, elles sont grandes et considérables, aussi sera-t-il beaucoup plus difficile d'y apporter des remèdes suffisants. Il semble que cette île peut et doit être considérée comme un entrepôt de convenance et non de nécessité, et que l'entrepôt nécessaire doit être établi avec les temps au cap de Bonne-Espérance ; que cette isle, non seulement peut et doit nourrir ses habitants, c'est-à-dire les Français qui y sont, mais même peut fournir des rafraîchissements considérables en riz et viandes aux vaisseaux qui pourraient y passer, lorsque la nécessité aura obligé les Français qui y sont à cultiver la terre et à occuper les postes de la baie de Saint-Augustin et d'Antongil. » Aucun renoncement dans ce propos, au contraire, une adaptation qui implique un débordement du plan originel sur le cap de Bonne-Espérance ! Sinon les missions assignées à Madagascar restent doubles : se former en colonie de peuplement et offrir une escale au commerce d'Asie. À la fin de l'année, le 4 décembre, cette orientation est confirmée dans une instruction à Blanquet de La Haye, chef de la fameuse escadre de Perse et lieutenant général dans les Indes orientales : « Sa Majesté désire de plus, que cette colonie étant établie dans les lieux les plus commodes, elle puisse servir à recevoir, en cas de nécessité, les vaisseaux de la compagnie des Indes Orientales et leur donner des rafraîchissements, comme aussi pour un jour établir quelque commerce et faire quelque établissement dans l'Afrique. » En quelques mots, Colbert a complété la vocation stratégique de l'isle Dauphine. Cette possession, peuplée de Français, cultivée, où le roi veut « civiliser les naturels et les instruire à la foi catholique », dont on espère qu'elle deviendra au plus tôt une colonie commerciale de plantation, servira en outre de base et d'escale non seulement en direction de l'Asie, mais aussi de cette Afrique si négligée des Français. Colbert veut amarrer au large du cap de Bonne-Espérance, à l'entrée de la mer des Indes une espèce de quartier général qui favorisera toute action sur les côtes occidentale et orientale de la « Négritie », sur l'Arabie, la Perse, les Indes, l'Insulinde et la Chine. Le grand ministre mort, l'isle Dauphine et ses méchants sauvages ne passionnent plus guère. Des pirates s'y retirent entre deux campagnes, on tente sans succès de mettre la main sur la petite île Sainte-Marie, on se lasse et on rêve en évoquant l'ombre des grands ancêtres : Pronis et Flacourt. Sinon, on continue à relâcher ordinairement aux rivages de la « France Orientale », pour y faire de l'eau, du bois, acheter du bétail et parfois des esclaves.

ÎLES DE BOURBON ET DE FRANCE

Pendant que l'Europe maritime, qui emprunte la route du cap de Bonne-Espérance, concentre ses efforts sur la seule Asie, immédiatement rentable, la France se disperse. Colbert et Louis XIV, au lieu de redresser la barre, suivent les errements de Richelieu et de Mazarin. Repoussant la stratégie des nations maritimes, ils en élaborent une qui se fixe deux objectifs antinomiques : d'abord, mettre en valeur Madagascar, en faire une colonie de relâche sur la route des Indes orientales, ensuite participer au commerce de l'Asie. Ce choix double et contradictoire, outre qu'il émane d'une compagnie de financiers ignorant tout de la colonisation et du négoce, peut apparaître comme l'une des causes premières des malheurs de la France dans la mer des Indes. En effet, le Grand Roi va lésiner sur les deux théâtres où il a décidé d'agir. Il échoue lamentablement à Madagascar et se contente de peu dans le sous-continent où il avait envoyé ses marins à grand fracas. Par la suite, la France, qui a déjà gâché hommes et crédits, s'engage dans une voie dont l'utilité échappe. Elle reporte son ambition colonisatrice, naguère dirigée vers les Madécasses, sur deux îlots sans avenir économique et sans valeur militaire. Dans le domaine de la conquête et de l'exploitation, on abandonne donc le principal — gigantesque — pour un accessoire à peine perceptible, dont on souligne à l'envi la qualité d'escales.

Des sites de relâche sont indispensables pour les navires qui se rendent en Inde ou à plus forte raison en Chine. Les compagnies européennes ont-elles pour cela colonisé des territoires placés sur le trajet? D'une manière générale, non, sauf les Hollandais : ils s'établissent au Cap, position véritablement exceptionnelle qui surveille les trafics entre l'Atlantique et la mer des Indes. La colonisation des Mascareignes ne s'imposait donc pas, et ne formait en aucune façon la condition à remplir nécessairement pour permettre aux navires françaises d'aller à Pondichéry, Chandernagor ou Canton. Les Anglais ne possédaient pas de colonies d'escale, ils n'en ont pas moins dominé leurs rivaux en Asie. Les Suédois, qui étaient dans la même situation, n'en ont pas moins commercé régulièrement dans l'Inde et à la Chine. Les Mascareignes, de lieux de mouillages nationaux, sont devenus dans l'esprit des Français des points stratégiques, sans lesquels on ne pouvait conduire une opération d'envergure dans le sous-continent. Ce raisonnement participe d'une vision de terrien, de fantassin, non de marin : il est faux. Les Anglais l'ont bien démontré, qui se sont emparés du Cap, des Mascareignes et des Séchelles bien après avoir arrêté leur politique de domination dans l'Inde. La prise de possession et la mise en valeur des Iles Sœurs contiennent un aveu : la France abdique la volonté de se doter de forces navales puissantes pour imposer sa loi dans les États du Grand Moghol, elle renonce au premier rang dans le commerce d'Asie. La colonisation, même tardive, des îles de Bourbon et de France et la vocation militaire qui leur est affectée, représentent donc bien davantage qu'un obstacle à la concrétisation d'un grand dessein indien ; elle signifie que la nation continue de nourrir l'illusion d'occuper une place éminente au pays des nababs, tout en se privant des moyens de conduire la politique ambitieuse qu'avaient conçue Bussy et Dupleix. Les îles dans la mer des Indes et même dans la mer des Antilles n'ont pas été les bases d'envol des grandes agressions. Au contraire, et de manière perverse, elles ont empêché les Français de voir grand et de se porter en force sur les continents voisins. L'amiral Ducasse, en accord avec Seignelay, trop vite décédé, ne désignait-il pas, dans l'Amérique du Sud, la Grande Terre où la nation devait s'assurer de vastes conquêtes ? Louis XIV, à l'instigation de J. de Pontchartrain, libérera une fois son ambition coloniale : quand, après la paix de Ryswick, il devance les Anglais, en commandant au Canadien Le Moyne d'Iberville d'aller fonder une colonie à l'embouchure du Mississippi, au détriment de Madrid à qui appartenait toute la côte, de la Floride au Mexique, même si elle était inoccupée. Mais Ducasse regrettera que le monarque n'ait pas choisi de porter le fer en direction du Venezuela et de la Colombie, possessions riches plutôt que vers les sables du Biloxi. Visitant l'île de Bourbon (1665), Martin raisonne comme Ducasse. Dans la partie du monde qui l'occupe, les richesses se trouvent en Asie, non dans un îlot aux ressources rares, et difficile à pénétrer. Aussi, contrairement aux directeurs, qui sont hommes du pouvoir et non de terrain, juge-t-il inutile la mise en valeur de ce territoire infime et isolé. Aux yeux du commerçant, toute entreprise de colonisation sur la route des Indes semble autant de retards ou d'amoindrissements à l'offensive française dans le sous-continent. L'homme montre plus de perspicacité que Colbert et ses manieurs d'argent métropolitains.

De Mascarin à Bourbon, de Maurice à l'île de France

Les Français affirment leurs droits sur les Mascareignes en même temps que sur Madagascar, depuis la publication des statuts de la Compagnie d'Orient, chère à Richelieu et à La Meilleraye. Après la déportation répressive opérée, à Mascarin, par Pronis en 1646, Flacourt, son successeur, rapatrie en 1649, les rebelles à qui la bonté de cet Eden avait rendu forces et santé. En 1654, Flacourt dépose à Mascarin 7 Français et 6 Nègres sous les ordres d'Antoine Thaureau, qui, comme leurs prédécesseurs, cultivent le tabac, jusqu'au jour où ils embarquent sur un flibustier anglais qui les vend aux Indes, en 1658. À nouveau, Bourbon redevient un bouquet de verdure « qu'éblouissent les feux d'un soleil monotone » et que les hommes fuient. Encore une fois, un groupe de Français quitte le Fort-Dauphin pour la petite île, et Payen, son chef, se remet à cette culture du tabac qui présente l'avantage si appréciable de nécessiter peu de main-d'œuvre.

. Colbert, en créant sa Compagnie des Indes orientales en 1664, extirpe Bourbon de l'occupation temporaire et aventureuse, et l'engage dans la colonisation institutionnelle. Sans célérité, mais de manière continue et progressive, on passe de l'île-dépotoir à l'île commerciale. D'abord, un commandement local est créé, humble mais effectif, que reçoit le commis Regnault. Ensuite, le peuplement s'organise graduellement quoique modeste. En 1674, on compte 58 Blancs et 70 esclaves, en 1690, 200 Blancs et 108 Noirs, alors qu'en 1713, on en recense 538 et 633. Malgré l'éloignement et quelques turbulences, dont une révolte qui intronise le capucin Bernardin au gouvernement de la possession, les choses vont de l'avant. Un conseil provincial est institué en 1711, soumis en appel au conseil souverain de Pondichéry, avant d'accéder à une pleine autonomie en 1724, tandis qu'une préfecture apostolique est confiée aux lazaristes. Pendant l'interrègne, qui s'écoule entre la disparition de la Compagnie de Colbert et l'apparition de celle de Law, les

Malouins scellent le destin économique de la petite terre orientale en introduisant le café de Moka, dont la culture remplace celle d'une espèce indigène de moindre qualité (1715). Longtemps la petite île végète. En 1721, elle dénombre 877 personnes libres et 1247 esclaves. Cette population, à la croissance difficile, présente une caractéristique que le père jésuite Brown ne manque pas de rapporter à la marquise de Benamont. « Vous me demanderez sans doute, Madame, quelle est la couleur des habitants de l'île ; elle varie selon les familles ; les familles mêmes sont souvent composées de blancs, de noirs et de métis ; cela vient des différentes alliances qu'elles ont faites : les Français qui, pour échapper à la fureur des Indiens de Madagascar, s'étaient sauvés avec leurs femmes dans l'île de Mascarin, avaient des enfants d'un teint basané ; le vaisseau pirate qui vint y échouer était chargé d'esclaves noirs de l'un et de l'autre sexe. La nécessité de peupler l'île fit contracter des mariages entre tous ces inconnus, qui s'allièrent indistinctement les uns avec les autres, et il en est résulté un mélange bizarre de couleurs qui surprend tous les étrangers. Cependant la couleur brune est la plus dominante. » Lhuillier relâche quelques années plus tard à Bourbon, dont il trace la description dans son *Nouveau voyage aux Grandes Indes*, publié à Rotterdam en 1726. Contrairement à ce qu'avait annoncé Martin, les navires mouillent dans l'île aussi bien au retour qu'à l'aller. Ce petit univers métissé somnole dans une langueur tiède et ensoleillée. « L'île Bourbon peut avoir soixante lieues de circuit, cette île est toute remplie de très hautes montagnes dont une grande partie est inhabitée à cause d'un feu continuel, qui est entretenu par des mines de soufre, ce feu a déjà brûlé près de dix lieues de pays ; et la flamme est si haute, que pendant la nuit, je l'ai vue de trente-cinq lieues en mer. [...] Les vaisseaux de la Compagnie y vont ordinairement relâcher en revenant des Indes. [...] On trouve dans cette île de très bonne eau, de bonnes volailles, des bœufs, des vaches, des cabrits, des sangliers, grande quantité de tortues de terre qui sont très bonnes à manger : ces tortues sont très propres pour servir de rafraîchissement à un vaisseau, et entr'autres de long cours où l'eau est beaucoup à ménager : car on ne peut aucunement boire celle de la mer. Il est à remarquer que ces tortues sont jusqu'à deux mois sans boire ni manger, et qu'elles n'en valent pas moins. Il y a dans les montagnes une très grande quantité de gibier : on y trouve quelques chevaux sauvages dont les habitants en élèvent pour leur service ; on y trouve aussi des lacs remplis d'une quantité innombrable de poisson. Dans les montagnes habitées on y recueille du blé qui fait de très bon pain, des légumes, des herbes potagères ; et on y trouve des dattes, des bananes et d'autres fruits qui se cueillent dans les Indes. Il n'y a point de vignes dans cette île, mais si on y en portait, elles y viendraient facilement : car l'humidité ne l'empêcherait pas de venir, et la terre est très bonne. Les créoles de cette île font une boisson qu'ils appellent francorin. Cette boisson se fait d'un jus qu'ils font sortir des cannes de sucre qu'ils pressent à cet effet, lequel jus ils laissent bouillir, comme nous laissons bouillir le vin après qu'il s'est entonné. Comme Mascarin est situé sous la zone torride, il y fait très chaud ; mais l'air y est si sain et tout ce qui s'y produit y vient en si grande abondance, et est si bon, qu'une personne qui voudrait se séparer du grand monde pour mener une vie retirée, ne pourrait choisir un meilleur lieu et plus agréable que celui-là. Les premiers qui ont habité dans cette île sont des Français mistis qui s'y sont retirés après avoir été chassés de l'île de Madagascar. Il y a trois églises à Bourbon, savoir Saint-Denis où demeure le gouverneur et où la Compagnie a son magasin, Saint-Paul et Sainte-Suzanne, lorsque nous y sommes arrivés nous n'y avons trouvé qu'un prêtre. Les habitants demeurent au pied des montagnes, et leurs maisons sont toutes bâties de bois dont l'île est remplie : j'y ai vu plusieurs pieds d'arbres qui avaient quinze pieds de circonférence, dont les créoles font des canots pour aller pêcher en mer, en les creusant seulement. »

Bourbon et maintenant l'île de France sommeillent dans un abandon tranquille que traversent les éclats de l'alcool et d'un onirisme persévérant. Le Breton Mahé de La Bourdonnais, gouverneur des Mascareignes de 1735 à 1746, et grand homme de ces paisibles terres perdues, considère ses nouveaux compatriotes avec une attention perspicace. « Généralement parlant tous les Français qui sont aux îles songent à amasser du bien pour s'en retourner dans leur patrie. Cette idée, quoique éloignée et souvent sans probabilité, les flatte toujours, et le pis est qu'ils agissent en conséquence ; tellement qu'ils ne pensent qu'au présent et ne forment aucun établissement solide pour l'avenir ; car dès qu'ils ont une espèce de fortune, ils ne manquent point de quitter et de s'en retourner. D'ailleurs les créoles sont trop fainéants, ou n'ont pas assez de connaissance, pour concevoir le dessein de s'établir mieux que leurs pères : de là vient que nos colonies ne sont toujours habitées que par des colons pauvres ou peu industrieux, et ressemblent toute la vie à des colonies nouvelles, ou que l'on abandonne, plutôt qu'à des colonies formées. [...] C'est pourquoi j'ai commencé par les engager à bâtir solidement à la ville et à la campagne. »

L'île de France, passée à la Compagnie des Indes depuis 1721, et intégrée dans un gouvernement commun des Mascareignes en 1727, connaît des débuts difficiles. Le 19 avril 1725, le chevalier d'Albert, commandant le vaisseau de la compagnie, *la Syrène*, arrive en vue de Maurice. Il approche du Port-Bourbon, résidence du gouverneur M. de Nyon, au sud de la côte orientale de la colonie. Dans son *Journal*, le marin avoue son peu d'enthousiasme. « Nous avons trouvé à l'île de France les officiers et les soldats bien dépourvus, manquant le plus souvent du nécessaire. Pendant le séjour que nous avons fait, ils n'étaient payés qu'en monnaie de cuivre ; leur découragement et leur misère sont extrêmes. Aucun ne peut et ne veut entreprendre de travailler à des habitations. Il y a présentement dans cette île quarante ou cinquante nègres marrons, qui, ayant enlevé des négressses, se multiplient, connaissent tous les endroits de l'île les plus reculés, y font toutes sortes de maux et insultent même les corps de garde et les quartiers. Ce sont presque tous les nègres de la Compagnie, qui ont gagné les bois les uns après les autres. » À Bourbon, où « les maisons ne sont encore que de bois », M. d'Albert et ses officiers oublient leurs « premiers dégoûts », et respirent « un petit air de France », dans la compagnie des dames Dioré et Fonbrune. « Les violons n'étaient pas oisifs ni même les marionnettes. » En juin, après une trentaine de jours de relâche, le chevalier d'Albert reprend la mer et la route de Pondichéry, plein de nostalgie. « Ce mois que nous avons passé dans la rade de Saint-Paul, ou, pour mieux dire, à terre, nous a paru bien court, le séjour de la terre et le repos paraissant bien doux à qui vient de la mer. » Ce départ, d'où la joie est absente, évoque celui de la petite colonie huguenote d'Henri Duquesne, qui, en 1691, après un temps d'escale à Bourbon appelée île d'Éden, fait voile, en quête d'un refuge, vers l'îlot de Rodrigue où, pendant deux ans elle s'efforcera vainement de s'habituer. Jean Leguat, dans ses *Aventures aux Mascareignes*, récemment réédité par J. M. Racault, dit sa peine et celle de ses compagnons de quitter Bourbon-Éden qui, à leurs yeux, symbolise la Santé, la Liberté, la Sûreté, l'Abondance et la Tranquillité. « Ce fut donc à notre très grand regret, je le dirai encore que nous nous vîmes éloignés de cette île charmante que nous avions tant de fois désirée. » Mieux que les Antilles, rapidement laborieuses et esclavagistes, les Mascareignes, qui ont flâné dans le nonchaloir frais d'un semi-abandon pendant près d'un siècle, ont exprimé le charme paresseux et comblé que porte en lui le mythe de l'île exotique.

En 1735, quand arrive La Bourdonnais, le véritable promoteur de la colonisation et fondateur du Port-Louis, le futur petit Batavia français, les Iles Sœurs languissent encore dans les limbes. La compagnie n'y dépense que 500 000 livres par an, tandis que la population de l'île de France ne compte que 563 personnes libres et 938 esclaves et celle de Bourbon, un peu plus élevée, en rassemble 1 720 et 6 789. Sous l'impulsion du nouveau gouverneur, protégé d'Orry de Fulvy, le frère du contrôleur général, les dépenses vont doubler et le nombre des habitants croître : en 1746, lors de son départ, on dénombre 2 588 Blancs et 11 288 Noirs à Bourbon ; 961 et 4 958, en 1748, à l'île de France.

Les Îles Sœurs au temps de Bougainville et de Bernardin de Saint-Pierre

Sitôt après la guerre de Sept Ans, en août 1764, la Compagnie des Indes vend les Mascareignes au roi pour quelque 7 600 000 livres, mais la rétrocession effective ne s'opère qu'en 1767. À partir de 1769, les Îles Sœurs bénéficient de la suspension du privilège de la compagnie de Law et, jusqu'en 1785, tirent profit du mouvement commercial libre dans lequel elles s'insèrent. Lorsque Calonne crée la dernière Compagnie des Indes, les Mascareignes échappent au monopole nouveau, ce qui permet au Port-Louis de s'enrichir grâce aux revenus d'une contrebande active. En effet, par le jeu de fausses factures d'achats et de ventes, des navires s'approvisionnent en produits asiatiques à l'île de France, sans avoir à se rendre dans l'Inde ou à Canton : et, officiellement, chacun a respecté le privilège de la dernière compagnie ! Bref, jusqu'en 1767, les deux possessions ont vécu dans la médiocrité. Ensuite, l'île de France, base navale et centre de toutes les formes de commerce, se détache, fournie en vivres par Bourbon, qui lui est sacrifiée, malgré la culture du café qui n'a cessé de s'y développer depuis 1726. La traite négrière, qui procure des revenus à la Compagnie ou aux armateurs et permet aux habitants d'étendre leurs cultures, atteint son apogée entre 1769 et 1793, fournissant 80 000 esclaves acquis principalement en Afrique orientale, sans que l'Inde, l'Afrique occidentale et Madagascar soient épargnées. Cette activité, selon J.-M. Filliot, n'avait livré que 5 000 captifs des origines à 1728, mais 40 000 de 1729 à 1768, 80 000 de 1769 à 1793, et 35 000 de 1794 à 1810, époque de l'interdiction, puis du déclin.

Bougainville entre dans Port-Louis, fierté de La Bourdonnais, au mois de novembre 1768. Comme il avait admiré les forges de Saint-Maurice au Canada, il visite celles de l'île de France avec satisfaction, comme il le rapporte dans son *Voyage autour du monde.* « J'admirai à l'île de France les forges qui y ont été établies par messieurs de Rostaing et Hermans. Il en est peu d'aussi belles en Europe, et le fer qu'elles fabriquent est de la première qualité. On ne conçoit pas ce qu'il a fallu de constance et d'habileté pour perfectionner cet établissement, et ce qu'il a coûté de frais. Il a maintenant neuf cents nègres, dont M. Hermans a tiré et fait exercer un bataillon de deux cents hommes, parmi lesquels s'est établi l'esprit de corps. Ils sont entre eux fort délicats sur le choix de leurs camarades et refusent d'admettre tous ceux qui ont commis la moindre friponnerie. Comment se peut-il que le point d'honneur se trouve avec l'esclavage ? » Vers la même époque, un autre officier, La Flotte, relâche à Bourbon. Dans ses *Essais historiques sur l'Inde,* il fait une description de l'ancienne Mascarin, qui fleure toujours bon les vertus de la rusticité. Dès ce moment, le destin des Îles Sœurs commence de diverger. « Au sortir de l'île de France, nous fûmes mouiller à l'île de Bourbon qui n'en est distante que de quarante lieues. Le climat de cette île est beaucoup plus sain et plus beau que celui de l'île de France. C'est là que l'on voit ces belles plantations de café réputé aujourd'hui le meilleur après celui de Moka. La seule chose qui manque à l'île Bourbon, c'est un port où les vaisseaux puissent être en sûreté. Nous jetâmes l'ancre devant la petite ville de Saint-Paul, mais nous ne restâmes que quatre jours à terre ; c'en fut assez pour nous donner du regret de quitter un aussi beau séjour. Les habitants de cette île vivent avec plus de simplicité que ceux de l'île de France, où l'arrivée continuelle de nos vaisseaux apporte aussi le luxe et les vices de l'Europe. Les créoles de l'île de Bourbon sont grands, forts, robustes, propres à la guerre et aux fatigues ; ils y sont exercés dès leur enfance ; leur principale occupation, dans cet âge tendre, étant de courir à la chasse de montagne en montagne. Le sexe, dans cette île, est aussi aimable que vertueux. Les femmes ont toutes la plus belle taille. On n'y connaît point les corsets et toutes ces gênes ridicules auxquelles on asservit nos jeunes Européennes. Aussi a-t-on remarqué que, depuis l'établissement de la colonie, il n'y a pas eu dans cette île une seule personne contrefaite. »

Bernardin de Saint-Pierre, désigné pour accompagner Modave à Madagascar, s'empresse de fausser compagnie à son chef pour profiter de la douceur de l'île de France et de la compagnie de la jeune et aimable Mme Poivre. Cet officier du Génie doit tout aux Mascareignes. Le *Voyage à l'Île de France* le porte dans l'empyrée des philosophes. *Paul et Virginie,* œuvre sensible et parfumée d'exotisme, fait de son créateur, qui se spécialisera dans les rééditions toujours recommencées, le fondateur, en France, du roman où sentiment et nature occupent toutes les pages ; disciple de Richardson, Prévost et Rousseau, Saint-Pierre invente un genre nouveau, auquel Chateaubriand a conféré noblesse et illisibilité. Dans une note à la Lettre XVIII, *Sur le Commerce, l'Agriculture, et la Défense de l'Île,* l'auteur du *Voyage* donne le meilleur de sa perspicacité et de son jugement, en s'interrogeant sur la valeur de Maurice et par là des Îles Sœurs. « On regarde encore l'Île de France comme une forteresse qui assure nos possessions dans l'Inde. C'est comme si on regardait Bordeaux comme la citadelle de nos colonies de l'Amérique. Il y a quinze cents lieues de l'Île de France à Pondichéry. Quand on supposerait dans cette île une garnison considérable, encore faut-il une escadre pour la transporter aux Indes. Il faut que cette escadre soit toujours rassemblée dans un port, où les vers dévorent un vaisseau en trois ans. L'Île ne fournit ni goudron, ni cordages, ni mâture : les bordages même n'y valent rien, le bois du pays étant lourd et sans élasticité. On court les risques d'un combat naval. Si on est battu, le secours est manqué ; si on est victorieux, les soldats transportés tout d'un coup, d'un climat tempéré dans un climat très chaud, ne peuvent supporter les fatigues du service. Si on eût fait pour quelque endroit de la côte Malabare, ou de l'embouchure du Gange, la moitié de la dépense qu'on a faite à l'Île de France, nous aurions dans l'Inde même, une forteresse respectable et une armée acclimatée : les Anglais ne se seraient pas emparés du Bengale. On peut s'en rapporter à eux sur ce qu'il convient de faire pour protéger un établissement. Ils entretiennent trois ou quatre mille soldats Européens sur les bords même du Gange. Ils avaient cependant assez d'Îles éloignées à leur disposition : il ne tient encore qu'à eux de s'établir sur la côte de l'Ouest de Madagascar : mais dans leurs entreprises, ils ne séparent jamais les moyens de leur fin. Les moutons sont mal gardés quand le chien est à quinze cents lieues de la bergerie. À quoi donc l'Île de France est-elle bonne ? À donner du café, et à servir de relâche à nos vaisseaux. »

En dénonçant l'inintérêt des Mascareignes pour mener une action puissante dans l'Inde, Saint-Pierre révèle l'acuité de son sens critique, qu'il confirme quand il écrit : « Cette colonie fait venir sa vaisselle de Chine, son linge et ses habits de l'Inde, ses esclaves et ses bestiaux de Madagascar, une partie de ses vivres du cap de Bonne-Espérance, son argent de Cadix et son administration de France. » L'ingénieur du Roi note à juste titre, qu'au moment de la suspension du monopole de la Compagnie des Indes, l'île de France devient une base commerciale de première importance. Avec la même lucidité, il ne dit mot des projets de plantations de canneliers, muscadiers, girofliers, car Poivre n'a pu les mener à bien. À partir des années 1769, l'île de France accorde la priorité à l'investissement maritime, contraignant Bourbon à se spécialiser dans la production de vivres et de denrées exotiques.

Ayant livré le plus précieux de sa réflexion, Saint-Pierre, désormais, accumule les clichés où il y a du vrai, mais que tous les voyageurs offrent à leurs lecteurs. Beaucoup de vérité au fil des pages, mais un regard de surface, qui n'est jamais tenté de fouiller, de vouloir en apprendre davantage, d'essayer de comprendre. Déjà du journalisme ! L'ingénieur ne montre guère d'indulgence pour la société créole. Dans la foule des Blancs, qu'il observe, il ne voit que parvenus cupides et hargneux. « La discorde règne dans toutes les classes, et a banni de cette île l'amour de la société qui semble devoir régner parmi les Français exilés au milieu des mers, aux extrêmités du monde. Tous sont mécontents, tous voudraient faire fortune et s'en aller bien vite. À les entendre chacun s'en va l'année prochaine. Il y en a qui depuis trente ans tiennent ce langage. [...] De tant d'hommes de différents états résulte un peuple de différentes nations qui se haïssent très cordialement. On n'y estime que la fausseté. Pour y désigner un homme d'esprit, on dit : c'est un homme fin. [...] On y est d'une insensibilité extrême pour tout ce qui fait le bonheur des âmes honnêtes. Nul goût pour les lettres et les arts. Les sentiments naturels y sont dépravés : on regrette la patrie à cause de l'opéra et des filles ; souvent ils sont éteints. [...] Les rues et les cours ne sont ni pavées ni plantées d'arbres ; les maisons sont des pavillons de bois que l'on peut aisément transporter sur des rouleaux ; il n'y a aux fenêtres ni vitres ni rideaux : à peine y trouve-t-on quelques mauvais meubles. Les gens oisifs se rassemblent sur la place à midi et au soir ; là on agiote : on médit, on calomnie. Il y a très peu de gens mariés à la ville. Ceux qui ne sont pas riches s'excusent sur la médiocrité de leur fortune ; les autres veulent, disent-ils, s'établir en France ; mais la facilité de trouver des concubines parmi les Négresses en est la véritable raison. D'ailleurs il y a peu de partis avantageux ; il est rare de trouver une fille qui apporte dix mille francs comptant en mariage. » L'officier manifeste une dure sévérité à l'égard du colonial, homme qui se fait, pour qui la réussite matérielle seule compte ; mais il ne se montre pas moins chiche pour le transplanté temporaire, qui se convertit vite à l'affairisme dans lequel chaque insulaire, marin ou commerçant, se plonge avec passion. « L'officier qui arrive d'Europe y perd bientôt l'émulation militaire. Pour l'ordinaire il a peu d'argent, et il manque de tout : la case n'a point de meubles ; les vivres sont très chers en détail ; il se trouve seul consommateur entre l'habitant et le marchand qui renchérissent à l'envi. Il fait d'abord contre eux une guerre défensive ; il achète en gros ; il songe à profiter des occasions, car les marchandises haussent au double après le départ des vaisseaux. Le voilà occupé à saisir tous les moyens d'acheter à bon marché. Quand il commence à jouir des fruits de son économie, il pense qu'il est expatrié pour un temps illimité dans un pays pauvre : l'oisiveté, le défaut de société, l'appât du commerce l'engagent à faire par intérêt ce qu'il avait fait par nécessité. » D'autres confirmeront ce propos ultérieurement. Ainsi, le chevalier de Mautort rapporte dans ses *Mémoires* qu'en décembre 1781, lors de la dernière campagne dans l'Inde, il investit 1 500 livres dans une pacotille à vendre à Rio de la Plata qui lui procura un bénéfice net de 3 000 livres. Quant à Suffren, scandalisé par les mœurs du Port-Louis, il écrit à sa cousine, à la fin de 1781, pour lui faire part de son dégoût : « Il règne ici une entreprise d'indépendance et de commodité parmi les subalternes et parmi les chefs, de sorte qu'il est difficile d'espérer qu'on puisse faire quelque chose de bien. Le pays amollit et il y a une quantité de jolies femmes et une façon de vivre fort agréable. On y gagne de l'argent quand on commerce. Tout cela vaut mieux que faire la guerre. Aussi reste-t-on ici tant qu'on peut. Mais si l'on a des succès dans l'Inde, on doit n'en plus revenir ; fuir surtout cette île qui ressemble beaucoup à celle de Calypso. Mon parti est pris, de m'en aller, plutôt que de rester six mois ici dans le port. Je sers pour faire la guerre et non pour faire la cour aux dames de l'Île de France. »

Au milieu de la collectivité créole, ébauche fruste où les plaisirs gratuits de la société n'ont pas cours, Saint-Pierre erre comme une âme en peine, dressant un bilan chagrin et définitif : « On ne compte guère que quatre cents cultivateurs dans l'île. Il y a environ cent femmes d'un certain état, dont il y en a tout au plus dix qui restent à la ville. Vers le soir on va en visite dans leurs maisons : on joue, ou l'on s'ennuie. Au coup de canon de huit heures, chacun se retire et va souper chez soi. » Quand il se tourne vers les Noirs, l'ingénieur fait courir son crayon, rapide, à peine descriptif. On a l'impression que les Africains, race qu'il ne connaît pas, que l'esclavage, institution qu'il découvre, n'excitent pas sa curiosité. Aucune observation intéressante sur les Nègres, leur travail, leur vie communautaire et familiale, leur religion, etc. Seulement le cri grandiloquent et prosaïque de la morale naturelle outragée par les punitions corporelles. « J'ai vu chaque jour fouetter des hommes et des femmes pour avoir cassé quelque poterie, oublié de fermer une porte. J'en ai vu de tout sanglants frottés de vinaigre et de sel pour les guérir. J'en ai vu sur le port, dans l'excès de leur douleur, ne pouvoir plus crier ; d'autres mordre le canon sur lequel on les attache. [...] Ma plume se lasse d'écrire ses horreurs ; mes yeux sont fatigués de les voir, et mes oreilles de les entendre. Que vous êtes heureux ! quand les maux de la ville vous blessent, vous fuyez à la campagne. [...] Ici, je vois de pauvres Négresses courbées sur leurs bêches avec leurs enfants nus collés sur leurs dos, des Noirs qui passent en tremblant devant moi ; quelquefois j'entends au loin le son de leur tambour, mais plus souvent celui des fouets qui éclatent en l'air comme des coups de pistolet, et ces cris qui vont au cœur... *Grâce, Monsieur !... miséricorde !* » Conscient de l'avarice de son propos, Saint-Pierre ajoute un *Post-scriptum* où il fait part de ses réflexions sur l'esclavage. Il s'adresse aux philosophes — qu'il ne veut pas décevoir — pour n'être pas fustigé. Après quelques banalités, qui se suivent comme les grains d'un chapelet, tombe l'aveu : « Des politiques ont excusé l'esclavage en disant que la guerre le justifiait. Mais les Noirs ne nous la font point. Je conviens que les lois humaines le permettent : au moins devrait-on se renfermer dans les bornes qu'elles prescrivent. » L'auteur de *Paul et Virginie,* qui fera pleurer sa génération sur le malheur des esclaves, se garde de condamner la servitude, ne flétrissant que ses excès, interdits par le droit positif. Logique avec lui-même, l'ingénieur ne s'inscrira pas aux *Amis des Noirs.* Toutefois sa sensibilité — si elle se révèle timide à l'épreuve des faits — éclate dans le débat d'idées. Comme bien d'autres, il s'indigne de l'ironie grossièrement lourde, mais paraît-il moralisatrice, de Montesquieu à l'égard des Noirs. « Je suis fâché que des philosophes qui combattent les abus avec tant de courage n'aient guère parlé de l'esclavage des Noirs que pour en plaisanter. » Pourquoi Saint-Pierre porte-t-il autant d'indifférence au monde servile, que quelques cris de colère masquent mal ? Parce que, semblable à ses frères philosophes, trahissant le dogme de l'égalité naturelle, il considère les Nègres comme une humanité inférieure, une race d'êtres stupides. Quant à Mme Poivre qui, veuve, s'inscrira aux *Amis des Noirs*, et à qui l'on doit vraisemblablement le *Post-scriptum*, qu'écrit-elle à son soupirant, après avoir lu son manuscrit ? « Gardez toutes ces idées sombres pour peindre l'esclavage. N'outrez pas cependant la vérité. Elle seule est assez puissante pour se faire entendre aux cœurs des hommes. » Que de perversité dans les Lumières, que de misère ! Combien peu d'humilité. Que de discours, pour peu de sentiment !

Les Mascareignes : la fin de l'Ancien Régime

Après la suspension du privilège de la Compagnie des Indes (1767), la population des Mascareignes est marquée par deux phénomènes : une croissance rapide qui s'achève par l'accession de Maurice devant la Réunion, à la première place. En 1767, Bourbon compte 21 047 Noirs et 5 237 Blancs, tandis qu'à l'île de France on dénombre en 1766, 20 098 âmes dont 1 998 Blancs. En 1788, Bourbon recense 37 984 esclaves et 9 211 personnes libres alors que l'île de France, en 1788, atteint les chiffres de 37 915 Noirs et de 4 457 Blancs et 2 456 libres. En 1797, il en est fini de la primauté démographique de Bourbon qui, avec 56 800 habitants (44 800 esclaves + 10 400 Blancs + 1 600 libres), est sensiblement dépassée par l'île de France qui groupe 59 020 personnes (49 080 esclaves + 6 237 Blancs + 3 703 libres). Hormis cette évolution originale de la population, les Mascareignes ont conservé leurs caractères spécifiques : plus que jamais l'île de France fait figure de carrefour commercial de l'Europe et de l'Asie, ainsi que de foyer d'armements en course, en temps de guerre, alors que Bourbon s'enferme de plus en plus dans sa fonction d'île nourricière.

En 1801, la célèbre expédition de Baudin, qui se rendait en Australie notamment pour en reconnaître les côtes occidentales auxquelles Bonaparte s'intéressait, relâche au Port-Louis. Deux hommes descendent à terre, curieux de tout, Bory de Saint-Vincent naturaliste en chef, et Milbert, dessinateur en chef : tous deux écriront leurs impressions sur les Mascareignes, à quelques années d'intervalle. Sous un ciel superbe, Bory fait son entrée dans la capitale de l'île de France. « En parcourant la ville, je n'en conçus pas d'abord une grande idée. Le port nord-ouest, autrefois le Port-Louis, peut contenir quatre à cinq mille Blancs ou libres, et le double d'esclaves ; la plupart des rues ne sont pas pavées ; les maisons sont presque toutes en bois, et sont très basses ; beaucoup d'entre elles n'ont que le rez-de-chaussée, ou un étage, à cause des coups de vent qui les pourraient renverser si elles étaient plus élevées. J'avais d'ailleurs une singulière répugnance à voir les noirs tous nus courir la ville ; outre que cela me parut peu décent, j'y trouvai un air de misère. Dans nos climats on tient à la propreté de ses valets ; ici où tous les blancs sont d'une propreté scrupuleuse, leurs domestiques sont en général d'une saleté dégoûtante. [...] L'île de France est un de ces pays où l'on ne se plaît pas d'abord, mais que l'on quitte avec regret, et où l'on revient avec plaisir quand on y a séjourné. » Milbert visite aussi le Port-Louis, mais le voit d'un œil différent : moins pincé que son compagnon, il laisse le dépaysement surprendre et flatter son regard. Il trouve du charme aux rues, dont le zoologiste a seulement remarqué qu'elles n'étaient point pavées. « Les rues sont plantées d'arbres, qu'on nomme dans le pays *bois-noir* ; c'est un mimosa ou acacia originaire de l'Inde. Dans le temps de la floraison, ils exhalent une odeur suave qui parfume l'air. Au printemps, c'est-à-dire vers le commencement de l'été de ce climat, ce bel arbre se pare de bouquets magnifiques, de fleurs blanches, jaunes et roses. » M. le dessinateur en chef découvre les maisons coloniales, non avec cette pointe métropolitaine de mépris, affectée par son camarade, mais avec curiosité. « Les maisons situées sur le rempart étant, comme je l'ai dit, réservées à la classe opulente, un plus grand luxe a présidé à leur distribution intérieure. On trouve, dans presque toutes, une salle de bains ; les eaux sont fournies par un aqueduc de la grande rivière. Les façades de ces élégantes habitations sont décorées d'une grille donnant sur la rue. Entre la grille et la maison, il y a toujours un espace qui sert d'avant-cour, et un petit parterre orné de fleurs et de grands arbres. On remarque, parmi ceux-ci, des badaniers, qui donnent une amande d'un goût exquis, et dont les larges feuilles produisent un délicieux ombrage. On forme aussi, au-devant des maisons, des allées de ces arbres ; ce qui augmente encore la beauté du coup d'œil. Deux petits pavillons sont ordinairement construits sur les côtés isolés de la case principale ; ils servent pour y aller prendre le frais, ou pour faire la sieste. Le maître de la maison y établit quelquefois son cabinet de travail. Quelques autres maisons sont décorées d'une varangue, ou, comme on l'appelle dans l'Indostan, d'un *virandah* ou *virander*. Cette partie n'est pas la moins utile dans ces climats embrasés. Elle forme un corridor ouvert, soutenu par des piliers ou colonnes, sous lequel on peut prendre le frais : c'est une espèce de vestibule où l'on trouve un abri salutaire contre les rayons du soleil. On voit dans certaines maisons, au lieu de toits, des *argamasses* ou terrasses, couvertes d'un mastic très dur, fait avec un mélange de chaux, d'œufs et de sucre. Cette pâte, que les Indiens excellent à fabriquer, acquiert une dureté si grande, qu'elle résiste pendant longtemps aux plus fortes averses. Les cases des noirs domestiques, de même que la cuisine, sont d'ordinaire séparées de la maison dans une cour de derrière. L'intérieur des maisons est de la plus grande propreté ; l'ordre, l'aisance y règnent, sans cette recherche, cette ostentation superflue qui ne servent pas toujours à procurer le bonheur, ou à annoncer la fortune du propriétaire. Il est fort peu de villes qui offrent une réunion d'habitations plus agréables, et surtout moins de disparates. On n'y voit pas, comme en Europe, à côté d'un palais magnifique, ces masures en ruines habitées par l'indigence et le désespoir. Il y a une grande uniformité dans les mœurs et même dans les habitudes des colons. Ceux qui ne sont pas riches peuvent jouir d'une certaine aisance, si toutefois ils ont le goût des occupations utiles. La seule chose où les habitants de cette île mettent de la recherche et presque de l'affectation, c'est la propreté extrême du linge. Il est rare de trouver en Europe, dans la classe la plus élevée, une telle passion pour l'ordre et la propreté. Les habitants les moins riches, ceux même qui peuvent être considérés comme pauvres, portent constamment du linge d'une blancheur éblouissante ; celui de table est renouvelé à tous les repas. »

Milbert, après s'être intéressé au décor colonial, s'attache, dans son *Voyage pittoresque à l'île de France*, à observer et à décrire l'originalité des mœurs insulaires. D'abord les Blancs. « Les pères de famille passent volontiers tout l'été sur leurs habitations pour les surveiller ; ils y vivent, sinon avec plus d'agrément, du moins avec plus d'économie qu'il n'est possible de le faire au port. Ce n'est qu'aux approches de l'hiver qu'ils se rendent à la ville avec leurs femmes et leurs enfants. À cette époque de l'année, les routes sont couvertes de voyageurs : quelques-uns vont à cheval ; mais on préfère généralement les ânes aux chevaux dans cette colonie. Les femmes et les enfants sont portés en palanquins par des Noirs, qui sont d'ordinaire au nombre de huit. Ces voitures sont les seules dont on puisse faire usage dans le pays ; des carrosses à roues, tirés par des chevaux, ne rouleraient pas sans danger sur les chemins un peu éloignés de la ville. [...] Il est facile de reconnaître sur les routes l'approche d'un colon riche, aux chansons par lesquelles les Noirs qui le portent charment la fatigue du voyage. [...] Les négresses de service suivent la marche, en portant les bagages. Celle qui fait fonction de femme de chambre, porte sur la tête une boîte de fer-blanc vernissée, contenant du linge, pour en changer en cas de besoin. Les petits enfants suivent leurs parents ; le palanquin dans lequel on les porte est plus simple. C'est un hamac traversé d'un long bambou, sur lequel est posé un rideau, pour les protéger du soleil. Quand la saison de revenir de la campagne est arrivée, le port devient très vivant ; c'est le moment des plaisirs, des spectacles, des bals. » Les voyageurs célèbrent tous l'hospitalité insulaire et Milbert se plaît à souligner que la société créole ne ressemble pas à l'image que les Français s'en font. « Les hommes sont actifs, laborieux et intelligents, surtout ceux qui ont entrepris un commerce, ou qui font valoir leurs terres par eux-mêmes. En général, on voit peu d'exemples à l'Île-de-France de cette indolence attribuée généralement aux créoles. Les Européens qui y débarquent, imbus du préjugé qu'ils trouveront tous les habitants languissants dans l'inaction et la mollesse, et ne sortant de leur apathie que pour faire fustiger leurs esclaves, sont étrangement surpris, après quelque séjour, de l'activité et du mouvement qui se déploient à leurs yeux. L'habillement des hommes et celui des femmes sont à peu près les mêmes qu'en Europe. Le matin, les maîtres de maison sont ordinairement vêtus d'un large pantalon et d'un grand gilet de toile blanche, ou de celle appelée *patna* : c'est une espèce d'indienne qui vient de la ville de Patna, au-dessus de la côte de Coromandel, dans le royaume de Golconde. Les femmes sont vêtues de mousseline que leur fournit le commerce de l'Inde. Malgré leur beauté ces étoffes ne sont pas très chères, parce qu'on se les procure de la première main. D'autres étoffes dont on fait usage à l'Île-de-France, sont brodées dans le pays même. On emploie à ce travail le fil d'or, la cannetille et les lames d'or que l'on fait venir de Lyon. Les femmes de la classe moyenne portent des toiles casse-noudia ou des perkales de l'Inde ; des cirsakas et des sanas de Balassor. Dans les temps moins chauds, elles portent des soieries. Les personnes moins riches portent des pékins, etc. Les habits de bal sont d'une extrême richesse ; on y adapte des guirlandes de fleurs artificielles venues d'Europe, et des garnitures de perles. Lorsque les dames sortent à pied, elles sont ordinairement suivies d'un noir qui porte un petit parasol. Le soir, lorsqu'elles vont en visite ou au spectacle, elles se font porter dans des chaises semblables à celles dont on faisait autrefois usage en France. »

La société servile déconcerte l'Européen. N'est-elle pas composée de Nègres, tirés des côtes orientales et occidentales de l'Afrique, de Madécasses, d'Indiens et de Malais ? Loin de se fondre dans un même creuset, chaque ethnie conserve ses habitudes et ses coutumes. « Tous ces hommes diffèrent entre eux par leur religion, leurs mœurs, leurs habitudes, la forme de leur mariage et leurs préjugés, autant que par la configuration de leurs traits, leur sensibilité et leur constitution physique. Ces différences notables et la haine invétérée qu'ils ont les uns pour les autres, font la sûreté de la colonie. Il est presque impossible qu'ils trament des complots entre eux et forment une insurrection avant que le secret se soit éventé. » Les peuples ne se mêlent pas, chaque groupe perpétue ses traditions séparément. Les Européens cultivent chacun leurs habitudes culinaires mais sous l'influence des ethnies locales et des échanges intercontinentaux, pratiquent une acculturation originale. « La nourriture la plus ordinaire des noirs consiste en maïs, manioc, pommes de terre et autres racines. Le blé est réservé pour les blancs ; quelques-uns de ceux qui ne possèdent que de petites habitations, mangent également du maïs et de la galette de manioc. Les Blancs consomment beaucoup de riz, et les dames créoles le préfèrent au plus beau pain. Ce riz est simplement bouilli dans l'eau sans aucun assaisonnement ; mais en revanche on épice fortement tous les ragoûts, notamment le cari qui est le mets favori des habitants. Ce ragoût se compose de différentes volailles et de riz. [...] Les brettes ou morelles sont très estimées dans la colonie : on en voit presque toujours un ou deux plats sur la table, accompagnés de poissons frits ; ce mets étant peu coûteux, est servi chez les habitants pauvres, comme chez ceux qui jouissent d'une grande aisance. Le reste des aliments diffère peu de ceux qui sont usités en Europe. Le matin on prend une tasse de café noir : on l'appelle ainsi parce qu'il est très fort, très épais et sans sucre ; les dames estiment beaucoup cette boisson. Quelques personnes font usage du thé qu'elles prennent de grand matin, avant de se livrer au travail. Elles y expriment du jus de citron, et y mêlent du sucre candi. Sur les dix heures on fait un déjeuner un peu solide pour attendre le dîner. Avant ce dernier repas on prend un verre de vin de Madère afin de provoquer l'appétit. »

Dans ce carrefour cosmopolite de Maurice, Milbert se passionne. Ici tout est variété et changement, tout est sujet à étonnement et à réflexion. « Le commerce que fait l'Île-de-France s'étend depuis les ports de l'Europe jusqu'aux extrémités de l'Océan Austral. On y trouve réunis des hommes de tous les climats. » En allant de l'île de France à Bourbon, le voyageur change de monde. Du carrefour du commerce, de la course, de l'interlope, des races, du luxe qui étonne les métropolitains, — « On estime que ce bal de la Saint-Louis coûte, chaque année, douze cents livres à chaque dame qui veut y paraître dans tous ses atours », s'exclame le capitaine de Mautort, après que le Port-Louis eut dansé pour le bonheur du Roi ! —, bref, de ce Nouveau Monde capitaliste, on passe à un Ancien Régime agreste. Venant d'une société ouverte, « corrompue » par l'argent et la licence, on aborde à une île close, que la nature a privée de ports, et contrainte à vivre de ses cultures avec cette frugalité et cette honnêteté dont l'aimable Virgile a fait hâtivement l'idéal de l'homme. Toujours est-il qu'une ligne — pour employer le langage des marins — sépare les Îles Sœurs. Le chevalier de Mautort, provincial plus riche en principes que fortuné mesure cette différence, même s'il redoute que le temps ne l'efface. « Les mœurs des habitants de Bourbon se sont conservées bien plus pures que celles de l'île de France. Plus adonnés à la culture, moins au commerce, ne voyant pas chez eux, à beaucoup près, autant d'étrangers de toutes les nations, le luxe et tous les vices qui marchent à sa suite n'ont pas encore pénétré chez cette honnête et paisible population. Cependant, les dernières guerres de l'Inde ont altéré un peu les mœurs des jeunes gens. Les volontaires de Bourbon se sont distingués dans l'Asie par leur bravoure. La mollesse asiatique, les distinctions militaires accordées à plusieurs d'entre eux ne leur laisseront pas goûter longtemps le bonheur dont jouissaient leurs pères. Les grandes relations qui

existent entre cette île et celle de France ne peuvent manquer d'y
introduire d'ici peu tous les vices de cette colonie. » Bory de Saint-
Vincent, que l'abord du Port-Louis avait déçu, ne manque pas d'être
surpris par celui de Saint-Denis, capitale de Bourbon, où l'on doit
s'accommoder d'un quai que la mer couvre par endroits. « Saint-
Denis, l'endroit principal de Bourbon, n'est positivement pas une
ville ; on l'appelle le Quartier : c'est un véritable bourg, dont les rues,
bordées de palissades ou de murs d'entourages, ressemblent à des
chemins de campagne : ces rues, qui ne sont pas pavées, sont
remplies de gros cailloux, dont quelques-uns offrent çà et là leurs
pointes cachées sous l'herbe. Lorsqu'on marche vite, on est exposé à
s'y heurter, ce qui est à craindre, car les moindres blessures aux
extrémités inférieures peuvent avoir les suites les plus fâcheuses dans
les pays chauds. Les maisons toutes en bois, sont généralement
agréables et disposées pour la fraîcheur ; on y voit peu de meubles, et
souvent les appartements ne sont pas tapissés : ce qui ne vient pas de
la lésine ou de la pauvreté des propriétaires, mais de ce qu'à Bourbon,
il est presque impossible de se procurer le quart des choses qui font
l'agrément de la vie. Tous les objets de luxe se tirent de l'île de
France, qui fait payer très cher ce qui lui est venu des pays lointains,
et qu'elle a déjà acheté à un prix fou. L'ancien gouvernement, qui fait
face au débarcadère, les magasins publics et l'église sont les seuls
édifices du lieu et méritent à peine d'être cités. Il y a le haut et le bas
quartier : le premier, qui est celui des gens riches et le plus grand, est
situé à la racine des monts qui sont derrière la ville ; le second est bâti
dans l'embouchure de la rivière ; un filet d'eau courante le traverse ;
mais le lit du torrent est tellement disposé, que dans les plus grandes
crues, les eaux abondantes suivent une autre direction que celle qui
circule dans le bas quartier, lequel n'est guère qu'une rue d'échoppes,
habitées par des gens peu aisés. » Terre nourricière, avec Madagascar, de cette île de France qui assujettit ses entours à servir les progrès
de son opulence, Bourbon s'est spécialisée dans les vivres, mais sans
oublier les cultures d'exportation. En 1804, l'administrateur Thibault
de Chanvalon dresse un bilan de l'agriculture insulaire, notant ses
caractères, ses forces et ses faiblesses. « L'état actuel de l'agriculture
en cette colonie est généralement satisfaisant. On y cultive le café, le
girofle, le coton, le blé, le maïs, les patates, les pommes de terre, les
haricots, le manioc et quelques autres racines également propres à la
nourriture des noirs. On y récolte un peu de cacao et de sucre, ainsi
que du poivre et de la muscade ; mais ces derniers articles ne seront
jamais un objet intéressant de commerce. [...] Il résulte qu'en général
l'agriculture est dans un bon état, que le café et le girofle principalement ont augmenté, que le coton a diminué par le bas prix de cette
denrée et par les causes physiques qui l'ont fait dégénérer dans
plusieurs quartiers. Quant aux denrées de consommation locale, il n'y
a que le blé qui éprouve annuellement des diminutions, parce que le

planteur trouve plus de bénéfice à cultiver des objets d'exportation et que d'ailleurs les influences célestes ou le sol paraissent moins favorables au blé qu'autrefois. Les autres subsistances sont toujours cultivées dans la proportion des besoins. »

Au cours de ses pérégrinations dans l'île montueuse, M. de Bory, descendant du volcan de la Fournaise vers le petit port méridional de Saint-Joseph, traverse le canton du même nom. Pendant cette étape, le naturaliste relève un de ces phénomènes d'acculturation dont les colonies abondent. Le quartier de Saint-Joseph « commença à se peupler de chasseurs de marrons, et de ces hommes de couleur, sans propriétés, nés libres de père en fils, qui achètent une esclave dont ils font leur femme, et dont ils ont des enfants noirs, mais libres comme eux. Trop fiers pour s'abaisser à des travaux qu'ils croient déshonorants, et habitués aux privations de toute espèce, ces hommes actifs, infatigables et paresseux tout à la fois, ont un caractère particulier. Ils se croient blancs ; extrêmement susceptibles sur ce point, ils regarderaient comme un outrage le nom d'hommes de couleur ou de noirs libres, sous lequel on désigne les affranchis à l'Île-de-France. Ils sont gens à ne pas pardonner une méprise que leur teinte, leur langage et leur costume rendraient cependant très excusable. Justes, mais sévères envers leurs esclaves, quand ils en ont, ils sont inflexibles et cruels pour les marrons, quand ils en prennent ; du reste, francs, pleins de candeur, incapables de soupçonner la fraude, hospitaliers et généreux. Presque livrés à l'état de nature, ils savent à peine qu'il existe une métropole. Les commotions révolutionnaires qui ont ébranlé l'univers, et qui, dans Bourbon même, ont causé des mouvements funestes, ont respecté les forêts profondes dont les racines du volcan sont ombragées ». Après ce discours d'anthropologie générale, Bory personnalise son observation au travers de M. Kerautrai, vieux mulâtre breton. « M. Kerautrai nous ayant engagés à nous arrêter chez lui d'une manière on ne peut plus cordiale, nous acceptâmes l'hospitalité qu'il nous donna en patriarche. Sa case était composée de deux chambres : nous trouvâmes sa femme assise dans l'une d'elles sur une natte, entourée de quatre ou cinq petits enfants très bruns. Cette femme était grande, très noire ; elle avait dû être belle : Kerautrai l'avait achetée depuis vingt-cinq ans, et l'avait ensuite affranchie et élevée au rang de son épouse. [...] En arrivant, M. Kerautrai dit à sa femme, qui se leva dès que nous entrâmes : Tiens, mon amie, voilà des blancs qui passent, fais-les rafraîchir, et donne à dîner. Aussitôt on nous porte de l'arack. M. Kerautrai fut très sensible à l'attention que nous eûmes de trinquer avec lui et de boire à sa santé. Il me tira après cela par la manche, me mena dehors comme s'il s'agissait d'un grand secret, et, en me montrant Cochinard, il me demanda s'il était blanc, s'il était libre, ou s'il était noir ? Quoique Cochinard ne fût que libre, et que sa couleur fût beaucoup plus que foncée, je répondis, sans hésiter, qu'il était blanc. Mets quatre assiettes, cria Kerautrai à sa femme. Il fit ensuite décharger nos noirs, et les envoya manger avec ses quatre esclaves dans une hutte établie à vingt pas de sa case. » Qui est le créole des Mascareignes ? D'une manière grossière, le négociant de l'île de France jouit d'une aimable fortune, tandis que l'habitant de Bourbon ne connaît la richesse qu'exceptionnellement. Selon Cl. Wanquet, à la fin de l'Ancien Régime, seulement 60 propriétaires possèdent plus de cent esclaves : six en ayant de 200 à 230, et les deux plus fortunés en possédant 295 et 497.

Parny, que l'humanité et les jours identiquement répétés ennuient, place, comme Rousseau, le bonheur aux origines, aux temps où la civilisation n'avait pas triomphé de la Nature. « L'enfance de cette colonie a été semblable à l'âge d'or », écrit-il à son compatriote, le capitaine Bertin. L'institution de l'esclavage, symbolisée par le chabouc, fouet local, a sonné le glas des « mœurs simples et vertueuses », et ouvert la porte à la corruption du « siècle d'airain ». Alors, le chevalier libère le flot de cette colère idéologique que prise le siècle des Lumières, tout en méprisant les Nègres. « Je ne vois que des tyrans et des esclaves, et je ne vois pas mon semblable. On troque tous les jours un homme contre un cheval ; il est impossible que je m'accoutume à une bizarrerie si révoltante. Il faut avouer que les Nègres sont moins maltraités ici que dans nos autres Colonies. Ils sont vêtus ; leur nourriture est saine et assez abondante : mais ils ont la pioche à la main depuis quatre heures du matin jusqu'au coucher du soleil ; mais leur maître, en revenant d'examiner leur ouvrage, répète tous les soirs : *Ces gueux-là ne travaillent point ;* mais ils sont esclaves, mon ami ; cette idée doit bien empoisonner le maïs qu'ils dévorent et qu'ils détrempent de leurs sueurs. Leur patrie est à deux cents lieues d'ici ; ils s'imaginent cependant entendre le chant des coqs, et reconnaître la fumée des pipes de leurs camarades. Ils s'échappent quelquefois au nombre de douze ou quinze, enlèvent une pirogue, et s'abandonnent sur les flots. Ils y laissent presque toujours la vie, et c'est peu de chose lorsqu'on a perdu la liberté. Quelques-uns ont eu le bonheur de gagner Madagascar ; mais leurs compatriotes les ont tous massacrés, disant qu'ils revenaient d'avec les Blancs, et qu'ils avaient trop d'esprit. Malheureux ! ce sont plutôt ces mêmes Blancs qu'il faut repousser de vos paisibles rivages. Mais il n'est plus temps ; vous avez déjà pris nos vices avec nos piastres. Ces misérables vendent leurs enfants pour un fusil, ou pour quelques bouteilles d'eau-de-vie. » Le philanthrope, épuisé d'avoir tenu la plume à la manière d'un Diderot tropical, se laisse aller et redevient lui-même.

> « Dans le champ qu'il rendit fertile,
> Laissons le Nègre malheureux
> Crier sous la verge docile,
> Et son maître ennuyeux
> Compter les coups d'un air tranquille. »

Le créole sait mieux souffler dans le mirliton que philosopher sur les problèmes graves : il s'épuise vite, surtout à raisonner. Tandis que le poète à la rime facile s'éteint avec l'Empire, les Îles Sœurs rompent avec leur destin. Maurice reste aux Anglais, la Réunion revient aux Français. Les vocations que La Bourdonnais avait assignées aux deux territoires de son gouvernement se délient et se reforment à l'opposé. L'ancienne île de France cesse ses activités de centre de commerce, d'armement en course, et de base navale, pour devenir une île à sucre. La Réunion, délivrée de sa fonction nourricière, néglige aussi le café et se convertit en petite île à sucre.

De l'île de France à l'île Maurice

Dès la première abdication de l'Empereur, les Anglais avaient décidé d'absorber l'île de France dans leur patrimoine colonial. Après la seconde abdication, ils confirment leur volonté. D'un trait de plume des Français deviennent sujets de Sa Gracieuse Majesté. À travers la brève correspondance de deux frères, commissionnaires à Maurice — l'un se trouvant momentanément à La Rochelle —, L. Dermigny et G. Debien ont montré la réaction des créoles devant la déchirure décidée par les traités. De Jean-Pierre Serres, La Rochelle, juin 1814. « Vous avez sans doute appris avec plaisir à l'île de France, l'heureuse nouvelle de la paix. La France était dans un tel découragement que c'était un très grand bonheur que nous ayons obtenu des conditions aussi bonnes, car Buonaparte qui avait une folie de conquête a fini par ramasser tous les garçons. Ensuite quand il n'y en a plus eu, il a pris les hommes mariés comme gardes nationaux soi disant pour garder nos côtes, mais il n'a pas manqué quand il les a incorporés de les faire filer à l'ennemi. [...] Mais il m'a beaucoup coûté, comme tu dois le croire, que les Anglais ont bien gagné, et la perte qui me fasche le plus est l'isle de France qu'ils n'ont jamais voulu rendre à la France. »

De Baptiste Serres, le Port-Louis, 19 mai 1815 : « Quel plaisir veux-tu que nous ayons éprouvé à la nouvelle de la paix ? Vendus à l'Angleterre, rebutés par les Français qui sont à Bourbon et qui ne veulent pas nous recevoir, crois-tu que nous ayons grand sujet de nous en réjouir ? Je ne le crois pas. Voilà, mon frère, à peu près la pensée générale ici parce que tout le monde guidé par son intérêt particulier ne pense pas au bien public parce que les trois-quarts des habitants de ce pays-ci, qui sont obligés d'y rester, ont vu qu'en y restant ils étaient obligés de changer de nation, de patrie, ils devenaient Anglais. Ils ne font pas attention à la France, ils ne regardent qu'eux. Des propos dignes des plus acharnés sans-culottes s'échappent de toutes les bouches ; chez mon cousin, j'entends le contraire et c'est d'un excès à l'autre. Madame idolâtre les Bourbons. Je crois qu'elle voudrait plutôt voir la France à feu et à sang que la famille des Bourbons ne pas régner. Mon cousin n'est pas si exalté à beaucoup près. Il désire le bonheur de la France et celui des Bourbons. Moi je désire le bonheur de mon cher pays et je me moque des Bourbons et de toutes les têtes couronnées de l'univers. L'idée de mon malheureux pays en danger m'a presque donné la fièvre et la paix m'a fait plaisir parce que mon pays s'est trouvé délivré d'une fourmillière d'étrangers et parce que je ne suis pas destiné à mourir dans ce pays-ci selon toutes les apparences. Si le bonheur de la France et Napoléon eussent été ensemble, j'aurais préféré Napoléon : cela n'est pas étonnant. J'ai connu ce dernier illustre et grand. Je n'ai entendu parler des Bourbons que par l'histoire. Je n'ai rien vu d'eux. »

Le premier frère, Jean-Pierre, se résout sans difficulté à changer de souverain. Le second souffre dans son sentiment national et a déjà décidé de mourir en France. Toutefois, Baptiste ne représente pas la majorité : ne reproche-t-il pas à ses compatriotes de se laisser conduire par leur égoïsme ? Certainement, l'intérêt personnel pousse certains à demeurer dans l'île. Mais, chez ceux-là et, plus générale-ment chez tous ceux qui resteront à la mer des Indes, il existe une motivation originale : l'attachement à la patrie créole. Plus qu'An-glais ou Français, l'on est Mauricien.

LES ÉTABLISSEMENTS FRANÇAIS DANS L'INDE

Fascination et nostalgie bengalaises

L'Asie exerce un attrait puissant sur l'Europe occidentale depuis l'Antiquité. Sous l'Ancien Régime, comme au temps d'Alexandre, elle symbolise la richesse, le luxe, les somptuosités et les raffine-ments. Depuis les débuts du XVIe siècle, Portugais, Espagnols se sont établis sur les rivages du monde extrême-oriental, bientôt suivis par les Hollandais, les Anglais, les Français, tandis que les Ostendais et les Danois y développent une activité commerciale importante. Quand Louis XIV monte sur le trône, la politique française n'ignore pas l'Inde, mais y fait peu. Un Angevin, docteur de la faculté de médecine de Montpellier — futur centre de formation des praticiens coloniaux —, François Bernier, découvre l'Inde où il séjourne de 1658 à 1669. Cet esprit d'avant-garde publie en 1670 une *Histoire de la dernière Révolution des États du Grand Mogol,* dédiée au roi. Dans cet ouvrage et dans des compléments successifs, le voyageur — qui n'oublie pas de commettre une *Lettre à Monseigneur Colbert* — révèle aux Français le gouvernement et l'économie du sous-continent, dans un langage parfois proche du merveilleux, que brisent épisodiquement des observations dignes des meilleurs spécialistes. L'on peut dire, au risque de paraître excessif, que Bernier a créé la fascination indienne en France, sans vouloir pour autant exclure Tavernier, Thévenot et Chardin. Il a aussi exhorté le ministre à poursuivre dans la voie où il s'était engagé. L'incitation du médecin à succomber à la séduction indienne contient une stratégie. Dans l'immensité du sous-continent, les Français doivent s'établir dans la région la plus riche, qui n'est pas Pondichéry ni le Carnatic, mais le Bengale. Les Français n'entendront pas ce message, mais les Anglais, qui ont traduit les voyages de Bernier dès leur publication à Paris, l'accompliront, s'assurant du même coup une longue période d'hégémonie sur le monde. Les bouches du Gange, que décrit Bernier, semblent appartenir à l'univers onirique des *Mille et Une Nuits,* pourtant, il n'en est rien. Le Bengale est bien le pays des merveilles. « Il porte des riz en si grande abondance que non seulement il en fournit ses voisins, mais même des pays fort éloignés. On en fait remonter le Gange jusqu'à Patna, et il s'en transporte par mer à Masulipatnam et en plusieurs autres ports de la côte de Coromandel. On en transporte encore dans les royaumes étrangers et principalement en l'île de Ceylan et aux îles Maldives. Il abonde aussi tellement en sucre qu'il en fournit les royaumes de Golconde et de Karnataka où il n'en croît que fort peu. L'Arabie et la Mésopotamie s'en fournissent encore par la voie de Moka et de Bassora ; la Perse même en fait grande traite par le Bander-Abbas. [...] Pour ce qui est des marchandises de grand prix, et qui attirent le trafic des étrangers dans le pays, je ne sais s'il y a terre au monde qui en donne tant et tant de sortes différentes. Car, outre le sucre dont j'ai parlé et qu'on peut mettre au nombre des marchandises de prix, il y a des cotons et des soies en telle quantité qu'on peut dire que le Bengale en est comme le magasin général, non seulement pour tout l'Hindoustan ou empire du Grand Mogol, mais pour tous les royaumes à l'entour et pour l'Europe même. Je me suis quelquefois étonné de la quantité de toiles de coton de toutes sortes, fines et autres, teintes et blanches, que les Hollandais seuls en tirent et transportent de tous côtés, et principalement au Japon et en Europe, sans parler de ce que les Anglais, les Portugais et les marchands indiens en tirent de leur côté. Il en est de même des soies et étoffes de soie de toutes sortes ; on ne s'imaginerait jamais la quantité qui s'y en prend tous les ans. Ce pays en fournit, en effet, généralement tout ce grand empire du Mogol jusques à Lahore et à Kaboul, et la plupart des autres pays étrangers où se transportent les toiles de coton. Il est vrai que ces soies ne sont pas aussi fines que celles de Perse, ni que celles de Syrie, Saïda et Beyrouth, mais il y a bien aussi la différence de prix et je sais de bonne part que qui voudrait prendre la peine de bien les choisir et de bien les faire travailler en ferait de très beaux ouvrages. Les Hollandais seuls ont quelquefois sept ou huit cents hommes du pays qu'ils y font travailler dans leur factorerie de Cassimbazar, ainsi que les Anglais et d'autres marchands à proportion. C'est aussi dans le Bengale que se prend cette prodigieuse quantité de salpêtre qui descend si commodément sur le Gange de Patna et où les Hollandais et les Anglais en chargent des navires pour plusieurs endroits des Indes et pour l'Europe. Enfin, c'est du Bengale que la bonne lacque, l'opium, la cire, la civette se tirent, et il n'y a pas jusques au beurre qui ne s'y trouve en grande abondance ; qu'encore que ce soit marchandise de grand volume, on ne manque pas d'en transporter par mer de tous côtés. »

Au Bengale, célébré par Bernier, la France possèdera le comptoir de Chandernagor auquel étaient rattachées les loges de Cassimbazar, Ballassor, Patnā, Dacca et Jougdia. Chandernagor, toujours étouffée par la gigantesque Calcutta, s'éteint lentement après la guerre de Sept Ans. Dans son *Voyage au Bengale,* paru en 1799 à Paris, l'ingénieur militaire Charpentier de Cossigny raconte sa visite du port fluvial, que les souvenirs encombrent davantage que les navires, avec ce regard plein de nostalgie amère, que promèneront plus tard Loti et Farrère. « J'ai vu les ruines du Fortin quadrangulaire qui s'effondra, comme par magie, devant le canon que l'Anglais Watson y porta si étonnamment sur son vaisseau de 74, et dont la ruine ouvrit le champ libre à toutes les conquêtes du célèbre et barbare Clive. Assis sur les décombres, j'ai gémi profondément, en regardant au loin la vaste domination laissée à nos rivaux !... Mais j'ai frémi de rage, en voyant à mes pieds, le fossé fangeux, accordé par grâce à la France... Pour l'écoulement des eaux ! »

Pondichéry

L'Inde française s'incarne essentiellement dans la ville de Pondichéry, capitale de la nation, sur le rivage de ce Carnatic que Dupleix s'acharna à vouloir conquérir et gouverner. La ville, baignée par une rade foraine, n'a jamais excité le talent littéraire de ses visiteurs ou de ses habitants. Quelques lignes de description, chez les uns et les autres, rien de plus. Dans ses *Essais historiques sur l'Inde,* publiés à Paris en 1769, un officier de l'expédition de Lally, M. de La Flotte, évoque en quelques lignes flatteuses la cité où Dupleix avait régné. « Cette ville, si célèbre aujourd'hui dans l'histoire de l'Inde par ses malheurs et son ancien lustre, est la capitale de tous les établissements français dans cette partie du monde, le lieu de la résidence du gouverneur général du conseil souverain, et le seul endroit où la Compagnie des Indes fasse frapper des roupies et des pagodes, monnaie du pays, marquée au coin du Grand Mogol. [...] Personne n'ignore combien Pondichéry a été florissante sous le gouvernement de M. Dupleix. Le palais de ce gouverneur, bâti dans la citadelle, au milieu de la ville, et en face de la mer, surpassait par sa magnificence et situation, les plus beaux édifices modernes. Une batterie de cent pièces de canon, défendait la ville du côté de la mer, et le reste de ses fortifications répondait à cette force. Les rues étaient larges, grandes, belles et tirées au cordeau. Dans la partie occidentale de la ville, on voyait le quartier des Indiens, dont les maisons construites en briques, formaient un coup d'œil agréable, au moyen d'une allée d'arbres qui ombrageaient ces habitations. Les maisons des Européens, bâties en pierres de taille, n'étaient élevées que d'un ou deux étages avec des terrasses ornées à l'italienne. On y voyait en outre deux églises magnifiques, l'une desservie par des Capucins de la province de Touraine, jouissant du titre et des prérogatives de curé, et l'autre par les Jésuites, chargés de l'instruction des prosélytes. On admirait surtout un hôpital immense et richement entretenu, un bazar ou marché public, abondant en toutes espèces de denrées, et des casernes spacieuses et commodes pour les troupes. [...] Ce fut le 16 janvier 1761 que les Anglais prirent possession de la ville et du fort. Il serait difficile de représenter la consternation des habitants, en voyant l'ennemi raser, non seulement les fortifications, mais même les églises, les maisons, et surtout ce beau palais des gouverneurs, dont les colonnes furent emportées à Madras. [...] Lorsque M. Law, gouverneur actuel des établissements français, a repris possession de Pondichéry, il n'y a trouvé que pierres amoncelées les unes sur les autres, et dans toute l'étendue de la ville de l'herbe à hauteur d'homme. [...] On a depuis relevé la plupart des maisons ; mais les fortifications sont toujours à peu près dans le même état. Ce n'est qu'avec le temps, et avec beaucoup de dépenses, que l'on parviendra à rendre à cette ville son ancienne force et sa première splendeur. » La majesté de Pondichéry, au temps de Dupleix, fleurit sur des illusions meurtries, avoue presque Mme Labernadie. « En dehors du Fort, peu de monuments. Signalons pourtant un réel embellissement de la ville : la magnifique colonnade qui alignait de la Porte Marine à la Porte Royale ses piliers monolithes de grès sculptés faisait à la Cité une entrée originale et somptueuse. » A n'en pas douter le cœur embellit une réalité où manquaient la richesse et l'harmonie.

Anquetil-Duperron, philosophe original, en dispute avec les Lumières, ennemi de la Révolution, atteint d'un nationalisme sourcilleux par haine de l'Anglais, porte sur Pondichéry le jugement, non d'un voyageur sans vision, mais d'un stratège réfléchi, épris de lucidité et d'efficacité politiques. Dans l'*Inde en rapport avec l'Europe* (1798) il écrit d'une plume nerveuse, allant droit au but : « Pondichéry, sans port, sans baie, simple rade foraine, sans rapports directs, nécessaires et suivis avec le Deccan, sans objet de négoce que d'autres endroits ne puissent pas fournir à l'Europe, ni forts lucratifs dans le pays, sans défense naturelle, et qu'il faut quelquefois nourrir du blé de la côte Malabare ; une place de cette nature ne paraît pas propre à rester éternellement le centre des Établissements français dans l'Inde. » Le savant ne s'arrête pas en si bon chemin. Lui qui a sillonné l'Inde pendant six ans, de 1755 à 1761, et dont le frère dirige la loge française de Surāt, bref, cet homme qui, directement et indirectement, possède la connaissance des choses de l'Inde, propose aux maîtres de la nation, une stratégie qui réponde aux exigences d'une saine géopolitique : « Alors il faudrait, comme les Anglais, avoir trois présidences : une à la côte Malabare, et la principale, à cause des îles de France et de Bourbon ; une à la côte de Coromandel ; la troisième dans le Bengale, avec des forces convenables : et il est certain que les affaires, opérations de commerce et autres, peuvent occuper ces trois chef-lieux. Ce plan est plus digne de la nation ; il est le seul qui lui convienne, si les Anglais conservent la distribution de leurs établissements, et la forme de leur administration. Ou bien on se bornera à un seul chef-lieu, plus ou moins considérable selon les vues que l'on aura sur l'Île-de-France, avec de petits comptoirs ou consulats pour les autres établissements : mais, dans les circonstances actuelles, ne serait-ce pas abandonner le sol de l'Inde à nos rivaux, ou à d'autres puissances, qui, d'abord amies, finiront par maîtriser notre commerce ? un grand État est perdu, quand il se rend méprisable. Quelque parti que l'on prenne, un port dans l'Inde paraît être à la France, avant tout, d'une nécessité indispensable. Tavernier le disait sur la fin du siècle dernier : il conseillait celui de Diu. »

L'Inde philosophique

Le spectacle des Indiens n'est pas celui d'Iroquois, de Hurons ni de Noirs, tous encore proches de l'état de nature ; au contraire, il déploie les fastes, les merveilles d'une civilisation antique, qui résiste, quoique dégradée, aux coups répétés de la décadence. Le chevalier de Froberville, officier de l'expédition de Bussy, éprouve un sentiment de curiosité philosophique et de respect en abordant l'Inde dans laquelle il rencontre l'Histoire. Ses *Mémoires* expriment cette haute émotion, que n'ont pas éprouvée ceux qui ont débarqué au Canada ou dans les îles de la zone torride. « Lorsque j'arrivai à la côte Coromandel, je ne pus me défendre en mettant le pied sur ce sol étranger, du sentiment de respect qui pénètre mon âme à la vue des objets auxquels la nature et l'art ont imprimé le sceau d'une vénérable antiquité. Elle tient, me disais-je, à cette terre déjà célèbre il y a trois mille ans, par la renommée des sages qu'elle avait produits, par les mœurs, la religion, le gouvernement, la politique des peuples qui l'ont habitée, par les longues guerres qu'elle avait eu à soutenir ; par les arts et les sciences qui y fleurissaient, par la foule des grands événements qui s'y sont passés et que nous a transmis l'histoire véridique ou la tradition, non moins exacte de ses propres habitants ou des peuples qui s'étaient trouvés en relation avec eux. Événements tous antérieurs à ces époques ténébreuses de la formation de ce que nous osons appeler aujourd'hui nos plus anciens gouvernements. Quel vaste champ s'ouvrait à mes réflexions ? »

Le chevalier de Mautort, autre officier de l'expédition de Bussy, réagit de la même manière que Froberville. Dans ses *Mémoires,* il rapporte combien l'observation des Indiens suscite en lui une curiosité attentive, préambule aux longues méditations. « Pendant qu'on était occupé à ranger mon petit équipement, j'observais les Indiens. Tout ce que je voyais était nouveau pour moi et très intéressant pour celui qui aime à étudier les hommes. Leurs mœurs, leurs usages, leurs habillements, si différents des nôtres, étaient sans cesse pour moi l'objet d'observations et de réflexions. Je voyais avec étonnement combien l'Asie, le premier berceau du genre humain, ce pays si célèbre autrefois par l'invention des arts, était, depuis bien des siècles, restée en arrière en la comparant à l'Europe, dans la barbarie à cette époque et, depuis, si élevée au-dessus du reste de la terre. Je recherchais les causes de ces étranges différences et ne pouvais les trouver dans le manque de génie des Asiatiques. Ce serait leur faire tort que de les croire incapables de porter les arts et les sciences au même degré de perfection que nous. Leurs livres, leurs monuments prouvent leur intelligence ; et, s'ils se sont arrêtés depuis longtemps dans les progrès de leurs connaissances, s'ils ont même perdu de leurs anciens talents, on ne peut en attribuer la cause qu'au vice de leur gouvernement, qu'aux révolutions, qu'aux guerres qui les déchirent sans cesse, et surtout qu'au despotisme affreux de leurs princes. Trop faibles par eux-mêmes et d'un naturel trop doux pour s'affranchir d'un joug insupportable à bien d'autres nations, les Indiens sont naturellement adroits. On trouve chez eux de bons ouvriers dans tous les genres. Ils sont même étonnants par les moyens simples et le peu d'outils qu'ils emploient. Un menuisier, par exemple, avec un rabot, un ciseau, un bout de scie, exécute à peu près tout ce qu'on lui demande ; mais il met huit jours à faire ce qu'un de nos ouvriers ferait en moins de deux. Ces gens travaillent assis par terre, ils n'ont point d'établi, et avec les pieds ils maintiennent la pièce qu'ils veulent façonner. Ils ont une patience à toute épreuve, et, à l'aide de cette vertu et du temps, ils viennent à bout de leurs entreprises. Un forgeron a-t-il à travailler ? Il porte dans une espèce de grande corbeille tout son attirail, s'établit dans la rue, monte sa forge ambulante. Un enfant fait aller son soufflet, qui n'est autre chose que deux outres de peau de mouton, et voilà mon homme à l'ouvrage. Un tisserand, pour faire ces belles toiles de coton si recherchées en Europe, tend les fils avec des piquets enfoncés dans la terre, les arrange à sa manière avec des baguettes pour les disposer à recevoir la trame qu'il fait courir à l'aide d'une navette. Le cordonnier, le tailleur, le peintre, l'orfèvre, en un mot, tous les ouvriers ont des moyens aussi simples. Malgré ces entraves à la célérité des ouvrages, la main-d'œuvre n'est pas chère, parce que la population est considérable et les denrées à très bas prix. Les gens du pays m'ont assuré qu'en temps ordinaire, ce que nous appelons le bon temps, un père de famille peut se nourrir avec sa femme et ses enfants pour six sols par jour. Aussi beaucoup d'ouvriers, lorsqu'ils ont gagné une dizaine de sols, se reposent et s'amusent à mâcher le bétel, à fumer, à chanter ou à dormir. La chaleur excessive du climat ne permettrait pas, d'ailleurs, de travailler avec autant d'assiduité que dans des pays tempérés. »

L'Inde a suscité l'intérêt des plus grands philosophes du xviiie siècle. Montesquieu et Voltaire, à qui rien n'a jamais échappé, dissertent sur les mœurs de l'Extrême-Orient et surtout sur le despotisme asiatique. Anquetil-Duperron, connaisseur éprouvé des choses indiennes, s'élève contre les deux tyrans de la pensée française, les traite de publicistes ignorants dans sa *Législation orientale* (1778). Toutefois, dans l'*Essai sur les mœurs,* le seigneur de Ferney, qui n'a que mépris pour les Indiens du Canada et pour les Noirs, accepte de comparer les peuples de l'Asie à ceux de l'Europe, bien que les Blancs aient fait éclater « une grande supériorité d'esprit et de courage ». Les nations orientales ne sont-elles pas policées comme celles d'Occident, même si les usages diffèrent ? Si : et, la « vieille marmotte des Alpes » leur reconnaît une prééminence de courtoisie sur la race qui domine le monde. « Nous avons appris leurs langues, nous leur avons enseigné quelques-uns de nos arts. Mais la nature leur avait donné sur nous un avantage qui balance tous les nôtres : c'est qu'elles n'avaient nul besoin de nous, et que nous avions besoin d'elles. » Les Lumières, souvent plus curieuses de singularités que de connaissances sûres, aboutissement d'une démarche scientifique rigoureuse, trouvent dans l'Asie et particulièrement dans les États du Grand Moghol de quoi exciter leur imagination et leur goût de la théorie. Coexistence de l'Islam et de l'idolâtrie, système social organisé en castes, métempsycose, mystères du Gange, rites funéraires atroces, fakirs, processions priapiques, secrets des pagodes, trésors fabuleux, douceurs et cruautés, arbitraire, polygamie... se succèdent comme des salles que traverse le labyrinthe obscur du laboratoire muséologique de la Civilisation.

Les Français dans l'Inde

Les comptoirs n'étant pas des colonies de peuplement ou de plantation, mais des établissements commerciaux, les Français qui y résident ne représentent qu'une poignée de gens, sauf au temps des guerres de Dupleix et au début de la guerre de Sept Ans, marquée par l'expédition désastreuse de Lally. D'une manière générale, on compte environ 200 officiers et employés de la Compagnie des Indes et entre 2 000 et 3 000 soldats et ouvriers. Parmi ce monde minoritaire, noyé au milieu de quelque 100 000 Indiens, Ph. Haudrère n'en a dénombré que 7 % à s'être établis définitivement dans le sous-continent. Environ la moitié du personnel colonial est marié ; les autres agents vivent en concubinage avec des métisses d'Indiennes et de Portugais, les topazines, la Compagnie interdisant toute union légitime avec une personne de couleur pendant le temps du service. La vie coloniale est nimbée du traditionnel ennui tropical et mouillée de boissons alcoolisées dont la chaleur et une cuisine épicée multiplient la consommation. Sinon, on s'invite à souper, on court de passade en passade, et l'on épuise les piastres épargnées aux hasards du jeu. Quelques-uns lisent, s'intéressent à ce pays où l'on vient pour vivre plus agréablement qu'en France et amasser quelques économies qui assureront une retraite aisée dans la mère patrie ; d'autres, enfin, après la guerre de Sept Ans, participent aux réunions des deux loges maçonniques qui se sont ouvertes, à Pondichéry, et à Chandernagor. Quelques privilégiés roulent dans des carrosses achetés à Manille, mais tous les officiers et employés vont à la promenade dans des palanquins ornés avec un luxe plus ou moins tapageur. Le palanquin, explique l'astronome Le Gentil, est « une espèce de sopha ou de petit lit de repos attaché à un bambou de cinq ou six pouces de diamètre plus ou moins courbé dans le milieu, avec un tendelet par-dessus comme une impériale et des rideaux sur les côtés. Cinq Indiens que l'on nomme Boués dont trois devant et deux derrière, portent le palanquin en appuyant sur leurs épaules les bouts du bambou qui dépasse suffisamment pour cet effet la longueur du palanquin. Les personnes qui excèdent le poids ordinaire ont six boués, celles de grande considération en ont toujours six et elles en entretiennent dix à douze ; c'est une espèce de luxe, comme à Paris d'avoir huit à dix chevaux dans son écurie pendant que deux ou trois suffisent pour se faire porter dans les rues. En cas de long voyage, ces dix à douze boués étaient absolument nécessaires pour la relève. »

Dans l'Inde comme dans les îles, il n'existe pas une vie en société comparable à celle que l'on connaît en Europe. L'on attend, espérant que l'imprévu se produira et que pendant des heures et des jours on pourra le commenter. Dans ce milieu transplanté, la femme occupe une place centrale, que J.-L. Kieffer a évoquée à travers des lignes vives empruntées à Anquetil-Duperron. « La vie molle des hommes tient beaucoup de celle des femmes, mais celles-ci ne font que suivre les impressions qu'elles ont reçues dans l'enfance. La plupart, dans cet âge tendre, sont presque abandonnées aux soins des Mosses, esclaves noires qui leur donnent quelques fois la connaissance de tous les plaisirs et les nourrissent dans une paresse et une langueur qui leur permettent à peine l'usage de leurs membres. Dès que leur corps commence à se former l'encens des inutiles qui parcourent journellement les maisons est un nouveau poison qui en fait de petites divinités : toute leur ambition est d'avoir des adorateurs ; et lorsqu'elles sont mariées, le soin de leur ménage n'est pas ce qui les attache le plus. Leurs actions journalières se réduisent à peu près à celles-ci : à neuf ou dix heures, on sert le déjeuner ; ensuite la maîtresse de maison, une table garnie de tasses devant elle, préside jusqu'à une heure au cercle des visiteurs qui se renouvelle continuellement ; et n'a d'autre chose à faire que de leur verser du thé. Le dîner est suivi de la *sieste* : espèce de deuxième nuit qui dure jusqu'à quatre heures ; on s'y déshabille et on s'y couche. Depuis cinq heures jusqu'à huit heures, on recommence le service du thé, qui, souvent, fait toute la conversation. Car les vaisseaux d'Europe, une fois repartis, on n'a plus rien à dire, à moins que l'amour n'ait occasionné quelque aventure sur laquelle les victimes de ce dieu seront les premières à plaisanter. Pendant le reste de la journée, les Dames s'amusent à mâcher du bétel, qui, disent-elles, leur fortifie l'estomac. Les fruits acides, les caris poivrés, le chili vert, enfin tout ce qui met le feu dans le corps fait le fond de leur nourriture ; et lorsque les Européens ont passé quelques années dans ces climats brûlants qui énervent la nature, ils vivent à peu près de la même manière. Cette vie est animée par le jeu, par les bals, par les fêtes qui se donnent dans les jardins hors des villes et où règne la plus grande profusion, par des actes de dévotion, comme les neuvaines des Jésuites à Oulgarey près de Pondichéry, où la multitude des Noirs, dont l'odeur infecte l'Église, est aussi dégoûtante que le spectacle des palanquins dorés qui remplissent les jardins et les avenues est agréable à la vue. Ces neuvaines se terminent souvent par de petits repas champêtres où règne un air d'aisance et de gaieté qui souffle le poison et l'amour dans les cœurs les plus insensibles. [...] Il était temps que je quittasse Pondichéry. J'y recevais l'accueil le plus gracieux ; des chaînes plus aisées à prévenir qu'à rompre, commençaient à m'y attacher fortement. Je songeais en conséquence à précipiter mon départ. » Mais, dans les jours communs, les plus nombreux, auxquels aucun événement ne donne du relief, « on voit les Dames passer une partie de la journée sur des canapés, environnées de mosses accroupies sur des nattes qui leur massent les jambes et successivement tout le corps ».

Parmi les distractions ou occupations légères du monde européen figurent le courrier et l'expédition de cadeaux exotiques aux relations métropolitaines, car il faut préparer le retour en France dans les meilleures conditions. Aux amis et à tous ceux qui pourront être utiles, on envoie des broderies de Dacca, des mouchoirs et chemises à l'étoffe fine et délicate, des tapisseries, des cotonnades et soieries, des bijoux et même de la porcelaine chinoise aux armes du destinataire. Si les officiers et les employés ne trouvent pas aux soirées l'agréable saveur des soupers et des conversations de France, dans la journée ils s'emploient à faire du revenu. Le chevalier de La Farelle, tout comme les autres, s'associe à des opérations d'où il tire quelques profits appréciables, mais indignes d'être comparés à ceux des directeurs locaux. Chez les agents de la Compagnie, la moyenne des fortunes s'établit autour de 140 000 livres. Contrairement à ce que l'on aurait pu penser les réussites exceptionnelles se comptent : Dumas a amassé 2 500 000 livres, Bussy, plusieurs millions, Dupleix 13 millions, mais n'a le temps d'en rapporter que 6 500 000 en France. Comment les plus heureux des employés et officiers s'enrichissent-ils ? Grâce aux dons des princes indiens (pierres précieuses, revenus fiscaux d'un village ou d'une région, domaines) et surtout grâce au commerce d'Inde en Inde, c'est-à-dire en participant à l'armement de navires marchands qui caboteront le long des côtes de l'Inde, ou qui cingleront vers les Maldives, la Perse, Bassora, l'Arabie et l'Afrique, à l'ouest, ou vers les îles de la Sonde, les Philippines et la Chine à l'est. De 1720 à 1756, Ph. Haudrère a compté 28 armements particuliers vers Surāt, 29 vers Bassora, 29 vers Moka, 4 vers Melinde, 11 vers les Maldives, 8 vers le Pégou (Birmanie), 19 vers Achem, 28 vers Manille et 8 vers Canton, soit un commerce régional privé qu'actionnaient 164 navires. Les Blancs connaissent dans l'Inde une vie plus facile que dans la métropole, mais ceux qui acquièrent une fortune consistante doivent, comme partout, travailler, prendre des risques et non se plaindre de la chaleur, de la maladie, des commérages et de l'ennui, cette affection vénéneuse qui fleurit sur la terre entière, sauf en France !

Indiens et mœurs de l'Inde

Par sa variété, le tableau de la population séduit et retient l'attention du chevalier de La Farelle, qui peint avec plaisir ces peuples au milieu desquels il se sent à l'aise. « La race indienne est belle en général. Les hommes d'une taille plutôt grande que petite, sont noirs, sans l'être autant que les Cafres. Ils laissent croître leurs cheveux, ont les traits du visage bien faits, la physionomie douce, le regard vif et beau, et sont très dispos et pleins de vigueur malgré le peu de consistance des aliments dont ils font usage. Les femmes sont d'une taille médiocre ; elles ont quelque nuance de noirceur de moins que les hommes et une démarche infiniment plus aisée, plus délibérée, avec une physionomie des plus douces et un regard pénétrant, qui n'est point démenti par le tempérament qu'un climat excessivement chaud leur a donné en partage. Leur ajustement consiste en un morceau de toile de n'importe quelle couleur, qui les couvre depuis la ceinture jusqu'en bas. Le haut du corps reste à découvert. Les Indiennes mettent toute leur ambition à être ornées de joyaux et de bijoux. Selon leurs moyens, elles portent en pendants d'oreilles des perles fines ou des pierreries, montées sur or ou sur argent, et dont le poids leur fait allonger et détacher le bout des oreilles qui, suivant le goût du pays, sont d'autant plus belles qu'elles sont plus longues. Quelques femmes portent des espèces de bagues au côté du nez ; beaucoup ont les bras et même les jambes ornés de quantités de manilles d'or, d'argent ou autres métaux et même de verre ou de grains de corail. Elles portent aussi des bagues aux doigts des pieds comme à ceux des mains. Une grande liberté de mœurs existe pour ces femmes. Il n'en est pas de même pour celles des plus riches marchands, lesquelles sont tenues séquestrées par leur mari, ou par leur père et mère, et n'ont d'autre liberté que de paraître à la porte de leur maison. C'est là qu'elles se font voir. Leur vêtement est le même que celui des femmes du commun, à la différence qu'au lieu d'un morceau de toile, c'est une pièce de soie qui leur couvre le bas du corps. Beaucoup portent des ceintures d'or ou d'argent en façon de chaîne et, comme coiffure, elles plantent dans leurs cheveux entortillés une longue et grosse aiguille en or ou en argent, dont la tête est parfois ornée de pierreries. Tout cet ensemble ne laisse pas que d'être fort gracieux. Les femmes de la plupart des Maures établis dans les Indes sont ajustées dans le même goût, mais avec plus de magnificence, étant plus riches par suite du grand commerce que font leurs maris. Le costume des Maures consiste en une petite veste à manches longues et étroites et une espèce de jupe de femme en mousseline unie, rayée ou brodée, et, à la taille, une ceinture qui, de même que leur turban, est parfois mêlée de fils d'or et d'argent. Suivant la loi de leur religion, dont ils sont de rigides observateurs, les Maures ne doivent se marier qu'entre familles du même rang et du même état. »

L'originalité des mœurs et des religions nationales invite La Farelle à une esquisse imagée. « La pluralité des femmes est permise à tous les Indiens [...] De même que les Maures, les Indiens peuvent prendre autant de femmes qu'ils en peuvent nourrir, mais la première a toujours le privilège de ne pouvoir être répudiée, et les enfants de celle-ci héritent seuls du père, sans aucune contestation de la part des autres. Sur la côte malabare, la principale religion est la gentilité, qui y règne plus que dans aucune autre partie de l'Inde. L'idole la plus adorée est celle qui a la forme d'une figure humaine à trois têtes, qu'on appelle Djaggernat et devant laquelle les Malabares exercent leur culte avec un extérieur de dévotion admirable et par des prières réitérées quatre fois dans les vingt-quatre heures, à savoir au soleil levant, à midi, au soleil couchant et le soir fort tard, et toujours en la présence de leur divinité diabolique, qui se trouve dans presque toutes les maisons et à chaque pas, sur tous les grands chemins. Les adeptes de cette religion doivent, au lever du soleil, se laver dans de grands bassins de leurs impuretés de la nuit, car ils sont fort débauchés. Ils ont aussi une grande vénération pour une idole appelée Lingam*, qu'ils croient parente de Djaggernat. Elle est faite d'argile et de la hauteur d'un homme, noire, affreuse et ornée de cornes et de queues. D'autres Malabares adorent une tête d'éléphant, faite de bois ou d'argile. Très superstitieux en général, ils s'attachent au bon ou au mauvais présage ; comme ils croient à la métempsycose, ils ne mangent rien de ce qui a vie et leur principale nourriture consiste en baies, légumes, racines, laitages, riz, graines récoltées dans le pays. Ils doivent aussi s'abstenir de manger de ce qu'un chrétien aurait touché et ils observent exactement toutes ces prescriptions. La plupart des Malabares ne boivent que de l'eau, mais il y en a qui, de même que les Maures, font usage d'une boisson qu'ils appellent sourry. Tous observent la purification de leur corps avant toutes choses mondaines, mais, suivant les sectes auxquelles ils appartiennent lorsqu'ils ne sont pas de celle de Djaggernat, ils adorent toutes sortes d'animaux, soit un cheval, soit un bœuf, soit un veau, etc., qu'ils font en terre pétrie et qu'ils placent dans les chemins ou dans leurs maisons. Les plus riches font porter leurs idoles dans des temples appelés pagodes, qu'ils érigent en grande cérémonie et qui servent au culte des fidèles. »

En ce siècle des Lumières, prompt au dénigrement et au dédain des peuples extra-européens, n'admirant ou ne s'indignant que pour des raisons idéologiques, le chevalier de Froberville, comme nombre d'officiers de ce temps, fait contraste. Il s'afflige de la misère du peuple et s'étonne du poids de la superstition, mais s'interdit de condamner les préjugés qu'il découvre. « Ils ont pour leurs temples et leurs tombeaux une singulière vénération. Ils ne rentrent jamais dans ceux qu'un Européen a visités. Aussi, se donne-t-on bien de garde de heurter leurs préjugés à cet égard. Ceux de religion sont à respecter dans tous les temps et dans tous les pays. »

---

* Symbole de Siva, le Destructeur ou le Créateur, l'une des trois divinités du panthéon hindou.

M. Poivre, bourgeois lyonnais issu de la marchandise, lié au ministre Bertin, esthète, passionné des choses de l'Asie, traite longuement de l'Inde dans ses *Mémoires d'un voyageur*. De passage à Pondichéry en 1747, il n'oublie pas qu'il fréquente le cercle des philosophes et qu'il appartient à leur compagnie. Aussi, avec la hauteur des intelligences superficielles, se lance-t-il dans un violent réquisitoire du brahmanisme ou indouisme. « La religion des Malabars est peut-être la plus extravagante, la plus honteuse pour la raison humaine et la plus infâme qu'on puisse imaginer. Les dieux qu'ils adorent sous les noms de Brama, Vichnou, Rutrem, Puleiar, etc. sont les dieux de l'infamie. Le culte qu'on leur rend est proportionné à leur qualité, aux histoires qu'on en raconte, tout s'accorde parfaitement avec le goût de la nation qui a de tels dieux. La religion voluptueuse a transporté dans le ciel toutes les passions de la terre en rendant les dieux semblables aux hommes au lieu de rendre ceux-ci semblables aux dieux. C'est ce qu'un sage païen pensait autrefois de la religion qui méritait le même reproche que celle des Indiens. Leurs histoires sont si ridicules, remplies de puérilités que j'ai honte de les écrire. [...] L'idole la plus grotesque qui se voit dans les pagodes (*Humana ad Deos transtulit, divina mallem ad nos*, Cicéron) des Malabars est celle de Puleiar. Sa figure est composée d'une tête d'éléphant posée sur un gros ventre. Elle est assise les jambes croisées, tous les autres membres du corps sont mal distingués. Au pied de la figure est un rat animal favori du dieu. Cette divinité est tout à la fois, la Vénus et le Priape des anciens. On l'honore par le libertinage et la prostitution. " Chez ces peuples aveugles, le vice a des temples ; le crime autorisé par d'augustes exemples ne paraît plus un crime aux yeux de ses mortels qui d'un dieu adultère encensent les autels. Sur une terre impie et sous un ciel coupable l'homme le plus criminel se croit excusable. " Dans les temples consacrés à ces dieux on voit près de la porte une figure de pierre, qui représente suivant les Malabars, l'union des parties honteuses des deux sexes. »

M. Poivre, esprit de progrès, ne sait pas observer avec une curiosité scientifique. Il procède par jugements normatifs et moralistes davantage qu'il ne décrit et n'explique. Ce philosophe et physiocrate, comme tous ceux de sa secte, déjà critique pour les traditions et les institutions de sa nation, ne voit rien de digne hors d'Europe. Il porte sur le monde le regard des Lumières, plein de satisfaction de soi et de mépris des autres, qui atteint à ce racisme que certains s'acharnent à vouloir attribuer au XIXe siècle. Dans un raccourci aussi lourd que pédant, voici qu'au nom de la tolérance et de la raison, l'aventurier malheureux des mers d'Asie, l'irritant administrateur des Mascareignes, lance le même anathème au front des Indiens et des juifs : « Par tout ce que je viens de dire, on a dû remarquer que le caractère de l'Indien est d'être superstitieux, fainéant, voluptueux, voleur, parce qu'il est pauvre, ignorant, orgueilleux, timide, intéressé ; sa plus grande vertu est l'humanité. Les Indiens sont doux et aiment à obliger. Ils ont poussé la superstition au dernier période. Les brames qui sont leurs docteurs, ont accablé le pauvre peuple sous le poids de mille devoirs arbitraires. Ils lui ont imposé un joug insupportable, en supposant une loi qui fait des crimes de tout, et tout à la fois permet le crime. Religion monstrueuse dont les cérémonies font horreur et déshonorent également l'idolâtre et l'idole. Je trouve beaucoup de rapport entre les usages des Indiens et ceux des Juifs, mais surtout entre les docteurs de ces deux nations. Les brames et les pharisiens. On peut avec raison faire à ceux-là le reproche que Notre Seigneur faisait aux autres lorsqu'Il faisait voir à tout le monde leur hypocrisie, leur avidité à faire payer les décimes, à exiger de l'argent pour leurs prières, les comparant à des sépulcres blanchis, pleins de pourriture et à des conducteurs aveugles conduisant d'autres aveugles dans le précipice ; tous ces reproches et mille autres conviennent bien aux prêtres indiens qui sont les plus orgueilleux de tous les hommes et les plus méprisables en toute façon. »

Les Maures

Les Européens de l'Ancien Régime appellent Maures les descendants — éventuellement métissés — des Turco-Mongols qui s'emparèrent de l'Inde au XVIe siècle, après qu'Espagnols et Portugais eurent découvert les routes de l'Amérique et de l'Asie. Les conquérants ont adopté l'islam pour religion, plus précisément le chiisme, lui-même embrassé par les Perses qui refusaient la domination des Arabes sunnites. À l'exception des Mahrattes, Indiens nationalistes, les princes du sous-continent, du plus petit nabab jusqu'au Grand Moghol, tous appartiennent à la caste des envahisseurs. De cette caste dirigeante, plaquée sur l'humanité indigène des Aryens et des Dravidiens, La Farelle brosse rapidement la peinture. « Les Maures, établis dans l'Inde, sont devenus si puissants tant par leur nombre que par la force des armes et leur grand commerce que, sur cette dernière côte, ils ont pu se rendre maîtres d'une ville appelée Vanour ; et, depuis peu de temps, l'île d'Aticara, près de Mangalore, leur appartient aussi. Ces Maures sont de la secte d'Ali et de Mahomet et sont obligés d'aller tous les trois ans en pèlerinage au tombeau de Mahomet, qui est à La Mecque ; les gens du commun ne sont tenus que d'y aller une fois. Leur extérieur est des plus humbles et des plus touchants lorsqu'ils sont à genoux et en contemplation au lever et au coucher du soleil. Ils s'inclinent plusieurs fois en récitant leurs prières et chaque fois ils baisent la terre et mettent la main au front. Ils se lavent tout le corps dans des étangs consacrés et se croient ensuite en état de grâce. Des mosquées où résident plusieurs Maures sont auprès de ces étangs, auxquels ils ont recours dès qu'ils ont crainte de s'être trouvés en contact avec quelque chose qu'un chien aurait touchée ou dont quelque Européen aurait fait usage. Les plus belles mosquées sont dans l'empire du Grand-Moghol, où presque tous les nababs ou gouverneurs de province sont Maures d'origine. En général fort riches, soit par leur entente du commerce soit par les hauts emplois qu'ils occupent, ces nababs font des dépenses inouïes pour l'entretien et l'ornementation des mosquées. Le Grand-Mogol dont ils relèvent a la plus grande confiance en eux, et il leur laisse exercer dans leurs gouvernements une autorité absolue, dont tous se servent pour pressurer le peuple. Ils sont d'ailleurs gens instruits, braves, bon tacticiens et surtout grands politiques et des plus habiles dans le choix des expressions dont ils se servent pour persuader ou se défendre de l'être. Ils sont d'ailleurs très susceptibles à l'endroit des honneurs qu'on leur rend et dont ils tirent grande vanité. Tous sont fort éloquents dans les louanges qu'ils font et très modestes pour celles qu'ils reçoivent. La magnificence de leur escorte, qui se compose ordinairement de quantité de gens à pieds, cavaliers, palanquins, chevaux de main, et même parfois d'éléphants superbement harnachés, contraste singulièrement avec cette affectation de modestie. Les femmes des Maures vivent dans le plus grand luxe et sont couvertes de bijoux et des plus beaux diamants, mais elles n'en sont pas moins de véritables esclaves, gardées à vue par des eunuques. Lorsqu'elles voyagent, elles sont si bien enfermées dans leurs carrosses à la mode du pays et traînés par des bœufs, qu'il est impossible de les voir, ainsi que j'ai pu en juger plusieurs fois à Pondichéry, où elles ne vont jamais loger que chez d'autres Maures ou dans des maisons inhabitées. Les femmes européennes et autres sont admises à les voir, et c'est d'elles que j'ai appris ce que j'en sais. »

L'Inde fuit l'unité, qu'elle soit ethnique ou religieuse. D'où la possibilité pour les étrangers de s'immiscer dans la vie politique du sous-continent. À l'école de Dupleix et de Bussy, les Anglais apprendront les techniques dont l'emploi, soutenu par la métropole, assure la domination progressive jusqu'à être totale. Des esprits éclairés et sincères, comme le comte de Modave, héros malheureux de la colonisation de Madagascar, déplorent cet état de choses et plus précisément le rôle néfaste de l'islam. Dans son *Voyage en Inde* (1773-1776), l'infortuné colonel, traînant une vie d'aventurier sans étoile, avant de mourir misérablement, consigne sans hésiter le fruit de son observation et de sa réflexion. « Je ne puis m'empêcher de penser que ce serait un grand bonheur pour l'Indoustan que l'extinction du mahométisme. Les gens de cette religion sont avides, oppresseurs, superbes et si paresseux qu'ils ne s'adonnent à aucune espèce de travail. Sans les Indous, les ateliers seraient abandonnés, les boutiques désertes et les terres en friche. Eux seuls entretiennent le peu

d'industrie qui est aujourd'hui dans l'Indoustan. » Un siècle plus
tard, dans un contexte différent, Renan aboutira à une conclusion
identique.

DES INDIENNES À L'INDUSTRIE COTONNIÈRE FRANÇAISE

La Compagnie des Indes orientales transporte et vend à Lorient
principalement du thé — de 70 à 85 % des cargaisons —, non que les
Français en soient très friands, mais parce qu'il représente un
excellent article de contrebande vers l'Angleterre. Ensuite, en
moyenne annuelle, Ph. Haudrère rappelle les importations de
produits secondaires : 150 000 toiles blanches de coton et mousselines, 25 000 toiles de coton peintes ou teintes, 400 étoffes de soie
peintes soit 175 400 tissus pour 150 000 pièces de porcelaine. À
ranger, en outre, à la rubrique des textiles bruts, 20 000 livres de soie
du Bengale, 9 000 de Chine et 3 000 de fil de coton. Par la faiblesse de
la production antillaise, de surcroît vendue aux Anglais — environ
5 000 tonnes par an à la fin de l'Ancien Régime —, le coton, en fil ou
tissé, pose un problème. Mais la demande, toujours plus forte de ces
étoffes vives et pratiques, incite Colbert, au début du règne de
Louis XIV, à autoriser l'imitation des textiles d'Asie en agrémentant
le lin, le chanvre, voire la laine de motifs monocolores, par
l'impression de moules en bois. L'appel reste sans écho, ou plutôt ne
suscite que la fabrication de copies grossières, que les personnes
aisées ignorent. Comment expliquer cette passion pour les *indiennes*?
Par l'agrément qu'elles offrent à l'œil, mais surtout pour la qualité de
leurs couleurs. En effet, des mordants — sulfates de fer et d'alumi-
nium, comme l'alun — fixent de manière indélébile les teintures qui
illuminent leurs dessins. Les indiennes séduisent le regard, par leur
fraîcheur, mais surtout cette vivacité des tons résiste aux lavages :
elles sont pratiques, d'un usage durable. Toutes qualités que de
mauvaises copies ne possèdent pas.

Après la mort du ministre, le 26 octobre 1686, le Conseil d'État
prépare un arrêt dont l'industrie et le Trésor subiront les dommages.
« Le Roi étant informé que la grande quantité de toiles de coton
peintes aux Indes ou contrefaites dans le Royaume, et autres étoffes
de soie à fleurs d'or et d'argent de la Chine et desdites Indes, ont
donné lieu non seulement au transport de plusieurs millions hors du
Royaume, mais encore causé la diminution des manufactures de
longtemps en France pour les étoffes de soie, laine, lin, chanvre, et en
même temps la ruine et la désertion des ouvriers, lesquels, par la

cessation de leur travail, ne trouvant plus d'occupation ni de subsistance pour leur famille, sont sortis du Royaume. » À ces plaintes du gouvernement, Serge Chassagne objecte que la sortie du numéraire résulte de l'achat de toiles peintes étrangères, hollandaises ou anglaises, répond que la précarité des manufactures découle de l'incapacité du marché national d'absorber la production textile française, et remarque que la fuite des ouvriers correspond — pour partie seulement — à la révocation de l'édit de Nantes et se demande si certains indienneurs protestants, mais aussi catholiques, n'ont pas préféré l'exode aux rigueurs de la prohibition. Au terme de l'analyse de son Conseil, Louis XIV ordonne : « Toutes les fabriques établies dans le Royaume pour peindre les toiles de coton blanches cesseront, et les moules servant à l'impression d'icelles seront rompus et brisés. [...] Et à l'égard des toiles peintes et autres étoffes de soie à fleur d'or et d'argent des Indes et de la Chine, Sa Majesté a accordé jusqu'au dernier décembre de l'année prochaine 1687, aux marchands et aux autres qui en sont chargés pour les vendre et s'en défaire, ainsi qu'ils aviseront bon être ; après lequel temps, fait Sa Majesté défenses à toutes personnes, de quelque qualité et condition qu'elles soient, de les exposer, ni vendre, et aux particuliers d'en acheter. » Cette mesure, qui stérilise la technique française pendant quelque 70 ans, étend ses interdictions très loin puisqu'elle prohibe commerce, fabrication et même le port ou l'usage des indiennes et de toute espèce d'étoffe d'Asie. En réalité, cette proscription au préjudice indiscutable ne détruira pas complètement l'indiennage français, car la demande, loin de s'étioler, se développe. En réponse, la contrebande s'organise, dispersée, étendue, ignorant les frontières, la Compagnie des Indes orientales ne craignant pas de donner le mauvais exemple ! Savary des Bruslons, au fait de tout ce qui touche au commerce, n'en écrit pas moins avec assurance : « L'autorité royale travailla à opposer une digue à cette espèce de torrent d'étoffes qui inondait Paris et les provinces. » La fraude aborde toutes les côtes — notamment celles de Bretagne —, et les étoffes, fabriquées dans les Provinces-Unies et non dans l'Inde, pénètrent dans le royaume. S'y ajoutent des toiles du Levant que Marseille, forte de ses franchises autorisant l'entrepôt en port franc, introduit ou fabrique dans ses murs ! Par voie de terre, des filières s'organisent dans tous les États d'Europe limitrophes de la France, et particulièrement en Suisse qui déverse ses indiennes sur la région lyonnaise, la Provence et le Languedoc. Selon l'éminent Louis Dermigny, évoquant « le flot des indiennes genevoises et suisses », on constate que « l'internationale des indiennes recoupe de très près l'internationale huguenote ». Affirmation à laquelle Serge Chassagne objecte que l'indiennage n'a pas été introduit dans la cité de Calvin, par les réformés français fuyant la révocation de l'édit de Nantes. Peut-être : mais les huguenots n'auraient-ils pas participé activement au développement de l'industrie du coton en Suisse et n'auraient-ils pas mis en place les réseaux de commerce clandestins vers les provinces centrales et méridionales du royaume ? Il semble que sur l'importance de la présence des réformés français en Suisse et sur le volume des gens de passage, il convienne de ne pas adopter de position trop négative.

En France même, des indienneurs, jouissant d'un lacs étendu de complicités, s'adonnent à leur art, particulièrement dans le Dauphiné, les régions lyonnaise, rouennaise et toulousaine. Malgré une fraude prospère de plusieurs millions de livres tournois, que le goût du public impose, toujours plus avide, « la répression semble inefficace et faible », constate S. Chassagne. À partir de 1740, les colonies commencent à envoyer du coton, à petit débit, que les artisans de la métropole tissent. Et, comme les procès-verbaux dressés en application de l'édit de 1686 frappent exclusivement les étoffes imprimées et non peintes, tissées dans n'importe quelle matière, lin, chanvre, voire laine, à l'exclusion du coton, rien ne semble interdire la teinture de toiles de coton. En effet, autorisation en est donnée à Paris en 1752. On ne sait plus très bien qui teint et qui imprime et, dans ce désordre, des voix s'élèvent, Forbonnais, Gournay, Morellet, réclamant l'abolition de la prohibition. Finalement, le contrôleur général des Finances Boullongne puis Silhouette, épaulés par le bureau du Commerce, décident de suivre l'opinion. L'arrêt du 21 janvier 1759 autorise l'impression sur soie et les lettres patentes du 5 septembre suivant, ainsi que l'arrêt du 28 octobre de la même année, permettent l'impression des toiles de coton et, pour favoriser cette nouvelle activité, imposent les toiles étrangères d'un droit de 15 %, quand elles sont blanches, de 25 % quand elles sont imprimées. Un an plus tard, l'arrêt du 3 juillet 1760, aménage le contrôle de la qualité des indiennes fabriquées en France. Il stipule : « Toutes les toiles peintes ou imprimées dans le Royaume devront être marquées tant à la tête qu'à la queue d'une marque rouge portant le nom, le lieu, la date de fabrication, et la mention *Bon teint* ou *Petit teint*. »

Malgré l'impulsion libérale donnée par les intendants du commerce — garants de l'intérêt public — à un secteur économique, que les manufacturiers lainiers et soyeux paralysaient, l'essor est tardif. Toute l'Europe, surtout la Grande-Bretagne, a pris une avance considérable sur le royaume. Cet écart s'avère d'autant plus fâcheux que l'industrie cotonnière — spécialement le filage, le tissage et l'impression — constitue, avec la métallurgie, l'avant-garde de la révolution industrielle. Échappant largement au capitalisme commercial fondé sur une chaîne de solidarités familiales, à qui l'utilisation de la lettre de change suffit pour aller de l'avant, la confection de toiles de coton entre dans l'aire du capitalisme industriel, que marquent la concentration des ouvriers dans de grands ateliers, parfois des usines, ainsi que la division du travail et la fabrication en série. Ces unités originales, fuyant les errements de l'artisanat dispersé, nécessitent d'importants capitaux. La nouveauté de leur objet, qui engendre inquiétude et insécurité, ne facilite pas les emprunts aux réseaux fermés traditionnels : elle fait sentir le besoin de demander des crédits à des instruments spécialisés, à des banques. La naissance de l'indiennage en France exige tout à la fois la prise de conscience du temps à regagner pour n'être pas irrémédiablement distancé, et la capacité de créer les institutions financières indispensables, dont la connaissance familière des techniques se révèle urgente. Brutalement, ces cotonnades à la mode, produits futiles, dont la demande submerge l'offre, imposent des révisions abruptes dans tous les domaines. Il faut vaincre la concurrence asiatique, dont la main-d'œuvre abondante peut vendre en quantités infinies mais en échange de métaux précieux. Il faut rattraper l'avance des Anglais dans les techniques du filage et du tissage, pour ne pas leur abandonner le monopole d'un produit si convoité dont la complète importation grèverait le commerce extérieur de la Couronne. Contrairement au négociant, l'industriel n'est pas un transporteur mais un inventeur toujours sur la brèche, ayant à administrer les gestions les plus diverses : capitaux, hommes, stocks, matériels, recherches, etc. Certes l'armateur aussi gère son entreprise : mais il ignore ce degré de rivalité internationale qui commande pareille concentration financière, économique, humaine et technico-scientifique. Pour cela, le XVIIIᵉ siècle accuse une rupture : il passe d'un type de dirigeant à un autre, d'un système à un autre. Le commerce se fixait de procurer les denrées et produits que sa clientèle réclamait, l'industrie cherche à corriger le déséquilibre des coûts et, s'il est possible, à l'inverser au détriment du concurrent.

Où apparaissent les centres cotonniers français, où sont opérés le filage (jenny, waterframe, mule-jenny) et le tissage (navette volante de John Kay), procédés mécaniques importés d'Angleterre, dont l'utilisation explique la concentration des ateliers à métiers et l'apparition de l'usine ? En Alsace et en Lorraine, tout au long de la Seine jusqu'au pôle de Rouen et même au-delà, à Nantes, Toulouse, dans le Languedoc, autour de Montpellier, dans l'axe Saône-Rhône, de Dijon à Montélimar, en passant par la puissante région lyonnaise, enfin dans le Dauphiné et le long de la frontière franco-suisse. Les grands sites de production de toiles peintes ne se superposent pas forcément aux principaux lieux d'ouvrage du coton. Par ordre décroissant, on note : l'Alsace, l'Île-de-France, la Normandie, la Bretagne nantaise, la Provence marseillaise, et enfin Bordeaux et le Dauphiné. À la fin du siècle des Lumières, on compte quelque 300 manufactures de toiles peintes, employant environ 25 000 ouvriers et produisant 550 000 pièces par an. Après l'arrêt libérateur de 1759, nombre d'indienneurs franchissent la frontière suisse avec des capitaux et créent des établissements réputés dans le royaume. Wetter à Marseille, puis à Orange, Frey et Jeanjaquet à Rouen,

Petitpierre et Gorgerat à Nantes, Oberkampf à Jouy, Schmaltzer, Koechlin et Dollfus à Mulhouse, Grenus au Puy, Picot, Hentsch et Fazy à Lyon, Humblot et Risler à Mulhouse et à Villefranche-en-Beaujolais, Landry à Villeurbanne, Du Pasquier à Colmar, Imhoff et Koenig à Melun. De multiples familles se dirigent vers les côtes. S'arrêtent dans les ports de l'Atlantique les Pelloutier et Bourcard, les Abraham, Rother, Risler et Favre. J. L. Baux s'installe à Bordeaux, Pourtalès multiplie ses établissements, dont l'un est dirigé par Perrégaux. Toutes les manufactures de toiles peintes ne sont pas de vastes entreprises, néanmoins on en compte plusieurs. En Alsace, dit Ernest Labrousse, on recense 1 200 ouvriers chez Steffan, 1 800 chez Senn-Bidermann, 2 300 chez Pourtalès, 930 chez Picot et Fazy, à Lyon, et 880, à Jouy, chez Oberkampf.

Pendant son périple en France, l'agronome anglais Arthur Young, grincheux impénitent, note tout ce qu'il voit. Le voici à Beauvais : « J'ai visité la fabrique de toiles peintes de MM. Garnier et Cie, qui est assez importante pour occuper constamment 600 ouvriers ; il n'y a aucune différence entre elle et les fabriques similaires d'Angleterre ; tous les modèles que j'ai vus étaient très ordinaires et semblaient viser moins l'élégance et la grâce d'exécution que la promptitude d'une grande entreprise ; et cependant Paris est son principal débouché ; on fabrique beaucoup d'indiennes. » Après ces propos confus et peu amènes, le savant Anglais porte ses pas vers Nantes : « Visité la manufacture de coton de MM. Pelloutier, Bourcard et Cie, le consul de Prusse, qui emploie environ 200 ouvriers ; on file au moyen de *jennies*, on tisse et on imprime l'étoffe, mais le directeur dit que les produits suisses de même sorte sont d'un tiers moins cher, parce qu'on emploie en Suisse plus de machines et que les ouvriers travaillent beaucoup mieux et plus énergiquement. Prix du meilleur coton de Saint-Domingue, à présent, de 180 à 200 l. le quintal. » Enfin, dernière halte à Darnétal, en Normandie. Malgré les mesquineries gratuites, l'agronome laisse entrevoir la rapidité de la mécanisation dans les manufactures françaises, ainsi que la formation accélérée des cadres français par des spécialistes de Sa Gracieuse Majesté. Indubitablement, l'industrie cotonnière du royaume doit beaucoup aux collaborations extérieures : aux techniciens anglais pour le filage et le tissage, aux huguenots suisses et frontaliers pour l'impression des toiles. Young poursuit et démontre. « Visité la filature de coton, qui est la plus importante qu'on puisse trouver en France. On file la longueur de 40 000 aunes par livre. Le machinisme, dans cette filature, épargne beaucoup de main-d'œuvre, puisque trois ouvriers font le travail de huit. Elle est dirigée par quatre Anglais, venant des filatures de M. Arkwright. Cette filature a coûté 400 000 l. à construire. » Après les manufactures d'indiennes, la concentration apparaît au moment du filage puis du tissage. Ainsi deux entreprises dominent-elles la production du Haut-Rhin · Gros, Roman et

Davillier, à Wesserling; Dollfus-Mieg, qui installe la première machine à vapeur en 1812, à Mulhouse. Toutefois il existe à peine huit grandes filatures françaises et, en 1790, l'intendant du commerce Tolosan ne compte encore que 9 000 jennies en France, contre 20 000 en Angleterre, auxquelles s'ajoutent 7 à 8 000 métiers à tisser d'Arkwright.

Les colonies, c'est-à-dire les Antilles, et plus précisément encore Saint-Domingue portent, à la fin du XVIIIe siècle, le grand commerce français à son apogée, le négoce avec les îles formant le moteur du capitalisme commercial de la nation. Parallèlement, le coton, produit colonial importé — du Levant, sous l'Empire —, et la toile peinte, cotonnade de plus en plus imprimée, bref, cette denrée et ce produit participent au démarrage de la révolution industrielle en France, comme ils en ont pris la tête en Grande-Bretagne. Le commerce colonial, tout en invitant la métropole à dominer les techniques d'élaboration de produits de luxe — sériciculture, soies, vernis, porcelaine — l'engage à mettre en place les procédés qui lui permettront de satisfaire un large marché où toutes les classes sociales sont présentes. De 1700 à 1789, le coton progresse dans les garde-robes parisiennes de 6,4 % à 32,4 % ! Cette croissance de la demande incite et contraint les négociants qui, naguère se contentaient de vendre le produit de l'artisanat dispersé qu'ils contrôlaient, à concevoir de manière nouvelle : en termes de mécanisation ou de machinisme, de concentration des capitaux et des hommes dans un type d'instrument unique de production, caractérisé par la division du travail. En un mot, le commerce colonial, qui donne une balance commerciale excédentaire au royaume, l'incite maintenant à régénérer l'industrie de la nation, notamment pour satisfaire à la demande de la traite négrière, qui s'ajoute à la demande intérieure : il désigne dans les toiles de coton imprimées, soumises à la pression croissante du marché, une branche qui contribue à entraîner l'industrie dans le renouveau.

Autre conséquence du commerce colonial : les huguenots, jadis interdits officiellement dans les possessions par Richelieu et Louis XIV, et dont la réintégration pleine et entière est en cours depuis que Louis XV a demandé à Machault de l'étudier, se multiplient dans une branche nerveuse de l'industrie française balbutiante. Les voilà, nombreux, qui quittent les refuges suisse, voire allemand, pour constituer, le plus souvent en association, des entreprises de filage, de tissage et d'impression du coton. Eux, dont certains ont dit avec exagération qu'ils monopolisaient ces activités avant l'arrêt de prohibition de 1686, en contrôlent indiscutablement une large partie, à la fin de l'Ancien Régime. Ces indienneurs, solidement liés par de vieilles affinités, ne craignant pas toutefois de s'allier à la bourgeoisie française, envahissent les ports, Bordeaux, Nantes, Lorient, sans compter les centres étrangers, Londres, Ostende, Copenhague ou

Lisbonne, quadrillant le marché intérieur, participant au commerce de l'Inde jusqu'à s'installer à Pondichéry, les sociétés huguenotes deviennent une puissance en quelques années. Où les Plantamour, les Cathala, les Rivier, les Solier, les Pourtalès, les Cazenove, les Coulon, les Claparède, les Senn, les Bidermann, les Rabaud, n'ont-ils pas d'intérêts ? Partout, apparaissant même aux Antilles. En voilà, propriétaires de plantations, et voici les frères Rivier, amis de Brissot et bons révolutionnaires dans les années 1789-1793, qui font du revenu dans la traite négrière ! L'indiennage, l'attrait du grand commerce, sans oublier les besoins en crédit de Paris, capitale financière internationale, ont d'une certaine manière renversé les effets de la révocation de l'édit de Nantes. Ces activités ont perpétué et élargi les relations économiques et familiales entre huguenots réfugiés en Suisse et leur ancienne patrie. Alors que les fortunes réformées n'avaient pas quitté la nation — comme aimait à le répéter Charles Carrière —, la banque, l'industrie cotonnière, l'impression des toiles et le négoce invitent des capitaux constitués en Suisse à prendre le chemin du royaume, pour se fixer dans les secteurs rentables de l'économie nationale.

Sous l'Empire, des entrepreneurs, parmi lesquels des huguenots, font de Paris la capitale du coton, comme l'ont montré Pinkney et Louis Bergeron. En 1813, selon l'administration, le département de la Seine compte : 52 filatures dont 44 dans la capitale ; elles sont équipées de 150 000 broches portées notamment par 744 mule-jennies ; occupant quelque 5 000 hommes, elles filent 750 tonnes de coton brut par an. Le tissage réclame, en amont, une main-d'œuvre de 11 000 personnes. Quant à l'impression, elle associe, comme partout en France, grandes sociétés et petites unités : au total, une quinzaine de sociétés. Suisses et Alsaciens occupent une position de premier rang. Chez les grands cotonniers, on remarque Richard, Lenoir-Dufresne, puis Gros et Davillier, Gillon-Davillier-Fillietaz, et Albert. Chez les indienneurs, se détachent les Genevois Roux et Fazy, le Neufchâtelois Brenier, tandis qu'à leurs côtés figurent les Français Sallandrouze, et les Alsaciens Roechling, Dollfus, l'Allemand Ober-kampf. Poussant la France dans l'entreprise industrielle cotonnière, riche en promesses scientifiques, techniques et financières, accédant au commerce des Indes, actionnaires de la Compagnie de Calonne et fondateurs de la Société maritime Rabaud-Bidermann, les indien-neurs huguenots, pressentent que la toile imprimée ne dépassera pas les dimensions d'un phénomène cinquantenaire, glissent sans bruit vers un secteur que la révolution industrielle appelle au plus grand développement : la banque. En effet, il apparaît de plus en plus urgent et nécessaire, pour faire face aux besoins financiers toujours plus importants, de substituer des institutions de crédit aux tradition-nels banquiers dont les moyens ne suffisent pas pour conduire de grandes politiques de prêts ou d'investissements. Des compagnies apparaissent à la fin de l'Ancien Régime : une société d'assurances tenue par un Lyonnais d'origine vaudoise, Delessert, et des maisons de banque, que fondent les Neufchâtelois Perrégaux et Rougement, les Genevois Mallet et Greffulhe et le Zurichois Hottinguer. Le Refuge, libéré par l'édit de 1759, autorisant l'indiennage, ne cesse de s'implanter dans les activités les plus neuves de France, sans pour autant abandonner la Suisse. Ce monde d'hommes entreprenants, liés les uns aux autres par le passé, s'aidant et s'entraidant, indispensables aux gouvernements parisiens à qui — avec des Français et d'autres étrangers — il enseigne la théorie et la pratique du capitalisme et procure de l'argent frais, remporte sa victoire la plus significative en 1800. Mallet, Greffulhe, Perrégaux, Delessert, Hottinguer, Rougemont figurent parmi les plus gros actionnaires de la Banque de France, que Bonaparte vient de créer ! Derrière eux, d'autres Suisses, les Pourtalès, naguère empereur des indiennes, Petitpierre, Gros, Davillier, Carbonnier, Vaucher-Du Pasquier, Favre-Cayla, Boissier, sans oublier le Wurtembourgeois de Bâle, Oberkampf, détenteur de 212 actions. La Révolution, ayant ruiné le grand commerce maritime et colonial, donne brusquement le sceptre — non de l'économie générale, les paysans le tiennent — mais celui de l'économie avancée, aux manufacturiers et aux banquiers. Déjà, le négociant, dans son prestige ancien, appartient au passé. Quant au planteur, la régénération l'ayant dépouillé de sa tunique de Crésus et de son image de pacha exotique, il se recroqueville dans sa défroque de parasite encombrant, quémandeur insatiable de privilèges et de subventions.

L'indiennage, voltigeur colonial de la révolution industrielle et du capitalisme, s'évanouit, délaissant les murs, les meubles et les épaules des femmes, au moment de l'interdiction de la traite négrière, qui utilisait à profusion les cotonnades coloriées comme monnaie de troc. La Restauration abandonne à l'oubli les toiles légères que moules, planches et cylindres ont ornées de motifs asiatiques, historiques, héroïques, allégoriques, romanesques et dramatiques et aussi de décorations galantes, champêtres et même politiques. Les fameuses pièces de Jouy n'ont-elles pas célébré Franklin, Louis XVI restaurateur de la liberté, l'hommage de l'Amérique à la France, la liberté et la fête de la Fédération ? Si les indiennes ont répondu aux moments — relativement longs de la mode —, elles laissent derrière elles un héritage diversifié et assuré de la durée, dans tous les domaines de l'activité économique moderne. Sous l'Empire, notamment, le « machinisme cotonnier » a aidé à l'industrialisation de la nation et à la consécration de l'institution bancaire, nécessaire au développement industriel, alors qu'elle ne l'avait pas été aux progrès du commerce colonial et plus généralement, international.

LA FRANCE CHINOISE :
LE COMMERCE PRÉCOLONIAL DE CANTON

En 1664, Colbert, fasciné par la richesse asiatique des Provinces-Unies, fonde la Compagnie française des Indes orientales. Plus tard, en 1669, il dépêche le lieutenant général de La Haye, dans la mer des Indes, à la tête de l'escadre de Perse. Cette flotte reçoit ordre de créer des établissements à Ceylan, à Banca, île de l'archipel de la Sonde et d'aider au développement du trafic français dans l'Inde. La Haye fait une incursion malheureuse à Ceylan et ne pourra atteindre Banca, qui devait devenir un centre d'épiceries et une escale pour les navires de commerce destinés à la Chine et au Japon. Finalement, les Français limiteront leurs ambitions extrême-orientales à l'Inde, se contentant d'entretenir une factorerie ou loge, dans le port de Canton. Cette double ville — chinoise et commerçante, « tartare » et administrative — se réfugie dans les bouches de la rivière des Perles ou du Tigre, protégée par un écran d'îlots dont celui de Wampou où les bâtiments étrangers sont tenus de mouiller. L'arrivée à Canton, carrefour unique du commerce international — avec Macao, de plus en plus négligée — offre un paysage plaisant, qui séduit Charles de Constant, homme d'affaires genevois, et cousin du célèbre Benjamin. « La rade contenait une cinquantaine des plus beaux navires de commerce qu'il y ait au monde, portant les pavillons des diverses nations européennes ; les jolies collines boisées et cultivées qui bordent la rivière d'un côté, le village de Wampou et sa haute tour placée sur un monticule sur la route de Canton, quelques villages répandus çà et là, entourés de grands arbres, et pour lointain de hautes montagnes. Voilà un spectacle bien beau et d'autant plus qu'il est placé à la Chine où l'ouvrage des hommes est si différent de ce qu'on voit ailleurs. » La ville ne tient pas les promesses du panorama, mais le voyageur n'a d'yeux que pour la multitude, la démesure. « L'aspect de la ville n'est point agréable. Les maisons bâties sur pilotis avancent jusque dans l'eau, et même les bateaux peuvent souvent passer dessous ; les maisons situées ainsi sur le bord de la rivière sont la plupart des auberges ou des magasins ; le commerce se faisant principalement par eau, l'on a trouvé plus commode de placer les magasins tout près des embarcations. Les négociants d'une même province se réunissent volontiers sous le même toit, et l'on voit auprès, les bateaux qui les ont amenés : l'on reconnaît la province d'où ils viennent à la force de ces bateaux. [...] C'est surtout en arrivant à Canton et après avoir passé avec peine pendant une lieue à travers une quantité innombrable de bateaux de toutes grandeurs et de toutes les formes, allant en tout sens, remplis de monde, et ayant la ville à droite et à gauche sans qu'on en aperçoive les bornes nulle part, qu'on prend une idée de l'immense population qui couvre ce pays. »

Au milieu de ce grouillement général, se dressent les sièges des compagnies étrangères. « Les factories européennes s'annoncent de loin par des pavillons hissés sur des mâts élevés, placés devant chacune d'elles. Le quai sur lequel ces factories sont bâties s'appelle en chinois Shi-san-hong [les treize maisons de commerce]. Chaque nation européenne occupe un de ces hôtels, et quoique les étrangers ne puissent acquérir aucune propriété territoriale, ils ne peuvent sous aucun prétexte être dépossédés de l'occupation de leur habitation que s'ils ne payaient pas le modique loyer qui leur est imposé, qui ne peut être augmenté. Les Européens ont construit toutes les factories qu'ils occupent. Ces hôtels sont peu larges, leur longueur est d'environ trois cents pas ; ils sont divisés intérieurement et dans la longueur en corps de logis séparés par de petites cours et par des jardins plus petits encore, et dans cette longueur il y a de la place pour recevoir beaucoup de marchandises. »

À deux pas des résidences des compagnies, un vaste quartier réunit les négociants chinois qui traitent avec les étrangers. « En face des factories européennes et de l'autre côté de la rivière se trouve Honam [Ho-nan], immense faubourg où il y a une Pagode ou Temple impérial très considérable, qui contient quatre cents bonzes ou moines ; plusieurs marchands chinois privilégiés pour faire le commerce avec les Européens y ont leurs maisons de plaisance, ou comme ils le disent, leurs maisons de femmes. C'est dans ces maisons entourées de vastes jardins que les marchands nous donnent des fêtes. C'est dans ce faubourg que se construisent les bâtiments et bateaux que l'on voit dans la rivière ; il est borné à l'ouest par un bras de la rivière et un fort, et s'étend fort loin à l'est sur le bord de l'eau. »

Fruit de deux voyages et d'un séjour cantonais de trois ans, les *Mémoires sur le commerce à la Chine* de Charles de Constant, que Louis Dermigny a tirés du silence des cartons, fourmillent d'enseignements originaux sur le grand port sino-européen. À une époque où l'élite européenne, Voltaire en tête, célèbre les vertus de la Chine, les quelques centaines ou milliers d'Européens de passage à Wampou, et la cinquantaine d'agents des compagnies, résidant dans la ville chinoise de Canton, souffrent les avanies que le Levant mahométan réserve aux chrétiens. Une littérature de voyage — dite sinophobe — illustrée par le Suédois Lange, l'Italien Careri, Le Gentil et surtout le célèbre amiral Anson, tente de montrer à l'opinion européenne, soumise à la littérature des philosophes et des jésuites, que le Chinois en Chine, dans ses rapports avec les Blancs, est loin de ressembler à cette rosée de sagesse qu'on lui enseigne. Anson et son escadre, contraints de s'arrêter à Canton, font l'expérience de cette civilité asiatique, si vantée. Qu'on ne lui parle pas des Chinois ! « Ce serait un détail infini, que de raconter les artifices, les extorsions et les fourberies de cette canaille avide » éclate, exaspéré, le marin dans son *Voyage autour du monde*, traduit en France en 1749. Constant, quoique homme des Lumières, ouvert, tolérant, possédant le sens du relatif, ne cesse de dénoncer le caractère dédaigneux, méprisant, despotique, menteur, cupide, rapace et voleur des sujets du Céleste Empire, du plus haut au plus bas de l'échelle sociale. Les mandarins, si prisés dans les milieux européens qui rêvent de constructions constitutionnelles à la chinoise, où seuls, les plus méritants, recrutés par concours, dirigeraient les affaires publiques, n'inspirent ni admiration ni respect au Vaudois. « Rien ne donne une idée plus juste du despotisme qui règne à la Chine, que la marche des mandarins précédés de soldats, de satellites de bourreaux, de domestiques et de secrétaires ; les uns portent les insignes de leur grade, les autres des bambous, des chaînes, des instruments de supplice et même de mort, criant les uns après les autres ce *ou** [Hu] prolongé qui frappe la multitude de terreur. » Abuser des droits de sa charge, faire rosser arbitrairement un innocent, indigne Constant : à plus forte raison ne peut-il supporter qu'on traite les Européens avec guère moins d'égards. « Aux difficultés, aux vexations, les Mandarins ne manquent point encore de joindre l'insulte. Ils la poussent avec la petitesse et l'infamie d'un Chinois, jusqu'à inscrire les vaches avant les Européens qui ne figurent encore dans cette place que sous les noms de Monstres, de Fils de Putes, de Barbares, de Sauvages, etc. Si l'on demande pourquoi ils font tant de formalités pour embarquer une vache, je répondrai que le bon ordre du Gouvernement l'exige et que l'introduction de cet animal d'Europe en Chine est une chose bien nécessaire à savoir à Pékin. Ah ! Chinois ! Chinois ! que vous êtes petits ! Vous ignorez que votre exactitude minutieuse vous a valu le nom pompeux de Peuple de Sages ! C'est un français, c'est M. l'abbé Raynal qui vous donne ce titre qu'aucune nation n'a moins mérité que vous. Mais il n'a pas vécu douze ans parmi vous ; il n'a pas eu perpétuellement sous les yeux le spectacle révoltant de vos infamies ; il n'a été ni témoin ni victime de vos perfidies, de vos rapines ; il n'a pas vu la dépravation de vos mœurs, la scélératesse de vos Mandarins ; il ne connaît point la tyrannie de vos maîtres, la rigueur et la bassesse de votre servitude. Permettez-donc qu'avec moins d'éloquence, mais plus de vérité, je change son éloge en critique, en vous appelant Peuple de Lâches, Peuple d'Enfants, Peuple de Voleurs, Peuple d'ignorants, et ce qui est malheureux pour vous, Peuple d'Esclaves ; mais avez-vous assez d'âme pour sentir le prix de la liberté ? » L'apostrophe est violente, mais condamne injustement Raynal. Prudent, l'ancien jésuite présente deux visages opposés de la

---

* Place ! Place !

Chine, dans son *Histoire philosophique*. Le premier, *État de la Chine, selon les panégyristes*, reprend les thèses chères aux physiocrates et à leur maître Quesnay, médecin de la Pompadour ; le second, *État de la Chine, selon ses détracteurs*, d'une véhémence incendiaire, donne l'occasion à Diderot de foudroyer l'empire asiatique, naguère idéal, avec une telle véhémence que la philippique de Constant fait presque penser à un exercice d'écolier.

Avec cette Chine, adulée des XVIIᵉ et XVIIIᵉ siècles, encore que ce culte éprouvât de rudes assauts dans les dernières décennies des Lumières, les pays européens entretiennent un commerce régulier. Ici encore l'Angleterre domine surtout à partir de la guerre de Sept Ans : le commerce indo-britannique, qui approvisionne l'Empire en coton et bientôt en opium devient un fournisseur de plus en plus considérable et même exigeant. Quant à la France, en quelque 55 ans, elle n'envoie guère que 124 navires : 79, de 1730 à 1771, au temps de la Compagnie des Indes, et 45, de 1769 à 1785, en période de liberté commerciale ; soit une moyenne annuelle de deux bâtiments. L'administration se contente de cette médiocrité. M. de Guignes, ancien consul à Canton, juge en 1808, dans ses *Voyages à Péking* : « Le commerce français à la Chine ne nécessite que deux ou trois bâtiments de sept à huit cents tonneaux chacun. Un plus grand nombre rapporterait plus que la France ne consomme, et au-delà de ses débouchés. Ce commerce demande depuis trois millions et demi jusqu'à quatre et cinq millions, et peut en produire six et huit en Europe. » Qu'exporte la nation en direction de Canton ? Des produits finis : essentiellement des tissus de laine, draps, londrins, perpétuanes, étamines, etc., des glaces, quelques pendules et de l'acier, des marchandises brutes, venant d'Europe, ou acquises sur la route : ébène, santal, ivoire, coton, azur, laque, encens, poivre, ailerons de requin, nids d'hirondelles, bichots, plomb, étain et des piastres d'argent pour acheter la cargaison de retour. De leur côté, les hanistes, vendent aux Français des porcelaines, thés et soies ; puis des meubles laqués, papiers peints, éventails, vernis, coquilles de nacre et des drogues dont de la rhubarbe. Comme le rapelle un mémoire écrit en avril 1782 par les Jésuites français de Pékin, où Amiot, survit le dernier jusqu'en 1795, les P.P. fournissent « un appui souvent nécessaire aux négociants que la France entretient à Canton et dont les missionnaires sont les avocats et les interprètes dans toutes les occasions où leur accès à la Cour peut épargner aux Français des désagréments ou leur procurer des avantages ».

La porcelaine définit et illustre la Chine dans l'esprit européen. Alors que le Proche-Orient s'initie aux faïences — pâtes tendres — dès l'Égypte pharaonique, puis y excelle à partir du XIIIᵉ siècle, l'introduisant en Espagne et en Italie, la Chine triomphe vers le Xᵉ siècle en mettant au point les pâtes dures, la porcelaine, qui avait tant émerveillé Marco Polo. Cette matière, que l'acier ne raye pas, se compose d'une argile blanche infusible, le kaolin, d'une substance fusible et transparente, le feldspath, mélangée à du quartz pulvérisé, alors que la porcelaine tendre, de qualité inférieure, ne contient pas de kaolin. Les Portugais, que les empereurs Ming ont autorisés à s'établir à Macao, rapportent à Lisbonne des porcelaines à décor bleu et blanc. Au cours du xviiᵉ siècle, les Hollandais, qui se sont implantés à Batavia, à Surāt et aussi dans l'îlot de Deshima, en face de Nagasaki, où les Japonais ne tolèrent qu'eux, introduisent des cargaisons de porcelaines en Europe. Mais, de 1630 à 1680, la Chine en proie à de violents troubles intérieurs — la dynastie mandchoue chasse les Ming — est supplantée par le Japon dans le rôle de fournisseur de l'Europe : c'est l'époque des belles porcelaines d'Imari. Sous le règne de K'ang-hi, le Louis XIV mandchou, la porcelaine chinoise s'impose à nouveau, avec ses décors aériens, pièces polychromes ou monochromes, famille verte, famille noire, famille rose, dont le commerce anglais devient le distributeur en Europe. Le goût des curiosités de « Lachine », s'est déjà emparé du Vieux Monde depuis longtemps, quand la porcelaine chinoise arrive à Rouen, en provenance de Surāt, et quand en 1700 l'*Amphitrite*, premier navire français venant de Canton, débarque 181 caisses de porcelaine. La cour s'enthousiasme pour ces pièces fragiles et translucides : Richelieu, Mazarin, Fouquet, la famille royale en achètent, mais le plus grand collectionneur du xviiᵉ siècle reste Auguste le Fort, Électeur de Saxe (1694-1705).

Le Grand Roi manifeste son engouement de manière singulière : en 1670, à Versailles, il fait construire en hommage à Mme de Montespan, sa maîtresse, le Trianon de Porcelaine. Le Vau dirige les travaux avec célérité : pour cette symphonie chinoise en bleu et blanc, dit Pierre Verlet, il fait venir des carreaux de Hollande, de Paris, de Saint-Cloud, de Lisieux et de Rouen. Félibien, historiographe des Bâtiments, a laissé de cette délicate merveille une description éblouie. « Ce Palais fut regardé d'abord de tout le monde comme un enchantement : car n'ayant été commencé qu'à la fin de l'hiver, il se trouva fait au printemps, comme s'il fut sorti de terre avec les fleurs des jardins qui l'accompagnent, et qui en même temps parurent disposés tels qu'ils sont aujourd'hui, et remplis de toutes sortes de fleurs, d'orangers, et d'arbrisseaux verts. L'on pourrait dire de Trianon, que les grâces et les amours qui forment ce qu'il y a de plus parfait dans les plus beaux et les plus magnifiques ouvrages de l'art, et même qui donnent l'accomplissement à ceux de la nature, ont été les seuls architectes de ce lieu, et qu'ils en ont voulu faire leur demeure. » Ce chef-d'œuvre fragile ne résiste pas à la disgrâce de Mme de Montespan ; à sa place, Louis XIV, en 1687, commande à Mansart la construction du Grand Trianon, où il s'évadera de l'étiquette en compagnie de Mme de Maintenon. Autres témoignages versaillais du rayonnement de l'exotisme colonial : la Ménagerie et surtout l'Orangerie. Quant au château de porcelaine, au moins aura-t-il eu la satisfaction d'émerveiller son temps, de servir de cadre à l'une des plus belles fêtes du règne, donnée à l'occasion du mariage du duc de Bourbon et de Mlle de Nantes — fille de Françoise-Athénaïs de Montespan ! — et d'attendre la pioche des démolisseurs dans le bruissement extasié qui accompagna l'ambassade de Siam dans la Galerie des Glaces, le 1er septembre 1686. Au nombre des cadeaux d'une magnificence rare, offerts par le souverain asiatique au Roi-Soleil, les porcelaines, que Louis XIV aime tant, sont innombrables, note Mme Bélévitch-Stankevitch. Quinze cents ou quinze cent cinquante pièces, « des plus belles et des plus curieuses de toutes les Indes », que complètent 59 pièces, tasses et assiettes de la Chine et du Japon, presque toutes très fines et très anciennes. La famille royale et les ministres reçurent aussi des lots importants et précieux d'objets faits de cette matière mystérieuse, au secret inviolé.

La Compagnie des Indes orientales de Colbert comptait, parmi ses objectifs, d'enlever définitivement le monopole du commerce de l'Asie aux Hollandais. En 1720, Law, à son tour, en fondant son énorme Compagnie, souhaite soustraire la France à la tutelle commerciale des Provinces-Unies et aussi de l'Angleterre. Les statistiques, couvrant la période qui va de 1730 à 1792, révèlent des achats massifs de porcelaines chinoises : 160 300 pièces en 1732 et 868 000 en 1742 ! La guerre de Sept Ans brise cette progression, en même temps que la valeur de cet article s'effondre, au point qu'à partir de 1764, on ne calcule plus les chargements au nombre de pièces, mais au poids ! Comment expliquer ce phénomène. D'abord, la pâte dure fabriquée à King-te-chin, dans le Kiang Si, est adaptée au goût du Vieux Monde : à Canton arrivent des quantités de tasses, assiettes, vases blancs, parfois même aux formes européennes, dont les décors sont peints sur place et la cuisson effectuée dans les fours de la ville. Parallèlement à cette dégradation de la qualité chinoise, sollicitée par les étrangers, l'Europe pousse ses recherches et perfectionne ses techniques. Les Hollandais, en même temps qu'ils inondent l'Europe du XVIIe siècle de porcelaines d'Extrême-Orient, se spécialisent dans la fabrication de faïences — terres cuites, affinées, recouvertes d'un émail blanc à base d'étain — reproduisant plus ou moins bien les porcelaines de Chine dans leurs décors et leurs couleurs. C'est l'époque de Delft, imitée à Haarlem, Utrecht, Amsterdam, Tournai, Bruxelles : les sujets asiatiques se multiplient, les modelés s'inspirent des formes chinoises, le bleu et le blanc triomphent, les camaïeux bleus abondent, on tente même de copier les laques à fond noir. Cette mode se propage dans toute l'Europe du XVIIIe siècle, à Francfort-sur-le-Main, à Berlin, touche l'Angleterre et envahit les grandes faïenceries françaises : Nevers, Rouen, Sinceny en Picardie, Aprey en Champagne, Lille, Orléans, Moulins, La Rochelle, Marseille, Moustiers, en Provence, Marignac en Gascogne, Lyon, Bordeaux, Mont-pellier, Montauban, Ardus, Grenoble, Samadet dans les Landes, Sceaux, Saint-Cloud, Paris, Strasbourg, Lunéville, Saint-Clément, Bellevue, Toul, Les Islettes, etc. Des centres de porcelaine tendre — c'est-à-dire non kaolinique — apparaissent et adoptent le goût chinois : Rouen, Saint-Cloud, Chantilly, Sceaux, Mennecy, les manufactures royales de Vincennes puis de Sèvres. Mais l'Allemagne va plus loin. En 1709, à Meissen, près de Dresde, le secret de la porcelaine dure — kaolinique — est découvert par le chimiste de feu Auguste le Fort, Électeur de Saxe. Peu à peu les manufactures de l'Est du Rhin apprennent la nouvelle technique : Vienne, Fürsten-berg, Höchst, Nymphenburg, Ludwigsbourg et Berlin. En France, les recherches se poursuivent, mais point de découverte. Enfin, de 1745 à 1751, le célèbre faïencier strasbourgeois Paul Hannong met au point le procédé de fabrication de la porcelaine dure. Mais la manufacture royale de Vincennes, créée sous la protection d'Orry de Fulvy et de Machault d'Arnouville, possède le privilège de produc-tion en France. Hannong refuse de lui vendre son secret et préfère aller l'exploiter chez l'Électeur palatin, à Frankental ; en 1766, son fils Joseph recevra l'autorisation de reprendre son atelier de Stras-bourg et d'y fabriquer librement. Chimistes professionnels et ama-teurs s'épuisent, parfois se ruinent, comme le baron de Beyerlé, à Niderviller, en essais qui les approchent lentement du but. Enfin, en 1769, la manufacture royale de Sèvres présente à l'académie des Sciences de la porcelaine dure, obtenue grâce à du kaolin de Saint-Yriex. Toutefois la fabrication sévrienne n'entrera dans sa phase industrielle qu'en 1800, sous la direction du célèbre minéralogiste Alexandre Brongniart. Désormais la porcelaine dure, naguère dite au goût chinois ou au goût de Saxe, rivalise avec celle de l'Asie. Plusieurs centres en offrent à une clientèle de plus en plus nombreuse : non seulement Sèvres, mais aussi la maison Hannong de Strasbourg, la manufacture du comte de Custine à Niderviller, la manufacture royale des porcelaines de France de Limoges, rattachée à Sèvres, près d'une vingtaine d'ateliers parisiens, et encore les fabriques d'Orléans, Marseille, Lunéville, Étiolles, Lille. Ce mouvement, parti d'outre-Rhin couvre tout le Vieux Monde, l'Angleterre, l'Italie, Bruxelles, le Danemark, la Russie même. Aujourd'hui, la France a oublié cette aventure, oublié que son « Limoges national » et sa riche industrie porcelainière sont des orphelins de la Chine auxquels le commerce colonial a donné leurs lettres de naturalité. La porcelaine est la seule importation du Céleste Empire qui ait eu des répercussions apprécia-bles sur l'économie française, à l'exception de la soie qui suscita la plantation de mûriers tout au long de la Méditerrannée, des Alpes aux Pyrénées et la fabrication de soieries, à partir du XVIe siècle, par de nombreux petits centres méridionaux qu'écrasèrent Tours et Lyon, les Lyonnais imposant finalement leur monopole. Dans tous les domaines de la soie, l'influence de la Chine et celle plus proche de l'Italie ont entraîné les Français dans les voies somptueuses du luxe où la perfection exprime ses mille génies.

La découverte de *l'Empire immobile*, pour reprendre l'expression d'Alain Peyrefitte, sa fréquentation par les jésuites et le commerce vont entraîner l'Europe, non dans les plis lâches d'une mode passagère, mais dans le dédale d'un enchinoisement quotidien qui maintiendra sa loi pendant plus de deux siècles. Aucune activité n'échappe à la façon de la Chine, au goût chinois ; et la France, pas plus que les autres nations du Vieux Monde, ne regimbe contre cette domination culturelle. Un accord temporaire cache des appétits de conquête que les dettes, le refus de s'ouvrir pleinement au négoce, et enfin le mépris brutal de l'Asiatique pour l'Européen qui gouverne le monde, exacerberont et libèreront. Mais avant les assauts du xixᵉ siècle, l'Europe vit à l'heure chinoise. Les services de porcelaine remplacent la vaisselle plate, et voilà qu'au lieu de savourer un vieux xérès, on s'abreuve d'une méchante eau tiède mélangée de feuilles de théier réduites en poudre : un plaisir auquel Grimod de La Reynière et Brillat-Savarin, deux fines gueules, ne consacrent pas une ligne. *Le cuisinier royal et bourgeois,* plus libéral et moins exigeant, enseigne comment confectionner ce breuvage. « La manière ordinaire de le préparer est de faire bouillir une pinte d'eau dans un vaisseau [récipient] propre. Vous avez une théière d'argent, de terre de la Chine [porcelaine] ou de faïence, dans laquelle vous mettez deux petites pincées de thé, et y versez votre eau bouillante par-dessus, et le laissez infuser un moment, et le versez dans des tasses. Chacun y met du sucre à son goût. Quelques-uns se servent de sucre-candi ou de sirops de capillaires au lieu de sucre. Ses propriétés sont d'abaisser les fumées du cerveau, de rafraîchir et de purifier le sang. Il se prend ordinairement le matin, pour réveiller les esprits et donner de l'appétit, et après le repas pour aider à la digestion. » À son tour, Buc'hoz, médecin du comte de Provence et futur Louis XVIII, assure à qui le lit : « Il est bien avéré que le thé vivifie, rafraîchit, inspire de la gaieté. » Cette tisane, considérée comme une drogue à l'origine, dispose de ses ustensiles propres, en porcelaine ou d'argent : la théière, verseuse pansue, la boîte à thé contenant la poudre et la bouilloire.

Le mobilier chinois séduit le regard européen et envahit palais, châteaux et hôtels particuliers : longs paravents, meubles divers, cabinets, coffres, armoires, horloges, secrétaires, bureaux, lits, commodes, tables, clavecins, fond or, blanc, bleu, rouge, décorés de laques, de nacre et d'ivoire, représentant des paysages, des fleurs, des scènes de la vie quotidienne, mobilier luxueux assez sombre sous Louis XIV, éclatant de couleurs sous Louis XV, fabriqué en Extrême-Orient ou bien en France, façon de la Chine. Dans *l'Inventaire des Meubles du château de Versailles, vérifié en juillet 1708,* on relève l'abondance du mobilier *vernis de la Chine* : « Un paravent de huit feuilles de gaze fine de la Chine fond bleu, peint de terrasses, arbres et fleurs à la chinoise avec poules, coqs, perroquets et autres oiseaux de couleurs naturelles en relief, doublé de papier doré assemblé par bandes de satin bleu. » Ou encore : « Un beau paravent de douze feuilles de bois de laque fond vert et or, représentant fleurs, terrasses, arbres et autres de la Chine, de diverses couleurs, dans une bordure fond noir, chargé de vases d'or et fleurs de plusieurs couleurs, avec oiseaux d'argent et dragons d'or, le tout creusé (...) le derrière noir ». Un cadre du même style met en valeur ces pièces fascinantes ou flamboyantes : somptueuses tentures « chinoises » de Beauvais ; tapisseries d'Aubusson, plus discrètes ; soieries brodées, au fond vif, couvrant les sièges et les murs, ou servant de rideaux, dont Peyrotte, Mondon ou Pillement ont dessiné les motifs, et que tissent les ateliers lyonnais. Des peintres réputés, comme Watteau et Boucher, ne craignent pas de donner dans la chinoiserie, tandis que d'autres, comme Huet, peignent des salons chinois (château de Champs) ou de ces singeries (Chantilly) où papillonnent des personnages d'Asie. Outre les soies fastueuses, l'Europe adopte les papiers peints, plus bourgeois, que l'Empire du Milieu prépare à son intention. Grandes branches de fleurs, paysages, oiseaux, scènes de la vie chinoise, illuminent de leurs couleurs vives les murs de petites pièces : boudoirs, cabinets de porcelaines, chambres à coucher ou salons intimes. L'Angleterre reproduit aussitôt cette technique séduisante. La France, servie par la famille Papillon, tâtonne, pour s'imposer à la fin de l'Ancien Régime, avec J.-B. Réveillon. Ce bourgeois parisien atteint le stade industriel, dirigeant une entreprise de plus de 300 personnes, où il recourt aux services de peintres et dessinateurs comme Pillement, Huet, Lavallée-Poussin, Cietti, Fay pour proposer à sa clientèle des papiers de style chinois, pompéien, ou néo-classique. Les arts de la Chine, quels qu'ils soient, inspirent nombre d'artisans français. Dès 1673, la Manufacture royale des Gobelins crée un atelier particulièrement consacré aux ouvrages de la Chine. Bientôt un ébéniste met au point un enduit comparable à la laque, et lui donne son nom : c'est le vernis Martin. Des ornemanistes recherchés publient des recueils de motifs asiatiques. Ainsi, à Jean-Antoine Fraisse, peintre et graveur du duc de Bourbon à Chantilly, on doit un *Livre de dessins chinois tirés d'après les originaux de Perse, des Indes, de la Chine et du Japon*. Quant à Jean Pillement, il fait paraître des séries de *Fleurs, ornements, cartouches, figures et sujets chinois*. Dans cette course au « lachinage », Boucher se fait remarquer par la qualité et l'abondance de son œuvre. Plusieurs huiles sur toile où les vert, rouge et or donnent un relief lumineux : l'audience de l'Empereur chinois, la foire chinoise, le jardin chinois, la pêche chinoise, le mariage chinois, que conserve le musée des Beaux-Arts de Besançon. Ces tableaux fort goûtés ont été reproduits par les maîtrestapissiers de Beauvais et d'Aubusson. Boucher, disent les frères Goncourt, qui devait « faire de la Chine une province du Rococo », répond à toutes les demandes. Qu'il s'agisse de la manufacture de Sèvres, ou de particuliers, comme le comte Carl Gustav Tessin, à qui il vend la *Dame attachant sa jarretière, et sa servante,* où l'Extrême-Orient apparaît partout : dans le décor du paravent et de l'écran, dans deux services à thé et une porcelaine. Le peintre satisfait aussi Gersaint, en lui dessinant une carte commerciale, manière de la Chine : « *À la Pagode,* Gersaint, marchand joaillier sur le Pont Notre-Dame, vend toute sorte de clainquaillerie nouvelle et de goût, bijoux, glaces, tableaux de cabinet, pagodes, vernis et porcelaines du Japon, coquillages et autres morceaux d'histoire naturelle, cailloux, agates, et généralement toutes marchandises curieuses et étrangères. À Paris, 1740. »

La présence du Céleste Empire écrase la France — pourtant, n'est-ce pas l'époque de l'Europe française, chère à Louis Réau ! — prenant les formes les plus multiples. On ne remarque pas les 373 livres illustrés de gravures sur bois, offerts par l'abbé Bignon à la Bibliothèque du roi, quand il en fut nommé garde, en 1716. Et, qui se préoccupe de la sinophilie passionnée du discret contrôleur général Bertin, le « petit ministre » qui, malgré la dissolution de l'ordre, correspondait avec les jésuites de Pékin, préparant la publication des célèbres *Mémoires concernant l'histoire, les sciences, les arts, les mœurs, les usages des Chinois,* dont le premier volume parut en 1776 et le quinzième et dernier en 1791 ? Ce ministre, savant et esthète, a réuni dans son cabinet de curiosités non seulement des éditions impériales mais aussi les ouvrages des fils de Loyola : *La Chine illustrée,* du R. P. Kircher, *L'Estat présent de la Chine en figures* et *L'Essai sur l'architecture chinoise,* du P. Bouvet. Tous les amateurs connaissent sa collection de chinoiseries, la plus belle d'Europe, qu'il a réunie en son hôtel parisien rue des Capucines. Cette pénétration silencieuse de la civilisation chinoise jure Étiemble vient au secours de l'érotisme européen par la plume de Crébillon et de Diderot : au plus les libertins s'échauffent-ils à la vue d'estampes suggestives, plus ou moins copiées, car au XVIIIe siècle, la Chine est devenue pudibonde. Les jeux des nuages et de la pluie, peintures sur soie qui enseignent différentes positions de l'amour, figurent souvent dans le trousseau des jeunes mariées. Ces saynètes, aux couleurs chatoyantes, sont collées et réunies en albums. Elles ont des légendes qui n'appellent pas le commentaire : *Pénétrer entre les cordes du Luth, Sur le lit de bambou, Jeux à trois ou la servante complaisante, Sous la pergola, L'union du Yin et du Yang dans un hou-hou, L'attaque par derrière ou le tigre blanc bondissant,* etc. Mais qui ne voit fleurir l'engouement de la cour et de la ville pour l'éventail, cet « utile zéphyr », aux brins incrustés d'or, d'argent ou de nacre, à la feuille que de grands artistes comme Fragonard, Watteau, Pater, Lancret ne dédaignent pas de décorer. Le succès durable de ces petites œuvres d'art « portatives et vivantes » donne naissance à une véritable petite industrie, largement exportatrice : les éventaillistes français se comptent par centaines, faisant vivre de nombreuses familles. Cette manie asiatique recule sans cesse ses limites. A la Cour, on aime à se costumer à la chinoise, le jeune Louis XIV, le premier. Cette passion durera longtemps. « En 1700, dans un bal à Marly, " un roi de la Chine est porté dans un palanquin, précédé d'une trentaine de Chinois, tant musiciens chantant que joueurs d'instruments. Le sieur du Moulin de l'Opéra y divertit beaucoup dans une danse grotesque représentant une pagode ". L'année précédente la duchesse de Bourgogne parut à un bal, costumée en Chinoise. Comme elle avait fait appeler à cette occasion son confesseur, celui-ci paraissait très étonné. " Ce n'est pas pour me confesser, dit-elle. C'est pour que vous me dessiniez promptement un habillement de Chinoise. Je sais que vous avez été en Chine et je voudrais un masque à la manière de ce pays. " » Autant le style du Céleste Empire a marqué fortement les intérieurs où s'écoule la vie de compagnie, autant son empreinte se fait-elle plus légère sur l'environnement architectural : le classicisme y règne sans partage. Au plus, peut-on évoquer quelques curiosités. La pagode de Chanteloup, que Choiseul, exilé, demanda à Le Camus de construire « pour éterniser sa reconnaissance », et rendre hommage à ceux qui lui avaient conservé amitié et fidélité. Ce bâtiment, tour légère d'une hauteur de quarante mètres, est entouré à son rez-de-chaussée par un péristyle de seize colonnes, formant un salon ainsi que les six étages supérieurs. À l'Isle-Adam, le fermier-général Bergeret fait aussi construire une pagode, mais sans étages, sur les plans, dit-on, de Fragonard. Le sieur de Monville, homme issu de la finance, aménage le Désert de Retz avec le seul souci d'épater. Une fantaisie de moins mauvais goût que les autres, la Maison chinoise, flanquée d'un petit pavillon, le tout meublé et décoré dans le style extrême-oriental. La haute aristocratie et le monde des traitants rivalisent, plantant kiosques, pavillons, jetant de petits ponts, inondant la nature de fabriques qui les dépaysent un moment, transformant l'Île-de-France en une méchante copie du tohu-bohu de Nankin. Pendant ce temps, le jésuite Castiglione dessine à l'intention du Fils du Ciel, les célèbres Palais et Jardins d'Été de Pékin, dans la manière de Versailles : merveilles que saccageront les troupes anglaises et françaises en 1860.

Exclue de l'architecture européenne, à l'exception des *fabriques*, la Chine déclenche une révolution contre les jardins à la française, dont Horace Walpole écrivait à la comtesse de Suffolk : ils « ressemblent à des déserts, sans ombre, ni verdure ; les arbres sont tondus de près et taillés droit à la cîme : c'est le massacre des innocents ». Rien de semblable à Pékin, dans les sites de plaisance. Comme l'explique le frère Attiret dans sa fameuse lettre de 1743 : « C'est une campagne rustique et naturelle qu'on veut représenter, une solitude. » Les

Anglais, peuple en qui la sauvagerie latente interdit de concevoir et de goûter le classicisme dans sa perfection, s'emparent aussitôt des idées chinoises pour les dénaturer. William Chambers, promu théoricien du nouveau modèle de jardin, que l'on qualifie d'anglais, à la rigueur d'anglo-chinois, commet un traité en 1774 et crée les jardins de Kew où s'élève une pagode monumentale. En France, de nombreuses publications diffusent les conceptions à la mode. William Chambers, le spécialiste de cette Chine où il a fait trois voyages, est traduit en 1757 : *Dessins des édifices, meubles, habits, machines et ustensiles des Chinois, compris une description de leurs temples, maisons, jardins.* En 1774 : *Essai sur les jardins* de Wattelet. En 1775, Lerouge, ingénieur-géographe du Roi, édite le premier de ses vingt et un cahiers consacrés aux *Jardins anglo-chinois.* En 1776, la *Théorie des jardins*, de Morel. En 1777, le marquis de Girardin rédige son *Traité*, tout en dessinant Ermenonville. En 1779, le *Jardin de Monceau près de Paris.* En 1782, *Les jardins ou l'art d'embellir les paysages*, de l'abbé Delille, etc. Cette profusion de textes et de planches assassine et ensevelit la Chine. Jamais les enfants du Céleste Empire n'ont rêvé d'un désordre naturel, reflet des tourments de l'âme — les allées de leurs jardins ne sont-elles pas droites ! Ils veulent au contraire, dans un espace limité reproduire la diversité des paysages démesurés, et faire de cette nature miniaturisée un lieu d'immobilité et de silence, un temple végétal destiné à la contemplation. Le jardin anglais, dont les progrès en France réjouiront Horace Walpole, part à l'assaut des jardins à la française, les mutilant, les bouleversant, les ravageant, pour leur substituer des caricatures, des perversions de jardins chinois. Un hâtelet d'esbroufeurs — Artois, Chartres, Condé, Montmorency-Luxembourg, Girardin, Praslin, Monaco — et de parvenus — Baudard de Saint-James, Boutin, Monville, Laborde, Bergeret — invoque la Chine pour transformer les jardins hérités de Le Nôtre en bric-à-brac où, dans un relief bousculé, s'accumulent pagodes, kiosques, ponts, lacs, rochers, tombeaux, temples de l'amitié, pyramides et obélisques, fermes campagnardes, et puis des déluges de ruines, tours tronquées, colonnes brisées, etc. Fallait-il que l'alibi de la Chine fût puissant pour autoriser de telles profanations du Beau !

Si l'Europe doit des excuses au Céleste Empire pour avoir défiguré et travesti ses jardins qui, en réalité, étaient des solitudes où souffle l'esprit, elle peut, avec Voltaire, admirer la sagesse scientifique — au moins dans certains domaines. Au moment où l'inoculation — première étape de la vaccination contre la variole — divisait l'opinion en débats hargneux et plongeait les institutions dans un conflit inutile, on prend conscience que la trouvaille turque de lady Montagu était connue depuis longtemps au pays du Fils du Ciel, où seule l'application du principe suivait un cours distinct. Dans sa onzième Lettre philosophique, consacrée à l'insertion de la petite vérole, en faveur de laquelle il a bataillé sans relâche, le seigneur des Lumières rend hommage au génie du peuple extrême-oriental. « J'apprends que depuis cent ans les Chinois sont dans cet usage, c'est un grand préjugé que l'exemple d'une nation qui passe pour être la plus sage et la mieux policée de l'univers. Il est vrai que les Chinois s'y prennent d'une façon différente ; ils ne font point d'incision, ils font prendre la petite vérole par le nez comme du tabac en poudre ; cette façon est plus agréable, mais elle revient au même, et sert également à confirmer que si on avait pratiqué l'inoculation en France, on aurait sauvé la vie à des milliers d'hommes. » Argument de poids, la médecine appartient au domaine privilégié du Céleste Empire. En 1683 le chirurgien hollandais, Ten-Rhynn avait fait connaître les étranges techniques de l'acupuncture ; tombées dans l'oubli, le célèbre Vicq d'Azir, secrétaire perpétuel de l'Académie de médecine à la fin de l'Ancien Régime, en rappellera l'intérêt. Mais pour le public la Chine représente, depuis l'Antiquité, une panoplie de drogues, qui, avant le XVIe siècle, arrivaient en Europe par les voies méditerranéennes de Suez, Alexandrie ou Alep, ou par la Baltique, via la Russie. Cet ensemble de produits ne forment pas un volume important ni un chiffre d'affaires élevé, mais perpétue la tradition médicale de la Chine, aussi vieille et réputée que celle de la soie. Parmi cette pharmacopée : la casse, purgatif ; la rhubarbe, laxatif ; la squine, dépuratif, dont on dit qu'il agit aussi contre la syphilis et les rhumatismes ; le borax, désinfectant, utilisé par ailleurs pour la fabrication de la faïence et de la porcelaine ; l'alun, astringent et ingrédient indispensable à la mégisserie ; le camphre, astringent et stimulant cardiaque ; le gingembre, tout à la fois stomachique, carminatif, excitant et aphrodisiaque ; la cannelle, tonique et stimulant ; l'anis étoilé, stomachique et stimulant. L'Empire du Milieu est aussi associé au curcuma, employé en teinturerie, et au bois de sapan, apprécié des tanneurs.

L'Empire plurimillénaire, aujourd'hui continent figé, n'en conserve pas moins le prestige des civilisations qui ont donné sans regarder, même si l'Europe, déjà maîtresse de l'Inde, pose sur lui les yeux lourds du dominateur. Ce dinosaure des sciences et de la culture fascine le regard jeune des Européens, en même temps qu'il excite leur envie de l'asservir. Comme y insiste Jacques Gernet, l'Occident, malgré sa puissance neuve, fait figure de débiteur. Aux XIIe et XIIIe siècles, quand croisés et mahométans s'affrontaient, n'a-t-il pas reçu, en avance d'hoirie le papier, la boussole, le gouvernail d'étambot, l'application du moulin hydraulique aux métiers à tisser, le trébuchet à contrepoids, la brouette, les explosifs et la xylographie, mère de l'imprimerie ? Cette transmission des connaissances, souligne encore Jacques Gernet, s'est poursuivie aux XVIIe et XVIIIe siècles. Au nombre des emprunts de l'Europe, certains ont déjà été cités comme la sériciculture, la porcelaine et la variolisation. D'autres ne l'ont pas été : l'anche libre, ancêtre des harmoniums, harmonicas et accor-

déons ; le tarare, qui sépare le grain de la balle ; les compartiments
étanches des navires. Dernier legs de ce conservatoire de tradition :
des conceptions affranchies qui, selon J. Needham, auraient permis à
la pensée scientifique occidentale de se développer.

Les jésuites, ces seuls amis et connaisseurs de la Chine, comme le
dit Etiemble, ne se lassent pas de décrire le Céleste Empire dans leurs
lettres et leurs livres. En France, l'élite intellectuelle militante,
inversant les propos des religieux, les transforme en armes de guerre
contre les croyances et l'organisation de la nation, contre la civilisation la plus éminente, qui, pour fonder de manière inébranlable la
dignité de la personne, n'a pas craint d'apprendre de la Révélation
que Dieu avait créé l'homme à son image. Libertins et philosophes
dissimulent les critiques vives des missionnaires contre la superstition, l'alcoolisme, l'infanticide, l'indignité des bonzes bouddhistes,
les faux concours, la tyrannie, les persécutions, sacrifiant la curiosité
et la connaissance à l'idéologie. Comme Paul Hazard l'écrivait
naguère avec une belle lucidité : « Par moments, le civilisé se sent las
d'être lui-même. Il voudrait rejeter un fardeau qui pèse à ses épaules
et dont il ne s'est pas personnellement chargé ; les efforts millénaires,
les raffinements, les complications composent cette masse qui lui
devient insupportable ; il n'est plus que l'aboutissement d'un artifice. »
Au nom de la Chine — cette Angleterre de l'Asie —, les
physiocrates attaquent l'ordre classique dans sa doctrine économique,
le mercantilisme. Ce système, parfois, appelé colbertisme, considérant que la richesse et la puissance d'une nation résident dans son
encaisse métallique, prône, pour accroître son numéraire, le développement général de l'économie de manière à exporter plus et à
importer moins. À cette fin, il en appelle à l'intervention de l'État qui
prend les règlements nécessaires, et, quand le besoin s'en fait sentir,
adopte des mesures protectionnistes. Les physiocrates répudient le
fondement et les techniques de l'école mercantiliste, et empruntent
leurs enseignements aux *Voyages d'un philosophe* du sieur Poivre.
« L'extrémité orientale du continent de l'Asie, habitée par la nation
chinoise, donne une idée ravissante de ce que serait toute la terre, si
les lois de cet empire étaient également celles de tous les peuples.
Cette grande nation agricole réunit à l'ombre de son agriculture,
fondée sur une liberté raisonnable, tous les avantages différents des
peuples policés et de ceux qui sont sauvages. La bénédiction donnée à
l'homme dans le moment de la création semble n'avoir eu son plein
effet qu'en faveur de ce peuple multiplié comme les grains de sables
sur les bords de la mer. — Princes, qui jugez les nations, qui êtes les
arbitres de leur sort, venez à ce spectacle il est digne de vous. Voulez-
vous faire naître l'abondance dans vos États, favoriser la multiplication de vos peuples, et les rendre heureux ? Voyez cette multitude

innombrable qui couvre les terres de la Chine [...] c'est la liberté et son droit de propriété qui ont fondé une agriculture si florissante. »

À la lumière du modèle chinois — et anglais aussi — les physiocrates jugent que les métaux précieux et le commerce ne sont pas les moteurs premiers de la prospérité. À leurs yeux la richesse d'une nation réside dans l'accroissement des produits de la terre et dans leur circulation. Dans cette perspective, l'État doit s'abstenir de réglementer, c'est-à-dire de contraindre, et tout mettre en œuvre pour que le royaume satisfasse aux conditions de l'ordre naturel, ainsi défini par Le Mercier de La Rivière : « Propriété, sûreté, liberté, voilà tout l'ordre social ; le droit de propriété est un arbre dont toutes les institutions sont les branches. » Cette théorie qui a des adeptes parmi les éminents et puissants intendants du commerce oublient, un peu vite, que si le commerce extérieur du règne de Louis XV a connu de beaux succès, il le doit largement à la qualité des exportations nationales, fixées et exigées par la réglementation autoritaire de l'État ! Comme à la Chine — et en Grande-Bretagne — les physiocrates veulent construire une économie agricole capitaliste, aidée dans son développement par toutes les activités et par toutes les formes concrètes de la liberté. Point de compagnies à monopole ou à privilèges, point de circuits interdits ou imposés, mais la liberté de circulation intérieure et extérieure complétée par la baisse de l'impôt ; ensemble de mesures qui permettent la formation du bon prix. Sous la bannière du Fils du Ciel qui, chaque année, au cours d'un rite public et solennel, creuse un sillon, « afin de réveiller dans l'esprit des peuples l'amour du travail et l'application à la culture des campagnes », Quesnay, Gournay, Le Mercier de La Rivière, le marquis de Mirabeau et Turgot, rejettent dans les ténèbres les théoriciens distingués du mercantilisme : Melon, Dutot et Véron de Forbonnais, qui, chassés des bureaux ministériels, conservent la faveur du négoce. D'une certaine façon la Chine comme la Huronie nie la loi et l'État pour proclamer la suprématie de la Nature, l'impérieuse nécessité du libre jeu des lois économiques naturelles. Comme l'édicte Quesnay dans ses *Maximes générales du gouvernement économique d'un royaume agricole* (1767), il ne faut jamais perdre de vue « que la terre est l'unique source des richesses, et que c'est l'agriculture qui les multiplie. Car l'augmentation des richesses assure celle de la population ; les hommes et les richesses font prospérer l'agriculture, étendent le commerce, animent l'industrie, accroissent et perpétuent les richesses », etc. Les lois naturelles, qui composent cet ordre immanent auquel la société doit s'identifier, expriment la physiocratie — c'est-à-dire le capitalisme —, dont les préceptes, liberté, concurrence, propriété et sûreté seront réunis en un Code de l'économie naturelle par l'Assemblée nationale (1789). La séduction de l'empire agricole chinois — au demeurant parfaitement ignoré des Européens — ouvre la porte au libéralisme d'Adam Smith, où le travail anonyme des masses remplace les vertus nourricières de la terre : au bout de cet étrange chemin, la mise à mort du protectorat économique et social de la monarchie.

La théorie du produit net et de l'impôt unique sur les productions de la terre ne séduit pas le propriétaire Voltaire qui s'en ouvrira à l'intendant Chardon, personnage obéissant qui, pour plaire aux Choiseul et aux Turgot, commettra un violent rapport d'enquête contre Chanvalon, responsable administratif de la Guyane lors de la lamentable tentative de colonisation du Kourou. Hors de la chapelle des initiés, le seigneur de Ferney n'est pas le seul à sourire, à la lecture du *Despotisme légal,* de Quesnay et de l'*Ordre naturel et essentiel des sociétés politiques,* de Le Mercier, ouvrages parus tous deux en 1767. Le Mercier, naguère intendant de la Martinique, excite la verve caustique du baron de Grimm : « J'avoue que son livre me paraît un des plus mauvais ouvrages qui aient paru depuis longtemps et je ne me souviens guère d'avoir essuyé une lecture plus pénible et plus assommante. Je mets en fait qu'il n'y a pas une seule idée juste dans cet ouvrage qui ne soit un lieu commun et une chose triviale. La plupart de ces lieux communs sont si ridiculement outrés et exagérés qu'ils sont devenus absurdes. L'auteur à l'air d'un homme ivre d'eau. On avait vanté sa logique et l'enchaînement de ses idées ; c'est la logique du plus terrible déraisonneur qu'il y ait dans toute l'Europe lettrée. Si son style était un peu plus emphatique et moins plat, il aurait l'air ou d'un homme en délire qui a besoin d'être saigné ou d'un homme qui se moque de ses lecteurs. Mais la platitude de son style lui-même donne l'air d'un expert arithméticien qui combine des nombres en dormant et au hasard, et qui ne fait pas un calcul qui ne soit faux. » À l'évidence l'économie agricole n'est pas le meilleur terrain pour faire valoir et pour tirer profit de la Chine. Le seigneur de Ferney l'a bien compris, lui qui a l'intelligence claire et la plume acérée. Aussi, dans un premier temps, s'oriente-t-il vers le politique. Des jésuites, il a appris que le Fils du Ciel exerce sur ses sujets un pouvoir paternel, soucieux des moindres détails. Le P. Contancin ne l'affirme-t-il pas dans sa lettre du 2 décembre 1725 ? « Ce prince est infatigable ; il pense nuit et jour à établir la forme d'un sage gouvernement, et à procurer le bonheur de ses sujets. On ne peut mieux lui faire sa cour, que de lui proposer quelque dessein qui tende à l'utilité publique et au soulagement des peuples : il y entre avec plaisir, et l'exécute sans nul égard à la dépense. » Merveilleux prince dont l'attention « s'étend jusqu'aux criminels », et dont la volonté se coule dans la sagesse des siècles chinois. « Tout ce que je souhaite, c'est que parmi ce grand peuple il n'y ait personne qui n'observe les coutumes, qui ne remplisse ses devoirs, et qui ne vive tranquille. » Le Gardien Souverain de la Tradition, poussé par une perspicacité millénaire, a osé créer le premier *Journal officiel,* une gazette publique qui « ne contient rien qui ne puisse beaucoup servir à diriger les mandarins dans l'exercice de leur charge et à instruire les lettrés et le peuple. »

Devant ces miracles de sagesse politique étrangère, Voltaire connaît l'extase philosophique, qu'il traduit avec une sobriété déconcertante dans *Le Siècle de Louis XIV* (1751) : « Les lois et la tranquillité de ce grand empire sont fondées sur le droit le plus naturel ensemble et le plus sacré : le respect des enfants pour leurs pères. » En 1756, dans son *Essai sur les mœurs*, le gentilhomme de la Chambre du Très-Chrétien montre une prolixité plus grande. Jadis, à l'époque où les Français erraient dans la forêt des Ardennes, le « vaste et populeux empire était déjà gouverné comme une famille dont le monarque était le père, et dont quarante tribunaux de législation étaient regardés comme les frères aînés ». Même à l'âge de l'Européen sauvage, la Chine ignorait les affres de l'absolutisme ! De quoi ravir les intelligences des Lumières ! Mais voici le règne contemporain des XVIIᵉ et XVIIIᵉ siècles. Alors, « le vieux rat des Alpes » débride son enthousiasme. « L'esprit humain ne peut certainement imaginer un gouvernement meilleur que celui où tout se décide par de grands tribunaux, subordonnés les uns aux autres, dont le membres ne sont reçus qu'après plusieurs examens sévères. Tout se règle à la Chine par ces tribunaux. Six cours souveraines sont à la tête de toutes les cours de l'empire », elles-mêmes dominées par un tribunal suprême. « Chaque mandarin, dans sa province, dans sa ville, est assisté d'un tribunal. Il est impossible que, dans une telle administration, l'empereur exerce un pouvoir arbitraire. Les lois générales émanent de lui ; mais, par la constitution du gouvernement, il ne peut rien faire sans avoir consulté des hommes élevés dans les lois, et élus par les suffrages. »

Voltaire poursuit son plaidoyer en faveur des institutions chinoises — donc son réquisitoire contre celles de la France — par un morceau de bravoure étourdissant de paradoxes et de pirouettes. « Que l'on se prosterne devant l'empereur comme devant un dieu que le moindre manque de respect à sa personne soit puni selon la loi comme un sacrilège, cela ne prouve certainement pas un gouvernement despotique et arbitraire. Le gouvernement despotique serait celui où le prince pourrait, sans contrevenir à la loi, ôter à un citoyen les biens ou la vie, sans forme et sans autre raison que sa volonté. Or s'il y eut jamais un État dans lequel la vie, l'honneur, et le bien des hommes aient été protégés par les lois, c'est l'empire de la Chine. Plus il y a de grands corps dépositaires de ces lois, moins l'administration est arbitraire ; et si quelquefois, le souverain abuse de son pouvoir contre le petit nombre d'hommes qui s'expose à être connu de lui, il ne peut en abuser contre la multitude, qui lui est inconnue, et qui vit sous la protection des lois. » Le Genevois Constant, voisin connu du seigneur de Ferney, dut frémir d'indignation ou sourire de la science puérile et sectaire de l'illustre peintre de l'histoire des nations. Mais plus qu'un penseur, Voltaire, comme son ennemi Montesquieu, est avant tout un pamphlétaire. Sinon, comment lui, anglophile — à ses moments il est vrai — a-t-il ignoré les réflexions chinoises de l'amiral Anson, consignées dans le *Voyage autour du monde* (1759) ? Que dit le marin britannique de l'Empire du Milieu, si loué à Ferney ? « Du caractère de la nation, passons à son gouvernement, qui n'a pas moins été un sujet de panégyriques outrés. Je puis encore renvoyer au récit de ce qui est arrivé à M. Anson dans ce pays-là, et c'est réfuter suffisamment les belles choses qu'on nous a débitées touchant leur économie politique. Nous avons vu que leurs magistrats y sont corrompus, le peuple voleur, les tribunaux dominés par l'intrigue et la vénalité. La constitution de l'Empire en général ne mérite pas plus d'éloges que le reste, puisqu'un gouvernement, dont le premier but n'est pas d'assurer la tranquillité du peuple, qui lui est confié, contre les entreprises de quelque puissance étrangère que ce soit, est certainement très défectueux. Or cet empire, si grand, si riche, si peuplé, dont la sagesse et la politique sont relevées jusqu'aux nues, a été conquis il y a un siècle par une poignée de Tartares [les Mandchous] ; à présent même, par la poltronnerie de ses habitants, et par la négligence de tout ce qui concerne la guerre, il est exposé non seulement aux attaques d'un ennemi puissant, mais même aux insultes d'un forban, ou d'un chef de voleurs. J'ai déjà remarqué à l'occasion des disputes du chef d'escadre avec les Chinois, que le Centurion seul était supérieur à toutes les forces navales de la Chine. » Tombe alors le jugement, qui prophétise sans l'avouer, lourd de menaces : « En voilà assez pour donner une idée précise de la faiblesse de la Chine. »

Malgré le *Voyage* du marin britannique, qui porte un rude coup au mythe chinois, au point que celui-ci s'inversera dans les années 1760-1780 au profit de l'Inde, Voltaire refuse de se rétracter complètement, restant fidèle à l'esprit de ses premiers combats. En 1765, toujours en croisade, il plaide à nouveau en faveur de l'impérial paravent d'Asie, derrière lequel il fourbit ses armes contre l'Ancien Régime. « Il ne faut pas être fanatique du mérite chinois : la constitution de leur empire est à la vérité la meilleure qui soit au monde, la seule qui soit fondée sur le pouvoir paternel (ce qui n'empêche pas que les mandarins ne donnent force coups de bâton à leurs enfants) ; la seule dans laquelle un gouverneur de province soit puni, quand, en sortant de charge, il n'a pas eu les acclamations du peuple ; la seule qui ait institué des prix pour la vertu, tandis que partout ailleurs les lois se bornent à punir le crime ; la seule qui ait fait adopter ses lois à ses vainqueurs, tandis que nous sommes encore sujets aux coutumes des Burgundiens, des Francs et des Goths, qui nous ont domptés. »

N'excelle pas qui veut à travestir la vérité. Dans ses *Voyages d'un philosophe,* le penseur manchot et ancien séminariste des Missions étrangères — société incomparablement moins douée et cultivée que la Compagnie de Jésus —, Poivre met tout son génie laborieux et rustique à imiter Voltaire. Sans l'approcher jamais. « Aspirez-vous à la gloire d'être les plus puissants, les plus riches, les plus heureux souverains de la terre ? Venez à Pékin, voyez le plus puissant des mortels, assis sur le trône à côté de la raison. Il ne commande pas, il instruit ; ses paroles ne sont pas des arrêts, ce sont des maximes de justice et de sagesse. Son peuple lui obéit, parce que l'équité seule lui inspire les volontés qu'il annonce. Il est le plus puissant des hommes, parce qu'il règne sur les cœurs de la plus nombreuse société d'hommes qu'il y ait au monde, et qui est sa famille. » Cette fade confiture de rhubarbe marque le chant du cygne du mythe chinois. Au Fils du Ciel, par trop aristocrate, on préférera bientôt le planteur esclavagiste Washington, dans son masque austère, et Franklin, le « Bonhomme Richard », aux petites lunettes, francophobe tant que la Nouvelle-France exista. De l'Empereur-père on reviendra au Bon sauvage, à l'Indien vertueux et heureux, ignorant les lois et l'État.

La légende chinoise a connu, en France, une destinée contrastée : exemple institutionnel équivoque, arme déclarée contre la monarchie française, et, aux dernières années de l'Ancien Régime, l'illusion mise à nu, et la stigmatisation générale des régimes absolutistes. Pour les physiocrates, le Céleste Empire est un modèle de gouvernement où le roi, « chef des cultivateurs », selon l'expression de Quesnay, s'applique à codifier l'ordre naturel, à intégrer les règles naturelles dans le droit positif — propriété, sûreté, liberté —, aménageant ainsi le despotisme des lois. Ce système respecte l'autorité royale mais, en proscrivant l'intervention de l'État, abolit la fonction de justice et de protection économiques de la monarchie. Il demande au souverain de renoncer à exercer sa mission transcendante de service public. Ainsi, en dénonçant l'archaïsme prétendu de l'État traditionnel, les physiocrates s'attaquent à l'ordre politique en vigueur. Voltaire et ses amis, laudateurs de la Chine, — mère des libertés ! —, patrie du mérite personnel, grâce à l'institution du concours au mandarinat — alors que la fraude et la vénalité des offices sont loi ! — régime des lettrés, des compétences — en réalité, tyrannie des esprits conformistes et passéistes ; bref, cet Empire philosophique que l'on ne connaît que sur la parole souvent dénaturée des jésuites, constitue un appel à la régénération de la monarchie, à laquelle on ne prête que défauts. Enfin, la dénonciation perfide ou violente du despotisme extrême-oriental par Montesquieu, Rousseau, Diderot, Condorcet et Volney, distille un réquisitoire agressif contre « l'arbitraire royal ». À l'évidence, dans tous les cas, la Chine est une machine de guerre contre l'ordre politique national. Davantage, le « contrat céleste » qui lie l'Empereur au Ciel, en en faisant le grand régulateur terrestre et l'intercesseur entre ses sujets et les forces cosmiques, s'est mué, chez Rousseau, en contrat social, cet instrument des régimes totalitaires du xxᵉ siècle. La Chine philosophique, que les porcelaines scintillantes, les soieries brochées d'or et d'argent, les laques polychromes, les éventails aux montures brodées d'ivoire et de nacre, les paisibles décorations semblent envelopper dans une fragilité précieuse, recèle une contestation sournoise ou virulente du Trône, dont elle récuse le système économique et l'action politique. Cette petite merveille extrême-orientale va maintenant servir, entre des mains expertes, à ébranler le deuxième pilier de la monarchie de droit divin : l'Autel.

Dès la seconde moitié du XVIe siècle, peu après la fondation de la Compagnie, des jésuites arrivent en Chine : les P. P. Ricci, Ruggieri, Bernard, Longobardi, Schall, Verbiest, etc. Adoptant les mœurs locales, apprenant la langue, ils se font accepter de la population et de la cour, certains obtenant même l'insigne honneur de siéger au tribunal d'astronomie. Ricci pénètre la pensée chinoise qu'il expose dans ses notes. Il a appris que trois sectes se partagent l'Empire : celles de Bouddha, de Lao-tseu, et surtout celle de Confucius. Il consigne ce qu'il sait de ce dernier, dans un texte qu'Étiemble considère des plus précieux, à juste titre. « Sa doctrine, en résumé, veut que les hommes suivent la lumière de la nature comme leur guide, qu'ils s'efforcent soigneusement d'acquérir les vertus, et qu'ils s'appliquent à gouverner d'une manière ordonnée leurs familles et la communauté. Tout cela, certes, mériterait d'être loué, si Confucius avait fait mention du Dieu tout-puissant et de la vie à venir, et s'il n'avait pas tant accordé au ciel et à la fatalité ; surtout, s'il n'avait pas si curieusement insisté sur la vénération des images des ancêtres, et à ce point de vue il ne peut que très difficilement et même pas du tout être absous du crime d'idolâtrie. Malgré cela, on doit avouer qu'aucune autre doctrine, parmi les Chinois, n'approche autant de la vérité que la sienne. » Les jésuites partout où ils évangélisent, — au Canada ou au Céleste Empire — convaincus de leur supériorité intellectuelle et de l'excellence de leur action, cherchent à imposer leurs vues et à se débarrasser de leurs rivaux : en l'occurrence des franciscains, des dominicains et de ces Messieurs des Missions étrangères. Et, les voilà qui décident de se rapprocher du confucianisme, poussant le zèle jusqu'à porter l'habit des Lettrés, les dignitaires confucéens.

Comment cautionner l'enseignement du vieux sage, d'un demi-siècle l'aîné du Christ, sinon en fermant les yeux sur les divergences qui l'écartent du christianisme, et en insistant sur les convergences. Ricci fait ce choix et engage, avec les quelques soldats d'Ignace qui l'entourent, bientôt grossis de Français, la conquête spirituelle du centre du Monde ! Cette habile entreprise allume chez les Européens, les feux d'une guerre de Cent Ans ! Les missionnaires, dominicains, franciscains et apôtres des Missions étrangères crient leur refus à l'idolâtrie et assiègent le trône du Souverain Pontife. Les jansénistes, hérétiques, diviseurs de la communauté catholique et politiciens hargneux — fidèles alliés des parlements au XVIIIe siècle — profitent de l'occasion pour dénoncer le laxisme des jésuites. Au premier rang de cette secte sans vision ni charité, le mathématicien clermontois Blaise Pascal, pourfendeur maniaque des robes noires. Dans la cinquième *Provinciale*, l'Auvergnat identifie la politique de christianisation menée par les Pères à un « dérèglement » qui participe « de la doctrine des opinions probables ». Il s'indigne de cette impudence, « comme si la foi, et la tradition qui la maintient, n'était pas toujours une et invariable dans tous les temps et dans tous les lieux ; comme si c'était à la règle à se fléchir pour convenir au sujet qui doit lui être conforme ». L'éminent propriétaire des carrosses publics parisiens eût fait, à n'en pas douter, un fort mauvais colonisateur. Toujours est-il qu'il compte parmi ceux qui, par étroitesse d'esprit et haine maladive, portent la responsabilité de l'échec de la tentative singulière de rapprocher l'Extrême-Orient de l'Europe : en 1700, la Sorbonne condamne la stratégie des jésuites en Chine, que Rome confirmera définitivement en 1742.

Les Pères, avant de mordre la poussière, ont livré combat sur combat avec intelligence et habileté, dans la voie tracée par Ricci. En 1687, le P. Couplet publie son *Confucius Sinarum philosophus*. Il montre que les Chinois croient en un Dieu personnel, créateur du monde, ainsi qu'à l'immortalité de l'âme : quelle meilleure manière pour les jésuites de défendre leur méthode d'évangélisation et les cultes qu'ils autorisent aux nouveaux convertis ? Au milieu d'une foule d'ouvrages, incessamment mis en vente, paraît en 1735, la *Description de l'Empire de Chine,* par le P. du Halde, missionnaire qui n'est jamais allé en Asie ! Travaillant de seconde main, il rogne, coupe, tranche, concilie, et, comme de bien entendu, prouve que les Chinois ne s'abandonnent pas à la superstition, à la magie ni aux esprits, mais qu'au contraire ils sont rationalistes, spiritualistes et croient depuis toujours à un Dieu personnel. À agir ainsi, reprocheront des historiens contemporains, ces religieux ont caché l'âme populaire chinoise, offrant au siècle des Lumières une image du Céleste Empire, dessinée et peinte par Boucher. Reproche excessif : les jésuites travaillent dans le présent ; ils ne seront irrémédiablement anéantis qu'en 1773, quand Rome prononcera la dissolution de la prestigieuse Compagnie.

Mais leurs accommodements avec la vérité — que la victoire eût effacés — seront, entre les mains des philosophes, autant d'armes contre la vraie religion. Auparavant, un esprit critique, sans malveillance, strict toutefois, en correspondance avec les Pères et utilisant leurs travaux, Nicolas Fréret, démêle sans fracas le vrai du faux et voit apparaître une réalité inattendue. Ainsi, à partir de « la traduction de Confucius des P. P. jésuites », il esquisse un portrait du vieux sage, que les évangélisateurs zélés présentent comme un saint. Confucius était « comme une espèce de chevalier errant. Au reste, la vie de ce philosophe était une comédie perpétuelle. Il paraît que le capital chez lui était de masquer ses sentiments et tous les mouvements de son cœur sous les apparences d'une tranquillité et d'une impassibilité entière. C'était un stoïcisme outré. Du reste, il était grand observateur de cérémonies anciennes et affectant une vie simple et commune, donnant toutes les marques possibles de l'humanité, car cette vertu n'est pas nouvelle chez les Chinois. [...] Il y avait quatre parties différentes de la philosophie, la science des mœurs qui était la dernière et la plus estimée, la science du raisonnement, la science du gouvernement, et la science de la parole, celle qui apprend à bien parler des choses de morale. L'on voit que Confucius n'admettait ni métaphysique, ni physique, ni théologie, aussi disait-il lui-même qu'un homme sage ne se devait pas s'inquiéter de toutes ces choses. [...] Au reste il ne parle jamais ni du souverain être, ni de l'immortalité de l'âme, ni de l'autre vie. Il exhorte à la vertu pour elle-même et pour les avantages qu'elle entraîne nécessairement avec elle par une suite naturelle. »

Ce que Fréret a découvert, en quête d'une connaissance impartiale — ses notes sont rangées aux archives de l'Observatoire ! — Voltaire va s'en emparer et le crier aux quatre vents. Dans l'*Essai sur les mœurs*, à chaque occasion, il loue les Chinois. « Leur religion était simple, sage, auguste, libre de toute superstition et de toute barbarie. [...] Les empereurs chinois offraient eux-mêmes au Dieu de l'univers, au Chang-ti [ciel], au Tien [maître suprême], au principe de toutes choses, les prémices des récoltes deux fois l'année. [...] Jamais la religion des empereurs et des tribunaux ne fut déshonorée par des impostures, jamais troublée par les querelles du sacerdoce et de l'empire, jamais chargée d'innovations absurdes, qui se combattent les unes les autres avec des arguments aussi absurdes qu'elles, et dont la démence a mis à la fin le poignard aux mains des fanatiques, conduits par des factieux. C'est par là surtout que les Chinois l'emportent sur toutes les nations de l'univers. Leur Confutzée, que nous appelons Confucius, n'imagina ni nouvelles opinions ni nouveaux rites ; il ne fit ni l'inspiré ni le prophète : c'était un sage magistrat qui enseignait les anciennes lois. [...] Il ne recommande que la vertu ; il ne prêche aucun mystère. » Dans le *Dictionnaire philosophique*, il fera dire au prince Kou : « Eh bien ! c'est dans l'exercice de toutes ces vertus et dans le culte d'un Dieu simple et universel que je veux vivre, loin des chimères des sophistes et des illusions des faux prophètes. [...] La Divinité parle au cœur de tous les hommes, et les liens de la charité doivent les unir d'un bout à l'autre de l'univers. »

À travers ces lignes, nouvelle table des valeurs pour l'époque, Voltaire, comme l'a observé Virgile Pinot, se prononçait en faveur d'un « spiritualisme un peu vague, et qui s'approchait suffisamment du déisme » pour le contenter. D'autres, comme Bayle le premier, exigeront davantage et expliqueront qu'une société peut vivre sans

Dieu, dans l'athéisme. Quoi qu'il en soit, chacun s'accorde pour voir en Confucius, non un prophète formulant Révélation et dogmes, mais un Socrate chinois, qui use de l'outil dont la Nature l'a pourvu, la Raison, pour couper le cordon ombilical liant la morale à Dieu, à la métaphysique. Cette doctrine, en affirmant le primat de la Raison qui prend conscience des principes universels contenus dans la loi naturelle pour dégager une morale laïque, affouille et sape la religion révélée et la monarchie de droit divin. Elle désacralise l'ordre social, jusque-là subordonné au surnaturel, pour en faire une mécanique dont la réflexion pourra améliorer le fonctionnement.

Le confucianisme qui, en Chine, cultive le capitalisme agraire, dédaignant le capitalisme commercial et l'ouverture sur le monde, qui a engendré la bureaucratie des lettrés et la sclérose, qui prêche plutôt la maîtrise des corps que la possession des choses, fait figure d'archaïsme dans la civilisation française. Peu importe, le combat politique et l'irréligion s'en emparent non pour promettre un mieux-être concret, mais pour démontrer qu'un ordre social sans religion, élaboré par la raison, brise la tyrannie de l'Église obscurantiste — l'Infâme — et l'oppression de monarques aveugles.

Les jésuites, en voulant, au-dessus des préjugés, rapprocher l'âme chinoise de l'âme européenne, ont travaillé pour leurs ennemis, par la trahison de leurs alliés naturels, les rois et le pape. Ainsi, selon la formule heureuse de Ting Tchao-Ts'ing, sont-ils « devenus, chose assez curieuse, philosophes chinois ayant des idées laïques tout en étant religieux ». Comme le bon Sauvage américain, le Chinois soulève, mais avec une gravité plus grande, car il dispose de sa chronologie millénaire, le problème de la réalité du péché originel. Comment ces êtres, vivant par-delà le bien et le mal, dans l'ignorance du Messie, pourraient-ils en être affligés ? Aussi, pour eux, la crucifixion rédemptrice du Christ n'a-t-elle pas de signification. Enfin, les annales de l'Empire du Milieu ne prouvent-elles pas, comme le soutient Isaac de La Pereyre, que des hommes auraient existé avant Adam — les Préadamites —, et qu'ainsi la Bible ne relaterait pas l'histoire de l'humanité, mais celle du seul peuple juif ? Cette révolution des idées qui aboutit à prouver que la morale peut exister sans théologie, travestit les jésuites en complices des propagateurs d'un matérialisme athée ! Quelle joie pour la polémique janséniste qui, en 1742, applaudit le pape de condamner les rites chinois si bien défendus par les soldats de Rome !

Au nom du Céleste Empire et de l'Amérique indienne, les Français célèbrent la loi naturelle, la religion naturelle et la conscience personnelle. Mais, à la différence des Hurons, les Chinois permettent de conserver l'État, car la laïcité l'a dépouillé de son caractère superstitieux. Toutefois les deux continents se rejoignent dans le refus de la transcendance et dans l'affirmation de l'immanence et du matérialisme. L'homme européen renonce à sa qualité éminente de créature et d'image de Dieu pour le destin de roi nu.

Une colonie, le Canada, et une pré-colonie, l'Empire du Milieu, auquel les visites d'Anson en 1742 et d'Entrecasteaux en 1787, annoncent un avenir lié et dépecé, ont participé à la révolution des idées de la fin du XVIIIe siècle français et européen. Des représentations tirées de l'Amérique sauvage et de la Chine de Confucius ont préparé le renversement de l'antique monarchie capétienne et l'avènement d'un nouvel ordre social laïque, dont la Raison s'arroge le droit de définir arbitrairement le contenu. Le vrai Dieu est mort. Désormais, tout est relatif : l'homme ne peut tenir droits et liberté que de la force. Mais est-ce contradiction si l'Inde, luxueuse dans son seul extérieur, pratique la contre-révolution ? Le R. P. Perrin observe en 1785, dans son *Voyage dans l'Indostan,* que la patrie des nababs, dont en Europe le mérite philosophique supplante celui de la Chine depuis une vingtaine d'années, ne goûte pas les mœurs citoyennes en vogue dans l'Occident extrême : « Il serait difficile de trouver sur la surface du globe un peuple plus ennemi de l'égalité que les Indiens : le principe opposé leur est tellement conaturel qu'on ne peut pas les concevoir sans distinction. [...] Leurs intérêts les plus chers, la vie même ne sont rien à côté des privilèges de leurs castes, car, une fois dépouillés de ces privilèges, ils ne font plus partie d'un corps politique ; ils sont étrangers à eux-mêmes, ou plutôt ils n'existent plus. » Que cette civilisation millénaire consacre l'aristocratie, voilà de quoi satisfaire Voltaire, le roi-philosophe plein de mépris pour la « canaille », qui écrit à Argental, le 27 avril 1765 : « On ne saurait souffrir l'absurde insolence de ceux qui vous disent : je veux que vous pensiez comme votre tailleur et votre blanchisseuse. »

Au terme de l'Ancien Régime et de l'Empire, le bilan de la France dans l'Orient colonial est formé de conquêtes avortées, de résistances brisées, de rêves glorieux qui se délitent en échecs. Colbert, Seignelay et Sartine n'ont pas disposé des moyens de leur stratégie. Aussi, la nation après avoir fait illusion longuement, a-t-elle renoncé à ses prétentions sur l'Inde, instrument économique et financier de domination en Europe et en Asie — la guerre de l'Opium, au XIXe siècle, consacrera la victoire de la patrie de Bouddha sur celle de Confucius ! À la chute de Napoléon, la métropole chassée et humiliée ne conserve que l'îlot de Bourbon, devenu la Réunion, écran infime aux portes de l'Asie colossale. Ici, comme dans le Ponant colonial, la monarchie administrative française est battue par le capitalisme impérialiste britannique. Malgré sa supériorité brute en Europe, le royaume, en retard dans tous les domaines — marines marchande et de guerre, industrie, grand commerce, banque, agriculture — recule devant son ennemie, partout dans le monde.

CHAPITRE VIII

Idéologies et institutions

L'idée que la métropole se fait de ses colonies vaut pour toutes : depuis le Canada jusqu'aux Mascareignes. En revanche, l'idéologie coloniale n'a été pleinement exprimée que par les Antilles qui, après la guerre de Sept Ans, formaient l'empire colonial de la monarchie.

Les institutions, qui assument le gouvernement des colonies, appartiennent à deux ordres. Les unes relèvent de l'appareil central, les autres des structures locales.

LES IDÉOLOGIES

L'utilité des colonies

À l'origine, la colonisation, c'est-à-dire la volonté d'un peuple de conquérir un territoire, de s'y établir et d'y dominer, ne semble pas rencontrer un accueil favorable dans le milieu de ceux que l'habitude range parmi les penseurs. Évoquant le Brésil, où Villegagnon avait échoué dans sa tentative de donner une possession au Roi, Montaigne distille cette réflexion : « J'ai peur que nous avons les yeux plus grands que le ventre, et plus de curiosité que nous n'avons de capacité. » Antoine de Montchrétien, auteur du *Traité de l'économie politique* (1615) à la suite d'un séjour en Angleterre, allie le goût de la réflexion à la passion de l'action. Ce personnage original, converti à la Réforme, considère avec lucidité que la vie des individus et celle des sociétés se résume à un rapport de force où mieux vaut être dessus que dessous. Aussi invite-t-il Louis XIII à acquérir « le glorieux titre de conquérant à bonnes enseignes ». Doté d'une puissante marine, il pourra au nom de Dieu et de l'honneur, s'ouvrir « tant ici que là, de grandes et inépuisables sources de richesses », en s'emparant de territoires qu'il conservera grâce à de belles peuplades de gens pauvres mais honnêtes. Dans son *Histoire de la Nouvelle France* (1611), Lescarbot, autre huguenot, réclame à Louis XIII, dans les termes qu'utilisera Montchrétien, de donner à l'État plus de puissance et de richesse, en plantant de « Nouvelles France » au-delà des mers. En guise d'illustration, le Parisien rappelle au souverain le texte de la commission remise par Henri IV au sieur de Monts, lieutenant général aux pays, territoires, côtes et confins de l'Acadie (1603). Que disait le Gascon ? « Comme notre plus grand soin et travail soit et ait toujours été, depuis notre avènement à cette Couronne, de la maintenir et conserver en son ancienne dignité, grandeur et splendeur, étendre et amplifier autant que légitimement se peut faire, les bornes et limites d'icelle. » Chez les partisans de l'expansion française du XVIe et du début du XVIIe siècle, la colonisation a pour objet d'établir toujours plus loin l'autorité du monarque, afin que le royaume multiplie ses provinces, gagne en forces de toute espèce et impose le respect. Richelieu pensera ainsi, encore que chez lui, le souci de l'État dissimule l'appât des revenus. Dès le cardinal, on ne songe plus à provigner de Nouvelles France. Il faut peupler les possessions, mais pour les mettre en valeur et les défendre. Sinon, la cour abandonne les anciens rêves rustiques pour des formulations modernes : elle assimile politique coloniale et stratégie commerciale. Désormais les colonies ne sont que des établissements de commerce que l'on apprécie en fonction de leur rentabilité. Ainsi, on considérera toujours le Canada comme une possession mineure parce que son petit commerce de peaux de castor n'intéresse que quelques Rochelais. Dans l'esprit de Colbert, même, le peuplement français n'a d'autre justification que d'intensifier la production des denrées coloniales que la France achète encore à l'étranger, contre de bonnes et belles pièces d'or. Le jour où les Antilles satisferont la demande métropolitaine de sucre, le ministre exultera : joie mercantiliste. En effet, de l'ancien projet qui voulait décupler la puissance du royaume, en accroissant, à la fois les richesses matérielles et l'abondance des hommes, seul le premier volet demeure, le second — la plus grande profusion de peuple — disparaissant.

Les publicistes adhèrent aussitôt à cette nouvelle manière de voir. Si Voltaire aime trop les revenus du commerce — surtout colonial — pour s'aller compromettre, Montesquieu, autre actionnaire de la Compagnie des Indes Orientales, prend le mors aux dents. Le propriétaire de vignobles — vendant récoltes — et par ailleurs parlementaire, construit une théorie balancée, susceptible de satisfaire gens d'idées et gens d'affaires. Pour ces derniers, parmi lesquels les négociants bordelais, *De l'Esprit des lois* entre en extase : « Nos colonies des Antilles sont admirables ; elles ont des objets de commerce que nous n'avons ni ne pouvons avoir ; elles manquent de ce qui fait l'objet du nôtre. » Le ton change quand, dans les *Lettres persanes*, le champion des pouvoirs séparés s'adresse à la société d'esprit : « L'effet ordinaire des colonies est d'affaiblir les pays d'où on les tire, sans peupler ceux où on les envoie. Il faut donc que les hommes restent où ils sont. On peut comparer les empires à un arbre dont les branches trop étendues ôtent tout le suc du tronc et ne servent qu'à faire de l'ombrage. » Cet argument de la dépopulation des métropoles par les colonies, participe de la démagogie, car l'émigration vers l'outre-mer ne draine pas grand monde. *De l'Esprit des lois* hausse le ton pour délivrer sa théorie, définir les rapports qui lient métropole et colonie. « L'objet de ces colonies est de faire le commerce à de meilleures conditions qu'on le fait avec les peuples voisins, avec lesquels tous les avantages sont réciproques. On a établi que la métropole seule pourrait négocier dans la colonie ; et cela avec grande raison parce que le but de l'établissement a été l'expansion du commerce, non la fondation d'une ville ou d'un nouvel empire. Ainsi, c'est encore une loi fondamentale de l'Europe que tout commerce avec une colonie étrangère est regardé comme un pur monopole punissable par les lois du pays. Le désavantage des colonies, qui perdent la liberté du commerce, est visiblement compensé par la protection de la métropole qui la défend par ses armes, ou la maintient par ses lois. » Premier point de cette analyse : les colonies se réduisent à des établissements de commerce, soumis au monopole exclusif de la métropole. Elles ne peuvent prétendre à un statut similaire à celui des circonscriptions administratives du royaume, notamment aux pays d'États. Deuxième point : les rapports entre mère patrie et possessions d'outre-mer sont de nature contractuelle. L'une assure la sécurité, l'autre fournit ses denrées. La théorie du contrat, que les planteurs invoquent dans leur contentieux avec Versailles pour que le pouvoir traite les colonies comme des entités nationales et leur accorde un statut d'autonomie, appartient donc à la panoplie juridique française. Les planteurs ne font que l'emprunter pour appuyer leurs réclamations. Hilliard d'Auberteuil se comportera en digne fils spirituel de Montesquieu, quand il expliquera que « sous quelque aspect qu'on puisse considérer l'établissement de la côte française de Saint-Domingue, on doit regarder les engagements des colons envers l'État comme aussi durables que la protection du Souverain ». C'est la réponse du berger à la bergère.

Tandis que le baron de La Brède discourt, les commis des colonies, imprégnés de la pensée du maître, rédigent les instructions aux gouverneurs généraux et intendants, se contentant, jusqu'à la guerre de Sept Ans, de n'en changer qu'un mot, de temps à autre. Dès lors, les administrateurs coloniaux rejoignant leur poste liront tout au long du XVIIIᵉ siècle la même dissertation doctrinale : « Les colonies n'ont été instituées que pour opérer la consommation et le débouché des produits de la métropole : de cette destination suivent trois consé-quences qui renferment toute la science de ces établissements. La première est que ce serait se tromper que de considérer nos colonies comme des provinces de France séparées seulement par la mer du sol national. Elles diffèrent autant des provinces que le moyen diffère de la fin ; elles ne sont absolument que des établissements de commerce. La seconde conséquence est que plus les colonies diffèrent de leurs métropoles par leurs productions, plus elles sont parfaites puisque ce n'est que par cette différence qu'elles ont de l'aptitude à leur destination. C'est par cette heureuse différence des productions des colonies et de celles du royaume que ces consommations restées sans prix, faute de consommateurs ont pu être échangées pour des denrées qui n'avaient plus à craindre la même disgrâce ; c'est par l'effet de cet échange qu'une multitude de travailleurs occupés à l'approvisionne-ment des colonies existe sur le superflu des riches qui consomment les denrées de nos colonies, et qu'une multitude encore plus grande existe aux dépens de l'étranger que les denrées rendent tributaires de la France dans la balance du commerce. La troisième vérité qui suit de la destination des colonies est qu'elles doivent être tenues dans le plus grand état de richesse possible et sous la loi de la plus austère prohibition en faveur de la métropole. Sans l'opulence, elles n'attein-draient point à leurs fins ; sans la prohibition, ce serait encore pire ; elles manqueraient également leur destination et ce serait au profit des nations rivales. » Cette doctrine, qu'ébranleront les mesures de libération du commerce — régime de l'exclusif mitigé de 1767 —, boute les colonies hors de la nation française, et relègue les colons dans la dernière catégorie des sujets du royaume. Pareille philosophie engendre, par réaction, la mauvaise humeur des créoles et leurs revendications autonomistes, d'autant que le Commerce de France, véritable commissionnaire de l'État dans les possessions d'outre-mer, partage l'idéologie officielle, à qui il doit sa richesse, et veille jalousement à son application. Ainsi fait la Chambre de commerce de Nantes, le 6 juin 1765 : « Les colonies, depuis la découverte du Nouveau Monde, ont été fondées pour le commerce des États dont elles dépendent ; leur objet est d'augmenter la richesse de la nation qui les a formées ; et comme la richesse réelle de la Nation n'est autre chose que le résultat de son travail, il s'ensuit que les colonies ne doivent être estimées qu'autant qu'elles lui fournissent leurs denrées, soit pour sa propre consommation, soit pour son commerce exté-rieur ; par conséquent, la Métropole doit seule y négocier. »

À la fin de l'Ancien Régime, chacun a son idée sur les colonies. Les écrivains célèbres publient leurs opinions et l'*Encyclopédie*, sous la plume de Véron de Forbonnais, réédite régulièrement sa définition des possessions d'Amérique. « Toutes celles de ce continent ont eu le commerce et la culture tout à la fois pour objet de leur établissement.

[...] Ces colonies n'étant établies que pour l'utilité de la métropole, il s'ensuit : 1°) qu'elles doivent être sous sa dépendance immédiate et, par conséquent, sous sa protection ; 2°) que le commerce doit en être exclusif aux fondateurs. » Face à une opinion et à un gouvernement qui refusent de voir dans les démembrements lointains de la nation autre chose que des entreprises commerciales, les colons se cabrent. Ils demandent et obtiennent en partie le démantèlement de l'exclusif, et exigent de faire partie intégrante de la patrie. « L'objet que l'on se propose en fondant une colonie, écrit Hilliard d'Auberteuil en 1776, est non seulement l'extension du commerce, mais encore la fondation d'une nouvelle province. » Les métropolitains, avec à leur tête Diderot, répondent par une attaque globale du régime colonial, fondé sur l'esclavage ; par une dénonciation de la tyrannie des colons. La société coloniale, troublée, songe à un statut d'autonomie qui la mettrait à l'abri des coups des philosophes et des philanthropes. Certains songent même à une indépendance accompagnée d'une alliance avec les nouveaux États-Unis d'Amérique. Le Commerce de France, que cette agitation inquiète, cherche une issue apaisante, mais qui ne compromette pas sa domination. En 1788, Stanislas Foäche, négociant et propriétaire à Saint-Domingue, commet quelques *Réflexions sur le commerce, la navigation et les colonies.* « Les colonies n'ont jamais pu être considérées ni comme un sol esclave, ni comme un sol indépendant. [...] Ce que les colons peuvent raisonnablement demander, c'est qu'elles soient traitées comme les provinces [...] mais aussi comme les provinces, elles doivent être subordonnées à l'intérêt national. » Regrettant l'anachronisme de la situation, le Normand conclut : « Les îles à sucre ne sont que des établissements de commerce ; le Gouvernement doit leur donner des lois et une administration qui leur soient propres. » On n'entend pas l'homme d'affaires : on n'a d'ouïe que pour la propagande des *Amis des Noirs.* On écoute Brissot, on lit Condorcet, on feuillette les essais qui paraissent de plus en plus nombreux flétrissant la traite des Nègres, l'esclavage, le despotisme des satrapes coloniaux.

Les colonies, pourvoyeuses de richesses presque gratuites, doivent être pressurées tous les jours un peu plus dans le cadre d'un exclusif inflexible, demandent les uns. Ces terres, inondées des souffrances d'une main-d'œuvre déportée et servile, méritent les châtiments de la justice, exigent les autres. Jusqu'ici personne ne conteste que les possessions apportent de la puissance à l'État, même si certains, comme les physiocrates, en réprouvent l'importance ou la nécessité au nom d'impératifs moraux que le réalisme économique combat. Mais il en est d'autres, depuis la moitié du siècle des Lumières, qui affirment l'inutilité des îles à sucre — même — soulignant qu'elles représentent un poids pour l'État et non un avantage. Le plus prestigieux de ces idéologues n'est autre que Turgot. Son système, à l'itinéraire laborieux, confus et parfois contradictoire, figure dans sa consultation de 1776 sur les conséquences de la guerre anglo-américaine. « On sait assez que nos colonies à sucre sont bien loin d'être pour nous un moyen d'attaque. Nous aurions au contraire beaucoup de peine à les défendre contre les invasions de la puissance anglaise. Quant aux ressources de finances, il est notoire que l'imposition que l'on lève dans nos colonies ne suffit pas à beaucoup près aux dépenses de sûreté et d'administration qu'elles entraînent. [...] Le revenu que le gouvernement tire des colonies est donc une ressource nulle pour l'État considéré comme puissance politique ; et si on compte ce qui en coûte chaque année pour la défense et l'administration des colonies, même pendant la paix, et si l'on y ajoute l'énormité des dépenses qu'elles ont occasionnées pendant nos guerres, quelquefois sans pouvoir les conserver, et les sacrifices qu'il a fallu faire, à la paix, pour n'en recouvrer qu'une partie, on sera tenté de douter s'il n'eût pas été avantageux pour nous de les abandonner à leurs propres forces avec une entière indépendance, même sans attendre le moment où les événements nous forceront de prendre ce parti, comme je l'ai insinué plus haut. Il n'y a pas bien longtemps que cette manière de voir eût été traitée comme un paradoxe insoutenable, et fait pour être rejetée avec indignation. On pourra en être moins révolté maintenant, et peut-être n'est-il pas sans utilité de se préparer d'avance des consolations pour les événements auxquels on peut s'attendre. Sage et heureuse sera la nation qui, la première, saura plier sa politique aux circonstances nouvelles, qui consentira à ne voir dans ses colonies que des provinces alliées, et non plus sujettes de la métropole ! Sage et heureuse la nation qui, la première, sera convaincue que toute la politique, en fait de commerce, consiste à employer toutes ses terres de la manière la plus avantageuse pour le propriétaire des terres, tous ses bras de la manière la plus utile à l'individu qui travaille, c'est-à-dire de la manière dont chacun, guidé par son intérêt, les emploiera, si on le laisse faire, et que tout le reste n'est qu'illusion et vanité. Lorsque la séparation totale de l'Amérique aura forcé tout le monde de reconnaître cette vérité, et corrigé les nations européennes de la jalousie du commerce, il existera parmi les hommes une grande cause de guerre de moins, et il est bien difficile de ne pas désirer un événement qui doit faire ce bien au genre humain. »

À l'expérience, ces belles prévisions se révéleront complètement fausses : l'Angleterre le prouvera aux mânes de l'ancien contrôleur général des Finances, meilleur astrologue à Limoges qu'à Paris. Avant d'atteindre ce degré de paradoxe, qu'attend l'opinion commune des colonies ? L'enrichissement commercial, procuré par la complémentarité de l'économie des possessions. D'où l'inintérêt du Canada dont les productions sont semblables à celles de la métropole. D'où, au contraire, le prix de territoires fournissant sucres, cafés, cotons et autres denrées brutes qui, en échange, achèteront — outre des vivres — des produits manufacturés, que l'industrie nationale aura parfois fabriqués à partir de matières premières coloniales telles que la laine pour le Levant. Turgot préfère les discours aux statistiques sinon il aurait évité de clamer que les colonies coûtaient cher. Si le commerce français rattrape — globalement, et non par tête — le commerce britannique à la fin de l'Ancien Régime, il le doit aux sucres des îles. Le distingué physiocrate eût été plus avisé de souligner que l'essor des exportations des deux nations rivales résultait de deux causes fort différentes. En Angleterre, pays de progrès, le développement du trafic découle des succès de la Révolution industrielle, alors qu'en France, nation plus archaïque, il traduit, avant tout, la bonne santé de l'économie de plantation. Mais, le négoce colonial actionne le capitalisme commercial du royaume — encore qu'il ne détermine pas les armateurs à doubler leur flotte pour redistribuer eux-mêmes les denrées exotiques —, il n'exerce qu'une faible impulsion sur l'industrie et la banque. La nation exploite mal ses revenus antillais, qu'elle assimile davantage à une rente qu'à des investissements à placer dans les secteurs d'avenir aurait pu reprocher le sieur Turgot : une critique qui ne l'eût pas épargné !

L'esprit américain : l'autonomisme

L'esprit créole et son aboutissement, l'autonomisme, cheminement vieux des premiers temps de la colonie, qu'ont remarquablement analysés Charles Frostin, pour Saint-Domingue, et Jacques Petitjean Roget, pour la Martinique, ne mettent pas en mouvement une construction abstraite, mais synthétisent la réflexion concrète, et la pratique des jours, d'un groupe d'individus, vivant à plus d'un mois de leur mère patrie. Ces hommes et ces femmes ont quitté leur famille, leur métier, leur paroisse, leur province, leur nation, ont rompu avec la tradition, maîtresse en tous domaines, pour construire de leurs mains un monde neuf, répondant à leurs aspirations. Les colons, en rupture de société d'ordres, de hiérarchies immémoriales, affichent aussitôt leur individualisme — ne sont-ils pas les artisans et les propriétaires de leur destin ? —, et un esprit égalitaire, incrédule matérialiste et capitaliste. Loin du royaume, ils se constituent en républiques démocratiques, à la manière des Provinces-Unies. Chez eux, point de régime seigneurial, point de corporations, point de vénalité des offices, point d'Église imposant dîme, mais des missionnaires discrets, point de fiscalité contraignante, au contraire, un quasi-affranchissement de l'impôt. Chez ces Blancs, une liberté totale d'esprit, de pensée, de comportement, le culte du revenu, de l'argent, le respect du travail par lequel la société américaine accède à l'existence. Au fil des ans, ces Français d'outre-mer adoptent le système de mise en valeur agricole des Espagnols, des Portugais et des Hollandais, l'économie de plantation qui associe esclavage et culture de denrées commerciales sur des superficies appréciables, mais médiocres, comparées aux *latifundia*. Ils marquent peu à peu les colonies de tant de particularismes inconciliables avec le modèle socio-économique métropolitain, qu'ils se sont donné mécaniquement des patries nouvelles. Ce patriotisme s'exacerbe à mesure que le débat sur les possessions, ouvert par les physiocrates et les places maritimes nationales, assène ses rebuffades discordantes. Les îles, fédératrices d'une économie de plantation, d'une économie servile et d'une économie d'échanges, sentant les menaces monter, durcissent leurs exigences. Elles réclament la liberté de commercer avec l'étranger, un régime de neutralité pendant les guerres européennes, pour maintenir l'activité de leurs Habitations et de leurs ports, enfin la liberté de s'administrer elles-mêmes, afin de conserver l'esclavage, clé de voûte de l'édifice économique, contre l'intrusion du « despotisme ministériel » versaillais et du « despotisme militaire » local, trop sensible aux idées humanitaires propagées par les philosophes. Le peuple des *Amériquains* a conscience du peu qu'il partage avec la France : vendre ses denrées sur le marché international lui serait facile ! Mesurant que ses intérêts ont toujours été subordonnés à ceux d'une nation qui, en cette fin de XVIIIe siècle se propose, dans la confusion, de l'abandonner, de le réformer, ou de détruire ses principes constitutifs, il réaffirme ses revendications anciennes et dit ses craintes nouvelles, dans un discours autonomiste agacé, mais où l'esprit d'indépendance n'affleure pas, même s'il taraude quelques têtes.

Une lettre d'Antoine Bessas, conseiller à la sénéchaussée du Petit-Goâve, écrite à son beau-frère, le 24 décembre 1790, représente assez bien la mentalité des Français de la classe moyenne : « Nous ne cultivons aucune espèce de grains, parce qu'il nous est plus avantageux de nous en tenir à nos plantations et qu'il nous est d'ailleurs défendu de le faire, le commerce d'Europe ayant besoin que nous consommions ses grains et la majeure partie des productions de ses manufactures pour se procurer nos denrées, dont on ne peut se passer. Mais nous pourrions nous passer de l'univers et trouver ici l'or, l'argent, les grains et autres choses nécessaires à nos désirs. Maîtres chez nous, nous n'avons à craindre ni le Roi, ni le clergé, ni l'épée ; et la liberté dans laquelle nous vivons fait que nous nous mettons au niveau de ce que vous avez de plus relevé. L'ouvrier, de quelque espèce d'extraction qu'il soit, devient notre égal du moment qu'il acquiert une propriété et nous l'accueillons aussi bien qu'un prince. [...] Nous ne payons ni taille ni rente et n'allons au service divin que lorsque nos affaires communes nous y appellent. Nos églises sont des lieux où nous nous assemblons pour délibérer sur nos intérêts respectifs. Enfin, la liberté la plus complète est la devise de Saint-Domingue. » Cette déclaration spontanée, terre à terre, respire la vie de tous les jours, avec son rythme, ses habitudes, sa manière de penser. Point de dissertation constitutionnelle, comme en font certains nobles et gens de loi. Mais la satisfaction de vivre dans une société neuve, sans trait commun avec celle de la métropole. Bonheur d'écouler ses jours dans une république démocratique, à laquelle les décrets et instruction du mois de mars 1790 ont accordé l'autonomie. Rien au-delà, aucune allusion aux États-Unis, aucune tentation de souveraineté.

L'Exclusif commercial

Le monopole métropolitain des échanges commerciaux avec les possessions d'outre-mer est antérieur à la fondation des colonies françaises. Il découle de la doctrine mercantiliste, issue de manière pragmatique des relations économiques entre les États européens, puis affermie par la découverte des métaux précieux. Depuis la Renaissance, les États veulent augmenter, ou au moins conserver intacte leur encaisse métallique, en portant leurs exportations à un niveau supérieur à celui de leurs importations. Dès 1626, Richelieu stipule qu'il fait acte d'association avec les sieurs d'Esnambuc et du Rossey en vue de coloniser les îles de Saint-Christophe et de la Barbade notamment « pour y trafiquer les deniers et marchandises qui se pourront recueillir et tirer des dites Iles et de celles des lieux circonvoisins, les faire amener en France au Havre de Grâce, privativement à tout autre ». Cette clause n'innove en rien, elle se contente d'adhérer à la règle d'or du commerce colonial.

L'Exclusif entre avec Colbert dans le domaine impératif et répété, tatillon et répressif de la réglementation, devenant une arme, à la fois de protection du commerce national, et de guerre contre le trafic étranger pour ne pas dire hollandais. L'article 15 de l'édit de 1664, établissant la Compagnie des Indes Occidentales, affirme le monopole du négoce au profit de cette société. Dès lors, à l'occasion de toute mesure relative au trafic, l'Exclusif est rappelé en termes vigoureux, et son corollaire, l'interdiction du commerce étranger, réitérée avec force menaces : ainsi fait le règlement royal du 20 août 1698. Toutefois la charte, en cette matière, n'est pas l'œuvre des Colbert, mais du Conseil de Marine, animé par le comte de Toulouse, fils légitimé de Louis XIV qui, au mois d'avril 1717 soumit à la signature du Régent, les *Lettres patentes portant règlement pour le commerce des colonies françaises*. Ce texte réunit en une synthèse claire les instructions antérieures, et précise la liste des ports français autorisés à armer pour les possessions d'outre-mer. Ils sont 13 : Calais, Dieppe, Le Havre, Rouen, Honfleur, Saint-Malo, Morlaix, Brest, Nantes, La Rochelle, Bordeaux, Bayonne et Sète. Des lettres patentes ou des arrêts du Conseil d'État du roi augmenteront le nombre des places maritimes privilégiées. Marseille, en 1719 ; Dunkerque, en 1721 ; Vannes, en 1728, Cherbourg et Caen, en 1756 ; Toulon, en 1758 ; Fécamp, en 1763 ; Les Sables-d'Olonne en 1764 ; Rochefort, en 1775 ; et Saint-Brieuc, en 1776. Cette addition de 10 ports, en une cinquantaine d'années, témoigne de la vitalité du commerce tropical et de son rôle de catalyseur de l'économie maritime de l'Atlantique et de celle, parfois oubliée, de la Méditerranée. D'ailleurs, après la confirmation ou la création de ports francs à Dunkerque, Marseille, Lorient, Bayonne et Saint-Jean-de-Luz (14 mai 1784), le Conseil d'État, s'alignant sur l'Espagne où le monopole de Cadix avait été supprimé en 1778, décide que tous les ports du royaume, susceptibles de recevoir, à moyenne marée, des navires de 150 tonneaux, sont autorisés à profiter de la manne coloniale (31 octobre 1784). L'interdiction imposée aux colonies de commercer avec l'étranger, solennellement affirmée en 1717, et sans cesse renouvelée, notamment en 1727, par lettres patentes en forme d'édit, qui va jusqu'à prohiber le négoce aux étrangers résidant dans les colonies françaises, constitue la règle sur laquelle la législation commerciale s'élève. Tout impératif s'accompagne de dérogations. Parmi celles que la loi elle-même formule, le mémoire du roi, du 28 octobre 1727, autorisant le trafic avec les Espagnols, figure au premier rang. « Ce commerce est d'autant plus utile, qu'il n'y a point d'autre expédient pour introduire de l'or et de l'argent dans les colonies ; il procure le débouchement des denrées et marchandises qu'on porte de France aux îles, ce qui est un grand avantage pour le commerce du royaume. »

Les administrateurs généraux des possessions appliquent la prohibition légale avec compréhension. Chaque fois que les intempéries — secs ou ouragans — menacent l'approvisionnement en vivres, ils ouvrent certains ports et autorisent l'importation de farines, salaisons et légumes étrangers. Plus simplement encore, ils accordent, en période d'hostilités, des permissions d'introduire des vivres étrangers, ou laissent entrer dans les ports des navires « parlementaires » qui déversent leurs cargaisons sur le marché de l'île, profitant de l'occasion pour charger discrètement des sucres et des cafés. Pendant la guerre de Sept Ans, les colonies, coupées de la mère patrie, ont pris l'habitude du commerce libre au point qu'au mois d'avril 1763, Choiseul, ministre de la Marine est obligé de commander la mise en vigueur de l'Exclusif — suspendu depuis 1757 — à partir du 1er octobre. Outre les suspensions légales du monopole national sur les échanges, arrêtées par les autorités, les habitants des colonies, de Louisbourg au Port-Louis et de Saint-Domingue à la Martinique, ne se privent pas, en temps normal, de se livrer à une contrebande quasi permanente. Ce négoce frauduleux, où les Français s'associent avec Anglais, Américains et Hollandais, prospère d'autant plus facilement qu'il entretient des complicités dans l'administration et la justice, et que les officiers de marine des garde-côtes, puis des stations navales, répugnent à le réprimer comme de vulgaires archers de police. L'opinion coloniale ne se satisfait pas du seul interlope, aussi manifeste-t-elle une vigoureuse hostilité à la décision de rétablir l'exclusif, à l'obligation de renouer avec un passé qu'elle avait oublié et qu'elle imaginait peut-être révolu. Pour se concilier ces esprits échauffés, le duc pense à des réformes. Pour les préparer, en 1764, il nomme auprès de lui, Dubuc, colon de la Martinique, connu des bureaux des colonies et prisé des esprits de progrès. Insensiblement, le créole acquiert de l'influence, diffusant sa philosophie libérale à l'égard des possessions, soit dans des décisions particulières, soit dans des instructions aux administrateurs généraux. Ainsi, dans le mémoire du 25 janvier 1765, remis au comte d'Ennery et au président de Peinier, l'orthodoxie doctrinale subit-elle discrètement un infléchissement politique révolutionnaire : de l'empire métropolitain sur les colonies on glisse à un partage des droits entre celles-ci et la nation, à l'établissement d'un contrat synallagmatique qui a la pudeur de taire son nom. Après avoir répété les traditionnels principes d'utilité des colonies, de complémentarité des économies métropolitaine et coloniale et d'exclusif commercial, Dubuc jette le masque. « Il faut cependant observer qu'il peut y avoir des circonstances où la richesse et la prohibition qu'il faut réunir dans les colonies, seraient cependant dans un état d'incompatibilité et alors la loi de la prohibition toute essentielle qu'elle est, doit néanmoins céder. Il faut créer, il faut conserver avant de jouir, et ce qui précède dans l'intention, ne fait que suivre dans l'exécution. »

Cette exception, souligne justement J. Tarrade, ouvre une large brèche dans le système des lois prohibitives. Davantage, cet Exclusif, dont le créole modifie la nature en lui donnant un caractère mitigé, reconnaît l'existence des colonies, en tant que sociétés et économies autonomes, obéissant à des lois propres. Le local des possessions d'outre-mer diffère de celui de la métropole. Cette spécificité commande de satisfaire des exigences impératives, inconnues de la mère patrie, sans quoi la vie même des colonies serait menacée, en danger. La suite du mémoire du gouverneur général d'Ennery éclaire l'arrière-pensée subtile du chef du bureau de la correspondance des colonies. « Dans le Royaume, le commerce n'est encouragé qu'en faveur de la culture ; dans les colonies, au contraire, la culture n'est établie et encouragée qu'en faveur du commerce : il doit donc agir dans les colonies sans concurrence avec l'étranger. Mais si les bornes du commerce sont aussi les bornes de la culture nationale, de même les bornes de la culture des colonies sont aussi les dernières limites du commerce. Ainsi avant tout, l'administration de la France doit s'occuper de la prospérité des colonies; elle doit étendre leurs cultures, et procurer aux denrées des colons tout le prix dont la métropole peut les favoriser sans se nuire à elle-même, parce que l'action du commerce national en sera plus vive parce que l'action plus vive de ce commerce assurera au Royaume sa plus grande valeur. » Les colonies tropicales, par la spécificité de leur local — société servile, économie de plantation — ont droit à bénéficier de l'apport des étrangers, quand les armateurs français sont défaillants : ainsi, par leurs cultures sauvegardées, accroîtront-elles le commerce et la richesse de la nation. Dubuc, habilement, sous l'apparence de défendre l'intérêt public et même l'Exclusif, désigne trois secteurs à dérogation, méritant qu'on les ouvre aux étrangers : l'exportation des sirops et tafias, l'importation de la morue et des Nègres. Il aura gain de cause. Grâce à lui les colonies mesurent qu'elles forment des entités originales, autonomes par essence.

Le 29 juillet 1767, un arrêt du Conseil d'État ouvre deux entrepôts, l'un au port du Carénage, à Sainte-Lucie, l'autre au Môle Saint-Nicolas à Saint-Domingue : les navires étrangers (américains) pourront y charger des sirops, des tafias et des marchandises venues d'Europe, en payant un droit de sortie de 1 % de la cargaison. L'arrêt du 27 juin 1784 étendra cette mesure aux ports domingois des Cayes et du Cap, et celui du 30 août 1784, à Saint-Pierre, à la Martinique, à Pointe-à-Pitre, à la Guadeloupe, à Scarborough, à Tabago, et au Port-au-Prince, à Saint-Domingue. Parallèlement, l'arrêt du Conseil d'État du 28 juin 1783 autorise l'admission de négriers étrangers aux îles du Vent, à condition d'acheter les captifs en sirops et tafias ; décision que l'arrêt du 10 septembre 1786 prorogera jusqu'au 1er août 1789. Enfin, toujours dans la même perspective de libération commerciale des colonies, les lettres patentes du 1er mai 1768 permettent à la Guyane de commercer librement avec toutes les nations, pendant 12 ans : une faculté que l'arrêt du Conseil d'État du 15 mai 1784 repousse au 1er juillet 1792.

En deux ans, de 1764 à 1765, Dubuc, avec la complicité parfois inquiète de Choiseul, que les Chambres de commerce assiègent et que le désastre du Kourou a frappé, a pris la décision politique de réformer la doctrine coloniale du Royaume, elle-même liée au mercantilisme, règle d'or des négociants. L'Exclusif intransigeant, refoulant les possessions dans le statut mineur de dépendances commerciales, n'existant que pour et par la métropole, s'est changé en un Exclusif mitigé, dotant les territoires d'outre-mer d'une personnalité économique autonome leur ouvrant le droit, pour développer leur prospérité et, partant, la richesse de la nation, de bénéficier d'une réglementation dérogeant à la législation prohibitive. Cette consécration économique de la localité des colonies annonce la reconnaissance prochaine de leur personne juridique. Le maréchal de

Castries accomplira ce pas en octroyant des assemblées représentatives aux îles du Vent.

L'ADMINISTRATION CENTRALE

L'exploration et l'expansion nationales n'ont pas poussé, avant longtemps, à une centralisation institutionnelle, reflet d'une volonté stratégique et d'un regroupement des moyens. Richelieu, surintendant de la Navigation et du Commerce, après avoir arraché à Montmorency sa démission de l'Amirauté de France et lui avoir subtilisé ses idées, comme Lucas-A. Boiteux l'a fort bien montré, concentre les affaires maritimes et coloniales entre ses mains avec des préoccupations à la fois d'homme d'État et d'homme d'affaires : les analyses de Joseph Bergin sont éclairantes sur ce dernier point. Le cardinal crée un conseil de Marine où, rappelle Daniel Dessert, siègent des ministres comme le surintendant d'Effiat, Chateauneuf, Bullion, Bouthilliers père et fils, l'oncle du prélat, Amador de La Porte, François Fouquet, le père du surintendant des Finances. Appartiennent également à cette nébuleuse, à qui la Marine et les colonies ne sont pas étrangères : Isaac Martin de Mauvoy, Julius de Loynes, Guénégaud, Servien, Berruyer, Isaac de Razilly, etc. Parmi ces hommes, des serviteurs du roi et gens d'argent, mais peu de têtes portées à la stratégie. Deux exceptions, toutefois : Claude de Razilly, mort en 1625, qui avait tenté avec La Ravardière de provigner la France, en 1612, dans l'île brésilienne de Saint-Louis du Maragnan ; et, surtout son frère Isaac, le vice-amiral, que l'on rencontre successivement sur les côtes du Maroc, au Canada et en Acadie. En marge de ce groupe hétéroclite, présent à Paris et dans les ports, un cas singulier, celui du P. Joseph, dont les capucins sillonnent le Levant et la Perse, porte des Indes.

Le secrétariat d'État de la Marine

Dans le système de Richelieu où les hommes comptent avant tout, par leur fidélité et leur capacité, l'administration des colonies relève du secrétariat d'État des Affaires étrangères, dirigé successivement par les Bouthillier, Loménie et Lyonne jusqu'en 1669, date à laquelle Louis XIV crée le secrétariat d'État de la Marine (7 mars). Colbert prend la direction de ce département, auquel sont affectées les affaires coloniales. Le roi, au détour d'un accès d'humeur, informe son lieutenant-général aux Antilles de sa décision, le 31 juillet 1669 : « Monsieur de Baas, le défaut de vos lettres continuant [...] et ayant reconnu qu'il était nécessaire de vous informer de mes intentions sur divers points qui regardent la conduite des Habitants de ces Îles, j'ai donné ordre à Colbert de vous les expliquer amplement, *à quoi je désire que vous donniez créance.* » Désormais, le Rémois qui était chargé des colonies depuis le début du règne personnel, recevra le courrier des possessions, directement, ès-qualités. Premier ministre effectif de la Marine et des Colonies, Colbert s'emploie, l'année même de sa nomination, à donner une réalité administrative à la nouvelle secrétairerie d'État, qu'il cumule avec le Contrôle général des Finances. Il met en place une structure légère, composée d'unités à vocation géographique et d'unités destinées à résoudre des tâches spécifiques.

Bureau du Ponant, premier commis, M. de La Touche. *Bureau du Levant,* premier commis, M. Salabery. *Bureau des Fonds,* premier commis, M. Bégon (parent du ministre). *Bureau du commerce,* premier commis, M. de Lagny. *Inspection générale des Armées navales et des Classes,* M. de Bonrepaux. *Service des achats,* M. Le Peigné. *Secrétariat* (expédition des actes officiels), M. des Granges. *Cartes,* M. de Pesne.

Colbert laisse la gestion des affaires coloniales à ses trois principaux bureaux, Ponant, Levant et Fonds, mêlées aux choses de la Marine. Il appartiendra à Jérôme de Pontchartrain, en 1709, d'imposer une spécialisation plus rigoureuse, en formant un *Bureau des Colonies,* un bureau des Consulats et, à l'intention de l'un de ses parents, un bureau des Classes. Survient la Régence et l'expérience de la Polysynodie. La Marine, comme toutes les administrations, est placée sous l'autorité d'un Conseil que préside, avec sagesse, le comte de Toulouse, fils légitimé de Louis XIV. À la majorité du roi, le cardinal Dubois, Premier ministre, balaie aussitôt la machinerie lourde et à moitié sommeillante que le duc d'Orléans avait mise en place à son avènement, et rétablit l'ancienne administration : les quatre secrétariats d'État et le Contrôle général des Finances. Morville, le 20 mars 1723, quelques jours après sa nomination au ministère, prend connaissance de la lettre du nouveau Premier ministre, ordonnant que « les affaires de la Marine et des Colonies seraient dorénavant administrées par un secrétaire d'État, comme au temps du feu Roi ». Le fils de l'apothicaire de Brive-la-Gaillarde, dont le jeu diplomatique avec l'Angleterre ne fut pas convaincant, révèle un caractère de chef : il veut commander, il exige d'être obéi. L'étrange prélat meurt bientôt, n'ayant pu donner sa mesure : le duc d'Orléans, ancien Régent, le remplace dans la place laissée vacante. Le 11 août 1743, Maurepas prend possession de la Marine, où son père Jérôme de

Pontchartrain avait régné naguère : il n'en partira qu'en 1749. Pendant ce règne long, marqué par la renaissance commerciale du royaume, mais aussi par la décadence des armées navales et la stagnation de la Nouvelle-France, l'administration centrale, qui ne comptait que quatre bureaux et une inspection générale au temps de Colbert, s'étoffe ! Sept bureaux : fonds, invalides, officiers de plume ; ports du Levant, du Ponant, gardes-côtes, prises et fortifications maritimes ; classes, pêche et commerce ; consulats et commerce maritime ; colonies ; archives ; cartes et plans. De surcroît, un secrétariat administre les officiers militaires. Cette structure ministérielle, qui mélange le géographique et le fonctionnel, qui associe des missions disparates, mérite l'étonnement, tant la Cour a loué l'intelligence de son auteur.

Après la disgrâce de ce colporteur de potins que fut le troisième des Pontchartrain, Rouillé, homme d'administration, crée le Bureau des Fonds des Colonies, pour dissocier la gestion des crédits de la Marine, de ceux attribués aux possessions. Avec les Choiseul apparaît un Bureau des interprètes, tandis que sous Boynes les colonies se partagent en deux unités : un Bureau des Colonies de l'Amérique et un Bureau des Colonies de l'Inde et des fonds des colonies. C'est la première réforme qui affecte l'outre-mer depuis la création du Bureau des colonies en 1709. Sartine s'accommode de ce qu'il hérite, mais après sa réorganisation générale des armées navales, en 1776, son ministère s'agence autour de la Direction des ports et arsenaux de la marine et d'une Inspection générale des ports pour contrôler la bonne application des ordonnances. Le maréchal de Castries renforce le parti pris par Sartine et poursuit son œuvre de regroupement des fonctions. Ainsi quatre directions générales voient-elles le jour — ports et arsenaux ; fonds ; colonies ; consulats — composées de bureaux que dirigent des premiers commis. En outre, un secrétariat, le dépôt des cartes et le dépôt des archives perpétuent leur action. L'Intendance générale des colonies ne disparaîtra qu'en 1792, et, après quelque cinq ans de désordres, elle resurgit en 1797, pour rester en place sous différents noms — division, administration générale —, jusqu'à la chute de l'Empire. Cette évolution administrative, au cours de laquelle, à partir de Sartine, l'épée l'emporte sur la plume, se traduit par un gonflement des personnels et des dépenses. D'une poignée d'hommes et de quelques dizaines de milliers de livres, à la création en 1669, le secrétariat d'État de la Marine, dans les derniers moments de l'Ancien Régime, coûte, selon Montesquiou, 1 624 055 livres (en 1775 on n'en était encore qu'à 413 570 livres, sans compter le traitement du ministre qui s'élevait à 200 000 livres). Quant au personnel, il approche les 200 personnes.

Le secrétaire d'État de la Marine exerce sa compétence coloniale en pleine indépendance. Il ne rend compte qu'au monarque, au

Principal ministre, quand il y en a un, et au Conseil du roi quand il est nommé ministre d'État, ce qui est généralement le cas. Il est seul habilité à correspondre avec les autorités coloniales, à l'exclusion même du chancelier. Louis XV, par lettre de cachet du 26 octobre 1744, rappelle aux Conseils supérieurs qu'ils ne sont autorisés à enregistrer les édits, lettres et déclarations qu'à la condition d'avoir été adressés par le secrétaire d'État de la Marine. Aussi la Cour du Port-au-Prince se fera-t-elle un plaisir, le 22 février 1771, de refuser de consigner les ordres que le chancelier de Maupéou lui avait envoyés directement. M. de Boynes, qui sait la puissance que le Bien-Aimé accorde au briseur de parlements, s'empresse, le 27 juillet, de condamner le comportement de l'assemblée domingoise, mais sans pour autant annoncer l'annulation des instructions du 26 octobre 1744.

Le ministre règne-t-il sur les possessions d'outre-mer aussi totalement que le charbonnier est maître en sa demeure ? Des restrictions s'imposent. Là où sévit la Compagnie des Indes — Louisiane jusqu'en 1732, Saint-Louis du Sénégal, Gorée, Mascareignes, Indes jusqu'en 1764 —, le Contrôleur général des Finances domine en souverain. Le secrétaire d'État de la Marine ne peut intervenir dans ces régions que de manière indirecte, à l'occasion de conflits, quand l'intervention de vaisseaux du roi s'avère nécessaire. Et encore, à ce moment, se heurte-t-il à la concurrence du titulaire de la Guerre, si des troupes sont envoyées en Asie. Après la suspension de la Compagnie de Law, les Finances perdent leur compétence : l'Afrique, les Mascareignes et les comptoirs français dans l'Inde reviennent sous la tutelle naturelle de la Marine. Toutefois, Castries, malgré son caractère ombrageux et son appétit de dominer ses collègues du Conseil, s'opposera vainement au Contrôleur général des Finances, M. de Calonne, qui créera la troisième et dernière Compagnie des Indes Orientales. Le commerce de l'Asie réintégrait — contre toute logique — le giron des Finances.

En Amérique continentale — Canada, et Louisiane, à partir de 1732, — et dans les îles à revenu — Antilles — le secrétaire d'État de la Marine gouverne en toute liberté. Cependant, quand des hostilités éclatent et que des régiments de l'armée de terre débarquent dans les possessions américaines pour en assurer la défense, le ministre de la Guerre fait valoir ses droits. Ses troupes obéiront directement à un commandant général, choisi parmi ses officiers : celui-ci, comme Montcalm, par exemple, supporte mal la tutelle de l'amiral-gouverneur, même si, comme dans le cas de Vaudreuil, elle ne manque pas de bon sens. Dès lors à un conflit de personnes dans les colonies se superpose une rivalité entre les responsables versaillais de la Marine et de la Guerre. Chaque secrétaire d'État reçoit le courrier des hommes de son département : lettres pleines d'acrimonie pour les officiers du ministère concurrent. Ce climat de jalousie appelle la confusion : on ne sait plus qui commande, car chacun donne des ordres. Au cours de la guerre canadienne, Berryer, bon administrateur, que le colonel de Bougainville, officier équivoque tout au long de sa carrière, a définitivement discrédité en lui faisant répondre à une demande de secours, « quand le feu est à la maison, on ne s'occupe pas des écuries », n'est pas maître de ses mouvements. En effet, le successeur de Moras et de Massiac, renvoyés coup sur coup, est paralysé par la stratégie folle de Choiseul qui rêve d'un débarquement en Angleterre, et par l'immixtion permanente du duc de Belle-Isle qui correspond directement avec ses généraux, Montcalm et Lévis. De 1761 à 1772, la défense des colonies est confiée aux régiments métropolitains : Guerre et Marine gouvernent dans la confusion. Toujours après la guerre de Sept Ans, le ministre de la Guerre maintient son emprise, à travers les commandants généraux issus de l'armée de terre, qui exercent les compétences militaires des amiraux-gouverneurs. Dans cette compétition, la Marine espère que la création de régiments des colonies, relevant d'elle, lui permettra de recouvrer son ancienne et entière souveraineté. Mais les officiers appartenant aux troupes métropolitaines, et les gouverneurs généraux, choisis souvent dans l'armée de terre, ressuscitent le bicéphalisme militaire : si ces chefs obéissent au ministre de la Marine ils ne manquent pas de rendre compte à la Guerre. L'Assemblée nationale, cherchant à simplifier supprimera les troupes des colonies, en 1791. Dans le domaine de l'administration civile en revanche, jamais l'éventualité d'empiétements extérieurs, de la chancellerie par exemple, n'a menacé.

L'administration des colonies, qu'assure le ministre de la Marine, assisté d'un personnel indifférencié jusqu'en 1709, puis aidé d'un bureau ou d'une direction générale spécifique, à l'exception de la période polysynodale (1715-1723), ne subit aucune transformation jusqu'en 1788. Sous le règne de Louis XVI, les physiocrates, soucieux de former des citoyens libres, réussissent à convaincre les dirigeants d'adopter quelques techniques. On essaie la liberté du commerce intérieur, sans grand succès dès après la guerre de Sept Ans. Turgot réitérera, à nouveau, vainement, mais le traité de commerce franco-anglais de 1786 appliquera le régime de la liberté au profit de la Grande-Bretagne. Autre procédé miracle de l'arsenal physiocratique : la collégialité. Turgot souhaite, sans l'obtenir, l'élection de municipalités paroissiales, tandis que Necker essaie les assemblées provinciales. Au sein de l'administration centrale, un auteur militaire, Guibert, très répandu dans les salons philosophiques, fait sentir son influence de manière originale. Cet officier général, apôtre de la régénération, a convaincu ses chefs de réorganiser le secrétariat d'État de la Guerre. Le 19 mars 1788, un règlement du roi établit un conseil d'administration au département de la Marine, à l'image du conseil de la Guerre qui avait été installé aux côtés du ministre, le 9 octobre 1787. Dès lors, l'administration de la Marine est partagée entre le secrétaire d'État à qui les directions générales apportent leur concours — cet ensemble forme la partie active et exécutive — et le conseil de la Marine, présidé par le secrétaire d'État, qui constitue la partie législative et consultative. Réforme fumeuse : elle alourdit la structure administrative et dénature la fonction ministérielle en en faisant à la fois un centre d'autorité et un centre de débats, le second pouvant, entraîné par son propre mouvement, ouvrir le procès du premier. Ce réaménagement, apparemment anodin, marque le premier pas d'une entreprise de destruction de l'État. Démarche conforme au rousseauisme administratif de Guibert.

Commis et comités

Jusqu'à ce moment, les ministres avaient commandé — plus ou moins bien selon les cas — et s'étaient aussi préoccupés des réformes. Pour répondre aux correspondances, donner des instructions, réglementer, ils s'appuient sur le bureau ou direction des colonies, dont le premier commis, ou le directeur général, fait figure de vice-ministre des colonies, depuis le règle mérovingien de Maurepas. De Colbert à J. de Pontchartrain, en 1709, se sont occupés des colonies : le sieur de La Touche, premier commis du Ponant et Salabery, premier commis du Levant. Celui qui inaugure l'emploi de 1ᵉʳ commis du bureau des colonies est Moïse-Augustin Fontanieu, marié à une fille Dodun, ancien receveur général des Finances de la généralité de La Rochelle (1694) trésorier général de la Marine de 1701 à 1710, date à laquelle il prend la direction des colonies, qu'il cumule avec la direction générale des Compagnies pour le commerce, sous les ordres du ministre de la Marine (1710-1715) et avec la place d'intendant et contrôleur général des meubles de la Couronne : la mort l'arrache à l'affection de Maurepas en 1725. Cet affairiste appartient au milieu des traitants — en 1716, selon Buvat, il a été condamné à restituer 500 000 livres au roi — que Jérôme de Pontchartrain, autre affairiste, semble avoir recruté pour ses relations financières plus que pour ses compétences coloniales : son fils, Gaspard-Moïse, futur intendant et conseiller d'État, est membre du premier bureau du Conseil des Indes en 1723. Pierre de La Forcade, époux de Catherine de Laborde, et lié à Maurepas, remplace Fontanieu, sitôt sa mort, en 1725. En 1731, il prépare sa succession sans le savoir en recrutant le jeune Arnaud de La Porte, ancien commis à Rochefort. Celui-ci épouse la fille d'un premier commis de la Marine, Pellerin, et, en 1738, le voilà promu premier commis du bureau des Colonies. Il pousse son frère, Laporte-Lalanne, à l'intendance de Saint-Domingue, achète avec lui une plantation qu'il revendra au financier Boutin. Tandis que Laporte-Lalanne se taille une réputation d'escroc dans la Grande Île, Arnaud, lié à Gradis, en fait autant au Canada. Il est révoqué par Machault, le 27 janvier 1758, ce qui lui a peut-être évité d'accompagner l'intendant Bigot et les autres devant la justice. À sa place, mais à un échelon incomparablement supérieur apparaît en 1757-1758, le sieur Le Normant de Mézy : il a fait carrière à l'île Royale, à Saint-Domingue où il possède une sucrerie et à la Louisiane. Intendant de la Marine à Rochefort, cet administrateur apparenté à Mme de Pompadour est brusquement promu intendant général des armées navales (1755) et adjoint à Massiac, secrétaire d'État de la Marine, du 1er juin au 1er novembre 1758. Lui succède un homme choisi par Berryer, Accaron, qui jouit d'une surprenante réputation d'incapacité. Choiseul le renvoie en 1764, pour cacher, semble-t-il, sa responsabilité propre dans la tentative désastreuse de colonisation du Kourou (10 000 morts), et d'une manière générale les incohérences de sa politique coloniale. Cette révocation fait d'autant plus figure de service rendu que le duc fait attribuer une pension de 24 000 livres à Accaron, une autre de 6 000 à son épouse, dont 3 000 reversible. L'année suivante il fait octroyer à son ancien collaborateur 120 000 livres de gratification pour dot, permettant ainsi à la demoiselle Accaron d'épouser le capitaine de vaisseau comte de Grasse, le futur miraculé de la Chesapeake.

Le ministre tout-puissant appelle à ses côtés un homme qu'il connaît déjà, familier du cabinet d'Accaron, le sieur Dubuc, planteur et chef d'une famille connue de la Martinique, qui abandonne sa place de syndic de la compagnie des Indes avant d'entrer au ministère. Le créole prend le titre de chef du Bureau de la correspondance des colonies, cédant à son adjoint le grade de premier commis, dont il conserve le traitement. Familier de la duchesse de Choiseul et du salon de Mme Necker, Mme du Deffand l'invite à souper avec Burke car il « est aussi un grand esprit ». Le duc et son collaborateur s'efforcent de donner aux colonies le sentiment que la métropole ne les considère pas comme des vaches à lait : à cet effet les deux hommes font évoluer le monopole national vers un régime d'Exclusif mitigé et s'efforcent, à la suite de Berryer, de confier leur administration civile à des robins, mesure dont la justesse ne saute pas aux yeux. En 1770, peu avant la disgrâce de Choiseul, Dubuc abandonne son emploi, prisé des plus grands, ayant su rendre service aux personnes les plus diverses, de Diderot à Raynal, avant de prouver la fidélité de son amitié au duc, exilé à Amboise. En 1770, comme en 1758, les structures de la Marine subissent un réaménagement. De décembre 1770 à avril 1771, Clugny, créole de la Guadeloupe, ancien intendant démagogue à Saint-Domingue, occupe auprès de Bourgeois de

Boynes, ministre, les fonctions d'intendant général de la Marine et des Colonies, comme Le Normant de Mézy avait été le second de Massiac. Après le départ de Clugny, La Roque, naguère collaborateur de Dubuc, reprend sa place de premier commis, et Boynes crée un bureau de l'Inde et des Mascareignes qu'il confie à Auda, l'un de ses hommes de confiance. Sans bousculer l'œuvre de ses prédécesseurs, Sartine rationalise la direction des colonies. Plus de grand feudataire administratif tenant toutes les affaires, mais trois bureaux, donc trois interlocuteurs. Bureau des colonies d'Amérique et d'Afrique : premier commis, La Coste (1774-1783), ayant pour adjoint Bretel qui lui succédera dans son emploi de 1783 à 1791 ; Bureau des Mascareignes et de l'Inde : premier commis, puis commissaire général des colonies, Michel (1774-1778) ayant pour second, Demars, qui le remplacera dans ses fonctions (1778-1783). Tous ces hommes sont des spécialistes : La Coste, futur député de Saint-Domingue au Bureau du commerce et ministre de la Marine de la Révolution, a des liens avec les Antilles ; Michel a séjourné à Canton et Demars sera l'un des administrateurs de la Compagnie des Indes de Calonne. Sous le ministère du marquis de Castries, Guillemin de Vaivre — ancien conseiller au parlement de Besançon, à ce titre protégé de Boynes, mais surtout jouissant de la bienveillance du général d'Ennery, frère de Mme de Blot, maîtresse du ministre — est nommé intendant général des Colonies, emploi auquel il restera jusqu'en 1792, avant d'y être rappelé de 1800 à 1807. Pendant son « absence révolutionnaire », Lescallier, ancien ordonnateur à Cayenne, conduit l'administration des colonies qui, après le dernier départ de Vaivre, est confiée de 1807 à 1816 à Poncet, ancien homme de loi à Saint-Domingue, commissaire de la Marine.

Ce survol de l'administration centrale des colonies révèle une certaine lenteur à prendre une autonomie réelle — pas avant Laporte en 1738, semble-t-il — puis une grande stabilité des structures qui privilégie l'organisation par région géographique — simple et homogène. Il dévoile aussi, qu'après la guerre de Sept Ans, le budget du bureau des Colonies, non seulement ne s'accroît plus, mais diminue d'année en année pour ne représenter en 1789, qu'un huitième du budget total du secrétariat d'État (175 000 livres sur 1 600 000). Quant au personnel — toujours proche des gens et des choses d'outre-mer —, il rompt avec l'affairisme lors de l'avènement de Louis XVI, et la nomination de Sartine. À partir des années 1774-1775, les commis des colonies, peu nombreux, une vingtaine environ, font figure de spécialistes et non plus de profiteurs malhonnêtes ou honnêtes du système colonial.

L'absolutisme monarchique français dirige les colonies, depuis Richelieu et Colbert, conformément au pragmatisme administratif, hérité de la tradition. Le monde d'outre-mer est trop neuf pour que le pouvoir ait éprouvé le besoin de rassembler la législation et la réglementation existantes, en une grande ordonnance ou Code, élaguant l'inutile, répondant au nécessaire nouvellement apparu. Le despotisme éclairé français, caractérisé notamment par un souci de rationalisation qui, selon René Pillorget, émerge à l'avènement de Maupeou, en 1770, avait trouvé un champ d'action dans les affaires coloniales dès 1761, en pleine guerre de Sept Ans. Venant toutefois après Colbert, auteur d'un code de police des îles d'Amérique, dit Code Noir, Berryer, après avoir pris quelques mesures d'administration coloniale dont toutes ne reflètent pas le plus grand réalisme, crée une commission de législation coloniale, par arrêt du Conseil d'État du 8 février 1761. Cet organisme, formé de deux conseillers d'État, de sept maîtres des requêtes et d'un procureur général, Émilien Petit, reçoit deux compétences. D'abord, « l'examen de toutes les matières contentieuses provenant » des colonies. Ensuite, « en rétablissant par ce moyen l'uniformité essentielle à la jurisprudence, de rassembler les connaissances nécessaires pour la perfectionner par de nouveaux règlements ». Mais cette décision est rapportée par l'arrêt du 26 mars suivant qui renvoie le contentieux des colonies devant le Conseil du roi.

Toutefois le mouvement est donné. À l'accession de Choiseul à la Marine, l'arrêt du Conseil d'État du 19 décembre 1761 crée une nouvelle commission pour la législation des colonies. Étant entendu que le contentieux colonial sera traité comme jadis, cet organisme, contrairement au précédent, n'est plus un tribunal de cassation, échappant à l'autorité du chancelier, mais réunit un groupe de travail autour d'Émilien Petit, député des conseils de Saint-Domingue, pour préparer les règlements applicables outre-mer. D'ailleurs le brevet attribué le même jour au magistrat se montre on ne peut plus explicite. Le roi commet le conseiller de la Grande Île pour rassembler les « lettres patentes, arrêts, règlements, mémoires, instructions, et tout ce qui pourra concerner l'ordre de la justice et de la police générale », puis, pour rendre compte aux commissaires désignés ; après quoi le souverain légiférera « pour le bien et l'avantage » de ses lointains sujets. Le 16 avril 1762, un arrêt du Conseil d'État permettra à la commission d'appeler en consultation les députés des chambres d'Agriculture et les membres des Conseils supérieurs des colonies, séjournant à Paris. Simultanément, le 3 février 1762, Choiseul demande aux Cours coloniales de faire l'état de la législation en vigueur dans leur ressort, et de présenter des propositions réformes.

Quel est le bilan de la commission de législation des colonies, qu'un arrêt du Conseil d'État supprime le 11 novembre 1768 ? Faible semble-t-il. Peut-être une collaboration à l'ordonnance sur le gouvernement civil de 1763, notamment dans les dispositions qui affaiblissent la métropole dans son autorité et sa sécurité. La nomination de

Dubuc à la tête de l'administration des colonies semble précipiter le déclin et la disparition du comité de législation. Pour le créole, homme politique souple mais obstiné, qui construit l'Exclusif mitigé, cet organisme, étranger à l'administration centrale et à l'administration coloniale, doit apparaître comme un instrument trop formaliste, générateur d'alourdissement et d'enlisement des procédures. Pendant les ministères de Praslin (1766-1770) et Boynes — marié à une créole de Saint-Domingue — la préparation est confiée à des collaborateurs discrets dont Malouet pour la première fois. À la Martinique, le conseiller Jean Assier avait compilé les *Ordonnances du Roi touchant la discipline de l'Église, l'État et qualité des nègres esclaves* — manuscrit à jamais perdu — aussi, J. Petit de Viévigne publie-t-il un *Code de la Martinique* en 1768, que deux suppléments complétèrent en 1772 et 1784. Quant à son père, Émilien Petit, toujours député des Conseils supérieurs des colonies, il fait paraître, en 1771, un *Droit public ou Gouvernement des colonies françaises*, ensemble de travaux qui annoncent les *Lois et constitutions des colonies françaises de l'Amérique sous le Vent*, couvrant la période 1550-1785, que Moreau de Saint-Méry offre au public, en six volumes, de 1784 à 1790.

Sartine, dont l'Europe avait admiré la remarquable gestion de Paris, arrive au ministère en 1774. Ce pragmatique, qui fréquente et aide les philosophes, ajoute à ses deux bureaux géographiques — Afrique-Amérique et Mascareignes-Inde — un bureau des affaires contentieuses qu'il confie à Izangremel d'Hérissart, ancien responsable de l'Inde mais surtout, membre des Conseils supérieurs de la Guadeloupe et du Port-au-Prince, de 1766 à 1772. Complémentairement, il s'entoure, pour préparer ou réformer la législation coloniale, d'hommes de terrain, anciens gouverneurs et anciens intendants, parmi lesquels le comte d'Ennery — que Marie-Antoinette eût aimé voir à la tête de la Marine — et Malouet, le rapporteur de ces réunions préparatoires. Officier de plume, marié à une créole et propriétaire à Saint-Domingue, l'ancien ordonnateur au Cap-Français parle comme un colon humaniste. Il ne veut pas que le chef militaire d'une colonie exerce les fonctions de gouverneur, qu'il décrète civiles. Il réclame l'élection d'une assemblée coloniale et souhaite l'amélioration de la condition des Noirs. En résumé, l'expression de deux préjugés : contre le « despotisme militaire », pour une autonomie déguisée ; et une ouverture d'esprit à mesurer sur l'esclavage. Sartine envoie Malouet frotter ses idées aux réalités guyanaises, et, à son retour, en 1778, convoque un nouveau comité de législation où siègent les intendants Tascher et Bongars, parlementaires, Foulquier, parlementaire toulousain, Mercier, doyen des Habitants de la Guadeloupe, et entre autres Malouet. Cette même année 1778, le ministre communique les premiers travaux à l'ancien gouverneur de Nolivos, lui demandant son avis sur le projet de suppression des Chambres d'agriculture et leur remplacement pas des Assemblées coloniales.

Comme le remarque justement Jean Tarrade, c'est dire que les grandes lignes de la réforme que Castries réalisera en 1787 étaient déjà couchées sur le papier en 1778 ! En 1780, le comité ayant achevé sa besogne, Sartine soumet ses projets à d'anciens administrateurs généraux. Les gouverneurs de Nolivos, de Nozières, de Bory, de Saint-Mauris et de La Ferronays ainsi que les intendants Hurson et Le Mercier de La Rivière.

La disgrâce de Sartine tombe, inattendue, de Louis XVI lui-même. Castries le remplace : il garde le comité de législation où figurent Bongars, Tascher, Mercier, Izangremel, La Coste, Foulquier et Vaivre. L'administration et la justice des colonies sont examinées dans leur entier et des projets de réforme rédigés. Vaivre à qui le ministre soumet ces derniers textes se montre réservé, sauf quand ils affectent des domaines techniques. Le marquis, qui nomme Vaivre intendant général des colonies au secrétariat de la Marine, refrène ses ambitions mais charge Izangremel de la législation des colonies qu'il conservera de 1783 à 1788. De toutes ces conférences, de tous ces mémoires, de l'action de ces commissions successives, officielles, clandestines, informelles, peut-on dresser un bilan ? Oui, deux mesures en 1787, maladroites : fusion des deux Conseils supérieurs à Saint-Domingue, où cette décision aidera à l'embrasement révolutionnaire ; remplacement, aux îles du Vent, des Chambres d'agriculture par des Assemblées coloniales qui ouvriront les portes de la Révolution en durcissant le vieil antagonisme qui opposait négociants et planteurs. Sinon, rien. À cela une raison : Castries se dépense à sauver les vertus protectrices de l'Exclusif contre le commerce étranger et ferraille avec Calonne pour empêcher la constitution d'une troisième Compagnie des Indes orientales, combat où le contrôleur général des Finances l'emportera. Finalement, les comités de législation, qu'ils aient été administratifs ou hybrides, ont peu apporté : les deux réformes de 1787 prouvent qu'ils ne possédaient pas un grand sens politique, pareils à Castries qui les sanctionna.

Ministres et politiques

Le ministre de la Marine et des Colonies ne gère pas une activité sectorielle. Au contraire il se trouve à la tête d'un département qui réclame une vision globale de la politique et de l'économie, ainsi que la capacité de bâtir une stratégie adaptée, dans chacun de ses domaines. Ce propos explique que Richelieu, principal ministre, juge nécessaire, non par seul intérêt personnel, de s'attribuer la surintendance générale de la navigation et du commerce. Trois ministres, toujours avides d'un pouvoir plus considérable, joignirent la Marine et les Colonies à leurs premières attributions : le Cardinal, bien sûr, plus tard, Colbert, Contrôleur général des Finances, enfin Choiseul, ministre des Affaires étrangères. Les deux premiers ont laissé le souvenir d'une grande ambition nationale, déterminés à doter le royaume des moyens — marines et possessions — susceptibles d'apporter à l'État puissance et richesse pour assumer un rôle dominant dans le monde.

Henri Hauser, analysant, en 1944, la pensée et l'action de Richelieu, empruntait des maximes expressives, au *Testament politique* du prélat. « C'est un dire commun, mais véritable qu'ainsi que les États augmentent souvent leur étendue par la guerre, ils s'enrichissent ordinairement dans la paix par le commerce. » N'y aurait-il de bonnes guerres que commerciales, comme les Anglais s'emploieront à en convaincre l'opinion, au long du XVIIIe siècle ? Le Poitevin ne pousse pas si loin. Et l'éminent historien rappelle la curiosité de Richelieu pour les économistes de son temps, Laffemas, Montchrestien qui réclament le protectionnisme garant de l'emploi et des colonies fournisseuses de matières premières pour abolir l'intermédiaire des étrangers. Il souligne qu'il fait siennes les réflexions et parfois les conclusions conquérantes de son parent Razilly, de l'intendant des Finances Sublet des Noyers ou du conseiller d'État armateur François Fouquet, qu'il interroge et s'informe auprès du Père Joseph, des Marseillais Des Hayes de Cormenin et Sanson Napollon sur le Moyen-Orient, le Levant et la Barbarie. Enrichir l'État dans la paix par le commerce, tel aurait été le programme de Richelieu, véritable « idéal d'économie nationale ». Le cardinal affirme H. Hauser « a échoué devant deux obstacles : l'obligation de faire la guerre, et de détestables finances ». L'encerclement habsbourgeois absorbe des sommes énormes : « Richelieu n'avait rien de ce qu'il fallait, et ses meilleurs surintendants des Finances pas davantage pour rompre avec ces errements. Il n'avait rien d'un bon comptable. »

Le prélat a rêvé de grandes possessions, en Afrique de Nord — avec Razilly, il est l'un des pré-fondateurs du protectorat français sur le Maroc —, en Amérique — où il a nommé Razilly, lieutenant général de l'Acadie (1632-1635) — l'homme ne manque pas de projets ambitieux ; en Asie seulement où il voit petit. Mais un expert en comptabilité ne lui aurait pas donné les moyens de ses desseins : pour réviser l'assiette de l'impôt et surtout changer les techniques de recouvrement des redevances, il fallait une révolution politico-administrative. Daniel Dessert s'est brillamment expliqué sur cette question. Si dans les faits Richelieu n'a laissé qu'un patrimoine colonial potentiel, a-t-il légué un enseignement qui justifie la place qu'on lui accorde dans l'histoire coloniale française ?

Son Éminence s'est imprégnée de la pensée d'Isaac de Razilly et en a tiré des maximes qu'elle a transmises à la postérité. Qu'écrivait le vice-amiral en 1626? « Il faut considérer que l'or et l'argent ne croissent pas en France ; partant, au temps où nous sommes, un royaume ne peut subsister sans icelluy, car un Roi ne peut faire aucune armée pour s'opposer à ceux qui l'attaquent, sans payer ses soldats ; tellement que par nécessité il faut en avoir, ce qui ne peut se faire que par le moyen de la mer. Et, ainsi que les mines d'or et d'argent sont dans l'Amérique et qu'il faut passer douze cents lieues de mer pour venir dans l'Europe ; donc le roi qui sera le plus fort sur la mer, sera maître de cet or et argent, et par conséquent, au siècle d'à présent, quiconque l'a, a tant d'hommes qu'il désire, de quoi il peut conquérir les royaumes et empires, comme a fait le Roi d'Espagne. » Quelle richesse dans ces quelques lignes ! Une double affirmation : la possession et la circulation de métaux précieux sont indispensables à une économie progressiste, et à demi-mot, le mercantilisme domine les relations internationales. Or, que commande cette doctrine si décriée ? Un pragmatisme conjoncturel : la liberté, autant que l'on peut, la protection, chaque fois que l'on doit. Le préambule de l'édit sur l'exportation des grains du 4 mars 1595 éclaire ce point. « Combien que l'expérience nous enseigne que la liberté du trafic, que les peuples et sujets du Royaume font avec leurs voisins et étrangers, est un des principaux moyens de les rendre aisés, riches et opulents », il faut toutefois considérer que si, « sous prétexte de liberté du trafic, nous permettions les continuations des traites et transports des blés et autres grains et légumes aux pays Étrangers, il serait à craindre que, pensant à aider autrui, notre royaume n'en demeura tellement dégarni que nos sujets [...] ne vinssent à tomber en une extrême disette et famine insupportable. » Rien là d'une idéologie stérilisante, mais du bon sens, comme l'Angleterre et les Provinces-Unies ne cessèrent d'en manifester au temps de leur splendeur. Montchrestien, lui-même, n'écrit-il pas, sans penser à se renier : « L'émulation en toute chose est un grand aiguillon à bien faire. »

Cet or et cet argent et plus communément, ces matières premières, dont la France manque, où les trouver sinon dans des territoires à conquérir. En effet, si les métaux précieux engendrent le mercantilisme, les possessions d'outre-mer fournissent les métropoles en richesses. Ces deux axiomes en prescrivent un troisième, lapidaire : pas de colonies sans forces navales ni marine de commerce. Arrivé à ce point, la question se pose : comment et avec qui créer ces lointains établissements où la France recueillera « grand fruit et avantage » ? Abandonnant sa démarche concrète, Razilly donne dans les poncifs, mais surtout verse dans l'idéologie. Partant du principe que les Français doivent imiter les Hollandais, il exclut d'inciter les négociants à fonder des colonies, car « ils veulent toujours un profit présent », refusant de regarder « ce qui arrivera dans dix ans ». À ce moment, le marin entre dans le jeu du cardinal poussé par la force du préjugé, sans esprit de courtisanerie. « Pour les colonies, j'aimerais bien mieux, que par la puissance d'un homme de qualité et faveur, l'on fit faire une bourse commune par des trésoriers partisans. » Se dégageant de Montchrestien, qui conseillait de confier la colonisation à des associations de marchands et non à « un particulier », aussi opulent soit-il, car ses moyens le trahiraient, Razilly se prononce en faveur des financiers, prêteurs du roi, hommes liés à l'État par l'argent et dans la durée, dont le plus puissant n'est autre que Richelieu. Quoi qu'il en, soit, aux premières heures du XVIIᵉ siècle, on s'habitue à penser que les petites entreprises sont bonnes pour le négoce, tandis que les grandes ne peuvent espérer aboutir que si des partisans et de grands nobles les financent. Ainsi voit-on à la tête des compagnies canadiennes le duc de Ventadour, le prince de Condé, le duc de Montmorency, celui-ci, chassé par les appétits de Son Éminence, qui le remplace, comme elle tient les rênes de la Compagnie des îles de l'Amérique. Sous l'égide du Principal ministre, l'expansion française de grande envergure devient la chasse gardée de ce que Daniel Dessert appelle le système fisco-financier, association des manieurs d'argent et de la haute noblesse riche. Mais les uns et les autres, étrangers à l'activité où ils s'imposent, déçus de ne pas ramasser de gains spéculatifs substantiels, s'en désintéressent et la laissent végéter, attendant l'heure où ils pourront s'en débarrasser. Le cardinal, en associant aux ambitions nationales qu'il formulait, sa soif inextinguible de revenus, a finalement été le fossoyeur de la politique qu'il prônait, en même temps qu'il a parrainé l'avènement du mercantilisme dans la vie économique du royaume.

Henri Hauser, après avoir exposé les causes qui selon lui expliquent la déconfiture du prélat, poursuit son exposé. Il ne dit rien de Nicolas Fouquet, digne élève de Richelieu, dont il a retenu que les intérêts financiers personnels se fondent dans le projet national d'expansion. Ainsi le surintendant, maître de Belle-Isle, ce caillou dont il veut faire la place maritime de sa flotte de commerce, propriétaire de l'île de Sainte-Lucie aux Antilles, suit les pas de son père que l'on rencontre dans les entreprises maritimes et coloniales — Canada, Antilles, Guyane, Afrique de l'ouest, Indes orientales — et, à l'instar de feu M. le Cardinal devient armateur ministre de la Marine et des Colonies. De l'*Écureuil*, le grand historien ne dit mot, se réservant pour celui qu'il considère comme le successeur du Principal ministre. « Viendra, sous Louis XIV majeur, ce bon comptable, bon commis, appliqué, soigneux, sans génie. Sur bien des points, il sera inférieur à Richelieu. Il n'aura ni son imagination puissante, ni ses vues larges, ni sa capacité de repenser, après avoir absorbé les problèmes qui paraissent usés. Sur bien des points, par exemple sur le commerce du Levant, il marquera une régression, une réaction par rapport à Richelieu. Dans le domaine des idées économiques, c'est Richelieu qui est le grand homme, celui qui a de l'avenir dans l'esprit. Mais le fils de commerçants oppose aux éminentes qualités du fils de hobereaux et du prince de l'Église, l'exactitude. Et voilà pourquoi, malgré la supériorité de celui qu'il convient d'appeler son génie, le cardinal a laissé une œuvre inachevée, et qui devra être reprise, souvent avec moins de vigueur et d'intelligence, par Jean-Baptiste Colbert. »

Que, dans le domaine maritime et colonial, le Poitevin ait avant tout greffé son intérêt particulier sur des projets nationaux plus esquissés que concrétisés implique-t-il une grande pensée ? Un héritage sans réalité ni cohésion exige-t-il de le sacrer fondateur du premier empire colonial français ? En matière de conception, il convient de rendre leur dû aux Razilly, à Laffemas, à Montchrestien, au père Joseph du Tremblay et à bien d'autres... dont Montmorency ! Quant à vouloir abaisser Colbert au rang de commis attentif quand il est le premier ministre français des colonies que la monarchie ait connu, relève du procès. L'homme ne possède pas que des qualités : son préjugé contre le militaire, son administration locale des colonies, génératrice de conflits et non d'unité déçoivent et affligent. Mais sa vision géopolitique, réaliste et imaginative, entraîne l'adhésion : une Nouvelle-France enfin prise en main, ouverte vers le Pacifique et le golfe du Mexique, des Antilles, postes militaires contre l'Espagne et colonies commerciales, l'Inde, avec Pondichéry, regardant le Carnatic et le Deccan, et Hougly, au cœur du fabuleux Bengale, jalons vers les îles de la Sonde, l'Extrême-Orient, le Japon.

La pensée stratégique de Colbert révèle les forces et les faiblesses de son dessein. Il construit la première flotte du monde, indispensable à la défense du domaine extérieur et à la conquête de possessions — éventuellement ennemies. C'est bien vu. Malheureusement, la France ne conçoit l'utilisation de ses escadres que pour opérer des manœuvres au large des côtes européennes. Ici, on observe une faille dans le raisonnement de la nation : l'obsession du débarquement en Angleterre (irréalisable avec des unités de l'armée de terre nombreuses) qui, néanmoins, se perpétuera jusqu'à Napoléon. Une puissance qui se veut impériale ne tire aucun profit à s'escrimer devant les falaises et les ports de la Grande-Bretagne. Elle peut se contenter de quelques escadres de protection en Europe, mais doit contrôler les voies de communication maritimes, et imposer sa loi dans les eaux coloniales septentrionales et tropicales. Or, elle n'a jamais décidé cette redistribution, offrant ainsi ses possessions à l'occupation étrangère et renonçant à toute expansion outre-mer : neuve ou au détriment des ennemis. Mais le Rémois était-il véritablement maître de l'utilisation de la Marine ? Ne lui fallait-il pas remporter une victoire navale bruyante et dépourvue d'intérêt stratégique, sous les yeux du Grand Roi, dans la Manche, le proche Atlantique ou la Méditerranée antique ? Les expéditions d'Estrées amorcent une évolution de la stratégie navale, dirigée vers l'Amérique, que l'incapacité de l'amiral a achevées en désastre, ruinant la portée des actions lointaines, d'autant plus que l'escadre de Perse, ne disposant pas des moyens de sa mission, échouait dans la mer des Indes. Néanmoins Colbert et son fils et successeur Seignelay souhaitent porter la guerre dans l'empire américain de l'Espagne pour en soustraire une partie au bénéfice de la France. Mais Ducasse, gouverneur de Saint-Domingue, excellent marin et homme d'affaires toujours comblé, n'obtiendra jamais qu'une infime force navale française vienne l'aider à s'emparer de Santo-Domingo et par là à placer toute l'île sous l'autorité française. On lui donnera encore moins satisfaction quand il réclamera des vaisseaux — non pour aller rançonner Carthagène — mais pour offrir la Terre-Ferme (Venezuela) au Roi ou « pour unir à la monarchie française les importantes clés du Mexique et du Pérou ». Cette proposition ultime venait trop tard, après la mort de Seignelay et après la signature du premier traité de partage de l'Espagne (1698), dont les premières négociations avaient commencé dès 1665. La succession espagnole, hantise de Louis XIV, a largement paralysé l'action coloniale des Colbert, couvrant de son bouclier l'empire madrilène d'Amérique des agressions annexionnistes de la France qui, dans cette affaire, a beaucoup perdu, pour ne gagner qu'un allié à charge et malveillant. Dans un autre domaine crucial, mais fort différent, le choix du souverain semble avoir contrarié la politique colonisatrice du Rémois : le peuplement. Peut-être alarmé par Louvois, qui assimile les possessions d'outre-mer à des jouets dispendieux en crédits et en hommes dont ses généraux et ses ingénieurs ont le plus grand besoin, toujours est-il que Louis XIV réprime les ardeurs de Colbert, au désespoir, notamment de Talon, intendant de la Nouvelle-France.

Est-ce à dire que le premier ministre de la Marine de la monarchie n'a jamais commis d'erreur ? Non. Faute stratégique grave et qui lui est imputable : la guerre de Hollande. Ce conflit prétend détruire la puissance commerciale et économique des Provinces-Unies : or, il traîne en longueur et s'achève par l'exemption du tarif douanier de 1667, pris contre elles ! Un échec que prolonge l'hostilité durable des capitalistes d'Amsterdam — anciens alliés du royaume ! —, désormais liés à Londres contre Versailles. Autre cas où la responsabilité de Colbert se révèle totale : la formation de compagnies de commerce et de colonisation — Indes occidentales, Indes orientales, Levant — telles que Richelieu et Fouquet en avaient constituées sans en recueillir le succès espéré. Comme le cardinal, son idole, comme le comte de Vaux, son ancien maître exécré, le Rémois fait appel aux manieurs d'argent, aux riches seigneurs de la Cour, le roi en tête, usant de persuasion contraignante auprès des villes et des grands bourgeois récalcitrants. Une nouvelle fois l'appareil fisco-financier, qui gère déjà le Trésor de la monarchie, se trouve à la tête d'établissements colossaux dont on pense qu'il garantira les moyens et la durée, mais dont il dénature l'essence et la vocation. On n'est pas en présence d'associations de négociants capitalistes, comme en Angleterre et en Hollande, mais en face de démembrements de la puissance publique par parasites et spéculateurs interposés, de sorte que ces compagnies ressemblent à l'État, mais ne sont pas l'État, comme elles donnent l'illusion du Commerce sans l'être non plus.

Les traitants, chargés du recouvrement des impôts, usuriers du roi, intendants des domaines des Grands, ne sont pas les plus aptes pour diriger des entreprises de commerce et de colonisation. Leurs attributions de puissance publique, car ils sont receveurs-fermiers-banquiers de l'État, inquiètent plus qu'elles ne rassurent. Ensuite, leurs habitudes fiscales et spéculatives les conduisent à se rendre odieux et à pousser les peuples des colonies à l'insurrection. « Vive le Roi, point de Compagnie » crie-t-on dans les Îles, comme, dans la mère patrie on entend épisodiquement « Vive le Roi sans gabelle » ou encore « Vive le Roi sans la taille ». Ces analogies, dans le cri de protestation, ces appels au souverain justicier, contre des intermédiaires trompeurs, ne relèvent pas du hasard et ne sont pas non plus le fait de gens sans aveu, fomenteurs de désordre. En réalité, peuples de France, et peuples des colonies soumis au privilèges de compagnies de partisans, subissent le joug de la même classe de profiteurs agissant au nom du monarque. Malheureusement Colbert appartient à ce milieu, qui vit en union avec l'État, tantôt le dépouillant, tantôt le sauvant du naufrage par le versement de prêts, dont le règlement des intérêts nécessitera des avances nouvelles. Aussi ne pourra-t-il le contrôler et ne lui restera-t-il d'autre solution que de supprimer les compagnies, à l'exception de celle des Indes orientales, fort différente dans sa vocation. Néanmoins le Rémois fera-t-il une concession à ses amis. L'année même où il met fin aux activités de la Compagnie des Indes occidentales, il autorise la création de la ferme du tabac (1er décembre 1674). Dans le bail de 1674-1680, on remarque le fermier-général Dodun, dont la famille donnera un Contrôleur général des Finances, les financiers Lagny, actionnaire des compagnies de Guinée et des Indes orientales, et Caze, intéressé à la Compagnie du Levant. Dans les baux de 1697-1703 et 1703-1709, les noms célèbres de Crozat et de Samuel Bernard brillent de tout leur éclat, tout comme celui du partisan La Condamine, présents aussi dans la Compagnie royale du Pacifique et dans la Compagnie de la Chine. Cette coterie de prédateurs, d'autant plus puissante qu'elle est indispensable au fonctionnement de l'État, et qu'elle noue des alliances dans la noblesse et le milieu ministériel, se fait de la colonisation et du commerce l'idée d'une orange que l'on jette après l'avoir pressée. Rien de commun, donc, entre ces hommes d'argent et les serviteurs du roi qui se dépensent au peuplement, à la mise en valeur et à la défense des colonies. Des heurts, même : par exemple, les gouverneurs ne veulent pas recevoir d'hommes et de femmes tirés des prisons que les traitants les pressent d'accepter. Heurts également sur l'approvisionnement, toujours insuffisant et toujours hors de prix. L'action commerciale de la Ferme du Tabac, où sont assemblés d'anciens protagonistes de la Compagnie des Indes occidentales, ou des individus du même groupe de pression, mérite une brève évocation. La Ferme choisit d'importer du tabac virginien, considéré comme le meilleur d'Amérique. Elle sait que cette décision portera un coup très dur aux Antilles où, à côté des sucreries, en plein essor, une foule de Blancs, manquant de capitaux pour acheter des Noirs et cultiver la canne, produisent, familialement, avec quelques domestiques, ce pétun dénigré qui les fait vivre, sans grand espoir d'améliorer leur sort. La politique de la Ferme, directement dirigée contre une partie des peuples et de l'économie des Antilles françaises, provoque une grave crise. Les propriétaires des places à tabac, n'exportant plus d'andouilles, torquettes ou paquets de pétun, se voient contraints à vendre leur terre, qu'un sucrier achète aussitôt pour agrandir son Habitation.

L'administration de Versailles, trop liée aux financiers, ferme les yeux sur le marasme qui ravage les Antilles et demeure sourde à la plainte répétée des gouverneurs. Finalement, en 1686 — le premier bail de la Ferme du Tabac remonte à 1674 ! — Seignelay écrit à Cussy, gouverneur de Saint-Domingue, qu'il autorise les habitants de la Grande Île à lui adresser leurs doléances. Dès le mois de septembre, les conseillers du Conseil souverain et les principaux officiers présentent les très humbles supplications de leurs compatriotes au ministre. Ces représentations dénoncent avec émotion et vigueur l'action de la Ferme du Tabac — espèce d'épigone de la Compagnie des Indes occidentales. Les Domingois implorent donc le ministre d'intercéder en leur faveur auprès du roi, « étant réduits à la dernière extrémité par l'établissement de la Ferme du Tabac, qui, sous le nom de Sa Majesté et sous son autorité, exige et leur enlève plus de la moitié de leurs revenus, et tout ce qu'ils peuvent gagner par un grand travail à la sueur de leur corps ; en sorte que quelques-uns sont obligés d'abandonner leurs Habitations, pour aller dans les bois chercher leurs subsistances, par le moyen de la chasse ; et les autres, par désespoir, s'en aller forbans ». La culture des cotonniers n'ayant pas réussi et la chasse aux bœufs sauvages ne donnant presque plus, il ne reste aux habitant que le tabac, « marchandise sur laquelle avant le Parti ils faisaient un profit assez considérable [...] mais depuis que des particuliers se sont avisés de proposer de mettre cette marchandise en Parti, se servant de l'autorité du Roi, ils se sont rendus les maîtres de cette marchandise, qu'ils mettent à un prix si bas, que ceux à qui elle appartient n'en peuvent pas tirer les frais qui leur coûtent à la recueillir ; et ces Fermiers, sans courir aucuns risques de la mer, ni perte ni frais, vendent ce tabac quatre fois plus qu'ils n'en paient [...] et c'est de cette manière, Monseigneur, que ces particuliers ont trouvé le moyen de dépouiller ces pauvres habitants de tout ce qu'ils peuvent recueillir de leur labeur. » Et, pour se soustraire à la misère à laquelle les manieurs d'argent les condamnent, les Domingois proposent de verser, chacun au roi, un quart de leur tabac en France, quitte de fret et en nature. Ces propos ne semblent pas souffrir de l'exagération traditionnelle qui affecte les lamentations et les récriminations. Le 8 octobre 1690, le P. Plumier, éminent botaniste, envoie, en France, une lettre sur la misère qui règne à Saint-Domingue, par suite de la mévente du tabac, affirmant : on voit des familles entières nues.

Sous l'action des financiers, la situation des propriétaires de places à tabac continue de se détériorer. Les ventes de champs se multiplient, phénomène qui favorise la concentration des terres entre les mains empressées des sucriers, mais les départs se succèdent à un rythme qui inquiète les autorités. Le 4 mai 1711, les administrateurs de Saint-Domingue, craignant que cette hémorragie de familles ne menace la sûreté d'une riche plaine côtière, prennent une mesure autoritaire. « La plaine de Léogane, qui a toujours été regardée comme le principal quartier de la colonie par sa grandeur et par le nombre des habitants qui l'occupent, y ayant jusqu'à mille hommes portant armes, se dépeuplant tous les jours, et ne pouvant à présent fournir deux cents hommes pour sa défense », la vente d'Habitations est interdite, sans l'autorisation des chefs, ainsi que l'établissement d'actes notariés. Rien n'arrêtera plus ce mouvement dont la marche s'accélère. Petite propriété blanche et petits propriétaires français disparaissent précipitamment. Les traitants, aveugles aux conséquences de leur politique, la perpétuent ; et, sans le vouloir, ils mettent en route le moteur capitaliste qui assez rapidement, va couvrir les campagnes antillaises de sucreries. Aux îles du Vent, on observe le même enchaînement d'événements. Ainsi, la Martinique qui compte 4 018 habitants en 1671, n'en dénombre plus que 2 450 en 1678 ; il faut attendre 12 ans, soit 1683, pour voir 4 485 Blancs rattraper et même dépasser légèrement la population européenne de 1671. Les effets négatifs de la stratégie des manieurs d'argent, unis en compagnies coloniales et commerciales ou en fermes, ne relèvent pas du mythe.

Sous prétexte de mauvaise qualité — qu'on pouvait améliorer —, le tabac antillais, dont la culture augmentait le peuplement blanc, sera finalement interdit, malgré les protestations d'un homme aussi écouté que le gouverneur Ducasse. Mais, calcul des traitants, le tabac virginien, étranger, fournira un revenu plus substantiel à la Ferme, que le français. À l'époque, les esprits libres clament leur indignation. C'est le cas, non tellement du P. Charlevoix, historien ministériel, mais du P. Labat. Que dit le dominicain dans son *Nouveau Voyage aux Îles françaises de l'Amérique ?* Il faut « se souvenir que c'est à la culture de cette plante qu'on est redevable de l'établissement de nos

Colonies. C'était le Commerce libre du tabac qui attirait cette multitude de vaisseaux de toutes sortes de nations, et un si prodigieux nombre d'Habitants, qu'on comptait plus de dix mille hommes capables de porter les armes dans la seule partie française de l'isle de Saint-Christophe, au lieu que depuis que ce commerce a été détruit, parce que le tabac a été mis en parti, on a été obligé de s'attacher presque uniquement à la fabrique du sucre, ce qui a tellement diminué le nombre des Habitants, qu'on n'a jamais pû rassembler depuis ce temps-là deux mille hommes dans cette même Isle. La Martinique, la Guadeloupe, et les autres colonies françaises sont dans le même cas ; et ceux qui les ont connues il y a quarante ou cinquante ans, ne peuvent voir sans gémir, l'état où elles sont à présent, dépeuplées d'Habitants blancs, et peuplées seulement de Nègres, que leur grand nombre met en état de faire des soulèvements, et des révoltes, auxquelles on n'a résisté jusqu'à présent, que par une espèce de miracle ».

Labat, acquis à la logique de l'expansion et de la colonisation, contrairement aux financiers qu'elle n'intéresse pas, en arrive, dans sa défense du tabac, à proposer de charger ce produit « d'un droit d'entrée raisonnable, et on verra que ce droit produira au Roi beaucoup plus que la Ferme lui donne ». Pas plus que d'autres contradicteurs influents, le dominicain n'est écouté. Le mur de l'argent est si mêlé à l'État qu'il le frappe d'impuissance. Révolté et lassé, le missionnaire se livre à une dernière défense de l'intérêt public, de la nation. « Je laisse une infinité d'autres raisons qui prouvent invinciblement, que l'unique moyen de rétablir nos colonies affaiblies, les étendre, les fortifier, tenir nos voisins de l'Amérique dans le respect, diminuer les forces, le commerce et les richesses de ceux d'Europe, remettre sur pied notre navigation, et faire fleurir le négoce de la France avec les colonies, et tout le reste du monde, est la culture et le commerce libre du tabac. On a présenté sur cela des mémoires très amples au Roi et à son Conseil. » Labat voit juste. Le tabac, culture de gens sans capitaux ou de peu de moyens, mais permettant de devenir propriétaire, aurait augmenté le peuplement et par là la puissance de la France, non seulement dans ses îles, mais encore dans la mer des Antilles. Il ne tient pas du hasard que Ducasse, qui recrute ses troupes sur place et qui rêve de conquêtes à la Terre Ferme, ait fermement défendu la culture du tabac contre ses amis même, les maîtres de la Ferme, et actionnaires comme lui de compagnies commerciales.

Au Levant et dans les Indes occidentales, Colbert, malgré des concessions blâmables, réagit avec une intelligence louable. Il rend la Méditerranée aux négociants marseillais, et au Canada, comme dans la mer des Antilles, abolit la Compagnie des Indes Occidentales : du monopole d'une société on va vers le monopole du commerce national, au sein duquel Canadiens et Antillais traiteront avec les négociants de leur choix. Contrairement à ce que l'on croit souvent, Colbert n'incarne pas l'intransigeance dans la rigidité, mais l'intelligence de la souplesse. En 1690, les Colbert, après une action de trente ans, ont échoué à Madagascar, mais laissent derrière eux, contrairement au cardinal de Richelieu et à Fouquet, des Antilles peuplées, agrandies de la partie orientale de Saint-Domingue, un royaume américain potentiel, prêt à s'étendre jusqu'au golfe du Mexique et à la mer Pacifique : un ensemble pourvu d'une petite population totale de plus de 20 000 habitants, doté d'une administration militaire et civile, et enfin en relation constante avec la métropole. À la mer des Indes, les deux hommes lèguent l'île de Bourbon ainsi que Pondichéry, d'où les ambitions nationales devraient se répandre sur l'Inde et plus loin vers les îles de la Sonde et l'Asie extrême.

Si l'on juge une action à ses résultats, le bilan colonial de Richelieu est quasi inexistant. Le Canada survit avec 2 ou 300 habitants — l'Angleterre ne s'en est-elle pas emparé un moment ? —, et dans la mer des Antilles les Français s'agrippent toujours à Saint-Christophe, qu'ils partagent avec les Anglais, ainsi qu'à la Martinique et à la Guadeloupe. Les jésuites sauveront le Canada, et les Français des Antilles, les îles du Vent. L'héritage est maigre et, dans sa modestie, il doit peu au Poitevin. À la lecture des actifs et des passifs, comment ne pas conclure à la supériorité de Colbert non seulement dans l'efficacité, la réalisation, mais même dans la conception ? Toutefois, dans la guerre de Hollande, le Rémois a brisé les ailes de son dessein maritime et colonial, poussant malgré lui Louis XIV, fort de ses gains frontaliers, à mener une politique continentale. Le ministre et son fils ne pourront donc pas donner l'assaut à l'empire tropical madrilène, ni offrir une base asiatique à l'impérialisme français. Déjà, lors du conflit contre les Provinces-Unies, ils n'avaient pu envoyer une armada conquérante à la mer des Indes pour dépouiller les négociants d'Amsterdam de leurs précieuses possessions. Ceylan avait glissé entre les doigts impuissants de la petite escadre de Perse. Malgré ces contraintes impérieuses, Colbert a laissé au roi des colonies qui avaient pris consistance, ainsi que de vastes champs d'action en Amérique et dans l'Inde. Richelieu n'y réussit pas, malgré sa volonté d'expansion, que la guerre paralysa, mais qui jamais ne rencontra d'obstacle dans la personne de Louis XIII.

La mort, qui emporte les Colbert, anéantit jusqu'en 1815, toute volonté ministérielle d'expansion nationale au-delà des mers. Si Iberville commence à coloniser la Louisiane sous J. de Pontchartrain, sa prise de possession par Cavelier de La Salle remonte au règne des marquis de Seignelay. Un seul homme essaiera de renouer avec la tradition abandonnée, et oubliée, d'agrandissement du patrimoine exotique de la France, Sartine. Il tentera de reprendre et de réaliser la politique orientale que Colbert n'avait pu mener à bien et que les

Contrôleurs des Finances successifs n'avaient pas relevée, craignant l'opposition des capitalistes de la Compagnie des Indes orientales, plus soucieux d'encaisser le fruit d'une rente et d'une spéculation commerciales, que de disputer la puissance aux négociants impérialistes de Londres. L'ancien lieutenant général de police de Paris, à qui ses ascendants, hommes d'affaires lyonnais, avaient légué le sens du concret, profite de la guerre d'Indépendance américaine pour rendre à la monarchie une flotte louis-quatorzienne qu'il se promet d'utiliser, non pour complaire à Washington, planteur esclavagiste et néanmoins coqueluche des Amis de la Liberté, mais pour donner à Louis XVI un empire partant d'Égypte — peut-être de Crète ou de Chypre — englobant l'Inde, d'un côté, l'Afrique orientale et Madagascar de l'autre. Une stratégie trop ambitieuse pour Vergennes qui la sapera, mais à la mesure des Anglais qui l'appliqueront, ne laissant échapper — de peu — que l'île des Madécasses.

Hors ces heures exceptionnelles, vite ensevelies sous les fautes et la vanité du préposé aux Affaires étrangères, le ministre de la Marine et des Colonies s'enferme dans les fonctions d'un petit gestionnaire. Disputes avec les Conseils supérieurs, correspondances banales avec les administrateurs généraux, instructions toujours répétées et statistiques vainement espérées. Sinon on ratiocine sur le développement économique et démographique du Canada, dont les productions ressemblent trop à celles de la France. On laisse faire les colons antillais, qui, anciens et nouveaux, assurent à merveille la mise en valeur des îles. On a un regard pour l'île de France, à partir de 1763, on ignore les plaintes de l'île de Bourbon, et après la victoire américaine on dégarnit discrètement les comptoirs indiens, désormais privés d'arrière-pays. Le ministre s'occupe également de commerce. Il se réjouit des retours en argent du commerce de la mer du Sud, que l'on interrompt à la première injonction de Londres. Il se frotte les mains au spectacle de Cadix où les négociants français vendent leurs produits aux flottes qui approvisionnent l'Amérique espagnole. Il se félicite de la pénétration commerciale française dans l'empire ibérique d'outre-mer, oubliant que les Anglais agissent pareillement et que, de plus, ils se sont assuré le monopole des échanges avec le Brésil et accessoirement le Portugal. Il oublie que les Colbert avaient autorisé les possessions françaises à trafiquer avec le Venezuela et autres terres ou îles madrilènes du Nouveau Monde, pour en extraire portugaises d'or et surtout piastres d'argent que les armateurs nationaux draineront vers la mère patrie. Le ministre se fait aussi homme de science. Répétant l'ancienne mission de l'astronome Jean Richer à Cayenne (1671), il aide l'Académie des sciences à organiser les expéditions américaines de Bouguer, Clairault, Godin, Jussieu, La Condamine, et le voyage d'études astrales de La Caille au cap de Bonne-Espérance. Le Gentil de la Barbinais fait le tour du monde, en passant par l'Inde et la Chine ; le P. Feuillée et Frézier dressent des cartes de l'Amérique

méridionale, Bougainville accomplit sa circumnavigation avec l'astronome Véron et le botaniste Commerson, qui s'arrêtera aux Mascareignes. L'astronome Chappe se rend en Californie, Bouvet de Lozier
et Kerguelen découvrent les îles qui portent leur nom ; Marion-
Dufresne et Lapérouse sont massacrés en pleine gloire par des
peuplades pacifiques, alors que Crozet leur échappe ; l'astronome
Pingré observe le passage de Vénus sur le soleil, depuis l'île Rodrigue,
au nord de l'île de France, Baudin explore les côtes méridionales et
occidentales de l'Australie sans créer de droits à la France sur une
partie de ce continent insulaire. Le ministère de la Marine et des
Colonies devient, faute d'escadres, une administration scientifique,
que Rouillé honore, en 1752, en créant l'Académie de Marine où
siègent des hommes éminents comme Borda et Sané, Bigot de
Morogues. Après Mannevillette, Pingré, Goimpy, Fleurieu, Verdun
de La Crenne, le cartographe Jacques-Nicolas Bellin, Bourguignon
d'Anville ayant, quant à lui, été élu à l'Académie des sciences.

En temps de guerre, le ministère exerce deux activités. Il distribue
des lettres de course aux armateurs — depuis les Pontchartrain —
substituant la piraterie légale à la stratégie navale. Ensuite il essaie
d'organiser des convois pour conserver quelques relations avec les
possessions qui, abandonnées, tombent aux mains de l'Anglais, s'il en
a envie. Ainsi, la Grande-Bretagne s'empare de producteurs d'ap-
point comme la Martinique et la Guadeloupe, mais évite de mettre la
main sur Saint-Domingue, dont l'apport trop considérable ferait
tomber le prix des sucres et ruinerait les planteurs de la Jamaïque, et
autres îles de Sa Gracieuse Majesté.

Après trois quarts de siècle d'effacement, le ministère de la Marine
redevient, sous Louis XVI, une administration militaire, capable de
protéger les possessions de la Couronne, aux heures d'hostilités.
Mais, la disgrâce de Sartine marque l'anéantissement de sa vocation
de moteur de l'expansion coloniale française, qu'il n'aura assumée
pleinement que de la création des grandes compagnies de Colbert à la
fin de la première époque d'établissement de la Louisiane, soit de
1662 à 1702.

*Le ministère de la Marine vu par l'abbé de Choisy
et le baron de La Hontan*

Avant de partir pour le Siam, dans la fameuse ambassade que
Louis XIV y envoya, l'abbé de Choisy se rend chez le fils et
successeur de Colbert pour y prendre ses ordres. Il conserve du
spectacle ministériel une image corrosive qu'il rapporte dans ses
Mémoires. « L'affaire étant réglée, j'allai à Versailles chez M. de

Seignelay pour y recevoir mes instructions ; j'attendis patiemment jusqu'à quatre, et je commençais à m'ennuyer, lorsque M. le marquis de Denonville, qui s'en allait vice-roi en Canada, y vint aussi ; il fit dire qu'il était là, on lui répondit comme à moi : *Adesso, adesso*. Nous nous mîmes à causer ensemble ; l'un allait vers l'Orient, l'autre vers l'Occident ; en causant, sonnent cinq, six et sept heures sans qu'on songeât à nous donner audience. M. de Seignelay était dans son cabinet avec Cavoye et trois ou quatre autres commensaux riant de temps en temps à gorge déployée. J'admirais la patience héroïque d'un mestre de camp de dragons, qui peut-être dans le fond n'était pas plus content que moi ; enfin on l'appela le premier : il demeura un quart d'heure dans le cabinet ; on m'appela ensuite. Je ne sais pas si on lui fit excuse de l'avoir fait attendre, mais pour moi on ne m'en dit pas un mot. »

Le capitaine de La Hontan se montre aussi caustique que l'abbé de Choisy, dans les pages de ses *Nouveaux Voyages* où il égratigne le secrétariat de la Marine au temps de Louis de Pontchartrain. « Dès que j'arrivais à Versailles je fus saluer M. de Ponchartrain qui avait succédé à M. de Seignelay. Je lui dis que M. de Frontenac * m'avait donné une lettre pour ce Ministre, où il lui faisait mention de mes services. Je lui remontrai qu'ayant trouvé mes biens saisis et plusieurs procès à vider où ma présence était nécessaire, je croyais que le Roi voudrait bien agréer que je quittasse le service. Il me répondit qu'il était informé de l'état de mes affaires auxquelles j'avais tout le temps de vaquer jusqu'au départ des derniers vaisseaux qui doivent partir cette année pour Québec, où il prétend que je retourne. Cette réponse me fit quitter Versailles pour aller à Paris, où mes parents me plongèrent dans la consultation de plusieurs avocats qui trouvèrent mes affaires si brouillées, qu'ils ne croyaient pas que j'en pusse voir sitôt la fin. [...] Il fallut donc me résoudre à la fin d'aller à Versailles pour y faire le métier de solliciteur d'emploi, qui est le plus dur et le plus chagrinant qui soit au monde. Imaginez-vous, Monsieur, qu'à ce royal séjour les écus s'envolent sans qu'on sache quelle route ils prennent. Il faut demeurer patiemment cinq ou six heures par jour dans les appartements de M. de Pontchartrain, pour se faire voir toutes les fois qu'il sort et qu'il entre. (...) À peine commence-t-il à paraître que chacun s'empresse à présenter des mémoires accompagnés de cinquante raisons que le vent emporte ordinairement. À mesure qu'il reçoit ces placets il les donne à quelque secrétaire qui le suit, celui-ci les portes à Messieurs de la Touche, de Begon et de Saluberri, dont les laquais reçoivent les pistoles de la plupart des officiers, qui sans cet expédient courraient grand risque de s'enrhumer à la porte des bureaux de ces commis ; c'est dis-je d'où leur bon et

---

* Frontenac fut gouverneur général de la Nouvelle-France à deux reprises (1672-1682/1689-1698).

leur mauvais destin doit nécessairement sortir. Désabusez-vous, Monsieur, de la protection des grands seigneurs, le temps n'est plus que les ministres leur accordent tout ce qu'ils demandaient pour leurs bâtards, pour leurs laquais, ou pour leurs vassaux. Il n'y a que deux ou trois princes ou ducs de la grande faveur qui veuillent se mêler de protéger les gens qui ne leur appartiennent point, encore s'ils le font c'est bien rarement, car vous savez que la noblesse de France étant assez mal dans les affaires, ces gros seigneurs ont souvent de pauvres alliés pour lesquels ils sont obligés de demander des emplois qui les fassent subsister. Les Ministres sont aujourd'hui sur le pied de tout refuser aux premiers de la Cour, en leur répondant que le Roi veut ceci, et qu'il ne veut pas cela : et pour ce qui est du mérite on ne le reçoit point dans leurs bureaux ; c'est un monstre si effroyable qu'il est en horreur chez la plupart de ces ministres. Ce sont eux pour ainsi dire, qui disposent des charges, quoi qu'il paraisse que ce soit le Roi. Ils font tout ce qu'ils veulent sans être obligés de lui rendre compte, car il s'en rapporte à leur zèle et à l'attachement qu'ils doivent avoir pour le bien de son service. Ils lui portent des extraits où le mérite des officiers qu'ils prétendent avancer est supposé, ou du moins très exagéré. Mais les mémoires de ceux qui ne leur plaisent pas n'ont garde de paraître. Je suis bien fâché de vous dire cette vérité, je ne cite aucun ministre en particulier, car ils ne sont pas tous sur ce pied-là. J'en connais qui seraient au désespoir de faire la moindre injustice à qui que ce soit, et qui ne souffriraient pas que leurs Suisses, leurs laquais, ni même leurs commis s'intrigassent pour l'avancement de certaines gens par la voie des pistoles. Ces habiles intrigants font indirectement plus d'officiers que vous n'avez de cheveux à la tête, ce qui fait qu'on les salue d'une lieue, et qu'on les traite aussi sérieusement de Monsieur que leur maître de Monseigneur et de Grandeur. Ce sont des titres que nos ministres et nos secrétaires d'État ont acquis aussi glorieusement que nos évêques. Il ne faut donc pas s'étonner de ce que les officiers généraux eux-mêmes ont toujours à la bouche les mots de Monseigneur et de Grandeur, en attendant que celui d'Excellence s'y joigne aussi. Je vous jure, monsieur, que je pourrais trouver matière à composer un livre de trois cents pages in-folio, si je voulais faire un ample détail des intrigues des bureaux, des moyens dont les solliciteurs se servent pour venir à leurs fins, des insignes friponneries de certaines gens et de la patience dont il faut que les officiers se munissent ; du mépris qu'on fait de ceux qui n'ont d'autre reconnaissance que leur mérite, et généralement de toutes les injustices qui se font à l'insu du Roi. Quoi qu'il en soit, après avoir inutilement sollicité ce que je croyais être en droit d'obtenir en reconnaissance de mes services, on se contenta de me dire que le Roi ordonnait à M. de Frontenac de me pourvoir le plus avantageusement qu'il le pourrait quand l'occasion s'en présenterait ; de sorte qu'il me fallut contenter de cette réponse et me résoudre à demeurer éternellement capitaine, sachant bien que ce gouverneur ne me pouvait donner rien au-delà. »

LES INSTITUTIONS LOCALES

Le roi confie le gouvernement local des colonies à trois organes : le gouverneur lieutenant général, l'intendant et le Conseil — souverain, à l'origine — supérieur au XVIIIe siècle. Le monarque a, un temps, agi au coup par coup, créant, nommant, légiférant. Mais, le 4 novembre 1671, avant la déchéance de la Compagnie des Indes Occidentales, Colbert, inventeur de l'administration coloniale, soumet à la signature de Louis XIV un règlement du Roi sur le fait du commandement des armes, de la justice, de la police, des finances et du choix des officiers de guerre et de justice. C'est là le premier texte de portée générale organisant le commandement des colonies. Des mesures suivront, qui interviendront dans des domaines particuliers. Et, Louis XV attend longtemps, le 23 juillet 1759, avant de donner son agrément à une ordonnance, portant règlement pour les appointements des gouverneurs lieutenants généraux, intendants, gouverneurs particuliers, lieutenants de Roi et autres officiers de l'état-major, commissaires et écrivains de la Marine, qui fixe leur nombre, leur grade et leur résidence. L'arrivée de Choiseul au ministère amorce un train de réformes qui ne prendra fin que sous Louis XVI. Ordonnances sur le gouvernement des colonies de 1763, 1766, 1772 et 1775. Beaucoup de mesures qui ne changent rien à l'essentiel : bicéphalisme de l'administration royale sur place, ayant en face d'elle les Conseils supérieurs créoles, à côté desquels apparaîtront des Chambres mi-parties d'agriculture et de commerce, d'où le négoce sera promptement retiré, puis des Assemblées coloniales, créées aux îles du Vent par le maréchal de Castries (1787). Les colonies reproduisent les institutions de la métropole, à l'exception des chambres d'agriculture, dont l'originalité et les compétences modestes n'engendrent aucun bouleversement administratif, mais agiteront la vie politique.

Gouverneurs, lieutenants généraux et intendants

Le lieutenant général, issu de la marine jusqu'à la guerre de Sept Ans, et souvent de l'armée de terre par la suite, représente la personne du roi ; à ce titre, il est la première autorité de la colonie. Le gouverneur général, comme l'on dit communément, ou même le général, est nommé par commission du Roi que le chef dépose, à son arrivée dans la colonie, au Conseil supérieur qui l'enregistre et, de ce moment, rend ses fonctions officielles et publiques. Dans cette pièce, comme le comte d'Estaing, nommé à Saint-Domingue, en reçut une le 27 décembre 1763, que dit le monarque ? Il donne sa confiance à l'amiral pour commander les officiers, les troupes, les vaisseaux du roi et les navires marchands. Il veut qu'il « ait le pouvoir, quand besoin sera, d'assembler les Habitants, leur faire prendre les armes, commander, tant par terre que par mer, ordonner et faire exécuter tout ce que lui et ou ceux qu'il commettra jugeront devoir ou pouvoir faire pour la conservation desdites Iles, sous notre autorité et obéissance ; maintenir et conserver les Peuples en paix, repos et tranquillité ; veiller à l'exécution des Lois et Ordonnances que nous avons rendues sur le gouvernement desdites Iles ; distribuer par provision, conjointement avec l'intendant..., les terres aux Habitants qui résident, et à ceux qui y passeront, bien intentionnés et disposés à les cultiver et à faire valoir, pour s'y habiter, jusqu'à ce qu'ils se soient pourvus devant nous, et généralement faire et ordonner par lui tout ce qui appartient à ladite charge de Gouverneur. »

Cette commission désigne dans le gouverneur général — seul représentant de la personne du roi, chargé de maintenir les peuples de la colonie en paix, repos et tranquillité — l'unique chef politique du territoire, symbole de l'unité du royaume. Elle lui confie, ensuite, et toujours à lui seul le commandement des troupes, du peuple armé, de tous les hommes et instruments susceptibles d'aider à garantir la sécurité de la possession soumise à sa direction. Incontestablement, les lieutenants généraux sont maîtres dans la colonie — ils l'étaient complètement jusqu'à la déchéance de la Compagnie des Indes, en 1663, date à laquelle Colbert leur ôta la police et la justice — mais leurs instructions établirent des bornes à leur pouvoir jusqu'à ce que le règlement de 1763, sur le gouvernement des colonies, en limite le champ, vite élargi par celui de 1766. À cette époque, de 1666 à 1789, où les hostilités s'approprient quelque soixante ans, la prééminence effective du gouverneur s'imposait. Aussi le propos, selon lequel le représentant du roi recevait les honneurs, tandis que l'intendant détenait la réalité du pouvoir, relève-t-il de la fable. Si l'administration coloniale reproduit l'architecture de l'administration de la métropole, la ressemblance s'arrête là : on ne peut comparer la distribution des compétences. Encore que tous les gouverneurs du royaume n'aient pas joué les potiches : la naissance, les titres, les relations avaient leur influence. Dans les provinces-frontières, le pouvoir se faisait même une obligation de placer des hommes à poigne et de confiance pour exercer une autorité pleine et incontestée.

Les instructions, tout en précisant les compétences des trois organes de gouvernement de la colonie, prescrivent au gouverneur l'accomplissement de missions particulières et lui interdisent certaines actions. Elles se prononcent donc aussi bien sur le fonctionnement général de la structure gouvernementale — la justice en faisant partie —, que sur les choix conjoncturels à arrêter ou à écarter.

L'intendant, personnage généralement issu du corps des officiers de plume de la marine, quelquefois du milieu parlementaire — neuf cas, après la guerre de Sept Ans —, est l'agent du secrétaire d'État de la Marine. Ne représentant pas la personne du Roi, c'est-à-dire l'État, il n'est pas un chef politique mais seulement un administrateur. Il porte le titre d'intendant de justice, police et finances, y ajoutant au XVIIIᵉ siècle la guerre et la marine. Comme le lieutenant général, l'intendant reçoit une commission qu'il dépose devant les Conseils supérieurs, lors de sa prise de fonction. Cet administrateur général, se satisfait d'un effacement relatif au cours du XVIIᵉ à l'exception de celui de la Nouvelle-France, où Talon, lié à Colbert, avait été l'interlocuteur privilégié du ministre. En temps de guerre, l'intendant vit dans l'ombre, pressé de satisfaire aux exigences de la situation. En temps de paix, s'il n'a pas le goût de la subordination, il peut faire sentir l'étendue de sa puissance. Chef de la justice, responsable des finances, civiles et militaires, et de la fiscalité, le gouverneur ne peut se passer de lui. Toutefois, cette omnipotence connaît des contraintes impératives. Dans nombre de cas — police générale, ouvertures de chemins royaux, établissements de paroisses, concessions de terres, arrangements relatifs au commerce, police ecclésiastique, affranchissements d'esclaves — les décisions doivent obligatoirement être prises de concert par l'officier de plume et l'officier d'épée, tout comme la présentation du budget prévisionnel. Malgré sa compétence exclusive en matière de finances, l'intendant est tenu d'informer le général, si celui-ci le demande, de l'état des caisses. De plus, un arrêt du Conseil d'État de 1785 créera un Comité d'administration qui réunira les responsables de la colonie de Saint-Domingue sous la présidence du gouverneur. Cet organisme doit obligatoirement donner son avis pour qu'il soit fait d'autres dépenses que celles portées dans le budget arrêté par le roi. Parfois, l'incompétence même des administrateurs généraux est solennellement déclarée : ainsi, seul le souverain peut créer et lever un impôt — sauf en cas de guerre.

Colbert, en transplantant le système administratif français dans les colonies, a agi en homme de la robe et en métropolitain. Le fondateur du premier empire français d'outre-mer raisonne, l'esprit encombré de préjugés, non en colonial. Il ne perçoit pas que les possessions, à la fois par leur éloignement, et à cause de la guerre qui les assiège souvent, ont besoin d'un commandement unique et fort et non de deux chefs que l'humeur peut jeter l'un contre l'autre au détriment des intérêts du roi. Paradoxalement la concentration des compétences n'existe que dans les territoires concédés à la Compagnie des Indes orientales, où les directeurs généraux imposent leurs vues et leur volonté. Ainsi le marchand Dupleix s'invente-t-il des connaissances militaires et joue-t-il les stratèges aussi tatillons que malheureux.

La limite, qui partage les compétences des deux chefs, suit un cours tellement sinueux, emprunte des méandres si nombreux, que le conflit s'annonce inévitable, pour peu que les hommes aient du caractère. En effet, hors les cas où la faiblesse ou l'opportunisme incite l'un ou l'autre à se mettre en tutelle, les bureaux des Colonies retentissent des disputes interminables des administrateurs généraux. Ainsi, pendant son premier commandement au Canada, le gouverneur général de Frontenac, homme vif, ne cesse-t-il de se heurter à son intendant, à la mauvaise volonté patente. Colbert, qui n'a guère de goût pour le militaire, sauf quand il assure la promotion sociale de sa famille, est obligé de rappeler plusieurs fois le sieur Duchesneau à l'ordre. Et même, après maintes volées de bois vert est-il contraint, le 20 avril 1679, de sévir à nouveau tant l'officier de plume l'accable de dépêches acrimonieuses. Vous « parlez toujours comme si M. de Frontenac avait toujours tort, et vous êtes persuadé qu'il ne doit rien faire dans l'exercice et dans les fonctions du pouvoir que le roi lui a donné, que de concert avec vous ; enfin, il paraît que vous vous mettez toujours en parallèle avec lui. La seule réponse que j'aie à vous faire pour toutes ces dépêches est qu'il faut que vous travailliez à vous connaître et à vous bien éclaircir de la différence entre un gouverneur et lieutenant-général du pays, qui représente la personne du Roi, et un intendant ; et vous devez savoir qu'en tout ce qui regarde la guerre, le commandement des armes et le gouvernement des peuples, il peut et doit agir sans vous, et s'il vous en parle et vous en communique, ce n'est que par bienséance, sans obligation, et tout autant que vous serez bien avec lui. À votre égard, c'est tout au contraire, c'est-à-dire que vous ne devez rien faire dans vos fonctions que de concert avec lui, et, toutes les fois qu'il désire que vous changiez de sentiment et que vous ne fassiez pas quelque chose, vous devez déférer à ses sentiments ; et vous devez être certain que, n'était que par vos dépêches suivantes, il paraît que les lettres que vous aviez reçues ont commencé à vous faire connaître que vous vous étiez oublié vous-même, il n'aurait pas été possible d'empêcher que le Roi vous eût révoqué de votre emploi. Vous devez donc prendre des maximes plus sages et plus prudentes sur tout ce qui regarde votre conduite, et ne vous mêler que de ce qui regarde votre fonction, ainsi que je vous l'ai expliqué. »

Malgré le temps qui passe, les traditions administratives qui se forment, les règlements intervenus dans des domaines particuliers, le partage des compétences entre les deux chefs des colonies suscite toujours heurts et conflits. Machault d'Arnouville, ancien intendant de Hainaut, naguère Contrôleur général des Finances, aujourd'hui garde des Sceaux de France et ministre de la Marine, s'adresse, le 31 janvier 1755, au marquis de Vaudreuil et au sieur Lalanne, frère du premier commis des Colonies, pour leur enseigner les règles de conduite auxquelles ils doivent souscrire. « En vous renfermant chacun dans les bornes de celles qui vous sont particulières, et ne faisant rien l'un sans l'autre dans celles qui doivent vous être communes, il faut que vous soyez tous deux également attentifs à contenir les officiers d'Épée, de Justice et de Plume, dans l'exercice légitime de leurs emplois respectifs, sans qu'ils puissent rien entreprendre les uns sur les autres. Ce n'est que par cette harmonie entre les différents ordres qui concourent à l'administration, que vous pouvez conserver la véritable constitution et maintenir le bon ordre et la tranquillité dans la colonie qui vous est confiée. »

Enfin, abordant le chapitre des matières communes, le ministre achève son cours de droit administratif et indique aux deux chefs de Saint-Domingue ce qu'il attend d'eux : « Lorsque vous vous trouvez de sentiment différent sur quelqu'une, et que vous ne pouvez pas vous accorder, vous devez m'expliquer vos raisons respectives, pour me mettre en état de vous faire savoir la décision du Roi ; et si l'affaire dont il s'agit est de nature que vous ne puissiez pas attendre les ordres de Sa Majesté, l'avis de M. le marquis de Vaudreuil doit être suivi ; mais cette prépondérance ne doit avoir lieu que dans le dernier cas, et c'est une observation que vous ne devez pas perdre de vue. M. de Vaudreuil doit en particulier se renfermer dans la connaissance des objets dépendants du commandement et des détails militaires. Il ne peut se mêler, ni de ce qui regarde la gestion des Finances et des Magasins, ni de l'administration de la Justice et de la Police particulière, ni des autres détails, dont la connaissance appartient à l'Intendant. M. Lalanne doit se borner aux détails relatifs aux Finances, aux Magasins, aux Hôpitaux, et à l'administration de la Justice et de la Police particulière, sans se mêler de ce qui a rapport au commandement. Vous devez surtout l'un et l'autre laisser un libre cours à la Justice, et soutenir les officiers chargés de la rendre, dans l'exercice de leur ministère. » Les secrétaires d'État de la Marine successifs préfèrent tous signer des lettres d'appel à la concorde plutôt que de réformer l'administration coloniale. Choiseul, une fois encore, montre son incapacité à réorganiser : il coule dans le bronze d'une ordonnance les habitudes anciennes, leur donnant force de loi ! Lui, qui est lieutenant général des armées du Roi et qui avait assisté à l'effondrement et à l'occupation des colonies sous les coups de boutoir de la guerre de Sept Ans, ne tire aucune conclusion des événements et de son expérience. Son texte sur le gouvernement colonial de 1763, accumulant 119 articles n'est que démagogie et, comme à l'habitude, exercice de paresse et de conservatisme. D'où la réforme rapide de 1766, militarisant le gouvernement des colonies.

Pendant tout l'Ancien Régime, au gré des caractères, des préjugés sociaux ou professionnels, gouverneurs et intendants s'accordent ou se livrent une guerre larvée — que seules les hostilités générales font taire. Parfois la discorde atteint l'éclat. Ainsi voit-on l'intendant Poivre, personnage insupportable, mais lié aux Choiseul, obtenir le rappel de son général, Dumas, brave et honnête serviteur du Roi, et, en 1789, assiste-t-on à la guérilla que livre l'intendant Barbé de Marbois, homme de règlement, au gouverneur général du Chilleau, intelligence remuante mais politique, jusqu'à ce que ce dernier abandonne son emploi et s'embarque pour Versailles !

Dans le courant du XVIIIᵉ siècle, quelques mesures relatives au gouvernement des colonies sont prises, qui visent la personne des administrateurs généraux. L'ordonnance du 7 novembre 1719 interdit aux gouverneurs généraux, gouverneurs particuliers et aux intendants d'avoir des plantations pour y faire du sucre, indigo, tabac, coton, cacao, gingembre, rocou, etc. À quoi tend cette décision, alors que la monarchie rémunère mal ses serviteurs, quand elle ne les oublie pas ! L'ordonnance du 12 mai 1758, prise par Moras, confirmant la précédente, répond. On ne peut accepter que des responsables de l'administration des colonies possèdent outre-mer des biens considérables, car ce « n'est point convenable au service du Roi, ni compatible avec leur état ». On croit à un louable souci d'intégrité. Mais l'ordonnance de Berryer, du 23 juillet 1759, portant que ceux qui auront épousé des créoles ne pourront être nommés gouverneurs, intendants, commissaires et écrivains de la Marine, récuse cette interprétation. La volonté de Versailles apparaît clairement : l'administration coloniale ne doit pas se créoliser, partager les intérêts de ceux qu'elle administre. Préoccupation méritoire, qui témoigne de la justesse de jugement des secrétaires d'État Moras et Berryer : tous deux ont remarqué et compris qu'impartialité et esprit de réforme soufflent chez les officiers métropolitains et non chez ceux qui possèdent leur fortune sous les tropiques. Ces décrets échapperont à l'application, conséquence inévitable d'une analyse trop angélique, qui oublie qu'officiers et administrateurs partent pour les exils exotiques où le roi les néglige, dans l'unique pensée de restaurer leur fortune.

Les prémices de la guerre de Sept Ans suscitent à Versailles une réaction de méfiance vis-à-vis des gouverneurs généraux issus de la

marine. Aussi imagine-t-on de les flanquer de commandants généraux, choisis dans l'armée de terre, qui auront autorité sur les troupes
et conduiront les opérations militaires soit en liaison avec le gouverneur général, soit à son insu. Ainsi, au Canada, Dieskau et Montcalm
jouissent-ils d'une relative autonomie, tout en demeurant sous la
tutelle de Vaudreuil. Ce système déplorable dissimule les responsabilités vraies de chacun. À Saint-Domingue, Versailles procède différemment. Le 31 juillet 1762, le ministre définit au gouverneur
général les modifications qu'entraîne la nomination du vicomte de
Belzunce à l'emploi de commandant général de l'île. « Les fonctions
de M. de Bory seront purement relatives à ce qui concerne le civil, le
commerce et la police », à l'exception des affaires militaires. Et,
comme s'il n'y suffisait point, Louis XV annonce, le 8 décembre
1762, qu'il est purement et simplement remplacé par Belzunce.
« Mons. de Bory, les événements qui se sont passés dans mes colonies
pendant la dernière guerre, ne m'ont que trop fait connaître la
nécessité qu'il y a d'en donner le gouvernement à des officiers
généraux de mes troupes de terre, dont les talents pour la guerre ont
été assez éprouvés pour me rassurer dans les occasions où elles
pourront être attaquées. » Plus tard, deux formules alternent.
D'abord, la nomination d'un commandant général a pour but de
retirer sa compétence militaire à un gouverneur dont on réprouve
l'action ; ainsi, Saint-Victor, officier et agent du secret du roi, ayant
accusé son chef de répression aveugle contre une sédition difficile,
reçoit-il les attributions militaires du prince de Montbazon. Pourtant,
celui-ci avait excellemment accompli sa difficile mission. Ensuite, la
nomination d'un commandant général, quand elle ne constitue pas un
geste de méfiance du ministère, se réduit à la désignation d'un
adjoint, entièrement subordonné à son gouverneur. Ce sera le cas,
toujours à Saint-Domingue de Reynaud de Villeverd, placé sous
l'autorité du comte d'Argout.

La création de la fonction de commandant général ne répond à
aucune nécessité. Inutile au fonctionnement de l'institution militaire
dans les colonies, faisant écran entre le chef suprême et les
commandants en second, elle s'inscrit dans ce goût que la fin de
l'Ancien Régime a manifesté pour les réformes d'apparence.

Conseils supérieurs, chambres d'agriculture et assemblées coloniales.

Les Conseils supérieurs sont une projection amoindrie des parlements métropolitains. Héritiers des conseils des officiers de milices
— leurs membres, pour le rappeler, siègent l'épée au côté —, ces
organes font l'objet de l'attention et du soin de Colbert, leur
protecteur. Dans une instruction du 16 septembre 1688, le ministre
explique à Baas, lieutenant général des îles de l'Amérique, l'objet et
les fonctions de ces institutions créées à la Martinique et à la

Guadeloupe, dès 1645. « M. de Baas est sans doute informé qu'il y a un Conseil souverain dans chacune des îles, lequel est composé du gouverneur, en qualité de président, et d'un nombre de conseillers. Cet établissement a été fait dans la vue d'empêcher l'oppression des plus pauvres par les plus puissants et les plus accomodés ; parce que si les premiers avaient été obligés de se pourvoir par-devant d'autres tribunaux éloignés de leur demeure, se trouvant dans l'impuissance, il est certain qu'ils auraient été contraints d'abandonner la poursuite de leurs affaires les plus justes. » Avant tout, les Conseils supérieurs reçoivent pour mission de rendre la justice.

Quelques années plus tard, dans une lettre du 17 mai 1674 au gouverneur général de Frontenac, Colbert reconnaît au Conseil supérieur de Québec, en activité depuis 1669, un rôle incomparablement plus important. « Concernant les règlements de police que vous avez faits et l'établissement des échevins de la ville de Québec auxquels vous avez donné le pouvoir de juger de la police, Sa Majesté m'ordonne de vous dire que vous avez en cela passé les bornes du pouvoir qu'elle vous a donné, d'autant que ce règlement de police devait être fait par le Conseil Souverain, auquel vous devez présider, et non par vous seul. [...] À l'égard de tout ce qui concerne la justice, l'autorité que vous y avez consiste en la présidence du Conseil Souverain que Sa Majesté a établi en ce pays-là ; et ainsi son intention est que vous fassiez discuter et examiner cette matière dans ledit Conseil ; que vous preniez les avis de ceux qui le composent, et que ce soit le Conseil qui prononce sur toutes les matières qui en dépendent. Sa Majesté [...] m'ordonne de vous dire que vous laissiez les juges ordinaires et le Conseil Souverain dans une entière liberté de leurs fonctions et que vous ne preniez connaissance des affaires de justice que dans des cas extraordinaires et qui peuvent tirer de grandes conséquences pour le repos des peuples, ou lorsque les parties, volontairement, et sans aucune suggestion, voudront s'en remettre à votre jugement. »

Les attributions des Conseils supérieurs ont pris corps, rapidement mais de manière pragmatique. D'abord, il est le tribunal d'appel des sénéchaussées et amirautés, jugeant en dernier ressort ; les pourvois en cassation d'arrêts rendus par les Conseils supérieurs étant déférés au Conseil des dépêches depuis 1761, et non, comme les colons le souhaitent, au Conseil des parties ou au Conseil d'État privé, où le chancelier règne seul, les secrétaires d'État, dont celui de la Marine, n'y siégeant pas. Cours jugeant en dernier ressort, les Conseils sont également habilités à prendre les règlements de police générale que réclame la colonie (police des esclaves, du commerce, des cabarets, des prix, etc.). Mais, très vite les administrateurs généraux, représentant l'intérêt général, réglementeront en matière de police générale, et l'ordonnance royale de 1766 sur l'administration des colonies commandera : « Les Conseils Supérieurs ne pourront s'immiscer directe-

ment ni indirectement dans les affaires qui regardent le gouvernement. Ils se renfermeront à rendre la justice aux sujets de Sa
Majesté. » Enfin, les Conseils qui, après la Régence souffrent d'un
prurit croissant de contestation des despotismes ministériel et militaire, abusent du droit de remontrance pour s'ériger en représentation
nationale des possessions ! Après nombre d'excès, qui freinèrent le
fonctionnement de l'administration et poussèrent certains à la
sédition, l'ordonnance royale de 1766 enfermera l'expression du droit
de représentation dans un rapport à déposer dans les trois jours.

Les ambitions politico-administratives des conseillers s'expliquent
à deux titres : nés dans les colonies, pour la plupart, ils appartiennent
à la société créole ; de plus, ils font partie de l'aristocratie des grands
Habitants ou planteurs qui s'estiment désignés pour conduire le
destin de leur patrie d'outre-mer. Ce groupe incarne intérêts particuliers et préjugés avec arrogance et maladresse ; il accomplit sa mission
gratuitement, jusqu'en 1766, sans renoncer à de longues vacances.
Dans son étude de Sénat martiniquais, Émile Hayot a évoqué ces
hommes à travers le témoignage éloquent d'un anonyme (1753). « Ils
siègent tous en épée et habillés comme ils le jugent à propos. Je ne
crois pas qu'on puisse avoir jamais vu une assemblée plus brillante
que le premier jour de cette année, à la séance du Conseil. Depuis le
doyen jusqu'au greffier, procureur et même quelques huissiers tous
étaient couverts d'or. Il n'y avait qu'un conseiller qui se trouva
pauvrement vêtu d'un habit de velours noir à la Reine. Ne touchons
point encore à l'article du faste, mais disons que l'état d'un conseiller
en ce pays est le plus beau et le plus honnête et que ceux qui
composent aujourd'hui cette assemblée si respectable par la justice et
l'équité de ses arrêts ne sont point à mettre en parallèle avec leurs
prédécesseurs qui loin d'être versés dans les maximes de la politique
et de la science des lois ne savaient pas même signer leur nom. » En
effet, les emplois de conseillers, qui attribuaient la noblesse graduelle
à leurs titulaires, nécessitaient la qualité de gradués en droit, depuis
1766.

Les guerres de succession d'Autriche et de Sept Ans ont donné des
habitudes d'indépendance et de contestation aux Conseils ; les ordres
et contre-ordres de Choiseul incitent à l'outrance et à la provocation.
Ces Cours refusent d'enregistrer les règlements du roi et des
administrateurs généraux, interviennent dans des domaines qui leur
sont prohibés, font afficher des placards qui expriment leur mépris
du pouvoir devant l'opinion assemblée. À Saint-Domingue l'incapacité de l'amiral d'Estaing aggrave la situation : on vit dans un tumulte
permanent. Le jeune Rohan, prince de Montbazon, succède au
« général amphibie », qui a suspendu le Conseil du Port-au-Prince,
dans un climat explosif. Le Breton, à qui l'on reprochera son goût
pour les mulâtresses, abandonne les manières confuses de l'Auvergnat et annonce clairement son intention de rétablir l'ordre et de faire

respecter la volonté du roi. Il affronte l'hostilité des Conseils du Cap et du Port-au-Prince qui, en sous-main, fomentent des mouvements d'agitation et même de révolte. Montbazon réprime partout où la sédition jette le désordre. Brusquement, il frappe à la tête : le 7 mars 1769, il fait enlever les conseillers du Port-au-Prince en pleine séance et commande qu'on les porte dans un navire qui, le lendemain, s'éloigne vers la France. Nouveaux troubles, nouvelles émotions. Le gouverneur général disperse les soulèvements qui germent ici ou là, ne craignant pas de faire pendre quelques rebelles, enfin rétablit la paix. Aussitôt un édit du même mois de mars 1769 casse l'assemblée domingoise, puis, un mois plus tard, un second état d'avril établit le nouveau Conseil du Port-au-Prince. Sous Louis XVI, le maréchal de Castries se heurte à la mauvaise volonté chronique du Conseil du Cap qui refuse d'enregistrer son ordonnance sur les procureurs-gérants, où il humanise l'esclavage et donne aux chefs un droit de regard sur le fonctionnement des Habitations. De guerre lasse, le ministre supprime le Conseil de Saint-Domingue, par édit du mois de janvier 1787.

Bien qu'ils disputent de tout, même de l'impôt, alors que la fiscalité est quasi inexistante dans les colonies, qu'ils propagent l'esprit d'insoumission, incitant à la sédition sous des airs légalistes, poussant à la diffusion publique des *Motifs des Remontrances du Parlement de Rouen*, dont Louis XV écrit, le 15 mars 1766, au prince de Montbazon, « ce libelle en attaquant ma propre personne et mes droits de souverain ne tend à rien moins qu'à éteindre dans le cœur des habitants de Saint-Domingue tout sentiment d'amour, de devoir et de respect », en un mot, bien qu'ils s'attachent à imiter la conduite insurrectionnelle des parlements, se posant comme eux en représentants des peuples, les Conseils supérieurs, corps privilégié de magistrats planteurs, vont mesurer le déclin de leur rôle à l'occasion de l'établissement d'institutions nouvelles. En 1759, Berryer, ancien lieutenant général de police de Paris, promu secrétaire d'État de la Marine par la protection de Mme de Pompadour, fait arrêter par le Conseil d'État la création, dans les colonies, de Chambre mi-parties d'agriculture et de commerce. Inspirés des Chambres de commerce du royaume, ces organismes, « dont les membres choisis entre les habitants et négociants, proposeraient en commun tout ce qui leur paraîtrait le plus propre à favoriser la culture des terres et le commerce ». Ces chambres, pour mieux faire connaître leurs travaux, éliront un député par colonie à la suite du Conseil du roi, qui aura entrée et séance au Bureau du commerce. Malgré des intérêts communs, planteurs et négociants s'opposent plus qu'ils ne s'accordent. Chacun veut être maître chez soi. Aussi dès 1761, voit-on les commissionnaires s'organiser en Bourse de commerce, au Cap-Français, et « s'assembler entre eux, pour y conférer des affaires du commerce, à l'imitation des Bourses établies dans les différentes villes commerçantes du Royaume ». Dès lors, l'intéressante tentative de Berryer semble vouée à l'échec : Choiseul le précipite, et, en 1763 remplace les Chambres mi-parties par des Chambres « qui seront seulement d'Agriculture ». Ces assemblées de colons traiteront « toutes les matières qui concerneront la population, les défrichements, l'agriculture, la navigation, le commerce extérieur et intérieur, la communication de l'intérieur de la colonie, par des chemins ou canaux [...] les différents travaux à faire aux ports, soit pour en former de nouveaux, ou entretenir les anciens, la salubrité de l'air, la défense des côtes et de l'intérieur du pays ; en un mot tout ce qui sera le plus propre à contribuer à l'amélioration, au progrès et à la sûreté de la colonie ». Si ces Chambres d'agriculture ne disposent pas de l'exercice du droit de représentation à l'égard des chefs, elles n'en font pas moins connaître leurs propositions dans un domaine qui n'exclut que la justice ! De plus, la Chambre d'agriculture sera tenue d'envoyer au secrétaire d'État de la Marine, « son avis signé de tous ses membres, sur l'administration du gouverneur, ou de l'intendant, qui sera mort, ou parti pour l'Europe, et d'entrer dans le détail sur son caractère, ses talents, ses vices, sa probité, et le bien ou le mal qu'il aura produit pendant le temps de son administration ».

Conseillères, localement, écoutées ou ignorées, présentes par leur député dont les bureaux lisent les projets, censeurs de la gestion des administrateurs généraux ayant quitté leur emploi, les chambres d'agriculture s'érigent en représentation véritable des colons, abaissant d'autant la prétention des Conseils supérieurs. Et les chambres, loin de s'abandonner à un ronronnement assoupi, vont faire entendre leur voix, ne se privant pas, notamment, d'étriller des chefs métropolitains aussi réputés qu'Estaing, Fénelon et Rohan, et de caresser des généraux créolisés comme Nolivos et Ennery. À Saint-Domingue en 1787-1788, elles appelleront à un nouvel ordre politique au gouvernement des colonies par la minorité des plus grands planteurs. Les Conseils les suivront. Aux îles du Vent, la création, à l'image de la métropole, d'Assemblées coloniales — qui remplacent les Chambres d'agriculture —, ruine définitivement les ambitions des Conseils. Cette réforme prive les turbulents petits sénats coloniaux d'un cheval de bataille : la fiscalité. En effet, les Assemblées coloniales comptent, parmi leurs attributions, celles d'asseoir et de répartir l'impôt ! Progressivement les Cours, qui avaient tant crié contre les despotismes ministériel et militaire, non seulement avaient perdu la faculté de réglementer dans le domaine de la police générale, mais maintenant l'autorité politique dont elles s'étaient investies arbitrairement leur était retirée dans l'indifférence par des réformes institutionnelles qui les renfermaient dans leurs bornes : la justice. Le même phénomène se produira en France qui anéantira la puissance naguère si sourcilleuse des parlements.

Dans les colonies ayant échappé à l'occupation étrangère, la Révolution conserve les gouverneurs généraux sous la Constituante, la Législative et la Convention, mais les place sous l'autorité discrétionnaire de commissaires du roi jusqu'en 1792, puis de commissaires de la République. Intendants et Conseils supérieurs, comme en France, disparaissent de la scène politique, tandis que les municipalités y accèdent. Sous le Directoire, des agents en commissions ou seuls succèdent aux escouades de commissaires. Sous le Consulat et l'Empire, le gouverneur général devient capitaine général, maître effectif des administrations civile et militaire. L'intendant se mue en préfet colonial, alors que surgit un troisième dignitaire, le Grand-Juge et que le Conseil supérieur ressuscite dans les habits modestes de tribunal d'appel.

Au cours de son voyage en Amérique, où il s'était rendu pour observer la démocratie, Alexis de Tocqueville, esprit distingué mais pas nécessairement convaincant, traverse le Canada. Aussitôt le maître à penser de la science politique du XIXᵉ siècle devine que cette Nouvelle-France, abandonnée aux Anglais, permettait de mesurer la centralisation administrative de l'Ancien Régime avec le plus de pertinence : « C'est dans les colonies qu'on peut le mieux juger la physionomie du gouvernement de la métropole, parce que c'est là que d'ordinaire tous les traits qui la caractérisent grossissent et deviennent plus visibles. Quand je veux juger l'esprit de l'administration de Louis XIV et ses vices, c'est au Canada que je dois aller. On aperçoit alors la difformité de l'objet comme dans un microscope. Au Canada, une foule d'obstacles que les faits antérieurs ou l'ancien état social opposaient, soit ouvertement, soit secrètement, au libre développement de l'esprit du gouvernement, n'existaient pas. La noblesse ne s'y voyait presque point, ou du moins elle y avait perdu presque toutes ses racines ; l'Église n'y avait plus sa position dominante ; les traditions féodales y étaient perdues ou obscurcies ; le pouvoir judiciaire n'y était plus enraciné dans de vieilles institutions et de vieilles mœurs. Rien n'y empêchait le pouvoir central de s'y abandonner à tous ses penchants naturels et d'y façonner toutes les lois suivant l'esprit qui l'animait lui-même. Au Canada, donc, pas l'ombre d'institutions municipales ou provinciales, aucune force collective autorisée, aucune initiative individuelle permise. Un intendant ayant une position bien autrement prépondérante que celle qu'avaient ses pareils en France ; une administration se mêlant encore de bien plus de choses que dans la métropole, et voulant de même faire tout de Paris, malgré les dix-huit cents lieues qui l'en séparent ; n'adoptant jamais les grands principes qui peuvent rendre une colonie peuplée et prospère, mais, en revanche, employant toutes sortes de petits procédés artificiels et de petites tyrannies réglementaires pour accroître et répandre la population : culture obligatoire, tous les procès naissant de la concession des terres retirés aux tribunaux et remis au jugement de l'administration seule, nécessité de cultiver d'une certaine manière, obligation de se fixer dans certains lieux plutôt que dans d'autres, etc., cela se passe sous Louis XIV ; ces édits sont contresignés Colbert. On se croirait déjà en pleine centralisation moderne, et en Algérie. Le Canada est en effet l'image fidèle de ce qu'on a toujours vu là. Des deux côtés, on se trouve en présence de cette administration presque aussi nombreuse que la population, prépondérante, agissante, réglementante, contraignante, voulant prévoir tout, se chargeant de tout, toujours plus au courant des intérêts de l'administré qu'il ne l'est lui-même, sans cesse active et stérile. »

Les possessions de la Couronne n'auraient-elles donc été que des captiveries où les Français pleuraient sur le malheur de leur condition ? Que non ! Et le l'essayiste normand, jetant un regard pénétrant derrière lui sur les futurs États-Unis et sur le Canada ancien, se livre à un exercice de prestidigitation dont il est coutumier et où il excelle. « Dans les deux colonies on aboutit à l'établissement d'une société entièrement démocratique ; mais ici, aussi longtemps, du moins, que le Canada reste à la France, l'égalité se mêle au gouvernement absolu ; là elle se combine avec la liberté. Et quant aux conséquences matérielles des deux méthodes coloniales, on sait qu'en 1763, époque de la conquête, la population du Canada était de 60 000 âmes, et la population des provinces anglaises, de 3 000 000. »

M. de Tocqueville professe que les possessions royales respiraient démocratiquement, alors que ses premiers développements tendaient à prouver le contraire ; il enseigne ensuite que la démocratie libérale porte à se reproduire abondamment, tandis que la démocratie, soumise à la raison d'État, stérilise les couples ! La population canadienne se reproduisait superbement mais, contrairement à sa rivale, n'a jamais profité d'une immigration nombreuse et constante ! À n'en pas douter, de belles découvertes, qui justifiaient un grand voyage ! Et, n'en déplaise à ce nostalgique inavoué des régimes aristocratiques, les colonies françaises, plus que les anglaises — et sans le sectarisme entretenu par les conflits religieux — ont été, dans les mœurs privées et publiques, de véritables républiques démocratiques où la liberté exprimait une réalité jamais atteinte en Angleterre. L'absence d'institutions représentatives élues, loin d'empêcher l'exercice de la démocratie, le garantissait. Elle empêchait l'apparition d'un pouvoir arbitraire, né de l'alliance de l'oligarchie des grands propriétaires et des gouverneurs, vœu secret de l'autonomisme sucrier ! Le bilan déplorable des assemblées coloniales établies aux îles du Vent, en 1787, par le maréchal de Castries a démontré aux sceptiques que le suffrage n'anime pas de manière systématique et sûre l'administration des hommes du souci double et simultané de la liberté et de l'intérêt général.

LES CORPS DE DÉFENSE ET DE POLICE

Le gouverneur général, l'intendant, et éventuellement le Conseil supérieur, disposent pour accomplir leur mission, de services publics, pour la plupart copiés sur ceux de la métropole. Comme toujours, avec des arrangements et même des exceptions.

Les troupes des colonies

L'État, qui en France s'incorpore à la nation, n'a pas conduit le mouvement d'expansion maritime et colonial. Se tenant à l'écart, mais toujours prêt à distribuer des encouragements et des privilèges, il laisse des marginaux et des aventuriers — ce terme étant pris dans son sens noble — défricher le terrain, et quand les entreprises aboutissent, il crée des compagnies à sa dévotion avant d'annexer leurs possessions au domaine royal. Longtemps, la colonisation française collectionne des épisodes épars : la continuité ne donne consistance à une politique qu'à partir de Colbert. Alors que Richelieu ne s'était préoccupé que de spécialiser des troupes dans la garde des ports, arsenaux et dans d'éventuelles opérations de débarquement, le Rémois, qui, lui, s'est engagé dans une stratégie coloniale concrète, mesure très tôt la nécessité de remplacer les détachements de l'armée de Terre, *Poitou* par exemple, par des unités réservées à la protection des vaisseaux, à la défense des possessions. En 1665, au retour de la campagne du duc de Beaufort contre la Barbarie, le Régiment des Navires, passe au service de la Compagnie des Indes occidentales. Le mouvement s'amorce. Le 12 septembre 1669, l'intendant de la Marine, Colbert de Terron, envoie à son cousin et ministre un mémoire où il plaide en faveur de la constitution de corps particuliers : « Les plus grandes affaires de la mer ayant été soutenues et exécutées par les soldats qui s'embarquent sur les vaisseaux de Sa Majesté, il semble être bien nécessaire que l'on prenne soin de les rendre adroits et disciplinés, capables et propres à exécuter tout ce que l'on pourra exiger d'eux dans le moment de l'occasion. » Le 2 décembre 1669, le contrôleur général répond à son parent. « L'intention du Roi est de mettre sur pied deux régiments d'infanterie de marine, dont l'un sera appelé *Royal-Marine* et l'autre *Amiral*. »

Le Tellier et son fils, Louvois, que cette initiative agace, en contrarient l'application large et pleine. L'ordonnance de 1669, créant *Royal-Marine* et *Amiral* se contente de préciser que ces régiments seront composés, chacun, de 20 compagnies de 100 hommes. Il revient à Louis de Pontchartrain de constituer, en 1690, 80 compagnies *franches* et en 1692 un petit corps d'artillerie de marine. L'ensemble, indépendant de l'armée de terre, assurera la protection normale des possessions royales. En temps de guerre intérieure — le premier conflit avec les Iroquois, par exemple — et extérieure — toutes les crises armées du xviiie siècle — l'insuffisance des compagnies franches nécessitera l'envoi de troupes relevant du secrétariat d'État de la Guerre. Cette organisation — qui par ailleurs s'appuie sur les milices des colonies — à la fois légère et réclamant la liberté des grandes voies maritimes, subsistera jusqu'à l'issue funeste de la guerre de Sept Ans. Plus précisément, Choiseul supprime les troupes de marine par ordonnance du 5 novembre 1761, mais les compagnies franches et les bataillons métropolitains s'amalgameront dans le courant de 1762.

La deuxième Compagnie des Indes, fondée par Law en 1719, devait recruter ses propres troupes. Le 15 juin 1721, le Régent met à sa disposition le régiment suisse de Karrer, levé peu avant aux ordres du Conseil de Marine, pour servir dans les concessions extérieures du Contrôleur général. Cette unité va tenir garnison en Amérique : à la Martinique, Saint-Domingue, l'île Royale, la Louisiane, Cayenne, puis à partir de 1752, sous le nom d'Hallwyl, elle prend position dans les mêmes colonies à l'exception de l'Acadie et de la Guyane, avant de disparaître en 1761, en même temps que les compagnies franches.

Si la Compagnie a recouru au service du régiment de Karrer en Louisiane, elle utilise surtout ses propres troupes sur l'ensemble de son vaste empire. En cinquante et un ans, observe Ph. Haudrère, elle recrute 1 150 officiers — dont 60,5 % sont affectés dans l'Inde et 24,5 % aux Mascareignes — et 24 882 soldats, de 1722 à 1769. Pas plus que les compagnies franches, les unités de la compagnie ne suffisent, en cas de conflit très grave, pour faire face. Ainsi l'expédition de Lally (1757-1759) doublera les effectifs en activité. Dans l'Inde même, l'ensemble des troupes européennes passe de 374 hommes en 1723-1729, à 792 en 1730-1739, s'élève à 3 259 en 1750-1756, puis à 3 300 en 1757-1759, pour tomber à 691 en 1765-1770, après le proconsulat désastreux de Lally et la ruine des ambitions françaises dans le sous-continent. Dans les années 1750, Dupleix et Bussy, au temps qu'ils nourrissaient des rêves impériaux, étendant leur protectorat sur le Carnatic, le Deccan et la côte d'Orissa, n'ont disposé que des soldats, ouvriers et officiers de la Compagnie, et de recrues indiennes.

Les mœurs militaires des Établissements qui se trouvent au-delà du cap de Bonne-Espérance, surprennent plus d'un de ces officiers aux yeux encore emplis des horizons de la métropole. Le chevalier de Mautort, dont la campagne de Corse a été le seul dépaysement, fait escale aux Mascareignes en 1781. Il observe avec curiosité la levée d'un corps de Mozambiques, et d'un autre formé de volontaires blancs. Puis, voici l'Inde. Quittant Pondichéry pour gagner son poste, le capitaine croit rêver. « Je partis de grand matin, escorté de ma caravane composée de quinze personnages à mes gages, seul de ma couleur au milieu de tous ces Indiens. Je ne m'étais pas encore vu à la tête d'une maison si nombreuse. Ce cortège ne me donnait pas de vanité. Il m'inspirait, au contraire, beaucoup de réflexions sur cette manière toute nouvelle pour moi de faire la guerre, sur les inconvénients que devait entraîner un train aussi considérable dans les mouvements qui demandent de la précision et de la célérité. Mais je n'avais encore rien vu. » Le Picard n'avait encore jamais assisté au spectacle d'une armée en opérations dans l'Inde : une ville en déplacement ! une minorité de combattants suivie d'une foule de serviteurs, hommes, femmes, enfants dans un désordre de chariots et d'animaux en liberté. Plus habitué aux restrictions qu'à l'aisance, incapable d'imaginer l'opulence, l'officier métropolitain prend plaisir à s'étonner de l'abondance de sa domesticité et de la nouveauté de sa condition. « En faisant la récapitulation des gens qui composaient ma maison, je me trouvais en avoir vingt, savoir : un *daubachy*, un *pion*, huit *bouées*, quatre *bouviers*, un *cavaler*, un *herbaire*, un *cuisinier*, un *cooli* aide de cuisine, une *tanigarchi* ou porteuse d'eau et un *rapaia* ou petit domestique. Ces vingt personnes en avaient au moins autant à leur suite, soit leurs femmes, leurs enfants ou autres parents, de manière que je faisais vivre chaque mois plus de quarante individus avec environ deux cents francs de gages qu'il m'en coûtait. Assurément, c'était faire des heureux à peu de frais. Cette dépense payée, il me restait encore plus des deux tiers de mes appointements. Il m'était impossible de les manger, tel soin que j'eusse de ne me rien refuser. » Ces propos aussi fidèles soient-ils ne reflètent pas la situation des officiers et encore moins des soldats. Dans les campagnes, où tout est bon marché, Mautort a le sentiment d'avoir un train de seigneur. S'il était resté à Pondichéry, capitale et ville de garnison, la cherté de la vie l'aurait ramené à une réalité austère, sans place pour les émerveillements enfantins.

Dans toutes les possessions, sauf peut-être au Canada, officiers et soldats se plaignent. Maladies, prix exorbitants, solitude, ennui, existence malaisée à laquelle on ne peut échapper que par un mariage créole difficile à conclure remarque le capitaine Céloron de Blainville, en service à Saint-Domingue, dans une lettre envoyée à son aimable cousine, en 1784. « Les ressources de cette colonie sont bien diminuées pour le militaire en général et surtout pour ceux qui n'ont pas l'avantage d'un grade supérieur. Les créoles riches, soit dit sans épigramme, sont en général sourdes au sentiment, mais très attentives aux hommages, et cette félicité douce qui n'a sa source que dans le cœur et qui se trouve dans le charme d'une société assortie, ne l'emporte pas dans leurs âmes sur les distinctions de la vanité. » L'âge avançant, le Canadien souhaite de plus en plus vivement une issue maritale qui le mettrait à l'abri du besoin. En 1785, un an après sa première confidence, le capitaine ouvre à nouveau son cœur à son aimable cousine, mêlant l'aigreur à la plainte : « J'éprouve qu'il en est des faveurs de la fortune comme de celle d'un sexe charmant, quand on a manqué l'instant précieux tout est dit ; surtout lorsqu'il s'est fait une révolution dans les mœurs, et que les femmes ou filles qui ont de la fortune n'hésitent point à sacrifier le bonheur réel du cœur à des conventions sociales, telles qu'un grand nom ou l'éclat imposant du grade. Plusieurs ont eu beau en être les victimes, la vanité créole l'emporte et est sur ce point incorrigible. Le grade de capitaine d'infanterie n'est plus qu'une vieille monnaie qui n'a plus de cours et le temps où une mère disait au Cap à sa famille : " Ma fille redressez-vous, voilà un officier qui passe ", est terriblement passé lui-même. La colonie est montée sur un ton de dépense et de luxe fait pour effrayer un homme raisonnable qui voudrait se marier. Cette épidémie a gagné les classes les plus abjectes de la société. Les nègres domestiques mêmes ont tous les vices des gens du bon ton et de ce qu'on appelle trop légèrement peut-être, la bonne compagnie. Ils sont joueurs et cœtera. »

Dans un mémoire qu'il envoie au ministre de la Guerre, en 1779, le lieutenant-colonel Desdorides ne s'appesantit pas sur les états d'âme des officiers qui pourtant révèlent l'insuffisance des soldes, la lenteur désespérante de l'avancement, une vie condamnée à la gêne dans une société matérialiste qui révère cette richesse à laquelle seuls grands colons et négociants avertis accèdent pleinement. Desdorides, ignorant son cas personnel, considère avec l'œil du moraliste, l'état des troupes dans leur totalité. « Ne nous affligeons pas autant sur le sort des officiers que sur celui du soldat. Je ne vois pas de comparaison du mal-être de l'un à celui de l'autre. Les officiers font mauvaise chère, mais ils ont juste de quoi vivre. Leur logement est incommode, mais ils sont logés tout au plus deux ans dans le même appartement. Ils ont de la société, la comédie, des récréations de plus d'une espèce. Les occupations du métier sont légères pour eux ; tout cela fait que les attaques affligeantes de l'ennui ne pèsent pas autant sur l'officier que sur le soldat. Quelle différence ne met-on pas entre le traitement de l'officier et celui du soldat, quand l'un et l'autre sont malades. Il est très ordinaire actuellement que l'officier surmonte la maladie ; il est au contraire miraculeux que le soldat en échappe. C'est donc le soldat qu'il faut plaindre ; il est de toute justice de s'échauffer de sa cause ; c'est la plus belle à plaider pour l'humanité. Les soldats sont à Saint-Domingue les plus malheureux de tous les êtres. »

Tous les officiers n'ont pas pour les soldats la commisération de Desdorides. Un officier général, grand propriétaire de Saint-Domingue, informateur et peut-être conseiller du maréchal de Castries, le marquis de Rouvray, espèce d'aventurier se disant noble alors qu'il portait le nom très roturier de Le Noir, bref cet individu dépourvu de scrupules a épuisé toute son éloquence à caricaturer le soldat colonial, jusqu'à le salir. Or aucune catégorie sociale n'est entièrement vertueuse, aucune n'est complètement abjecte. « Qu'est-ce qu'un soldat de colonie en général ? », demande le sieur Le Noir, avant de répondre. « À l'exception de quelques jeunes libertins que l'inconduite ou souvent de mauvaises actions ont forcé de s'engager ? ce qu'il y a sans doute de plus vil parmi le peuple des villes. » Que font les soldats, qui après leur congé, restent dans l'Île ? On les voit dans les embarcadères, les bourgs, les villes : « ils corrompent nos esclaves, ils recèlent les effets qui nous sont volés par nos nègres. » Pis, ils transmettent les maladies vénériennes aux nègres et mulâtres libres qui les communiquent aux ateliers d'esclaves. A tant exagérer, Le Noir voudrait-il faire oublier qu'il est officier colonial ? Hâblerie, comportement général ? L'homme paraît peu apprécié de ses pairs : l'un, Tarragon, a écrit de lui qu'il « n'était pas militaire ».

Le soldat colonial, choisi parmi les plus faibles, mal nourri, mal habillé, occupé à des tâches fatigantes, sous le poids du soleil, dormant dans un lit de sangle inconfortable, bref, ce « nègre blanc », comme le mépris public l'appelle, cherche l'oubli dans le tafia et chez les prostituées, ajoutant l'alcoolisme et les maladies vénériennes à un état de santé délabré par la pathologie tropicale, à commencer par le paludisme. Au bout de quelques mois, c'est la mort fréquente — de l'ordre de 25 %, la première année — souvent la désertion. Tel est l'homme de troupe des colonies, généralement présenté comme le rebut moral de l'armée, alors qu'il en est exilé surtout pour sa mauvaise santé et son manque de force physique, destiné, à court terme, à l'hôpital « où règne le pressentiment de la mort ». Les armées françaises destinent aux colonies les hommes dont elles ne veulent pas, hommes en mauvais état et quelques fortes têtes. Après ce beau mouvement d'égoïsme et d'inconscience, les officiers métropolitains, de passage outre-mer, se raidissent dans le mépris au spectacle des unités coloniales. Ainsi Mautort dit-il sa satisfaction à l'idée de s'éloigner « du régiment de l'île de France dont la composition, comme celle de tous les régiments des colonies, ne valait pas grand-chose ». Jugement irréfléchi : il ignore que les troupes des possessions sont le fruit de la politique de recrutement des armées, et que la pathologie tropicale affaiblit et tue à une cadence effroyable et régulière. La compassion du lieutenant-colonel Desdorides pour les troupes de Saint-Domingue dépasse la sensibilité pour brusquement devenir enquête et réquisitoire. « Comment donc guérit-on les malades à l'hôpital du Cap ? On ne les guérit point ; ou du moins très peu sont guéris radicalement. On y traite avec l'émétique. Ces religieux le généralisent sur toutes les maladies. Aussi celui qui sort de cet hôpital, doit regarder comme une espèce de miracle quand il ne revient pas de rechute en rechute y traîner une existence onéreuse, jusqu'à ce que son triste sort soit terminé par la mort. Mais à qui tient-il donc qu'il en soit autrement dans la régie de cet hôpital ? Il est extrêmement embarrassant de ménager sa réponse à pareille question. Si l'on écoute les pères administrateurs, tout est au mieux chez eux. Les chefs de la colonie et de l'administration font leur éloge ; et cependant, tout le militaire, sans exception de grade, proteste contre la gestion cruelle de ces religieux. Supposons que le militaire soit exagéré dans ses plaintes ; elles sont trop générales pour qu'il n'existe pas une sorte de fond à tant de clameurs. N'est-il pas humiliant pour l'humanité, et très malheureux pour l'État, que tant de milliers de soldats périssent misérablement dans les hôpitaux presque au commencement de leur vie, et surtout, quand on peut les conserver. Les pères de la Charité sont des hommes devenus chers aux colons, et se sont rendus essentiels au second ordre de l'administration ; ils ont fait de grandes avances au Roi. Les chefs se sont vus dans une espèce d'obligation de les ménager. De cette manière, tenant à tout le monde, ils se sont fait contre le militaire un rempart de la protection publique. Ils regardent et font regarder les officiers comme des êtres plaignants, difficiles, imbus à outrance de la cause du soldat, et s'en prenant mal à propos à la régie de l'hôpital de ne les pas garantir de la mort, sans songer qu'elle est le plus souvent inévitable ne fusse que par la seule influence du climat. Mais encore un coup, que leur demande le militaire ? De bien traiter les malades, de leur donner de bons aliments, d'appliquer le remède au mal, de multiplier les médecins, les infirmiers et de s'échauffer de l'amour de l'humanité. Très certainement cela ne se fait pas chez eux. »

Desdorides explose d'un juste courroux. Les Pères de la Charité de Saint-Domingue et des îles du Vent mènent les hôpitaux à leur guise, peu soucieux des recommandations du médecin du Roi, accroissant leur trésorerie sur la misère et la mort de pauvres bougres. Choiseul ce prétendu réformateur, laissera les choses en l'état, punissant brutalement les chefs trop sensibles qui, tel le gouverneur général de Fénelon, avait embarqué de force et renvoyé en France ces religieux rebelles à la charité chrétienne.

Après l'ordonnance du 5 novembre 1761, supprimant les compagnies franches de la Marine, après celle du 10 décembre 1762, chargeant 23 régiments métropolitains de la défense des colonies, une ombre lourde tombe sur les îles. Choiseul lieutenant général de l'armée de terre veut conserver la direction militaire des possessions à son arme. Dans un premier temps, les régiments absorbent les compagnies franches, dans un second, sans attenter à ce principe, une ordonnance du Roi crée une Légion de Saint-Domingue, le 1er avril 1766, puis une Légion de l'île de France, le 1er juillet suivant. Praslin remplace son cousin au mois d'octobre 1766 : la Marine recouvre son autorité sur les troupes des colonies, mais encadrées par des officiers de la Guerre. Après le règne désordonné des Choiseul, Boynes, époux d'une créole de Saint-Domingue, et parlementaire fidèle au Roi, reçoit la Marine, tandis que le lieutenant général de Monteynard, qui commença sa carrière comme lieutenant au régime royal des *Vaisseaux*, succède au duc d'Aiguillon à la tête du département de la Guerre. Les expériences de la vie rapprochent-elles les deux hommes ? Toujours est-il que le sectarisme bat en retraite et que le bon sens l'emporte. L'ordonnance du Roi du 18 août 1772 crée enfin les troupes des colonies, aux ordres du ministre de la Marine. En Asie : 3 régiments, île de France, Port-Louis, Bourbon et le bataillon de l'Inde qui deviendra régiment de Pondichéry, par ordonnance du 30 décembre 1772. En Amérique : 4 régiments, Cap-Français, Port-au-Prince, Martinique, Guadeloupe, un bataillon à Cayenne, et une compagnie à Saint-Pierre-et-Miquelon. Enfin, le 30 juillet 1773, une ordonnance du Roi établit un régiment de l'Amérique pour garder le port de Rochefort, pour remplir le service à bord des bâtiments qui seront dans ce port, et pour fournir aux colonies des bas officiers et recrues disciplinées.

Les ministres de Louis XVI ne bouleverseront pas l'architecture des troupes des colonies, mais apporteront quelques modifications. Le 21 janvier 1775, les régiments de l'île Bourbon et du Port-Louis sont licenciés et versés dans celui de l'île de France, à l'exception d'un bataillon, qui prend le nom de Bataillon d'Afrique. Mais, en 1776, Île Bourbon est reconstitué. Encore à l'initiative de Sartine, le 2 septembre 1775, le dépôt de recrues de l'île de Ré est créé pour fournir les troupes des colonies, et le 13 décembre 1779, y est établi une compagnie de cadets-gentilshommes pour former les officiers des colonies. Peu après, le 15 mars 1780, une ordonnance royale fonde — toujours au dépôt de recrues de l'île de Ré — une école d'artillerie à l'intention des compagnies de canonniers-bombardiers, ou pour le service du canon dans les régiments des colonies. Bientôt, le 25 juillet 1781, Castries décide que les dépôts de recrues des colonies de l'Inde, et les trois compagnies gardant Lorient, seront réunies dans ce port, sous la dénomination de bataillon auxiliaire des régiments des colonies. Le 10 août suivant, les cadets-gentilshommes des troupes des colonies sont rattachés au bataillon de Lorient. Enfin, les régiments coloniaux de Louis XV (1772) — ancêtres des troupes coloniales de 1900 — deviennent véritablement autonomes grâce à l'ordonnance de Castries créant un corps royal d'artillerie des colonies (24 octobre 1784). Une exception, le Génie, qui est intégré dans le Corps Royal (14 mars 1784).

La Révolution avance à grands pas : on se contente de gérer.

Toutefois, le 17 mars 1788, La Luzerne supprime le dépôt de l'île de Ré, qui avait survécu. En 1789, le régiment de l'île Bourbon disparaît pour la seconde fois, définitivement absorbé par ceux de l'île de France et de Pondichéry, ce dernier étant réduit à un bataillon, le 3 septembre 1791. Les troupes des colonies — que Colbert n'avait pu imposer à Louvois — ne résistent pas aux turbulences centralisatrices et uniformisatrices. Elles sont retirées à la Marine et placées sous l'autorité de la Guerre, le 11 juillet 1791, avant d'être licenciées, le 29 septembre 1791. Que représentent les unités coloniales ? Un effectif modeste. En 1775, l'état des troupes nécessaires en Amérique, en temps de paix et pendant la guerre, qui est remis au gouverneur général d'Ennery, compte — pour Saint-Domingue, la Martinique, la Guadeloupe et Cayenne : 7 107 hommes dont environ 650 artilleurs. En 1783, un tableau dressé à l'intention de Vergennes, couvrant : Cap-Français, Port-au-Prince, Martinique, Guadeloupe, île de France, Pondichéry, artillerie, troupes auxiliaires, volontaires étrangers — dénombre 15 040 hommes. En 1789, le corps des colonies s'est grossi d'un bataillon à Sainte-Lucie, d'un autre à Tabago et entretient des troupes noires à la Martinique et à la Guadeloupe, et dans l'Inde, des cipayes, ombre de ce qu'ils avaient été au temps de Dupleix. Mais au total, l'action décimante de la pathologie tropicale ne cessant jamais, les colonies ne disposent que d'une petite armée de l'ordre de 9 000 hommes : et chaque année des hommes partent combler les places vides, sans que jamais les effectifs réglementaires soient respectés sur 12 mois, voire atteints une seule fois.

L'opinion coloniale n'aime pas les soldats, ces « nègres blancs » qui, avec les gens sans aveu, petits-Blancs courant les campagnes en quête d'une place, déshonorent leur race.

Quant aux officiers, l'Habitant déteste leur morgue, leur esprit de caste, et méprise leur misère dorée. Dans le *Patriotisme américain*, Émilien Petit, exprime le sentiment commun : « L'officier en général y est vain et méprisant, quoique souvent d'une origine dont l'obscurité n'est couverte que par la hauteur du plumet. Il n'est pas jusqu'à l'Enseigne réformé qui ne tranche du supérieur, n'exige des respects. [...] Jusque-là, il n'y a qu'eux de dupes d'une fatuité qui les réduit à vivre entre eux d'une paye modique pour la cherté des vivres, et les prive de la ressource et des secours des Habitants, dont d'ailleurs à les en croire, les femmes et les filles ne tiendraient pas contre le séduisant honneur de communiquer avec eux. Mais quand ces airs sont appuyés de l'exercice ou du nom de l'autorité, c'est alors que l'officier fait sentir tout le poids de la supériorité ; ce serait y déroger, que de parler avec ménagement à un Habitant, à un marchand, à un ouvrier de bonne conduite : un homme comme moi est-il fait pour commander deux fois ? Vous osez manquer à un homme comme moi ; je vous défends ; je vous ordonne ; point de répliques ; en prison, au cachot : et on le fait exécuter, comme on le dit, en accompagnant l'ordre des termes les plus grossiers. » Cette agressivité du magistrat se nourrit à la haine traditionnelle des états-majors — officiers commandant les villes et les bourgs — qui supervisent en droit ou en fait la police des Habitants. Toute la classe des hommes de loi enrage devant cet empiétement de ses compétences, d'autant que les colons, assez souvent, préfèrent la justice rapide des militaires, aux lenteurs et au parti pris des juridictions. Supprimés par l'ordonnance du 24 mars 1763, ces fameux états-majors, cascades de commandants en second, lieutenants de roi, majors, tous aux ordres du gouverneur général, le « despote militaire », sont restaurés le 15 mars 1769. Mieux vaut un ordre militaire au désordre, fût-il civil.

Cette aversion des colons pour l'armée ne s'explique pas seulement par l'immixtion des militaires dans toutes les affaires. On leur reproche aussi de créer le danger. Selon les planteurs, les unités régulières, les fortifications dont on hérisse les côtes excitent l'envie et l'inquiétude de l'ennemi, des Anglais. En quelque sorte, leur seule existence appelle le désastre. Or, comment les Habitants conçoivent-ils une défaite ? Non comme une catastrophe politique et militaire, mais comme le saccage des propriétés privées, une perte de revenus, un manque à gagner. Émilien Petit, député du Conseil supérieur du Port-au-Prince auprès de l'administration centrale, expose dans son *Droit public*, longuement et sans gêne, les arguments de ses compatriotes : « Aucune puissance ne considère ses colonies seulement comme une extension de ses domaines ; la défense d'une colonie ne saurait donc n'avoir pour objet que d'en conserver le sol : ce qu'on paraît devoir se proposer est principalement la conservation des établissements. » D'où cette conclusion abrupte : mieux vaut capituler que résister ! « Quel qu'en soit le succès, le traité sera toujours moins dur que si le vainqueur le dicte seul ; et au bout du compte, le frivole avantage de réserver quelque honneur de la guerre, plutôt accordé à l'envie que l'ennemi a de jouir qu'à la bravoure d'une résistance souvent mal conduite, et de ramener quelques soldats en France, où ils reviendraient toujours, peut-il être mis en comparaison avec l'obligation de laisser à des milliers de sujets fidèles la liberté de veiller à la conservation de leurs droits ? Penser autrement serait dire que la défense d'une colonie n'a pour objet que de faire briller la bravoure et la capacité de ceux qui y commandent ; comme si l'État était plus intéressé à la gloire d'une résistance inutile qu'à la conservation de la fortune de ses sujets. » Ériger l'esprit de trahison en code d'honneur, soumettre la fidélité au roi à la primauté des intérêts personnels, troquer la nation et l'État contre quelques pieds de canne ne choquent pas le juriste, fidèle porte-parole des colons.

Les troupes, présentes partout, dans les villes, les bourgs, dans les ports et les campagnes, transforment les possessions en colonies militaires, non pour brimer les habitants, mais pour conserver et transmettre la richesse des denrées exotiques à la nation. Dès lors, pour les patries créoles, économies d'échanges, le militaire devient un mercenaire au service de l'impérieux protectionnisme métropolitain, un corps qui vit dans l'obsession de protéger un revenu de la convoitise ennemie. Après Petit, Hilliard d'Auberteuil revient sur cette question dans les *Considérations sur la colonie de Saint-Domingue*, esquissant une stratégie militaire adaptée aux colonies et un statut des possessions d'outre-mer en temps de paix : « La défense d'une colonie n'a pas pour objet seulement d'en conserver le sol, mais de conserver aussi les établissements qui la rendent précieuse. L'objet n'est pas de faire briller la valeur de ceux qui commandent, ni celle des combattants ; mais de maintenir la prospérité nationale, de conserver la fortune des sujets, et de seconder l'attachement qu'ils ont pour la domination française. Les fortifications et les troupes de terre, ne produisant point cet effet, ne peuvent être d'aucune utilité [...] elles épuisent les finances et donnent lieu à des corvées : leur entretien est toujours onéreux et nuisible. Le projet d'attirer la guerre au-dedans et de défendre un pays par des forts, est toujours dangereux, les forts ouvrent souvent une retraite à l'ennemi, leur capitulation entraîne celle des villes, ils influent presque toujours autant sur la perte que sur le salut des provinces. La situation de la Colonie, son sol, sa population, le gouvernement qui lui convient, ses productions, les matériaux qu'elle peut fournir, s'opposent également à ce système de défense. Il faudrait cent forts et mille batteries pour garder la Colonie, à cause de la longueur des côtes sur lesquelles elle s'étend : la terre mugissante, enflammée, s'ébranle sous les fondements des bastions et les rejette de son sein. On n'a pour élever ces masses formidables qu'elle se plaît à détruire, et que la mer attaque par ses flots, que des cailloux ou des pétrifications que l'on tire du fond des eaux ; il faudrait une quantité prodigieuse d'hommes et de bestiaux pour apporter au bord de la mer le sable des rivières : le sable de la mer ne convient point à de grands bâtiments, parce qu'il sèche difficilement. Pour bâtir à Saint-Domingue des fortifications capables de défense, il faudrait donc abandonner la culture, ruiner les colons, faire des travaux sans exemple et vaincre la nature. »

La stratégie des fortifications, des batteries côtières, rempart d'un puissant réduit défensif, imaginée par Choiseul qui demanda à ses généraux de l'appliquer, les colonies n'en veulent pas. On est au temps de Sartine, premier constructeur de la Marine royale après les Colbert, quand Hilliard d'Auberteuil répond : « Cependant plusieurs officiers qui sont dans la Colonie, prétendent encore que si la guerre recommençait, il ne faudrait avoir aucun égard aux établissements, et que si l'on prévoyait ne pas pouvoir la garder, il vaudrait mieux la réduire en cendres que de la voir passer avec les richesses qu'elle procure entre les mains d'un ennemi plus puissant et plus heureux, dont on doit chercher à diminuer les forces. Politique affreuse qui nous ferait trouver nos ennemis parmi les nationaux, toujours prêts à répudier des sujets utiles, dont les travaux augmentent leur aisance. Et quand on aurait tout ravagé, tout détruit ; quand on aurait élevé des tas de morts sur les ruines des plus beaux établissements ; quand les rivières seraient teintes du sang des ennemis et de celui des habitants, auxquels le désespoir aurait fait prendre les armes ; quand la victoire aurait coûté cher aux vainqueurs ; quand enfin la Colonie ne serait plus qu'un tombeau, d'autres cultivateurs tarderaient-ils à rendre à la culture les instruments qu'elle aurait perdu par la fureur de ceux qui devaient assurer ses progrès ? »

Les théories militaires de Choiseul, irréalistes, comme d'autres de ses spéculations, contiennent le danger de faire de la seule armée de terre la bête noire des opinions insulaires après la guerre de Sept Ans. Hilliard expose alors la conception stratégique qui lui paraît la plus convenable, et que deux ou trois ans plus tard, dans les années 1780, toutes les armées adopteront sans restriction : « Les habitants de la colonie n'attendent de secours pendant la guerre que des forces maritimes de la France. » Dès que Sartine aura rendu au royaume une Marine à l'aune de ses ambitions, ce propos, qui eût été provocateur sous Louis XV, deviendra vérité d'évidence. Hilliard s'enflamme, car, en cette année 1776, il sait l'effort qu'ont entrepris les arsenaux, sous l'autorité d'un ministre déterminé et bien entouré : « Le projet de former des escadres pour défendre la Colonie, protégerait les armements des particuliers ; cent corsaires s'emploie-raient à écarter les corsaires ennemis qui pourraient chercher à piller les habitations situées dans les anses et sur le rivage de la mer, ou gêner le commerce, tandis que les escadres s'occuperaient à combat-tre et à vaincre les forces plus redoutables que ces ennemis pourraient hasarder. Les navigateurs de notre Colonie redeviendraient la terreur des colonies anglaises : égaux aux anciens flibustiers, ils feraient oublier les exploits des corsaires de la Martinique, et répareraient avec avantage l'affaiblissement de cette Ile, dont on ne peut plus attendre de grands produits ni de grands secours, depuis que les Îles dont elle est entourée ont changé de domination. »

Certainement, cette révolution stratégique se prolongera dans le gouvernement des colonies. Les officiers généraux de l'armée de terre, en place pendant la guerre de Sept Ans, devront céder leur commandement aux marins maîtres de ces escadres dont on attend la sécurité, sans avoir à craindre des désastres économiques intérieurs. « Le chef militaire de la Colonie doit être à l'avenir choisi dans le corps de la Marine, et non pas parmi les officiers de terre, qui n'ont point été à portée de connaître la Colonie avant d'y venir comman-der : un chef d'escadre, un lieutenant général des armées navales, ont été auparavant garde de la Marine, enseigne, lieutenant, capitaine de vaisseau ; ils ont, pendant la durée d'un noviciat pénible, appris à connaître toute la côte de Saint-Domingue; ils savent mieux par conséquent les moyens de la défendre; ils pourront diriger eux-mêmes les mouvements des escadres envoyées pour la préserver de l'invasion. »

Si d'aventure la Marine royale tombait dans un état d'impuissance, quel chemin les îles emprunteraient-elles ? Hilliard répond encore. « Les colonies anglaises et hollandaises seront en temps de guerre, les magasins de toutes les colonies françaises, si la métropole ne peut fournir à leur approvisionnement. Le commerce réunit les nations ennemies, et l'union qu'il établit entre elles, étant fondée sur des besoins réciproques, la durée de cette union est aussi longue que celle des besoins. » Sous les vœux chaleureux tressés en l'honneur de la Marine, émerge sans bruit le souhait profond des colons. Les armées, les guerres sont l'affaire de l'Europe ; la production, les échanges sont le mode de vie paisible — exigeant la neutralité — du monde colonial. Le Français transplanté outre-mer, qui a bâti une société et une économie portant sa marque, n'aime pas le soldat métropolitain. Il est viscéralement antimilitariste et avec Émilien Petit, premier théoricien du *Patriotisme américain* (1750), il dit : « L'envoi des troupes en cette colonie n'a pour objet principal que la vexation et la surcharge du pays qui les paye. » Qu'il s'agisse des troupes des colonies, de l'armée de terre ou de l'armée de mer, les habitants des colonies se sentent davantage enfants des patries créoles que de la nation française, non qu'ils renient celle-ci, mais ils conçoivent de vivre avec elle en des destins cousins.

À la fin de l'Ancien Régime, l'unanimité — ministère, armées, colons — se fait sur un système de défense des colonies dont la Marine est la pièce centrale, appuyée par des troupes peu nombreuses et quelques fortifications. À cet effet, Castries affecte des stations navales dans chaque groupe de possessions : Saint-Domingue, îles du Vent, Mascareignes, Inde. Cette stratégie peut-elle suffire à décourager l'agression britannique ? Non. Les Anglais se sont toujours emparés des colonies qui, pour eux, présentaient un intérêt : le Canada, une partie de la Louisiane, l'Inde, les îles du Vent, Saint-Louis du Sénégal et Gorée. Ils n'ont pas attaqué les Mascareignes, parce qu'ils ne raisonnent pas encore en fonction d'une géopolitique afro-asiatique : mais la Révolution et l'Empire les précipiteront dans ce sens. Ils ont mis la main sur La Havane et Manille en 1763, mais ont épargné Saint-Domingue, déjà opulente. À quoi la Grande Île doit-elle cette bienveillance ? À sa richesse, à sa trop grande richesse : l'association des planteurs britanniques veut qu'elle demeure étrangère, à peine d'effondrement du cours des denrées coloniales sur la place de Londres et de la ruine des propriétaires jamaïcains, si la Navy s'avisait de la conquérir. Jamais les Anglais même aux premiers moments de la Révolution ne songeront à s'encombrer d'une colonie débordant de sucres et de cafés, qu'ils produisent eux-mêmes : déjà la

Jamaïque et les autres Antilles britanniques supportent-elles avec agacement la concurrence de la Martinique et de la Guadeloupe, en période d'occupation, et réclament qu'on les soumette à un régime fiscal et douanier plus rigoureux que celui des îles de Sa Gracieuse Majesté.

La France n'a pas de politique de défense de ses colonies, sinon celle du pompier : envoyer des renforts, toujours insuffisants, quand il est trop tard. Elle conserve Saint-Domingue, grenier et moteur de son commerce, pour la seule et unique raison que, contraints par leurs colons, les Anglais n'en veulent pas : ce qui ne les empêche pas de détourner la seule denrée qu'ils convoitent et que réclame leur industrie du Lancashire : le coton.

Les milices

Les milices naissent, pour ainsi dire, en même temps que les colonies. Aussitôt qu'un territoire fait l'objet d'une prise de possession, il faut le défendre. Or, comme les mouvements de colonisation sont encadrés par des officiers dépourvus de troupes, ceux-ci n'ont d'autre ressource que de recruter une force armée autour d'eux. Le roi, qui n'aime pas aventurer ses hommes de guerre hors des limites continentales de la nation, encourage puis ordonne la constitution d'unités de type militaire parmi les peuples de ses possessions. Ainsi Louis XIV le prescrit-il, le 16 septembre 1668, dans ses instructions au comte de Baas, gouverneur lieutenant général des îles de l'Amérique. « Le sieur de Baas doit prendre un soin particulier d'entretenir toujours les habitants dans l'exercice des armes, en les divisant par compagnies dans chacune des îles, leur faisant faire de fréquentes revues et observant qu'ils soient bien armés et d'armes égales, autant qu'il sera possible, et les tenir enfin incessamment en exercice pour les rendre capables de se bien défendre en cas qu'ils fussent attaqués. » Influencé par le clan Le Tellier, qui ne voit dans les « Nouvelle-France » que des jouets onéreux pour distraire Colbert, le Grand Roi voit petit : une belle Marine, un collier de possessions autour du monde flattent son orgueil plus qu'il n'en mesure l'intérêt. Aussi, que ces braves expatriés s'arment et se défendent eux-mêmes contre les ennemis de la Couronne. À l'extrême rigueur il condescend, sous la pression du Rémois, à envoyer une compagnie franche — pouilleuse surtout — ici ou là, qui s'enferme dans un de ces forts que les Français bâtissent partout où ils séjournent, même quelques instants. L'envoi du régiment de Carignan-Salières au Canada relève du miracle : aussi ne se reproduira-t-il pas. Ce raisonnement simpliste, commandé par la volonté de tout réserver au théâtre continental d'opérations, va engendrer une doctrine originale de l'expansion : la colonisation militarisée, projection du modèle national poussé à l'extrême.

Longtemps avant l'arrivée de troupes réglées, les colonies sont divisées en quartiers dont des compagnies assurent la sécurité : c'est le cas dès 1630, à Saint-Christophe, quatre ans seulement après la création de la société chargée d'exploiter cette île ! À l'entrée des possessions dans le domaine royal, les structures demeurent : à chaque compagnie de milice son quartier. Quand les compagnies franches débarquent, à nouveau l'organisation originelle subsiste. Simplement, on règle les préséances : « Les compagnies entretenues dans les îles d'Amérique auront toujours la droite, lorsqu'elles formeront un corps avec celles de la milice. » L'ordonnance du 29 avril 1705 prévoit cette disposition de manière complète. La fonction des milices est précisée on les assemblera « pour des expéditions contre les ennemis de l'État, ou pour résister à leur attaque ». Les commandants de quartiers porteront le grade de colonel : on les recrutera parmi les capitaines entretenus possédant des Habitations, et les capitaines de milice « les plus aisés et qui sont les plus distingués ». Ainsi, sous l'autorité de l'officier exerçant les fonctions de gouverneur pour le roi, un corps militaire auxiliaire, commandé par les propriétaires les plus importants ou les plus prisés, quadrille les colonies. Cette institution, recrutée sur place, véritablement nationale, renforce le sentiment patriotique local des officiers et la hiérarchie sociale, donnant à ceux qui jouissent de la prééminence économique la responsabilité d'une partie de l'autorité. En effet, les commandants de milice des paroisses et des quartiers reçoivent des attributions très larges. Non seulement ils secondent les soldats du roi en cas de danger, mais surtout ils exercent en partie la police des campagnes où vit près de la moitié des Blancs et ont mission d'arrêter les déserteurs et les esclaves marrons. Les officiers de milice bénéficient d'un statut prestigieux, qui associe le pouvoir économique et le pouvoir social. Ils constituent l'aristocratie de l'élite, au point d'ailleurs que le roi, soucieux que sa pleine autorité ne rencontre pas d'obstacle, subordonne les officiers de milice aux états-majors des troupes réglées (1729), puis par ordonnance du 16 juillet 1732, supprime les colonels et les remplace par des capitaines. Néanmoins, les colonies restent des sociétés régies par l'association des milices et des troupes, toutes placées sous la seule autorité du gouverneur lieutenant général.

Le gouvernement de cette oligarchie militaro-ploutocratique, pour parler avec pédanterie, divise la population coloniale. Les grands planteurs apprécient ce système qui les honore et affermit leur ascendant et leur suprématie. Phénomène, observe Hilliard d'Auberteuil, dont « il ne faut pas qu'il devienne dangereux ». Même écho de la part de Lory, colon philosophe de Saint-Domingue. « On remarque que parmi les habitants tous ceux qui sont attachés au service des milices par les grades d'officiers sont comme enchaînés sous le pouvoir du général ce qui rend comme impossible toute tentative de liberté de la part du reste des colons ; ce trait de politique de la Cour de France ne pouvait être mieux dirigé. En flattant l'amour-propre des hommes qui tous aiment à commander, elle a attaché à la longueur de leur service les mêmes honneurs qu'on remarque dans les autres corps militaires. Il est résulté de là que cet esprit de liberté et cette union qui faisait dans le principe la base de la société de la colonie n'existe plus. » Les petits-Blancs et propriétaires d'importance modeste, qui forment la piétaille de l'infanterie et de la cavalerie des compagnies, dénoncent les milices comme une institution inutile et odieuse, qu'ils supportent avec une mauvaise humeur grommelée ou affichée. Venant en sus des corvées pour les fortifications ou autre tâche militaire urgente, le service de la milice paraît lourd et humiliant à ceux qui y sont soumis. De 15 à 55 ans, environ, tous les Blancs et les libres, sauf exception, groupés en unités distinctes, assurent les gardes prévues dans chaque quartier, et se rendent six fois par an aux revues de paroisse et de quartier au cours desquelles les commandants comptent leurs hommes et leur font faire l'exercice. Recrutant ses effectifs dans une population nombreuse, les milices forment la première force armée des colonies. À Saint-Domingue, pour environ 30 000 Blancs et autant de gens de couleur, chaque classe donne environ 10 000 hommes, alors que les troupes au complet ne réunissent pas 3 000 officiers et soldats.

Le 24 mars 1763, un mois après la signature du traité de Paris mettant fin à la guerre de Sept Ans, le bouillant duc de Choiseul, qui juge n'avoir pas encore fait suffisamment ses preuves, bouleverse l'administration des colonies. Il abaisse le militaire, en réduisant les attributions des gouverneurs généraux, mais surtout en supprimant d'un trait de plume l'ossature de défense et de police intérieure des possessions : les milices et les états-majors des troupes, sous lesquels, les miliciens, commandants de quartiers et de paroisses exerçaient leurs fonctions. À Saint-Domingue, un intendant physiocrate, Clugny de Nuits, personnage d'une vanité doublement nourrie par ses origines créole et parlementaire, supportant avec peine l'autorité de deux gouverneurs généraux de bon sens et cultivés, Bart et Bory, prépare une réforme dans l'esprit choiseulien, qu'il oblige Belzunce à signer avec lui. Cet administrateur — premier membre d'une Cour souveraine nommé à une intendance coloniale — pressé d'humilier l'épée, tel son prédécesseur, le voleur Laporte-Lalanne, décide par ordonnance du 17 juin 1763, l'élection de syndics dans les paroisses, pour remplacer les états-majors et les commandants de milice. Dans l'exposé des motifs de sa mesure, il dit agir ainsi, car il est « nécessaire de pourvoir au défaut d'officiers municipaux [...] et de se rapprocher de l'ordre intérieur du Royaume, pour le logement des gens de guerre, les fournitures de voitures et de bestiaux ». Clugny, planteur et ami des colons, sait la volonté de Choiseul de poursuivre la réorganisation des colonies entamée par Berryer, en plein conflit avec l'Angleterre. Il est l'homme du ministre, dont on écoute les conseils. Aussi, pour se débarrasser de la tutelle de l'officier chargé du gouvernement général, prêche-t-il d'appliquer la règle métropolitaine dans les colonies — politique annoncée par l'arrêt du 21 mai 1762, où Choiseul fixait les bornes du pouvoir militaire — et de donner aux intendants coloniaux le prestige et le pouvoir dont jouissent ceux qui administrent les provinces françaises. Dans son fameux rapport de 1765, le duc, avant d'insulter Louis XV dans ses *Mémoires*, accable ses collaborateurs mais reconnaît les faits. En effet, que déclare-t-il, à propos des possessions ? Que ses entours l'ont abusé et que lui-même s'est trompé sur l'orientation à donner aux réformes et sur le choix des chefs coloniaux. « Un tel que M. d'Estaing, à qui je croyais un talent supérieur, n'est que fou et fou dangereux : son intendant pour le moins un fripon (...) Enfin le désordre dans cette partie a été extrême ; j'en ai eu de grands chagrins. Mon expérience m'a appris à me réformer ; j'ai changé une partie des gouverneurs ; j'ai restreint les dépenses. Il faudra changer M. d'Estaing et son intendant l'année prochaine ; et, si l'on ne peut pas empêcher que le mal fait ne le soit, du moins, avec de la patience et une administration douce et sage, le réprimera-t-on ; mais cela demande encore du travail. MM. d'Ennery et de Nolivos, qui sont gouverneurs à la Martinique et à la Guadeloupe sont bons. Ces deux points sont essentiels à la défense de l'Amérique. »

Dans les colonies, la suppression des milices et des états-majors réjouit la majorité des Blancs. Mais à Saint-Domingue l'élection de syndics, décidée par Clugny, renverse l'ancien antagonisme social. Les grands propriétaires, à qui le service d'officier de la milice, apportait honorabilité, distinction, parfois la croix de Saint-Louis, se retirent de la vie publique. Aussi l'élection élève-t-elle aux places de syndics des Blancs du second ordre, sans connaissance de la législation, ignorant l'exercice de l'autorité. Une grave crise s'ensuit. La population, égarée, regrette l'ancien système, rapide, contrairement aux tribunaux, et, tout bien mesuré, efficace. Les Conseils supérieurs, un moment dans l'extase, signifient leur mécontentement à ces intrus qui se mêlent de tout, même d'affaires contentieuses ! Choiseul affolé — d'autant que son projet du Kourou dégénère honteusement — renvoie Accaron, avec ménagement, et fait appel au Martiniquais Dubuc. L'homme de l'Exclusif mitigé, le partisan de l'autonomie coloniale, prend ses fonctions en octobre 1764, alors que le comte d'Estaing gouverne Saint-Domingue depuis plusieurs mois. Au début de l'année, le 2 janvier, le Bien-Aimé a remis au frère consanguin de sa maîtresse d'un moment, une lettre où il revient sur la plus sensible des réformes récentes. « Mons. le comte d'Estaing, les

Habitants de ma colonie de Saint-Domingue, se trouvant en petit nombre, en égard à celui des esclaves de leurs Habitations, qui sont autant d'ennemis domestiques, je trouve qu'il est nécessaire de les entretenir toujours armés, pour en imposer à leurs esclaves, et qu'en les formant en compagnies détachées, qu'on pourra réunir au besoin, il sera facile d'en tirer un bon parti, en cas de guerre, non seulement pour s'opposer à une descente de la part des ennemis, mais même pour armer quelque entreprise sur les colonies étrangères, s'il y a lieu. » Au long d'une mission où l'Auvergnat offre le spectacle affligeant de son incapacité, de son talent à embrouiller les choses et à diviser les gens, quelques mesures fleurissent. Le 12 octobre 1764, ordonnance provisoire rétablissant les milices, complétée d'une autre, également provisoire, disposant que les syndics s'intituleront commissaires de quartiers. La confusion est totale : l'amiral myope mélange, l'ancien, fondé sur les milices, le nouveau, civil, représenté par les syndics ! Le 15 janvier 1765, Estaing sort du provisoire et publie une ordonnance rétablissant les milices définitivement. L'opinion murmure, s'enflamme, l'agitation gagne la rue. Le 14 mai 1765, la Cour, agacée, demande au gouverneur de suspendre le rétablissement des milices, jusqu'à nouvel ordre. Un an plus tard, le 1er février 1766, l'ordonnance du roi sur le gouvernement civil à Saint-Domingue, restaure officiellement le système milicien qui, à cette date, est redevenu l'institution traditionnelle qu'il était naguère, dans les possessions.

À la Grande Île, les événements n'avaient pas épuisé leur cours. Versailles, lassé de l'inaptitude d'Estaing, le rappelle et le remplace par le chevalier prince de Rohan. Celui-ci débarque dans l'Antille en juillet 1766, consulte, et à la fin de l'année propose au roi quelques corrections au texte rendu le 15 janvier 1765 par son prédécesseur. En réponse, une ordonnance royale du 1er avril 1768 organise la milice de Saint-Domingue. Rohan la fait enregistrer le 20 juillet suivant par le Conseil du Cap. Au milieu du mécontentement général, le prince se présente devant le Conseil du Port-au-Prince, le 14 octobre suivant, et obtient gain de cause. Il réprime avec vigueur les émeutes qui tentent de soulever l'Ouest et le Sud de l'île. Les colons hurlent à la trahison de Choiseul. Qu'écrivait l'impétueux duc, le 15 août 1763, pour convaincre les Habitants de relever l'octroi, impôt principal qu'ils votent. « Au surplus les Habitants se trouveront par là entièrement soulagés des corvées extraordinaires qu'on était obligé d'exiger d'eux, et d'un autre côté, ils seront d'autant plus en état de payer l'augmentation qui sera fixée, qu'ils sont dispensés du service personnel des milices, qui les déplaçait souvent, et qui leur occasionnait des dépenses considérables. » Les colons ont raison, Choiseul, superficiel, rapide, jetant de la poudre aux yeux, leur a menti. Oui, il avait supprimé les milices par l'ordonnance du 24 mars 1763, dont, pour se dégager, il jure maintenant qu'elle était provisoire.

Derrière Choiseul, ministre aussi désordonné que populaire, un parti essaie de renverser le pouvoir militaire dans les colonies : il s'agit de Clugny et des Conseils supérieurs. Les textes parlent. Dans l'ordonnance du 24 mars 1763, où il a affaibli le gouverneur général pour rehausser son second, comme le parlementaire dijonnais le lui a soufflé, Choiseul, après avoir réaffirmé l'autorité du général sur les troupes, rompt en visière, et dispose à l'article XVII : « Dans toutes les autres branches de l'administration de la colonie, l'intendant y aura le même pouvoir que l'intendant d'une généralité du royaume, lorsque le gouverneur de la province y réside. » Le parlementaire ne veut pas se contenter du rôle effacé d'un officier de plume, il aspire à appartenir à cette catégorie de serviteurs du roi que subissent les parlements provinciaux : les intendants. La suppression des milices ne représente donc qu'une étape dans le mouvement de civilisation du gouvernement des colonies. Cette politique, propre aux Cours souveraines — qui ne font pas une apparition édifiante sous les tropiques — engendre les désordres et fatalement la répression. Peu importe à ces ambitieux sans scrupules qui depuis le traité d'Aix-la-Chapelle (1748) entretiennent la perturbation en France, comme Michel Antoine l'a remarquablement montré.

Le Brasseur, un commissaire des colonies qui occupa des emplois à Gorée, à Saint-Domingue, aux Mascareignes, avant de finir sa carrière au Bureau des Colonies, Le Brasseur a laissé, dans un manuscrit, *Tableau de l'administration des Iles sous le Vent,* un jugement clair et pertinent sur la crise et l'utilité des milices. Vers 1760 — année de l'entrée en scène de Clugny —, le gouverneur général et l'intendant entrent brusquement en concurrence, en conflit. « C'est à cette époque que tout commença à devenir problématique dans la colonie, le général et l'intendant, presque toujours divisés, formaient deux partis. Suivant l'un tout devait être dépendant de l'autorité militaire et suivant l'autre de l'autorité civile. Le procès ayant été jugé en faveur de l'intendant, il ne resta au gouverneur que la discipline des troupes. Les commandants, les lieutenants de roi et majors, tout fut supprimé, et l'on ne vit plus dans la colonie que des subdélégués, des syndics, et tout changea de nom, tout prit une nouvelle forme. Ce succès fut un triomphe pour les Conseils et une source de malheurs pour la colonie. L'esprit de cabale s'introduisit dans tous les corps, on ne savait plus ni qui commandait ni à qui l'on devait obéir, parce que chaque parti avait ses approbateurs et l'autorité du roi ne cessa d'être compromise jusqu'en 1764, que changea cette forme de gouvernement. Alors on vit l'autorité que les Conseils avaient usurpée, repasser au Militaire et toute la colonie lui être asservie. Ce moment fut encore un peu convulsif parce que les citoyens ne virent pas sans douleur qu'on voulait les destiner à porter continuellement les armes, et les soumettre à toutes les lois et les corvées militaires, comme des troupes réglées. Il faut convenir que dans cette révolution le parti dominant fut quelquefois un peu trop sévère et que les sous-ordres abusèrent souvent de ce triomphe en répandant la terreur, là où il ne fallait que de la justice et de la modération. Mais enfin tout fut remis dans l'ordre en 1766, non pas sans avoir besoin de sévérité, mais avec tous les principes que pouvait exiger un pays de cultivateurs. Depuis ce temps on a encore demandé plus d'une fois si les milices étaient nécessaires. J'ose croire d'après tout ce que j'ai vu et examiné dans les colonies, que cet établissement est un chef-d'œuvre de précaution contre le plus léger désordre, que cette chaîne de pouvoirs qui s'étend d'une extrémité de la colonie à l'autre est infiniment importante pour les esclaves, malgré le peu de crainte qu'on doit en avoir, et qu'elle peut l'être jusqu'à un certain point pour l'ennemi en temps de guerre. »

Le Brasseur, officier de plume et non parlementaire, à qui l'on ne peut reprocher qu'une indulgence coupable pour le gouvernement de l'amiral d'Estaing, juge avec faveur la victoire du gouvernement militaire, sur les plans de Clugny ; succès que l'ordonnance du 1er février 1766 sur le gouvernement des îles consacre. Le Bourgui-gnon de la Guadeloupe n'a rencontré aucune complicité chez Dubuc. L'homme de la Martinique ne souscrit pas à l'idéologie des Cours souveraines. Il raisonne en planteur, descendant d'officiers de milices, pour qui la sûreté des plantations importe plus que les vanités de carrière. Aussi, pendant son règne au bureau des Colonies (1764-1774) cherche-t-il à restaurer l'ordre social traditionnel dont les milices sont la charpente et la garantie. Pareillement, Dubuc raisonne en colon, quand il aménage l'Exclusif mitigé et prépare l'autonomie. Mais le Martiniquais, contrairement au futur et bref Contrôleur général des Finances, reste fidèle à sa patrie insulaire : il s'efface derrière elle, taisant des ambitions que sa philosophie lui interdit. Contrairement à Clugny, il n'appartient pas à la race des Gribouille, mais à celle des réalistes dont un pied colle à la glèbe, quand l'autre foule le tapis des salons. En 1769, le 15 mars, quelque dix mois avant de quitter la direction du Bureau des colonies, une ordonnance du Roi rétablit les états-majors de troupes dans les possessions. C'est dire qu'avant la disgrâce de Choiseul la politique de Versailles revient à son point de départ : reconstitution du gouvernement militaire, des milices et des états-majors ! Après avoir tout bouleversé, Choiseul n'a eu d'autre voie que de renier ses œuvres. Il désavoue même le projet de Colbert qui avait partagé le pouvoir colonial en trois, pour mieux brider le militaire. Par préjugé contre l'épée, le Rémois avait affaibli l'autorité du général. L'organisation des milices rétablit la puissance du gouverneur à un point que Versailles n'avait pas prévu : chef des troupes et chef des milices, il fait figure de commandant franco-créole. Une ombre à ce tableau, les milices, excellentes forces de police, goûteront peu les combats contre les ennemis et pousseront même les officiers du roi à la capitulation pour sauver habitations et cultures de l'incendie et de la destruction.

En 1766-1769, après l'échec de Choiseul et de Clugny, les colonies rentrent dans leur état ancien : l'alliance des officiers des troupes et des grands propriétaires présents sur leurs Habitations, à la tête des compagnies, dans les quartiers et les paroisses. La milice rend vie à la hiérarchie sociale, mais aussi au vieil antagonisme qui oppose les Habitants d'importance et les autres. Ceux-ci, les plus nombreux, flétrissent l'institution asservissante et ressassent leur rancœur. Vaincus des années 1769 ils réapparaîtront à l'heure de la Révolution, autonomistes enragés, extrémistes de l'Assemblée de Saint-Marc et des corps populaires de Saint-Domingue qui, de 1790 à 1793, s'associeront à leurs ennemis d'hier pour solliciter et accepter le protectorat de l'Angleterre.

Maréchaussée et police

Maréchaussée et police n'appartiennent pas à la même catégorie que les milices. Celles-ci sont des troupes auxiliaires, gratuites, ayant la double tâche d'assurer la défense et la police des quartiers et des paroisses. Celles-là sont des détachements rémunérés ayant pour mission de poursuivre et d'arrêter les nègres marrons et de détruire leurs établissements, de se saisir aussi des esclaves sans billet ; de mettre en prison les soldats sans billet, ou déserteurs, les matelots et pacotilleurs. Maréchaussée et police exercent donc dans un champ d'action d'un niveau inférieur à celui des milices, en matière de police : elles sont destinées principalement à réprimer les infractions des esclaves, des marrons, des petits-Blancs, des gens de couleur et des nègres libres, mais ne peuvent prendre aucune mesure de police administrative.

À Saint-Domingue, le Conseil supérieur de Léogane crée le premier une maréchaussée dans son ressort, par arrêt du 16 mars 1705. En effet, les Nègres fugitifs créent des désordres, « car les uns s'attroupent dans les bois et y vivent exempts du service de leurs maîtres, et sans chef que celui d'entre eux qu'ils élisent ; les autres, à la faveur des cannes qui les couvrent le jour, attendent la nuit dans les grands chemins ceux qui passent pour les voler, et vont d'Habitation en Habitation enlever le bétail qu'ils peuvent rencontrer pour se nourrir, ou se cachent dans la demeure de leurs camarades qui sont pour l'ordinaire participants de leurs vols, lesquels, sachant ce qui se passe chez leurs maîtres, en donnent avis auxdits esclaves fugitifs afin qu'ils prennent leurs mesures pour faire lesdits vols sans être aperçus ». Pour les mêmes raisons — réprimer les troubles découlant du marronnage —, le Conseil du Cap institue à son tour une maréchaussée pour son ressort, le 4 juillet 1707, que les administrateurs complètent le 27 mars 1721.

Le roi unifie ces mesures dispersées dans son règlement du 20 janvier 1733, qui crée une maréchaussée dans chacun des deux ressorts de la colonie, commandée par un grand prévôt ayant rang de capitaine de milice. Cette décision répond aux « désordres des nègres-marrons qui s'augmentent tous les jours et causent aux habitants de grands préjudices, et les établissements qu'ils font dans les montagnes dont les suites peuvent tirer à conséquence ». Cette unité, aux ordres des officiers, encadrée par des prévôts lieutenants et des exempts blancs, est formée d'archers mulâtres ou nègres-libres. Le 31 juillet 1743, Louis XV, réfutant la compétence en matière de maréchaussée que les Conseils s'étaient arrogée en janvier et août 1739, signe un texte définitif qui règle l'organisation et le fonctionnement de ce corps de police, précisant qu'il obéira aux ordres conjoints ou séparés des administrateurs, aux officiers représentants du gouverneur général et aux Conseils supérieurs agissant dans l'exercice de la justice. L'amiral d'Estaing transforme la maréchaussée en corps militaire auquel il donne le nom de Première Légion de Saint-Domingue. Le roi la supprime le 17 avril 1768 et rétablit le règlement de 1743.

La maréchaussée maintient l'ordre dans les campagnes, les bourgs. La police apparaît dans certaines localités. Elle se compose de prévôts et exempts blancs et d'archers mulâtres ou nègres libres, et est rémunérée par la colonie. On la rencontre au Port-au-Prince, au Cap, à Saint-Marc, aux Cayes, au Petit-Goave, à Jérémie, etc., où elle surveille les esclaves, les libres, les petits-Blancs, inspecte les marchés, vérifiant les poids et mesures et la qualité des marchandises en vente, entre dans les cabarets, faisant assez peu appliquer les ordonnances interdisant les jeux ; elle exige — très rarement — la propreté des rues, a l'œil sur les matelots souvent tentés de fuir la rade pour les plantations, visite les maisons des libres, à la recherche de receleurs, bref, jour et nuit, dimanches et jours de fête, la police patrouille inquiétant les uns, rassurant les autres.

LES SERVICES PUBLICS FINANCIERS ET MONÉTAIRES

Fiscalité et finances

Si les colons ont des raisons de se plaindre du négoce — il leur achète au prix le plus bas et leur vend au plus haut, jouant sur la conjoncture et les prêts qu'il leur accorde pour les grever de dettes malhonnêtes, car il se rembourse dès qu'il vend ou achète et prend des assurances pour les cas de non-paiement — au contraire, ils devraient se louer de la générosité du roi qui ne les impose que très légèrement.

Dans son *Histoire politique et économique de la Martinique*, C.-A. Banbuck relève que la première des îles du Vent est soumise à cinq impôts. La capitation, prélèvement par tête d'esclave, les impositions sur les maisons, et sur l'industrie ; à quoi s'ajoutent les droits de cabarets, d'entrée et de sortie de marchandises et denrées. Les deux premiers postes sont : la capitation, plus de 642 000 livres en 1774 et les droits de sortie, plus de 406 000 livres, la même année, pour un revenu fiscal total de 1 294 038 livres.

À Saint-Domingue, qui connaît le régime fiscal le plus libéral, on perçoit huit droits, en 1785, dont l'octroi, voté par le Conseil supérieur et les personnalités de la colonie — officiers militaires, officiers des milices, officiers de plume, les plus élevés en grade — qui entourent le gouverneur général et l'intendant.

« 1° — Les octrois sur les denrées du cru de la colonie ; la capitation de 24 l.c. par tête de nègres domestiques et ouvriers ; et les 2 1/2 pour cent sur le prix du revenu des maisons, dans les villes seulement.

2° — Le Domaine d'Occident, fixé à 3 1/2 pour cent sur le prix estimatif de la vente des denrées coloniales qui se chargent dans les différents ports de l'île pour l'étranger, et le droit additionnel de 8 sols pour livre en sus de celui de 3 1/2 pour cent.

3° — Un pour cent d'importation ou d'exportation sur les marchandises que le Roi, par arrêt du 30 août 1784, a permis aux étrangers de décharger à leur arrivée au Cap, au Port-au-Prince et aux Cayes, et sur celles dont ils composent leur cargaison de retour. Et en outre, trois livres argent de France par quintal de salaisons en viande et poissons salés, qu'ils introduisent dans les ports.

4° — Les six deniers pour livre attribués aux Invalides de la Marine, sur le montant des gages des gens d'équipage, des bâtiments marchands qui désarment dans la colonie, ainsi que sur le produit des liquidations des confiscations maritimes.

5° — Le débet du compte des successions vacantes.

6° — Le débet des comptes des amendes, épaves, aubaines, bâtardises, déshérences, confiscations, et du droit de deux pour cent sur le prix des adjudications qui se font de toute espèce à la barre des Sièges.

7° — Les taxes pour liberté de nègres et autres esclaves de basse couleur.

8° — Les droits municipaux. »

Cette fiscalité, si légère, que l'on fraude et contre laquelle on tempête, permet-elle de financer les dépenses ? À Saint-Domingue, seulement ! comme l'indiquent les comptes de 1789.

	Dépenses (livres t.)	*Recettes* (livres t.)
Saint-Domingue	4 934 970	5 000 000
Martinique	1 994 171	666 666
Guadeloupe	1 544 956	666 667
Sainte-Lucie	645 863	20 000
Tabago	692 069	160 000
+ dépenses communes	499 650	
Cayenne	818 415	100 000
Saint-Pierre et Miquelon	117 492	rien
Sénégal, Gorée, Ouiddah	290 174	rien
Mascareignes et environs	4 557 144	rien
Inde	699 218	560 000
+ dépenses payées en France, pour toutes les colonies	1 106 000	
	17 900 122	7 173 333

Le revenu que la France tire de l'importation des denrées coloniales et de leur réexportation massive est assez considérable non seulement pour transformer le déficit commercial national en un excédent appréciable, mais aussi pour absorber le déficit fiscal colonial, contestable si on l'analyse attentivement. Ainsi, le poste africain ne compte pas une livre en recettes : c'est oublier les revenus fiscaux découlant de la traite, perçus en France et dans les îles à plantations. Fiscalité et commerce ne parlent pas le même langage et jouent à cache-cache.

Les finances locales, les moins importantes, sont gérées par une Caisse municipale, contrôlée par les Conseils supérieurs et l'intendant. Cette caisse, alimentée par la perception des droits curiaux et des droits des suppliciés, sert à entretenir le clergé, la maréchaussée, et à rembourser aux colons le prix des esclaves condamnés à mort. Les finances coloniales, directement placées sous la tutelle de l'intendant, constituent le principal des recettes et sont administrées à la fin de l'Ancien Régime par 7 caisses :

1°) La Caisse de la Marine qu'alimentent les droits sur les denrées coloniales et la capitation des esclaves. Elle finance les dépenses faites pour les fortifications et l'entretien des troupes.

2°) La Caisse générale dont les recettes proviennent de la Ferme des Postes et de celle du Bac du Cap-Français. Elle permet de rétribuer les officiers du Conseil supérieur et du Parquet, et divers travaux d'intérêt général.

3°) La Caisse des libertés reçoit les taxes pour l'affranchissement des esclaves libérés. Elle sert à payer des pensions, gratifications, ainsi que des travaux publics.

4°) La Caisse des droits domaniaux additionne les recettes faites pour amendes, confiscations, les droits de bâtardise, d'aubaine et de déshérence perçus sur les successions échues au roi, et le droit de 2 % sur les ventes judiciaires. Elle indemnise les propriétaires de nègres épaves vendus au profit du roi, etc.

Les ressources de ces quatre caisses présentent l'originalité d'être dépensées dans la colonie, ce qui n'est pas le cas de celles accumulées par les trois dernières.

5°) La Caisse des entrepôts à laquelle on verse les droits sur le commerce étranger autorisé dans les ports du Cap, du Port-au-Prince et des Cayes.

6°) La Caisse des consignations que financent les taxes payées par les propriétaires qui font passer des esclaves en métropole.

7°) La Caisse des invalides de la Marine et des désarmements de navires.

Le 9 mars 1785, un parlementaire messin, ancien collaborateur à Philadelphie du chevalier de La Luzerne, chargé d'affaires de France, prend ses fonctions d'intendant de Saint-Domingue, auprès du comte de La Luzerne, gouverneur général. L'homme a l'esprit géométrique et le goût de la rigueur. Le spectacle des finances de l'île le laisse pantois. Mais au lieu d'abdiquer, il chausse ses lunettes, taille ses plumes, convoque ses collaborateurs et entreprend de vérifier la comptabilité des Caisses : expérience qu'il rapporte dans l'*État des finances de Saint-Domingue*, publié au Port-au-Prince et à Paris en 1788 et 1790. « Je reconnus qu'il y avait entre les mains du commis principal des Trésoriers Généraux, des reprises et des créances actives pour plus de six millions et demi. C'étaient des fonds des octrois encore dûs par d'anciens receveurs, des avances faites à des entretenus de différents grades dans la colonie, des paiements trop considérables à d'anciens entrepreneurs, des prêts à des particuliers, et enfin des débets d'anciens Trésoriers. Mais les deux tiers de cette masse étaient dûs par des comptables absents, fugitifs, morts ou insolvables sans caution existante ou connue ; le reste n'était susceptible d'être réalisé qu'au moyen de l'activité la plus soutenue. Outre cette somme de créances, les unes solides, les autres sans valeur, il existait encore dans tous les départements de la colonie, et entre les mains de divers receveurs de l'octroi des quittances de droits sur les nègres et sur les maisons, qui, d'après les états que j'en ai fait former, s'élevaient à plus de deux millions et demi, dont une grande partie a été et sera recouvrée. »

Barbé de Marbois, aucunement découragé par les dérèglements qu'il découvre, et parfaitement informé de la situation des différentes caisses, met toute sa ténacité à mener à bien la campagne d'assainissement qu'il a engagée. « Je n'ai pas craint d'entreprendre une correspondance défavorable avec tous les débiteurs, et plus difficile encore avec ceux qui s'obstinent à se taire, qu'avec ceux qui répondent. Il a fallu accorder des termes, user de ménagements envers ceux qui n'avaient d'autre but que de temporiser, ou de se tirer d'embarras par des promesses qu'ils se proposaient de ne pas tenir, et ceux-ci étaient malheureusement les plus nombreux. Un comptable qui, portant une main coupable dans sa caisse, a osé y puiser à son profit, se considère bientôt comme le possesseur légitime de son larcin ; il oublie qu'il n'a rien à prétendre sur les fonds qu'il a ainsi détournés ; il se défend, il combat pour les garder, comme si l'Administrateur n'avait pas le droit le plus absolu de les retirer de ses mains ; il a profité de ses détournements pour acheter des maisons, des esclaves, des habitations ; il s'est tellement identifié avec ce qu'il a dérobé, que ses concitoyens eux-mêmes, oubliant l'origine de cette richesse usurpée, lui accordent sur sa parole la considération qui accompagne d'ordinaire une fortune acquise légitimement. Si l'Administrateur le presse, il se prévaut d'un premier délai pour en solliciter un nouveau ; il convient, s'il le faut, qu'il a diverti les fonds publics, mais il allègue qu'il est à la veille de faire un grand revenu, qu'il est ruiné si on use de sévérité envers lui, que le Roi perdra tout par trop de rigueur ; il met sa famille, ses alliances, ses amis en avant, et, couvert de ce bouclier, il défie, pour ainsi dire, la sévérité de l'Administrateur ; il est impossible de se faire une juste idée de la vigueur avec laquelle il résiste à se dessaisir d'un bien qui n'est pas à lui : les poursuites ne l'étonnent point, les menaces l'effrayent peu, il a recours à des protecteurs ; s'il ne compte pas assez sur ceux qu'il a dans la colonie, il en évoquera du royaume ; il sollicite, il importune, il obtient des délais ; il atermoie, dans l'espérance que s'il peut, à force de chicanes et de ruses, arriver jusqu'à la fin de l'Administration qui le presse, un nouvel Intendant perdra la trace de ce qui aura été arrêté, et qu'au pis-aller il en sera quitte en lui livrant de nouveaux combats pour la défense de sa conquête. En parcourant la correspondance de mes prédécesseurs, j'y ai trouvé des lettres de plusieurs de ces mêmes comptables, écrites depuis dix et douze ans, et parfaitement semblables à celles qu'ils m'écrivent aujourd'hui : j'ai senti la nécessité d'arrêter l'espèce de prescription à laquelle ils se flattaient d'atteindre, et l'on sait assez les efforts que j'y ait faits pour y parvenir. On pourrait croire qu'ils ont produit tout l'effet que j'en attendais. Mais il y a des comptables qui ont fui la colonie avec le butin qu'ils avaient fait sur elle ; d'autres entièrement ruinés et victimes eux-mêmes des spéculations imprudentes et coupables qu'ils ont faites sur les fonds du fisc, avec plus d'audace qu'ils n'auraient pu le faire sur leur propre fortune, n'offrent, pour ainsi dire, aucune prise à la justice, et l'on n'apprendra pas sans étonnement que sur la masse considérable des créances actives que je viens de faire connaître, il n'a été recouvré dans la colonie qu'environ un million deux cents mille livres en 1786 et un million en 1787. » Cette remise en ordre des finances de Saint-Domingue, commandée par une intégrité outragée, créera d'autant plus d'ennemis à l'intendant, qu'il n'a guère de sens politique. En décembre 1789, ayant exaspéré le gouverneur général du Chilleau qui est parti pour la France sans attendre son rappel, il fuit devant l'émeute populaire, avec la satisfaction d'avoir rempli son devoir. Le maréchal de Castries, qui le connaissait bien, et qui souhaitait réformer la gestion des colonies, lui avait demandé de mettre de l'ordre dans les finances de Saint-Domingue, connues pour leur anarchie ; mission accomplie, mais, paradoxe, peu avant l'effondrement définitif dans les abîmes révolutionnaires.

Treize ans plus tard, J.-F. Carteau, colon de Saint-Domingue, qui, comme tous les Blancs de la colonie, avait juré contre le poids de l'impôt, dira, dans les *Soirées bermudiennes,* écrites à Bordeaux où la révolution noire l'a jeté, son regret de l'Éden fiscal antillais. « La France avait régi ses colonies méridionales par des lois douces et encourageantes. Elles n'avaient jamais été livrées au fisc : on n'y connaissait ni barrières, ni barraques d'employés dans les villes, ni pataches dans les ports ; le papier timbré ni le contrôle n'y avaient lieu ; les terres, les places, les emplois et les charges s'y donnaient gratuitement ; la capitation, la taille et la dîme, et tous pareils impôts, fonciers et personnels, y étaient inconnus. On n'y percevait d'autre imposition, au profit du gouvernement, que des droits nommés d'octroi, établis sur les maisons des villes et sur les denrées du pays ; ceux-ci percevables seulement à leur sortie de la colonie, et acquittés alors par les capitaines qui les exportaient. » Mais, n'était-ce pas un impôt majeur que « l'obligation de ne vendre sa denrée qu'à un seul concurrent, aux vaisseaux seuls de la métropole ? »

La monnaie

Depuis les arrêts du Conseil d'État du 24 mars 1670 et du 18 novembre 1672, l'Amérique française possède une monnaie propre, la livre coloniale qui perd environ 30 % sur la livre tournois. Toutefois, les possessions n'étant pas dotées d'hôtel des monnaies, la livre coloniale ne connaîtra jamais une existence sonnante et trébuchante : elle demeurera une monnaie de compte. La France, comme toutes les métropoles, ne distribue pas ses espèces au-delà des mers, toutefois des édits portant fabrication de menue monnaie seront pris mais quasiment inappliqués, à la grande satisfaction des numismates qui collectionnent quelques pièces canadiennes, doubles en cuivre (1670), sols d'argent à l'effigie de Louis XIV (1670), deniers de bronze au profil de Louis XV enfant (1717), sols de bronze des Mascareignes et de Pondichéry — couronne à l'avers, semis de lys au revers (1726) — autres menues pièces frappées sous Louis XVI, ou sous Napoléon, jetons, du Canada, de la Compagnie des Indes, etc., de la Liberté des Mers, en l'honneur de la guerre américano-française (1783), médailles commémoratives, et monnaies de cartes, nombreuses, signées du gouverneur et de l'intendant de toutes les colonies sauf l'Inde. Bref, la France n'exporte dans ses territoires d'outre-mer que de la petite monnaie — et encore rarement —, et, plus ou moins régulièrement, les appointements de ses serviteurs militaires et civils. Sinon, conformément à la doctrine mercantiliste, la réglementation royale interdit impérativement d'envoyer des espèces d'or et d'argent au lieu de marchandises, à la manière de l'ordonnance de Louis XIV, du 4 mars 1699.

Le premier empire colonial français se débat donc dans une complète disette de numéraire national. Les parties les plus éloignées des trésors ibériques végéteront dans cette misère métallique, et les mieux situées s'approvisionneront en espèces étrangères. La monnaie internationale commune est la piastre espagnole d'argent, tandis que la portugaise d'or, assez rare, fait figure de placement. Comment se procurer le fabuleux métal ? Par la contrebande, la course, les coups de main sur les villes de l'Amérique espagnole que des rançons substantielles libèrent. Le P. Labat, de passage à Saint-Domingue en 1701, constate les bienfaits que l'argent, volé aux Espagnols et aux Anglais, opère dans la plaine méridionale de Léogane. « On voit bien plus de monnaie d'Espagne à Saint-Domingue que de celle de France. Les plus petites pièces sont des demi réales et les pièces de quatre sols. Les comptes ne se font que par pièces de huit (piastres) et par réales. Les trésoriers de la marine avaient introduit les sols marqués au Cap pour le paiement des troupes. On s'accommodait avec peine de cette sorte de monnaie qui n'avait point encore de cours à Léogane quand j'y étais. Elle est reçue aux îles du Vent, et c'est la plus petite espèce, car les liards et les deniers n'y sont point connus. La course, la prise de Carthagène, les deux pillages de la Jamaïque et d'autres endroits, et le commerce qui s'est introduit depuis la paix de Ryswick en différents lieux de la Terre-Ferme (Venezuela), ont rempli le pays d'une quantité d'or et d'argent monnayé. On y joue à la fureur, on s'y traite magnifiquement, et chacun fait de son mieux pour étaler ses richesses, et faire oublier l'état dans lequel il est venu à la Côte, et le métier qu'il y a fait. Je pourrais faire ici un long dénombrement de ceux qui étant venus engagés, ou valets de boucaniers, sont à présent de si gros seigneurs, qu'à peine peuvent-ils se résoudre de faire un pas sans être dans un carrosse à six chevaux. Mais peut-être que cela leur ferait de la peine, et je n'aime pas d'en faire à personne. D'ailleurs ils sont louables d'avoir su se tirer de la misère et d'avoir amassé du bien : ce qu'on leur doit souhaiter, est, qu'ils en fassent un bon usage pour l'autre vie. [...] Il y avait dès le temps que j'étais à Léogane un nombre considérable de carrosses et de chaises, et je ne doute point que le nombre n'en soit fort augmenté depuis mon départ. Il n'y avait presque plus que de petits Habitants qui allassent à cheval ; pour peu qu'on fut à son aise, on allait en chaise. »

Le dominicain regarde d'un œil pertinent. Chemin faisant, il voit qu'en détournant chez eux le précieux métal espagnol, les officiers de milices, les propriétaires, actionnaires d'entreprises flibustières, ou partie prenante dans la contrebande, s'amassent un capital frais, prêt à l'investissement dans l'achat de terres, de Nègres et de moulins à cannes. En 1701, il observe l'ascension d'un groupe à qui la possession brutale ou frauduleuse d'argent ibérique permet, en pleine crise du tabac, de fonder les premières sucreries de la Grande Île. Parmi ces heureux élus, le gouverneur, l'éminent Ducasse. Regardant autour de lui, le P. Labat réfléchit et note. On ne laisse pas « de faire beaucoup d'indigo dans toute la côte, parce que c'est par cette manufacture, et par le tabac qu'on commence les Habitations [...] et que rendant un profit prompt et considérable, elle met les Habitants en état de faire des sucreries, qui est le point où ils aspirent tous, non seulement pour le profit qu'on trouve dans la pratique du sucre, mais encore parce qu'une sucrerie les met au rang des gros Habitants, au lieu que l'indigo les retient dans la classe des petits ». Or l'indigo, dernière étape avant la plantation sucrière bat déjà en retraite et la nouvelle culture s'avance en jardins serrés de quelque cinq hectares chacun. La plaine change de visage. « Les cannes y viennent en perfection. Leur douceur répond à leur grosseur et à leur hauteur ; et comme la terre est profonde, les rejetons que les souches produiront au bout de trente ans, seront aussi bons que ceux de la première coupe, et donneront au bout de trente ans un sucre aussi bon, et aussi beau qu'on en fasse aux îles du Vent [...] ce que je prédis s'est vérifié, et se vérifie encore tous les jours, et on voit sortir de la plaine de Léogane des sucres blancs et bruts d'une beauté où il n'y a rien à désirer. Les raffineurs de France prétendent trouver plus de profit à travailler les sucres bruts de Saint-Domingue que ceux des Îles, et les font valoir trois et quatre livres par cent plus que les autres. » En 1713, dans une île en pleine fièvre capitaliste, 1 182 places à indigo se rangent à la suite des 138 premières sucreries, jaillies de terre par l'intervention des belles et lourdes piastres d'argent.

Outre les coups de main et la contrebande, le commerce légal avec l'Amérique espagnole assure l'évasion de métal blanc vers les colonies françaises. Les gouverneurs et intendants reçoivent l'ordre de favoriser les échanges avec l'empire de Philippe V. De 1701 à 1713, la compagnie de *l'asiente*, elle-même, sous la houlette de Ducasse, pénètre dans les ports de l'audience du Panama à celle du Pérou, offrant aux nouveaux alliés aussi bien des captifs que des marchandises nationales. Ainsi, en 1706-1707, un négociant, parti de Brest, court-il d'escale en escale, vendant le luxe français à des prix exorbitants, allant d'enchantement en éblouissement, tellement son voyage se révèle fructueux. Son journal, par instants, traduit un émerveillement naïf et cupide au spectacle de richesses à la fois fabuleuses et banales. Un exemple. « L'entrée du Vice-Roi à Lima était autrefois si magnifique, qu'on pavait de barres d'argent la rue par laquelle il allait à son palais, mais le commerce qu'y font les Français depuis plusieurs années, y a éclairci cette matière, qui n'y est plus si abondante. Les peuples, et surtout les femmes, sont devenus si sensuels en habits, qu'ils trouvent le secret d'épuiser leurs trésors. »

L'exploitation de *l'asiente* et la prodigieuse aventure de la mer du Sud, un peu plus longue, ont surtout profité au royaume, mais ne représentent qu'un instant des échanges entre colonies françaises et colonies espagnoles qui se prolongeront jusqu'à l'issue de la guerre d'indépendance américaine et à la Révolution. Saint-Domingue et les îles du Vent, engoncées dans une économie de troc qui freine leur développement, subissent néanmoins la concurrence de rivales dangereuses. D'abord, les îles anglaises, particulièrement la Jamaïque, grand centre de contrebande, aux portes de la Nouvelle-Espagne et sur la route de la Nouvelle-Grenade, à proximité de Cuba, ensuite Curaçao, repaire de l'interlope hollandais, aux rivages de la Terre-Ferme, à une voile du grenier à trésors de Saint-Eustache. Enfin, les armateurs des métropoles, qui pratiquent un interlope direct avec les ports espagnols d'Amérique, où ils livrent cargaisons d'esclaves ou de marchandises en échange de barriques de piastres.

Les places maritimes françaises de l'Atlantique poussent encore plus loin leur avidité. Non seulement elles font elles-mêmes de la contrebande, tout en se plaignant au ministère de la trahison des colons qui commercent avec l'étranger — même espagnol ! —, mais encore elles s'emploient à soutirer les piastres — qui tiennent lieu de numéraire aux îles — pour les vendre, telles des denrées, dans les bourses de la métropole. Les bras de l'étau se referment : Versailles, en sevrant ses possessions d'espèces nationales ou ibériques, et le commerce français, en emportant la monnaie en circulation, se liguent pour appauvrir les Antilles et les dresser contre le royaume qui apparaît comme un rapace insatiable. La France et son négoce pouvaient-ils renoncer à cette stratégie de l'étouffement pour en adopter une autre ? Oui. Les Marseillais en ont donné l'exemple : Charles Carrière l'a très bien montré. La cité phocéenne reproduit aux Antilles le modèle qu'elle applique dans les Échelles du Levant, où ses navires arrivent avec du métal blanc, que lui procure le commerce de Cadix, et en repartent avec matières brutes et denrées. Dernière venue aux Îles, elle se taille rapidement une place de choix, car ses capitaines, en payant comptant les sucres et cafés, les achètent sans attendre — gain de temps — et à meilleur prix. De son côté, le colon, qui vend et encaisse aussitôt des espèces, évite les mauvaises surprises de l'échange différé, où son compte est crédité plusieurs mois après la cession des marchandises. Le système marseillais, qui fut pratiqué, notamment par G. Roux, satisfait le planteur et présente l'immense avantage d'injecter du numéraire dans une économie coloniale riche, mais privée de cet instrument de mesure, de ce moyen d'échange, que constitue la monnaie. Les Marseillais, grâce à leur familiarité du Levant, ont compris que si un déséquilibre de la balance du commerce apparaît en faveur des Domingois, il est fictif. Comme l'expliquait jadis J. Julliany, que Charles Carrière ne manque pas de citer : « Si un négociant expédie, en pays étranger, pour 100 000 F de marchandises, avec lesquelles il réalise un retour de 120 000 F, il a opéré avantageusement, n'est-ce pas ? La raison dit oui : la prétendue balance du commerce dit non. »

Le négoce atlantique ne possède pas les qualités « commerçantes » des Marseillais. Il donne, dans ses relations avec les Antilles, le sentiment de vouloir tuer la poule aux œufs d'or. À la fin du xviie siècle, les administrateurs généraux le contraignirent à accepter des denrées en paiement des articles qu'il avait vendus aux colons. Des règlements, à ce propos, furent pris et répétés, jusqu'à ce qu'il cessât de réclamer du numéraire. Mais une fois que l'économie antillaise eut pris son essor, et qu'elle tira des piastres de ses échanges avec les possessions espagnoles, les armateurs du Ponant obtinrent ce qui leur avait été refusé quelques décennies plus tôt. Et ils vidèrent les îles de leur argent, peu soucieux de les plonger dans une anémie irrémédiable. Rien ne compte que la spéculation à court terme, la thésaurisation et le transfert toujours recommencé du métal blanc américain vers l'Asie. François de Neufchâteau, qui n'est plus procureur général au Conseil supérieur du Cap-Français et que le Directoire n'a pas encore invité à siéger aux côtés de Barras, publie, en 1788, à Metz, un *Mémoire en forme de discours sur la disette du numéraire à Saint-Domingue*, sans proposer une thérapeutique adaptée. Toutefois, il excelle dans l'observation. « Il s'agit de remédier à cette disette d'argent qu'on éprouve aujourd'hui au Cap, et qui jette dans les affaires une léthargie alarmante et une gêne inexprimable. [...] La confiance a disparu : tout languit dans l'inaction ; et, quoique l'abondance couvre toujours de ses trésors cette terre, prodigieuse par sa fécondité, la colonie est riche, et les colons sont pauvres. L'objet du commerce est immense ; l'action du commerce est nulle ; le numéraire manque ; nul crédit n'y supplée ; et, sans numéraire ou crédit, la richesse n'a plus de vie : sa vie est dans le mouvement ; qu'elle cesse de circuler, on dirait qu'elle cesse d'être. » Des considérations judicieuses, qu'orne la charmille d'un style fleuri. D'autres suivent, plus sobres, mais également pleines de bon sens. « L'agriculture de cette île languit, dans cet instant, faute du véhicule qui peut seul l'animer. Nous l'avons dit : sans numéraire, point d'avances ; sans avances point de produit, point de succès, point d'entreprise. » Oui, sans capital, point de terres, point de Nègres, point de matériels, ni de bois : point de plantations. Or un système capitaliste en plein développement ne peut se contenter d'avances familiales, ni de gains fournis par l'interlope. Quant à la mainmise du négoce sur la propriété coloniale — méthode qui aurait assuré un certain retour de numéraire —, il était inconcevable à une grande échelle.

L'honorable membre de la loge des Neuf Sœurs et futur président du Sénat de l'Empire en appelle à la solidarité nationale, à « rallier plus fortement les besoins de la colonie et les intérêts du Royaume ». Après cette exhortation gratuite, mais lucide, une remarque se glisse, d'apparence innocente. « Les Espagnols de La Havane et du Mexique ont porté ces derniers temps une partie de l'argent qu'on en tirait, à la Jamaïque où il y a moins de gêne, plus d'exemption. [...] Saint-Domingue n'est plus ce qu'il était naguère. Les flots d'or qui coulaient au Cap, semblent absolument taris. » Les colonies occidentales, qui financent l'excédent de la balance budgétaire nationale, ne reçoivent pas de métal blanc de la métropole qui en inonde le Levant et l'Asie pour un profit moindre, puis sont dépouillées des piastres, que leur fournit l'interlope, par un commerce atlantique récriminateur, mais sans vision économique globale. Comme le souligne François de Neufchâteau, avec beaucoup d'à-propos, jamais Saint-Domingue, ancienne plaque tournante du commerce franco-espagnol, pourvoyeur d'argent — raison qui décida les financiers des compagnies, que l'expansion coloniale n'intéressait pas, à s'aventurer en Amérique — n'a autant souffert de la pénurie de métal précieux qu'à la fin de l'Ancien Régime. Pourquoi ? En partie à cause des mesures de Dubuc et de Choiseul (1767-1769) et de Castries (1784), ouvrant des entrepôts dans les Antilles, mais interdisant le paiement en denrées. D'où une hémorragie de piastres, moyen discret pour le colon de payer les capitaines étrangers quand il ne dispose pas de quantités suffisantes de sirops et tafias. En voulant conserver au commerce national les sucres et cafés des îles, Choiseul et Castries ont favorisé leur appauvrissement en numéraire. Le maréchal commet une seconde faute, le 11 décembre 1785, dans une lettre impérative envoyée au général de Coustard — assurant le gouvernement entre Bellecombe et La Luzerne — et à l'intendant de Marbois. Évoquant les Espagnols, le ministre constate puis commande : « Il paraît, ainsi qu'on l'a observé, que cette nation a changé de système, et qu'en ouvrant les yeux sur les avantages de la culture, elle cherche à se procurer les moyens de la faire fleurir dans ses colonies. Quoi qu'il en soit, vous devez veiller, avec la plus grande attention, à ce qu'il ne s'exporte aucun Noir de Saint-Domingue pour les colonies espagnoles, soit par nos bâtiments, soit par ceux de cette nation. » En fermant définitivement le marché des esclaves aux acheteurs ibériques — qui, pendant la guerre d'Amérique, s'étaient abondamment pourvus dans la Grande Île, y répandant leurs espèces —, l'ami de Choiseul et de Necker décourage les échanges franco-espagnols, et surtout suspend l'entrée des piastres auxquelles il désigne un havre de rechange. En effet, dans sa lettre du 11 décembre, l'impérieux marquis écrit sans s'émouvoir que les Espagnols s'approvisionnent à la Jamaïque où ils « achètent les cargaisons de Noirs au prix de l'or ». Non seulement le ministre ferme la porte des colonies françaises au précieux métal, mais comble de l'aveuglement, il le pousse dans les caisses de l'ennemi !

Cette dépêche, où la réflexion commerciale n'éblouit pas, surprend d'autant plus qu'elle vient après une instruction aux chefs de Saint-Domingue, du 7 juillet 1785, dans laquelle le Languedocien corrigeait une regrettable bévue, commise dans l'arrêt du 30 août 1784. Le maréchal, dans sa volonté hâtive d'ouvrir des entrepôts coloniaux tout en renforçant l'Exclusif, avait imposé un droit de 1 % à l'entrée et à la sortie, sur les capitaines étrangers, oubliant d'en dispenser les Espagnols prodigues en piastres. Bien que cette fâcheuse négligence ait déjà détourné les Madrilènes vers les Anglais — qui, depuis 1776, ont ouvert des ports francs, quatre à la Jamaïque et deux à la Dominique, où le métal blanc s'engloutit — le marquis ordonne le retour aux antiques principes posés par le Grand Roi. « J'ai été informé, MM., que depuis l'enregistrement de l'ordonnance du 30 août, on perçoit à Saint-Domingue 1 % à l'entrée des piastres gourdes que les Espagnols y introduisent, et 1 % à la sortie des toileries et autres marchandises qu'ils en exportent. Cette perception qui peut nuire à nos relations avec les colonies espagnoles, est contraire aux intentions de Sa Majesté. Vous savez que par une lettre du 1er avril 1727, écrite à MM. de la Roche-Allard et Duclos, les Espagnols ont été exceptés des lois prohibitives qui venaient d'être renouvelées, ce qui a lieu jusqu'à présent. Le Roi vous charge, en conséquence, de donner des ordres pour faire cesser toute perception de droits » et de restituer ceux qui ont été perçus, autant que possible. Castries est-il convaincu de ce qu'il écrit — et qu'il répètera le 15 juillet suivant ? On a de la peine à s'en convaincre, surtout quand il évoque nos relations avec Madrid et non notre intérêt national. Arriviste impatient, second sous Vergennes, puis à la suite de Calonne, qui lui a imposé la fondation d'une troisième compagnie des Indes, animée par des capitalistes français et continentaux, alors qu'il voulait en confier la direction à une association d'hommes d'affaires proche de lui et de Necker, le marquis ne paraît pas se passionner pour la circulation antillaise de l'argent américain.

L'argent américain n'est pas une réalité fragile et translucide. On voit ses masses quitter le Nouveau Monde, aborder en Europe d'où elles repartent pour moitié vers le « gouffre » du Levant et de l'Asie. Au sein de ce mouvement monétaire perpétuel, la France reçoit de 1755 à 1781 une somme annuelle de 60 à 80 millions. Après la guerre d'indépendance des États-Unis, de 1783 à 1789, la mécanique poursuit sa course. Mais souligne Louis Dermigny, on est surpris « de constater l'importance des arrivages de métal en provenance des colonies d'Amérique, c'est-à-dire de Saint-Domingue essentiellement : pour près de 70 millions de livres en sept ans, soit plus de 13 millions de piastres. » En effet, la métropole a reçu successivement de la Grande Île 31 995 000 livres en 1783, 10 892 000 en 1784, 1 187 927 en 1785, 8 116 000 en 1786, 7 000 000 en 1787, 5 750 000 en 1788 et 4 800 000 en 1789. Moret, agent des Fermes à Nantes, écrit, le 17 juillet 1785, au sujet de ces rentrées, qu'il croit d'ailleurs sous-estimées, « surtout en 1783, car cette année-là presque tous les navires négriers ont vendu comptant à Saint-Domingue une partie de leurs Noirs. Les piastres dans ce temps étaient d'une abondance extrême dans cette colonie parce que les Espagnols qui avaient entretenu pendant près de deux ans une escadre et une armée au Cap, y avaient laissé une très grande quantité d'espèces qui s'était répandue dans l'île. [...] Mais à force de tirer des piastres de Saint-Domingue, elles y sont devenues plus rares, et il en est venu fort peu cette année. » Le déclin de l'entrée des piastres à Saint-Domingue après le départ de l'escadre espagnole du Cap, en 1783 surprend par sa brutalité : après une chute libre en 1785, aucune reprise, mais une stagnation annuelle moyenne aux environs de 6 millions de livres, de 1786 à 1789.

Quelles explications avancer à cette dégradation ? Pas exactement les mêmes que celles que l'on semblait pouvoir faire à François de Neufchâteau. En effet, une remarque préalable s'impose : la baisse de la quantité de métal blanc affecte et la Grande Île et le royaume. En 1789, la métropole reçoit vraisemblablement trois fois moins de piastres qu'en période normale, et Saint-Domingue subit une disette aux proportions peut-être plus importantes. Pourquoi? Après les fautes réglementaires françaises, qui ont poussé une partie de la clientèle espagnole vers les ports francs britanniques, la déclaration du roi, du 30 août 1785, dévaluant l'argent par rapport à l'or (15,5 au lieu de 14 5/8) n'a pu que pousser les Ibériques à changer de fournisseurs et à traiter par préférence avec les Anglais. L'entente commerciale française avec Londres — adepte de l'or — qu'aménagent Vergennes, Calonne et leur conseiller, Dupont de Nemours, coûte cher à la nation : dans ses frontières et dans ses colonies occidentales. On en arrive à ce paradoxe : au moment où Saint-Domingue produit le plus de richesses, sa capacité d'échange n'a jamais été aussi faible, jamais elle n'a été aussi dépourvue d'espèces monétaires. Pendant ce temps, Américains et Anglais, chacun de leur côté, empilent les sacs de piastres. Sans en avoir conscience, le Nouveau Monde hispano-français de la plantation et des mines, qui a vécu dans l'opulence hors de toute économie monétaire, s'apprête à entrer dans l'ombre pour laisser la place à un second empire colonial neuf.

L'Angleterre, agissant de manière pragmatique, a déjà entrepris la concrétisation de ce programme. Ayant élevé son système économique sur l'or, que lui procure sa domination sur le Portugal et le Brésil, elle transfère ses piastres en Asie où elle s'est emparée de l'Inde et du commerce de Canton. À la tête de la révolution industrielle, possédant le maniement des banques, disposant de la première marine de guerre du monde, la Grande-Bretagne est prête à conquérir un second empire colonial. Au contraire, dès la fin de l'Ancien Régime, la France perd du terrain, à moins d'un renversement de la situation européenne. Mais Napoléon manquera des deux ou trois années supplémentaires pour que le Blocus étouffe l'ennemie de la monarchie et de la Révolution, pour briser Albion dans des convulsions sociales irréparables. L'échec de l'Empereur livrera définitivement l'Asie au gouvernement des capitalistes londoniens, davantage il lui abandonnera l'économie mondiale à régenter.

MISSIONNAIRES, ÉDUCATEURS ET FRANCS-MAÇONS

Explorateurs et colonisateurs ont toujours placé leurs entreprises sous l'autorité du vrai Dieu et de leurs souverains : ils doivent tout à la fois assujettir les peuples idolâtres à Jésus-Christ, à leurs rois et donner à leur nation richesses et puissances nouvelles. À la fin du xve siècle, et au début du xvie, Rome, en partageant le monde à découvrir entre Portugais et Espagnols, octroie aux Ibériques le régime du Patronat, qui leur fait obligation d'évangéliser et de convertir à la foi chrétienne les habitants des terres neuves, et qui leur délègue les pouvoirs et privilèges nécessaires à l'accomplissement de leur mission spirituelle. Au début du XVIIᵉ siècle, la Papauté désavoue cette concession exorbitante et, sous l'impulsion autoritaire de Mgr Ingoli, organise le collège de la Propagande (1622) qui prend en main l'action missionnaire, malgré l'opposition de Madrid et de Lisbonne.

Les missionnaires

Ce retour de l'Église à l'Église fut préparé par de nombreuses actions dont une eut pour cadre l'abbaye de Montmartre. Le 15 août 1534, Ignace de Loyola et six compagnons, le Navarrais François-Xavier, les Espagnols Jacques Lainez, Alphonse Salmeron, Nicolas Bodabilla et le Portugais Simon Rodriguez, suivent la messe que célèbre le Savoyard Pierre Fabre. Avant la communion, tous, l'un après l'autre font « vœu de pauvreté, de chasteté, de s'embarquer pour Jérusalem et, au retour de se consacrer, avec l'aide de Dieu au salut des infidèles, non moins qu'à celui des fidèles, par la prédication, la confession et l'administration de l'Eucharistie sans recevoir aucune rémunération ». En 1537, ce groupe d'amis fonde la Compagnie de Jésus, que Paul III approuve par une bulle de 1540. Les jésuites domineront le monde missionnaire et le monde ecclésiastique, éclairés par l'intelligence subtile et supérieure de leurs membres, qu'unit une discipline de soldats, aux seuls ordres du souverain pontife.

La France missionnaire apparaît longtemps après la découverte du Nouveau Monde et de la route des épices. Postérieure au concile de Trente, elle déborde ses frontières dans le sillage de la Contre-Réforme. Premiers à partir, les jésuites Biard et Massé débarquent en Acadie en 1611, pour une entreprise que les vicissitudes de la politique internationale abrègent. L'année suivante, le 16 août 1612, La Ravardière aborde l'île de Maragnan en compagnie de quatre capucins. Deux ont laissé leur nom, Claude d'Abbeville, auteur d'une *Histoire de la mission des Pères Capucins* (1614) et Yves d'Évreux à qui l'on doit *Suite de l'Histoire des choses plus mémorables advenues en Maragnan, es années 1613 et 1614* (1615), où pour la première fois depuis *Les Singularités de la France antarctique* (1558) du cordelier François Thévet, et l'*Histoire d'un voyage fait en la terre du Brésil* (1578) du pasteur Jean de Léry, des Français rapportent la manière dont ils ont vu l'Amérique méridionale et ses peuples. Instant d'exotisme, le P. Claude avait ramené de son voyage six sauvages qui, précédés de tous les moines du couvent, firent leur entrée dans Paris et traversèrent le faubourg Saint-Honoré. Le peuple de la capitale se presse devant le couvent des clarisses où sont logés les Topinambous, que l'on va visiter avec curiosité. Les Brésiliens ont l'honneur de recevoir le baptême en présence du jeune Louis XIII et de la Régente sa mère. Cette récréation parisienne s'achève tristement : par la mort des jeunes gens. Malherbe commente l'événement d'une plume réfléchie : « Sans doute l'air de notre pays ne leur était pas sain. » Mais derrière ce propos, se cache l'essentiel : l'opinion a découvert de façon concrète l'existence du monde extra-européen.

L'Acadie et l'île de Maragnan forment le prélude à des missions, non plus épisodiques mais durables et ouvertes sur tous les horizons. En 1615, Champlain entraîne les P. P. Jamet, Dolbeau, Le Carron et le frère Pacifique Duplessis, récollets, au Canada où les rejoignirent les P.P. Viel et Sagard. Affrontés à la psychologie indienne, étrangère à l'esprit du christianisme, aux difficultés matérielles, et enfin trop peu nombreux, les franciscains décident de faire appel aux jésuites. Ceux-ci arrivent aussitôt, en 1625   les P.P. Massé, ancien de l'Acadie, Jean de Brébeuf et Lallemant. Trois ans après leur arrivée au Canada, où ils se heurtent aux frères Decaen, protestants, maîtres temporels des lieux, Richelieu concède la colonie à la toute nouvelle Compagnie des Cent Associés, à laquelle il demande une action de peuplement rapide d'où les protestants seront exclus. Pour la deuxième fois la colonie s'effondre, en 1629, sous les coups anglais. À nouveau, la renaissance suit : le gouverneur Champlain reprend ses fonctions, en 1633, accompagné d'une mission de jésuites, commandée par un rescapé de la précédente, le P. Le Jeune. Alors commence ce que des auteurs ont appelé « une épopée mystique », comme Georges Goyau qui affirme aussi : « Aucun règne après celui de Saint-Louis n'a plus d'éclat que le règne de Louis XIII dans l'histoire de la France religieuse. »

Sous le gouvernement de Louis XIII, en effet, sous la Régence, encore, et pendant les premières années du règne personnel de Louis XIV, un mouvement spirituel intense lie la Nouvelle-France à l'ancienne, ignorant la mer océane. Les fils de Loyola ne cherchent pas à transformer les Indiens en copies de Français, dépouillés de leur culture originale. Au contraire, ils s'imposent de s'intégrer dans le milieu indien pour mieux enseigner la parole du Christ. Première obligation, apprendre les langues vernaculaires. Jean de Brébeuf y insiste dans son *Avertissement d'importance pour ceux qu'il plairait à Dieu d'appeler en la Nouvelle-France et principalement au pays des Hurons*. « La langue huronne sera votre saint Thomas et votre Aristote, et, tout habile homme que vous êtes et bien disant parmi des personnes doctes et capables, il vous faudra résoudre d'être assez longtemps muet parmi des barbares ; ce sera beaucoup pour vous, quand vous commencerez à bégayer au bout de quelque temps. »

Tandis que les robes noires investissent l'Amérique septentrionale, le P. Joseph, préfet des missions étrangères, chargé de l'apostolat méditerranéen, dirige les missions capucines du Levant. Des capucins s'établissent à Constantinople, dans les îles grecques, en Syrie, en Palestine, chez les maronites et en Perse, poussant jusqu'à Surāt et Madras. Sous l'œuvre chrétienne sourdent les préoccupations politiques du royaume : connaissance des réseaux et des sites commerciaux du Levant, appréciation de la place de la Perse dans la création éventuelle d'un axe d'échanges allant de l'Europe à l'Inde, intronisation d'informateurs, de diplomates religieux, pour la protection de la chrétienté d'Orient et pour les négociations préparatoires du rachat des Français, prisonniers des barbaresques. Activités délicates où un homme réussit brillamment : François Piquet, consul de France à Alep, ordonné prêtre sur le tard, il est nommé vicaire apostolique puis évêque titulaire de Babylone, avant de mourir à Hamadan, âgé seulement de 59 ans. Plus qu'une stratégie d'intervention brutale, les capucins suggèrent une politique nuancée d'alliances et de fermeté, de pénétration commerciale, de familiarité protectrice. Parallèlement, l'islam méditerranéen voit apparaître au xviie siècle, les lazaristes, corps de prêtres issus de la fusion de la Congrégation de la Mission, à vocation nationale, avec la communauté de Saint-Lazare. S'éloignant de leur Méditerranée originelle, les lazaristes s'essaient sans grand succès à Madagascar, et à la satisfaction de leurs ouailles aux Mascareignes.

Louis XIV place ses ambitions missionnaires en Chine. En 1663, il accorde la personnalité civile au séminaire des Missions étrangères, sis rue du Bac, devinant dans cette société un instrument d'expansion nationale. Des vicaires apostoliques français ne sont-ils pas déjà partis pour l'Asie, chargés d'imposer la loi romaine au Patronat lusitanien ? Le roi, fidèle à sa pensée, envoie une mission française de six jésuites mathématiciens à Pékin, en 1685. Dans l'immédiat, il a lieu de se féliciter de son initiative. Les Mandchous qui, en prenant le pouvoir à Pékin, avaient proscrit la religion chrétienne en 1665, l'autorisent solennellement en 1692. C'est alors que Mgr Maigrot, issu de la Société des Missions étrangères, assumant les fonctions de vicaire-général du Fou-Kien, intervient dans la querelle ouverte depuis 1633. Fort de l'appui des franciscains et des dominicains, ce prélat, ignorant des affaires chinoises, publie un mandement sévère en 1693. Il condamne l'action menée jusque-là par les jésuites — qu'il ne nomme pas. Puis il déclare que les cérémonies du culte des ancêtres et que les honneurs rendus à Confucius sont des rites superstitieux. Enfin il dénonce l'athéisme des Chinois.

Le grand déchirement des missions françaises commence. La guerre de coalition contre l'ordre de Montmartre est ouverte. Les robes noires expliquent leur position. Parmi leurs avocats, un

Bordelais le P. Le Comte qui, en 1696, publie les *Nouveaux mémoires sur l'état présent de la Chine, 1687-1692*. Il rend hommage à Confucius qui « n'a pas été un pur philosophe de la raison, mais un homme inspiré de Dieu pour la réforme de ce nouveau monde », mais surtout il développe la thèse selon laquelle les Chinois — comme tous les peuples, Nègres ou Indiens d'Amérique — ont la perception d'un Dieu unique : croyance fondamentale universelle qui facilite la christianisation complète des âmes. Toutefois, « la Chine, plus heureuse dans ses commencements que nul autre peuple du monde, a puisé presque dans la source les saintes et les premières vérités de son ancienne religion. Les enfants de Noé, qui se répandirent dans l'Asie orientale, et qui probablement fondèrent cet empire, témoins eux-mêmes durant le Déluge de la toute-puissance du Créateur, en avaient donné la connaissance et inspiré la crainte à leurs descendants ; les vestiges que nous en trouvons encore dans leur histoire ne nous permettent presque pas d'en douter. » Dans la démonstration de la théorie figuriste qu'il présente au cardinal de Bouillon, le comte laisse entrevoir une révélation en deux étapes, l'une assurée par la Providence, la seconde par le Christ. « Je ne sais, Monseigneur, si j'oserais ajouter que comme le soleil, qui par son mouvement continuel se cache à tout moment à quelques-uns pour se découvrir à d'autres, éclaire néanmoins également chaque année toutes les parties de la terre, de même, Dieu par ce cours mystérieux des lumières de la foi qui ont été communiquées au monde, a presque également partagé tous les peuples, quoiqu'en différents temps et en différentes manières. Quoi qu'il en soit, dans cette sage distribution de grâce que la providence divine a faite parmi les nations de la terre, la Chine n'a pas sujet de se plaindre puisqu'il n'y en a aucune qui en ait été plus constamment favorisée. »

La victoire des rustiques sociétaires des Missions étrangères balaiera la vision subtile que les jésuites se faisaient des rapports de Dieu avec l'humanité, depuis les origines. Toujours fins stratèges et politiques pénétrants, les fils de Loyola cherchent à dégager dans les croyances étrangères, des éléments communs au christianisme. Ces composantes partagées, fournissant un point d'appui familier, leur permettent de conduire une évangélisation où le converti ne perd pas toute sa culture, où il a davantage le sentiment d'évoluer — de s'améliorer — que de se renier.

Les possessions, relevant directement de la Couronne ou concédées à des compagnies, ont confié l'administration de leur spirituel aux ordres et aux congrégations, parfois même au clergé séculier, comme la Compagnie de Saint-Sulpice, fondée par Olier, qui créa un séminaire à Montréal, avant d'en ouvrir plusieurs aux États-Unis.

Les grands ordres sont présents dans toutes les colonies et autres régions d'exploration et d'évangélisation. Les capucins, très actifs au

Levant, franchissent l'Atlantique et, après leur bref séjour à l'île Saint-Louis de Maragnan, se répandent sur les îles de la mer des Antilles et en Guyane. Les franciscains ou récollets œuvrent du Levant à l'Extrême-Orient ainsi qu'au Canada, tout comme les dominicains qui, toutefois, en Amérique, préfèrent les tropiques aux neiges canadiennes. Les carmes, héritiers lointains des ermites latins du Mont-Carmel, en Palestine, font une apparition aux Antilles. Enfin, les jésuites vont au-devant de tous les peuples, payant cher de leur personne, exemplaires dans leur conduite et dans leur recherche de solutions originales et protectrices de la personnalité de leurs catéchumènes.

Les congrégations dépêchent peu de missionnaires dans les colonies françaises. Pour l'heure, les Messieurs des Missions étrangères réservent leurs efforts à l'Asie. Les lazaristes, familiers du Levant et de l'Extrême-Orient, comptent l'Inde, Madagascar et les Mascareignes dans leur champ d'action. Enfin, la Congrégation du Saint-Esprit, qui débordera d'énergie au XIXᵉ siècle, se contente de remplacer les jésuites de la Guyane, après leur renvoi, et l'ordonnateur en chef Lescallier y apprécia leur dévouement.

Le gouvernement spirituel des colonies est assuré par des préfets apostoliques nommés par le roi et confirmés par le pape, mais les administrateurs généraux ont « inspection et autorité sur la conduite personnelle des missionnaires et sur celle de leur supérieur ». Les missions tiennent l'état civil. Par ailleurs, elles peuvent, dans le respect de la réglementation acquérir des biens, des plantations et des esclaves, par exemple. La Nouvelle-France déroge à cette règle. Longtemps, elle a été considérée par l'archevêque de Rouen, comme appartenant à sa juridiction. Mais, en 1658, la Propagande nomme François de Laval vicaire apostolique, qui, de ce fait, ne relève plus que de Rome. En 1674, il en est fini des prétentions rouennaises : le pape érige l'évêché de Québec, dont le titulaire a autorité sur tout le Canada. Gouverneurs et intendants — parfois même, les ministres — protestent plus ou moins haut contre l'intrusion de l'évêque dans les affaires temporelles de la colonie. Colbert, hypocrite, marque une grande déférence à François de Laval, tout en soufflant aux administrateurs généraux de ne supporter aucun empiétement sur le champ de leurs activités. Toutefois, on peut penser, à la fin du XVIIᵉ siècle, que la monarchie va demander à la papauté de placer le spirituel des colonies, sous le pouvoir d'évêques. Ainsi, le 30 avril 1681, Louis XIV, dans une lettre à Blénac gouverneur général des îles françaises de l'Amérique, se montre décidé à étendre cette politique. « Cependant comme le plus important point de cette manière consiste à établir un évêque dans ces îles, je continue à faire faire à Rome les instances, en mon nom, pour l'établissement de cet évêché. » Happé par les événements internationaux, le monarque écarte ce sujet de ses préoccupations, au point qu'à la grande satisfaction des administrateurs généraux, peu tentés de partager leur puissance, l'oubli se fait. Paradoxe significatif : le conseiller Émilien Petit réclame la nomination d'évêques coloniaux — le créole y voit un contrepoids au despotisme des chefs. Au contraire, Malouet, propriétaire domingois, mais métropolitain et administrateur de haut rang, dénonce les dangers de l'institution épiscopale. Plus que la propriété, c'est le patriotisme insulaire ou national qui détermine les choix politiques. Mais en 1773, Boynes, dans sa passion réformatrice, pousse Louis XV à demander à Rome la création de deux évêchés coloniaux, l'un pour Saint-Domingue, l'autre pour les Îles du Vent. Les négociations évoluent si favorablement que l'on sollicite l'abbé de La Roque, préfet apostolique de la partie du Nord de Saint-Domingue, pour occuper le siège épiscopal français de la Grande Île. La morte subite du Roi ruine définitivement l'établissement des deux diocèses. Les seuls évêques de l'outre-mer français sont les titulaires du siège de Québec. Après Laval, sont nommés : Mgr de Saint-Vallier, Mgr de Mornay, qui ne traversa jamais l'Atlantique, Mgr Dosquet, qui rentra presque aussitôt arrivé, Mgr de Lauberivière, mort douze jours après son débarquement, enfin, Mgr du Breil de Pontbriand, après qui, le cabinet de Saint-James, nouveau maître du Canada, agréa Mgr Briand.

À l'exception de la Nouvelle-France, qui résiste à l'agression protestante anglaise, unie dans la foi catholique, encadrée par les jésuites et par la foule des religieux et religieuses, les autres colonies, toutes tropicales, vivent dans une indifférence philosophique à l'égard de la transcendance divine, dans une incrédulité paisible, sans sectarisme. « Il est incroyable de constater quelle indifférence ont les peuples de ces contrées pour le spirituel », déclare, en 1743, Larnage, gouverneur général de Saint-Domingue. Un maître-tonnelier nantais devenu petit planteur de café près de Port-au-Prince, Pierre Guiau, fait la même constatation en 1775 : « Il y a bien peu de religion ici et on ne peut pas y faire son salut. » À la même époque, Marie Labry, encore imprégnée de sa pieuse enfance angevine, écrit à la tante qui l'avait élevée : « Je suis faible mais vertueuse, quoique la religion soit peu exercée dans le pays. Je n'ai encore été que 4 ou 5 fois à la messe, quoique vivant en ville. [...] On va à confesse à Pâques, et encore pas tout le monde. » Victorine Léger, tout aussi choquée par la façon de vivre locale, confesse à sa famille, le 16 août 1788 : « Il n'y a ici ni mœurs, ni religion : on va jusqu'à rougir de ne point nier ou tourner en ridicule les points les plus essentiels et l'on vit comme s'il n'y avait pas de Dieu. »

Le piquant baron d'Aigalliers observe avec un détachement souriant le spectacle qui navre le cœur de ces jeunes femmes : « Il n'y a guère plus d'exercice de religion parmi eux [les Domingois] que parmi les peuples les plus sauvages du nord de l'Amérique. Mais il y a cette différence qu'autant on dit que ceux-ci sont superstitieux, autant les habitants de Saint-Domingue sont éloignés de toute superstition. L'esprit de liberté qui règne ici, le petit nombre des églises, et la vie peu réglée de la plupart des prêtres font que les colons, tant ceux des villes que les habitants proprement dits entendent à peine sept ou huit messes par an ; encore est-ce plus par occasion ou pour profiter d'une espèce de rendez-vous commun, qu'en vue de remplir un devoir religieux qu'on les voit ainsi se rendre quelquefois à l'église. Mais quoiqu'ils vivent de cette manière comme ayant pour ainsi dire point de foi, je doute qu'on s'exprimât proprement en disant d'eux qu'ils sont incrédules. Il serait plus sûr de les regarder comme ne songeant point à la religion, que comme y ayant renoncé, et tous portés peut-être qu'ils seraient à se croire des esprits forts, je penserai qu'il y a dans leur fait à cet égard plus d'insouciance que d'abandon et plus de libertinage que de philosophie. » Plusieurs facteurs expliquent la faible religiosité des gens des tropiques. La population, fort mélangée, catholique dans son ensemble, s'est libérée des cadres et des impératifs de la foi traditionnelle en franchissant les mers. L'éloignement des habitations, surtout des caféières, affaiblit un lien qu'une vie active, rendue difficile par le climat, ne demande qu'à relâcher. L'ambiance, enfin, tellement différente de celle de France, où chaque chose avait sa place dans une hiérarchie immuable, fleure un parfum d'existentialisme avant l'heure. Sous les cieux ensoleillés, on fait sa vie. Le temps, c'est déjà de l'argent ; on pensera au salut quand on tiendra la fortune.

À l'exception des jésuites, le missionnaire, qui devrait donner l'exemple de la rigueur, subit l'influence générale et se laisse aller. Peu lui importe les plus vives critiques, les railleries les plus acerbes. Comme les colons, il veut échapper à la discipline, y compris à celle des ordres ; comme eux aussi, il veut s'enrichir, profiter des jours donnés. Le 29 janvier 1751, le ministre demande aux administrateurs de Saint-Domingue de veiller à ce que les prêtres ne délaissent pas la religion pour se consacrer aux affaires : « Le P. Jouin, jacobin, ne m'a pas laissé ignorer ses inquiétudes, écrit-il, sur un article qui, depuis longtemps, cause beaucoup d'abus et de désordres parmi les religieux ; il s'en trouve qui, plus occupés d'amasser de l'argent que de remplir les fonctions de leur ministère, contractent des sociétés particulières avec des Habitants, pour des entreprises de commerce, ou pour d'autres objets également contraires à la pureté et à la décence de leur état. »

Quelques années plus tard, en 1754, le vice-préfet des dominicains décide de supprimer la messe de minuit dans l'Ouest et le Sud de l'île : « Cette nuit, qu'on peut appeler une nuit sainte dans son institution [...] est devenue, dans ces colonies, une nuit infructueuse, par le peu de religion de la plupart des Habitants, et même scandaleuse, par la grande corruption qui y règne, puisque personne ne se rend en nos temples en ce temps. » Chez « ceux qui vont à l'église, au lieu du silence et de la retraite [...] on ne voit que dissolutions, que divertissements profanes, que plaisirs mondains de toutes espèces. [...] Ces actions plus que déshonnêtes, que la pudeur nous fait taire, en profanant nos églises, font des maisons de Dieu des maisons de débauche et de nos saints temples des lieux d'abomination ». Le même jour, les administrateurs rendent une ordonnance donnant force réglementaire à l'ordre du dominicain. De son côté, Émilien Petit, membre du Conseil supérieur du Port-au-Prince, note, désabusé : « Presque tous les supérieurs ont des mœurs, mais ils sont sans conséquence pour leurs subordonnés, par le défaut d'autorité. Il est quelques missionnaires édifiants, mais ils sont rares et le plus grand nombre les croit inimitables. » Plus incisif, l'ordonnateur Malouet, sous le nom complice de Raynal fustige : « Une succession de mauvais prêtres, ignorants, déréglés, a détruit dans presque toutes les paroisses de la colonie, le respect pour leur état et la pratique éclairée de la religion ; une cupidité atroce est devenue le vice habituel des curés. Uniquement occupés du produit casuel de leurs fonctions, ils ont fait de leur ministère un emploi de finances ; ils ont porté à des prix fous les cérémonies de mariage et d'enterrement réglés par des tarifs. »

A la manière de Voltaire, le baron de Wimpfen égratigne les missionnaires dont les mœurs, à l'en croire, choqueraient un incroyant : « Tranquilles dans leurs presbytères, la plupart des curés y consomment en paix un revenu assez considérable pour les faire vivre dans l'aisance. L'office divin se célèbre, tant bien que mal, dans des églises où personne ne va, de sorte que pour ne pas prêcher dans le désert, ils ne prêchent point du tout. Ils s'évertuent encore moins à ranimer, par des exhortations particulières, le zèle très languissant de leurs ouailles. Je suis persuadé, Monsieur, que l'on trouve parmi eux des gens d'un vrai mérite, même dans l'esprit de leur état ; mais je suis obligé de dire qu'ils sont rares, parce que les supérieurs chargés de la promotion des cures dans les colonies, ont contracté la mauvaise habitude de n'y nommer que des intrigants, ou les mauvais sujets dont ils veulent se défaire. Aussi le flambeau de la foi confié à de pareilles mains, n'a-t-il pu jeter qu'une lueur très équivoque dans des contrées que le Midi dévore de tous ses feux. Pour trancher le mot, rien n'est, en général, plus irrégulier que le clergé régulier de Saint-Domingue, composé en grande partie de moines défroqués. Jamais le célèbre adage de Saint-Paul, que la force se perfectionne dans la faiblesse, n'a offert à la véritable piété un espoir plus consolant ni mieux fondé pour l'avenir. En attendant, les conjectures que le malin public se permet sur les enfants dont la mulâtresse de M. le Curé accroît la population du presbytère, vont leur train, et comme cette crue de famille est pour le révérend père, comme pour le reste des colons, un sensible accroissement de fortune, vous comprenez que, dans le siècle égoïste où nous vivons, peu de gens sont disposés à croire qu'il ne le doit qu'à la bienveillance de ses paroissiens. » L'austérité, la religiosité, la rigueur, ne figurent pas parmi les principes de vie tropicaux. Tous les témoignages concordent.

Celui du capitaine du Génie, Girod de Chantrans, grave et attentif, exposé dans le *Voyage d'un Suisse dans différentes colonies de l'Amérique,* atteint une sévérité que sa pondération accentue. Abordant le chapitre délicat de l'esclavage, l'officier stigmatise à la fois la conduite des pasteurs et la violation par l'Église de ses principes constitutifs. « Persuadés de l'indifférence des esclaves pour leur saint ministère, la plupart ne pensent qu'à vivre agréablement, ou à faire provision d'or, afin d'obtenir leur sécularisation ; et voilà peut-être le seul argent que la cour de Rome tire aujourd'hui de la colonie. Imaginez des Capucins rasés, frisés et vêtus comme des prélats, faisant chère délicate, et huit à dix esclaves pour leur service. Croyez-vous que des religieux qui ont goûté d'un pareil genre de vie puissent le quitter tout à coup pour rentrer en qualité de simples soldats dans la vermine d'une capucinerie de France ? Ils ne sont assurément pas si dupes. Mais que pensez-vous du fantôme de religion qui existe ici ? Ne vous semble-t-il pas qu'avec la continuation du gouvernement tyrannique qui y règne, avec l'esclavage odieux autorisé par le souverain pontife, l'insouciance des pasteurs est un point très nécessaire ? Car il faut être conséquent, et ne pas dire à l'église, aux maîtres et aux esclaves réunis, qu'ils sont tous frères ; parce qu'un frère n'a pas le droit de vendre ni d'acheter son frère ; parce que l'esclavage des nègres et le catholicisme impliquent ensemble une infinité de contradictions qui n'ont sûrement pas été prévues. »

Hormis au Canada, les Français des colonies ne forment pas des chrétientés, mais plutôt des sociétés où la jouissance du temps à vivre remplace le salut, où les préjugés se substituent aux dogmes. Quant aux missionnaires, seuls les jésuites — en tant qu'ordre — ont laissé le souvenir d'hommes totalement dévoués à leur mission. Partout, ils s'emploient à rassembler le peuple dominé pour le protéger des vices de l'Europe, intervenant auprès de l'administration, chapitrant les particuliers. S'intégrant aux populations à évangéliser, dont ils partagent la langue, à laquelle ils s'appliquent à donner des institutions propres, ils s'efforcent de détruire l'idolâtrie et de développer cette croyance en un Dieu omnipotent, commune à tous les hommes. Protecteurs des colonisés comme de ceux qu'ils visitent — les Chinois, par exemple — de par la nature même de leur mission, les jésuites heurtent tous les pouvoirs : ceux, différents, des vicaires-généraux, des gouverneurs, des intendants, des planteurs, des ordres et congrégations, des collèges romains. Aussi, au service d'un Christ qui serait leur Général, ont-ils marché *perinde ac cadaver* à la fois vers le martyre individuel et le sacrifice collectif. Parmi les autres missionnaires, certains ont accompli dignement leur apostolat, ignorant les richesses matérielles et subissant le mépris des colons. D'ailleurs, quand les grands Habitants de Saint-Domingue prépareront leurs projets constitutionnels, ils excluront les prêtres de la vie politique, à l'égal des petits-Blancs, pour la réserver aux seuls propriétaires de biens et d'esclaves.

L'enseignement

Dans les possessions étrangères, l'enseignement est dispensé dans des écoles, collèges et universités, que des bibliothèques et des imprimeries assistent dans leur mission. Le gouverneur français, à l'inverse, oblige les colons à envoyer leurs enfants faire leurs études en France, pour lutter contre l'autonomisme et empêcher la formation de patriotismes créoles. Si les ursulines sont autorisées à tenir des établissements d'enseignement pour jeunes filles, dans plusieurs colonies, il n'existe qu'un seul collège de garçons : celui des jésuites à Québec. La plume brutale de Jérôme de Pontchartrain résume la pensée de Louis XIV dans une lettre du 26 décembre 1703 à M. de Machault, gouverneur général des îles françaises de l'Amérique, qui avait transmis une requête des fils de Loyola. « Le Roi ne permet pas aux jésuites d'ouvrir un collège. Les belles lettres aussi bien que la procédure ne conviennent point dans les colonies où il ne faut ni philosophes ni orateurs, mais des habitants uniquement appliqués aux soins et à la culture de leur terre, et il suffit, pourvu qu'ils en soient bien instruits, des principes de la religion. » Cette interdiction draconienne admet toutefois une légère dérogation : l'enseignement primaire, encore qu'il l'entoure de certaines conditions, comme l'illustre l'ordonnance du 7 mai 1745, prise par le marquis de Larnage et le sieur Maillart, chefs de Saint-Domingue. « Sur ce qui nous a été remontré qu'il y a des gens dans cette colonie qui s'ingèrent, de leur autorité privée, d'enseigner à lire et à écrire aux enfants, soit dans les villes et bourgs, soit dans les Habitations, sans que leur capacité et probité soient connues de personne ; la matière nous a paru d'une conséquence à mériter d'y pourvoir, puisque c'est dans les premiers principes que la jeunesse reçoit, qu'elle doit puiser la connaissance et l'attachement à la religion, l'obéisancce aux lois et ordonnances du royaume, et la fidélité au roi et à l'État, ce qui ne saurait demander des gens trop instruits eux-mêmes de ces principes, et capables de les imprimer à leurs élèves. À ces causes, nous faisons très-expresses inhibitions et défenses à toutes personnes de l'un et de l'autre sexe, de s'ingérer de tenir de petites écoles pour enseigner aux enfants à lire et à écrire, ni d'aller enseigner sur les Habitations, s'ils n'ont auparavant une approbation par écrit du Curé de la paroisse où ils seront établis, enregistrée au Greffe de la juridiction, sous peine de 50 liv. d'amende, applicable aux pauvres honteux de la paroisse, auxquels les Curés en feront la distribution, et d'un mois de prison, et de plus grosse en cas de récidive ; lesquelles peines seront ordonnées par le juge, à la poursuite et diligence du procureur du Roi. »

En matière d'enseignement secondaire, ministres et administrateurs généraux se montrent intransigeants, tellement il leur paraît nécessaire que l'éducation doit servir de cordon ombilical entre les colonies et la métropole, prouvant ainsi que seule la France peut être patrie et mère de sujets du roi. Charles Frostin cite, à ce propos, une lettre que l'intendant Bongars écrivait au duc de Praslin, le 28 août 1767 : « Les créoles sont assurément de très fidèles sujets du Roi, mais il ne serait pas mal, Monseigneur, que leurs enfants fussent intéressés à venir dans la métropole sucer [...] le lait qui doit faire un bon Français, avant de faire un bon habitant de la colonie. » Tout aussi fidèles à la doctrine monarchique, Reynaud et Le Brasseur disent au ministre de Sartine, le 12 août 1780, leur hostilité à l'égard du pensionnat de jeunes filles du Cap-Français. « Les enfants que l'on place dans cette maison sont de deux espèces, les filles blanches et les filles de couleur. Nous soutenons que les premières doivent être élevées en France [...] parce qu'indépendamment de l'éducation qui y est plus soignée, il en résulte entre la Métropole et nos colonies un lien politique qui met les pères et mères plus immédiatement sous la main du gouvernement. Les secondes ne doivent pas savoir lire parce qu'elles n'ont avec nous aucun rapport de sociabilité et qu'il serait dangereux qu'elles en eussent. » Les jeunes filles créoles se partagent en deux groupes. Les unes, élevées en France, affichent des airs de supériorité, à qui l'appât d'une dot conséquente permettra d'épouser, en France, un homme de qualité, portant titre et blason. Les autres, qui n'ont jamais quitté la colonie, restent un peu paysannes. Le baron d'Aigalliers forme le vœu qu'elles épurent « leur langage, beaucoup trop semblable encore à celui des hommes de mer, comme dans ces mots : larguer pour lâcher, amarrer pour attacher, être à la dérive pour être bien malade ; et une infinité d'autres dont quelques-uns, regardés ailleurs comme peu honnêtes, sont pourtant le nom de plusieurs quartiers de la colonie, et par là sortent fréquemment de la bouche même de nos dames. » Cette absence d'établissements d'enseignement prive la société créole des guides nécessaires aux premiers pas, l'affligeant à jamais d'une cicatrice qu'elle cherchera sans cesse à dissimuler. « Presque tous les créoles, remarque le capitaine de La Salle, passant à la Martinique, ont été élevés en France, ont voyagé et y ont servi. Ils sont gens de bonne société et savent faire régner entre eux un fort bon ton. Ils sont complaisants, mais au début soupçonneux et réservés. Ils sont rarement vraiment cultivés. On le remarque dans leur conversation. Le climat et le manque de formation scolaire les rendent très distants vis-à-vis des gens qui ne sont pas leurs égaux, ce qui provoque souvent des duels. »

La rigidité de la doctrine gouvernementale met parfois les autorités locales en face de problèmes insolubles. Ainsi, Salmon, commissaire-ordonnateur de la Louisiane se sent-il contraint, le 16 février 1733, de demander à Maurepas l'autorisation de fonder « un établissement scolaire où l'on enseignerait la religion, à lire, à écrire, l'arithmétique et les traités de mathématiques ». Dans l'esprit de l'administrateur, la Louisiane réclame davantage qu'un établissement d'enseignement primaire pour lequel l'agrément d'un curé suffirait, elle a besoin d'une école qui déborde sur le secondaire, pour des raisons tenant à la pauvreté des habitants de la colonie. En effet, « le nombre de ces enfants augmente tous les jours et je ne crois pas un habitant en état de faire la dépense d'envoyer ses enfants en France, quelqu'envie qu'ils aient de leur procurer une bonne éducation ». Neuf ans plus tard, Salmon réitère sa démarche auprès de Maurepas, se plaignant de l'absence d'enseignement valable pour les enfants mâles de la colonie. En 1749, son successeur, G. de Rochemore, insiste à son tour sur la nécessité d'établir une école de garçons à la Louisiane : en vain. Les choses en restent là : entre la misère de parents, incapables d'offrir une éducation en France à leurs enfants, et un dogme d'État, appliqué à l'excès.

Choiseul, sous l'influence de Dubuc, a-t-il réformé l'enseignement colonial ? Non. Le chef du bureau de la correspondance juge à l'évidence qu'aux yeux des colons, l'abaissement du commerce national a priorité sur toute autre mesure. Plutôt que des règlements généraux, des innovations particulières modifient sans bruit le décor installé par le temps. D'abord, un changement modeste, mais appréciable. Dans un arrêt du 12 avril 1766, prenant acte de l'approbation et de l'agrément donné à un sieur Lalquier, par le comte d'Estaing et l'intendant Magon, le Conseil supérieur du Cap « permet audit Lalquier de prendre le titre d'*Éducateur Public de la Ville du Cap*, pour les belles-lettres et la géométrie, pendant le temps et espace de trois années, et ce exclusivement à tout autre ». Ainsi, contrairement à la règle, ce maître recevait l'autorisation de tenir une école publique. À Saint-Domingue, les choses en resteront là. Ensuite, et toujours sous le règne de Dubuc, deux initiatives discrètes dans leur adoption, mais révolutionnaires dans leur contenu. À Bourbon, le collège Saint-Cyprien ouvre ses portes aux jeunes garçons de l'île. Mais en 1770-1771, Versailles met fin à cette expérience à cause de son poids financier.

C'est à la Martinique, sa patrie, que Dubuc réserve le meilleur sort. Le 20 septembre 1768, des lettres patentes créent, au Fort-Royal, le collège Saint-Victor, du prénom de l'ancien gouverneur général des îles du Vent puis de Saint-Domingue, le comte d'Ennery, protégé de Marie-Antoinette. « Depuis l'établissement des colonies françaises de l'Amérique, rappelle le règlement royal, on n'avait encore d'autres moyens d'éducation que quelques petites écoles dans les lieux principaux pour y apprendre à lire et à écrire. La jeunesse croupissait dans l'ignorance parce qu'il n'y avait qu'un petit nombre de riches qui pouvait envoyer leurs enfants dans les institutions du Royaume. Cependant une population de quatre mille cinq cents garçons blancs, au-dessus de l'âge de 14 ans, et un corps de manufactures et de commerce exigèrent des connaissances et des talents pour les intérêts mêmes de la métropole. » Cet exposé des motifs dresse un tableau très sombre de la jeunesse de la Martinique qu'explique l'ancienneté d'une colonie très peu ouverte aux apports extérieurs. Comme le remarque Jacques Houdaille, à Saint-Domingue, le taux d'illettrés chez les métropolitains n'est que de 5 %, alors que celui des créoles, non scolarisés, éduqués par des précepteurs incultes, s'élève à 11 % ! En tout état de cause, la mère patrie possède une énorme avance sur les colonies en matière d'analphabétisme.

Le jour de la publication des lettres patentes, un prospectus du pensionnat du collège de Saint-Victor est publié, présentant l'établissement à sa future clientèle. « Le collège Saint-Victor est tenu par les frères des Écoles chrétiennes de la maison de Paris. On n'y reçoit que des écoliers pensionnaires. [...] On s'est attaché au plan d'études les plus utiles et les plus analogues à la destination ordinaire des enfants dans ces colonies. On en a lié toutes les parties pour en former un cours, de manière qu'il ne pourra être interrompu sans les exposer à manquer leur éducation. Ce cours d'études est divisé en six classes dans lesquelles on enseigne à lire, à écrire, la grammaire française, l'orthographe, toutes les règles de l'arithmétique, le dessin, la géographie, l'hydrographie, l'histoire et les mathématiques. Quelques-uns auraient désiré qu'on y eût compris le latin. Mais quels avantages pourrait-on se promettre de l'étude de cette langue dans ces colonies où tout est agriculture et commerce ? Ne doit-on pas préférer des connaissances d'un usage journalier qui peuvent tenir lieu des biens de la fortune ou servir à les conserver. » L'affrontement entre culture utilitaire anglo-saxonne et culture générale française est engagé, dès 1768, par l'intermédiaire des Frères bretons de Ploermel !

Louis XIV l'avait décrété, il n'y avait pas à revenir sur son arrêt. Les colonies ne sont pas des projections de la mère patrie au-delà des mers. Non. Terres destinées aux cultures commerciales et par là à procurer un revenu appréciable à la nation : qu'elles accomplissent leur tâche ! Qu'elles se gardent à songer à reconstituer les trois ordres : elles ne sont que plèbe. Qu'elles ne rêvent pas de poètes ni de philosophes : on ne leur demande que des brassiers et une bonne balance commerciale. Dans une telle optique, les petites écoles agréées par les curés suffisaient aux colonies, dont les plus riches habitants se devaient d'envoyer leurs enfants en France pour y recevoir une instruction plus complète et y apprendre la morale d'obéissance et de fidélité à la nation.

Tardif éveil à la culture et franc-maçonnerie coloniale

La société créole, tantôt campagnarde, tantôt commerçante, occupée du temps, des prix, des arrivées et départs des navires marchands, parlant sans cesse d'affaires professionnelles, ne souffre pas de la pauvreté culturelle qui l'entoure. Certes, sous toutes les latitudes on se plaint de l'absence de collèges, après quoi, quelques rares esprits excepté, on ne demande plus rien. Peu importe que Mexico possède son université depuis 1553, suivie peu après de celle de Lima, et que 18 autres ouvrent leurs portes au XVIIIᵉ siècle, dans la seule Amérique espagnole. Peu importe que la première presse d'imprimerie fonctionne en 1639 à Cambridge (Massachusetts), que le premier journal du Nouveau Monde paraisse à Mexico, en 1674, et le second, à Boston, en 1704.

Le premier imprimeur français des colonies s'installe à Saint-Domingue, en 1724, avec un lot d'ouvrages plus ou moins érotiques. Cette arrivée ne trouble guère l'opinion mais agace le gouverneur général de La Rochalar, soucieux de maintenir l'ordre qu'une sédition blanche a récemment mis à mal. Aux îles du Vent, la première presse d'imprimerie sera achetée tardivement, en 1751.

Les sociétés coloniales, que les officiers tiennent au courant des modes du temps, se rassemblent pour dîner ou souper, pour jouer, danser, excellent à gagner de l'argent — on ne regarde pas à la façon — mais ont peu de goût pour les arts d'agrément, les plaisirs de l'esprit. On colporte des potins, on s'esclaffe aux plaisanteries grasses, on parle de femmes, de cultures et de commerce. On lit des gazettes françaises ou étrangères qu'apportent les capitaines, plus riches que les feuilles locales, spécialisées dans l'information pratique et professionnelle, où les annonces s'alignent en colonnes, tandis que de petites pièces de vers mièvres, fleurissent chaque jour, flattant la vanité de leurs auteurs. Sous les tropiques, comme ailleurs, la proportion des gens intelligents est la même, mais non celle des personnes cultivées, particulièrement faible. Saint-Domingue offre M. de Chabanon à l'Académie française, et Bourbon, M. de Parny. La Guadeloupe, modeste, livra Léonard au succès. Ces trois poètes, à la plume fade, ne survivront pas à leur mort. Au contraire, des hommes d'observation, comme Moreau de Saint-Méry, à Saint-Domingue, Charpentier de Cossigny, aux Mascareignes laisseront leur nom et leurs œuvres. Pareillement, les collectionneurs Roume de

Saint-Laurent, à la Grenade, et Anquetil de Briancourt à Surāt. Ces hommes curieux et passionnés, souvent membres associés de plusieurs académies ou en relation avec les maîtres du Jardin du Roi de Paris, ne se satisfont pas de fréquenter les vaux-halls, la comédie, si pauvre en bonnes pièces et en bons comédiens, ou les petits salons de lecture où quelques lecteurs se disputent les papiers jaunis.

Cette poignée d'esprits, à qui l'on doit souvent de connaître les colonies dans leur époque, s'accomplit dans l'étude solitaire ou dans des travaux entrepris au sein des sociétés. À l'image des Anglais de l'Inde, réunis dans la Société asiatique, des Hollandais des îles de la Sonde, groupés dans la Société littéraire des Arts, ou des Américains, assemblés dans la Société de Philosophie de Philadelphie, des Français de Saint-Domingue, utilisant les réseaux de la franc-maçonnerie, fondent le *Cercle des Philadelphes* du Cap-Français en 1784 qui, en 1789, devient Société royale des Sciences et Arts du Cap-Français : la seule académie que l'outre-mer français de l'Ancien Régime ait connue, au grand désespoir de Charpentier de Cossigny qui proposa de fonder une Académie africaine à l'île de France.

Le Cercle des Philadelphes — outre qu'il est une émanation de cette maçonnerie du XVIIIe siècle, rationaliste, scientiste et aristocratique — se propose de combler des lacunes institutionnelles. Il se pose — à la manière du Jardin du Roi — en dépôt des connaissances sur la Grande Ile, en université privée, en centre de réflexion pour l'amélioration du gouvernement de Saint-Domingue, sous tous ses aspects. Les fondateurs de cette société, issus des milieux intellectuels urbains et non des plantations, visent à préparer l'avènement d'un « nouvel ordre de choses » en préparant une « révolution nécessaire ». Dans le prospectus qu'ils envoient aux académies françaises et étrangères, ils éclairent les relations des sciences et de Saint-Domingue, en cette fin de siècle des Lumières et définissent leur projet. « L'histoire physique, naturelle et morale de la colonie n'a pas été approfondie jusqu'à présent ; cela seul peut occuper une société d'observateurs, et fournir à des travaux très curieux et très instructifs. [...] Nous ambitionnons d'avoir une description générale de la colonie ; nous demandons des descriptions particulières des différents quartiers ; nous voudrions avoir des observations sur le sol, sur les minéraux qui s'y trouvent, sur les arbres, sur les plantes qui y croissent, sur les cultures et les manufactures que l'on y entretient ; l'histoire des insectes nous sera précieuse ; celle des oiseaux, des coquillages, nous intéressera. Nous désirons avoir des observations astronomiques, météorologiques. On nous obligera en nous procurant des recherches sur la constitution de l'air, sur la température, sur les vents, sur les qualités des eaux, tant simples que minérales, sur les maladies régnantes, sur les maladies particulières à chaque quartier. Nous voudrions qu'on nous fît part des observations philosophiques sur la constitution, les mœurs des personnes nées dans la colonie, sur

les révolutions que les Européens y éprouvent dans leur tempérament, dans leur constitution physique et morale ; sur le caractère, le
génie, les mœurs des Nègres ; sur les moyens d'adoucir leur sort, sans
nuire aux intérêts des colons ; enfin, nous désirons avoir des
observations sur les maladies des bestiaux, sur le moyen de les traiter,
et surtout de les prévenir. » Les fondateurs du Cercle, le magistrat
Moreau de Saint-Méry et ses beaux-frères, le médecin du roi Artaud,
et l'ancien officier du Génie devenu avocat, Baudry des Lozières,
glissent dans l'accumulation énumérative de leurs préoccupations
scientifiques, des thèmes dont la finalité politique n'échappe pas.
L'étude « philosophique » du Blanc des colonies cache les conséquences de la « localité » ou spécificité, c'est-à-dire, l'autonomie.
L'observation morale des Noirs avoue avec franchise l'issue de son
itinéraire, car le ministère en fait l'objectif de sa politique : « Adoucir
leur sort, sans nuire aux intérêts des colons. » Cet attentat au
despotisme domestique, à l'esclavage sans contrôle, commis en plein
cœur de la colonie : voilà la première révolution des Philadelphes !
Parmi ces hommes aux soucis divers, l'ingénieur hydraulicien et
colon, Bertrand de Saint-Ouen installe une pompe à feu (à vapeur)
des frères Périer, à Saint-Domingue, le 11 novembre 1786, pour
irriguer la plaine de l'Artibonite. Les planteurs, par avarice, refusent
de participer au fonctionnement de cette machine qui n'arrosera que
deux propriétés. Néanmoins, la Grande Ile se montrait une fois de
plus à la tête du progrès.
    À peu près au même moment, en 1781, un autre dignitaire de la
maçonnerie, Pierre Ryel de Beurnonville, futur maréchal de France,
propose à la loge, dont il est le vénérable, *La Parfaite Harmonie* de
Saint-Denis, à l'île Bourbon, un projet que J.-L. Quoy-Bodin a
publié. « Les terres de la colonie de Bourbon se subdivisent à l'infini ;
la population s'augmente de jour en jour, le créole naturellement
indolent ne cherche point dans l'agriculture une faible ressource qu'il
trouverait à peine. Il se familiarise avec le vice commun dans la
colonie, et la seule portion d'hommes, qui peut posséder une étendue
de terre assez considérable pour se faire un objet, prospère, tandis
que les trois quarts végètent. Ce serait d'établir en conséquence une
École publique d'hydrographie et de mathématique dans l'enceinte
de la loge où tous les jeunes créoles pourraient venir puiser
gratuitement des principes pour se former à la navigation qui offre un
champ vaste au génie et des ressources à l'infini. La R∴ L∴ La
Parfaite Harmonie sensible à un projet qu'elle peut exécuter facilement et qui ne peut que lui faire honneur, a résolu de se mettre au
plus vite à même de s'adresser en conséquence dès que les circonstances le permettront au Subl∴ G∴ Or∴ de France pour l'engager à
demander à l'Académie des sciences un sujet capable de remplir ses
vues aussi sages, à qui il sera fait un sort honnête de la part de la
loge. » Le plan de Beurnonville s'apparente à celui des Philadelphes :

comme Moreau, conférencier des instituts maçonniques, Beurnonville veut mettre les sciences au service des colonies, en l'occurrence, les Mascareignes.

Les programmes de Beurnonville et de Moreau de Saint-Méry révèlent l'émergence discrète d'une institution, non pas publique mais privée, qui, néanmoins, nourrit des préoccupations collectives — dans tous les domaines — : la franc-maçonnerie. Parallèle ou alliée au mouvement académique, elle veut travailler au plus grand bonheur de l'homme en généralisant et en systématisant l'emploi de la science qui, déjà, aide au progrès de toutes les activités humaines. La franc-maçonnerie coloniale, à laquelle appartiennent quantité d'officiers militaires et civils et nombre d'administrateurs généraux, des membres de « professions libérales », des commissionnaires, des colons, compte, selon A. Le Bihan, une bonne centaine de loges. Au total, quelque 2 à 3 000 frères devaient s'y réunir. Ces hommes des colonies, plus laïques que religieux, bourgeois, faute de noblesse, retiennent l'attention non seulement parce qu'ils poussent au développement de l'enseignement, à l'amélioration des cultures et de l'élevage, à une connaissance complète de l'empire colonial, mais aussi par l'importance qu'ils ont jouée, au sein même de la maçonnerie française, puisque le Rite écossais ancien et accepté — rival du Grand Orient de France — est introduit en France, en juillet 1804, par le comte de Grasse-Tilly, fils du célèbre amiral, de retour de Saint-Domingue. Au point de départ le système écossais, en vigueur au XVIIIᵉ siècle dans la Grande Loge de France ; le sieur Morin pourvu d'une patente de Grand Inspecteur, délivrée, en 1761, par le Conseil des Empereurs d'Orient et d'Occident avait été chargé de propager dans le Nouveau Monde, un rituel — nouveau — en 25 degrés. Grasse arrive dans la Grande Île en 1789, où il retrouve son beau-père, le sieur Delahogue, notaire au Cap-Français. Au début de 1796, les deux hommes se réfugient à Charleston, en Caroline du Sud, où le 13 janvier 1797, ils créent le Suprême Conseil des Indes occidentales, comprenant 33 degrés, qui devient, pendant leur séjour à Saint-Domingue, en 1802, Suprême Conseil des Îles Françaises d'Amérique sous le Vent et dans le Vent : Tilly en est le Grand Commandeur à vie. Après l'évacuation de Saint-Domingue, une escale forcée à la Jamaïque, le comte revient à Paris en 1804. Il fonde la Loge écossaise de Saint-Napoléon et un Suprême Conseil de France, dont il est le Souverain Grand Commandeur. Puis, s'alliant à la Mère Loge Ecossaise de France, devenue Saint-Alexandre d'Écosse à l'Orient de Paris, de laquelle il relevait avant la Révolution, et, avec le concours dévoué du négociant domingois Hacquet, il crée la Grande Loge générale écossaise de France du Rite ancien et accepté. Ainsi, l'Écossisme réintègre la maçonnerie nationale, en partie grâce à des frères de la Grande Île. Quant aux huit nouveaux hauts grades — du 25ᵉ au 33ᵉ degré —, inventés à Saint-Domingue ou à Charleston, par un notaire du Cap-Français et son gendre au nom illustre, ils entrent, à la suite du concordat de 1805, dans les rituels de toutes les obédiences.

Les habitants des colonies, qui attendaient beaucoup — d'une part au moins — des idées nouvelles, furent d'abord comblés. Les décret et instruction des 8 et 28 mars 1790, assouplirent les institutions abolissant le « despotisme militaire » dans les possessions, et affaiblissant le « despotisme ministériel » par lequel le commerce de France imposait sa domination. Enfin, les tropiques allaient vivre à l'heure de cette autonomie, dans laquelle les colons voyaient la panacée à tous les maux.

Aux Antilles, l'incapacité de l'opinion à résoudre le problème de l'égalité civique des gens de couleur libres, ne laissera pas au vieux rêve autonomiste le temps de devenir réalité. Les désordres appelleront la dictature des commissaires de la République avec son cortège de séquestres, de déportations et d'exécutions, ou le gouvernement de l'étranger.

Aux Mascareignes, le renouvellement institutionnel ne provoquera que disputes de Blancs.

Après Brumaire, les colons assisteront, rassurés, au rétablissement de l'ordre d'Ancien Régime, la peur toujours attisée par le spectre de la révolution noire de Saint-Domingue : maintien de l'esclavage noir, conservation de la classe intermédiaire des gens de couleur libres, privés de droits civiques, retour de l'administration, avec un gouverneur général plus puissant que naguère, préservation des milices, élimination progressive des créoles de l'institution judiciaire, affirmation répétée de l'Exclusif commercial. La Révolution, à l'heure du bilan, n'a rien changé dans les poussières d'Empire, les *vieilles colonies*, qu'elle lègue à la Restauration. Si Diderot était revenu à Paris sous Louis XVIII, il aurait regretté que la violence, qui crée plus souvent le droit que certains esprits incultes ne le croient, n'ait pas engendré un ordre nouveau dans les possessions lointaines. Il aurait pu faire porter à Sophie Volland la même *lettre coloniale*, qu'il lui avait écrite sous Louis XV : « J'ai lu toute la correspondance de l'Isle de France à la cour de France. Ah, mon amie les larmes me sont venues cent fois aux yeux ! Est-ce ainsi qu'on traite des hommes ! Il est impossible que vous vous fassiez une idée de ce que c'est qu'un intendant, qu'un commandant qu'on envoie à ces pauvres insulaires ; de ce que c'est qu'un tribunal de justice dans une colonie ; de ce que c'est qu'un négociant. Un négociant est une âme de bronze pour qui la vie de son semblable n'est rien, dont le but est d'affamer toute une contrée afin de donner du prix à la denrée ; un juge est un loup qui a sans cesse les yeux attachés sur celui qui prospère, et qui hâte dans le fond de son cœur le moment où il pourra l'impliquer à tort et à travers dans quelque fâcheuse affaire, le perdre ou le dépouiller ; le commandant et l'intendant, ce que ces atroces proconsuls, députés dans les provinces de l'empire, pour les désoler, les dévaster et s'enrichir, étaient autrefois chez les romains. S'il se trouve parmi ces gens-là un homme de bien, tel que ce pauvre M. Dumas*, malheur à lui. Il sera ans cesse croisé dans ses vues ; on sèmera tant de pièges sous ses pas qu'il ne pourra jamais les éviter tous ; on lui suscitera tant de haines, on le noircira de tant de calomnies, que le ministre sera forcé de le rappeler. » Après un quart de siècle mis entre parenthèses, la Révolution restait à faire dans tous les domaines.

---

* Gouverneur général des Mascareignes (1763-1767) ; cet honnête officier général, fut la victime de l'insubordination, de l'intrigue et de la malveillance de Poivre, l'intendant philosophe, lié au clan des Choiseul.

TROISIÈME PARTIE

De l'apogée à l'effondrement des colonies commerciales

La guerre de libération d'Amérique. La France refuse de reconstruire son empire colonial

État national et colonial de la France

Louis XV lègue à son petit-fils une France dépouillée de ses vastes ailes coloniales, mais une France prospère. Les esprits honnêtes, venant d'horizons différents, le disent spontanément. L'abbé de Véri, confident d'un Maurepas devenu principal ministre du jeune Louis XVI, est de ceux-là : il parle avec ce ton de justesse que revendique la philosophie. « Nos esprits sont accoutumés à nommer le siècle de Louis XIV comme l'époque principale et presque unique de la monarchie. Je ne pense pas de même, et je regarde le règne de Louis XV comme l'époque la plus heureuse de notre histoire. [...] Jamais la France n'a été si riche et si abondante en toutes sortes de manufactures, si ornée par la foule de ses savants, si bien cultivée dans les campagnes et si peuplée en habitants que sous le règne de Louis XV. Les armes n'ont pas été brillantes, je l'avoue, mais elles n'ont pas eu les injustices, l'odieux et les dévastations de son prédécesseur. Aucune guerre civile n'avait versé le sang des citoyens, aucun motif de factions parmi les riches citoyens, ni aucun motif de religion (si l'on excepte quelques prédicants étrangers et obscurs) n'ont mis les Français sous la main des bourreaux pendant cinquante-neuf ans. Nulle époque de la monarchie ne nous présente une paix aussi longue. Pendant la même époque les trois guerres étrangères (même la dernière moins honorable) n'ont point vu les armées ennemies dans l'intérieur de nos frontières. Le peuple n'en a senti la dureté que par les recrues et par l'argent. » De son côté, Grimm confesse : « La postérité osera dire sans crainte et sans adulation qu'un règne de près de soixante ans, qu'on ne saurait accuser d'aucun acte de haine ou de violence, doit être mis au nombre des règnes les plus heureux. [...] La postérité conservera à Louis XV le surnom précieux de Bien-Aimé. » Pareillement, l'abbé Galiani écrit à Mme d'Épinay que le règne de Louis XV « sera le plus mémorable à la postérité ». Dans ce concert unanime, un silence : celui de l'auteur du *Précis du siècle de Louis XV*, dont le monarque n'appréciait pas la familiarité désinvolte ni les provocations impies.

Ces dissertations sur le bonheur au temps de Louis XV s'enferment dans les frontières de la France continentale et n'évoquent pas les prolongements coloniaux, perdus ou conservés, du royaume. Dans les provinces maritimes, où affluent les richesses d'outre-mer jusqu'à représenter un tiers — et même plus, sans doute — du commerce extérieur de la nation, les négociants, plus que les hommes d'idées et de politique, ont toujours le fait colonial présent à l'esprit. Ils se félicitent que la Cour ait sauvé les Antilles de l'emprise anglaise, ils mesurent moins bien l'abaissement national dans une Inde, qu'isolait le monopole de la Compagnie fondée par Colbert, mais ils regrettent, peut-être plus qu'on ne le dit, l'abandon du Canada. Les Marseillais, qui s'approvisionnent notamment en grains auprès de l'Empire ottoman et de ses dépendances barbaresques — avant que leurs échanges avec Cadix, grande pourvoyeuse de piastres, ne les entraînent vers les Antilles, puis vers l'Asie après l'abrogation du privilège —, avaient vu, non sans surprise, un navire chargé de blé venant de Québec entrer dans leur port : c'était en 1750.

Marseille, exclue du commerce des fourrures par les Ponantais, souhaite acheter massivement le blé du Canada. Sa Chambre de commerce le fait savoir au secrétaire d'État de la Marine, profitant de l'occasion pour exposer son sentiment sur la gestion économique de la Nouvelle-France. « Si les denrées des habitants étaient mises en commerce en conséquence d'une vente libre, juge-t-elle, ce serait pour eux un sujet d'encouragement pour défricher et ensemencer leurs terres et fournirait un objet de commerce de plus aux armateurs, surtout pour ceux de cette ville. D'ailleurs on a toujours éprouvé qu'une gêne dans la circulation des grains opère plutôt la disette qu'elle ne procure l'abondance. » Après de tels vœux, rien d'étonnant à ce qu'en 1758, la cité phocéenne réponde à l'appel de Peyrenc de Moras et arme un navire chargé de vivres à destination de Québec. Alors que des échanges s'établissent entre l'Atlantique Nord et la lointaine Méditerranée, Marseille s'associe à la protestation de La Rochelle quand le roi annonce qu'il se résigne à abandonner la « plus importante de ses colonies » pour rendre la paix au royaume. La Chambre de commerce du grand port méridional, plus proche des battements de l'activité économique que de ceux des idées, envoie, le 21 décembre 1761, sa *Réponse à Mrs de la Rochelle* qui exhorte à la conservation du Canada. « Si les négociants seuls, comme les plus lésés par ce sacrifice, osent rappeler tous les avantages que le commerce retirait du Canada, c'est moins pour instruire le ministère le plus éclairé et le plus attentif à nos intérêts que pour l'exciter aux efforts que la nation peut se promettre encore pour conserver une colonie aussi nécessaire et aussi utile que celle dont il s'agit, par rapport aux manufactures et à la navigation, sans compter la perte d'une foule de bons sujets qui resteraient sous la domination des Anglais. »

Les Marseillais, pourtant si distants des flots glacés du golfe du Saint-Laurent, développent leur plaidoyer colonial avec insistance. Ne sont-ils pas directement intéressés à ce que la Nouvelle-France reste dans le domaine royal ? « Le débouché du Canada favorisait ici l'importation des laines du Levant et de Barbarie qui s'accumulent aujourd'hui dans les magasins de la Compagnie d'Afrique et dans ceux des particuliers. [...] Ces laines occupent en Languedoc un peuple d'ouvriers auxquels la consommation du Canada donnait le travail et la subsistance. On en jugera par un seul article de 100 000 couvertures que le Languedoc fabriquait annuellement pour le Canada. » Ce n'est pas tout : il y a les pêcheries de Terre-Neuve à l'exploitation desquelles les Marseillais ont participé, sans oublier la redistribution dans la Méditerranée de cette morue que les Malouins, en fin de campagne, venaient décharger. « Si l'on considère, disent les Méridionaux, les avantages de la pêche dans la Rivière, à Gaspée et dans différents postes établis pour celle des loups marins et des marsouins, indépendamment de l'importante pêche de la morue qu'il sera difficile aux Français de continuer sur le grand banc de Terre-Neuve, peut-on ne pas regretter vivement tout ce que nous abandonnerions à nos ennemis. »

Deux France se dessinent et s'opposent. La France maritime, celle du progrès, de la richesse à laquelle participent les terroirs traversés par les fleuves donnant sur la Méditerranée, l'Atlantique et la Manche, qui charrient les produits d'exportation : cette France estime que le bonheur national passe par la prospérité coloniale. Quant à la France intérieure, celle de la philosophie et de la politique, celle aussi des banquiers parisiens, frères des parlementaires dans la spéculation, elle souffre de ne pas respirer l'air revigorant que boivent les grands ports, ces poumons du royaume : cette France mesure mal le poids des colonies dans la félicité nationale, mais c'est elle qui détient le pouvoir politique. Malgré la vexation du traité de Paris, malgré la domination que l'Angleterre étend sur les continents et les mers, la France demeure la première puissance mondiale à l'avènement de Louis XVI. Le royaume, en dépit d'infériorités sectorielles qui touchent l'agriculture et l'industrie, mais non le commerce, possède toujours le peuple le plus nombreux d'Europe et, globalement, l'économie la plus considérable. Quant au patrimoine territorial, nonobstant les défaites, il s'était arrondi par deux fois. Fleury avait élargi les frontières en mettant la main sur la Lorraine, donnée en viager à Stanislas, ancien roi de Pologne et beau-père de Louis XV, tout en préparant avec Gênes la cession de la Corse, opération que Choiseul achèvera.

En ce xviiie siècle où l'économie est dominée par le capitalisme commercial, la France, assurent certains, souffre d'un grave retard dans le domaine bancaire. À cette critique, qu'il juge superficielle, Ch. Carrière répond longuement. Le capitalisme commercial « se concevait parfaitement sans le soutien d'institutions nationales d'escompte et de crédit ; il satisfaisait seul aux nécessités de sa propre croissance : fluidité de la circulation et de la négociation des valeurs, mobilisation rapide et efficace des crédits à court terme ». L'économie française du siècle des Lumières n'avait pas besoin d'une Banque, en cette période pré ou proto-industrielle, développe Ch. Carrière. « Hormis quelques entreprises à privilège, le commerce ne sollicitait pas de crédit d'État. Que restait-il ? L'escompte et les billets. Pour l'escompte, il y avait longtemps que les commerçants et leurs courtiers le pratiquaient avec prudence, compétence et profit. Point n'était besoin pour cela de — l'activité régulière d'une institution bancaire — ; les techniques courantes fonctionnaient à la satisfaction de tous. Quant aux billets, c'est simple, ils n'étaient pas monnaie de négociants. Rien ne permet de penser que le commerce, au plus haut niveau, serait devenu facile et florissant grâce à leur circulation. »

L'instrument privilégié du capitalisme commercial au xviiie siècle — et avant — n'est autre que la lettre de change, dont l'endossement permet la circulation des effets et les règlements sur toute place, tandis que l'escompte permet de se procurer des fonds. Et, Ch. Carrière et M. Courdurié de ponctuer : « Que l'on fasse du négoce ou de la banque, on n'a pas besoin de Banque. » En France — comme dans les pays de Banque —, les négociants banquiers pratiquent quotidiennement les techniques bancaires dans les bourses de commerce et de change. La Banque n'est-elle pas conçue comme le reflet de la situation financière du royaume plutôt que comme le moteur de son développement économique ? La Caisse d'Escompte de Laborde (1767-1769), ce grand propriétaire domingois, ami du Lorrain Choiseul et associé aux milieux d'affaires impériaux et hollandais, n'est qu'une banque de banquiers, destinée à financer des avances à un Trésor essoufflé, en échange d'assignations fiscales. Une seconde Caisse d'Escompte est créée en 1776 par le Suisse anglais, ennemi de Necker, Isaac Panchaud, qui a épousé la fille d'un officier de la Compagnie des Indes, membre du Conseil supérieur de l'île de France. Or, Panchaud, Le Couteulx et leurs amis, précise Ch. Carrière, assignent ouvertement à cet organisme : « La baisse du taux de l'intérêt ; non, comme on l'écrit parfois, pour le soutien du commerce ; avant tout pour alléger la dette publique. » Necker, pour financer la guerre d'Amérique par l'emprunt, jettera l'enseigne trompeuse de cette « fausse banque commerciale », pour en faire un organisme à la disposition du contrôle général des Finances.

L'absence en France d'une Banque nationale n'a pas freiné

l'épanouissement du commerce colonial, qui a été remarquable du début à la fin du siècle des Lumières. Dans les colonies, on observe deux initiatives bancaires, qui confirment le propos de Ch. Carrière. Une Caisse d'Escompte de l'île de France est fondée le 1er juillet 1782 : une création formelle. À Saint-Domingue, maintenant : le négociant havrais Stanislas Foäche, constatant que la guerre d'Amérique ne facilite pas le recouvrement des créances, propose sa solution au secrétaire d'État de la Marine Castries, le 20 décembre 1780 : « Vos principes et ceux de M. le Directeur Général [Necker] sont tels que je n'hésite pas à être l'intermédiaire [entre les capitaux privés et le gouvernement de Saint-Domingue] et tant qu'il sera nécessaire. [...] Je fournirai à la Caisse de Saint-Domingue les fonds dont l'Administration de la colonie aurait besoin, et je m'en remplirais en traites sur la France ; je n'ai besoin que de l'assurance du ministre des Finances de faire les fonds aux échéances. [...] Quant au change, il dépend absolument de la situation générale du commerce. » Dans ce projet, émanant pourtant d'un négociant, la fonction bancaire se justifie par le service qu'elle rendra à l'État. D'ailleurs Foäche soulignait à Castries, le 23 janvier 1781 que sa maison se regarderait comme « entièrement aux ordres de l'administration de Saint-Domingue ». Le projet n'aboutira pas. La connivence entre Foäche et Necker était sans doute trop manifeste, et le souvenir des traites canadiennes encore trop vif. De plus, confier, en plein conflit, le recouvrement des dettes des colons — prix du financement de la trésorerie de la colonie — à l'association officielle du commerce et de l'administration n'était sans doute pas le meilleur moyen pour conserver l'attachement d'une possession dont la guerre affectait la vie quotidienne.

Si le défaut de banque n'a pas compromis la croissance du trafic colonial ni celle de la prospérité de la France maritime, les marines, elles, marquent un retard certain — surtout dans un régime de capitalisme commercial — et constituent une zone de faiblesse. Les armées navales, qui comptaient de 62 à 72 vaisseaux en 1756, n'en dénombrent pas un de plus en 1772, quand Choiseul est renvoyé. C'est dire combien est flatté et embelli le bilan du duc dans ce département : comme dans les autres d'ailleurs. Le commandement n'a subi aucun rajeunissement. Aussi, E. Taillemite peut-il écrire : « Le renouveau de la Marine qui s'amorce avec le ministère de Choiseul n'engendrera que des changements extrêmement lents dans le système de l'avancement », permettant à la gérontocratie de se maintenir. La flotte marchande de grand commerce ne représente que la moitié du tonnage britannique correspondant. Elle passe de 244 000 tonneaux en 1749 à 334 000 en 1779, pour atteindre 403 000 tonneaux — non compris les 87 000 tonneaux affectés à la pêche — quand éclate la Révolution. Sartine, l'un des rares grands ministres de la Marine, restaure les armées navales en quelques années, et Castries prolongera son œuvre avec fidélité. Néanmoins, la France alignera toujours deux fois moins de vaisseaux que l'Angleterre, aussi pour arriver à un certain équilibre naval, ajoute-t-on aux forces du monarque, celles des alliés. Un compte d'apothicaire vide de sens quand on sait que la marine espagnole, aussi prétentieuse qu'inefficace, occupe la première place dans la coalition! Mathématiquement, les escadres royales ne peuvent espérer gagner qu'avec le secours de la Providence ou grâce aux fautes de l'ennemi. Toutes choses qui se produiront lors des campagnes d'Amérique et de l'Inde.

Fleuron envié de la puissance économique, créatrice du bonheur français : les colonies, ou pour parler juste, les Antilles. Le chiffre d'affaires total, qui comprend la traite négrière, va en s'épanouissant. Selon J. Tarrade, il est de 148 millions de livres tournois en 1774, de 214 en 1778, pour s'élever à 333 millions en 1790. Sur ces masses, les importations de denrées exotiques en France se hissent successivement à 107 milions de livres tournois, 178 et 242, dont 70 % sont réexportées. Mais ces chiffres ne livrent pas la vérité entière : ils taisent la fraude, dont il ne semble pas déraisonnable d'envisager qu'elle représente de 10 à 20 % de la valeur déclarée. Selon J. Tarrade, le commerce afro-antillais qui, en 1773, nécessitait au départ de France quelque 570 navires pour 131 364 tonneaux, en réclame 782 pour 225 980 tonneaux en 1788. Soit en 15 ans une croissance étonnante du trafic : 137,2 % pour le nombre des navires, et 172,5 % pour le tonnage. Les entrées en France, dit P.-F. Page, dans son *Traité d'Économie politique* (an IX), avec qui J. Tarrade est en accord, forment un mouvement de 686 navires, soit 199 122 tonneaux, et 781 navires, soit 215 905 tx, en ajoutant la traite régulière.

Page juge que ce trafic (ımportations + exportations) s'élève — en 1788 — à 406 321 000 livres tournois, compte tenu du produit de la pêche au large de Terre-Neuve. La part de Saint-Domingue est écrasante : 312 135 000 de livres, dont 43 835 000 l.t. sont affectées à l'achat d'Africains. Viennent très loin derrière : la Martinique pour 40 773 000 l.t., la Guadeloupe pour 18 415 000, l'Afrique pour 16 783 000 en règlement de l'acquisition d'esclaves, la pêche à Terre-Neuve pour 12 674 000, Tabago, rentrée dans le giron national à la suite de la guerre d'Amérique, pour 4 249 000, et la Guyane pour 1 292 000 modestes livres. Cinq denrées constituent l'essentiel du commerce antillais : les sucres, blanc et brut, pour 89 671 000 livres tournois, le café pour 87 642 000, le coton pour 21 783 000, l'indigo pour 10 453 000, le cacao pour 975 000. Les 8 millions restants couvrent divers objets et produits comme les cuirs, l'écaille, des bois aux qualités spécifiques, etc.

Quels sont les ports français importateurs de denrées coloniales? Page en répertorie plusieurs, dont quatre principaux, qui n'abandonnent que de pauvres miettes à leurs concurrents. 1° Bordeaux, capitale métropolitaine des îles, 242 navires, 71 492 tonneaux,

85 022 000 de livres. 2° Nantes, capitale de la traite négrière en France, 131 navires, 46 563 tx, 44 490 000 l.t. 4° Le Havre, 107 navires, 25 607 tx, 37 929 000 l.t. 5° Dunkerque, 26 navires, 6 115 tx, 7 594 000 l.t. 6° La Rochelle, 10 navires, 6 912 tx, 5 394 000 l.t. Puis se succèdent des cités de moindre importance, dont certaines furent jadis prestigieuses : Saint-Malo, Rouen, Honfleur, Bayonne. La hiérarchie des ports exportateurs ressemble, avec des nuances, à celle des villes martitimes importatrices. 1° Bordeaux pour 37 732 000 livres tournois. 2° Marseille pour 19 122 000 l.t. 3° Le Havre pour 9 867 000 l.t. 4° Nantes pour 6 301 000 l.t. 5° Dunkerque pour 1 675 000 l.t. 6° Bayonne pour 490 000 l.t. 7° Saint-Malo pour 469 000 l.t. 8° La Rochelle pour 172 000 l.t. Enfin, divers autres ports envoient pour 958 000 livres de marchandises vers les Antilles. Quels sont les postes les plus importants de l'exportation française vers les îles ? Les toiles, mercerie, quincaillerie, draperie, meubles, bray, cordages, voiles, comestibles, boissons, savon, suif, bougie.

Au total, le commerce afro-américain, qui fait profiter les provinces maritimes d'une prospérité deux fois supérieure à celle des autres, permet redresser la balance commerciale de la France à son avantage. En 1788, constate Page, le total des exportations nationales à l'étranger s'élève à 413 655 000, dans lequel les réexportations de denrées coloniales figurent pour 157 734 000, soit 38 % du commerce extérieur du royaume, qui ainsi enregistre un excédent de 46 637 000 livres tournois. Pour être complet, il convient d'ajouter les résultats modestes du commerce français au-delà du cap de Bonne-Espérance. Page les chiffre à 54 830 000 de livres tournois. Cette masse se distribue ainsi : exportations, 15 863 000 l.t. (pour les Mascareignes, 5 908 000 l.t., pour l'Inde et la Chine, 9 955 000 l.t.) ; importations, 38 967 000 l.t. (des Mascareignes, 5 680 000 l.t., de la Chine, 8 141 000 l.t., de l'Inde, 25 146 000 l.t.). La globalité des échanges entre la France et ses possessions, Terre-Neuve comprise, atteint donc officiellement en 1788 le montant sous-estimé de 461 151 000 livres tournois (qui, complété des réexportations, atteint 618 885 000 l.t.). Un mouvement de richesses d'autant plus appréciable qu'à la même époque Arnould évalue le produit national à 3,4 milliards de livres et l'endettement du royaume à 4,152 milliards de livres tournois.

Le commerce colonial de la nation est un puissant facteur de prospérité, surtout dans les provinces maritimes. Grâce à son essor et à ses 461 millions de livres tournois, il distance largement celui de la Grande-Bretagne, en 1788 : de l'ordre de 355 millions de livres tournois en comptant les échanges avec les États-Unis, et d'environ 284 millions en les soustrayant. Mais le commerce colonial anglais, loin de s'essouffler, est actionné par une croissance toujours plus vigoureuse : de 355 millions de l.t. en 1786-1790, il passe à environ

650 millions de l.t. en 1796-1800. Alors, il eût dépassé le trafic français d'outre-mer, même en l'absence des effets négatifs de la Révolution.

L'appareil colonial français — plus productif que le britannique aux Antilles — repose sur les épaules d'une population servile et libre, noire, métissée et blanche, importante à l'échelle des îles d'Amérique. Selon Page, tandis que 528 302 personnes peuplent les îles anglaises, en 1788, on en compte 679 447 dans les Antilles françaises : 55 252 Blancs (chiffre légèrement surestimé, soupçonne-t-on), 31 785 mulâtres et Nègres libres (chiffre légèrement sous-estimé, pense-t-on), et 592 410 esclaves (chiffre amputé d'un cinquième de sa réalité, disait-on). Aux Antillais, il convient d'additionner les quelques milliers de Français de l'Inde et les 90 845 personnes qui vivent aux Mascareignes : 12 290 Blancs, 3 375 mulâtres ou Nègres libres et 75 180 esclaves.

La France, pendant le règne de Louis XVI, jouit en Europe continentale de la domination que lui donnent sa démographie, son économie, son armée. Elle s'impose sur les marchés mondiaux des sucres et cafés grâce à ses productions antillaises, et cependant elle est envahie par une paralysie qui se révélera incurable. La vieille monarchie évolue dans une société internationale où les repères qui lui sont familiers sont combattus — parfois d'ailleurs avec sa complicité — et mis à mal. Une longue série de bouleversements ou de soubresauts, prenant leur origine outre-Atlantique, aggravent la crise de la conscience française : révolution américaine (1763-1783), révolution genevoise (1766-1781), révolution irlandaise (1782-1784), révolution hollandaise (1783-1787), révolution belge (1787-1790). L'opinion publique, conduite par les privilégiés, devant laquelle Louis XV a renoncé à toute réforme jusqu'en 1770-1771, glisse d'un physiocratisme royal à un économisme libéral, républicain, voire démocratique. L'abbé de Véri observe cette évolution des esprits acquise à la philosophie et par conséquent hostile à la tradition sur laquelle s'appuie la monarchie. En 1780, il note dans son *Journal* : « Je ne puis pas prévoir au juste quelle sera l'issue dans la suite des années ni fixer aucune époque à quelque révolution. Mais il me paraît impossible qu'il n'en arrive une tôt ou tard. Les peuples raisonnent autrement que sous Louis XV : la vénération sacrée pour la Couronne n'existe plus : les droits de l'égalité remplissent les esprits. »

La colonisation a-t-elle une part dans la révolution des idées qui marque le XVIIIᵉ siècle ? Dans une certaine mesure, oui. En ouvrant le monde à la connaissance, elle a enseigné la relativité des religions, des régimes politiques et sociaux. En soumettant la planète à l'analyse de la Raison elle a favorisé la « mathématisation » et la « documentalisation » de l'univers. Missions astronomiques et hydrographiques se succèdent, ainsi que les circumnavigations (Le Gentil de La Barbinais, Bougainville et le chevalier de Pagès). Les naturalistes écument les continents : Pitton de Tournefort, Lippi, Sonnini de Manoncourt au Levant, Louiche-Desfontaines en Barbarie, comme Peyssonnel qui poursuivra une longue carrière à la Guadeloupe, à l'image du R.P. Plumier, Jussieu, au Pérou, Barrère, Artur, Fusée-Aublet, Richard à la Guyane, Descourtilz, à Saint-Domingue, Sarrazin, au Canada, Adanson, au Sénégal, Palisot de Beauvois, au Nigeria actuel, Le Vaillant, en Afrique australe, Commerson et Sonnerat aux Mascareignes et à Madagascar, Michaux, Chapelier, Bréon, Pervillé, Richard, Perrotet à Madagascar, le R.P. d'Incarville, en Chine, sans compter les jésuites de l'Empire du Milieu, aux compétences diverses et aux travaux nombreux et précieux. Les mathématiciens aux spécialités variées effectuent des calculs, obtiennent des résultats sûrs, établissent des représentations, tandis que les naturalistes réunissent et étudient les échantillons qu'ils prélèvent lors de leurs explorations. La colonisation, en invitant à la découverte rigoureuse du monde tel qu'il est, en incitant à l'intensification des échanges commerciaux, promoteurs de nouvelles vagues d'expansion, affaiblit les convictions et tue le mystère qu'elle réduit à une mécanique rationnelle. Ce mouvement n'épargne aucun secteur. La désacralisation atteint le pouvoir monarchique et bouleverse la doctrine économique. Le mercantilisme voulait la puissance et la gloire du roi, de l'État, par le développement de l'économie intérieure et du trafic extérieur, dans l'ombre protectrice, mais aussi exigeante et stimulatrice d'une réglementation appropriée. Au contraire, la physiocratie, qui est libre-échangiste, change de moyens et de finalité : elle s'assigne la réalisation du bonheur des hommes par l'harmonisation naturelle des intérêts. Sous la pression de la multiplication continue de la richesse — en partie d'origine coloniale — le primat de l'individu se substitue à celui de la nation. Et, tandis qu'un Adam Smith accommode habilement liberté et ambition collective — faisant appel à l'intervention du gouvernement dès qu'il est nécessaire — les doctrinaires français, s'éloignant du modèle britannique qu'ils croient imiter, versent dans la confusion et l'utopie.

Au terme d'un XVIIIe siècle de croissance économique, le règne de Louis XVI s'enfonce dans la grisaille d'une récession complexe marquée par la hausse du prix du blé — déjà amorcée en 1770 — en 1775, 1778, 1782-1783 et 1789, qui s'accompagne d'une surproduction du vin, entraînant sa mévente. Dans ce contexte délicat, qui cependant n'altère pas la puissance économique globale du royaume, le pouvoir piétine dans l'incohérence. À l'intérieur, les responsables des finances, Turgot, Necker, Calonne et Loménie de Brienne, tous quatre hommes de valeur, « patriotes » ou « républicains », plus adeptes du modèle anglais que du système traditionnel français, lient l'épongement de la dette, la révision de la fiscalité et la mise en œuvre d'un programme de réformes d'ensemble, à une transformation constitutionnelle. À ces ministres, qui n'ont pas la poigne d'un

Machault ou d'un Maupéou, il apparaît que seule l'instillation d'une dose de régime représentatif peut permettre au roi d'imposer la restauration de l'État dans sa mission, à quoi s'opposent les privilégiés, parlements, clergé, Assemblées des notables, en tête. Au terme de ces tentatives, le spectacle d'une nation à la fois puissante et impuissante, l'échec et la Révolution. À l'extérieur, la France pratique une politique continentale, marquée par l'obsession de conserver un équilibre européen, qui n'est plus une recherche de prépondérance comme sous Louis XIII et Louis XIV, mais un pacifisme à tout prix. L'axe Versailles-Vienne, mal exploité, n'a pas empêché le premier partage de la Pologne, devenue protectorat de Catherine II (1772), ni le premier dépeçage de la Turquie par la tsarine (1774), bref, il n'a pas été un barrage à l'élévation de la monarchie prussienne ni à l'expansion de l'empire russe. Vergennes accentue le caractère figé de la diplomatie nationale, toujours suspicieuse à l'égard de son alliée autrichienne, attitude qui a pour conséquence de marginaliser la France en Europe même ! Cette stratégie paradoxale, qui cumule le refus des ambitions et l'acceptation d'opérations coûteuses, se condamne à la faiblesse et au naufrage. « Renoncer pour soi-même aux grandes conquêtes parce qu'elles ne se pouvaient accomplir sans les grands partages ; empêcher les forts de devenir trop puissants ; défendre les petits États contre les convoitises des grands ; maintenir entre tous un équilibre de puissance. [...] Cette politique, écrit A. Sorel, avait été celle de Richelieu et de Mazarin. Vergennes l'avait reprise avec discrétion mais avec dignité. »

En réalité, Richelieu et Mazarin avaient invoqué l'équilibre européen pour renverser la suprématie habsbourgeoise et asseoir la prédominance de la France. Tel n'est pas l'objet de Vergennes, qui refuse à la France la politique de ses moyens. Négatif dans sa vision, l'ancien ambassadeur à Constantinople ne propose pas à son roi la prééminence en Europe, mais la mise en place de tous les moyens pour empêcher la domination d'une puissance ou d'un groupe de puissances. Ainsi, en 1778, Vergennes préfère s'engager dans l'inutile et ruineux conflit américain plutôt que d'accepter la proposition de Joseph II de céder les Pays-Bas autrichiens à la France, en échange du soutien de Louis XVI contre Frédéric II dans la succession de la Bavière. Le ministre impose une médiation franco-russe, et au prix « de sages arrangements faits » à la Prusse, est signé le traité de Teschen (13 mai 1779) qui rétablit la paix entre Vienne et Berlin sous la garantie de Versailles et de Saint-Pétersbourg. Cette abdication institutionnalise la présence active de la Russie dans les affaires de l'Europe occidentale, tout en renforçant la position prussienne ! Pareillement, Vergennes repousse le projet de Joseph II d'établir un protectorat franco-autrichien sur l'Empire ottoman après le traité de Kaïnardji (1774), puis refuse de fermer les yeux sur un partage austro-russe de la Turquie, moyennant la cession de l'Égypte à la France. Ce qui n'empêche pas Catherine II de tirer les marrons du feu, d'envahir la Crimée (1783) et de la garder. La politique du maître de la diplomatie française revient, au nom d'une interprétation idéologique de l'équilibre européen et de la condamnation philosophique des conquêtes, à faire le jeu des ennemis de la nation, sur le continent et au-delà des mers. Une stratégie qui fait de la France un géant ligoté, n'ayant d'autre destin que de regarder croître les impérialismes ennemis, en interdisant tout agrandissement à notre allié autrichien. La philanthropie a pris le pouvoir, s'y substituant au réalisme et à la volonté de puissance. Une ligne poussée si loin et avec tant d'exagération, que la Révolution la répudiera sans réfléchir, par réflexe de fierté nationale.

La guerre de libération nationale américaine

Malgré les difficultés intérieures, à peine l'encre du traité de Paris (1763) est-elle sèche, que l'idée d'une revanche contre l'empire anglais toujours en expansion s'empare de l'esprit des dirigeants français. Dès 1763, Louis XV et le comte de Broglie, chef de la diplomatie secrète, préparent les modalités d'une opération de débarquement en Grande-Bretagne puissante et décisive. De son côté, Choiseul envoie des agents secrets dans les Treize Colonies pour y observer l'opinion, connaître ses réactions, maintenant que Londres leur réclame d'un ton impératif de participer au redressement des finances de la métropole. Ainsi, au mois de janvier 1768, le baron de Kalb, par ailleurs lié au comte de Broglie, arrive-t-il à Philadelphie pour le service de Choiseul.

Le 15 janvier 1768, le baron débarqué dans la baie de la Delaware, envoie son premier courrier américain. Les mécontentements, occasionnés par l'acte du Timbre, sont loin d'être calmés. Toutefois, la lucidité commande de ne pas enfourcher la Chimère. « L'éloignement de ces peuples du centre de leur gouvernement les rend plus libres et plus entreprenants ; mais au fond ils ont peu de dispositions à secouer la domination anglaise avec l'aide des puissances étrangères. Ces secours leur serait encore plus suspect pour leur liberté. D'ailleurs, ils sont peu chargés d'impôts ; la couronne n'en a mis que sur les marchandises étrangères. » Quelque temps plus tard, le 25 février, Kalb semble revenir de son désabusement premier. « Les colonies paraissent s'affermir de plus en plus dans leur système d'opposition et d'économie. [...] Il y a un si grand esprit d'indépendance et de licence dans tous les individus de ce pays, qu'il n'est pas douteux que si toutes les provinces avaient la facilité de communiquer par députations et qu'elles eussent les mêmes intérêts à traiter, il s'en formerait bientôt un État indépendant, et cela arrivera avec le temps. Quelles que soient les mesures que la cour de Londres se détermine à prendre, ce pays sera dans peu trop puissant pour être gouverné de si loin. » Les mois passant, l'officier se laisse à nouveau envahir par le doute. Le 2 mai 1768, il fait part au duc de son scepticisme. « Cependant, malgré cet esprit de sédition, je trouve que tous, depuis les chefs jusqu'au bas peuple, paraissent sincèrement aimer leur métropole. [...] Mon opinion est toujours non seulement que les boute-feux auront le dessous, mais que les colonies obtiendront à la fois toutes les satisfactions qu'elles demandent. Il est impossible que le gouvernement ne reconnaisse ses torts tôt ou tard. » À Choiseul, qui ne projette pas une guerre d'Amérique, mais une diversion américaine, dans le cadre classique d'un conflit franco-anglais, le baron de Kalb conseille d'attendre une conjoncture plus assurée pour s'engager : la situation ne devrait pas tarder à mûrir. D'autres émissaires encore enquêtent outre-Atlantique, tels Pontgravé et Pontleroy, et tous concluent que le temps travaille pour les intérêts de la France.

En 1782, Vergennes affirme au roi dans un mémoire : « Quoi qu'on ait voulu faire honneur à M. le duc de Choiseul d'avoir préparé cette révolution d'Amérique, je dois dire avec vérité sans prétendre enlever rien à sa gloire qu'il n'y a eu aucune part. » En réalité, le ministre ment par omission. Il a repris les fils abandonnés par le duc, envoyant à son tour un officier, M. de Bonvouloir, attiser l'ardeur des chefs de l'opposition américaine, en 1775, mais après, à la différence de son prédécesseur, il conduit une action de tous les instants pour détacher l'Amérique de l'Angleterre. Car c'est à l'ancien ambassadeur à Constantinople qu'incombe la responsabilité d'avoir engagé la France dans la guerre coloniale qui va opposer Anglais et Américains, de 1775 à la fin de 1782.

Qui est Vergennes, personnage du second rang, brusquement sorti de l'ombre ? Qui est ce diplomate qui entraîne le royaume dans un conflit maritime et colonial de dimension mondiale ? Qui est ce ministre dont Louis XVI apprenant la mort en 1787 dira : « Je perds le seul ami sur lequel je pouvais compter, le seul ministre qui ne me trompa jamais. » Le secrétaire d'État des Affaires étrangères est un philosophe. Il n'élabore pas, comme au XVIIᵉ siècle, une politique pour accroître la puissance et la gloire de la France, il préfère, abandonnant les exigences tangibles et charnelles de l'intérêt national, construire un système étayé de concepts où le patriotisme ne découvre aucun suc nourricier. Il écrit dans une langue où le sang ne coule ni ne bat. Sous sa plume il n'est question que de principes et de maximes, de justice et de sagesse, de modération et de décence, de désintéressement, d'amour. Ainsi que le rapporte Hennin, l'un de ses principaux collaborateurs, Vergennes « se regardait comme le ministre du Roi chargé du bonheur du monde et il était convaincu que son maître, pour occuper la première place parmi les souverains, n'avait besoin que de sagesse et de vigilance ». Comme tous les philosophes, le secrétaire d'État condamne les préjugés, mais n'en est pas exempt. Sa défiance à l'égard de l'Autriche le pousse à stériliser le renversement des alliances et à favoriser la Russie et la Prusse. Le 29 mars 1784, ne s'aventure-t-il pas jusqu'à écrire au roi : « S'il fallait opter entre la conservation des branches de la Maison de Bourbon en Italie et celle de la puissance prussienne en Allemagne, il n'y aurait pas à hésiter entre l'abandon des premières et le maintien de la seconde. » Comment ne pas s'alarmer de l'influence d'un esprit au jugement parfois dangereusement faux, que la disparition de Maurepas en 1781 portera à exercer, en fait, les fonctions de Premier ministre ? Nombre de contemporains oublient toute charité quand ils évoquent le responsable de la diplomatie et peu à peu de la politique générale du royaume. Le prince de Montbarrey, secrétaire d'État de la Guerre, distille avec mépris : « Avec le talent et les connaissances d'un premier commis, Vergennes n'eut jamais le ton, le génie, ni les formes qu'exige la place de premier représentant du roi de France. » Même sévérité de la part de l'abbé de Véri : « M. de Vergennes nous prouve qu'il y a des postes où le mérite du grand travail, celui d'une foule de connaissances de détail, et le désir de bien faire sont plutôt un mal qu'un bien lorsque les lumières manquent. [...] Dès qu'on laisse la décision de la politique générale aux ministres des Affaires étrangères, c'est le poste qui demande le plus de sagacité et le plus de jugement. Si les détails lui en sont inconnus, qu'il choisisse alors de bons commis instruits. Vergennes eût été très bon pour cette fonction secondaire. » Quant à Barthélemy, le futur directeur, qui fut diplomate de carrière et le collaborateur du ministre pendant son ambassade à Stockholm, il adhère au jugement de Montbarrey et de Véri. « Il est bien certain que la place de premier commis des affaires étrangères lui aurait infiniment mieux convenu que celle de ministre. Il aurait fait à merveille dans ce poste secondaire. [...] Il faut le répéter, M. de Vergennes avait des vues pures et peu de lumières, mais, dépourvu de toute élévation dans l'âme, il a fait et laissé faire de mauvais choix dans son département. » Esprit appliqué, mais à la vision étroite, Vergennes a tiré du règne du Bien-Aimé une leçon qu'il révèle à Louis XVI, dans son mémoire du 8 décembre 1774. « L'opinion est, dit-on, la reine du monde. Le Gouvernement qui sait l'établir à son avantage double avec l'aide de ses forces réelles la considération et le respect qui furent et seront toujours le salaire d'une administration bien dirigée et le garant le plus certain de sa tranquillité. » L'opinion publique, qui depuis Louis XV légitime l'action des gouvernements, le ministre s'emploie à l'orienter par le moyen de journaux où la cause américaine est défendue avec chaleur. Ainsi, le cercle dirigeant, peu enclin à la guerre, sera-t-il progressivement poussé à prendre le parti des colons américains contre le roi d'Angleterre leur souverain. Au nom d'une revanche nationale, Vergennes fomente en réalité une double guerre idéologique : il veut soutenir des sujets rebelles contre leur prince, et en filigrane il se propose de venir en aide à une république démocratique illégitime contre sa mère patrie monarchique.

Les Américains comprennent le prix qu'ils doivent payer pour espérer l'alliance française : une rupture solennelle d'avec la Grande-Bretagne. C'est chose faite le 4 juillet 1776, quand le Congrès continental adopte la Déclaration d'indépendance des États-Unis, que Thomas Jefferson a rédigée et traduite en français. Ce texte révolutionnaire comble les vœux des colons acquis à l'esprit d'autonomie et de sécession. « Lorsque dans le cours des événements humains, il devient nécessaire pour un peuple de dissoudre les liens politiques qui l'ont attaché à un autre et de prendre, parmi les puissances de la terre, la place séparée et égale à laquelle les lois de la nature et du Dieu de la nature lui donnent droit, le respect dû à l'opinion de l'humanité l'oblige à déclarer les causes qui le déterminent à la séparation. Nous tenons pour évidentes par elles-mêmes les vérités suivantes : tous les hommes sont créés égaux ; ils sont doués par le Créateur de certains droits inaliénables ; parmi ces droits se trouvent la vie, la liberté et la recherche du bonheur. Les gouvernements sont établis par les hommes pour garantir ces droits, et leur juste pouvoir émane du consentement des gouvernés. Toutes les fois qu'une forme de gouvernement devient destructive de ce but, le peuple a le droit de la changer ou de l'abolir et d'établir un nouveau gouvernement, en le fondant sur les principes et en l'organisant en la forme qui lui paraîtront les plus propres à lui donner la sûreté et le bonheur. » En 1767, Townshend, chancelier de l'Échiquier, avait fait voter un imposant arsenal de droits de douane. Devant les violentes réactions des colons, Lord North abroge les dispositions de Townshend, en 1770, à l'exception de celle sur le thé. La politique conciliatrice de North arrive trop tard. Nombre d'Américains, qui ont découvert l'idée démocratique, décident de la faire leur. Au nom de la souveraineté nationale, ils se disent maîtres chez eux, rejettent la prérogative royale et métropolitaine et revendiquent l'accès aux Grands Lacs et au Mississipi. La Révolution se met en mouvement, ne connaissant qu'un but : l'indépendance.

Vergennes, malgré ses efforts de persuasion et la campagne qu'il orchestre dans les gazettes qu'il subventionne, éprouve de la difficulté à convaincre Versailles de l'utilité d'une intervention militaire française aux côtés des Insurgents. Mme du Deffand, fidèle amie des Choiseul s'il en fut, Favier, ancien du secret du roi, Linguet, tous acquis au relèvement glorieux du royaume, se refusent à envisager que la monarchie vole au secours d'une république démocratique, à peine de renier ses principes constitutifs. L'abbé de Véri juge incohérent et dangereux que la France colonisatrice étende sa protection justicière sur une colonie rebelle, alors que les colons français des Antilles clament leurs aspirations autonomistes. D'Alembert craint qu'un conflit entrepris en Amérique ne s'achève en Europe. Le roi ne cache pas ses réticences, Maurepas non plus, qui ne croit pas dans les capacités guerrières des Insurgents. Sartine prépare une formidable marine, mais reste prudent. Au ministère, Vergennes n'a pour allié avoué que le secrétaire d'État de la Guerre : Saint-Germain. Quant à Turgot, il fait connaître son hostilité à toute aventure militaire, quelques jours avant d'être révoqué. Mieux vaut mettre de l'ordre dans les finances et l'économie du royaume, estime-t-il, que d'aller à la bataille : « En faisant un usage prématuré de nos forces, nous risquerions d'éterniser notre faiblesse. » Autre argument, qui participe de la philosophie de l'histoire : « Rien ne peut arrêter le cours des choses qui amènera certainement tôt ou tard l'indépendance absolue des colonies anglaises ; et par une conséquence inévitable, une révolution totale dans les rapports de l'Europe avec l'Amérique. » Enfin, le conseil tactique : « Une troisième raison doit nous décider contre le projet d'attaquer l'Angleterre, c'est la très grande probabilité que cette attaque deviendrait le signal de la réconciliation entre la métropole et les colonies, et précipiterait le danger que nous voulons éviter. » La révolution d'Amérique n'entraîne pas l'adhésion de l'élite, mais recueille les faveurs de la ville, qui s'en prend à Vergennes de la prudence où se réfugie le ministère !

Pendant que Franklin multiplie ses relations et enseigne à ses amis français la liberté républicaine, l'égalité fraternelle et la vertu américaine, le courant d'opinion favorable s'amplifie, n'épargnant aucune couche de la société. Au début de 1777, le marquis de La Fayette, marié à Adrienne de Noailles, s'enfuit en Amérique à l'insu de la cour, accompagné du baron de Kalb, que les Broglie ont chargé de suggérer aux rebelles de les prendre pour chefs. Maurepas et Vergennes, le second poussant le Mentor de toutes ses forces, adoptent une politique d'attentisme actif. La France aide les Insurgents en mettant à leur disposition des capitaux, des armes et des munitions, en ouvrant ses ports à leurs navires marchands et corsaires, mais de manière clandestine pour éviter que les Anglais ne lui déclarent la guerre prématurément ou n'opèrent une grande rafle de sa flotte de commerce comme à la veille de la guerre de Sept Ans. En effet, depuis la Boston Tea Party de 1773, la nomination de Washington au commandement de l'armée américaine en 1775, la Déclaration d'indépendance en 1776, les Américains subissent la pression militaire toujours plus vigoureuse des Anglais. C'est alors que l'inespéré se produit : le 17 octobre 1777, le général britannique Burgoyne et ses 7 000 hommes capitulent à Saratoga, prisonniers des milices coloniales. Cet événement, qui surprend Maurepas et qui comble Vergennes, permet au mouvement insurrectionnel de devenir un conflit international. « Les plénipotentiaires américains, écrit Pidansat de Mairobert, profitant de l'enthousiasme de la France à la première nouvelle de la défaite et de la captivité du général Burgoyne, pressèrent tellement la cour de Versailles de se déterminer, sinon de ne pas trouver mauvais qu'ils reçussent les ouvertures de conciliation que leur présentait l'Angleterre, que peu de jours après (le 16 décembre 1777), un négociateur affidé (Gérard, premier commis des Affaires étrangères) se transporta chez ces plénipotentiaires et les informa de la décision du Conseil qui, après avoir pris mûrement et longtemps en considération les affaires et les propositions des États-Unis, avait déterminé Louis XVI à reconnaître leur indépendance et à l'appuyer par tous les moyens au pouvoir de S.M., même au risque d'une guerre sanglante et dispendieuse, qui devait suivre naturelle-ment d'une démarche aussi injurieuse à la Cour de Londres. Il ajouta qu'en conséquence le roi son maître conclurait volontiers avec eux un traité d'amitié et de commerce. [...] Il dit que le roi ne ferait point un vain étalage de ses sentiments pour la république naissante, ne voudrait pas leur persuader que sa démarche, absolument désintéres-sée, ne fût motivée que sur l'affection qu'il lui portait ; qu'il ne dissimulerait pas que l'intérêt plus pressant, plus réel et plus manifeste que la France avait de diminuer la puissance de l'Angle-terre par une semblable scission, était le vrai point de vue de son Conseil. »

Le 6 février 1778, est signé le triple traité d'amitié, de réciprocité commerciale et d'alliance entre le vieux royaume de France et la jeune République américaine : il promet aux Américains l'ouverture de plusieurs ports francs aux Antilles et d'un ou de plusieurs en France. De plus, en échange de l'engagement des Américains de ne pas signer de paix séparée, le roi renonce à toute prétention sur les anciens territoires français dans le Nouveau Monde avant 1757, c'est-à-dire le Canada, la Louisiane, à quoi sont ajoutées les Bermudes ! La nation, qui avait fait la guerre pour le roi de Prusse au temps de la Succession d'Autriche, revêt à nouveau le costume de mercenaire, mais cette fois au profit d'un planteur virginien, George Washington ! Le Conseil du roi examine différents mémoires qui assignaient au ministère de recouvrer les possessions perdues et les pêches, en contrepartie de son intervention. Mais Vergennes écarte les ambitions territoriales, qui contrarient son esprit philosophique et qui lui font craindre un retournement de l'opinion américaine et la réconciliation générale des Anglo-Saxons contre l'ennemi commun français. Aussi fait-il adopter sa politique, exposée dans un mémoire au roi, lu le 31 août 1776. « Il est certain que si Sa Majesté, saisissant une occasion unique que les siècles ne reproduiront peut-être jamais, réussissait à porter à l'Angleterre un coup assez sensible pour faire rentrer sa puissance dans de justes bornes, elle maîtriserait pendant bien des années la paix. » Si l'on admet le bien-fondé des appréhensions du secétaire d'État des Affaires étrangères, qui redoute qu'une renaissance de l'esprit de conquête français sur le Saint-Laurent ou sur le Mississipi ne provoque le raccommodement des Anglo-Américains et leur coalition contre Versailles, si l'on retient pour postulat que Louis XVI abdique toute volonté de domination dans le Nouveau Monde ou ailleurs, alors se pose une question grave. Quel intérêt la France a-t-elle à s'engager dans la guerre d'Indépendance ? Est-ce pour ruiner davantage ses finances ? Est-ce pour encourager le sentiment autonomiste de ses colons des Antilles ? Est-ce pour légitimer le système républicain et par voie de conséquence condamner le principe monarchique, ou tout au moins appeler à sa réformation ? L'argument de la revanche et du prestige, plus sous-jacent qu'explicité, ne tient pas, car il commande de rétablir le royaume dans ses possessions d'avant la guerre de Sept Ans.

Les mobiles de Vergennes sont ailleurs. Le ministre est d'abord actionné par une vision stratégique négative. Il s'agit de diminuer la puissance anglaise, mais sans augmenter celle de la France. Vergennes, emporté par cette pensée aussi étrange que contradictoire, en arrive à confier au comte de Guines, son ambassadeur à Londres, dans une lettre du 7 août 1775 : « Le Conseil du roi d'Angleterre se trompe grièvement, s'il se persuade que nous regrettons autant le Canada qu'il peut se repentir d'en avoir fait l'acquisition. » Au mépris cynique de la solidarité de race, qui est une valeur collective honorée de tous les peuples, le ministre ajoute une grave erreur de jugement. Contrairement à ce qu'il croit, reprenant en cela une conviction de Choiseul, le Canada n'est par le germe de division qui a poussé ou qui pousse les Anglais et les Américains à l'affrontement : pendant la guerre d'Indépendance, le Canada, refusant de céder aux appels et aux pressions de Washington restera fidèle à la Couronne britannique. Négative, la vision de Vergennes est également fausse. Le Bourguignon, entraîné par un optimisme géométrique, conclut hâtivement que les États-Unis, ayant arraché leur indépendance grâce à Louis XVI, se détourneront à jamais de leur ancienne et tyrannique métropole et ne commerceront plus qu'avec la France. Premier obstacle, les États-Unis, contrairement aux Antilles, ne réclament pas des comestibles, qu'ils produisent eux-mêmes et exportent : ils n'achètent que des produits manufacturés, domaine où la France ne peut rivaliser avec l'Angleterre. Celle-ci, montre Élisabeth Schumpeter, qui, de 1766-70 vendait en moyenne annuelle à l'Amérique pour 1 825 000 livres sterling de marchandises, en exporte annuellement pour 1 596 000 en 1781-85, pour 2 106 000 en 1786-90, puis pour 4 043 000 en 1791-95, enfin pour 5 722 000 en 1796-1800 ! Du commerce américain qu'elle se promettait d'annexer, la France n'a récolté que des miettes.

La seule comparaison de la nature des importations des Treize

Colonies et de la structure de l'industrie nationale, traditionnelle et artisanale, aurait dû éviter à Vergennes de se faire trop d'illusions sur les probabilités de triomphe du commerce français dans la patrie de Washington. Mais, en France, diplomatie et économie semblent condamnées à ne jamais cheminer de conserve. Un autre facteur permettait à Vergennes de prévoir le rapprochement anglo-américain. Turgot l'avait indiqué et souligné, au milieu de quelques belles erreurs, dans son mémoire de 1776 sur les colonies américaines. À « l'ancien asservissement des provinces américaines », avait écrit le physiocrate, se substitueront « les principes d'une liaison fraternelle, fondée sur l'identité d'origine, de langage, de mœurs, sans opposition d'intérêt ». Comment avoir pu oublier que la Grande-Bretagne et l'Amérique n'étaient jamais, malgré l'Atlantique, que deux territoires peuplés de la même race anglaise ! Franklin, ce brave homme qui avait si bien manipulé l'élite française fière de son intelligence supérieure, de retour à Philadelphie, écrit à son ami l'abbé Morellet et, au détour d'une phrase, insiste spontanément sur le poids inaliénable de la culture : « Mais, quoique je n'aie pu quitter sans regret votre aimable nation, j'ai fait sagement de revenir dans mes foyers. [...] Nous parlons tous la même langue ; et vous savez que l'homme qui désire le plus d'être utile à ses semblables, par l'exercice de son intelligence, perd la moitié de sa force dans un pays étranger, où il est obligé de se servir d'une langue qui ne lui est pas familière. » Si l'Américain est un étranger à Paris, il ne l'est pas à Londres où il retrouve son parler et son passé.

À moins d'un pari insensé — et de toute manière très coûteux — la décision de Vergennes d'associer le royaume à la rébellion coloniale d'Amérique ne s'explique pas par la certitude d'abattre la domination politique et économique de l'impérialisme anglais dans le monde. Outre l'erreur de jugement, le ressort du comportement déraisonnable du ministre, pourtant averti par les sages conseils de Turgot de la fatalité proche de l'affranchissement des Treize Colonies, ne peut se trouver que dans l'adhésion à l'idéologie du temps. La guerre de 1778, que Vergennes a voulue et préparée de toutes ses forces, est une guerre philosophique. Qu'écrit le ministre à Louis XVI, en 1779, à propos de la nouvelle alliance ? « Le ministère des Affaires étrangères de Votre Majesté n'y a eu part que pour la confection des actes et pour la préparation des moyens propres à résister à la puissance maritime des Anglais. Les premiers portent l'empreinte de la modération et du désintéressement de Votre Majesté, enfin de son amour de la justice. » À travers des hostilités sciemment et longuement mûries, qui vont coûter des vies humaines et ruiner les finances, qu'offre le Bourguignon à sa patrie modérée, désintéressée et amoureuse de la justice ? La restauration de son crédit moral, la victoire de l'esprit d'équité et du droit sur la raison du plus fort, la candidature de son roi à la dignité de médiateur juste. Animé par un idéalisme utopique, le ministre conçoit un nouvel ordre mondial aussi bien politique qu'économique, dont la France sera le grand horloger. Le rôle des anciennes colonies d'Amérique, dans la construction de ce système, serait de la première importance. Telle une Cendrillon, les États-Unis, naguère possessions assujetties, se donneraient en exemple au monde. Vergennes semble plus américomane qu'anglomane. Il découvre la vertu, qui lui est si chère, davantage outre-Atlantique qu'outre-Manche. Aussi, comme Turgot, en 1778, aurait-il pu écrire : « Il est impossible de ne pas faire des vœux pour que ce peuple parvienne à la prospérité dont il est susceptible. Il est l'espérance du genre humain ; il peut en devenir le modèle. Il doit prouver au monde par le fait que les hommes peuvent être libres et tranquilles, et peuvent se passer des chaînes de toute espèce que les tyrans et les charlatans de toute robe ont prétendu leur imposer sous le prétexte du bien public. Il doit donner l'exemple de la liberté politique, de la liberté religieuse, de la liberté du commerce et de l'industrie. L'asile qu'il ouvre à tous les opprimés de toutes les nations doit consoler la terre. La facilité d'en profiter pour se dérober aux suites d'un mauvais gouvernement forcera les gouvernements d'être justes et de s'éclairer : le reste du monde ouvrira peu à peu les yeux sur le néant des illusions dont les politiques se sont bercés. »

Évoquant la signature des traités franco-américains, les débuts de la guerre en 1778 et le ralliement de l'Espagne à la France en 1779, l'abbé Raynal ne mâche pas ses mots, inspiré par les conclusions d'une analyse politique réaliste, en rupture avec l'idéologie du siècle. On reproche aux conseils de Louis XVI, écrit-il, « d'avoir, par une intrigue de ministres ou par l'ascendant de quelques agents obscurs, engagé l'État dans une guerre désastreuse, tandis qu'il fallait s'occuper à remonter les ressorts du gouvernement, à guérir les longues plaies d'un règne dont toute la dernière moitié avait été vile et faible ». Tout à la fois, le Languedocien s'étonne de « cette alliance d'une monarchie avec un peuple », et regrette de voir « la France s'engager sans nécessité dans une guerre maritime ». Sans contester certaines évolutions politiques, il met en garde. « Le nouvel hémisphère, doit se détacher un jour de l'ancien. Ce grand déchirement est préparé en Europe par la fermentation et le choc de nos opinions. [...] Mais peut-il convenir à l'Espagne et à la France, dont les possessions dans le nouvel hémisphère sont une source inépuisable de richesses, leur peut-il convenir de précipiter ce déchirement ? Or, c'est ce qui arriverait, si tout le nord de ces régions était assujetti aux mêmes lois, ou lié par des intérêts communs. [...] Peut-être même, les possessions de nos monarchies absolues brigueraient-elles d'entrer dans la confédération des peuples libres, ou se détacheraient-elles de l'Europe pour n'appartenir qu'à elles-mêmes. » En conclusion, l'ancien jésuite conseille, pour sauver les intérêts de la France, en l'occurrence les Antilles, « de laisser subsister dans le nord de l'Amérique deux puissances qui s'observent, qui se contiennent, qui se balancent ». Par fidélité à un nationalisme jamais démenti et à la nécessaire puissance coloniale du royaume, Raynal s'en prend vivement à Maurepas et à travers lui à Vergennes, ces élèves, aurait-il pu écrire, de l'Idéologie plutôt que de Machiavel. « Ah! pour gouverner une grande nation il faut un grand caractère. Il ne faut point surtout de ces âmes indifférentes et froides par légèreté, pour qui l'autorité absolue n'est qu'un dernier amusement, qui laissent flotter au hasard de grands intérêts, et sont plus occupés à conserver le pouvoir qu'à s'en servir. » La dissonance du discours de l'abbé, qui rompt l'harmonie symphonique de la propagande officielle, provoque la colère de la Cour. Le Parlement, après une vaine démarche de l'éditeur Panckouke chez Maurepas et Vergennes, condamne la troisième et dernière édition (1781) de l'*Histoire des deux Indes* à être lacérée et brûlée, ce que fait le bourreau le 29 mai. Raynal, décrété de prise de corps, s'échappe en Allemagne, avec la complicité passive du gouvernement.

Le front américain : des colonies en temps de guerre

Dans l'année même de la signature des traités franco-américains — 1778 — emportant la reconnaissance de l'indépendance des États-Unis par Versailles, la France entame l'une des plus grandes guerres coloniales de son histoire, la seule où elle n'a rien à gagner, mais tout à perdre. Au cours de ce conflit de dimension mondiale, les ennemis vont opérer sur des fronts nombreux et éloignés : dans les eaux européennes, de la Manche à la Méditerranée ; dans l'Atlantique américain et aux États-Unis ; dans la mer des Antilles et aux îles ; dans l'Atlantique africain et à la mer des Indes. L'Angleterre est isolée sur mer où elle doit faire face à la coalition navale franco-espagnole et à la Ligue des neutres, toutes deux réclamant le respect du principe de la liberté des mers. Elle n'a pas d'affidé sur le continent, l'Autriche étant l'alliée de la France et la Prusse se frottant les mains de voir l'Europe occidentale se déchirer. Cependant, elle mène la lutte sans états d'âme, estimant juste que ses échanges avec les colonies s'inscrivent dans un système d'exclusif et de monopole, comme elle juge impératif que l'Amérique participe au redressement financier de sa mère patrie. « À quelques exceptions près, note P. Langford, notamment les politiciens radicaux de la métropole et quelques dissidents religieux, les Anglais étaient très favorables à la guerre contre l'Amérique. On se battait essentiellement pour défendre le principe respecté de la souveraineté illimitée du Parlement. » Forte de sa détermination, ne craignant guère un débarquement franco-espagnol sur son littoral, stratégie définitivement abandonnée d'ailleurs quand le général de Castries succède à Sartine à la fin de 1780, l'Angleterre, comme il était logique, porte le principal de son effort sur le front américain, là où elle est vulnérable, là où ses ennemis ont le plus à craindre et à perdre.

Si les navires marchands et corsaires américains fréquentent les ports français malgré une interdiction tacitement violée, à la grande colère de l'ambassadeur anglais qui multiplie les protestations, les bâtiments interlopes des « Treize Provinces » foisonnent dans les eaux des Antilles françaises, particulièrement dans celles de Saint-Domingue, malgré les représailles de la Navy. Dès le 17 octobre 1776, l'année de la Déclaration d'Indépendance, le comte d'Ennery, gouverneur général de Saint-Domingue, écrit au secrétaire d'État Sartine : « Sans les bâtiments Insurgents, nous ne pouvons à la longue exister dans nos colonies. Ils sont absolument nécessaires pour les comestibles et les bois. » Clients et fournisseurs interlopes traditionnels de la Grande Île, les Treize Colonies ont de surcroît remplacé le Canada et la Louisiane, perdus au traité de Paris. Ennery appartient au clan Choiseul qui compte de nombreux propriétaires de plantations, tel le Martiniquais Dubuc. Ce gouverneur, dont Marie-Antoinette souhaite l'entrée dans le ministère, agit dans son gouvernement avec cette latitude que donnent de puissantes relations et la promesse d'un avenir politique. Aussi, quand en cette année 1776, les Américains demandent directement et officiellement à Saint-Domingue de leur ouvrir ses ports afin d'y commercer, de les autoriser à recruter des ingénieurs et des officiers d'artillerie, à installer au Cap-Français un représentant de la jeune république rebelle, le comte tranche-t-il de lui-même. Le 17 octobre 1776, il répond aux Américains : « Vous êtes, Messieurs, fort les maîtres de faire acheter dans la colonie de Saint-Domingue toutes les marchandises de quelqu'espèce qu'elle soit, venant de France ou d'Europe, ainsi que nos sirops et taffias. Vos bâtiments [...] seront en sûreté dans nos rades, dans nos ports et sur nos côtes parce qu'ils y seront sous la protection du pavillon du Roi. J'ai permis au sieur Stephen Coronio de demeurer au Cap où il recevra politesse, égard et protection. » Les vœux du Comité du Congrès sont exaucés, et le gouverneur général envoie la copie de ses décisions à M. de Sartine. « Ainsi, observe justement Ch. Frostin, Saint-Domingue traitait en quelque sorte de puissance à puissance avec les États-Unis, sans passer par l'intermédiaire de la France. »

Les Antilles françaises, accueillant les navires marchands et corsaires des « Provinces Unies » américaines, vivent une période faste que révèlent les correspondances. Ainsi, peut-on lire dans une lettre, partie le 1er avril 1777 du Fort-Royal de la Martinique : « Notre ministère n'a jamais rien fait de mieux que de profiter de la guerre actuelle entre les Colonies de l'Amérique Septentrionale

Anglaise et la mère patrie pour leur ouvrir les nôtres. Comme nos négociants n'osent pas tous hasarder d'aller toucher aux côtes des Insurgents, nous sommes devenus l'entrepôt général, et nous gagnons immensément, surtout Saint-Domingue, mieux située que nous. Les munitions de guerre se transmettent principalement ainsi, et la poudre à tirer est devenue si commune au Cap, qu'elle coûte moins qu'en France. Nous leur fournissons aussi des hommes de la sorte, et nos soldats désertent par bande, ce qui comme vous pensez bien ne se fait pas sans quelque autorisation. La course nous enrichit pas mal encore. Nous avons ici un M. Bingham, Agent des Colonies-Unies, qui a des lettres de marque toutes dressées, et en donne à nos armateurs. Dans les corsaires, il n'y a souvent que le capitaine d'étranger ; nous lui fournissons les matelots, le bâtiment, les munitions, les vivres, et on lui accorde un bénéfice en proportion de ses captures. Du moins, cela se pratique de cette manière sous le Gouverneur qui va nous quitter, et qu'on dit retiré par déférence aux plaintes de l'Angleterre [en réalité, Argout allait remplacer Ennery, décédé, au gouvernement général de Saint-Domingue] ; mais, suivant ce qu'on nous annonce de celui qui doit le remplacer [le brillant et énergique marquis de Bouillé], nous ne trouverons pas avec lui de moindres facilités. » Dans une autre lettre, écrite cette fois le 11 avril 1777 au Port-au-Prince, à Saint-Domingue, un colon déclare : « Le commerce avec les Insurgents se fortifie, s'étend, et acquiert une publicité sur laquelle les Chefs ferment absolument les yeux. Les Anglais, de plus en plus furieux de cette correspondance, sont les seuls qui troublent une union aussi avantageuse ; leur rage les porte même à des hostilités caractérisées ; indépendamment de la *Rivière de Seine*, navire intercepté à nos atterrages, chargé, il est vrai, de munitions de guerre, mais qu'on ne pouvait raisonnablement juger n'être pas destinées pour nous ; on prétend qu'ils ont attaqué dans ces parages une flûte du Roi, qu'ils ont voulu fouiller, et que sur sa résistance, ils l'ont maléficiée au point qu'elle est allée se réfugier au Cap : on a soudain donné des ordres aux frégates croisières de chercher à venger cette insulte. De là, ces tracasseries avec nos rivaux, plus vives encore ici qu'aux côtes de France ; vous devez juger quelle aigreur doit envenimer les esprits de part et d'autre, en sorte que, malgré le Génie plus que pacifique de notre Gouvernement, bien établi par les instructions données aux capitaines de frégates station-nées chez nous, il n'est guère possible de n'en pas venir à des voies de fait, conduisant sans qu'on le veuille à une rupture décidée. »

La mer des Antilles vit à l'heure d'un interlope développé, de la guerre de course, et en contrepartie de la surveillance et des représailles anglaises depuis les années 1774-1775, au cours des-quelles les deux premiers Congrès continentaux américains se réuni-rent, le premier décidant que les Treize Colonies n'étaient plus liées à la Grande-Bretagne que par la personne du roi — un propos que les colons antillais reprendront à leur compte lors de la Révolution française —, le second créant une armée coloniale sous l'autorité de Washington. Dès le 15 octobre 1775, Mme des Rouaudières, épouse d'un colon du sud de Saint-Domingue, annonce à sa fille, qui demeure en France, « la fâcheuse nouvelle de guerre ». Et, ajoute-t-elle : « Comment pourrons-nous avoir de tes nouvelles et t'en donner des nôtres ! Il faudra, chère amie, nous servir de tous les moyens possibles en écrivant très souvent par tous les ports et par les neutres. » Puis, cette correspondance familiale, publiée par Gabriel Debien, ignore la guerre anglo-américaine jusqu'en 1778, année où sont conclus les traités franco-américains. Le 12 juin, Mme des Rouaudières en reste à l'appréhension : « Cette malheureuse guerre dont nous sommes menacés me cause les plus vives alarmes, étant certain qu'elle prolongera beaucoup notre séjour dans ce malheureux pays, et de plus nous privera de recevoir souvent de tes nouvelles. » Enfin, l'inquiétude n'apparaît que le 16 octobre, dans une lettre de la Domingoise à son gendre : « La triste nouvelle de la guerre que nous avons apprise, et plusieurs prises que les Anglais ont faites sur nous, me font craindre, mon cher fils, que la lettre que j'ai eu le plaisir de vous écrire en réponse à la vôtre du 3 mai ne vous parvienne point. [...] En temps de guerre, il faut écrire beaucoup de lettres pour que quelques-unes parviennent. » Les hostilités, auxquelles la France ne prend part officiellement et directement qu'à partir de 1778, n'ont pas encore affecté son commerce, au contraire, elles ont profité aux colonies qui, depuis cinq ans, jouissent d'un régime de liberté des échanges, par principe prohibé par l'Exclusif, et d'une échelle de prix plus favorable qu'en temps de paix. Comment les Martiniquais n'auraient-ils pas applaudi, par exemple, à l'entrée au Fort-Royal le 6 octobre 1778 d'un corsaire insurgent, chargé d'une prise de 217 Nègres à vendre au plus tôt, alors que chacun réclamait vainement des esclaves au commerce de France ? Les exportations antillaises vers la métropole atteignent leur plafond en 1778, soit près de 179 millions de livres tournois, observe J. Tarrade. Mais les exportations françaises vers les îles, un peu plus de 33 millions de livres tournois en 1778, marquent un fléchissement de 10 millions par rapport à l'année précédente, qui se prolonge en 1779, pour se redresser légèrement en 1780 (39 millions) et s'élever à plus de 61 millions en 1781. Autant dire que le conflit n'a pas empêché la France d'approvisionner ses possessions américaines, qui n'ont souffert qu'en 1779, année où elles n'ont reçu que pour moins de 27 millions de marchandises. Malgré les convois, c'est le trafic en direction de la mère patrie qui souffre le plus. En 1779, il tombe à moins de 33 millions de livres, ne se relève pas en 1780, remonte à plus de 57 millions en 1781, pour retrouver son profil ancien dès 1782, environ 158 millions de livres tournois.

La reconstitution des armées navales par Sartine explique la relative bonne tenue des échanges entre la métropole et les îles. Jamais, en effet, l'on n'a vu, pendant la guerre d'Amérique, le commerce s'abîmer et presque cesser, comme cela avait été le cas pendant quasiment toute la guerre de Sept Ans. Sartine, non seulement réforme l'administration de la Marine, faisant passer dans la réalité les idées de Choiseul, notamment en donnant aux officiers la responsabilité de leur arme, que jusque-là intendants et gens de plume assumaient largement, mais encore il stimule puissamment la construction navale. Quand, en 1776, l'ancien lieutenant général de Police reçoit le portefeuille de la Marine, il hérite la soixantaine de vaisseaux en plus ou moins mauvais état que lui lègue Choiseul. À son départ, à la fin de 1780, il remet au marquis de Castries, son successeur, 82 vaisseaux dont plus de la moitié ont la coque doublée de cuivre, sans oublier 71 frégates et 174 bâtiments de moindre importance. Depuis Colbert et Seignelay, jamais la France n'a possédé aussi belle Marine. En face, la Navy aligne une force à peine supérieure. Mais en quelques années, l'Angleterre va se surpasser et, en 1785, disposera d'une flotte qui comptera une cinquantaine de vaisseaux de plus que sa rivale française.

Le front américain — le principal, où s'opposera la grande majorité des unités et où la victoire se décidera — voit, de 1778 à 1782, se déployer trois campagnes navales, commandées du côté français par Estaing, Guichen et l'amiral de Grasse, que complète une expédition à terre, placée sous les ordres du comte de Rochambeau. À Versailles, Sartine, qui avait exhorté Estaing à se rendre utile aux Américains, à donner gloire aux armes du roi et à entretenir concorde et subordination chez ses officiers, constate avec amertume que la première expédition atlantique se solde par un échec total. Aux îles du Vent, le remarquable gouverneur général de Bouillé demande même son rappel. Quant à l'abbé de Véri, il livre le commentaire politique de l'abandon de Sainte-Lucie : « Le malheur de cet événement n'est point dans la perte de Sainte-Lucie qu'on a prise et reprise dans toutes les guerres ni même dans la défaite en soi. Le malheur est dans l'effet que le mot victoire fera sur le peuple d'Angleterre et que le mot battu fera dans l'esprit des Américains. » La guerre de libération dans laquelle Vergennes a cru nécessaire de mêler la nation, commence mal, par la faute d'un officier qui n'avait jamais montré des talents de chef. En 1779, le comte d'Estaing, après avoir fait quelques ronds devant Saint-Christophe, rassemble ses unités et escorte un convoi vers Saint-Domingue, où il livre ses nombreux malades à l'impuissance des médecins et chirurgiens, recrute des hommes frais, embarque des contingents de troupes réglées et des gens de couleur libres, enrôlés en qualité de Chasseurs volontaires, ainsi que des Blancs constitués en Grenadiers volontaires. L'amiral, conscient que sa campagne n'a pas été bénéfique aux Insurgents, et sachant le désappointement réprobateur de Versailles, choisit de se racheter et de se faire valoir. Contrairement aux instructions qui lui commandaient de rentrer en France, il arrête, cédant semble-t-il, à des suggestions, à des conseils et à des pressions d'agents au service des Américains, de faire voile vers la Géorgie avec toute sa flotte, qui porte près de 4 000 hommes. L'armada, au lieu de jeter l'ancre devant Charlestown, mouille devant la ville de Savannah, à l'embouchure de la rivière du même nom. Parti le 16 août du Cap-Français, le comte est à pied d'œuvre le 8 septembre au soir. Le futur amiral Dupetit-Thouars, qui devait trouver la mort lors de la campagne d'Égypte, participe à l'expédition de Savannah, servant sous les ordres du commandant en chef, qui s'imaginait réunir « les talents de Tourville et de Duguay-Trouin ». Les opérations vont se prolonger pendant deux mois — septembre et octobre 1779 — par un climat chaud et lourd. « Figurez-vous une escadre de vingt vaisseaux, mouillés en pleine côte, dans une saison orageuse, manquant de vivres et d'ancres ; des entreponts remplis de malades, presque privés de rafraîchissements quoiqu'on en regorgeât à terre ; une armée de quatre à cinq mille hommes qui en attaquait une autre aussi forte, placée derrière de bons retranchements ; figurez-vous une tranchée ouverte, à portée de fusils de la place ; une trêve accordée au moment où le gouverneur attendait de puissants secours, ce qui en facilitait l'arrivée ; des batteries faites à grands frais d'hommes et de temps contre des remparts de sable, aussitôt réparés qu'endommagés ; enfin, un assaut donné à l'encontre de l'avis des meilleurs officiers, et contre la partie de la ville la plus forte et la mieux défendue. Après vous ne serez point étonné de l'insuccès de nos armes en Géorgie ; vous ne serez point surpris qu'une si belle escadre, si longtemps exposée à tant de coups de vent, se traînât en lambeaux, dans le plus pitoyable état possible, dans les ports de la Nouvelle-Angleterre, des îles du Vent et sous le Vent, de France, d'Espagne et de la Méditerranée. »

Les colonies redoutent les conflits maritimes, qui les isolent de la métropole. Pendant la première campagne, le système des convois est rétabli, mais ne produit que des résultats mitigés. Les colons se plaignent. Ainsi en est-il de M. des Rouaudières : dans le Sud de Saint-Domingue, il ne bénéficie pas de la protection du Cap-Français qui, en période d'hostilités, se mue en capitale navale, en point de ralliement des escadres. Le 5 mai 1779, le planteur confie ses inquiétudes à son gendre : « On ne peut être dans une position plus critique que celle où se trouve actuellement cette colonie. Tout languit et il ne faut compter sur aucune révolution favorable dans les affaires tant que nos côtes seront sans protection et en proie à l'ennemi. Le plus petit corsaire anglais a jusqu'à présent donné la loi partout. Cependant depuis peu de temps nos frégates commencent à sortir et à croiser plus régulièrement. M. des Cars commandant la *Prudente*, avec l'*Active* et le brigantin du roi, vient de faire sept prises dans nos parages ; dans le nombre se trouve la frégate la *Pomone* de 30 canons, armée à la Jamaïque, un corsaire de 22 pièces et un de 12 pièces. Si depuis les troubles, ils avaient toujours manœuvré ainsi, le commerce et la colonie n'auraient pas essuyé autant de pertes. [...] En attendant des succès fort incertains, nous mourons de faim ici. Les vivres d'Europe et ceux du pays nous manquent absolument. Nous éprouvons une sécheresse affreuse, et pour nous consoler, les derniers avis nous laissent craindre que le convoi si désiré, qui devait nous approvisionner, n'ait été ruiné par une tempête et enlevé par l'ennemi. » Le 27 septembre 1779, nouvelles lamentations de M. des Rouaudières : « J'ai aussi eu ma part des pertes que la guerre occasionne. J'ai fait l'année dernière deux chargements qui ont été pris ; l'un qui n'a pu être assuré est perdu sans ressource, l'autre a été presque tout assuré, mais à un si haut prix que je perdrai la moitié de ma somme et encore faut-il pour cela que les assureurs, qui sont à Londres, veuillent payer et ne fassent pas banqueroute. C'est être dans une crise bien cruelle que celle où nous sommes, il n'était pas possible de s'y attendre, elle est si forte qu'il ne paraît pas probable qu'elle dure longtemps. » Le 24 novembre 1779, Mme des Rouaudières prend la plume à son tour et commet quelques lignes à l'intention de son gendre : « Nous apprenons encore la prise d'un vaisseau nantais dans lequel nous vous avions écrit, à votre chère femme et à Mme de Marans. Nous étions comme sûrs que ce bâtiment aurait bien passé, parce qu'il était très bien armé, mais ils ont été rencontrés par des gens beaucoup plus fort qu'eux. On n'entend parler que de vaisseaux pris en allant ou en venant ; le dernier courrier nous rapporte la prise d'un grand nombre de vaisseaux bordelais arrivant du Cap ; ce port est, dit-on, bloqué par plusieurs vaisseaux et frégates anglais. Combien de lettres perdues ? C'est en vérité bien désolant ; notre pauvre marine marchande éprouve de cruels malheurs. » Une lettre de la Martinique, écrite le 3 novembre 1778, fait entendre une autre plainte : « Ici, la corvée surcharge le colon : nous construisons, nous réparons les forts, les corps de garde à volonté, bien ou mal entendus de ceux qu'il plaît au roi de commettre commandants dans les quartiers ; les batteries, les canons sont multipliés sans nécessité, le commandement devient plus absolu. » De guerre en guerre, les griefs se répètent, identiques. Rupture des communications, rareté et hausse des prix des comestibles français, baisse des prix des denrées coloniales, hausse des coûts de l'assurance et du fret et appesantissement du pouvoir militaire. Comme de bien entendu, les colons oublient pudiquement de faire allusion à l'interlope. Or, à la suite des traités franco-américains du 6 février 1778, les possessions antillaises s'ouvrent au commerce étranger, plus précisément à celui des États-Unis que la flotte britannique ne peut interdire très longtemps. Ainsi, les administrateurs généraux de Saint-Domingue proclament-ils la liberté du commerce dans la Grande Île par une ordonnance du 20 juillet 1778. La guerre vient à peine de commencer que les Antilles se donnent deux métropoles commerciales : les États-Unis et la France.

La deuxième campagne navale d'Amérique, celle de 1780, voit le comte de Guichen, tacticien habile, chef réfléchi et apprécié, porté au commandement de l'armée navale française des Antilles, qui compte de brillants éléments comme le chef d'escadre de Grasse et de La Motte-Picquet. Sartine, échaudé par les tristes aventures du vice-amiral d'Estaing, se garde de donner à son successeur des instructions aussi belliqueuses qu'en 1778. Au contraire, il commande la prudence à son lieutenant général, lui fixant comme objectifs de tenir la mer le plus possible pour protéger les communications antillaises, le commerce et les colonies. Sinon, il prescrit de « ne rien entreprendre qu'avec la certitude du succès ». Dans le cadre d'une stratégie défensive, définie par Versailles, Guichen, à la tête de ses 22 vaisseaux, combat à trois reprises le brillant amiral Rodney. Il ne vainc pas son ennemi, mais n'est jamais battu, ne conquérant pas, mais sauvant les îles françaises de l'invasion. L'arrivée de l'amiral espagnol Solano aurait pu favoriser la préparation d'actions offensives, mais les Ibériques sont des alliés aussi insociables en Europe qu'en Amérique. Le bilan de cette campagne, contrairement à ce que suggère une apparence trompeuse, est remarquable. Guichen n'a perdu ni une île ni un navire, a garanti les voies de communication, amélioré le système des convois, renforcé les stations navales antillaises ; en occupant la mer des Antilles où Rodney l'a vainement pourchassé, et en évitant les côtes américaines, il a libéré l'Atlantique au moment où l'escadre du chevalier de Ternai, ayant à son bord le corps expédition-naire français de Rochambeau, le traversait. Ce succès stratégique discret, mais de première importance tant militaire que politique, ne vaudra aucune récompense à son auteur !

En cette année 1780, qui marque un tournant dans la guerre d'Amérique, Sartine amorce un changement de stratégie en dégarnis-sant sensiblement le front européen au profit des stations navales permanentes des Antilles, et s'interroge sur l'intérêt de la France à participer au conflit anglo-américain. Le ministre « dont le caractère circonspect répugnait à cette entreprise », consulte Malouet, commis-saire de la Marine et propriétaire colonial. Convient-il à Versailles d'aider les Insurgents ? L'administrateur répond sans détour : « La saine politique autant que la morale nous prescrit une conduite contraire. Tout concourt à nous rendre la Nouvelle-Angleterre plus redoutable que l'ancienne, si elle arrive à l'indépendance. Alors elle sera bientôt surchargée de denrées, et elle en cherchera le débouché dans nos colonies, en s'en appropriant bientôt le commerce, et ensuite le territoire : telle est sa marche nécessaire. L'Amérique septentrio-nale, devenue libre et puissante, doit s'étendre au midi, et en conquérir les richesses. C'est sous cet aspect qu'il faut la considérer ;

c'est pour arrêter ses progrès qu'il faut réunir nos efforts : toute autre conjecture nous égare et nous perd. Ainsi, s'il y a un traité à négocier, c'est avec la Grande-Bretagne, pour la restitution du Canada, à la charge d'en faire la conquête, et de contribuer à la réduction des insurgents. Ne croyons pas que les Anglais soient jamais aussi puissants par la conquête, qu'ils le seraient par la soumission volontaire. Obligés alors à des frais immenses pour tenir leurs colonies sous le joug, ils en dépenseront les produits. Aliénant de plus en plus, par l'oppression, les peuples soumis, ils auront toujours à craindre de nouvelles révoltes : ils ne pourront tenter de guerre étrangère sans qu'on leur suscite des divisions intestines. L'agriculture américaine, la population, l'industrie encouragée jusqu'à présent par la liberté, languiront dans la servitude insupportable aux peuples qui n'y sont pas nés ; ils décherront de cette splendeur qui nous étonne et nous nuit. Et c'est cela que nous voudrions empêcher, en donnant des secours aux Américains, en accélérant l'époque de leur indépendance ! Ah ! laissons aux philosophes, aux cosmopolites, l'intérêt, l'enthousiasme qu'inspire ce peuple vraiment sage et courageux ; ou, si nous admirons leur vertu, ne soyons pas les artisans de leur puissance. Les rois et leurs conseils ne doivent se passionner que pour le bonheur des peuples qu'ils régissent. Tout ce qui y tend est bien, tout ce qui y nuit est mal : voilà la morale politique. Or, l'indépendance de la Nouvelle-Angleterre nous met en danger : sa dépendance fait notre sûreté. » Sartine, le ministre qui a construit la plus belle flotte depuis les Colbert, partage le sentiment de Malouet, mais, plutôt que de contrecarrer Vergennes, préférerait être autorisé à entreprendre une action d'expansion coloniale, tout au moins à la préparer. Le secrétaire d'État des Affaires étrangères, tout au pacifisme et à l'idéologie, voit ces projets d'un mauvais œil. Quant à Necker, Vergennes supplie Maurepas de le renvoyer « comme suspect d'intelligence avec les Anglais pour motif d'intérêt pour sa banque ou tout autre moins excusable », dit l'abbé de Véri. Mais le banquier, dans son ambition de régenter le ministère, arrache la révocation de Sartine — en qui Vienne aurait volontiers vu un premier ministre — et obtient la nomination du lieutenant général de Castries, lié comme lui au clan Choiseul. Le chantage du Suisse, la lâcheté de Maurepas, la complicité dissimulée de Vergennes et la triste faiblesse du roi privent le gouvernement d'un homme qui avait fait ses preuves au plus vite dans un emploi où il ignorait tout. Ces intrigues indignes enlèvent au ministère un administrateur remarquable, qui était peut-être le seul à posséder l'étoffe rare d'un homme d'État.

L'année 1780 est illustrée aux Antilles par la progression du commerce étranger, malgré les ordres formels de Sartine de revenir à un impraticable exclusif, et malgré le blocus anglais qui voudrait isoler les colonies rebelles de leurs clients. Les navires américains fréquentent en grand nombre Saint-Domingue, particulièrement le Cap, et s'ils abondent moins aux îles du Vent, celles-ci envoient leurs caboteurs aux îles neutres de Saint-Eustache et de Curaçao, où l'on troque des denrées exotiques contre des comestibles, des bois et des ferrements. À ce mouvement d'échanges s'ajoute celui qui se trouve à l'arrivée des convois. Les administrateurs généraux évoquent l'économie de leurs gouvernements avec une quiétude inconnue lors des jours sombres de la guerre de Sept Ans. Ainsi, les chefs de Saint-Domingue écrivent-ils au ministre, le 1er janvier 1780 : « En gros la colonie est pourvue. Il n'est question que d'entretenir. » Si les maîtres de la Grande Île se félicitent que les magasins du roi soient emplis de farines et de salaisons pour plusieurs mois, le colon Des Rouaudières se plaint toujours à son gendre, à qui il écrit, le 20 mai 1780 : « Depuis la guerre nous n'avons pas encore vu dans cette partie de l'île un seul bâtiment français dans lequel on ait pu embarquer des fonds. Si cela continue, je ne sais en vérité comment il faudra s'y prendre : car on ne peut compter, comme je l'avais espéré, sur les secours des Hollandais. Ils viennent bien commercer ici dans nos ports, mais ils trahissent continuellement notre confiance en laissant prendre sans résistance et laissant confisquer sans réclamation tous les sucres ou autres denrées que nous leur confions. D'ailleurs nos denrées se vendent à si bas prix, et les provisions en tout genre sont si chères que nos revenus se réduisent à rien. Jugez-en par ce seul exemple : en temps de paix avec 600 livres de sucre brut on se procure une barrique de vin ; dans ce moment-ci il faut en donner au moins 4 milliers pour l'avoir ; la farine, la toile, les ferrements dont nous consommons beaucoup pour nos cultures, tout est payé dans cette proportion. » Deux mois plus tard, le 23 juillet 1780, le ton des informations demeure grave : « Le passage des fonds est devenu plus difficile que jamais. On ne trouve plus de lettres de change, on ne trouve plus d'argent pour sa denrée, on ne trouve plus de bâtiments sur lesquels on puisse l'embarquer pour la France. Enfin cette partie de l'île de Saint-Domingue est tellement abandonnée du gouvernement qu'il ne nous reste pour ainsi dire aucun moyen de communiquer avec la métropole. » Tout en poussant les choses au noir, le planteur reconnaît pour la première fois que les Hollandais de Saint-Eustache et de Curaçao approvisionnent son quartier. Mais à juste titre, il dénonce la spéculation qu'engendrent les hostilités et la disparité des échanges selon les régions.

Le marquis de Castries nomme à la tête de l'armée navale, qui va mener pendant deux ans — 1781-1782 — la troisième et dernière campagne d'Amérique, le comte de Grasse, marin expérimenté et réputé. Maintenant que la France dispose d'un corps expéditionnaire sur le continent, Castries peut accentuer l'initiative stratégique de Sartine qui, dès 1780, avait commencé à consolider nos forces dans les eaux américaines aux dépens de celles destinées à l'invasion de l'Angleterre. Alors que Rodney s'empare de Saint-Eustache, dont les Hollandais avaient fait le centre de l'interlope antillais, le nouveau chef français se prépare à faire voile vers les îles, où il arrive à la fin du mois d'avril 1781. Il a reçu des instructions qui, plus audacieuses que celles remises à Guichen, s'apparentent à celles que Sartine avait données au comte d'Estaing. Le bouillant Provençal a donc ordre de protéger les possessions et le commerce, mais aussi celui de recouvrer Sainte-Lucie, de conquérir des Antilles anglaises et enfin de se rendre sur les côtes de ces États-Unis où Rochambeau et ses hommes combattent sous la houlette de Washington. Le lieutenant général de Grasse, ne pouvant l'emporter à Sainte-Lucie, se tourne vers Tabago qu'il enlève le 2 juin, puis se rend à Saint-Domingue. Il repart du Cap-Français le 3 août, commandant 28 vaisseaux, qui portent près de 3 300 hommes sous les ordres du marquis de Saint-Simon, monte vers le nord, et le 30 mouille dans la baie de la Chesapeake, bloquant par mer la garnison de Yorktown, qui l'était déjà par terre. Le 5 septembre les amiraux Graves et Hood, suivis de 19 vaisseaux, découvrent la baie et l'armada qui l'emplit. L'étonnement et la confusion qui s'ensuivent permettent à la flotte française à l'ancre d'appareiller à la hâte et de s'extirper de la nasse où elle était enfermée. Graves et Hood ne bougent pas, n'attaquent pas, se contentent sur le tard d'esquisser le classique ballet en ligne de file, puis de se replier vers New York. Ce qui, par la faute du comte de Grasse aurait du être un premier désastre d'Aboukir, est devenu à cause de l'inertie britannique, l'acte de naissance des États-Unis. Le 19 septembre 1781, les 7 000 hommes de la garnison de Yorktown et le général Cornwallis, leur chef, se rendent aux 9 000 Américains et 7 000 Français qui les assiégeaient. Après avoir remporté une grande victoire stratégique et politique dans un engagement où l'on ne s'était pas battu, l'amiral de Grasse quitte la Chesapeake d'autant plus satisfait que l'aire de domination anglaise se rétrécit. Avant même qu'il ne réponde aux appels des Américains, la ville de Pensacola, en Floride, s'était rendue à l'Espagnol Solano et au Français Monteil, le 9 mai. Ainsi, les Britanniques ne tiennent plus que quatre postes sur le continent : Halifax, New York, Charlestown et Savannah. Et, aux Antilles, ils perdent Saint-Eustache — brièvement conquise —, Saint-Martin et Saba, que le gouverneur général de Bouillé leur a subtilisées peu après la capitulation de Yorktown. L'année 1781, qui se clôt sur des succès politiques et militaires, est à Versailles le théâtre d'une crise gouvernementale. Au mois de mars, Necker publie de sa propre initiative le célèbre *Compte Rendu,* qui se présente comme un état objectif des finances nationales. Malheureusement ce document, observe H. Lüthy, « n'était qu'œuvre publicitaire » et même « bilan maquillé », où quelque 1 500 millions de livres dépensés pour la guerre d'Amérique n'apparaissent pas, et où 90 millions de déficit ordinaire sont convertis en un excédent de 10 millions !

Sur le front d'outre-Atlantique, le comte de Grasse, qui avait quitté le 5 novembre 1781 la baie où la Providence avait suspendu sa défaite certaine, s'était retiré aux îles du Vent pour y hiverner. Contrairement à M. d'Estaing, le Provençal ne s'abandonne pas à un interminable mouillage. Dès le mois de janvier 1782, il lève l'ancre et court s'emparer de Nevis, Montserrat et Saint-Christophe, sans que l'amiral Hood ose l'attaquer, préférant même éviter le combat. Puis, c'est le retour à la Martinique où des renforts devaient arriver : mais il n'apparut que quelques navires aux ordres de Vaudreuil. L'amiral de Grasse a pour mission de rallier le Cap-Français en escortant un convoi, de marcher, de conserve avec l'amiral Solano, à l'assaut de la Jamaïque, et d'y débarquer une force d'invasion et d'occupation de 20 000 hommes. Le chef français quitte la Martinique pour Saint-Domingue, le 8 avril 1782, suivi de 30 vaisseaux. À ce moment, l'amiral Rodney, informé, s'éloigne de Sainte-Lucie, accompagné de 36 vaisseaux portant près de 800 canons de plus que les navires français. Dès le 9 avril, un premier engagement a lieu. Puis suivent deux jours à louvoyer dans le canal de la Dominique, et à s'observer. Le 12, à la suite d'une saute de vent et d'ordres mal exécutés, la ligne française se rompt en plusieurs tronçons. Rodney s'engouffre dans ces brèches. Le comte commet des fautes, ses lieutenants en font aussi. La communication des ordres est mauvaise. Isolé, ayant épuisé ses munitions, M. de Grasse se rend : avec lui six vaisseaux presque détruits par la canonnade sont capturés par l'ennemi. La bataille des Saintes, première bataille navale véritable de la guerre d'Amérique s'achève en victoire anglaise, en défaite française. Le commandement et l'encadrement ne sont pas à la hauteur des ambitions que le roi plaçait dans sa belle flotte. Vaudreuil, qui a succédé au comte de Grasse au commandement de l'escadre, entre dans le port du Cap avec 25 vaisseaux, où attendent Solano, ses navires et 20 000 soldats. Français et Espagnols rassemblent une flotte supérieure en nombre à celle des Anglais. Aussi, Vaudreuil demande-t-il à Solano de faire voile vers la Jamaïque. À l'égal des siens qui n'ont jamais cessé de contrarier les Français, depuis que Vergennes, comblé, a fait entrer Madrid dans la guerre, Solano s'oppose résolument à toute opération contre la grande île britannique. Alors, Vaudreuil va proposer ses services à Washington et Rochambeau, qui ne savent à quoi l'utiliser, tandis que La Pérouse, à la tête d'une escadrille ravage les établissements anglais de la baie d'Hudson. Pendant ce temps, le vice-amiral d'Estaing, appuyé par Charles III d'Espagne, et à Versailles par Vergennes malgré l'opposition de Castries, obtient, au mois d'octobre 1782, la direction en chef, à la mer comme à terre, d'une expédition de 65 vaisseaux et 25 000 soldats, qui partira de Cadix au début de 1783 à la conquête de la Jamaïque. Un projet qui avortera.

Plus la guerre de libération d'Amérique progresse vers son aboutissement, plus l'intérêt de la France dans ce combat s'enfonce dans un brouillard opaque. Les négociations de paix, que les belligérants entament à la suite de Yorktown et que Londres poursuit après avoir affirmé sa suprématie navale à la bataille des Saintes, confirme ce sentiment. Vergennes lui-même, expert en clairvoyance et en propos sentencieux, est conscient de l'impasse qui menace d'emprisonner la France, subordonnée aux initiatives autonomes de l'Angleterre et de l'Amérique, et à la bonne volonté rare de l'allié dont le ministre avait jugé bon de se flanquer. Dès le 28 janvier 1782, n'écrit-il pas : « Le but des Anglais est à découvert, leur projet est de détacher l'Amérique de nous, nous ne pouvons donc éviter trop soigneusement tout ce qui pourrait inciter celle-ci à l'infidélité. Nous ne sommes point dans le cas de faire des propositions, nous dépendons d'alliés sans le consentement desquels nous ne pouvons rien, l'Angleterre est dans une situation indépendante, maîtresse de ses volontés, elle peut s'expliquer sans crainte de se compromettre. C'est donc à elle à parler la première. » Le secrétaire d'État, érigé en modèle par les diplomates français, a engagé la France dans une guerre en lui interdisant toute vue d'intérêt, et la livre ensuite au bon vouloir de paix de l'ennemi et de son allié ! Les Britanniques et les Américains, malgré les hostilités, n'ont jamais renoncé à renouer le dialogue et les fils de la négociation. Yorktown, les Saintes, la volonté des ministres whigs Shelburne et Fox de conserver à l'Angleterre ses positions économiques en Amérique, ainsi que la compréhension de certains Insurgents de Paris vont précipiter les événements. Au mois de mai 1782, après une ambassade infructueuse à Madrid, arrive à Paris John Jay, d'origine huguenote, descendant d'une famille de cette ville de La Rochelle qui jadis s'allia à l'Anglais plutôt que de se soumettre à la volonté de la nation, incarnée par Louis XIII et Richelieu. Jay, francophobe et anglophile, suivi par John Adams qui a succédé à Silas Deane en 1778, rencontre fréquemment Oswald, délégué de Londres à Paris. Des tractations s'ourdissent entre les deux capitales, Rayneval, le frère de Gérard, premier chargé d'affaires français aux États-Unis, représentant officieusement Vergennes auprès du cabinet de Saint-James. Les Américains précipitent le mouvement de leurs négociations particulières et bousculent les conformismes. Le 30 novembre 1782, Vergennes, dupé et indigné apprend que Jay, Franklin — personnification de la vertu américaine — et Adams ont signé, en violation des traités de 1778, des préliminaires de paix avec Oswald ! Les malheureux colonisés d'outre-Atlantique et le représentant de l'impérialisme britannique ridiculisent Vergennes, le maître en diplomatie, et ce qui est plus grave, la France elle-même. Le Congrès des États-Unis se saisit de l'affaire et l'examine du 23 au 30 décembre 1783, puis rend une décision d'une subtile hypocrisie. Il blâme ses trois ambassadeurs, mais ratifie leur accord, tout en proclamant qu'il ne déposera pas les armes sans les Français.

Préoccupations indiennes et Îles Sœurs

L'Inde, protégée au nord par l'Himalaya, a été périodiquement envahie par le nord-ouest, comme si la plaine de l'Indus aspirait les migrateurs et conquérants et les invitait à s'installer dans ce gigantesque ensemble alluvial qui s'étend sur 3 000 km, des bouches de l'Indus au Brahmapoutre. Successivement sont entrés en force, Aryens, Perses, Huns, puis les musulmans, Arabes, Afghans, Turco-Mongols de Tamerlan et de Baber, ces derniers installant une dynastie souveraine à Delhi, au xvie siècle. Les Grands Moghols, descendants de Baber, déploient leur domination, se faisant respecter de leurs vassaux afghans, mahrattes et autres. À la mort d'Aureng Zeb en 1706, à la fin du règne de Louis XIV, l'empire glisse sur la pente du déclin, que le roi de Perse Nadir-Shah rend irréparable en s'emparant de Delhi en 1739, à la suite d'une guerre fulgurante et brutale. En 1756, c'est au tour du roi afghan de Kandahar de piller Delhi, profitant même de l'occasion pour battre les Mahrattes, nationalistes et ennemis de l'islam, à Panipat en 1761. Une dizaine d'années plus tard, l'envahisseur s'étant retiré, les Mahrattes montent à l'assaut de la capitale impériale, qui capitule (1773). Néanmoins, après quelques hésitations, les vainqueurs maintiennent le souverain sur son trône. Bref, à l'avènement de Louis XVI, l'Inde est toujours sous l'autorité nominale du Moghol, mais dans la réalité des princes autonomes la gouvernent, qui supportent mal l'intrusion conquérante et impérieuse de la Compagnie anglaise des Indes, et qui voient en la France un allié pour les aider à se défaire de cette institution étrangère dont le joug s'appesantit chaque jour davantage.

La monarchie française, en aidant le Moghol et les souverains indiens à se libérer de la tutelle de plus en plus contraignante d'une société commerciale, derrière laquelle se cache l'impérialisme nationaliste et capitaliste de l'Angleterre, aurait mené en Asie une action symétrique à celle qu'elle conduisait en Amérique, à une différence près qui est majeure. L'intervention de la France aux côtés de l'empereur et des rajahs aurait été respectueuse des principes sur lesquels reposait la société européenne : légitimité de l'autorité du monarque et organisation aristocratique de la société. L'idée d'une participation des armées royales à une guerre de libération indienne n'appartient pas au rêve ni à la mégalomanie. L'abbé Raynal, qui connaît bien les statistiques économiques mondiales de son époque, et qui n'éprouve aucune honte à souhaiter la grandeur et la puissance de sa patrie, aurait conseillé au ministère de frapper la Grande-Bretagne dans l'Inde plutôt qu'en Amérique, si on l'avait consulté. Le Languedocien était plus réaliste et moins philosophe que Gravier de

Vergennes ! En effet, que dit-il, évoquant la politique de l'Angleterre en Asie ? « Cette puissance n'ignore pas les vœux secrets qui se forment de toutes parts, pour le renversement d'un édifice qui offusque tous les autres de son ombre. Le soubab du Bengale est dans un désespoir secret de n'avoir pas même une apparence d'autorité. Celui du Deccan ne se console pas de voir tout son commerce dans la dépendance d'une nation étrangère. Le nabab d'Arcate n'est occupé qu'à dissiper les défiances de ses tyrans. Les Mahrattes s'indignent de trouver partout des obstacles à leurs rapines. Toutes les puissances de ces contrées ou portent des fers, ou se croient à la veille d'en recevoir. L'Angleterre voudrait-elle que les Français devinssent le centre de tant de haines, se missent à la tête d'une ligue universelle ? Ne peut-on prédire, au contraire, qu'une exacte neutralité pour l'Inde serait le parti qui lui conviendrait le mieux, et qu'elle embrasserait avec le plus de joie ? Mais ce système conviendrait-il également à ses rivaux ? On ne le saurait croire. Les Français sont instruits, que des moyens de guerre préparés à l'île de France, pourraient être employés très utilement ; que les conquêtes de l'Angleterre sont trop étendues pour n'être pas exposées, et que depuis que les officiers qui avaient de l'expérience sont rentrés dans leur patrie, les possessions britanniques dans l'Indostan ne sont défendues que par des jeunes gens, plus occupés de leur fortune que d'exercices militaires. On doit donc présumer qu'une nation belliqueuse saisirait rapidement l'occasion de réparer ses anciens désastres. À la vue de ses drapeaux tous les souverains opprimés se mettraient en campagne, et les dominateurs de l'Inde, entourés d'ennemis, attaqués à la fois au Nord et au Midi, par mer et par terre, succomberaient nécessairement. »

Effacer la honte de la guerre de Sept Ans, affaiblir l'Angleterre dans sa puissance économique en tarissant sa source asiatique, en un mot offrir l'alliance militaire du royaume aux princes indiens, en échange d'un protectorat subtil, voilà ce que propose le patriotisme de Raynal. « Alors les Français, regardés comme les libérateurs de l'Indostan, sortiront de l'état d'humiliation auquel leur mauvaise conduite les avait réduits. Ils deviendront l'idole des princes et des peuples de l'Asie, si la révolution qu'ils auront procurée devient pour eux une leçon de modération. Leur commerce sera étendu et florissant, tout le temps qu'ils sauront être justes. Mais cette prospérité finirait par des catastrophes, si une ambition démesurée les poussait à piller, à ravager, à opprimer. Ils auraient à leur tour le sort des insensés, des cruels rivaux qu'ils auraient abaissés. » Le propos de l'abbé débouche sur une stratégie : substituer la France à l'Angleterre dans la mer des Indes, en utilisant le relais des Mascareignes.

Les Îles Sœurs vendues à l'État par l'édit d'août 1764, ne sont rétrocédées à l'administration royale que le 14 juillet 1767. Après

Dumas et Desroches, harcelés ou court-circuités par l'incommode intendant Poivre, quatre gouverneurs généraux se succèdent jusqu'à la Révolution : le chevalier de Ternay (1772-1776) qui transportera les troupes de Rochambeau à Newport, le chevalier de La Brillane (1776-1779), le vicomte de Souillac (1779-1787), et le chevalier d'Entrecasteaux (1787-1789) qui, en 1791, recevra la mission de rechercher l'expédition scientifique de La Pérouse, disparue dans le Pacifique. Le marin passera au large de l'île de Vanikoro, où l'*Astrolabe* et la *Boussole* avaient fait naufrage, sans le savoir, sans rien apprendre. Le ministère porte un regard différent sur Bourbon et l'île de France. Bourbon, écrit Claude Wanquet est le « parent pauvre de l'ensemble insulaire ». Des envois de la France, précise-t-il, cette île ne reçoit « que les miettes », et la dépendance de Bourbon « par rapport à sa voisine est considérée comme une sorte de postulat et même de pierre angulaire de l'organisation économique de l'ensemble insulaire ». Par un décret définitif, Bourbon voit sa vocation limitée aux cultures et à l'élevage, et au ravitaillement de sa voisine et des escadres. Aussi les cultures vivrières occupent-elles la majeure partie des sols, fournissant du maïs, du blé, du riz et des légumes secs, pois et haricots. Les cultures commerciales progressent, mais aux résultats très modestes dans le cas du coton ; très faibles en regard des Antilles, quant au café dont la production oscille entre 1 500 et 2 500 tonnes par an, selon A. Schérer. Les épices, dont on attendait beaucoup, nourrissent les espoirs comme à la Guyane, terme du boulevard qui prétendait prolonger la richesse des Moluques, de l'Insulinde, de Ceylan et de l'Inde, jusqu'à l'Amérique. Cette économie, qui stagne dans le sous-développement malgré l'émergence de quelques fortunes, ne réclame guère de bras. En 1772, on compte 5 477 Blancs, 225 libres de couleur et 24 687 esclaves. En 1788, le peuplement s'accroît, mais dans des proportions sans communes mesures avec celles qu'affichent les Antilles au moins dans la catégorie de la main-d'œuvre servile : 8 182 Blancs, 1 029 libres de couleur, et 37 984 esclaves.

Cette petite île, qui ne produit pas assez de céréales, de légumes secs ni de viande, dont le rendement des cultures spéculatives est médiocre ou expérimental, ne peut espérer capter l'attention et les efforts de la cour. Raynal témoigne de cet intérêt mitigé pour Bourbon en ne lui accordant lui-même que quelques paragraphes, dont le dernier libère une sévérité décourageante : « La cour de Versailles, ne s'occupera jamais des progrès d'un établissement, où des rivages escarpés et une mer violemment agitée rendent la navigation toujours dangereuse et souvent impraticable. On désirerait plutôt pouvoir l'abandonner, parce qu'il attire puissamment une partie des hommes et des moyens qu'on voudrait tous concentrer dans l'île de France, qui n'en est éloignée que de trente-cinq lieues. »

L'île de France, sans complètement négliger la culture de la canne à sucre et du blé, abandonne la production de denrées agricoles, apanage trop chétif de Bourbon, pour s'adonner aux échanges, en application d'un plan arrêté au début du XVIIIe siècle. « Elle est devenue, note L. Dermigny, une base de la traite négrière en même temps qu'un relais capital dans le commerce d'Inde en Inde. En effet, elle ne ressemble guère aux Antilles, et la fortune qu'elle connaît à la fin du siècle procède de la mer et non de la terre. » Sur la route, à l'ouest de la mer Rouge et du golfe Persique, et au loin de l'Inde et de la Chine, l'île de France, dont le Port-Louis fondé par La Bourdonnais et agrandi par l'ingénieur Tromelin est la base navale et le port de commerce, aurait reçu 499 navires marchands de 1730 à 1785. Soit 352 de 1730 à 1768, au temps de la Compagnie des Indes, et 147 à l'époque du commerce libre, de 1769 à 1785. Les navires, qui abordent l'île, vont faire la traite négrière sur la côte de l'Afrique orientale, font escale sur la route de l'Inde et de la Chine, viennent débarquer des produits européens et charger, soit des textiles de traite, des thés, épices, porcelaines, drogues, cafés et soieries à destination de l'Europe, soit des tissus et autres spécialités asiatiques à l'intention des colonies de plantation, voire de l'Amérique portugaise ou espagnole au terme d'une contrebande intercontinentale ! Carrefour du commerce d'Inde en Inde et des échanges entre l'Asie, l'Europe et l'Amérique, l'île de France fait oublier au ministère la masse continentale de l'Australie où les Anglais s'installent en 1788, au cœur du monde lié de la mer des Indes et de la mer Pacifique. Cette poussière, ambitieuse et humble, rêve d'occuper, au sein des possessions orientales, la place que tiennent aux Antilles les cailloux de Saint-Eustache et de Curaçao, opulentes capitales hollandaises du commerce et de l'interlope en Amérique. Les navires marchands entrent de plus en plus nombreux au Port-Louis : 203 en 1789, 347 en 1803, note A. Toussaint, qui compte aussi, de 1786 à 1803, le passage de plus de 600 bâtiments américains. Malgré cette activité, ou à cause de sa nature commerciale, la population de Maurice ne s'élève en 1788 qu'à 44 828 personnes, soit : 4 457 Blancs, 2 456 libres de couleur et 37 915 esclaves. Bien que dans tous les domaines on ne puisse la comparer à Saint-Domingue, qui par sa richesse représente à elle seule l'essentiel du premier empire colonial, l'île de France n'en offre pas moins un intérêt certain, apprécié des esprits avertis. L'abbé Raynal lui consacre de nombreuses pages, lui réclamant avant toute chose d'assumer enfin sa mission de ravitaillement des navigateurs. « Alors, l'île sera ce qu'elle doit être, le boulevard de tous les établissements que la France possède ou peut un jour obtenir aux Indes ; le centre de guerre offensive ou défensive que ses intérêts lui feront entreprendre ou soutenir dans ces régions lointaines. » Le Languedocien, grand apologiste du commerce, ne porte pas sur Maurice le regard du marchand, mais celui du stratège militaire. La France ne possédant pas de port protégé sur la côte de Coromandel, doit utiliser la Mascareigne pour assurer le succès de ses entreprises indiennes, elle doit s'en servir comme d'une arme au service de son ambition nationale. « La Grande-Bretagne, ajoute l'abbé, voit d'un œil chagrin sous la loi de ses rivaux une île où l'on peut préparer la ruine de ses propriétés d'Asie. Dès les premières hostilités entre les deux nations, elle dirigera sûrement ses efforts contre une colonie qui menace la source de ses plus riches trésors. Quelle honte, quel malheur pour la France, si elle s'en laisse dépouiller ! »

Sur ce ton, qui n'est pas celui du philosophe cosmopolite ni celui de l'ennemi de la colonisation, Raynal demande aux Français de ne pas invoquer les dépenses occasionnées par l'île de France ni la faiblesse du commerce national dans l'Inde, pour amorcer un mouvement de retraite. « La politique étend plus loin ses spéculations », affirme-t-il. Au contraire, même, « ces considérations doivent convaincre de plus en plus la cour de Versailles de la nécessité de fortifier sans délai l'île de France ; mais en prenant des mesures efficaces pour n'être pas trompée par les agents qu'elle aura choisis ». L'abbé, considérant alors la mer des Indes en spécialiste de la stratégie et de la géopolitique, expose sa vision de l'intérêt national dans cette contrée du monde si éloignée. « Il y a un rapport si nécessaire entre l'île de France et Pondichéry, que ces deux possessions sont absolument dépendantes l'une de l'autre : car sans l'île de France, il n'y a point de protection pour les établissements de l'Inde ; et sans Pondichéry, l'île de France sera exposée à l'invasion des Anglais par l'Asie comme par l'Europe. L'île de France et Pondichéry, considérés dans leurs rapports nécessaires, feront leur sûreté respective. Pondichéry protégera l'île de France par sa rivalité avec Madras que les Anglais seront toujours obligés de couvrir de leurs forces de terre et de mer ; et réciproquement l'île de France sera toujours prête à porter des secours à Pondichéry ou à agir offensivement, selon les circonstances. »

Au nationalisme, à l'impérialisme colonial des Britanniques, l'ancien jésuite rêve d'opposer ceux des Français. Dans cet appétit de puissance nationale, le septuagénaire rejoint Louis XIV et annonce la Révolution, mais s'écarte du chemin des Lumières où Vergennes et Diderot marchent de conserve : le diplomate en récitant les préceptes du pacifisme, l'écrivain en criant les menaces de la violence. Raynal, en appelant ses compatriotes à se substituer aux Anglais dans l'Inde et à céder à la tentation des richesses du Bengale, peut-il espérer être suivi ? Lui-même n'avoue-t-il pas l'étroitesse du commerce des Mascareignes et de l'Asie, de l'ordre de 55 millions de livres tournois par an, que souligne le poids du trafic afro-antillais : 500 millions de livres, en moyenne annuelle, en 1788 ? Le trafic au-delà des Mascareignes ne nécessite dans ces conditions, de 1698 à 1790, qu'environ 630 navires — 460 pour l'Inde et 170 pour la Chine —, soit une masse de quelque 450 000 tonneaux. Or, à la fin de l'Ancien

Régime, deux années de mouvement maritime entre la France et l'ensemble afro-antillais représentent presque autant qu'un siècle de liaison avec l'Asie proprement dite. En effet, en 1788, 688 navires jaugeant plus de 200 000 tonneaux assurent les relations entre nos ports et le bloc afro-antillais. Toutefois le rapport commercial varie d'une région du globe à l'autre et place l'Asie en tête avec une moyenne de 30 %, les îles venant derrière avec 15 %, le Levant fermant la marche avec 10 %. Tous ces chiffres, les uns désespérants, les autres alléchants, commandent, si l'on adopte la stratégie de Raynal, une révolution de la politique française dans l'Inde. Si la monarchie veut tirer de substantiels bénéfices du sous-continent, il lui faut chasser les Britanniques pour ensuite faire accepter aux princes un système de protectorat politico-militaire, complété d'un affermage économique et d'un monopole des échanges commerciaux.

La contre-politique de Sartine : l'axe Méditerranée-mer des Indes

La Porte, qui menaçait dangereusement l'Europe au XVIIᵉ siècle, devient l'objet des convoitises austro-russes au siècle suivant. Vienne et Saint-Pétersbourg défont les mahométans, s'approprient des provinces de l'empire déclinant, agitent l'idée d'un partage — auquel, la France, invitée, refuse de participer — et celle aussi de la création d'un royaume grec. Versailles demeure l'alliée de Constantinople, distribuant ses conseils militaires et faisant agir sa diplomatie, avant tout pour empêcher Catherine II d'accéder aux côtes de la Méditerranée. Cette sollicitude n'est pas innocente. Comme le rappelle Charles Carrière, notre ambassadeur auprès du sultan, Choiseul-Gouffier, n'écrit-il pas en 1781, pendant la guerre d'Amérique : « Si les Turcs sont les plus incommodes des alliés [...] ils doivent aussi être considérés comme une des plus riches colonies de la France. » En effet, si l'Empire ottoman est l'allié politique du royaume, il est en quelque sorte aussi son satellite économique, par le biais de Marseille qui, au XVIIIᵉ siècle, s'impose comme le premier port de la Méditerranée, très loin devant Gênes, Livourne et Venise. Au seul Levant, la cité phocéenne achète pour 40 millions de livres tournois (en coton brut, notamment) et vend pour 23 millions (en draps, sucres et cafés antillais, argent de Cadix). La nation française, protégée par les capitulations, représentée par ses consuls, ses négociants et ses religieux, est établie dans tout l'Empire : en Asie Mineure, Syrie, Palestine, Égypte, en Crète, à Chypre, dans le Péloponnèse, les îles Ioniennes, en Grèce, dans l'archipel et à Constantinople où l'ambassadeur de France représente le roi auprès du sultan.

L'opinion publique nationale a découvert le Levant du XVIIᵉ siècle grâce aux missionnaires, puis dans les *Voyages* de Thévenot (1665), de Tavernier (1676) et de Chardin (1686). Elle le révise au XVIIIᵉ siècle dans les *Lettres*, que Pitton de Tournefort a écrites au secrétaire d'État de la Marine de Maurepas, au cours d'une mission scientifique (1717). Ensuite, malgré le succès des « turqueries », le centre d'intérêt se déplace de l'Asie Mineure et de l'archipel vers l'Égypte, dont l'abbé Le Mascrier publie une *Description*, à partir des mémoires de M. de Maillet, consul de France au Caire (1740). Ce mouvement de curiosité, tari par la guerre de Sept Ans, renaît après la guerre d'Amérique : les *Lettres* de Claude Savary en 1786, puis le *Voyage en Syrie et en Égypte* de Volney en 1787, en témoignent. Le cercle politique ne se tient pas à l'écart de ces préoccupations. Déjà, Richelieu a été saisi du projet d'ouverture d'un canal de la mer Rouge au Caire. Leibniz suggère à Louis XIV de se rendre maître de l'Égypte pour mieux vaincre les Provinces-Unies, qui tirent de grands bénéfices de leurs possessions des Indes orientales. Le Grand Roi ne suit pas ce conseil, mais, sur l'insistance des Colbert, demande à trois de ses ambassadeurs auprès de la Porte, La Haye-Ventelet, Nointel et Girardin d'ouvrir des négociations pour obtenir la liberté du commerce dans la mer Rouge, et jusqu'à Alexandrie. Quant au consul de Maillet, dont l'abbé Le Mascrier exploitera les papiers, il reprend l'idée de canal et, en 1698, soumet à son ambassadeur que l'on construise une voie navigable entre Suez et le Nil ou entre Suez et Jaffa. Sous Louis XV, le tropisme levantin continue d'exercer son attraction. En 1753, le marquis d'Argenson, dans son irréalisme fervent, imagine une croisade européenne : « C'est l'Égypte surtout qu'il serait nécessaire de délivrer du joug de ce misérable empire turc, si fort en décadence. » Le dessein de coloniser la patrie des pharaons émerge aux côtés de celui, plus ancien, de relier la mer Rouge à la Méditerranée pour dominer le commerce des Indes. Les plans se succèdent. En 1739, un ancien familier du consul de Maillet, devenu conseiller de l'impératrice Marie-Thérèse, le chevalier Dominique de Jauna, propose à Maurepas de conquérir l'Égypte, la Palestine et l'île de Chypre. Devant le silence de Versailles, l'ami honnête et fidèle de Maillet, promu intendant général du commerce dans les États héréditaires de Marie-Thérèse, publie en 1747 ses *Réflexions sur les moyens de conquérir l'Égypte et le royaume de Chypre*.

L'intérêt que Choiseul porte à l'Égypte échappe au secret, même si la discrétion l'entoure. Le lieutenant général de Bauffremont l'exprime, en 1766, dans son *Journal* de visite aux Établissements français du Levant. L'amiral, sur l'ordre de Praslin, renoue avec une tradition illustrée par Duguay-Trouin en 1731 et le duc d'Antin en 1738, qui consiste à montrer la puissance du roi, matérialisée dans les navires et les canons de ses escadres. Parvenant au terme de son périple, le prince, qui a peut-être lu Le Mascrier et Jauna, se livre à une méditation politique que les Choiseul ne peuvent qu'approuver.

« Dans des temps plus heureux, il y aurait des moyens victorieux de nous enrichir aux dépens des Turcs, moyens qui ne conviennent qu'à nous, et qui établiraient jusqu'aux siècles les plus reculés une grandeur inébranlable dans la monarchie : ce serait la conquête de l'Égypte, de la Candie et de Chypre. Ces conquêtes pourraient se faire à bon marché par le mauvais gouvernement des Turcs qui ne sont précautionnés sur rien, et qui, faute de marine, ne pourraient s'opposer à nos invasions. Elles se garderaient facilement, par l'aisance d'envoyer de nos ports de Provence tous les secours nécessaires : en moins d'un mois tout pourrait y arriver. [...] Nous pourrions établir un port admirable à l'isthme de Suez, qui nous fournirait le commerce de la mer Rouge et des Indes. Ces voyages qui durent 18 mois se feraient en 6. Les richesses des Indes tripleraient pour nous. Quelles sources éternelles d'abondance pour la France, si ce projet pouvait être exécuté. [...] 40 000 hommes suffiraient pour conquérir l'Égypte. La conquête de Chypre et de Candie serait encore plus aisée, et d'une facile conservation. [...] Il est à regretter que Louis XIV, au faîte de la gloire humaine à l'âge de 40 ans, n'eût pas porté ses vues de ces côtés-là ; il enrichissait son État inébranlablement et pour jamais. Les conquêtes en question étaient bien préférables à l'Amérique, au Canada, à Louisbourg dont nous ne sommes point à portée, et d'une conservation aussi difficile qu'onéreuse. La perte du Canada, de l'Île Royale, de nos îles, de l'Amérique méridionale, en est une sensible preuve. Croirait-on que si ces contrées avaient été situées, comme l'Égypte, à portée de nous, les Anglais en auraient fait la conquête ? [...] Tout sera possible en France quand nous aurons une marine en état de faire tête à l'ennemi. Nous n'en avons de réel que l'Anglais. Toutes les prétentions portent à cette heure sur la mer ; c'est par là que l'argent vient : il n'a d'autres sources ; ce nerf de tout assure les victoires et les conquêtes. » Ce bref discours, tiré du *journal* de croisière de l'amiral de Bauffremont, récemment publié par Mme Marcelle Chirac, et dont les solides ouvrages de Paul Masson, de R. Clément et de François Charles-Roux ne font pas état, résume excellemment l'argumentation des partisans de la colonisation de l'Égypte et accessoirement de Chypre et de la Crète. Les choses s'accélèrent à partir de 1770 : cette année-là, l'escadre russe de la Baltique vient, avec l'accord de l'Angleterre, écraser la flotte turque à Tchesmé, dans la mer Égée ! Sur terre, l'armée de la tsarine repousse les troupes du Grand Seigneur au-delà du Danube ! À Constantinople, l'ambassadeur de France, le comte de Saint-Priest, qui n'ignore pas les vues de Choiseul sur l'Égypte, rédige un factum allant dans le sens des idées ministérielles et l'envoie à la cour. Dans ses *Mémoires*, le diplomate évoque les grandes lignes de son rapport. « La possibilité de la chute du colosse ottoman ne me sembla pas impossible, et je me mis à examiner lequel de ses débris pourrait convenir à la France. Je jetai les yeux sur l'Égypte, comme le pays le plus riche, le plus aisé à conquérir et peut-être à garder. J'observai qu'aucune puissance ne pourrait lutter à cet égard avec la France : nous avions sur la Méditerranée le port militaire de Toulon et une foule considérable de vaisseaux de guerre qui, à cette distance d'Alexandrie, pouvait aisément atteindre cette ville en quinze jours. L'Angleterre, seule puissance maritime dont la rivalité fût redoutable, avait besoin d'un mois pour faire arriver son escadre, ce qui la mettait hors de mesure de soutenir cette concurrence entre nous. J'observai encore que toutes les productions de l'Amérique y étaient cultivées, notamment les cannes à sucre, l'Égypte seule en approvisionnait le sénat de Constantinople. Les esclaves noirs y étaient dix fois meilleur marché qu'en Amérique ; enfin, en établissant une marine dans la mer Rouge, la France aurait eu sur les Anglais et les autres puissances de l'Europe un grand avantage pour le commerce de l'Inde. Je rédigeai un mémoire sur cet objet et je l'envoyai à la Cour. Il doit se trouver au dépôt des Affaires étrangères. Je l'ai laissé aux archives à la date de l'année 1770. » Choiseul, homme des enthousiasmes changeants, avait-il véritablement conçu une politique égyptienne ? Le célèbre duc de Lauzun, son neveu — certains ont dit son fils —, écrivant en 1787 au secrétaire d'État des Affaires étrangères de Montmorin, répond. « L'Égypte a souvent fixé l'attention de M. le duc de Choiseul. L'acquisition de ce pays superbe et fertile était un projet favori, le roman politique qui occupait le plus souvent ses rêveries. »

En 1774, année pendant laquelle Catherine II impose au Grand Seigneur la paix de Kutchuk-Kaïnardji, qui donne aux Russes des positions en Crimée, la libre navigation de la mer Noire, le libre passage des Détroits, et la protection des peuples orthodoxes de l'Empire ottoman, dispositions qui font de la Turquie « une sorte de province russe », le premier commis de la Marine soumet une note étrange au ministre de Louis XV. Saint-Didier, ancien commissaire de l'escadre de Bauffremont en 1766, expose brièvement, à M. de Boynes, un plan qui devrait attirer « toute l'attention du Gouvernement » : il l'a composé « d'après l'expérience de presque toutes les personnes qui ont vieilli dans l'administration des affaires du Levant », et, ajoute-t-il, « d'après ma propre expérience. » Évoquant l'éventualité d'une révolution de l'Empire ottoman, l'administrateur va droit à l'essentiel. « Je me bornerai à lui observer en général que la conquête de l'Égypte me semble présenter le moyen le plus certain de faire échouer, ou au moins de contre-balancer les vues ambitieuses de la Russie et de l'Angleterre, de rendre naturellement la France maîtresse du commerce de l'Inde sans coup férir, d'amener à la maison de Bourbon l'empire de la Méditerranée, et de procurer enfin une colonie à sucre et indigo, indépendante de l'Amérique et du sort que l'avenir peut préparer à l'Europe relativement au nouveau Monde. J'ajouterai seulement que la prise de l'Égypte ne présente pas de grandes difficultés [...] mais c'est principalement la conservation de ce pays qu'il faut envisager avant d'en entreprendre la conquête, afin de ne pas courir le danger de perdre en un moment le fruit de ses soins et de ses dépenses. » Le legs du dernier ministère de Louis XV n'était pas une vaine guerre de libération américaine, mais l'agrandissement du domaine colonial du roi.

À peine Sartine a-t-il pris les rênes de la Marine que le consul français en Égypte, le sieur Mure, le négociant Maynard et le Marseillais Laugier appellent son attention sur les avantages qu'offre l'ancienne patrie des Ptolémée, et sur les intrigues qu'y nouent les Anglais. Déjà, en 1773, James Bruce, naguère consul de Grande-Bretagne à Alger, a obtenu que le droit de passage par Suez soit accordé aux messagers de son pays. Cette première offensive est suivie d'un nouveau succès. Le 7 mars 1775 est conclu au Caire un traité de navigation et de commerce entre Mohammed, bey de la Haute et Basse Égypte et Warren Hastings, président et gouverneur pour les affaires de la nation britannique dans le Bengale, à Orixa et à Bahar. Non seulement les Anglais étendent leur puissance dans l'Inde, mais les voilà qui préparent sans bruit mais efficacement l'ouverture de la Méditerranée au commerce du sous-continent. Sartine qui n'oublie pas avoir été longtemps un brillant lieutenant général de police, s'informe sur les affaires de son ministère avec intelligence et méthode, en s'appuyant sur la compétence de collaborateurs loyaux. En 1776, un officier hongrois, passé au service de la France le baron de Tott, rentre de Constantinople où il a su se faire apprécier des chefs militaires du Grand Seigneur : il dépose au ministère, un mémoire intitulé *Examen de l'état physique et politique de l'empire ottoman et des vues qu'il détermine relativement à la France*. L'officier, en accord avec l'ambassadeur Saint-Priest, ne s'égare pas dans un labyrinthe de vaines interrogations. Devant la destruction prochaine de la Porte, il n'y a, dit-il brutalement, « que deux partis à prendre : celui de garantir l'Empire ottoman de sa chute ou celui d'en profiter ». Question à laquelle il répond abruptement : « Plus on réfléchit à l'état actuel et futur de l'empire ottoman, plus on est invité à penser qu'il est plus certainement avantageux de profiter de sa chute que de chercher à l'en préserver. » Et, à son tour, le baron préconise la conquête de l'Égypte, faisant sonner les arguments désormais habituels. Sartine, frappé par la convergence des réflexions de ses compatriotes initiés aux choses du Levant, ému par les manœuvres des Anglais qui, une fois encore, menacent de supplanter les Français, demande à Saint-Didier de lui soumettre une analyse fouillée du mémoire de M. de Tott. Au mois d'août 1776, le premier commis remet à son ministre une étude importante, ayant pour titre : *Observation sur l'Égypte*. La lucidité ne manque pas à l'auteur du mémoire ministériel. Il voit juste et imagine habilement quand il examine la conjoncture internationale, dans l'hypothèse d'une conquête. « Je pense que les Anglais ont un intérêt réel et auront la volonté la plus décidée de nous faire échouer, s'ils sont informés à temps de nos vues, et qu'ils aient la possibilité de le faire. J'ose même dire que dans cette supposition ils devraient nous déclarer la guerre. Mais il paraît probable qu'ils sont arrêtés par les circonstances où ils se trouvent. [...] Avertis de nos desseins, [ils] chercheront à les prévenir. Nous serons à cette époque ou en paix ou en guerre avec eux. Dans les deux hypothèses, nous n'avons rien à craindre d'eux si l'Espagne nous seconde. » Pour profiter au mieux de ce que « les Anglais sont dans une position critique », il convient d'actionner le Pacte de Famille, d'inviter les Espagnols à « tenir des armements considérables à Cadix et à Carthagène », pour dissuader la Navy d'intervenir. En échange de son aide, la France pourrait assurer à Madrid la reprise de Minorque et la cession de la Corse, ou la possession de Tunis ou de la Crète, cette île ne devant en aucun cas échapper aux Bourbons. Ce plan d'annexion de l'Égypte et de la mer Rouge, implique une politique étrangère dont les principes vont à l'encontre des choix de Vergennes : intégrité territoriale de la Turquie et guerre atlantique de revanche contre l'Angleterre, mais sans conquête. Sartine souscrit à l'esprit du mémoire de Saint-Didier. Il a conscience que le royaume connaît des moments exceptionnels pendant lesquels il peut réparer les pertes passées et se garantir contre les effets néfastes d'un éventuel bouleversement américain qui menace d'atteindre Saint-Domingue. Il faut se tenir prêt à remplacer les Antilles, car redoute-t-on, « le jour viendra où elles entreront dans la confédération des colonies anglaises ». Comme son premier commis l'y invite, le ministre nomme le baron de Tott inspecteur général des Échelles du Levant, et le charge d'aller collecter tous les renseignements dont le ministère ne manquerait pas d'avoir besoin dans le cas d'une guerre avec les princes de Barbarie. Sartine, souligne F. Charles-Roux, donne des instructions verbales détaillées à l'officier, bien que Vergennes eût élevé des objections contre cette étude secrète des moyens de s'emparer de l'Égypte, de la Syrie, de Chypre et de la Crète.

Toujours en 1776, Sartine, qui envoie le chevalier de Montigny dans l'Inde pour préparer un débarquement français sur la côte occidentale — notamment avec la collaboration de Madec —, ordonne à cet officier de passer par l'Égypte et la mer Rouge. Il lui commande de lui procurer, dans « le plus grand secret », des renseignements sur la région qu'il traversera, et surtout sur l'île de Périm qui tient l'entrée de la mer Rouge. « Je vous demande de rédiger des projets sur l'armement qu'on devrait faire pour tenter cette conquête, soit qu'on fît cet armement en France, aux Indes ou à l'île de France. J'ai besoin des plus grands détails sur le nombre des vaisseaux, celui des troupes, sur la quantité d'artillerie, d'ouvriers, de matériaux, de provisions de bouche, de munitions de guerre, en un mot sur tous les objets relatifs à la conquête ou prise de possession de l'île, à l'établissement à y former et à sa défense ». À Alexandrie, Montigny rencontre longuement Mure, consul général de France au Caire, visite le vice-consul, fréquente les étrangers, accumule les informations. Le 17 juin 1777, il rend compte à Sartine des préoccupations des Anglais : « Je leur ai entendu dire hautement chez le Consul que l'Égypte ne serait pas longtemps sous le gouvernement actuel. On ne peut oublier leur situation en Amérique. Dans le cas où ils seraient obligés d'abandonner ce pays-là, leur resterait-il un objet plus important que la possession de l'Égypte ? La communication rapide de l'Inde avec l'Europe par cette voie ne pourrait-elle pas leur assurer sans retour les établissements qu'ils ont dans le Bengale et sur la côte de Malabar ? Ils occupent d'autres points dans la Méditerranée : Gibraltar, le Port-Mahon ne les mettraient-ils pas à portée de protéger avec avantage leur nouvelle acquisition, en se mettant en croisière depuis Alexandrie jusqu'à Damiette ? » Pendant que Montigny observe le jeu des Britanniques, le comte de Saint-Priest, ambassadeur à la Porte, revient à Versailles où, au grand agacement de Vergennes, et se fait l'avocat chaleureux de l'annexion de l'Égypte. Peu après l'arrivée du diplomate, en 1777, le baron de Tott prend la mer et débarque à Alexandrie au mois de juillet, alors que Montigny, quelques mois plus tard, quitte l'Afrique pour l'Inde où il arrivera au printemps de 1778. Dès le mois d'août 1777, le gentilhomme hongrois envoie au ministre un rapport sur Alexandrie, signé de l'enseigne de vaisseau de Laune, qui n'est autre que le frère de Saint-Didier. Au mois de décembre suivant, l'inspecteur général des Échelles du Levant expédie au secrétaire d'État un mémoire de son collaborateur, traçant le local du pays et les moyens de s'en emparer. Rentré en France au mois de juillet 1778, le baron rédige sans précipitation le compte-rendu de sa « mission secrète » : il le remet l'année suivante, en 1779. Vergennes a engagé la France dans le conflit américain, condamnant les projets d'expansion dans la Méditerranée et la mer Rouge.

Alors que la politique américaine du ministre des Affaires étrangères ne conduit qu'à ruiner le Trésor pour relever le crédit moral du royaume, celle de l'ancien lieutenant général de police propose des ambitions réalistes à la nation. Sartine, en quelques années, en lisant et en écoutant, a construit une stratégie cohérente. Ce fils de Lyonnais, né à Barcelone, à l'instar de l'abbé Raynal, veut exploiter l'appartenance de la France au monde méditerranéen. Conscient que les armes du roi n'ont rien à gagner en Amérique, il comprend, au contraire, que la monarchie aurait intérêt à donner vie à l'axe Méditerranée-mer Rouge-mer des Indes, d'autant qu'elle en a les moyens : une flotte de plus en plus nombreuse, et à chaque bout de l'axe une base navale considérable, Toulon et le Port-Louis. Le ministre de la Marine, sans prêcher la destruction de la Turquie, penche pour une participation à un partage limité inévitable. Vergennes s'y oppose. Or, dès le XVIIIe siècle, la Russie s'approprie la Crimée ! l'Angleterre attendant le XIXe siècle pour mettre la main sur l'Égypte et dominer la Méditerranée. Dans le domaine colonial, comme dans tous les secteurs, Castries reprend à son compte la politique de Sartine. Dans la Méditerranée, le ministre de la Marine, s'appuyant comme son prédécesseur sur l'avis unanime des Français du Levant, de l'ambassadeur de Saint-Priest au plus petit marchand marseillais des Échelles, sans oublier le fidèle Saint-Didier et les émissaires chargés de missions discrètes, s'évertue à convaincre ses collègues de donner l'Égypte, la Crète, Chypre et Rhodes à la France.

Vergennes, malgré une action largement inscrite au passif du bilan gouvernemental, s'obstine dans son entêtement infaillible : surtout quand Joseph II d'Autriche propose à Versailles de ne pas bouder un démembrement contrôlé de la Porte. Aux avances de l'empereur allié, le secrétaire d'État des Affaires étrangères, rappelle J.-F. Labourdette, fait savoir laconiquement. « L'Égypte, nous ne voudrions pas de ces marabouts, quand même on nous les offrirait. » Au mois de juillet 1783, une brochure anonyme, intitulée *Réflexions politiques et militaires sur la guerre que l'Empereur et la Russie préparent contre les Turcs,* dont on a peine à croire qu'elle n'a pas été inspirée par le diplomate bourguignon, porte l'affaire sur la place publique. Ce factum condamne « la triste conquête » de l'Égypte et de la Crète, flétrit ce projet d'expansion « peu réfléchi, mal combiné et autant au-dessous de la majesté du Roi que destructif de la population de son Royaume ». Cette politique, qu'aurait pu parrainer Fénelon, l'abbé de Saint-Pierre et autre marquis d'Argenson, récompense la Russie, flatte l'ennemi prussien à qui est confiée la tâche d'intimider l'allié autrichien, et vexe les intérêts nationaux. Mais le conformisme de Vergennes fait loi. Le ministre des Affaires étrangères, dans son refus philosophique des conquêtes, avait en 1775 refusé d'acquérir le Brésil — contre lequel Louis XV avait préparé une expédition à la fin de la guerre de Sept Ans —, que l'Espagne lui proposait, en cas de conflit contre le Portugal. J.-F. Labourdette rapporte sa réponse à Madrid, dans laquelle on s'efforce en vain de déceler autre chose que l'esprit de système. « Quoique l'objet soit séduisant et qu'il serait difficile de se proposer une plus belle et plus riche acquisition, elle ne tente point du tout le Roi mon maître : S. M., contente de son domaine, veut le conserver et ne pense point à l'étendre. » Vergennes, méfiant à l'égard du système autrichien, se refuse à l'utiliser pour orienter les ambitions coloniales françaises vers la Méditerranée, l'Orient et l'Inde. Il préfère ériger en dogme l'intégrité de l'Empire ottoman. L'heure venue, les Anglais profiteront des effets conservateurs de ce postulat : ils mettront la main sur une large partie de la Turquie soigneusement sauvegardée, comme à leur intention ! Dès lors que l'idée de prise de possession de l'Égypte est remisée, Castries, successeur de Sartine, n'a plus qu'à revenir au vieux schéma du XVIIᵉ siècle, de Colbert : obtenir la libre navigation de la mer Rouge et le libre transit de Suez au Caire. Grâce au concours zélé du commerçant marseillais Magallon, qui réside au Caire depuis longtemps, le major de vaisseau Truguet, envoyé par Choiseul-Gouffier, ambassadeur à Constantinople, signe avec les autorités locales trois traités relatifs au commerce, à la navigation et aux douanes (1784-1785). Ce qui avait été refusé à Louis XIV est accordé à Louis XVI. Le négoce français ne saura pas tirer profit de ce régime privilégié, qui le mettait à égalité avec l'Angleterre. La tentative méditerranéenne de Sartine, que Castries a voulu prolonger et concrétiser, a fait long feu, éteinte par un diplomate plus stérile que calculateur.

La genèse de la stratégie indienne de Sartine

Où en sont les Français, sur le terrain, dans l'Inde ? Après la capitulation de Pondichéry, des officiers et des soldats s'organisent en bandes de partisans, qui se mettent à la disposition des princes menacés par l'emprise anglaise. On en rencontre au Bengale, dans l'Indoustan — c'est-à-dire l'Inde septentrionale, où réside le Moghol, dont Delhi et Agra sont les capitales —, on en voit aussi dans le Deccan, auprès du soubab Nizam Jimg, assassin de son frère Salabat, le protégé de Bussy, à Mysore, aux côtés de Haïder Ali. Mais ces partis, malgré les tentatives du colonel de Modave, notamment, ne forment pas un front commun au service du roi, préférant agir de manière dispersée, au gré de leurs intérêts et des capacités financières des souverains. Le 26 janvier 1765, débarque à Pondichéry le premier commissaire pour le roi, nommé après le traité de Paris, Jean Law de Lauriston, qui conservera son emploi pendant douze ans, jusqu'au 8 janvier 1777. Le gouverneur général prend possession des Établissements français qui sont en ruine, Chandernagor, de surcroît, ne jouissant plus du droit de se fortifier. L'administrateur, qui assiste à la mainmise britannique sur la côte orientale de la péninsule, sur le Bengale, sur Delhi, métropole de l'empire et symbole de la légitimité, sur le Deccan, sur le Carnatic, informe Versailles des progrès de la fatalité. Il dénigre les projets de redressement de la conjoncture, élaborés par ses compatriotes, et dans sa résignation presque complice, en arrive à effacer l'Inde de la carte des ambitions françaises, pour suggérer des actions et des établissements à Manille, à Bornéo et dans la future Indo-Chine. Clive, puis le gouverneur général Hastings, profitant de la conviction d'impuissance de leur rival, asservissent la hiérarchie princière, et finalement contrôlent, administrent, créent taxes et droits de douane, et lèvent l'impôt dans la moitié orientale du sous-continent. Les Mahrattes et Haïder Ali, roi du Mysore, refusent de passer sous les fourches caudines d'une Compagnie, pour qui puissance commerciale et domination politico-militaire forment un tout indissociable. Davantage, des potentats locaux, qui ont fait acte d'allégeance, n'aspirent souvent qu'à relever la tête. Dans sa bienveillance, commandée par une admiration sincère pour l'auteur du *Mémoire sur quelques affaires du Grand Mogol* et de l'*État politique de l'Inde en 1777*, A. Martineau concède : « Lauriston vécut tranquille pendant douze ans, mais non sans soucis. » R. Glachant, qui n'a pas les ménagements fades de la diplomatie, tout en reconnaissant l'intelligence et la qualité du style de Law, bouscule les égards mondains. « Law reparaît périodiquement aux époques d'impuissance politique. Ce personnage que le monde déclare intelligent, l'est en effet d'une certaine manière. Il peut parler avec sincérité et élégance, et ses paroles font une musique pleine d'intérêt par elle-même. Pourtant sa finesse trompe. Elle tisse au-dessus des faits un brouillard de notions justes qui dispersent le raisonnement. Au premier abord on ne s'explique pas pourquoi son incontestable vivacité d'esprit est aussi inapte à prévoir les événements qu'à les diriger. [...] Avec tout son esprit, Jean Law est un impotent. Son esprit le retranche du mouvement de la vie. [...] Après avoir jonglé avec les faits, rendus par lui diaphanes et innombrables, il conclut à se laisser dévorer, avec une expression infiniment civilisée de doute. [...] Il ne semble pas aventureux de dire qu'il a été le fossoyeur de nos espérances. Il comprit tout et ne fit rien. »

L'extrême prudence de Law, qui conduit à l'anéantissement général des Français dans l'Inde, correspond à la période pendant laquelle la direction des Établissements est renouvelée. En 1773, une administration royale, à l'image de celle que possèdent toutes les colonies est mise en place. En effet, en 1769, le privilège de la Compagnie des Indes a été suspendu, rendant le commerce aux particuliers, à la seule condition que tous les retours se fassent à Lorient. Cette mise en sommeil de la Compagnie explique sans doute pourquoi Lauriston se réfugie dans la réflexion et la correspondance politiques plutôt que de se consacrer au rétablissement de la puissance nationale. Il veut faire fortune, comme tous ses prédécesseurs à Pondichéry, et plus banalement comme la presque totalité des agents du roi qui acceptent un exil colonial dont ils attendent une compensation financière, souvent colossale en Asie, bien moindre en Amérique, à l'exception des cas associés de Bigot et de Vaudreuil, au Canada, pendant la guerre de Sept Ans. Sitôt la vieille institution colbertienne jetée à terre par les Choiseul et le contrôleur général des Finances Maynon d'Invault, que poussent leurs amis physiocrates les Trudaine, Dupont de Nemours, certains banquiers et le négoce, Lauriston crée une « véritable Compagnie des Indes en survivance », selon l'expression de H. Lüthy. Cette société privée — qui nourrit l'espoir secret de relever le monopole à son profit — réunit Jean-Baptiste Chevalier, directeur des établissements français du Bengale, le négociant Pierre Bernier, beau-frère de François Rothe, ancien directeur de la Compagnie, Jacques-Alexandre Gourlade, naguère membre du Conseil supérieur de Pondichéry, aujourd'hui homme d'affaires parisien et beau-père par alliance de J.-B. Chevalier, et enfin Jacques-Donatien Le Ray de Chaumont, affidé du duc de Chartres, bientôt duc d'Orléans, intendant des Invalides, et propriétaire de cet hôtel de Passy qu'il mettra à la disposition de Benjamin Franklin. Ce petit groupe a des accointances dans l'Inde, en entretient en France dans les milieux de la banque, suisse notamment, de la finance, de l'armement maritime et de l'administration. Il accumule les bénéfices jusqu'en 1777, date à laquelle il fait faillite, sans ruiner pour autant les fortunes personnelles. La banque suisse Girardot, Haller & Cie, naguère Thelusson & Necker, avance trois millions de livres, désintéresse les créanciers et prend en main le consortium défaillant : une opération qui aura des suites. Ces activités commerciales indiennes, qui mettent Law en relation avec les Anglais et l'internationale huguenote — représentée à Pondichéry même — qui a des ramifications dans tous les grands ports européens, dont Londres, expliquent-elles l'inertie politique du proconsul ? On peut se poser la question.

L'Inde n'a jamais cessé d'intéresser les Français, même après la guerre de Sept Ans, qui ne leur laissait que décombres et le souvenir d'un rêve détruit. Le secrétariat d'État de la Marine, et d'autres encore, conservent les mémoires et correspondances, emplis d'avis et de renseignements, malgré la complexité du contexte politique : le Bengale asservi depuis la bataille de Plassey (1757) et l'exécution de son soubab, Suraja Daulat, enfin l'empereur lui-même, défait à Patna (1761) par les Anglais, à qui il doit abandonner le Bengale. Dès lors les souverains indiens des bouches du Gange ne sont plus que des potiches que les Britanniques brisent en cas de résistance. Un empereur pensionné par l'ennemi, des soubabs du Bengale sous surveillance, les Mahrattes, ces nationalistes indiens jamais en repos, ne se remettent pas pleinement de Panipat où les Afghans les ont défaits, et au Sud la fronde tenace de Haïder Ali, souverain mahométan du Mysore, tel est l'échiquier difficile sur lequel certains Français veulent déployer une stratégie gagnante. Le 6 septembre 1768, Chevalier, qui n'est pas encore l'un des dirigeants du consortium commercial qui prendra la suite de la Compagnie, dresse au ministre un tableau décourageant de la conjoncture de l'Inde septentrionale où il réside. « L'on ne veut plus reconnaître nos privilèges, ou, si l'on se les rappelle, c'est pour les abolir. Nos passeports n'ont plus de force ; notre pavillon est insulté de tous côtés ; nos bateaux, arrêtés et fouillés : et l'on nous impose des droits nouveaux, dont nous avons été exempts de tous temps. Le but d'une conduite si révoltante n'est plus douteux : l'on veut nous faire renoncer au commerce, et c'est pour nous y engager qu'on cherche à le rendre impraticable. Les Anglais sentent bien qu'il serait indécent de faire paraître leur nom, dans la plupart de ces vexations. Ils empruntent celui du nabab ; c'est un serviteur à gages, contraint d'agir à leur gré. [...] Dans une pareille position, il est certain que nous n'avons plus rien à espérer, et que nous pouvons regarder l'Inde comme absolument perdue pour nous. Il n'y a plus que du côté de l'Europe qu'il nous est possible d'obtenir un accommodement qui nous donne la liberté de notre commerce. » Le directeur de Chandernagor se soumet à la dure réalité — la cession de souveraineté sur le Bengale, accordée à la East India Company le 12 août 1765 — et limite ses ambitions à demander à Versailles que les modestes Établissements français de cette région jouissent de la liberté de commercer.

Trois ans plus tard, la Compagnie est « dissoute », et Chevalier, qui en a réorganisé une autre avec le gouverneur général Law dans l'espoir de relever le monopole, change de ton et de vues. Le 6 janvier 1771, il soumet au secrétaire d'État de la Marine de Boynes un plan offensif à deux fronts : négligeant l'Inde péninsulaire, donc Pondichéry, il propose que simultanément une escadre s'engouffre dans le Bengale et assiège Calcutta, tandis qu'un corps royal d'infanterie descendrait le Gange, accompagnant les princes enfin libres de leurs mouvements vers Calcutta assiégée. Ce plan audacieux, qui ne peut aboutir qu'au prix d'une robuste expédition militaire, ne relève pas d'une rêverie solitaire distillée par l'opium : il succède à un projet du capitaine réformé de La Merville, élaboré quelques mois plus tôt, au mois d'octobre 1770. Dans son « plan d'attaque pour conquérir le Bengale, et y anéantir aux Indes la puissance anglaise », La Merville pose en préalable : la restauration de la puissance française, dans son intégrité, partout où la Couronne possède des établissements ; la confirmation de notre alliance au Grand Vizir Sujah Daulat, au Grand Moghol Shah Allam, à Haïder Ali, en un mot à tous les princes hostiles à la domination britannique. L'objet de la campagne consiste à s'emparer du fort Williams de Calcutta, « place d'armes des Anglais, et la seule capable de soutenir un siège », site stratégique qui commande tout le Bengale. Cette révolution, précise l'auteur, « est une expédition maritime, dont l'Île de France doit être le centre. Les moyens qu'exige cette expédition sont trois vaisseaux de guerre, trois frégates, sept bâtiments de transport, une corvette, 2 500 soldats et 2 000 Cafres ». Complémentairement, 1 200 Européens de valeur seront réunis autour du Grand Vizir pour former le noyau de son armée. Le commandant de ce corps devra revenir à un « officier de marque dont la réputation soit faite aux Indes » : vraisemblablement le chevalier Gentil, ancien collaborateur de Bussy, et dans l'instant, conseiller du Grand Vizir. Les forces venant de l'île de France débarqueront à la côte d'Orissa, limitrophe du Bengale, au mois de juin ou juillet au plus tard et feront jonction avec le Corps de Sujah Daulat, pendant que « la flotte, par la rapidité de sa navigation dans le Gange, surprendra l'ennemi et l'attaquera dans le centre de ses positions les plus importantes ». Calcutta et la puissance anglaise ayant succombé à l'assaut de cette opération combinée, que décidera-t-on ? « On doit avoir la politique de rendre la liberté du commerce des terres aux gens du pays, qui gémissent impatiemment sous le monopole et la tyrannie du gouvernement anglais. Il faudrait, suivant les circonstances rétablir l'empereur Shah Allam à Delhi, et remettre à Sujah Daulat la souveraineté de toutes les provinces du Bengale, en conservant à la Nation française la possession des terres qui lui conviendraient dans cette partie de l'Asie. » Ainsi, à peine après l'abolition de la Compagnie des Indes, certains sujets de Louis XV songent à faire tenir à la France le rôle de libératrice rémunérée de l'Inde.

Alors que Chevalier, précédé par La Merville, et bientôt suivi par d'autres, jusqu'au règne de Napoléon, plaide en faveur d'une intervention militaire dans l'Inde, le gouverneur général Law en dénonce les dangers : pareille expédition, explique-t-il à Versailles, déclenchera un conflit européen. Les deux co-directeurs du consortium commercial sont-ils en désaccord ? Peuvent-ils se permettre d'afficher une mésentente aussi grave, ou bien, d'un commun accord, chacun interprète-t-il une partition différente pour ne pas inquiéter le ministère ? Ce qui se passe à Versailles invite à penser que les deux compères veulent une seule et même chose et que leur artifice n'a avorté — une première fois — que d'extrême justesse. Le 6 mai 1772, Boynes, secrétaire d'État de la Marine, rend compte au duc d'Aiguillon, son collègue des Affaires étrangères et un peu Premier ministre. Convaincu de la justesse de raisonnement de Chevalier, il défend que « sans former les projets chimériques de domination et de conquête qui ne sont pas compatibles avec le traité de paix de 1763. [...] On peut parvenir à rendre à la Nation son ancienne considération, et à acquérir dans l'Inde une puissance beaucoup plus solide que celle des Anglais, parce qu'elle sera essentiellement liée à la politique des princes du pays, intéressés à maintenir la concurrence parmi les différentes nations européennes ». Et alors Boynes soulève le problème du rétablissement de la Compagnie des Indes, cœur de la stratégie de Chevalier et de Law, supprimée aux jours révolus de Choiseul. Finalement, Versailles accepte que les partisans français dans le sous-continent se rassemblent autour des chefs mahrattes et de Haïder Ali, mais se refuse à envoyer des troupes royales attaquer le Bengale, de peur que ce conflit asiatique ne s'étende à l'Europe. Jusqu'à la mort de Louis XV (1774), le ministère ne modifie pas son analyse, mais observe avec attention la montée en puissance des Mahrattes, qui, après avoir destitué le Moghol, l'ont rétabli sur son trône mais en lui imposant leur tutelle. L'empire est réduit à une misérable fiction, tant par les ennemis intérieurs qu'extérieurs.

Dans l'Inde, Lauriston et Chevalier poursuivent leur étrange duo. Le premier décourage les initiatives gouvernementales en soulignant qu'une action du roi pourrait allumer une conflagration générale ; toutefois, il suggère d'entretenir l'ardeur des partisans et même de les regrouper autour de Haïder Ali. Le second, au contraire, continue de vanter les avantages d'une opération militaire au Bengale, et, sur place, encourage les chefs de partis, en particulier le Breton Madec, à qui il conseille de se mettre au service du Moghol. Ce personnage de roman — l'Inde grouille de ce genre de héros — suit l'avis du directeur de Chandernagor, qui, dans une lettre du 4 décembre 1772, lui a expliqué quel rôle il devrait tenir auprès de l'empereur. « Vos seules forces doivent faire pencher la balance de son côté contre tous les gouverneurs et nababs qui refuseraient de reconnaître son autorité, surtout étant joint avec les Mahrattes, qu'il est important de ménager et d'attacher à la nation [française], par la raison que cette nation belliqueuse est devenue aujourd'hui la puissance la plus formidable de l'Indoustan. » L'ancien mousse et ancien soldat, devenu aventurier, prend langue avec le Moghol qui le recrute et le fait nabab. Il va de péripéties en péripéties, mais sans jamais pouvoir, comme le souhaite Chevalier, rassembler les princes dans une grande marche de libération du Bengale. En 1775, Madec a la surprise de recevoir la visite d'un homme de qualité, à la conversation déliée, à l'esprit souple, aux relations nombreuses et choisies. Ce personnage inattendu n'est autre que le colonel comte de Modave, officier de Lally pendant la dernière guerre, planteur endetté aux Mascareignes, gouverneur malheureux de Madagascar, mais ayant fréquenté Versailles et l'Europe mondaine. Le rustre enrôle le noble à l'intelligence subtile et aux manières délicates, le présente à l'empereur et à sa cour. Cette étonnante association, où chacun semble décidé à utiliser et à duper l'autre, se met au travail à l'écart de la hiérarchie française, représentée par Law et Chevalier, pour se faire valoir auprès de la cour et en recevoir les récompenses méritées. Dans le courant de l'année, Madec, grâce aux services de Modave, inonde de son courrier, Sartine, secrétaire d'État de la Marine de Louis XVI, le gouverneur général de Ternai, à l'île de France, le lieutenant général de Castries, qui succédera à Sartine à la Marine, et le comte de La Marck, notamment. Qu'a donc à révéler ce couple bizarre ? Une histoire étonnante. Le Moghol, pour prix d'une alliance avec la France, est prêt à donner au roi la province du Sindh, aux bouches de l'Indus, et à confier à nos troupes la garde de la place forte de Tatta Bakkar. Madec suggère d'envoyer 3 000 soldats français à Tatta Bakkar, sur lesquels un millier rejoindraient Delhi pour le service personnel de l'empereur, contingent dont il sollicite le commandement. De même, il juge nécessaire d'acheminer une artillerie considérable. Si ces conditions sont réunies, le Breton estime qu'il disposera de moyens suffisants — complétés par quelques milliers de cipayes — pour dévaler le Gange, dévaster le Bengale et ruiner les Britanniques. Il pense que la situation internationale très tendue permet au roi d'ordonner cette expédition qui, à ses yeux, est celle de la dernière chance. En effet, prévient-il, « si les propositions que l'empereur fait en France ne sont pas écoutées, il se jettera sans doute dans les bras des Anglais ».

À Versailles, Sartine lit avec attention un mémoire du 1er mars 1776, où Baudouin, son chef du Bureau de l'Inde, résume les informations reçues et donne son sentiment : « Le Moghol nous fait faire des propositions par deux voies différentes : l'une par le Sr Chevalier, l'autre par le Sr Madec. Par le Sr Chevalier, l'empereur demande qu'on lui envoie à Delhi un Corps de 4 à 5 000 hommes. Par le Sr Madec, il offre de nous subroger à ses droits sur Tatta et ses dépendances, et qu'il s'engage à nous envoyer le paravana [décret] par Sūrat, à condition que de Tatta on lui dépêchera un corps de troupes. Ces deux propositions s'accordent parfaitement avec nos liaisons dans l'Inde. Les Mahrattes sont protecteurs-nés de l'empereur. Ils forment la cavalerie de ses armées : et on ne doit pas douter un instant que lorsqu'ils verront à ce prince un Corps de 4 à 5 000 Français, la majeure partie de la nation ne se joigne à eux. Quant à Haïder Ali Khan et Bassalet Jing [prince du Deccan], mais, surtout pour le premier, lorsqu'ils seront instruits de notre intention avec le Moghol, nul doute qu'ils ne soient infiniment plus empressés à cultiver notre alliance ; et alors, dans le cas de guerre, ils pourront nous être ainsi qu'à l'empereur d'une grande utilité pour former une diversion sur la côte de Coromandel. » Quelles conséquences, la présence d'une cohorte française auprès de l'empereur entraînerait-elle dans le sous-continent, aux yeux du ministre de la Marine ? « Le jour où les cinq mille hommes seront arrivés à Delhi, le roi [de France] fera par eux la loi à toute l'Inde, parce que l'empereur ne pouvant, sans leur secours, soumettre et contenir ses vassaux, ni donner du poids à ses patentes, il ne pourra conférer les charges et gouvernements de sa Couronne qu'aux chefs agréables à S.M., et il ne pourra faire la guerre ou la paix sans le consentement du roi, ou de la personne chargée de ses pleins pouvoirs dans l'Inde. » C'est la réhabilitation en grande pompe de la politique de protectorat, chère à Dupleix et à Bussy, naguère hautement condamnée par la direction de la Compagnie et par le contrôle général des Finances. Dès lors, « si l'empereur ne remplissait pas ses engagements avec nous, il se perdrait lui-même, et ses propres ennemis profiteraient d'une faute aussi capitale pour nous détacher de son parti, nous attirer dans le leur, et l'écraser ensuite. » Ce propos, si on le décrypte, recèle à la fois une menace brutale contre le Moghol et la préexistence de deux pivots où la même politique peut prendre appui. Ou l'empereur se soumet aux exigences du protectorat français, ou, dans le cas contraire, le représentant du roi se tourne vers les Mahrattes pour imposer la volonté du Bourbon dans l'Inde.

Quant à la cession de Tatta Bakkar, envisagée par l'empereur, le chef du Bureau de l'Inde s'en félicite : le débarquement de forces royales sur la côte occidentale, à l'opposé du Bengale, n'éveillera pas la méfiance des Anglais qui, trop éloignés, ne pourront s'opposer à la marche des unités vers Delhi. « Il nous sera très avantageux, pour ne pas dire indispensable, d'avoir un poste tel que Tatta, comme entrepôt de tous les secours que nous aurons à faire passer à l'empire moghol. » Avec une intelligence lucide, Baudoin rompt avec les errements passés. Contrairement à Dupleix, il écarte Pondichéry comme centre des opérations militaires de la nation, et, ralliant les vues que Bussy préconisait, il transporte le cœur de sa tactique offensive vers le nord, l'objectif stratégique étant la conquête — ou la libération — du riche Bengale. Au lieu de partir de Pondichéry — loin au bas de la péninsule, paralysée par la surveillance toujours plus vigilante de Madras — pour investir la soubabie dont Calcutta étale l'opulence, on entreprendra cette expédition à partir de Delhi. La proposition impériale, transmise par Madec, passionne les bureaux du secrétaire d'État de la Marine. Aussi, nulle surprise à lire sous la plume de Baudouin : « Je conclus donc que cet établissement à Tatta nous présente des avantages inappréciables, et qu'il faut accepter l'offre que nous en fait le Moghol, soit que l'on se décide à débarquer d'abord à Tatta, soit qu'on ne s'occupe à former cet étalissement, que lorsque les troupes seraient rendues à Delhi. » Une lettre de Ternay, gouverneur général des Mascareignes, saisi lui aussi par Madec, éclaire et renforce le ministre et son état-major dans leur projet. « Si l'état des finances du royaume et sa position actuelle, écrit l'amiral le 9 avril 1776, permettaient de tenter cet établissement, il serait nécessaire, indépendamment de l'appui du Grand Moghol, de négocier avec les Mahrattes, nation belliqueuse qui a souvent détrôné les empereurs. » Ainsi l'alliance mahratte apparaît de plus en plus comme une nécessité plutôt que comme l'alternative à une éventuelle défaillance de l'empereur. Une fois encore, on revient aux conceptions de Bussy, qui tout à la fois considérait nécessaire de pactiser avec les nationalistes indiens et de rendre la protection française indispensable au Moghol.

La première conséquence du regain d'intérêt ministériel pour l'Inde, autorisé par les événements d'Amérique, n'est autre que le rappel de Law, cet affairiste indifférent à la grandeur et à la puissance de sa patrie. À sa place, Sartine nomme un officier méritant, qui s'est fait remarquer durant la malheureuse guerre du Canada : le brigadier de Bellecombe. Celui-ci, après avoir inspecté le Sénégal et les œuvres madécasses de Benyowski, débarque à Pondichéry le 9 janvier 1777. Mauvaise surprise, son prédécesseur — que ses affaires empêchent de partir jusqu'à la fin de l'année — lui remet une capitale où les destructions anglaises n'ont pas été réparées ! Le nouveau chef va au plus vite, commande de reconstruire les fortifications les plus indispensables. Le ministre, non seulement envoie dans l'Inde un gouverneur général énergique pour restaurer la défense des Établissements français, mais aussi des émissaires pour examiner le bien-fondé des mémoires que Madec, Chevalier, Modave et d'autres lui ont envoyés et où on lui demande de préparer l'offensive qui amorcera l'éviction des Anglais. Le premier à partir s'appelle Pallebot de Saint-Lubin. Il emprunte un navire de l'armateur bordelais Lafond de Ladébat, membre de l'internationale huguenote comme ses amis Rabaud de Marseille et Bérard de Lorient et Honfleur, tous trois intéressés dans le commerce de l'Inde. Saint-Lubin, qui a déjà deux séjours indiens à son actif, descend sur la côte de Malabar et part à la recherche des chefs mahrattes. Le 26 juillet 1777, de Pounah, capitale des princes, il écrit à Versailles une lettre pour le moins stupéfiante. « La mission dont Sa Majesté m'a honoré à la cour mahratte est remplie, et toutes mes espérances à cet égard sont ratifiées. Le traité d'alliance et de commerce entre les deux couronnes est signé, juré. L'alliance met nos établissements sous la protection de la première puissance de l'Hindoustan. Le commerce libre ouvert à nos marchands dans toute l'étendue de la domination mahratte y est à l'abri des molestations qu'il éprouve dans le reste de l'Inde ; et les ports mahrattes, ouverts en tous temps à nos vaisseaux, leur assurent toutes les ressources qu'on peut attendre d'une nation guerrière, navigatrice, cultivatrice et commerçante, qui fait cause commune avec nous. Voilà, Monseigneur, un présent qu'aucun Règne, aucun Ministère n'avait fait à la France en Asie. Nos rivaux en frémissent, et la sensation que cette nouvelle aura fait chez eux en Europe les rendra, sans doute, très circonspects à notre égard : car ils sauront estimer ce qu'une rupture avec nous leur ferait infailliblement perdre. »

Si les mémoires de Saint-Lubin exhalent la forfanterie et la mégalomanie, ils n'en sont pas moins « étonnants par la perspicacité », relève R. Glachant. En effet, l'aventurier, même s'il a outrepassé ses pouvoirs — alertant d'ailleurs la défiance britannique — a compris et répété plusieurs fois à Versailles que la France ne peut rien envisager de durable contre les Anglais, sans le concours des hordes mahrattes. Saint-Lubin et aussi l'amiral de Ternay — chef informé et peu porté aux bouffées délirantes — accordent l'un et l'autre leur préférence à une coalition avec les Mahrattes plutôt qu'à une entente exclusive avec Haïder Ali, trop faible. Quant à M. de Montigny, que Sartine dépêche auprès de Madec, il ne rencontre pas le Breton, mais tranche sur la stratégie occidentale qu'il avait proposée. Il considère l'affaire de Tatta Bakkar comme « un projet inconséquent », et l'écrit à Bellecombe le 25 août 1778. L'année suivante, le 12 juin 1779, il ajoute à l'intention du brigadier Baudouin, chef du Bureau de l'Inde : « Ne comptez pas sur l'affaire de Tatta, qui est le projet le plus sot qu'on ait jamais présenté à l'administration. » Ternai, de retour à Versailles, en 1777, propose un plan d'expédition dans l'Inde qui nécessiterait 12 vaisseaux, 6 frégates et 10 000 hommes aux ordres de Bussy. Sartine donne son agrément. L'abbé de Véri, toujours aux aguets, note dans son journal : « J'ai compris, par la complaisance avec laquelle M. de Sartine m'a parlé de sa confiance en M. Baudouin [chef du Bureau de l'Inde] et des offres que les nababs indiens firent anciennement, et renouvelleraient encore de consigner les frais d'un armement considérable, que son penchant secret était pour cette entreprise. [...] Les idées de M. de Maurepas ne sont pas aussi décidées. Il redoute les frais immenses d'une escadre considérable de douze ou quinze vaisseaux, d'une armée de cinq ou six mille hommes. Mais il redoute encore plus le mauvais succès d'une expédition si coûteuse. Il a eu, pendant trente ans, l'expérience de la Marine. Il lui en est resté l'impression que les Européens et les marins ne sont plus, quand ils ont dépassé la ligne [de l'équateur], les mêmes qu'ils étaient dans les ports de France. L'avidité de l'argent, l'indocilité et souvent la perfidie sur le fait du service s'emparent de tous les esprits dans ce lointain. L'un et l'autre n'ont aucune idée de faire dominer la France dans les Indes. Ils souhaitent seulement que la nation notre ennemie n'y puise pas un fonds considérable de richesse. Ils se borneraient volontiers à la possession de l'île de France qu'ils rendraient port franc pour toutes les nations de l'univers. Telles sont les idées qu'ils m'ont paru goûter. Ils ont mandé des chefs d'escadre connaissant les Indes et M. de Bussi qui avait fait anciennement la guerre au nom de la Compagnie des Indes d'alors. On a causé longtemps avec lui sur les plans et sur les moyens de la faire avec succès contre les Anglais. Il leur a dit que le plan le meilleur serait le plan le plus prompt parce que, si l'on différait, l'on trouverait partout les Anglais en posture de bonne défense. Je ne puis rien assurer sur l'exécution de toutes ces idées. »

Le témoignage de l'abbé, loin de prouver que Sartine ne nourrit aucun projet de conquête ou de protectorat dans l'Inde, souligne plutôt la dépendance du secrétaire d'État, qui n'est pas maître des plans de campagne ni de la marche des escadres. Vergennes, dont le poids est déterminant dans la prise des décisions, exclut de sa politique les expéditions et les conquêtes coloniales. Maurepas, vieux courtisan agrippé au pouvoir, fort de sa triste expérience de ministre de la Marine, n'a pas le goût des expéditions lointaines par peur de l'échec. Necker répète chaque jour son hostilité à toute guerre — notamment contre l'Angleterre — et choisit de financer la libération de l'Amérique sans relever l'impôt, mais à coups d'emprunts onéreux qui hypothèquent et ruinent l'avenir du royaume. Quant au roi, il est déjà la « balle de coton », qui roule d'un conseiller à l'autre. Dans ces conditions, Sartine dispose d'une faible autonomie de manœuvre, qu'il s'emploie toutefois à préserver avec le concours de collaborateurs compétents, au premier rang desquels figure le capitaine de vaisseau Claret de Feulrieu. Le ministre, malgré les prescriptions pressantes et la conception médiocre de l'intérêt national de ses collègues, ruse mais ne cède pas complètement. Il sauve l'escadre de l'Inde, obligé cependant de la réduire à six vaisseaux et trois frégates, et d'en limiter l'utilisation : garantir de toute invasion les possessions françaises, disent les instructions envoyées à Ternay, le 30 novembre 1778. D'une offensive imposante, dirigée vers ces provinces si attrayantes et si convoitées du Nord de l'Inde, on retombe dans les ornières de la routine : la protection du bourg inintéressant de Pondichéry. Au lieu d'aller vite et massivement, on en revient à la politique désastreuse des petits paquets, pour concentrer tous nos moyens sur l'Amérique, au service d'une foule rebelle d'Anglais et d'Allemands, dont on se promet contre l'évidence, qu'ils deviendront un satellite économique de la France. L'expédition indienne de Sartine, même diminuée, ne partira pas. Dans les premiers mois de 1779, on apprend que les Anglais, sans attendre la déclaration de guerre, se sont portés sur Pondichéry, dès juillet 1778, et en ont reçu la capitulation le 15 octobre suivant, d'autant plus facilement que la marine royale aux ordres de Tronjoly, rééditant la manœuvre du comte d'Aché, a abandonné les assiégés pour se replier sur l'île de France. Malgré les malheurs du temps, les craintes ou l'opposition de ses collègues, le ministre ne tire pas un trait définitif sur ses projets asiatiques. Il reçoit Chevalier, le réprimande pour avoir trempé dans des combinaisons commerciales et financières louches, lui retire son titre de brigadier et le renvoie sur ses terres. Il accueille Madec, le félicite de sa conduite dans l'Hindoustan et au siège de Pondichéry, le nomme colonel, lui remet la croix de Saint-Louis et propose son anoblissement. Enfin, en 1780, il traite Bellecombe avec chaleur, le nomme maréchal de camp, commandeur de Saint-Louis et gouverneur général de Saint-Domingue, le premier emploi de la hiérarchie coloniale.

Si Sartine avait pu mener à bien son projet, quel parti aurait-il adopté ? Il aurait essayé de tirer le plus grand profit possible des partisans français. Quant à utiliser le Moghol et à exploiter la place de Tatta Bakkar, jeu séduisant sur le papier, cela relevait du rêve. Dans tout le sous-continent, les Anglais avancent inlassablement, renforçant et étendant leurs alliances, écrasant ceux qui résistent encore. Le projet de Madec, reprise trop tardive des idées de Bussy, était voué à l'échec. Seule une puissante expédition, appliquant une stratégie neuve et réaliste, pouvait espérer vaincre. En 1777, La Pérouse avait remis à Sartine des réflexions qui auraient pu se muer en instructions. « Je ne regarderai une bataille gagnée dans l'Inde, que lorsque les vaincus seront obligés de quitter la côte, et que tous les approvisionnements et munitions de guerre pourront être transportés par mer sur les plus petits bâtiments ; que lorsque toutes les places maritimes seront bloquées, et ne pourront recevoir aucun secours par la rade, et qu'enfin il sera possible aux forces de terre et de mer de concourir si parfaitement que l'escadre pourra, sans inconvénient, côtoyer toujours la plage où se trouvera notre armée. » Ce plan, vraisemblablement élaboré en liaison avec Ternay qui, en 1777 également, avait obtenu l'accord de Sartine pour une expédition de 12 vaisseaux 6 frégates et 10 000 hommes, exige, selon La Pérouse, de supprimer les hivernages aux îles et de maintenir la flotte dans les eaux de l'Inde. Il faut profiter de cet abcès de fixation que représente la révolte américaine, pour ravir impitoyablement aux Anglais la maîtrise de la mer en Asie. Alors, dit-il, « il est certain que le plus petit succès à la côte de Coromandel ou de Malabar causerait une Révolution au Bengale : le plus léger espoir de secours ferait révolter tous les princes du pays. Six vaisseaux dans le Gange achèveraient d'ôter aux Anglais tous ceux qui n'auraient pas secoué leur joug ; il ne leur resterait d'asile que le Fort Williams (de Calcutta), où il ne serait pas difficile de les forcer ». Ces propositions, venant après les desseins de Chevalier et de Madec, donnaient une doctrine et une assise solides à une action française offensive, qui aurait suscité des coalitions, notamment avec les Mahrattes, ennemis de l'Islam et de l'Angleterre. Vergennes, homme des préoccupations continentales, fermé aux conceptions mondiales et à l'ambition nationale, est si persuadé d'affaiblir l'Angleterre sur l'échiquier européen en changeant le statut juridique des Treize Colonies, qu'il ne voit pas les autres fleurons de l'impérialisme britannique : la Jamaïque et son sucre, le Brésil et son or, l'Inde et son trafic aussi croissant que bénéficiaire. Le chef de la diplomatie de Versailles, au lieu d'exciter les Anglo-Américains dans leurs disputes fratricides — et réparables — a jugé nécessaire d'y mêler la France, perdant son temps à ne rien tirer des Espagnols et stérilisant la puissance de la Marine, qu'il empêche de conquérir en force où que ce soit, en particulier dans l'Inde.

Quand, en octobre 1780, Necker arrache le renvoi de Sartine qu'il fait remplacer par l'un de ses affidés, le lieutenant général marquis de Castries, celui-ci hérite la belle Marine construite par son prédécesseur, et s'efforce d'en poursuivre la politique, mais avec une latitude plus grande — notamment vis-à-vis de Vergennes —, que lui permettent ses relations à la Cour et sa liaison ancienne avec le banquier prusso-genevois — du moins le dit-on. En effet, le secrétaire d'État des Affaires étrangères, ancien agent du secret du roi, sait les manières discrètes d'imposer sa volonté à son collègue de la Marine sans éveiller sa méfiance. Par exemple, à la manière de feu Louis XV, son maître, il correspond secrètement avec des chefs militaires qui, par définition, ne relèvent pas de lui.

Le sabotage de l'expédition de Bussy

Dès son installation au ministère de la Marine, le marquis de Castries procède à quelques nominations. Pour le front d'Asie, il choisit deux hommes à qui Vergennes s'intéresse : Suffren et Bussy. Le 22 mars 1781, le capitaine de vaisseau provençal s'éloigne de Brest avec l'armada du comte de Grasse qu'il quitte bientôt. À la tête de 5 vaisseaux et de 14 bâtiments portant le colonel Duchemin et 1 500 hommes, il fait voile vers l'île de France. Au Port-Louis il prendra le commandement en second de l'escadre, pour se rendre dans l'Inde et y débarquer le premier contingent de secours à Haïder Ali, que la France prépare.

À Versailles, Castries lit les *Réflexions sur l'état des affaires de l'Inde*, que Bussy avaient remises à Sartine en 1777. L'ancien lieutenant de Dupleix écartait l'idée d'une expédition par la vallée de l'Indus, avec le concours d'un Moghol sans moyens, tout comme celle d'une attaque improvisée du Bengale. Il se défiait de la solidité de l'alliance de Haïder Ali, pour se prononcer en faveur d'un débarquement sur la côte de Malabar et de la formation d'une coalition avec les princes mahrattes. Ces conditions étant remplies, les Français pouvaient espérer affronter les Anglais avec des chances de succès. « Il ne faut pas, ajoutait le général, se faire illusion ; le rétablissement de nos affaires dans l'Inde est très difficile, très dispendieux et le succès douteux, si l'on n'a pas des moyens suffisants. » Cette lucidité, qui découle d'une expérience malheureuse et d'une déception toujours vive, trahit une profonde incrédulité à l'égard de la métropole. D'où, quelques ultimes précautions. « On ajoutera seulement cette réflexion : ou les Anglais soumettront leurs colonies d'Amérique, ou ils échoueront dans cette entreprise. Dans l'un et l'autre cas, ils tourneront vraisemblablement leurs vues du côté de l'Inde et y porteront des forces supérieures pour y affirmer leur état et se dédommager de la perte de leurs établissements en Amérique, ou des dépenses qu'ils auront faites pour les soumettre. Alors plus d'espérance pour nous de pouvoir jamais nous y établir. Si l'on est bien déterminé à faire une révolution dans l'Inde, voici le moment ou jamais d'agir efficacement, ou du moins de s'occuper sérieusement et sans délais de toutes les dispositions à faire pour agir aussitôt que les circonstances le permettront. » Castries reçoit Bussy, qui accepte le commandement de l'expédition dans l'Inde. Le général réclame 8 à 9 000 hommes, le ministre lui en promet 6 à 7 000. L'officier maugrée. Alors, pour le décider, on le nomme lieutenant général, commandant en chef sur terre et sur mer, lui laissant le soin de choisir lui-même le lieu du débarquement des troupes. On lui donne la grand-croix de l'ordre de Saint-Louis, et comme à Lally on lui fait entendre que le bâton de maréchal récompensera le rétablissement de la gloire et des armes du roi. Faut-il que ce vieux monsieur de soixante ans, en mauvaise santé, mais au nom prestigieux, soit à ce point indispensable pour qu'on le comble de tant d'honneurs ! Et lui, pourquoi sort-il de sa retraite dorée, alors que l'expédition s'engage sous de mauvais auspices ? L'homme est trop fin pour se laisser exploiter en vain : qu'il ne soit pas insensible aux dignités et aux richesses, cela paraît vraisemblable. Mais n'est-ce pas la tentation d'agir en maître dans son Inde et de réussir là où ont échoué Dupleix et Lally, qui le pousse à prendre la mer une dernière fois ? Il quitte Paris le 13 novembre 1781 et embarque à Cadix, le 4 janvier 1782.

De son côté, Suffren, parti avec un an d'avance sur Bussy, poursuit sa route vers les Mascareignes. Passant par les îles du Cap-Vert, on lui signale, le 16 avril, que l'escadre de l'amiral Johnstone mouille dans la baie de la Praya. Il commande à ses capitaines de se précipiter sur l'ennemi et de le canonner jusqu'à anéantissement. Les capitaines ne comprennent pas l'ordre, ne l'exécutent pas ou le font mal : la destruction par surprise est manquée. Cette attaque éclair, et à première vue négative, modifie en réalité la stratégie des Anglais, qui renoncent à s'en prendre à la colonie hollandaise du Cap, où Suffren fait escale et stimule les travaux de défense. Le 25 octobre 1781, il jette l'ancre au Port-Louis, capitale de l'île de France. Le Provençal se présente à son chef d'escadre, M. d'Orves, qui était l'un des capitaines de l'expédition que devait commander M. de Ternay. « On vit bientôt, écrit le chevalier de Mautort, officier de l'armée de Terre, tous les ateliers, tous les chantiers de la marine prendre une activité inusitée. M. de Suffren était partout, il vivifiait tout par sa présence. Les habitants de la colonie, en admiration du génie actif de cet homme, le secondaient de tous leurs moyens. » Suffren, qui connaît déjà les Antilles, découvre les Mascareignes sans enthousiasme ni indulgence. La manière dont le service du roi s'accomplit dans les possessions lointaines le choque. Le 15 novembre 1781, il fait part de son sentiment au ministre. « J'ai été encore plus touché de voir que le long et grand éloignement de l'autorité, les richesses acquises, l'espoir que le temps et la distance feraient passer l'éponge sur tout, ont fait naître des idées peu analogues à l'esprit militaire dont la subordination est la base. Le roi ne peut être bien servi dans ces pays lointains que lorsque les chefs auront de grands pouvoirs et la force d'en faire usage. » Furieux contre l'administration civile et militaire, en proie à la fièvre du négoce, qui boursicote, achète des pacotilles et les revend comme le dernier boutiquier, indigné par l'indiscipline des officiers de marine, le commandeur entraîne M. d'Orves, le 7 décembre, pour acheminer les troupes du colonel Duchemin à la côte de Coromandel. Le 3 février 1782, le bon M. d'Orves meurt en mer, et Suffren prend le commandement de l'escadre de l'Inde, qui compte 12 vaisseaux et quelques navires inférieurs.

Le commandeur, quand M. d'Orves s'éteint, se trouve à la hauteur de Pondichéry. Que va-t-il décider ? Haïder Ali, qui avait conquis le Carnatic en 1780, et qui y combat toujours, ne tient solidement aucun point du littoral, autant dire que la côte de Coromandel vit sous la menace perpétuelle de la flotte ennemie, voire de ses troupes à pied. Bien que conscient du danger de la situation, Suffren ne rebrousse pas chemin pour aller chercher un lieu de débarquement sur la côte de Malabar, suffisamment bien placé pour faire jonction avec Haïder Ali, ou pour profiter de la protection des Mahrattes avec lesquels le vicomte de Souillac, gouverneur général des Mascareignes, entretient de bonnes relations. Ce faisant, le marin engage l'expédition française dans une impasse d'où il n'aurait pu la sortir qu'avec deux fois plus de vaisseaux qu'il n'en avait et une grande abondance de troupes. Le 16 février 1782, les Français arrivent en vue de Madras, où les navires de l'amiral Hughes sont au mouillage, à l'abri des forts de la ville. Suffren fait demi-tour, et le lendemain, c'est la bataille de Sadras où, par la faute des capitaines des vaisseaux du roi, l'escadre britannique peut se dégager sans perte. Le commandeur, momentanément débarrassé de ses ennemis, en profite pour aller jeter l'ancre devant Porte-Nove. Des émissaires débarquent et partent à la recherche d'Haïder Ali, le 21 février. Ils reviennent quelques jours plus tard, le 9 mars, après s'être accordés avec le prince indien sur les modalités d'exécution de l'alliance. Le lendemain, Duchemin et ses troupes débarquent, et, ayant refait leurs forces pendant quelques jours, se dirigent vers le port de Goudelour, que tiennent les Anglais. Enfin apparaît le cordon de fortifications : le 4 avril 1782, après trois jours de négociations, le commandant de la place capitule. Avant l'arrivée du gros de l'expédition, Suffren consacre son énergie à résoudre deux problèmes. Disposer d'un port qui permette aux Français de rester dans l'Inde : malencontreusement, Trinquemalé, dans l'île de Ceylan, a été enlevé par les Anglais aux alliés hollandais. Ensuite, anéantir l'escadre ennemie, pour avoir la maîtrise des côtes et ports du sous-continent, et enfin de permettre aux troupes du roi d'opérer sans crainte d'une soudaine manœuvre britannique. L'amiral anglais, qui est partout et se dérobe toujours avec habileté, finit par accepter le combat au nord de Ceylan, à proximité du rocher de Provédien. Du 12 au 18 avril 1782, le commandeur, mal servi par ses capitaines, ne réussit pas à détruire l'ennemi. Non sans amertume, il confie le 24 avril à Vergennes : « Un effort pour l'Inde peut tout décider. Mais les Anglais nous priment toujours. » Refusant d'obtempérer à l'ordre de se rendre à l'île de France pour accueillir Bussy, le Provençal met ses hommes au repos dans un port hollandais de Ceylan (Baticaloa), puis devant Negapatam qu'il veut reprendre aux Britanniques le

6 juillet 1782, il livre pour la troisième fois une bataille sans résultats, à l'amiral Hughes. Au moins ces batailles ont-elles le mérite de ne pas décourager Haïder Ali et de le retenir d'écouter d'éventuelles offres de paix anglaises. C'est d'ailleurs à ce moment, le 26 juillet 1782, que le chef français rencontre le prince indien.

L'audience officielle se déroule conformément au protocole traditionnel. Les usages respectés, les présents échangés, les deux hommes ont un entretien privé le lendemain, au cours duquel, semble-t-il, le souverain du Mysore déplore la passivité de Duchemin et des troupes de terre. L'amiral, sa visite achevée, reprend la mer, et selon l'expression juste de R. Glachant , « va réaliser sa seule action d'un intérêt positif. » Ayant appris que Hughes est au mouillage sous les batteries de Madras, il court vers Trinquemalé, où il arrive le 25 août. Il fait entrer sa flotte dans le port, débarque hommes et canons, bombarde, arrache la capitulation des deux forts de protection et se rend entièrement maître du site, le 1ᵉʳ septembre 1782. Enfin, les Français possèdent un port, une base navale dans l'Inde ! Mais déjà, l'escadre britannique approche. Au large de Trinquemalé, Suffren, maintenant bailli, livre combat à Hughes pour la quatrième fois. Mal secondé, il ne parvient pas à ruiner son ennemi, toutefois l'avantage stratégique lui reste puisqu'il conserve sa conquête. D'Achem, sur la côte de Sumatra, où il est allé pour hiverner et s'approvisionner auprès des Hollandais, le Provençal se plaint à Vergennes, qui se réfugie dans un silence désespérant. « Je comptais, écrit le bailli le 30 novembre 1782, que nous serions réunis ici 20 vaisseaux et une armée de 6 000 hommes, et par conséquent de faire une révolution générale de l'Inde. Point du tout. Je me trouve avec 12 vaisseaux dont seulement 3 de 74, plusieurs en mauvais état ; les Anglais en ont 17 dont 12 doublés en cuivre. [...] Si le roi veut poursuivre l'entreprise de l'Inde, il faut des vaisseaux, et surtout des bons. »

Cette année 1782 donne de grands soucis aux Français de l'Inde : Haïder Ali meurt le 7 décembre, mais son fils Tippou Sahib, qui lui succède, semble vouloir perpétuer la politique de son père ; la marine anglaise s'empare, dans l'Atlantique, d'un convoi militaire qui portait 1 500 hommes et des munitions destinés à l'Inde ; Bussy a dû laisser quelque 1 700 soldats de son expédition au Cap, pour assurer la défense de cette place stratégique ; quant au commandant en chef lui-même et aux 700 hommes qui l'entourent — arrivés à l'île de France le 31 mai 1782 —, ils sont malades, ainsi que les 1 500 soldats qui les rejoignent deux mois plus tard. Le général et les siens, mal remis, quittent le Port-Louis le 18 décembre, et débarquent à Porte-Nove, le 16 mars 1783, sous la protection de Suffren. L'arrivée de l'expédition, dont on avait magnifié l'importance à force d'en parler, plonge la colonie dans la consternation. Elle n'apporte à la Marine qu'un seul vaisseau ! Quant à la réaction des troupes, le chevalier Huet de Froberville la résume avec une rigueur mathématique : « Nous fûmes étonnés de la grande disproportion qui régnait entre la somme des forces réelles et la somme de celles qu'on nous avait annoncées. Les cinq régiments sur lesquels nous comptions se réduisaient à huit cents hommes du régiment de La Marck, à six cents de celui d'Aquitaine, à trois cents de celui de Royal-Roussillon ; à trois cents de l'artillerie, parmi lesquels on avait incorporé quatre-vingts hommes environ de Vivarais. Ce qui, réuni, formait au plus un corps de deux mille trois cents hommes, et nous avions jusqu'alors compté sur cinq mille. » En fait, les effectifs français s'élèvent à 2 900 hommes — 700 autres ayant été envoyés à Tippou Sahib, sur la côte de Malabar, par le colonel d'Hofflize, successeur de Duchemin, décédé — qu'assistent 2 000 cipayes. En face, les Anglais, implantés à Calcutta, Madras, Bombay, sont trois fois plus nombreux en Blancs et dix fois plus en cipayes de qualité. Sur terre comme sur mer les généraux du roi sont en infériorité numérique : à qui la faute, sinon à Vergennes et aussi à Castries.

Bussy, une fois à terre, rassemble son monde et monte vers la ville proche de Goudelour où il s'établit. Le vieux soldat fait le point. Aurait-il dû débarquer sur la côte d'Orissa, au sud du Bengale, comme il y avait songé et comme il en avait parlé avec l'amiral ? C'est le choix qu'il eût vraisemblablement retenu, s'il était arrivé avec trois fois plus de troupes, ainsi qu'on le lui avait promis, et si le bailli avait disposé d'une escadre plus nombreuse, doublée de cuivre et bien armée. Aurait-il dû descendre sur la côte de Malabar, où les Anglais quoique maîtres à Bombay ne sont pas aussi puissants que sur le littoral oriental ? Il eût fallu être sûr de l'amitié des Mahrattes et de leur volonté combative. Le commandant en chef s'est résigné à se faire déposer dans cette lointaine impasse de Goudelour, parce que la conjoncture l'y contraint : là il doit rencontrer le seul allié déclaré de la France, Tippou Sahib, là il complétera ses maigres effectifs du millier d'hommes aux ordres du colonel d'Hofflize. Pris au piège d'une expédition que le ministère a mal organisée par inintérêt, il ne lui reste qu'à se créer la meilleure issue pour se dégager. Bussy, que la coalition avec Haïder Ali et son fils n'a jamais séduit parce qu'ils font l'unanimité contre eux, Indiens et Anglais confondus, et que leur aide effective se limite à une poignée de mauvais cipayes, se tourne vers les autres souverains et leur propose de le rallier dans une ligue offensive contre les Anglais. Le soubab de ce Deccan où, naguère, il régnait en maître, se dérobe. Les Mahrattes, auprès de qui la France est représentée par Montigny, échangent des lettres courtoises tout en signant un accord de paix avec les Britanniques. Le Moghol écoute, mais ne peut rien. Méhémet Ali, le nabab du Carnatic et ancien ennemi de Dupleix, aurait peut-être rejoint le général, mais il est prisonnier de ses protecteurs à Madras. Malgré tous ses efforts, le commandant en chef se retrouve seul, condamné à un dialogue boiteux avec l'incertain Tippou Sahib.

Tandis que le désarroi ébranle le camp français, le 11 avril 1783, Suffren écrit à Vergennes, protestant à demi-mot contre le ministère et décochant au marquis de Bussy, son chef, cette flèche du Parthe, chère aux esprits perfides et aux intrigants. « La santé de Mr de Bussy est dans un état déplorable, et quoi qu'il soit mieux tant depuis son départ de l'île de France que depuis son arrivée à la côte, je doute fort qu'il puisse soutenir les fatigues d'un général d'armée. Si tout ce que nous avons fait partir de France fut arrivé à temps nous serions maîtres de l'Inde, et la paix serait bien avancée. S'il est affreux de réfléchir sur le passé, il est inquiétant de penser à l'avenir. Les résultats de cette année vont dépendre de ce que nous recevrons ; car avec ce que nous avons, que faire ? Les Anglais ont 17 vaisseaux en chemin, en voilà 18 plus forts et mieux armés que les nôtres. Ils ont le fonds de plus de 10 000 hommes de troupes blanches, et 50 000 noires. Nous [en] avons 15 000 mal armés, et ces troupes dont 700 sont en garnison à Trinquemalé [se dénombrent essentiellement en 5 300 blancs et 3 000 cipayes que l'on peut augmenter jusqu'à 5 000]. Les Anglais ont pour soutenir ces forces un revenu territorial de plus de 100 millions, et je n'ose achever. [...] Toutes ces circonstances réunies, poursuit le bailli, qui a par trop souligné la difficulté qu'auront les Britanniques à garder un immense pays, peuvent malgré nos petits moyens nous procurer des grands avantages, mais il nous faudrait des vraiment gens de guerre, qui joignissent des grands talents au désir de s'illustrer et qui, ayant une fortune militaire à faire, eussent assez de génie et de vigueur pour la poursuivre avec cette ardeur qui fait réussir. Il faut pour la guerre dans ce pays plus qu'ailleurs des âmes fortes dans des corps vigoureux. Le pays est changé : ce n'est plus des politiques qu'il faut, ce sont des gens de guerre. » Que l'on informe son gouvernement, même en termes vifs, que le rapport des forces sur le champ de bataille est favorable à l'ennemi, rien de plus normal. Mais qu'un second dénigre son chef, à peine débarqué, au lieu de l'aider au moins jusqu'à ce que la preuve de l'impéritie soit faite, voilà qui est inconvenant, dangereux pour le moral des officiers et soldats, voilà enfin qui porte à s'interroger sur la part d'honnêteté que contiennent les accusations et diatribes dont le Provençal est coutumier. Or, l'ambiance qui règne dans le corps des officiers est détestable, et réclamait d'être assainie plutôt qu'empoisonnée un peu plus. Ainsi, le jeune comte de La Marck, ce prince d'Arenberg, naguère correspondant de Madec, qui n'a jamais rien vu d'autre que son berceau européen, avant de découvrir l'Inde, parle haut, juge et tranche. « Depuis longtemps j'avais jugé M. de Bussy d'une grande paresse pour le travail et peut-être peu capable de conduire des troupes, soit qu'il n'ait jamais été autrement ou que ce soit l'effet de l'âge et d'une grande maladie. [...] depuis un an que je le vois, je ne lui ai jamais découvert aucun plan suivi. J'ai cru quelquefois pis : m'apercevoir de défaut de vue, et d'autres [fois] de choses chimériques. »

Cette défiance, ce mépris pour le commandement général, qu'alimente Suffren, se répandent dans les états-majors, allant jusqu'à toucher les officiers des troupes. Certes, Bussy a vieilli et sa coquetterie plus mondaine que militaire peut prêter à sourire. Mais, dans ces quelques pieds carrés du bout du monde, une fois de plus, deux conceptions et deux pratiques s'affrontent : celles des métropolitains, qui n'ont jamais brillé dans les possessions d'outre-mer, et celles des coloniaux. Or le marquis appartient à la race coloniale, ce qui explique son retour. À peine rendu dans le sous-continent, il adhère aux mœurs locales qui lui sont familières, et se comporte en prince indien, moins ridicule en cela que le gros bailli suant et soufflant dans les coussins d'Haïder Ali. Les officiers, habitués des châteaux, salons, cafés et billards de France, ne comprennent pas la métamorphose de Bussy, qui s'intègre dans un milieu social étranger au lieu de lui rester extérieur. L'esprit des Lumières tient à marquer sa différence, qu'il assimile à la supériorité. Aussi, l'ancien lieutenant de Dupleix est-il rapidement considéré par ses compatriotes, qui sortent pour la première fois des frontières de leur nation, comme une espèce de mannequin exotique, jouant une mascarade grotesque. Le si provincial chevalier de Mautort, pourtant d'un naturel bon, ne supporte pas les représentations du spectacle colonial, si lointaines des scènes de la vie de garnison, et libère le venin de son incompréhension. « M. de Bussy, autrefois si célèbre dans l'Inde par toutes les guerres qu'il avait soutenues, par les conquêtes dont il avait enrichi la Compagnie des Indes, au service de laquelle il était attaché, s'imagina que son seul nom allait rallier autour de lui tous les princes indiens. Mais, depuis plus de trente ans qu'il avait quitté ce pays, la politique était bien changée. Les princes, autrefois ses tributaires, n'existaient plus. Les uns étaient morts, les autres s'étaient vu dépouillés de leurs États. Les Anglais d'un côté, Hyder Ali Khan de l'autre, avaient tout envahi. La nababie de M. de Bussy se trouvait fondue dans ces vastes États. Ce titre, acquis autrefois et soutenu par la force de ses armes, n'était plus qu'un vain nom, tout au plus propre à lui rappeler son ancienne puissance et sa nullité présente. Il ne tarda pas à en faire la triste expérience lorsque, voulant appuyer son crédit par son ancien nom et comptant faire des emprunts pour les besoins de son armée, il vit ceux du pays qui auraient pu l'aider lui tourner le dos. Il était trop faible de moyens et d'esprit pour raviver son ancienne prépondérance. Son orgueil eut à souffrir de l'état où il se voyait ; et cet homme, autrefois si despote et toujours altier, se livra à sa mauvaise humeur, devint insupportable et rendit malheureux tous ceux qui l'approchaient. Il ne fit que des sottises, aliéna de nous Tippo-Saïb ; et les choses en eussent beaucoup mieux été s'il fût resté en France, dans ses terres, à jouer en petit, comme il s'y était accoutumé, le rôle de prince asiatique. »

Conscients de leur supériorité numérique sur terre, conscients de leur supériorité navale, attestée par l'incapacité de Suffren à détruire leur escadre, les Anglais descendent la côte de Coromandel, se portent aux devants des Français dont la faiblesse criante commande une prudente neutralité aux princes indiens. L'armée britannique arrive en vue de Goudelour le 6 juin 1783 : elle compte 4 200 Européens, 12 000 cipayes et 1 800 cavaliers. En face, Bussy aligne : 2 200 Blancs, 2 000 mauvais cipayes et un corps de cavalerie de Tippou Sahib aussi hypothétique que médiocre. Le 8 juin, les 18 vaisseaux de Hughes jettent l'ancre au sud de Goudelour, débarquant hommes et matériel. Le 13, la situation devenant critique, le commandant en chef décide d'attaquer l'ennemi. Mais à la fin de la journée, il choisit de se replier sur Goudelour et de s'enfermer dans cette ville. Cette manœuvre est mal perçue, comme si l'on pouvait oublier que le petit corps français se trouve à la merci d'une opération combinée des forces terrestres et navales anglaises. Néanmoins, le chevalier de Mautort, à l'instar de plusieurs de ses compatriotes, exhale contre son chef une animosité, qui semble aussi forte que prédéterminée. « Si cette bataille a été sanglante pour nous, elle l'a été infiniment plus pour les Anglais. [...] Les officiers étaient furieux, les soldats juraient, tempêtaient. On disait hautement que l'armée avait gagné la bataille malgré le général, mais que, aujourd'hui, il la perdait malgré les soldats. Toutes les représentations furent inutiles ; il était le maître. » Le préjugé a le raisonnement plus fort que la raison.

L'annonce de la paix met un terme à une guerre dont le sens et l'utilité échappent à l'analyse. On ne peut pas même dire que l'ouverture du front indien a créé une diversion, obligeant les Anglais à dégarnir leurs positions américaines. Vergennes, que l'Inde n'intéresse pas, a fait une concession — une petite escadre et une petite expédition — pour mieux imposer ses vues, notamment en tenant dans sa main Suffren et Bussy qu'il a fait habilement nommer. Castries, le choiseulien et neckerien, moins efficace que Sartine, contrairement à une légende mondaine tenace, a favorisé le ruineux succès du diplomate, dont avec justesse il ne partage pas les conceptions creuses et dangereuses, en réduisant les effectifs de l'expédition de Bussy — rognée, par ailleurs — par la Navy. Quand le ministre de la Marine protestera contre la signature des préliminaires de paix, il oubliera qu'il n'a pas fourni à son commandant en chef dans l'Inde les moyens d'une stratégie victorieuse. Les lauriers, que la Cour tresse au bailli, cachent la disgrâce du comte d'Estaing, accusé d'impéritie et celle du lieutenant général de Grasse, traduit avec certains de ses officiers devant un conseil de guerre réuni en 1784 à Lorient, mais ils dissimulent aussi l'effondrement de la France dans l'Inde. Pourtant, depuis 1763, depuis vingt ans, que de mémoires, émanant des milieux les plus différents, marine, armée de terre, administration, commerce, partisans et aventuriers, ont expliqué la

richesse du sous-continent, ont montré les progrès des Anglais, leurs
ambitions exclusives et impériales, ont proposé des plans plus ou
moins sérieux de « révolution » de l'Inde. Cet intérêt pour le
gigantesque territoire asiatique, dont les revenus croissants révèlent
que dans le XIXᵉ siècle à venir il représentera pour son possesseur un
revenu économique comparable à ce que l'Amérique fut pour
l'Espagne dans un passé récent, cet intérêt s'impose à des esprits de
plus en plus nombreux et jusque dans le ministère. Mais au moment
où Sartine et après lui Castries sont convaincus de la nécessité de
passer de la réflexion à l'action, le ministre écouté du roi est
Vergennes, personnage sans envergure, partisan de politiques ruineuses, mais ennemi par principe de tout agrandissement territorial.
Un esprit des Lumières, mais hostile aux philosophes, caractère
original à la manière de Madame du Deffand, Anquetil-Duperron,
par ailleurs orientaliste savant, n'a pas craint de descendre dans
l'arène. Ce membre respecté de l'Académie des inscriptions et belles
lettres, admirateur de Dupleix, adorateur de l'Inde, déteste les
Anglais.« Quand on a vu de près les Anglais en Europe et dans l'Inde,
la haine pour leur gouvernement devient comme naturelle. » La
passion au cœur, l'académicien plaide la cause de l'intervention
française dans deux mémoires : le premier, envoyé à Castries en 1781,
le second à Vergennes en 1783. Comme l'a montré J.-L. Kieffer,
Anquetil conseille au ministre des Affaires étrangères de construire la
politique indienne du roi selon six axes : alliance avec les Mahrattes,
puissance ancienne, plutôt qu'avec Tippou Sahib, puissance passagère ; attaque sur Bombay, pour y attirer toutes les forces britanniques ; attaque des Mahrattes sur le Bengale dégarni : alliance
éventuelle avec Tippou ; soulèvement général des princes pour
chasser complètement les Anglais ; rétablissement des Français dans
les positions qu'ils occupaient avant le traité de Paris de 1763.
N'ayant pas été écouté, l'érudit développera publiquement ses idées
en 1798 dans son ouvrage important, *L'Inde en rapport avec l'Europe*.

Paradoxe cynique, Bussy, qui fut le jeune et brillant conquérant du
Deccan, supporte, dans sa vieillesse impotente, l'humiliation de tenir
le rôle de maître de cérémonie de son propre naufrage, mais surtout
de celui de la nation. Castries, jusqu'à la dernière minute, dénonce les
renoncements coûteux de Vergennes et défend une stratégie vieille et
ambitieuse : ne plus faire porter l'effort de la France sur la côte de
Coromandel où les Anglais dominent, mais orienter son action sur la
côte de Malabar, sceller une alliance robuste avec les Mahrattes et
Tippou, enfin fonder un établissement aussi utile au commerce qu'à
la lutte contre les Anglais. On en revient à un plan inspiré des projets
de Bussy — jadis —, de Madec et de Saint-Lubin, qui avaient retenu
l'attention de Sartine, et enfin d'Anquetil-Duperron, qui proposait de
transférer la capitale des possessions françaises de Pondichéry à
Sūrat. Tandis que Castries échafaude de belles constructions intellec-

tuelles, Bussy, mesurant le succès de l'impérialisme systématique des Anglais, et convaincu par expérience de l'absence de volonté de puissance de sa patrie, dit, non sans amertume, sa déception et son pessimisme. La France voudrait que tout lui soit accordé par une grâce divine, sans mettre de grands moyens à la disposition de ses représentants. Or, à partir de quoi effectuer notre rétablissement ? Aucune de nos places ne le permet. Au vu de notre faiblesse, aucune alliance consistante, durable et dangereuse pour nos ennemis ne paraît convenable. Alors, autant se contenter de faire le commerce que les Anglais nous consentirons. « Car, dit le général avec une fierté triste, je pense qu'à moins que les Français ne soient en état d'avoir une place très forte, il est indécent que le nom du Roi y paraisse. » Lassé, Bussy, qui expire le 7 janvier 1785, dans son gouvernement général à jamais fantomatique, résume ses vues à l'intention de Castries, à l'été 1783, dans quelques lignes sans illusion, qu'a rapportées A. Martineau. « En général les principes de la politique à suivre avec les Indiens sont en très petit nombre. Envoyez dans l'Inde des forces supérieures de terre et de mer avec beaucoup d'argent à distribuer. Dans cette position vous fixerez l'attention des princes asiatiques ; ayez des succès et vous les déterminerez à prendre votre parti. Voilà à quoi tout se réduit, surtout pour nous qui aujourd'hui n'avons ni ne pouvons espérer d'alliés. Tout ce que l'on vous dira de plus à ce sujet aura sa source dans le charlatanisme... » C'est là une philosophie simple, où le rapport de force politique ne s'impose pas comme une fatalité extérieure, mais dans la construction duquel les nations interviennent de tout le poids de leurs choix.

Au terme d'une expédition, formelle, brisée et sans objet pour Vergennes, mal organisée par Castries, l'Inde française meurt en même temps que son dernier héros, le plus énigmatique et le plus prestigieux. Les fameux cinq comptoirs perdent même leur indépendance administrative pour être rattachés au gouvernement général des Établissements au-delà du cap de Bonne-Espérance. Devant ces reliques vieilles et pauvres, témoignages de l'inaptitude de la France des Lumières à la puissance et à la grandeur, les nostalgiques de l'empire manqué et les contempteurs du capitalisme britannique viendront faire pèlerinage.

Les conséquences de la guerre d'Amérique en France :
une crise matérielle et morale

Vergennes, esprit des Lumières cultivant les contradictions, a imposé sa guerre d'Amérique pour affaiblir l'Angleterre sur le continent et ainsi pouvoir se réconcilier avec elle sur un pied d'égalité.

Sa façon de voir les choses s'apparente — avec des nuances — à celle du marquis d'Argenson qui écrivait à Louis XV : « La couronne est aujourd'hui trop grande, trop arrondie, trop bien située pour le commerce, pour préférer encore les acquisitions à la bonne réputation. Elle ne doit plus viser qu'à une noble prépondérance en Europe qui lui procure repos et dignité. » Le Bourguignon, fidèle à cette attitude, fruit d'un pacifisme qui veut s'assimiler à la Raison, parle du même ton à Louis XVI : « La France, constituée comme elle l'est, doit craindre les agrandissements bien plus que les ambitionner. » Et, surtout, pas de ces conquêtes lointaines ! « La France a des colonies dans la proportion qui convient à sa population et à son industrie : plus serait une charge plus qu'un bénéfice. » Malgré cette inclination à la philanthropie et à l'irréalisme, Vergennes est un homme susceptible et sensible. Quand Anglais et Américains signent une paix séparée dans son dos, il accuse le coup. Il se plaint amèrement aux représentants des Insurgents de l'offense faite au roi, à la France. Mais le diplomate reprend aussitôt le dessus. D'abord, il découvre avec désarroi que la guerre de libération n'a pas rapproché les Américains des Français, mais, au contraire, que le traité clandestin scelle la réconciliation politique des colonies rebelles et de l'ancienne métropole, élevée au rang d'interlocuteur privilégié. Bientôt, mesurant complètement son erreur, il s'aperçoit avec peine que les États-Unis sont animés du même sentiment impérialiste que la Grande-Bretagne. Il ne reste plus qu'à ratifier le traité déjà conclu par les deux parties principales : en essayant de sauver la face, de dissimuler le cruel échec sous des apparences édifiantes et moralisatrices. À l'envi, la presse du royaume répète que la France a engagé les hostilités pour l'Amérique et la liberté des mers et non par ambition, ne songeant qu'à atteindre une paix juste et raisonnable. À l'étranger, les ambassadeurs reçoivent des dépêches explicatives qui procèdent de la même inspiration.

Que stipule le traité général, signé à Versailles le 3 septembre 1783 ? Les puissances reconnaissent l'indépendance des États-Unis, qui poussent leur frontière occidentale jusqu'au Mississipi, tandis qu'au nord le Canada demeure possession anglaise. L'Espagne recouvre Minorque et la Floride. Son restitués à la France : les îlots de Sainte-Lucie et de Tabago, aux Antilles ; les comptoirs du Sénégal, en Afrique ; Saint-Pierre-et-Miquelon, en Amérique septentrionale, ainsi que le droit de pêche à Terre-Neuve, du cap Saint-Jean au cap Ray, en passant par le nord. Le roi était, en France, autorisé à remilitariser Dunkerque, droit que lui avait retiré le traité de Paris de 1763. Enfin, dans l'Inde, l'ennemi rétrocédait à Bussy les cinq comptoirs, réduits à l'état de banlieues surveillées de l'empire anglais. La France a fait la guerre pour les États-Unis et pour l'Espagne. Elle-même ne ramasse que quelques miettes, un bilan lamentable qui pousse Castries à critiquer l'action de son collègue des Affaires étrangères. Ce faisant, le marquis oublie qu'il a construit des navires à un rythme moins rapide que Sartine, et que la Navy a retrouvé sa suprématie traditionnelle dont nos alliés hollandais et espagnols ne peuvent détourner la menace. Le secrétaire d'État de la Marine, qui, pour obtenir Terre-Neuve et le retour dans l'Inde à notre situation en 1748, lors du traité d'Aix-la-Chapelle, envisage de prolonger le conflit pendant un an, manque de réalisme à son tour. En 1783 (et à plus forte raison en 1784), la France, privée de la maîtrise de la mer, embourbée dans l'Inde où une partie seulement de l'expédition de Bussy est arrivée, engagée dans une entreprise stérile contre la Jamaïque pour le compte des Espagnols, est contrainte de mettre un terme à une guerre où ses intérêts ne l'appelaient pas, mais dont elle aurait pu profiter en agissant différemment.

Vergennes est obligé de se dégager du conflit où il a fait entrer le royaume, le poussant en première ligne au lieu de tirer les marrons du feu, non seulement pour des raisons militaires — à nouveau, la Navy possède deux fois plus de vaisseaux que la flotte française — mais aussi pour des raisons financières. Alors que l'Angleterre a financé son effort de guerre par l'impôt ou en lançant des emprunts garantis par la fiscalité, Versailles, pour éviter les refus parlementaires et s'attacher l'opinion publique, a renoncé à relever les charges, et s'est engagée dans une politique d'emprunts dont le remboursement n'est gagé par aucune recette fiscale nouvelle. Après le renvoi de Necker, avocat de ce système qui ruine le Trésor et le soumet à la volonté de l'internationale bancaire, Vergennes impose son autorité aux contrôleurs généraux successifs, fait établir un troisième Vingtième en 1782 que l'hostilité générale prive d'effets : et l'on en revient aux emprunts qui accroissent dangereusement la dette. La guerre de libération nationale américaine et le traité de Versailles qui la termine, ont, selon la propagande du ministre des Affaires étrangères, effacé l'humiliation de la guerre de Sept Ans et du traité de Paris, et rendu son prestige moral à la France. Un discours en trompe-l'œil, qui cache une nation militairement distancée, financièrement à la dérive et politiquement blessée. Près de deux milliards de dépenses militaires dans une guerre qui n'a procuré aucune satisfaction matérielle appréciable au pays, mais qui donne l'indépendance aux Américains et rend Minorque et la Floride aux Espagnols, voilà qui en désappointe et en aigrit plus d'un. Une dette publique de plus de 4 milliards, à l'été de 1790, selon Arnould ! Comment n'être pas désorienté et même indigné par la politique d'un ministre qui ruine sa patrie dans une conflagration d'où elle ne retire rien.

Si la guerre d'Amérique a profité aux États-Unis et à l'Espagne, le traité de Versailles n'a pas épargné une fidèle alliée de la France et puissance coloniale de poids : la Hollande. Comme l'historien néerlandais Pieter Geyl l'a justement noté, « la paix fut pire encore que ce que l'on redoutait, bien que les préliminaires sur les bases les moins favorables dussent être connus depuis septembre. La France promettait bien d'une manière formelle de rendre les colonies qu'elle avait occupées, mais l'Angleterre gardait Négapatnam et obtenait le libre accès à l'archipel toujours si jalousement fermé des Moluques. Cette Angleterre que l'on voyait en 1780 courir à sa perte... Assurément il y avait là plus qu'une atteinte au domaine colonial. La ruine même de la Compagnie des Indes orientales n'était pas ce qu'il y avait de plus grave, car l'expansion économique de l'Angleterre n'était pas arrêtée par la perte des colonies américaines, au contraire elle se développait à un rythme accéléré qui ruinait toute l'économie de son faible concurrent. Même en Amérique, où au moment de la lutte pour la liberté, les marchands hollandais avaient rêvé d'un nouveau marché, le commerce néerlandais ne pouvait s'établir face au commerce anglais. Partout, même en Baltique et en Méditerranée, il était maintenant définitivement à la traîne. Les liens rompus pendant les années de guerre, ne se rétablissaient qu'avec peine et incomplètement. Non seulement Albion la concurrente détestée bien sûr, mais aussi entre autres, les villes marchandes allemandes, conservaient tout ce qu'elles avaient acquis. La République se maintenait encore comme marché de capitaux, mais en tant que puissance commerciale, la ruine, que l'on avait si souvent déplorée sans que les faits l'aient jamais confirmée, était maintenant bel et bien commencée ». Non seulement Vergennes avait saboté le projet de Sartine et l'expédition de Bussy, mais il affaiblissait la position de l'alliée hollandaise pour renforcer celle des Anglais ! Un travail de Gribouille, que le ministre essaiera de faire oublier à la République en signant un traité de commerce en 1785. Mais l'inertie française lors de l'intervention de l'armée prussienne en faveur des Orangistes, en 1787, rappellera aux patriotes la faiblesse de la diplomatie du Bourguignon, maintenant conduite par Montmorin.

La guerre coloniale et anticoloniale voulue par Vergennes, un Don Quichotte, selon le Premier ministre espagnol Florida Blanca, se termine sur une victoire fallacieuse. Sur le plan politique, elle marque le point de départ de la conquête du monde par l'association objective des Anglo-Saxons du Royaume-Uni et des États-Unis. Comme le redoutera bientôt Prévost-Paradol, la planète parlera anglais. Et sur le plan économique, juge H. Lüthy, l'idée d'une revanche sur l'Angleterre dans le Nouveau Monde, conçue par Choiseul dès le lendemain de la guerre de Sept Ans et héritée par Vergennes, était « une chimère de stratèges de cabinet qui confondent intrigue diplomatique et conquête commerciale ». L'indépendance des Treize Colonies, contrairement aux prévisions du ministre des Affaires étrangères, ne réduira pas le retard du royaume sur sa rivale d'outre-Manche. La France, monarchie aux structures traditionnelles, au système fiscal suranné, perd ses victoires tant il lui est difficile de ne pas crouler sous le service de la dette : après chaque conflit important, le budget est grevé à environ 50 % par le remboursement des emprunts, processus qui s'atténue au fil des ans mais que l'on ne peut résorber rapidement qu'au prix d'une banqueroute. En face, l'Angleterre, régime capitaliste, aux structures adaptées, à une économie d'échanges et de division du travail, à la pression fiscale triple de celle de la France, résout toujours ses problèmes d'endettement dans des délais relativement brefs. Au départ, une France à l'armature ancienne, s'interdisant de surcroît toute conquête rentable, n'avait rien à espérer de bon de la guerre d'indépendance. Son économie surtout agricole n'étant pas complémentaire de celle des États-Unis ; elle ne pouvait prétendre se substituer à l'Angleterre dans le rôle de pourvoyeuse de ces marchandises manufacturées, qu'elle produisait peu ou dont la qualité était contestée. Vergennes, en s'engouffrant dans la guerre d'Amérique, déclenche fatalement une crise financière et prend le risque d'ouvrir une crise de régime. S'il veut abaisser la puissance britannique en associant le royaume à la révolte américaine, il sait que par voie de conséquence il prend le parti de la Révolution contre la Légitimité, de la Démocratie contre la Monarchie. Cela se dit et cela s'écrit. Commentant l'avis que Sartine lui a demandé sur l'éventualité d'une intervention française en Amérique et qu'il a remis au ministre au mois de février 1775, Malouet écrit : « J'avoue donc aujourd'hui avoir voté contre l'indépendance des Américains, quoi-que dès lors j'aimasse beaucoup la liberté, et que je rendisse toute justice à leur courage et à leur droit. [...] La meilleure raison à alléguer contre cette guerre, et dont je n'ai fait aucun usage, est qu'il était aussi inconséquent que dangereux pour une monarchie absolue, de se mettre à la tête d'une révolution démocratique. » Une opinion partagée par la pétulante Mme de Staël. Les juvéniles seigneurs de la Cour conservent un souvenir échauffé de leur découverte de l'égalité aux États-Unis, comme l'a noté Talleyrand. « L'exemple de M. de La Fayette avait entraîné toute la partie brillante de la nation. La jeune noblesse française, enrôlée pour la cause de l'Indépendance, s'attacha dans la suite aux principes qu'elle était allée défendre. Elle avait vu sortir d'une condition privée le chef d'un grand État ; elle avait vu les hommes simples qui l'avaient secondée, entourés de la considération publique. De là à croire que les services rendus à la cause de la liberté sont les seuls titres véritables de distinction et de gloire, il y a bien près. Ces idées, transportées en France, y germèrent d'autant plus promptement que tous les prestiges, attaqués par les hommes inférieurs qui s'étaient introduits dans la société, allaient chaque jour s'évanouissant. »

Si les États-Unis fournissent des références politiques, voire un modèle de gouvernement et de société à certains esprits, les Antilles, transformées en bases navales et en garnisons gigantesques, elles aussi portent à la réflexion. Les nouveaux venus sont saisis par le spectacle qui s'offre à leurs yeux. Ils découvrent l'esclavage des Noirs, s'interrogent sur sa moralité, sur sa nécessité et son utilité économiques, méditent sur les qualités et les défauts comparés de la vie en société et de l'état naturel, sur l'égalité ou la hiérarchie des races et des personnes. Ils s'étonnent de surprendre une société européenne dont les valeurs ne sont pas celles de la mère patrie. Aux îles, on vit dans la liberté que décrivent les contes philosophiques : la religion, surtout après le renvoi des jésuites, se dissout sans disputes, l'originalité du sentiment américain s'affirme, on mène son existence au jour le jour, ambitionnant la réussite matérielle, l'argent en récompense du travail. Aux îles enfin, les métropolitains voient le progrès dans ses œuvres : avec la plantation, les colons ont accompli cette révolution agraire, si lente à venir en France malgré l'antiquité de l'exemple anglais ; ils sont passés de l'agriculture traditionnelle à une agriculture industrielle et commerciale portant l'empreinte du capitalisme.

Le mythe américain, cependant, n'a pas exercé la même fascination sur tous les Français qui ont servi sous Washington. Le colonel de Mauroy compte parmi ceux que la nouvelle idolâtrie ne rallie pas. En juillet 1778, après un an de séjour, il résume ses impressions à l'intention du comte de Broglie. « Sans exception, ou du moins l'exception est si petite qu'elle ne vaut pas la peine d'être corrigée, les Américains sont la lie du peuple anglais, hollandais, allemand, etc. des jeanfoutre ! Et qui ont été réduits à être en arrivant, trois années esclaves d'autres, que les dettes et le gibet ont forcé de passer les mers pour trouver un asile. D'après ce mélange que peut-on attendre ? Aucun principe d'honnêteté, d'humanité, toujours l'appât du gain dominant ; joint à cela, le principe d'esclavagerie rend tous les gens-ci malhonnêtes, cruels et barbares. » Les officiers du corps de Rochambeau n'ont pas le sentiment que l'Amérique leur révèle l'existence d'un nouveau peuple élu, encore moins l'organisation du gouvernement des dieux : pendant la Révolution française, observe G. Bodinier, ils resteront fidèles au roi dans leur quasi-totalité. Toutefois, les idées américaines se propagent en France, diffusées par la presse, les brochures et aussi par la haute noblesse libérale — Noailles, Lauzun, Ségur, etc. — le duc d'Orléans et son entourage. Évoquant ce milieu et ce mouvement, le prince de Ligne note avec esprit : « Je n'y ai pas vu un philosophe, mais des grands seigneurs qui se sont faits roturiers et des roturiers qui se sont faits grands seigneurs. »

Le succès que rencontre dans l'opinion française la pratique de l'égalité et de la liberté par les Américains, déborde Vergennes. Ce crédit républicain se greffe sur une crise financière, que le ministre, homme sans génie ni vigueur selon le lieutenant général de Bouillé, se montre incapable de maîtriser, l'aggravant même d'une rupture institutionnelle. Il autorise Calonne à convoquer une Assemblée des notables, qui refuse de se prononcer sur une réforme fiscale, mais donne l'occasion à certains dont l'Américain La Fayette, un héros de roman, toujours selon Bouillé, de réclamer la convocation d'États généraux. Alors, peut-on dire de Vergennes qu'il fut, en persuadant Louis XVI de secourir les Insurgents, l'un des fourriers de la Révolution française ? D'aucuns l'affirment : parmi ces contemporains peu indulgents, un vieux serviteur de la monarchie, le comte de Saint-Priest, successeur de Vergennes à Constantinople, puis ministre du roi de 1788 à 1790. Cet officier, passé à la diplomatie, prononce dans ses *Mémoires* un réquisitoire impitoyable contre Vergennes et ses treize années de ministériat, « pendant lesquelles il a acquis une sorte de réputation qu'il dut aux demi-succès de la guerre d'Amérique, dont les avantages ne pouvaient entrer en compensation des maux qu'il a causés. On peut trouver d'innombrables causes de la Révolution française ; celle sans laquelle cette révolution n'aurait jamais eu lieu fut le déficit que la guerre occasionna dans les finances. Vergennes n'était assurément pas entreprenant par caractère, mais sa première passion était de conserver sa place. Il amusa quelque temps l'Angleterre qui se plaignait d'un commerce illicite d'armes et de munitions avec les États-Unis, mais enfin il fallut finir par des réponses catégoriques. [...] N'était-il pas clair alors que, si l'Angleterre persistait à soumettre ses colonies par la force, elle ne pourrait y réussir qu'après de longs efforts et l'épuisement de ses moyens. La France, pendant ce temps, aurait pu rétablir ses finances, augmenter sa marine et regagner sur l'Angleterre ce que celle-ci pouvait avoir encore de supériorité sur mer ; que si, au contraire, la Grande-Bretagne finissait par céder l'indépendance à ses colonies, l'avantage supposé de cette cession pour la France se trouvait accompli sans coup férir ni bourse délier. Il fallait donc agir de bonne foi avec la Cour de Londres, défendre le commerce interlope et subreptice dont elle se plaignait. »

Sans minimiser l'incidence de la crise des prix du vin et de la disette de 1789, consécutive à un hiver rigoureux, sur l'explosion de la Révolution, on ne peut sérieusement réduire les causes de l'embrasement régénérateur à la conjonction de deux phénomènes économiques qui, en tout état de cause, n'a pas affecté l'ensemble des provinces du royaume. Les difficultés conjoncturelles et localisées ont, en réalité, mis le feu aux poudres d'une crise générale. Crise financière, prix de la participation de la France à la guerre d'Amérique ; crise institutionnelle, allumée par le rappel des parlements et par le problème fiscal, que l'alliance avec les Treize Colonies rebelles aggrave ; crise des esprits qui, après plus d'un demi-siècle d'enseignement philosophique, découvrent, à travers l'expérience américaine, qu'une société et un gouvernement démocratiques, fondés sur les principes de liberté et d'égalité, n'appartiennent pas à l'utopie, mais s'inscrivent dans le champ d'une pratique politique expérimentée.

En moins d'un siècle, on assiste à un prodigieux mouvement de bascule, dont les colonies sont l'axe. À la fin de la guerre de

Succession d'Espagne, on voit Louis XIV accepter les risques les plus graves pour sauver l'union bourbonienne des deux couronnes, Versailles et Madrid, c'est-à-dire pour conserver le domaine colonial ibérique dans son intégrité et, partant, pour garder au commerce français l'accès des métaux précieux américains concentrés dans le port de Cadix. À l'inverse, à la fin du XVIIIᵉ siècle, on voit un ministre mener la monarchie à sa ruine et la France à vingt-cinq ans de stagnation économique, pour avoir cru qu'en détachant les Treize Colonies de la mouvance politique de leur métropole, il abaisserait la puissance anglaise en Europe. Calcul complètement faux que « l'économie d'exportation » de la Grande-Bretagne balaiera en développant ses ventes sur ses anciens marchés, et en s'en ouvrant d'autres dont la France. Plutôt que de tenter de séparer les frères ennemis anglo-saxons, mieux eût valu réunir tous les moyens pour réussir la conquête de l'Inde. À un siècle d'intervalle, à la fin du règne de Louis XIV et au début de celui de Louis XVI, l'analyse politique démontre aux dirigeants du royaume que la puissance nationale et la ligne de crête du rapport de force franco-anglais passent par les possessions coloniales. Paradoxalement, Louis XIV dans ses derniers ans paraît avoir retenu les aspects constructifs de cette problématique, et Vergennes les aspects négatifs, tellement son préjugé anti-expansionniste était systématique.

Avant de favoriser le succès des événements révolutionnaires, la guerre d'Amérique, par les embarras financiers qu'elle engendre, et que ni Necker ni Vergennes n'ont dominés, fige la France dans un rôle mineur en Europe. Le roi, ne disposant pas des moyens de soutenir ses alliés républicains des Provinces-Unies, se résigne à laisser la Prusse, appuyée par l'Angleterre, rétablir le stathoudérat par la force. Puis, Versailles, de plus en plus écartée du règlement des affaires continentales, regarde, immobile, la Grande-Bretagne, suivie de la Prusse, s'ériger en arbitre du Vieux Monde, notamment contenir les ambitions austro-russes sur la Turquie. Sur le plan commercial, les résultats désespèrent ceux qui croyaient avec Vergennes que l'indépendance américaine sonnerait le glas du négoce anglais, et comblerait les ambitions des ports français. Si, de 1781 à 1783, les importations annuelles de l'Amérique stagnent à 3 494 000 livres, alors que les exportations nationales aux États-Unis s'élèvent à 11 500 000 livres, les années suivantes marquent le renversement brutal et définitif de cette tendance. Les maisons françaises de commerce, dès 1785, ne résistent pas à la concurrence massive de leurs rivales d'Angleterre, de Hollande, des Pays-Bas autrichiens (Belgique) et d'Allemagne : les faillites se multiplient. Alors, dit Arnould, « les négociants français quittèrent la partie aussi légèrement qu'ils s'y étaient engagés : ils ne trouvèrent pas de milieu entre trop faire et ne rien faire du tout. » Les dispositions du traité de 1778, régissant les échanges franco-américains, sont complétées par celles de l'arrêt du 29 septembre 1787, mais sans succès. Pendant les trois années qui précèdent la Révolution, les importations américaines atteignent 9 600 000 livres, en moyenne annuelle, dont 7 300 000 livres en tabac, tandis que les exportations françaises aux États-Unis végètent à 1 800 000 livres, en moyenne annuelle, « dont principalement 600 000 livres en vins et eaux de vie, et seulement 600 000 livres, en marchandises manufacturées, fabriquées et ouvragées ». Soit un déficit de la balance française de 7 800 000 de livres par an ! Les calculs de Vergennes sur les conséquences de l'indépendance des Treize Colonies se brisent, non tellement sur la mauvaise volonté des anciens « alliés », mais davantage sur la structure de l'économie royale, à dominante agricole, incapable de satisfaire une demande de biens manufacturés. Aussi Arnould regrette-t-il que la nation ait « sacrifié quelques centaines de millions et plusieurs générations d'hommes » non pour un gain modeste, mais pour un déficit difficile à inverser avant longtemps.

Si la majorité des Anglais s'était jetée dans la guerre contre les rebelles américains sans hésitation, quelques esprits politiques n'avaient pas dissimulé leurs craintes. Ainsi, Horace Walpole, écrivant au révérend William Mason, le 6 septembre 1775, avouait son inquiétude pour la liberté, et plus prosaïque, ajoutait : « Si les colonies sont victorieuses, notre commerce est perdu. » Si l'avenir devait consacrer l'indépendance des États-Unis, il devait aussi rendre la première place au commerce britannique dont les exportations connaîtront une ampleur jusque-là inconnue. Arthur Young, passant par Marseille au mois de septembre 1789, fait part de cet événement à l'abbé Raynal, qui réside alors dans le grand port méditerranéen, et chez qui il rencontre le directeur principal de la Compagnie d'Afrique, M. Bertrand. Aux deux Français pour qui les affaires économiques n'ont pas de secret, il expose, non sans les ébahir, que la révolution d'outre-Atlantique avait été plus bénéfique pour l'Angleterre que pour l'Amérique. « J'expliquai ma pensée en déclarant qu'à mon avis la prospérité dont l'Angleterre avait joui depuis la paix, non seulement a dépassé celle de toute période analogue, mais encore celle de n'importe quel pays, en n'importe quelle époque depuis l'établissement des monarchies européennes ; fait qui est prouvé par l'accroissement de la population, de la consommation, de l'industrie, de la navigation, du nombre des bateaux et des marins, par l'augmentation de l'agriculture, des manufactures et du commerce, enfin, dans une mesure particulièrement forte, qui découle de tout le reste, par les progrès du bien-être et de la félicité populaires. Je mentionnai les documents authentiques et les registres publics, qui prouvaient mes dires, et j'observai que l'abbé Raynal, qui suivait attentivement ce que je disais, n'avait jamais lu ces faits ou n'en avait jamais entendu parler, en quoi il ne se distingue pas des autres, car jamais je n'ai rencontré personne, en France, qui en eût connaissance. Et cependant ces faits constituent sans aucun doute l'une des expériences les plus remarquables et les plus singulières de la science politique, que le monde ait vues : un peuple perdre un empire, treize provinces et GAGNER, par cette perte, un accroissement de richesses, de bonheur et de puissance ! »

À la même époque, à la cour de Saint-Pétersbourg, les ambassadeurs de France et de Grande-Bretagne dissertent, devant Catherine II, de la guerre d'Amérique qui a privé Londres d'un bouquet de florissantes colonies. Le comte de Ségur écoute avec stupéfaction ce qu'il tint vraisemblablement pour un paradoxe mondain. « M. Fitz-Herbert prétendait que cette perte deviendrait plus avantageuse que nuisible à son pays. Un tel paradoxe m'étonnait ; mais il soutenait son opinion avec autant de persistance que d'esprit, s'efforçant de me prouver qu'avant peu, l'Angleterre, délivrée de la dépense très considérable que lui coûtait l'administration de ses colonies, retirerait de son commerce avec elles, sans aucuns frais, d'immenses avantages qui la dédommageraient suffisamment de la perte d'une domination illu- soire. » L'impératrice et l'ambassadeur, qui ont la tête plus féodale que capitaliste, sourient. Mais Fitz-Herbert et Young ont raison de se rengorger : de 1781-1785 aux années 1796-1800, leur nation a presque quadruplé ses exportations vers l'Amérique, où, par ailleurs, elle est débarrassée de toute charge financière. Même si « l'indépendance de l'Amérique fut un échec amer pour les Anglais », comme l'écrit Paul Langford, ceux-ci, fidèles à leur réalisme, ont su conserver le marché d'outre-Atlantique, allant jusqu'à en augmenter considérablement le rendement. Davantage, ils systématisent cette politique. Ainsi, ils imposent à Vergennes, qui par prudence ne veut pas attendre les résultats de la campagne de 1783 conduite par Bussy pour faire la paix, de soumettre le commerce français dans l'Inde à leur volonté. En effet, le traité de Versailles stipule que les Britanniques s'engagent à assurer aux Français dans l'Inde « un commerce sûr, libre et indépendant ! » Cette disposition, qui abandonne dans sa totalité le marché indien à la Grande-Bretagne, constitue une véritable capitulation du commerce français dans le sous-continent. Bussy, conscient de l'abdication que représente l'article 13 du traité, laisse aller sa plume à un commentaire vif et lucide. « Point d'apparence de faire un commerce libre, sûr et indépendant, conformément aux engagements que Sa Majesté Britan- nique en a pris dans le traité définitif. Dans la position où est et où je prévois que sera la nation, son commerce prétendu libre sera toujours soumis aux Anglais ; sûr, il sera toujours exposé aux entraves qu'ils y mettront, surtout au Bengale ; indépendant, il sera au contraire très dépendant dans toutes les parties de l'Inde. D'après cela, ce commerce ne peut être que très précaire, très peu avantageux et même occasionner la ruine de quelques particuliers. » Un jugement sévère porté sur les qualités de clairvoyance de Vergennes, que les faits confirmeront.

Malgré sa prétendue défaite, le cabinet de Saint-James, non seulement garde ses marchés coloniaux aux meilleures conditions, mais encore obtient de Vergennes que la France prenne l'engagement, dans l'acte de Versailles, de conclure un traité de commerce avec lui, au plus tôt. Le 26 septembre 1786, le premier commis Rayneval signe l'accord, dont l'auteur est Dupont de Nemours, économiste, ami de Turgot et l'un des principaux rédacteurs des *Éphémérides du citoyen*. La France, en proie à une crise financière consécutive à la guerre d'Amérique, ouvre ses frontières — sans préparer son industrie encore au stade artisanal — à l'appétit des manufactures anglaises pour acheter la paix à son ennemie, rééditant ainsi la politique de subordination de Dubois, que le cardinal de Fleury avait répudiée doucement. Ce règlement, dans lequel Barthélemy, chargé d'affaires à Londres, voit « un très mauvais marché », un pacte « si désastreux pour nous », a la faveur de Talleyrand, même si, comme le diplomate, il est un proche de Choiseul. Il s'en explique : « L'Angleterre était dans une voie de prospérité commerciale que rendaient incalculables l'invention de ses machines et l'immensité de ses capitaux ; la mode se chargea de résoudre les objections tirées de l'augmentation du luxe. L'ascendant du ministère et l'intérêt des manufactures triomphèrent des autres objections, et le traité eut en Angleterre l'assentiment à peu près général de la nation. L'opinion sur cette question prit en France un caractère tout différent : l'intérêt des villes maritimes se trouvait ici en opposition avec celui de la population industrieuse. Aussi le traité fut reçu d'abord avec un peu d'étonnement. Les premiers résultats ne nous furent pas favorables. Les Anglais, mieux préparés que nous ne l'étions, obtinrent de grands profits. » Quel paradoxe : la santé économique du vaincu est meilleure que celle du vainqueur présumé ! Avant le traité, le montant des exportations françaises et anglaises était à peu près identique, de l'ordre de 24 millions de livres. En 1787, première année d'application du protocole, plus précisément entre le 10 mai et le 31 décembre, l'Angleterre exporte en France pour 58 500 000 livres, dont 33 100 000 en marchandises manufacturées, tandis que le royaume vend à sa voisine pour 38 millions de livres de produits. En 1788, le rapport est de 63 millions contre 34, et en 1789, de 58 millions contre 36. Le déficit de la balance française oscille, selon l'année, entre 20 et 30 millions de livres. Conséquence du traité de commerce, qui lui-même découle de la participation de la nation au conflit anglo-américain : la France est en voie de devenir le satellite économique de l'Angleterre, de devenir une colonie. Un exemple : l'Angleterre achète au royaume des « quantités considérables de coton, produits du sol des îles françaises de l'Amérique, matières brutes que l'Angleterre nous revend ensuite, avec d'énormes profits pour elle, fabriquées en cotonnades ». En échange de ses matières brutes, de ses comestibles, de ses vins et eaux-de-vie, la

France achète à la Grande-Bretagne son travail, sa technique industrielle : un rapport commercial de possession à structure économique rudimentaire avec sa métropole technicienne. Quant à l'hémorragie de coton brut, le ministère tentera de la juguler par le jeu de taxes à l'exportation : sans succès, la contrebande prenant le relais du commerce officiel.

La volonté de Vergennes, et de Calonne aussi, de mettre un terme à la rivalité franco-anglaise en écartant le protectionnisme économique traditionnel pour adopter un libéralisme débridé, sans avoir préalablement procédé à un examen des structures de production, ni consulté les manufacturiers, fabricants et négociants du royaume, ouvre une crise qui favorisera l'explosion de la Révolution. De quelque côté que l'on se tourne, la guerre d'Amérique est là, distribuant les illustrations de son passif ruineux.

Calonne contre Castries : la dernière Compagnie des Indes orientales

Alors que le secrétaire d'État des Affaires étrangères a imposé le retrait français dans l'Inde à un ministère qu'il domine avec la confiance du roi, son collègue de la Marine, le marquis de Castries, reprend le vieil argument que son ami Necker et lui-même développaient contre les physiocrates, Morellet et les Choiseul : le commerce d'Asie réclame des investissements si importants que seule une compagnie exclusive, à privilège, peut les financer. Un raisonnement faux et démenti par les faits : en 41 ans, de 1730 à 1771, la Compagnie de Law, dont le marquis fut un temps le syndic, envoie 220 navires dans l'Inde et 79 à la Chine, alors qu'en 17 ans, de 1769 à 1785, le commerce particulier dépêche 140 bâtiments dans l'Inde et 45 à la Chine. Incontestablement, même si l'on tient compte des guerres et des difficultés que rencontrèrent certaines expéditions privées, l'avantage ne va pas à l'État. Comme l'a écrit L. Dermigny, à propos de la deuxième compagnie : « La suspension de son privilège en 1769, loin de ruiner le commerce de l'Inde et de la Chine, semble au contraire l'avoir stimulé — après deux ou trois ans d'hésitations, il est vrai. » Castries réunit, dès la fin de la guerre d'Amérique, des hommes d'affaires qui investissent dans les armements asiatiques, comme Bernier, Gourlade et le Dauphinois Augustin Perier, dont le frère, Claude appartient à « l'internationale des indiennes » ou cotonnades, et les banques Girardot et Haller de Paris, Bourdieu et Chollet de Londres, toutes deux proches de Necker. Face à ce groupe, un second prend corps. On y voit : les négociants Bérard et Bézard, les banquiers parisiens Sabatier et Desprez, et le puissant groupe écossais Herries, installé à Londres, mais étendant des ramifications dans toute l'Europe, notamment en Belgique, en Hollande, en Espagne et en France. Ces deux associations rivales semblent vouloir coordonner leur action. On s'oriente vers une combinaison qui — comme au temps de la Compagnie de Law, révisée par Necker — confie le financement du commerce français dans l'Inde aux Anglais, ou plus précisément à la seule *East India Company*. Autant dire que la société royale ne sera qu'un épigone de sa sœur britannique. Le 27 février 1785, le Conseil d'État se prononce en faveur de la restauration d'une compagnie exclusive, dont la création est officialisée par un arrêt du 14 avril suivant. Cette opération, préparée par Castries, est scellée par le nouveau responsable des Finances. Dès lors, une guerre sourde oppose les deux hommes. Calonne, poussant plus loin son avantage, annonce, le 18 mars 1786, que le ministère condamne l'accord passé entre les deux Compagnies française et anglaise, car il se révèle « inconciliable » avec les intérêts de la nation en Asie. Et, exploitant l'hostilité de Vergennes à une convention trop spectaculairement favorable aux Anglais, d'autant qu'elle a été négociée par le Londonien Bourdieu, proche de son ennemi Necker, il écarte le marquis de Castries. Puis, il s'appuie sur ses relations personnelles et sur Bérard, animateur du consortium rival de celui suscité par le maréchal, pour imposer ses protégés. La banque Bourdieu-Chollet est évincée au profit du groupe Herries, aux affaires duquel est intéressée Mme de Calonne, fille de Mme de Nettine, naguère banquière de l'empereur à Bruxelles. À la suite de cette manipulation, la Compagnie française, désormais affranchie de la tutelle de l'*East India Company*, finance son commerce indien avec des piastres de Cadix, qu'elle se procure en Espagne auprès de la banque de Saint-Charles et de Cabarrus, en France auprès des négociants Magon, Laborde, Lecoulteux, bénéficiant toujours des services du clan Herries, aussi bien en Espagne, en Angleterre, en France, en Belgique, en Hollande que dans les deux capitales de la contrebande asiatique, que sont Ostende et Copenhague.

Que cache la formation de la compagnie de Calonne ? Un conflit entre deux cartels financiers ? La victoire de la banque continentale, alliée à la finance française, sur la banque anglo-suisse et Necker. Peut-être, mais, vraisemblablement autre chose encore. La dernière Compagnie des Indes orientales est constituée au moment où Français et Anglais négocient le traité de commerce de 1786. Or, le sabotage de l'expédition de Bussy et la mainmise de l'Angleterre sur l'Inde inquiètent nombre de diplomates, dont Grignan, ambassadeur à Londres et Barthélemy, qui attaquent ouvertement la politique ministérielle. « L'Angleterre est une puissance qu'il nous faut combattre corps à corps. [...] Dépouillée de l'Inde, l'Angleterre tombe au rang des puissances de second ordre, et la France est à jamais le premier empire de l'Europe. Maîtresse de l'Inde, l'Angleterre s'élève au-dessus de tout ; elle fait mouvoir à son gré les armées du continent, et la France est entourée d'ennemis. » Vergennes, agacé, envoie une lettre sèche à Grignan, le 13 mars 1785. « Le Conseil du Roi, Monsieur, est certainement aussi pénétré que vous pouvez l'être d'avoir un œil attentif sur ce qui se passe dans l'Inde, et il sent de même que l'Inde peut devenir, pour l'Angleterre, la source d'une grande prospérité. Mais ces vérités, quelque importantes qu'elles soient, ne le sont pas assez pour que nous nous livrions aux risques et aux hasards d'une nouvelle guerre. » Au nom du système politique de modération, point n'est question de s'aventurer dans une guerre de jalousie et d'ambition.

Dans ce climat électrisé, le gouvernement satisfait l'opinion en interdisant la création d'une compagnie française, inféodée à l'*East India Company* : au désespoir de Castries ! Toutefois, le pouvoir, en maintenant le privilège du commerce d'Asie et en le confiant à des Laborde, Lecoulteux et autres financiers liés à l'État, et à la banque européenne, est assuré de tuer définitivement la tentation indienne de la France. Ne vaut-il pas mieux séparer l'*East India Company* de la Compagnie des Indes, ce qui entre dans la stratégie d'harmonie franco-anglaise au même titre que le traité de commerce, et passer d'une compagnie commerciale à une société financière, à l'image des Eaux de Paris, des diverses assurances, etc. Peu importe que le gouverneur de Conway crie après cette société officielle qui « enrichit une trentaine d'individus aux dépens de vingt-quatre millions » de sujets du roi. Enfin Calonne, physiocrate comme Vergennes et Dupont de Nemours, en éliminant Castries, débarrasse le ministre des Affaires étrangères d'un dignitaire qui, lors du traité de Versailles, avait hautement condamné sa politique extérieure, des eaux de Terre-Neuve, à la Méditerranée et à la mer des Indes où il partageait les vues expansionnistes de Sartine. Enfin, comme l'a fort bien montré Herbert Lüthy, la guerre d'Amérique, qu'a financée l'emprunt, ainsi que les Compagnies des Indes de Necker (1763-1769) et de Calonne (1785) sont des brèches béantes par où la finance internationale a envahi le domaine politique français.

Le maréchal de Castries contre l'impérialisme américain

La participation de la France à la guerre révolutionnaire de décolonisation américaine se solde par un désastre lamentable. L'Angleterre, qui devait sortir affaiblie de ce conflit, se dresse plus hégémonique que jamais, ayant conservé ses grands marchés d'outre-mer, que protège la flotte la plus puissante du monde, et obtenant même de son ennemi continental qu'il ouvre ses ports à sa production industrielle. Davantage, le ministère, qui a découvert avec quelque surprise l'impérialisme territorial américain — en avance sur sa formulation par la doctrine de Monroe en 1823 —, doit faire face aux ambitions économiques des États-Unis, que soutient un groupe de pression français, animé par La Fayette, frère de Washington en maçonnerie. Dans le royaume même, les Américains portent leur regard sur Lorient, où, pendant la guerre, les navires des Insurgents ont vendu leurs cargaisons de tabac et les prises faites sur les Anglais pour acheter et charger des armes et des munitions, et où une colonie d'outre-Atlantique s'est établie (Moylan, Moore, Nesbit et Barclay, Cunning et Marcarty), bientôt ralliée par des maisons jusqu'alors établies à Nantes (Wilt et Delmestre, et Grubb). Dès la fin des hostilités, en 1783, rappelle G. Le Bouëdec, une société française, associant l'État et des banquiers, crée une ligne transatlantique dont Lorient et New York sont les ports d'attache. Cette compagnie, qui assure la poste, le transport des passagers et des marchandises, connaît des difficultés à partir de 1785 et renonce aux traversées mensuelles pour adopter un système de liaisons plus espacées, mais rentables. Les États-Unis souhaitent davantage. En 1784, leur vœu est exaucé. Calonne et Vergennes accordent à Dunkerque, Marseille, Lorient, Bayonne et Saint-Jean-de-Luz, le statut de port franc qui donne « l'entière liberté de recevoir les navires de toutes les nations et d'exporter toutes espèces de productions et de marchandises en exemption de droit ». Cette franchise, que l'on abrogera en 1790, est bouleversée par l'arrêt du Conseil d'État du 29 septembre 1787. Cette mesure, destinée à encourager les échanges franco-américains, établit un entrepôt de six mois dans tous les ports du royaume autorisés à faire le commerce colonial, pour tous les produits venant des États-Unis, moyennant un droit symbolique de 1/8e %. Ultérieurement, toutefois, les morues et poissons salés seront retirés du champ d'application de cette législation douanière compréhensive et généreuse.

Depuis la guerre d'Amérique, le libéralisme commercial souffle sur la nation et ses colonies à la plus grande satisfaction des Anglo-Saxons. Contre cet enthousiasme libre-échangiste, qui donne naissance à traités de commerce et ports francs, illustrations du nouvel ordre international dont rêvent Vergennes et les physiocrates, un gêneur, décidé à défendre l'intérêt national dans l'empire commercial antillais, brandit l'arme du dirigisme : le maréchal de Castries, secrétaire d'État de la Marine, personnage intrigant, mais homme de valeur et de caractère, que la politique de Vergennes ne séduit pas. Or, les Américains réclament au ministère une extension de leurs relations commerciales avec les îles. Déjà, après la guerre de Sept Ans, Choiseul, par l'arrêt du 29 juillet 1767, préparé par son premier commis, le Martiniquais Dubuc, avait ouvert deux entrepôts, l'un au Carénage, à Sainte-Lucie, l'autre au Môle Saint-Nicolas à Saint-

Domingue. Castries se met à la rédaction d'un nouveau règlement, donnant ainsi satisfaction à la requête qui lui a été soumise et aux recommandations qui l'accompagnent. Sans doute par précaution, pour des raisons de politique personnelle et mondaine, il écoute et consulte deux personnalités dont il ne partage pas les idées, le créole Dubuc, familier comme lui des Choiseul et des Necker, et l'économiste Le Mercier de La Rivière, auteur considéré, possédant de nombreuses et importantes relations, anciennement intendant des îles du Vent, partisan d'accorder une totale liberté de commerce aux colonies. Mais il prépare son texte avec un esprit « orthodoxe », ancien intendant de Saint-Domingue, Guillemin de Vaivre, premier intendant général des colonies auprès du ministre.

Le 30 août 1784, le maréchal présente un arrêt du Conseil d'État relatif au commerce étranger aux Antilles à la signature du roi. Étrangement l'exposé des motifs ne fait aucune allusion au règlement de 1767, où Dubuc avait construit l'Exclusif mitigé, c'est-à-dire, l'affaiblissement du monopole métropolitain, pour n'évoquer que les lettres patentes du mois d'octobre 1727, écartant les étrangers du commerce des colonies. Il explique, sans profusion de nuances : « Considérant que les circonstances actuelles sollicitent de nouveaux adoucissements [Sa Majesté] a jugé qu'en les accordant, il convenait encore de multiplier les ports d'entrepôts dans les îles françaises du Vent et sous le Vent, d'en rectifier le choix et de les ouvrir dans des lieux où ils fussent sous la main du gouvernement et sous l'inspection du commerce national, afin de prévenir l'abus d'une contrebande destructive, ou de le réprimer avec d'autant plus de sévérité, que, Sa Majesté ayant pourvu aux besoins de ses colonies, les infracteurs de ses lois deviendraient inexcusables. » L'arrêt ouvre un entrepôt dans sept ports : au Carénage, à Sainte-Lucie ; à Saint-Pierre, à la Martinique ; à la Pointe-à-Pitre, à la Guadeloupe ; à Scarborough, à Tabago ; au Cap-Français, au Port-au-Prince et aux Cayes, à Saint-Domingue. Dans ces entrepôts, les étrangers — essentiellement les Américains — peuvent vendre des matières premières, des bestiaux, certains comestibles et denrées, comme, bois, charbon de terre, salaisons de bœuf, morues et poissons salés, riz, maïs, légumes, résines, goudron, etc., en échange de quoi, ils peuvent acheter des sirops et taffias, ainsi que des marchandises en provenance du royaume. Les droits à acquitter sont ceux en vigueur dans les colonies, outre 1 % de la valeur des importations ou exportations. Une majoration est prévue pour les salaisons, la morue et les poissons salés. Sous couvert d'aménager le commerce étranger, Castries, qui, dès le mois de février 1783, a prescrit aux administrateurs généraux de rétablir les lois prohibitives suspendues depuis 1778, organise, en réalité, la répression de l'interlope, au nom de la primauté du commerce national sur les intérêts des colons, coalisés à ceux des étrangers. Il tourne ainsi le dos à la législation des années 1767, où

Choiseul, Praslin et Dubuc, sous prétexte de défendre le monopole national, l'avaient battu en brèche à coups de dérogations, de mesures atténuant la répression de la contrebande, et même d'instructions directement données aux chefs des possessions, pour établir l'Exclusif mitigé, c'est-à-dire le partage du commerce entre le bloc des négociants nationaux et l'association des étrangers et des colons français. J. Tarrade a mis au jour les ressorts de ces différents mécanismes et montré que le maréchal incarne la volonté de revenir à l'orthodoxie doctrinale et pratique, qui avait été reléguée entre les guerres de Sept Ans et d'Indépendance. Le ministre va à contre-courant des idées économiques libérales de son temps qu'ont défendues Gournay, Trudaine, Turgot, et en faveur desquelles plaident Le Mercier de La Rivière, Dupont de Nemours et d'autres. Dans son esprit, le monopole commercial de la nation est la règle, ainsi que la répression de l'interlope, et l'ouverture des ports coloniaux aux étrangers constitue des exceptions définies, limitées, et soumises dans leur exécution à une surveillance intransigeante. On est loin de ce que Le Mercier de La Rivière conseillait à Choiseul dans son rapport sur la Martinique, du 8 septembre 1762. Le savant physiocrate écrivait : « Qu'on affranchisse de tous droits l'entrée et la sortie des marchandises propres à une colonie, qu'on joigne à cet affranchissement une pleine liberté de commercer avec toutes les nations, voilà une colonie devenue riche tout d'un coup par les suites nécessaires d'un privilège unique qui lui donne pour le commerce un avantage décidé sur toutes les Colonies de la Terre ! Tel est pourtant l'objet ultérieur qu'on envisage, mais pour lequel on n'ose former ouvertement des vœux. » Métropole d'abord ! objecte le maréchal.

Castries ne conçoit pas non plus les entrepôts, dont il commande la création, comme des centres de contrebande, à la manière des ports francs, anglais de la Jamaïque et de la Dominique, hollandais de Saint-Eustache et de Curaçao, sans compter les ports américains, qui tous ont pour vocation de détourner le commerce des possessions françaises et espagnoles de leurs métropoles. Au contraire, il voit dans les zones de libre-échange limité qu'il autorise, autant d'abcès de fixation placés sous les yeux vigilants des administrateurs généraux et de leurs délégués, les côtes faisant l'objet de croisières permanentes de la part de stations navales, dont les colonies françaises sont pourvues pour la première fois. L'arrêt du 30 août 1784 se présente comme un arsenal qui offre les moyens, à la fois de canaliser, de contrôler ou d'interdire l'action de l'impérialisme économique améri-cain, particulièrement à Saint-Domingue. Mais l'efficacité de ce règlement dépend de la conscience avec laquelle les agents du roi l'appliqueront. Ainsi est-ce à ceux-ci que le ministre s'adresse dans sa lettre circulaire du 13 novembre 1784 : le ton est ferme, impératif, très militaire. Le maréchal explique, met en garde, donne ses instructions. « L'intention du roi a été de concilier les divers intérêts des Habitants de ses colonies et du commerce de son royaume. Ses vues seront remplies, si les administrateurs maintiennent, par leur zèle, leur exactitude et leur vigilance, les principes qui sont établis dans cette nouvelle loi. Je ne me suis pas dissimulé les difficultés qu'il y avait à combatte ; mais la plus grande provient principalement de la contrebande dont les fâcheux effets ne peuvent être appréciés ; les colons les atténuent, pendant que les négociants français les exagèrent. Quoi qu'il en soit, il n'est que trop certain que ces derniers ont de grandes raisons de se plaindre du relâchement qui existe de la part des administrateurs. La cupidité amène l'étranger, les habitants ont intérêt à l'appeler et à le recevoir. Je dois croire qu'aucun administrateur ne se permettra de favoriser la fraude ; mais il peut y en avoir dans le premier, comme dans le second ordre, qui, soit par système, soit par prévention pour les colons à qui ils croient devoir une protection de préférence, soit enfin par négligence, ferment les yeux et dissimulent. C'est à cette dissimulation qu'il faut attribuer la plus grande partie du mal : il est vrai que la contrebande emprunte toutes les formes pour parvenir à ses fins ; mais elle ne trompe en général que ceux qui veulent être trompés, et souvent tout le monde connaît, sur les lieux, les moyens dont les étrangers se servent pour décharger des cargaisons entières, pour faire le versement des articles prohibés, pour enlever les denrées coloniales, tandis que les seuls administrateurs, et ceux qui sont préposés pour s'opposer à la fraude, paraissent l'ignorer. Il est important, M.M., que les personnes qui, sous vos ordres, sont employées à faire exécuter les lois prohibitives, soient bien instruites des instructions du roi. Ce n'est pas assez d'abandonner à la poursuite la plus rigoureuse, ceux qui seront convaincus de favoriser d'une manière directe la contrebande, ou d'y conniver indirectement ; vous devez leur annoncer que Sa Majesté punira encore, par le rappel et la privation de leurs places, ceux qui trahiront sa confiance. À cet égard M.M., les plaintes soutenues du commerce sur l'existence d'une contrebande non réprimée, et l'opinion publique, formeront des preuves suffisantes pour persuader au roi, que vous vous serez écartés des règles qu'il aura établies, et pour rejeter sur vous tout le mal qui résulterait d'une indulgence répréhensible. Vous devez avoir sans cesse les yeux ouverts sur la conduite de vos subordonnés : ils ont tant de moyens pour connaître la vérité, que s'ils veulent les employer, rien ne leur échappera. Je dois même vous prévenir que le roi mesurera principalement les marques de satisfaction qu'il donnera aux administrateurs, sur le succès des soins qu'ils auront apportés à conserver les droits du commerce de la métropole. »

Cet appel à l'honnêteté et au nationalisme des agents du roi, est une leçon de stratégie contre l'impérialisme commercial américain — jamais appelé par son nom, mais désigné sous le vocable anonyme de contrebande. Non seulement, il rompt avec le passé choiseulien, mais encore proscrit l'esprit même d'engagements que Vergennes avait pris dans le traité d'alliance avec les États-Unis. À travers l'arrêt de 1784, Castries développe en filigrane une politique coloniale offensive, comme il l'avait déjà fait publiquement en condamnant les conditions de la paix de Versailles. L'exhortation du ministre à réprimer l'interlope, particulièrement l'américain, ne se traduit que partiellement dans les faits. Elle recueille, cependant, une audience certaine dans le cercle des officiers, où l'on mesure la menace que la république américaine fait peser sur l'avenir français des îles. Ainsi, le chevalier de Puget-Bras, capitaine de vaisseau, commandant la station navale de Saint-Domingue, fait-il part de ses alarmes, dans son rapport de fin de mission qu'il envoie à Castries, en 1786. « Il est à observer que le commerce de Saint-Domingue ne s'élève pas au-dessus de quatre-vingts à quatre-vingt-dix millions ; nous en avons cédé un dixième aux étrangers, et à quels étrangers, à une nation destinée par sa situation géographique à être un jour souveraine de toute l'Amérique. Ce jour sera celui où elle aura de l'argent. Voilà sous quel point de vue, je me suis opposé à toutes les entreprises qui ont été faites pour augmenter le commerce des États-Unis. »

La situation des Français ne manque pas de singularité. À peine le secrétaire d'État des Affaires étrangères a-t-il bâclé sa guerre de libération américaine, entreprise par idéologie philosophique, par besoin de revanche et par souci très intellectuel d'instaurer un ordre international nouveau et équilibré, que son collègue de la Marine engage un combat public et déterminé contre l'impérialisme économique des États-Unis, qui se posent déjà en nation préoccupée d'hégémonie dans sa région. Cette puissance neuve éclate d'énergie : ne fait-elle pas flotter son pavillon dans les ports atlantiques de l'Europe, dans la Méditerranée et même dans la mer des Indes ! En 1784, les Américains, qui ont l'intention de ne dépendre de personne pour leur approvisionnement en thé, au grand désappointement de Castries qui imaginait que ce commerce reviendrait à la France, demandent à Versailles d'accorder à leurs navires en route pour la Chine, le droit de relâcher au Port-Louis de l'île de France. Le 24 avril, le roi en son Conseil répond favorablement à cette requête. Le maréchal, poussé par Vergennes, s'exécute mais crée un port franc ouvert à toutes les nations étrangères : un arrêt du Conseil d'État du 27 mai 1787 commande son aménagement au Port-Louis. L'établissement de ce port franc — à ne pas confondre avec un entrepôt où la nature et l'origine des marchandises sont définies et limitées et où l'imposition, tout en étant allégée, demeure conséquente —, à la fiscalité réduite au paiement d'un droit de 0,5 %, animera l'île de France, mais souligne surtout que la guerre d'Indépendance ne procure jamais de compensations au royaume. Cette mesure ne fait, cependant, que légaliser une pratique déjà entrée dans les faits. En effet, rappelle L. Dermigny, le pavillon n'est pas inconnu au Port-

Louis, qui a reçu : en 1784, le *United-States*, propriété de Thomas Willing de Philadelphie, en 1785, l'*Hydra*, appartenant à William Green et à M. Champlain du Rhode-Island. En 1786, c'est le *Grand Turk*, armé par Elias Hasket Derby, de Salem, qui mouille dans le port des Mascareignes ; bref, plus de 600 bâtiments américains, résume A. Toussaint, viennent mouiller dans le Port-Louis de 1786 à 1810. Certains ne font qu'une escale avant de poursuivre vers la Chine, mais très nombreux sont ceux qui s'approvisionnent, à l'île de France, en denrées et marchandises d'Asie.

Les États-Unis ne se bornent pas à forcer les barrières douanières des possessions françaises à la plus grande satisfaction des colons, ils inspirent aussi, du seul fait de leur indépendance récente, l'esprit et la plume de publicistes acquis à la liberté du commerce et à une autonomie politico-administrative des colonies. Ainsi, le créole Dubuisson, porte-parole des planteurs, publie-t-il un *Abrégé de la Révolution de l'Amérique anglaise*, en 1778, puis des *Lettres critiques et politiques sur les colonies et le commerce des villes maritimes de France*, en 1785. De son côté, le Martiniquais Dubuc, ancien premier commis de Choiseul, fait paraître sous la protection du maréchal de Castries : *Le Pour et le Contre sur un objet de grande discorde et d'importance majeure. Convient-il à l'administration de céder part ou de ne rien céder aux étrangers dans le commerce de la métropole avec ses colonies*, en 1784, qui prépare l'opinion à la très prochaine publication de l'ordonnance du 30 août, créant les sept entrepôts antillais. Dans le cours de cette défense, on peut lire : « Nous avons dit que les Provinces américaines, désormais gouvernées par elles-mêmes et pour elles-mêmes, devaient avoir les yeux fixés sur nos Antilles comme sur le marché le plus utile au débit de leurs salaisons et de leurs farines. »

Un ancien avocat près le Conseil supérieur du Cap-Français, Hilliard d'Auberteuil, consacre deux brochures à la nécessité de dégager les colonies de l'étau où les enferme le commerce métropolitain, mais surtout donnera au public trois ouvrages d'une facture politique : *Essais historiques et politiques sur les Anglo-Américains*, en 1782, *Essais historiques et politiques sur la Révolution de l'Amérique septentrionale*, en 1783, et *Histoire de l'administration du lord North*, en 1784. Ce familier des prétoires s'était fait remarquer, en 1776, en publiant des *Considérations sur l'état présent de la colonie de Saint-Domingue*, sous les auspices du secrétaire d'État de Sartine, qui avait été obligé de les interdire l'année suivante, car les colons jugeaient leur auteur trop libéral à l'égard des mulâtres et même des Noirs ; l'administration, pour sa part, s'indignant de la critique dont son fonctionnement était l'objet. Si Sartine ne s'était pas laissé influencé par les dénonciations de l'avocat contre l'arbitraire du gouvernement colonial, son successeur se montrera plus réceptif. Depuis Turgot jusqu'à Loménie de Brienne, tous les responsables des finances de Louis XVI, veulent, par idéologie, tourner l'opposition des parlementaires à la réforme fiscale, en bâtissant un édifice institutionnel présentant l'aspect d'une pyramide d'assemblées. Pris dans ce mouvement révisionniste confus, où anglomanes et américanomanes font entendre leur voix, Castries décide, le 17 juin 1787, de doter les îles du Vent d'assemblées représentatives, juste avant que Loménie de Brienne n'en fasse autant en France même. Les planteurs des îles du Vent savourent leur joie : enfin, ils possèdent ces institutions « populaires », qu'ils enviaient depuis si longtemps aux colonies britanniques, et qui ont permis aux Treize Provinces de déclarer leurs droits et leur indépendance.

La guerre de libération nationale américaine s'achève de manière désastreuse aussi pour l'alliée espagnole, que Vergennes méprise tout en réclamant sa fidélité ; la croisade d'Amérique et le traité qui la termine, sonnent le commencement de la fin de son vaste empire colonial. À leur tour, les possessions ibériques contestent la tutelle fiscale et administrative où Madrid les tient. Les Anglais, qui ont naguère imposé leur volonté aux Espagnols aussi bien au Honduras (1764) qu'aux Malouines (1771), ouvrent une vive controverse sur la côte pacifique de l'Amérique du Nord (1789-1790). C'est la crise de l'île Nootka — petite terre plantée dans les eaux de la grande île de Vancouver — au terme de laquelle, le cabinet de Saint-James dépossède l'Espagne du littoral qui représente aujourd'hui la côte occidentale du Canada. Les États-Unis, quant à eux, ne se privent pas d'enliser leur voisine dans un contentieux plein de dangers. Ils disputent au sujet du tracé de la frontière de Floride, réclament la libre navigation du Mississippi, exigent la cession de Mobile ou la création d'un port franc à La Nouvelle-Orléans.

Les trois derniers grands conflits, où la monarchie a épuisé son Trésor sont avant tout des guerres coloniales. La guerre de Succession d'Espagne a sauvé l'Amérique hispanique de la convoitise anglaise et conservé à la France le commerce de Cadix, qui alimente l'économie du royaume en métaux précieux et irrigue la prospérité de ses provinces maritimes. La guerre de Sept Ans a dépouillé le roi de son empire colonial territorial, mais sans entamer son empire commercial antillais. La guerre de libération nationale américaine, à sa manière, marque aussi un tournant de l'histoire des Français : elle ouvre les portes de la Révolution. C'est dire à quel point l'histoire des colonies et des lointaines zones d'influence se mêle inextricablement à l'histoire de la nation ; un phénomène que les historiens contemporains, de moins en moins soucieux d'analyse politique globale, résument en quelques lignes subsidiaires. La guerre d'Indépendance aggrave irrémédiablement la crise financière, prolongée en crise institutionnelle, et se produit à un moment où le caractère, la vision et le dévouement déterminé à la mission de service public de la monarchie ont déserté le trône et l'appareil de gouvernement : elle excite les esprits et exacerbe la confusion des idées.

Le dernier échec de Castries : la duperie indo-chinoise

Quand, au XVIIe siècle, Rome décide de prendre la direction de l'action religieuse, dont le Portugal et l'Espagne avaient la charge dans leurs possessions et zones d'influence, les Français apparaissent nombreux en Asie : représentants des grands ordres, comme les jésuites et religieux des Missions étrangères de Paris. Des vicaires apostoliques, originaires du royaume — Pallu et Lambert de la Motte, par exemple —, nommés au Siam, essaient d'implanter une colonie du Grand Roi, tentative que les Hollandais font échouer. Tenaces, ils enseignent la Croix et défendent les intérêts de leur nation sur toutes les terres de leur compétence : jusqu'à la Chine. Ainsi, le 10 janvier 1681, à l'instigation de Mgr Pallu semble-t-il, Louis XIV écrit à son « très cher et bon ami » le roi de Tonquin pour l'inviter à embrasser « la loi du seul vrai Dieu du ciel et de la terre », et à accueillir la Compagnie des Indes en ses États. Comme au Siam, le Bourbon n'est pas entendu. Toutefois, la nation diffuse son message spirituel, grâce à l'esprit de dévouement et de sacrifice des jésuites et des Missions étrangères. Un fils d'Ignace, l'Avignonnais Alexandre de Rhodes, prêche au Tonkin de 1627 à 1630, puis en Cochinchine, de 1640 à 1645, séjours pendant lesquels il remplace les idéogrammes, si complexes, par une écriture phonétique simple et pratique à caractères latins. Cette tradition française en Indochine se perpétue au prix de la vie des religieux, donnant naissance à des projets commerciaux, conçus par des agents de la Compagnie des Indes. Dupleix s'affaire, Poivre va faire des siennes à Tourane, et le banquier de la Cour lui-même, le marquis de Laborde, s'intéresse, un temps, à cette région, étudiant les informations que les Choiseul lui font parvenir. Bien d'autres s'agitent et présentent leurs projets : rien n'aboutit.

Sous le règne de Louis XVI, la préoccupation indochinoise demeure intacte. En 1775, le chevalier de Rothe, ancien subrécargue de la Compagnie des Indes, plaide le dossier de la Cochinchine auprès de Sartine et de Vergennes. « Il semble qu'il ne reste plus que la Cochinchine qui ait échappé à la vigilance des Anglais, mais peut-on se flatter qu'ils tarderont à y porter leurs vues ? S'ils s'y décident avant nous, nous en serons exclus pour jamais, nous aurons perdu un point d'appui important dans cette partie de l'Asie, qui nous rendrait les maîtres d'intercepter aux Anglais, en temps de guerre, leur commerce avec la Chine, en protégeant le nôtre par toute l'Inde, et les tiendrait dans une continuelle inquiétude. » Ce projet intéresse le ministère, mais la politique américaine de Vergennes le relègue aux oubliettes. À cette époque, l'Indochine vit dans le désordre depuis cinq ans. Les Tay-Son, peuple de l'Ouest de la Cochinchine, se révoltent et abattent la dynastie régnante, alors que le roi du Tonkin profite de cette conflagration pour s'emparer de Hué. Le prince Nguyen-Anh, unique rescapé de la famille royale, se réfugie, en 1778, dans une île du golfe de Siam auprès de Mgr Pigneau de Béhaine, évêque d'Adran et vicaire apostolique de la Cochinchine. La crise, qui bouleverse la péninsule, inquiète les Français d'Asie. Chevalier, gouverneur de Chandernagor, associé en affaires avec Law et des métropolitains, qui essaie de coordonner l'action des aventuriers dans l'Inde et qui supplie Versailles d'intervenir militairement contre l'Anglais dans le sous-continent, ce chef colonial demande à Bellecombe, son gouverneur général, de donner des secours au souverain légitime de la Cochinchine. Dans une circonstance pareille, écrit-il le 12 février 1778, « il nous serait facile, en envoyant un détachement, de rendre à l'empereur les services les plus signalés et ils nous conduiraient à régner en quelque façon sous son nom et à nous emparer exclusivement d'une des plus riches branches de commerce de l'Inde. [...] Ce serait une opération majeure et très intéressante pour la nation, et elle ne requiert ni beaucoup de force ni de grands moyens ». Le directeur de Chandernagor, fidèle à la tradition de Dupleix et de Bussy veut profiter des dissensions qui déchirent une région pour imposer son protectorat aux autorités locales : une politique que l'hégémonie britannique commande impérieusement, à peine de voir tomber la France au rang de nation de seconde importance.

La diplomatie de Vergennes ne permet pas à Bellecombe d'entrer dans les vues de son subordonné. La menace de guerre, qui pèse de plus en plus lourdement, le contraint à réserver ses maigres moyens à la seule défense des comptoirs français de l'Inde, que son prédécesseur Law de Lauriston n'a pas fait fortifier. En Indochine, Pierre Pigneau raisonne comme Chevalier. Le prince Nguyen-Anh, aux côtés duquel il s'est rangé résolument, a besoin d'une aide extérieure pour recouvrer son trône. Le prétendant, qui a donné sa confiance à l'évêque, lui confie le prince Canh, son fils, en 1780. En 1785, la guerre d'Amérique terminée, il lui demande d'aller, en son nom, solliciter des secours à Pondichéry, et à Versailles s'il le faut. Il remet au prélat une lettre destinée à Louis XVI, « Grand Roi de l'Occident ». Le message est concis. « Connaissant vos vertus, je me flatte que vous daignerez accueillir mon jeune enfant, que vous aurez compassion de son sort, et j'espère que dans peu j'aurai la joie de voir revenir avec les secours nécessaires. » Nommé plénipotentiaire de Nguyen-Anh, Pigneau de Béhaine part pour Pondichéry en compagnie du prince héritier, en 1780. Quand il arrive, en 1785, dans la capitale de l'Inde française, Bussy est mort et ses successeurs refusent de se rendre à ses suppliques, à moins d'en recevoir l'ordre du ministère. Après un an et demi de démarches vaines, le prélat et son jeune protégé s'embarquent pour la France. Le religieux et son pupille touchent la métropole au mois de février 1787, à un mauvais moment : l'Assemblée des notables se réunit, et Tippou Shahib, qui ne cesse de réclamer l'aide des Français, parle d'envoyer une ambassade à Louis XVI. La cour, submergée par la crise politico-financière, qu'elle ne sait pas résoudre, n'a pas la tête à écouter attentivement les lamentations exotiques, et encore moins à les satisfaire. Toutefois, le 16 mai 1787, le roi reçoit pendant quelques instants l'évêque d'Adran et le prince de Cochinchine : il charge Montmorin, secrétaire d'État des Affaires étrangères, et le maréchal de Castries, secrétaire d'État de la Marine de s'occuper des deux visiteurs.

Pigneau expose les demandes de Nguyen-Anh et indique les compensations que ce souverain consentirait, si un accord était conclu et exécuté. Il sollicite : 1 500 soldats, des navires pour les transporter, de l'artillerie de campagne et des munitions. En contrepartie, il promet à la France : la cession de l'île qui commande Tourane, la copropriété du port de Tourane, le monopole du commerce, enfin la disposition de bateaux, matelots et soldats, chaque fois que les Français en formeront le vœu. Le maréchal de Castries apprécie et approuve les termes du projet ainsi présenté. Il adhère pleinement aux conclusions politiques du vicaire apostolique. « En résumé, un établissement français à la Cochinchine donnerait le moyen certain de contrebalancer la grande influence de la nation anglaise dans tous les gouvernements de l'Inde, en y paraissant avec des ressources plus assurées et des secours moins éloignés que ceux qu'on est obligé d'attendre d'Europe, de dominer dans toutes les mers de Chine et dans tous ses archipels ; de se rendre maître, enfin, de tout le commerce dans cette partie du monde. Nous y aurions un endroit sûr pour retirer nos vaisseaux en cas de guerre, pour les radouber à peu de frais et même en construire de nouveaux. Cette position nous procurerait aussi des moyens faciles de ravitailler nos escadres, et de fournir à nos colonies de l'océan Indien et africain les objets de première nécessité. Et, alors, nous aurions véritablement en main les moyens efficaces, non seulement d'arrêter les Anglais dans les projets qu'ils ont de nous chasser de l'Inde, afin de s'étendre et de pousser leurs établissements dans toute la côte de l'est, mais encore de les faire trembler plus tard jusque dans le Bengale, qui est le siège principal de leur puissance, pourvu, toutefois, que cet établissement de Cochinchine fût compris et fait de la manière qu'il mérite d'être vu. » Pour Pigneau, comme pour Dupleix, Bussy et Chevalier, le protectorat est le prix que doivent consentir à la France, les pays qui implorent son secours et la paix. En avalisant cette doctrine, Castries répudie la politique des comptoirs commerciaux, chère aux directeurs de la Compagnie des Indes, et adopte la méthode anglaise qui — formée à l'école de Dupleix et de Bussy — associe indissolublement le commerce et la domination territoriale.

Le 28 novembre 1787, l'évêque d'Adran et le pâle Montmorin signent un traité d'alliance offensive et défensive, qui reprend les propositions qu'avait développées le prélat. Celui-ci remporte, en réalité, une victoire à la Pyrrhus : il a perdu son seul soutien, celui par qui passait l'exécution de la convention, le maréchal de Castries, démissionnaire depuis plus d'un mois. Montmorin expédie les affaires courantes du secrétariat d'État de la Marine, en attendant l'arrivée du nouveau titulaire, le lieutenant général de La Luzerne, personnage honnête mais sans relief, jusque-là gouverneur de Saint-Domingue. À peine l'encre de l'accord du 28 novembre est-elle sèche, que la Cour de France, avec la lâcheté cynique des gouvernements tombés en quenouille, contremande secrètement ses engagements : le 2 décembre, Sa Majesté explique, dans un mémoire au commandant général dans l'Inde, qu'il est facile de se faire illusion sur un pays situé à 6 000 lieues de Versailles. « Aussi elle veut se tranquilliser sur les doutes qu'elle ne peut résoudre elle-même, par la plus grande marque de confiance dans la sagesse du Sr comte de Conway, à qui elle daigne abandonner le pouvoir de procéder à l'expédition ou de surseoir à l'exécution de ses ordres, selon qu'il le jugera plus convenable. » Le ministère s'est joué de Pigneau, le seul chef français à avoir fait, en France, de la propagande publique pour l'expansion de la nation en Asie : Dupleix s'était désintéressé de l'Inde, dès son départ de Pondichéry, et Bussy avait gardé sa foi secrète, dispensant ses conseils à la seule demande du pouvoir. Montmorin, craignant peut-être que la lecture du mémoire royal manque de clarté, envoie, toujours le 2 décembre, des instructions secrètes à Conway. Il rappelle à ce général qu'il est le seul maître politique et militaire de l'expédition en Cochinchine, laisse entendre que Versailles a laissé les partisans du Stathouder défaire les républicains hollandais, alliés de la France, et marque, dans une alerte brève mais significative, « l'état d'épuisement où se trouvent le finances du roi ». Si le Trésor, ruiné par la politique américaine de Vergennes, ne peut donner à la nation les moyens d'agir en Europe, comment financerait-il des entreprises lointaines et incertaines ?

L'évêque d'Adran débarque à Pondichéry, le 18 mai 1788, ignorant ce qui s'est tramé dans son dos : d'ailleurs, il ne le saura jamais. Il rencontre Conway, proteste devant lui de son « zèle pour la gloire du roi et l'intérêt de la nation ». Le général, officier abrupt, peu aimé et peu estimé, raille la manière de raisonner « tout à fait romanesque » de son interlocuteur qui se complaît dans « les rêves d'une tête exaltée ». Bref, le commandant en arrive à répondre au prélat, qui ne comprend pas et croit à une désobéissance, que les affaires dont il a la charge ne lui « permettent pas d'écouter les discours des oisifs ». Le 4 octobre 1788, le roi en son Conseil approuve la conduite de Conway. Le mois suivant, La Luzerne, secrétaire d'État de la Marine, transmet les ordres du souverain au gouverneur des Mascareignes et au commandant dans l'Inde : évacuation des troupes stationnées dans le sous-continent en direction de l'île de France, annulation de « l'entreprise projetée sur la Cochinchine ». Le ministre informe le vicaire apostolique de la résolution royale ; le prince et sa suite seront acheminés dans le lieu où ils souhaiteront se retirer. Le 15 juin 1789, Pigneau s'embarque pour la Cochinchine, dont Nguyen-Anh a reconquis plusieurs provinces : il foule le sol du cap Saint-Jacques, le 28 juillet suivant. Grâce au concours des négociants de l'Inde, il a pu recruter un certain nombre de Français — de 100 à 200 —, qui vont encadrer les troupes cochinchinoises. Parmi eux : Théodore Lebrun, originaire de l'île de France, qui dressera les plans « à l'européenne » de Saigon ; le colonel Olivier de Puymanel, natif de Carpentras, qui fera des soldats de Nguyen-Anh — devenu Gia-Long — une armée moderne ; Jean-Marie Dayot, un Breton, organisateur et chef de la Marine, aux côtés de qui se fait remarquer Jean-Baptiste Chaigneau, un autre Breton. Parmi les « volontaires », il en est certains qui s'intègreront dans la société de Cochinchine, recevant titres et distinctions, ou se mariant sur place, et qui prolongeront ainsi l'intérêt de la France pour la péninsule jusqu'à ce XIXe siècle décisif et réparateur.

Dans l'immédiat, en 1790, Louis Monneron, un de ces négociants de Pondichéry qui avaient encouragé et aidé Mgr Pigneau de Béhaine, s'adresse à l'Assemblée nationale pour flétrir les inconséquences de La Luzerne et de Conway et pour rendre hommage à la vertu du prélat. L'évêque d'Adran, déclare-t-il aux députés, n'a-t-il pas employé « son crédit, ses talents, ses ressources pour nous obtenir tous les avantages que nous pourrons désirer, dans un pays dont la population est immense, qui a des ports excellents, et qui offre la réunion abondante de toutes les productions de la Chine et des Indes ». Le prélat français conserve jusqu'à sa fin la confiance de Gia-Long. Il occupe auprès de lui des fonctions larges de conseiller politique, administratif et militaire. Abandonné par sa nation, il se donne néanmoins à sa tâche sans restriction. Il s'attriste toutefois que la religion catholique n'ait pas la faveur de la cour cochinchinoise et que ses « volontaires », souvent amers à juste titre, partent nombreux vers d'autres cieux. Le vicaire apostolique meurt le 9 octobre 1799. Des obsèques solennelles, qu'a relatées le P. Lelabousse, dévident leur cérémonial princier le 16 décembre suivant. Le cercueil, enveloppé dans un damas superbe et posé sur un brancard d'environ vingt pieds de long qu'enveloppe un baldaquin brodé d'or, est porté par 80 hommes. Le convoi funèbre s'ébranle vers deux heures après minuit. « Toute la garde du roi, composée de plus de 12 000 hommes, sans compter celle du prince, était sous les armes et rangée sur deux lignes, les canons de campagne à la tête. 120 éléphants, avec leur escorte et leurs cornacs, marchaient des deux côtés. Tambours, trompettes, musique militaire conchinchinoise et cambodgienne, fusées, feux d'artifice, etc., rien n'y manquait. Plus de 200 fanaux de différentes formes, outre un nombre prodigieux de flambeaux et de cierges éclairaient cette marche lugubre. Au moins 40 000 hommes, tant chrétiens que païens, suivaient le convoi. Le roi s'y trouvait avec tous les mandarins des différents corps et, chose étrange, sa mère même, sa sœur, la reine, ses concubines, ses enfants, toutes les dames de la cour crurent que, pour un homme si au-dessus du commun, il fallait passer par-dessus les lois communes ; elles y vinrent toutes et allèrent jusqu'au tombeau. »

L'évêque d'Adran est enterré dans le jardin de sa résidence d'été, au nord de Saïgon, où il aimait se reposer et recevoir ses proches. Une fois que la cérémonie catholique est achevée, le monarque s'avance. « Alors Sa Majesté fit apporter des bœufs, des cochons, des chèvres, du vin et différents mets, pour y faire à Mgr un sacrifice à la manière du pays. Nous en gémissions, mais que faire ? » Après avoir présidé aux rites païens, le monarque prononce l'éloge du défunt, « le plus illustre étranger qui eût jamais paru à la cour de Cochinchine ». Il parle, libre de toute contrainte politique ou diplomatique, évoquant la personnalité du prélat avec la seule voix du sentiment. « Dans les temps de détresse, il nous fournissait des moyens que lui seul savait trouver. La sagesse de ses conseils et la vertu qui brillait jusque dans l'enjouement de sa conversation nous rapprochaient de plus en plus. Nous étions si amis et si familiers ensemble, que, lorsque mes affaires m'appelaient hors du palais, nos chevaux marchaient de front. Nous n'avons jamais eu qu'un même cœur. Depuis le jour où, par le plus heureux des hasards, nous nous sommes rencontrés, rien n'a pu refroidir notre amitié, ni nous causer un instant de déplaisir. » Au terme de cet hommage, Pierre Pigneau est élevé aux dignités de tuteur du prince héritier et de duc. Le souverain fera construire, plus tard, un tombeau, précédé d'une stèle où une longue épitaphe, gravée en caractères chinois, rappelle les services rendus par le Français. « Durant plus de vingt ans, il nous seconda dans le commandement des armées et dans l'organisation administrative du pays. Ses actions méritent d'être transmises en exemples à la postérité. La prompte restauration de notre royaume est due en grande partie aux efforts inlassables du Grand Maître. » Les autorités de la République socialiste du Vietnam remettront, le 2 mars 1983, aux représentants de la France, l'urne contenant les restes du vicaire apostolique. Celle-ci, transportée en France par la *Jeanne d'Arc*, repose, avec d'autres, dans la crypte du séminaire des Missions étrangères de Paris, rue du Bac.

Sous l'Empire, le général Decaen, gouverneur des Mascareignes, qui a pour aide de camp, un neveu de Mgr Pigneau, le capitaine Stanislas Lefèbvre, envoie un de ses officiers, Renouard de Sainte-Croix, organiser la défense des Philippines et s'informer des possibilités qu'offre l'Indochine. Une mission, dont le champ s'étend de l'Inde jusqu'à Canton, et qui donne lieu, en 1810, à la publication par Renouard du *Voyage commercial et politique aux Indes Orientales, aux Philippines, à la Chine, avec des notions sur la Cochinchine et le Tonkin.* Cet ouvrage, s'il ne couronne ni une conquête ni une alliance, traduit l'attention continue que les Français portent à l'Indochine. Ce mouvement ancien ne vacille pas. Au contraire, l'impérialisme envahissant de la Grande-Bretagne lui commande de s'enraciner et de prendre consistance. Les ouvrages se suivent. En 1811, le baron de Monthyon, ancien intendant et conseiller d'État, qui, entre autres fonctions, avait occupé celles d'inspecteur de Marseille et de président de la Compagnie royale d'Afrique, offre au public un *Exposé statistique du Tonkin, de la Cochinchine, du Cambodge, du Tsiampa, du Laos, du Lac-Tho.* Enfin, l'année suivante, paraît la *Relation* d'un missionnaire, le P. de La Bissachère, à qui Sainte-Croix et Monthyon avaient emprunté. La qualité de M. de la Bissachère rappelle la grande importance des religieux dans l'enracinement de la France en Asie. Les historiens des missions ont généralement tendance à gommer la puissante liaison qui unissait dans l'action les hommes de Dieu aux agents de la politique, sous toutes ses formes, du militaire au négociant, comme s'ils étaient gênés que les serviteurs de la Croix n'aient pas répudié leur dévotion à la patrie. Or, en Asie, les missionnaires n'ont jamais manqué de se dépenser pour frayer le chemin aux ambitions du roi, tantôt explorateurs et observateurs, tantôt diplomates et propagandistes. Cette imbrication du spirituel universel et du national n'a pas échappé à ce grand connaisseur de l'Extrême-Orient que fut V. Pinot, qui jugeait : « Ainsi commerçants et missionnaires, bien loin de soutenir des intérêts contraires, ou même seulement différents, avaient partie liée, si bien que tout progrès d'une compagnie de commerce était une conquête pour la mission, et réciproquement ; ce qui ne pouvait qu'augmenter considérablement en France le nombre de gens désireux de s'intéresser aux pays d'Extrême-Orient. »

Que retirent les Français de leur longue fréquentation de l'Indo-Chine ? Que leur ancrage définitif dans cette partie du monde n'est que momentanément remis et qu'il s'accomplira pour empêcher l'Angleterre de dominer tout le commerce asiatique et pour procurer à la nation des revenus extérieurs indispensables à son statut de puissance mondiale. Les « volontaires » Vannier et Chaigneau — deux marins et mandarins — prépareront cet avenir en poussant Gia-Long à rester sourd aux propositions que Roberts, chef de la Compagnie britannique à Canton, vient lui faire quelque temps après la mort de l'évêque d'Adran. Un traité de commerce, complété de la cession d'un port, aurait, en effet, fermé l'accès de l'Indo-Chine à la France. Conscients que la géopolitique ne leur laisse qu'une contrée où se tailler un fief, les Français sont aussi convaincus qu'ils ne pourront s'établir en Cochinchine que par la force.

Victoire de la démocratie coloniale en France

Rousseau avait raison de défendre la vérité de ses théories démocratiques. Les Américains donnent une réalité concrète à son discours, à cette souveraieté populaire dont l'avènement paraissait chimérique aux personnes sensées. La noblesse de cour, en volant au secours de la république américaine, s'est rangée derrière ces philosophes, dont Talleyrand dit qu'ils « mettaient dans la balance les droits des peuples et ceux des souverains ». Elle avait, agissant sur un « coup de foudre sentimental », comme l'écrit G. Chinard, appris à l'Amérique que le bonheur pouvait exister sur terre, dans sa double forme politique et économique : « On ne pouvait convaincre les incrédules qu'en leur montrant un pays où les habitants vivaient riches, heureux et vertueux en tirant toute leur richesse du sol. » Les États-Unis vivifiaient et harmonisaient devant les yeux respectueux de la jeunesse dorée de Versailles, les théorèmes enseignés par les philosophes et les économistes.

Sénac de Meilhan lit dans la guerre d'Indépendance, tout comme Talleyrand, le ralliement de la noblesse de cour à l'idéal démocratique : « La jeunesse de la Cour s'empressait de servir dans cette guerre, et de défendre la cause de la liberté. Les principes républicains germèrent facilement dans des esprits vifs et amoureux de nouveautés. Les applaudissements que reçurent les Français en Amérique, leur inspirèrent le goût des succès populaires... Un ordre fut institué en Amérique pour les défenseurs de la liberté, et le roi souffrit que ses courtisans portassent cet ordre, monument de l'indépendance d'un peuple soulevé contre son ancien gouvernement. » De fait, cette jeunesse, orgueilleuse de son épopée libératrice chez les fermiers d'Outre-Atlantique, conservera un souvenir philosophique ému de la société américaine. Avant de mettre à la voile, Ségur s'épanche dans le sein familial. « Je m'éloigne, écrit-il le 24 décembre 1782, avec un regret infini d'un pays où l'on est sans obstacle et sans inconvénient, ce qu'on devrait être partout, sincère et libre. Les intérêts s'y trouvent tous confondus dans l'intérêt général ; on y vit pour soi, on y est vêtu selon sa commodité, et non selon la mode. On y pense, on y dit, on y fait ce qu'on veut ; rien n'y force de suivre les caprices de la fortune ou du pouvoir. La loi protège votre volonté contre toutes les autres. Rien ne vous oblige d'y être ni faux, ni bas, ni flatteur. On peut s'y montrer, à son gré, simple, original, solitaire, répandu dans les sociétés. On y peut vivre en voyageur, en politique, en littérateur, en marchand. On ne gêne point vos occupations, on ne tourmente point votre oisiveté. Personne ne se choque de la singularité de vos manières ou de vos goûts ; on n'y connaît de joug que celui d'un petit nombre de lois justes et égales pour tout le monde. Dès qu'on y respecte ces lois et les mœurs, on vit heureux, honoré, tranquille, tandis qu'en d'autres pays le moyen de se mettre à la mode ou de faire fortune est souvent de braver ces mœurs et ces lois. Enfin, je n'ai vu partout dans cet Eldorado politique que confiance publique, hospitalité franche et naïve cordialité. »

La noblesse de Cour vénère ces émotions pures, gravées au plus profond de sa mémoire, mais sans adopter le système américain pour modèle politique : l'initiation exotique et champêtre achevée, elle revient à ses habitudes anciennes, à la monarchie à l'anglaise, panacée contre tous les maux qui affligent la France. Ségur n'échappe pas à ce conformisme mondain. « Ce qui me surprit, au milieu des exagérations de notre confiance présomptueuse et de notre fierté satisfaite, c'est qu'après avoir combattu plusieurs années les Anglais sur terre et sur mer, et qu'après leur avoir enlevé treize riches provinces, je retrouvais les modes anglaises plus en vogue à Paris que jamais. [...] C'était le désir de naturaliser chez nous leurs institutions et leur liberté. » Nommé ministre plénipotentiaire à Saint-Pétersbourg, Ségur ne songe pas à se rendre en Italie, voyage alors rituel : il va passer deux mois en Angleterre, sacrifiant le Beau au Politique. « J'avoue que je ne pus voir, sans un étonnement mêlé de regrets, la supériorité qu'un long usage de raison publique et de liberté donnait à cette monarchie constitutionnelle sur notre monarchie presque absolue. L'activité du commerce, la perfection de l'agriculture, l'indépendance des citoyens sur le front desquels on croit voir écrit qu'ils n'obéissent qu'aux lois, tous les prodiges d'une industrie sans entraves et d'un patriotisme qui sait faire de tous les intérêts privés un faisceau uni indissolublement par le lien de l'intérêt général, les ressources sans bornes que leur donne un crédit fondé sur la bonne foi, affermi par l'inviolabilité des droits de chacun, et garanti par la fixité des institutions, tout cet ensemble surprenant me faisait envier pour mon pays ce système légal et cette heureuse combinaison de royauté, d'aristocratie et de démocratie, qui avait élevé une île de peu d'étendue sous un ciel rigoureux, une île à peine connue des Romains, au rang de l'une des plus riches, des plus heureuses, des plus fortes, des plus libres et des plus redoutables puissances de l'Europe. »

Au-delà de l'océan, la jeunesse versaillaise, plutôt qu'un régime politique, est allée apprendre une méthode et des techniques pour fonder la royauté constitutionnelle dont elle rêve. Déjà, dans un lourd fatras de pensées pédantesques, qui cache un pamphlet parlementaire contre l'absolutisme royal, elle avait lu que la séparation des pouvoirs était la meilleure formule pour circonscrire l'autorité monarchique. Les États-Unis lui ont enseigné des procédures créatrices de l'État libre : une Assemblée, une Déclaration des droits et une Constitution. La Fayette parle le premier d'une Assemblée nationale, quand, en 1787, il réclame la convocation des États généraux devant l'Assemblée des notables. Il laissera, malgré ses obligations de commandant de la Garde nationale, les événements parisiens se muer en Révolution. Devant les trois ordres réunis et formés en Assemblée nationale, il ouvrira le débat constitutionnel, sollicitant les conseils de ses « amis » américains, parmi lesquels Jefferson et Gouverneur Morris, qui l'aident, mais en lui prêchant la prudence. Il fait voter la *Déclaration des droits de l'homme et du citoyen* — où les droits naturels sont mutilés et l'égalité comprimée —, le 26 août 1789. Au cours des discussions, l'archevêque de Bordeaux, Champion de Cicé, n'oublie pas de saluer la République du Nouveau Monde. Cette noble idée d'une Déclaration de droits, déclare-t-il, « conçue dans un autre hémisphère, devait de préférence se transplanter d'abord parmi nous. Nous avons concouru aux événements qui ont rendu à l'Amérique septentrionale sa liberté : elle nous montre sur quels principes nous devons appuyer la conservation de la nôtre ». Enfin, La Fayette et ses amis, les Américains ou les Anglomanes comme l'on disait alors, entreprennent d'édifier une monarchie limitée, de type anglais. Mais ils ne sont pas écoutés, quand ils demandent que la Constitution prévoie l'existence d'une Chambre haute. Gouverneur Morris, anxieux, note dans son *Journal* : « C'est un pas de fait sur la grand-route de l'anarchie et du despotisme d'une faction dans une assemblée populaire, la pire de toutes les tyrannies. » En effet, le marquis et ses affidés seront bientôt balayés.

La noblesse de cour et ses amis du Tiers ont échoué dans leur tentative de concilier les principes aristo-démocratiques dans le cadre monarchique. Néanmoins, certains, comme Ségur, refusent de se rendre à l'évidence. De retour à Paris en 1789, le colonel-ambassadeur, l'ami et le soldat de l'Amérique, se soûle d'espérances constitutionnelles anglaises devant Marie-Antoinette, angoissée. « Cette révolution est faite, il ne faut pas se le dissimuler ; le vœu général de toute la nation s'est prononcé pour un gouvernement représentatif. Si l'on y marche avec sincérité, si on l'établit de bonne foi, nous pourrons peut-être jouir à la fois, comme en Angleterre, et de la sécurité que donne l'autorité royale, et des avantages de la liberté. » Ségur, comme tous les jeunes nobles versaillais qui sont allés au pays de Washington, et comme Tocqueville un demi-siècle plus tard, n'éprouve aucune ferveur pour l'idéal démocratique américain. En réalité, la démocratie d'outre-Atlantique a fait des adeptes chez ceux qui ne sont jamais allés aux États-Unis, dans la classe moyenne qui s'est imprégnée de la propagande orchestrée par

Vergennes, les représentants du Congrès et bien d'autres encore. Quoi qu'il en soit, même si l'on ne peut imputer entièrement le séisme révolutionnaire à la guerre d'Amérique, celle-ci, en offrant, dans une période traversée par des crises profondes et multiples, le recours à un modèle politique neuf, a favorisé la conviction que le renversement du gouvernement traditionnel ne conduirait pas au chaos, mais à la régénération. C'est dire que le phénomène colonial ne peut être réduit à un trafic privilégié de marchandises. Indissociablement lié à la puissance maritime des métropoles, tous les secteurs de la vie nationale doivent compter avec lui ; les idées et les institutions ne se soustraient pas à cette règle, que les faits vérifient, même au XXe siècle. Comme l'écrit Sénac de Meilhan, ancien intendant et néanmoins philosophe : « La guerre d'Amérique renversa ainsi à la fois, en France, les têtes et la fortune publique. »

Derrière le paravent dont les panneaux imagés racontent l'avènement du système démocratique en France, l'Angleterre, pratique et réaliste, accumule les succès de son ambition hégémonique. Au XVIIe iècle, elle a assujetti le Portugal et son riche Brésil, elle a brisé la puissance navale et les appétits nord-américains des Provinces-Unies, elle a mutilé l'empire septentrional français du Nouveau-Monde, elle s'est appropriée des pièces de la machine commerciale espagnole, sans oublier de s'implanter en Asie. Pendant le siècle des Lumières, elle a dépouillé la France de ses domaines territoriaux américain et indien, elle a brutalisé et amoindri l'Espagne. À la fin du XVIIIe siècle, la Navy n'a en face d'elle que les statistiques illusoires des marines alliées, et le nationalisme capitaliste des Anglais, dans sa conquête du pouvoir mondial, n'a rien d'autre à affronter que la décadence et le pacifisme. Néanmoins l'élite française se grise de rodomontades. Ainsi, dans son *Discours sur l'universalité de la langue française* (1784), Rivarol enivré par les effluves trompeuses de l'indépendance américaine, affiche un aveuglement pitoyable devant la continuelle montée en puissance de l'Angleterre. Même, il s'apitoie ! « Je ne puis prévoir jusqu'à quel point elle tombera pour avoir plutôt songé à étendre sa domination que son commerce. » Persistant dans cet égarement fénelonien, il adopte les maximes délétères de Vergennes : « la France, qui a dans son sein une subsistance assurée et des richesses immortelles, agit contre ses intérêts et méconnaît son génie quand elle se livre à l'esprit de conquête ».

CHAPITRE X

La Révolution :
effondrement de la France
et domination mondiale de l'Angleterre

De l'Ancien Régime à la Révolution

Le xviiiᵉ siècle français, qui a éclairé l'Europe de tous ses feux, s'apprête à expirer dans les bras d'un prince sans caractère, affligé d'une épouse plus capricieuse qu'intelligente. Les convulsions, qui vont emporter la monarchie, avaient excédé le règne de Louis XV avec un acharnement inlassable, surtout après la paix d'Aix-la-Chapelle. Alors que cette époque étale la prospérité économique continue du royaume, momentanément ralentie dans les années 1775-1778, elle présente un spectacle politique ingrat. Comme Michel Antoine l'a observé finement, « le xviiiᵉ siècle français a voulu se donner une apparence aimable. Il était en réalité livré à la haine et le sourire dans lequel il s'est crispé n'était qu'une grimace mensongère ».

Malgré l'aveuglement apathique de la Cour, dès la convocation des États généraux, les événements s'engagent dans une voie révolutionnaire. Le Tiers, qui a déjà obtenu le doublement de ses voix, remet en cause l'ordre constitutionnel en rejetant le vote par ordre pour réclamer le suffrage par tête. Tous les députés se réunissent à Versailles, le 5 mai 1789. Au cours de la séance d'ouverture, que préside le roi, le garde des Sceaux, Barentin, invite les États à bannir « avec indignation les innovations dangereuses que les ennemis du bien public voudraient confondre avec les changements heureux et nécessaires qui doivent amener la régénération ». Quant à Necker, il débite un discours ennuyeux et rassurant sur la situation financière, mais sans rien annoncer sur les vues du ministère. Alors que les jours passent, le pouvoir piétine dans l'indécision, laissant fermenter les esprits qu'excite une presse neuve et nombreuse, sous l'œil indifférent de la censure. Soudain, le Tiers, qui depuis plus d'un mois s'assemble et élabore sa stratégie, exécute un coup d'État stupéfiant dans le bruit et le désordre. Le 17 juin, il se proclame Assemblée nationale : ce faisant, il dépouille le monarque aboulique de la souveraineté pour se l'approprier. La Révolution, déjà à moitié accomplie, connaît son achèvement le 20 juin. Le Tiers et une large partie du clergé, qui l'a rejoint, substituant ainsi le vote par tête au vote par ordre, adoptent le serment du Jeu de Paume. Ratification sera définitivement opérée du changement du système constitutionnel, le 7 juillet, quand l'Assemblée nationale crée en son sein un Comité de Constitution. En quelque deux mois, le destin politique de la France s'est transformé, a adopté la forme républicaine, l'appellation officielle du gouvernement ne contenant aucune signification profonde : d'ailleurs, la Déclaration des droits de l'homme et du citoyen ne remplacera-t-elle pas bientôt l'antique principe aristocratique par cette égalité, si chère au cœur des démocrates américains ?

Aux premières lueurs des grands bouleversements, comment les Français des colonies, si éloignés de la métropole par l'espace et par le temps, perçoivent-ils la France, comment ressentent-il leurs rapports avec elle, comment imaginent-ils l'avenir ? Un magistrat martiniquais, Pierre Dessalles, membre du Conseil supérieur de la vieille île, a réfléchi à ces questions et répondu comme beaucoup l'auraient fait. Dans le préambule à l'*Historique des troubles survenus à la Martinique,* que dit-il ? « Louis XIV, toujours en guerre avec ses voisins, avait augmenté les impôts pour faire face à des armées innombrables qu'il entretenait sur terre et sur mer. Louis XV, son successeur, au lieu d'employer les moments que la paix lui offrit pendant son règne pour rétablir ses finances, les avaient absorbées et dissipées avec des maîtresses avides et de vils courtisans flatteurs de tous ses goûts. Sa mort semblait annoncer à la nation un régime différent : un Roi vertueux, économe, lui succédait. Mais ce prince était faible. Son épouse aimait un luxe effréné, prodiguait à ses favoris les trésors de la France ; les dépenses considérables qu'elle se permit ne contribuèrent pas peu à grossir le déficit immense dans lequel venaient s'engloutir les emprunts qui se multipliaient à chaque instant. De nouveaux impôts créés soulevèrent la plupart des parlements du royaume. Ces corps antiques reconnurent alors qu'ils n'auraient jamais pu, ni dû consentir et enregistrer les impôts dont la masse était devenue effrayante. Ils proposèrent de convoquer les États généraux du royaume, qui étaient seuls compétents en cette matière. [...] Tous ces différents princes avaient cependant le cœur bon. Les fastes de l'histoire nous l'ont transmis. Tant il est vrai, comme l'a dit le célèbre Montesquieu, qu'il vaut mieux vivre sous l'empire de la loi la plus imparfaite que sous le despotisme du meilleur des princes. Il était donc instant d'établir une loi qui rendît responsables tous les ministres du pouvoir exécutif, ces créateurs de commissions sanguinaires, ces distributeurs d'ordres arbitraires, ces dilapidateurs du Trésor public, ces violateurs du sanctuaire de la Justice, ceux qui ont trompé les vertus de tant de Roys, qui ont flatté leurs passions ; il fallait en un mot réprimer l'audace de ceux qui seraient à jamais tentés de causer encore le désastre de la Nation. » Ce florilège de poncifs mensongers révèle à quel point l'action polémique de pamphlétaires inconnus ou célèbres, à la solde des parlementaires jansénistes et « gothiques », ou de quelques cabales patriotiques, abolit les distances. Les colonies, toutes plus ou moins autonomistes, se font un plaisir de propager l'écho des diatribes parisiennes qui défigurent volontairement le gouvernement de la nation. Dans la capitale, comme dans les possessions lointaines, on cultive le goût des contre-vérités et des accusations partiales, même vulgaires que diffusent épigrammes, chansons et autres catéchismes républicains.

Une question se pose ici. Les planteurs coloniaux ne présentent-ils qu'un reflet fidèle de ces quelque 600 députés du Tiers qui se sont érigés en Assemblée nationale pour donner une constitution et des lois régénératrices à la France ? Malgré un penchant commun à la critique systématique du pouvoir, tout sépare ces deux catégories de sujets. Les colons, plus précisément ceux des Antilles, incarnent le capitalisme agricole pré-industriel, une structure économique et sociale différenciée, une politique d'échanges, bref, le progrès, mais au prix de cet outrage à la morale que figure l'esclavage. Le député du Tiers se situe aux antipodes de l'Américain, de ce capitaliste qui n'a pour semblables en France que les négociants des grands ports maritimes, quelques gentilshommes agronomes et une pincée d'industriels. Développant le point de vue de Marcel Reinhard et refusant de se laisser prendre dans les rets d'une idéologie figée, l'historien britannique Alfred Cobban s'interroge sur la composition du Tiers, classe dirigeante qui a fait la Révolution pour devenir l'élite des régimes du xixᵉ siècle : « J'ai déjà suggéré que la bourgeoisie révolutionnaire était celle, en déclin, des détenteurs de charges vénales, à laquelle se joignaient les membres des professions libérales, plutôt que celle des négociants et industriels prospères. » Les propriétaires de plantations, agents du capitalisme et du progrès, ne peuvent donc que s'opposer à leurs cousins métropolitains, titulaires d'offices médiocres, avocats, notaires, médecins et autres modestes représentants des professions libérales et de la bourgeoisie, tous en quête de terres et de rentes, tous hostiles, par crainte frileuse, au capitalisme embryonnaire qui actionnent le négoce, l'industrie et la concentration des terres propres à l'agriculture. En un mot, les planteurs ont tout à craindre du renversement politique, car il livrerait le gouvernement à leurs ennemis économiques, à une classe moyenne dont Cobban a montré avec pertinence qu'elle veut accomplir « une révolution non pas pour, mais contre le capitalisme ». Mais les Américains ne découvriront ce danger qu'au fil des mois, alors que les prémices et signes d'alerte l'annonçaient depuis la paix de Paris (1763).

Les colonies en question

Les possessions coloniales françaises, malgré leur faible superficie, s'étendent à des points fort différents du globe. L'Amérique rassemble les plus nombreuses : les îlots de Saint-Pierre et Miquelon, humbles vestiges d'un gigantesque patrimoine qui s'étendait de Terre-Neuve aux Montagnes Rocheuses ; dans la mer des Antilles, Saint-Domingue, la Guadeloupe, la Martinique, Sainte-Lucie, Tabago, et la Guyane, sur le continent méridional ; en Afrique, Saint-Louis et sa zone d'influence, ainsi que l'île de Gorée et ses dépendances continentales ; au-delà du cap de Bonne-Espérance, les Îles Sœurs, îles de France et de Bourbon, enfin, dans l'Inde, les cinq comptoirs, Pondichéry, Chandernagor, Mahé, Karikal et Yanaon, témoins misérables de l'ambition contrariée de Dupleix et de Bussy. Cet ensemble, où petitesse et multiplicité s'associent, est dominé par Saint-Domingue, « cet Hercule colonial », « qui se glorifiait justement d'influer sur la prospérité de la Mère Patrie », comme se plut à l'écrire le magistrat antillais Moreau de Saint-Méry, auteur de volumes précieux, qui, sa vie durant, accumula les éléments d'une monumentale *Histoire des Colonies françaises*, des origines à 1789. Le poids économique de l'ancienne patrie des boucaniers et des flibustiers écrase ses rivales au point que l'on porte sur celles-ci un regard à la mesure de leur valeur, moins en profondeur, parfois expéditif. Le minuscule empire antillais, dont les richesses comblent le déficit de la balance commerciale et lui assurent même un excédent appréciable, ne coûte pas cher au royaume. Les autres établissements non plus. Selon Braesch et Aftalion, les dépenses du secrétariat d'État de la Marine et des Colonies ne représentent que 7,18 % des 629 millions de livres alloués au budget de 1789. Montesquiou, dans le *Rapport sur le Département de la Marine* qu'il présente à l'Assemblée nationale, le 8 décembre 1789, entre dans le détail. Il conclut qu'en 1788 les dépenses de la Marine se sont élevées à 37 millions et celles des colonies à 17,6 millions. Mais de ce dernier chiffre, il faut déduire le revenu fiscal des possessions, 7,1 millions, soit une charge coloniale nette de 10,4 millions : un coût dont la modestie atteste que la colonisation est une affaire infime au regard des finances nationales. Le seul volume des échanges commerciaux entre la France et ses possessions met en relief l'insignifiance de la dépense coloniale : 845 navires, 248 480 tonneaux. Le mouvement maritime avec l'Amérique, dominé par Saint-Domingue, arrive en tête, et de très loin : 677 navires, jaugeant 190 753 tonneaux, soit le fer de lance et le moteur de la marine marchande nationale.

Bien que l'exploitation des territoires de la zone torride n'épuise pas le Trésor public, et qu'au contraire la circulation des denrées tropicales excite la vitalité du commerce du royaume, un débat sur l'intérêt des colonies s'instaure. Il se prétend scientifique, ou moralise, utilise parfois des accents pathétiques ou menaçants, mais ne dépasse jamais la frontière de quelques cercles : il ne deviendra à aucun moment un phénomène populaire. Au centre des joutes, trois problèmes : l'utilité des colonies, et surtout le bien-fondé de la traite négrière et de l'esclavage. Les partisans de la mise en valeur de terres lointaines se recrutent parmi les hommes qui ont un intérêt direct ou indirect à la pérennité de l'activité ultra-marine. Il s'agit des négociants des grands ports, de leurs satellites, raffineurs de sucres ou fabricants de cotonnades, ainsi que du personnel du Commerce qui entoure le Contrôle général des Finances et des commis de la Marine. Dans ce milieu, on ne se mêle pas d'idéologie, on pratique le réalisme, on s'incline devant les faits, on adhère aux principes pragmatiques du néo-mercantilisme dont les propagateurs ont pour nom : Melon, ancien collaborateur de Law, admiré de Montesquieu et de Voltaire, Véron de Forbonnais, Accarias de Sérionne, l'intendant de la Marine Malouet, la famille Savary, Dutot, ancien caissier de la Compagnie des Indes, Le Trosne, l'intendant du Commerce Tolosan, etc. Les adversaires de la colonisation, qui prêchent l'abolition de la traite et de l'esclavage groupent des gens généralement sans fortune et sans responsabilités publiques d'importance, mais à la plume prolifique et quelquefois ardente : ces publicistes, originaires de tous les horizons, forment une nébuleuse composite, difficilement définissable. Les contempteurs de l'action coloniale puisent leurs arguments dans les enseignements du droit naturel et, d'une manière plus désordonnée, dans la réflexion économique souvent divergente des physiocrates. Montesquieu, propriétaire comme Voltaire d'actions de la Compagnie des Indes qui pratique la traite négrière, fait figure de grand fétiche, de référence suprême. L'*Esprit des lois,* érigé en livre saint, que l'on doit lire les yeux fermés pour n'en pas voir les longueurs, les contradictions et les affirmations dangereuses, a définitivement condamné les colonies et l'esclavage, affirment les gardiens de la pensée du maître à cogiter d'Aquitaine. On oublie que la prétention du seigneur de La Brède a amusé nombre de ses contemporains, dont les deux esprits les plus brillants du XVIIIe siècle : Voltaire et Linguet ! Quant à Collé, qui n'était pas une bête, il se gausse en évoquant le monument de la philosophie bordelaise. « Voici ce qu'en disent les grands auteurs, les métaphysiciens et les gens qui ont un peu de philosophie dans la tête : ils prétendent que c'est un très mauvais ouvrage, sans ordre, sans liaison, sans enchaînement d'idées, sans principes ; c'est, disent-ils, le portefeuille d'un homme d'esprit, et voilà tout. » Deuxième évangile des ennemis de la colonisation : l'*Encyclopédie.* Cette somme d'informations variées présente, malgré d'inévitables faux pas, une cohérence solide. À cela une explication, les thèmes où l'idéologie intervient ne sont traités que par un seul auteur, ou par des publicistes de même sensibilité, quand il est fait appel à plusieurs rédacteurs. Cette masse diverse et homogène, nourrira la méditation et le discours des révolutionnaires, infiniment plus que l'œuvre majeure du parlementaire bordelais. Troisième et dernier phare de la littérature militante : l'*Histoire philosophique et politique des établissements et du commerce des Européens dans les deux Indes*. Cet ouvrage, auquel on a voulu attacher la gloire d'avoir le premier donné l'assaut à l'injustice coloniale, pose problème. En effet, son auteur, l'abbé Raynal, ancien jésuite, nationaliste convaincu, ami des colons et des fonctionnaires coloniaux, n'a jamais cessé d'exhorter la monarchie à mener une politique d'expansion, à l'image de son ennemie, l'Angleterre. Mais le Languedocien, cédant à la mode pour en tirer profit, a demandé à Diderot, en guerre contre toutes les formes de domination, d'orner son texte de quelques chapitres et paragraphes de sa brûlante inspiration. Cet habillage, cette décoration au goût du jour, transforme l'*Histoire des deux Indes* en un assortiment de deux livres. Le premier, ayant Raynal pour auteur, célèbre la colonisation, le second, de la plume de Diderot, consume ce que son complice a loué précédemment.

L'offensive contre les colonies enrôle d'abord ses agents parmi les moralistes. Montesquieu condamne, mais avec une confusion si débordante, que le lecteur objectif se sent trompé. Voltaire manie la foudre prudemment dans ses écrits publics, et dans sa correspondance exalte le commerce des denrées et produits tropicaux. Dès que l'on s'éloigne de la gent d'affaires, les positions prennent un tour plus net et plus tranché. Ils sont là nombreux qui en attestent : le chevalier de Jaucourt, Damilaville, lié à Voltaire jusqu'à sa mort, Louis-Sébastien Mercier, futur membre de l'Institut, les officiers du Génie Bernardin de Saint-Pierre et Girod de Chantrans, Saint-Lambert, le mathématicien marquis de Condorcet, l'abbé Prévost, Mme Aphra Behn, auteur anglais du xviie siècle, dont le roman, *Oronoko ou l'Esclave royal*, fut adapté par La Place, au siècle suivant et édité à plusieurs reprises, Diderot, pourtant lié à Dubuc, colon de la Martinique et premier commis de Choiseul au secrétariat d'État de la Marine. Ce point appelle un commentaire : philosophes « anti-colonialistes » et partisans de la colonisation ne vivent pas dans deux mondes aux frontières imperméables. Au contraire, les uns et les autres se fréquentent et s'obligent. Diderot, grâce à Dubuc, place son « petit cousin » Fayolles dans l'administration de la Guyane, Voltaire demande une faveur semblable à Choiseul, et le baron d'Holbach donne l'une de ses filles en mariage au comte de Nolivos, propriétaire de belles plantations, qui sera gouverneur de la Guadeloupe et surtout gouverneur général de Saint-Domingue. La cohorte des censeurs de l'économie servile croît et grossit à mesure que la fin du siècle s'approche. Deux officiers, La Vallée et Lecointe de Marcillac, des rimeurs de comédies, comme Radet et Barré, des publicistes, tels, Delacroix, et Mailhol, et enfin, le plus connu de tous, parce qu'il a préféré l'action politique au service de la morale et de la justice : Brissot. Les économistes fournissent aussi un contingent d'esprits à la campagne anticoloniale. Mais ces adeptes du capitalisme, du libéralisme, raisonnent dans un désordre qui autorise les choix les plus divergents. Si Turgot se déclare brutalement hostile à toute expansion au-delà des mers, l'abbé Baudeau et Dupont (qui n'est pas encore de Nemours) rejettent la colonisation servile mais acceptent l'exploitation libre. Le père de Mirabeau, le marquis, l'*Ami des Hommes*, alimente sa condamnation du système colonial à la correspondance de son frère, très critique lui aussi, qui est gouverneur de la Guadeloupe et qui supplie son aîné d'agir à Versailles pour lui obtenir le gouvernement général de Saint-Domingue ! Si Quesnay s'enfonce dans un dédale d'ambiguïtés difficiles à déchiffrer, Le Mercier de La Rivière, ancien intendant de la Martinique, et Le Trosne, affirment et expliquent l'utilité des possessions lointaines.

À l'évidence, l'influence des moralistes pèse plus lourd que celle des physiocrates. Ils vont le prouver sans tarder. En 1788, Brissot répondant à la demande des philanthropes anglais Sharp, Wilberforce, Clarkson et Philips, qui, l'année précédente ont fondé à Londres une société pour l'abolition de la traite, crée à Paris la *Société des Amis des Noirs*. Si Bernardin de Saint-Pierre, l'abbé Raynal et Hérault de Séchelles se dérobent, plus de 140 personnes apportent leur adhésion au Chartrain. De nombreux nobles, parfois propriétaires de plantations aux îles : le marquis de La Fayette et sa femme, née Noailles, le marquis de Condorcet et son épouse, née Sophie de Grouchy, les ducs de Charost, de Fronsac, d'Aiguillon, de La Rochefoucauld et d'Havré, les princes de Léon et de Salm, le chevalier de Boufflers (l'acheteur de la négrillonne Ourika, envoyée en présent à Versailles !), le maréchal de Beauvau, le comte de Crillon, Charles, Alexandre et Théodore de Lameth, le marquis du Châtelet, le comte de Rochechouart, bref, un bouquet de la noblesse de cour acquise à la régénération. Des banquiers, des financiers et des membres des cours souveraines apportent, à leur tour, leur caution : les Montcloux, Blaire, les frères Trudaine, Esmangard, Dières, Vaucel, Dietrich, gros industriel et maire de Strasbourg, Lavoisier, fermier général et surtout maître de la chimie française, Bergerot, Bidermann, Petry, Saint-Alphonse, Agasse de Crosne, Mollien, Bergon, Sannois, Dupleix de Mézy, Meulan, Doazan, Boullongne, etc. Des Français et des étrangers, issus de milieux divers, souscrivent à l'entreprise : Mirabeau, Mme Poivre, veuve de l'insupportable intendant des Mascareignes, le diplomate américain Short, Lacépède, l'architecte Soufflot, les abbés Sieyès et Grégoire, Volney, l'Anglais Clarkson, les Suisses Dumont et Roveray, le fonctionnaire colonial Lescallier, le littérateur italien Mazzei, le Chartrain Pétion, etc. La Société des Amis des Noirs est fondée à Paris, le 19 février 1788. La résolution de l'Assemblée constitutive arrête « que les soussignés se forment en société, à l'effet de concourir, avec celle formée à Londres, à l'abolition de la traite et de l'esclavage des nègres, et que M. Clavière, l'un d'eux, en sera président jusqu'à ce que la société soit organisée, et que M. Brissot de Warville fera les fonctions de secrétaire ». Dans les faits, après le départ forcé de Brissot pour l'Angleterre et les États-Unis, le marquis de Condorcet, membre de l'Académie française, secrétaire perpétuel de l'Académie des sciences, homme de belle intelligence et d'honnêteté sincère, conduit l'action des Amis des Noirs. Il sera contraint assez vite de nuancer les ambitions du petit groupe qu'il dirige. Il s'explique, notamment dans *Le Patriote français*, le journal de Brissot. Ainsi, le 24 août 1789, affirme-t-il ne pas vouloir la ruine des colonies, mais seulement l'abolition de la traite pour obliger les colons, privés de l'approvisionnement africain, à améliorer la condition de leurs esclaves. « Non seulement la Société des Amis des Noirs ne sollicite point en ce moment l'abolition de l'esclavage, mais elle serait affligée qu'elle fût proposée. Les Noirs ne sont pas encore mûrs pour la liberté ; il faut les y préparer : telle est la doctrine de cette Société. » Suppression du commerce des Africains et destruction progressive de la servitude, tel est le programme de la Société, fort en retrait sur les promesses premières.

Si l'on ne doute pas de la droiture de Condorcet, on ne peut accorder le même crédit à Brissot. Ce fils d'aubergiste, à la plume terne quoique méchante, se considère comme un génie méconnu (par Vergennes entre autres), et se promet avec aigreur de délaisser les seconds rôles pour le premier rang. La rencontre de quelques personnages en quête d'un grand avenir, mais capables d'élaborer une stratégie d'ascension politique, l'entraîne dans une aventure excitante, qui s'achèvera sur l'échafaud. Au centre de cette constellation, Bergasse, publiciste, fils de négociants lyonnais, bientôt marié à la demoiselle Dupetit-Thouars, qui propage les idées de Rousseau et les théories du médecin autrichien Mesmer sur le fluide animal. « Dès ce jour, confie Brissot dans ses *Mémoires*, nous nous liâmes de la plus étroite amitié. » Et, voilà le jeune homme qui s'en prend, « au nom de la liberté, de la vérité et de l'indépendance », aux académiciens qui ont condamné les charlataneries du Viennois. Au service d'un mesmérisme où, comme l'a montré Robert Darnton, la lutte politique contre le despotisme l'emporte sur les constructions scientifiques, et au service aussi de la métaphysique américaine, le cénacle — on a envie de dire cette loge, tant le cheminement évoque la maçonnerie — s'étoffe et se stabilise. Aux côtés de Bergasse et de Brissot, on découvre les banquiers Kornmann et Clavière, le publiciste Gorsas, Carra scientifique sans moyens, donc en rébellion contre les institutions officielles qui l'ignorent, les parlementaires Duport et d'Esprémesnil, le philanthrope franco-américain Jean de Crèvecœur et enfin l'inévitable La Fayette, toujours curieux des choses à moitié secrètes et toujours soucieux de l'éclat de son auréole, affamé de nouveautés. Ces Pléiades, Brissot va les associer aux deux entreprises qu'il prépare et mènera à bien. En 1787, il fonde la Société gallo-américaine, en compagnie de Bergasse, Clavière, La Fayette et Crèvecœur. L'année suivante, il crée la Société des Amis des Noirs, avec la collaboration de Bergasse, Carra, Gorsas, Kornmann, Clavière, Duport, d'Esprémesnil et La Fayette. Ces deux institutions ont pour objet officiel, l'une de célébrer les vertus de la démocratie américaine, l'autre de venir au secours des esclaves. Mais ne nourriraient-elles pas des visées inavouées et d'une tout autre nature ? Brissot lui-même le laisse entendre dans ses *Mémoires*, quand il avoue son ralliement à la stratégie de son ami lyonnais. « Bergasse ne me cacha pas qu'en élevant un autel au magnétisme, il n'avait en vue que d'en ériger un à la liberté. " Le temps est arrivé, me disait-il, où la France a besoin d'une révolution. Mais vouloir l'opérer ouvertement, c'est vouloir échouer ; il faut, pour réussir, s'envelopper du mystère ; il faut réunir les hommes sous prétexte d'expériences physiques, mais dans la vérité, pour renverser le despotisme. " » Ces alliés se réunissent régulièrement, précisent leurs idées. « C'était dans les dîners qu'on agitait les questions les plus importantes. J'y prêchais la république ; mais à l'exception de Clavière, personne ne la goûtait. » Les deux sociétés établies par Brissot étaient — pour partie — des paravents derrière lesquels des esprits, partageant une philosophie aux orientations semblables, pouvaient s'assembler dans une innocence apparente pour critiquer le gouvernement et réfléchir à la régénération de l'État. Cette finalité vraie mais dissimulée, toute dirigée vers la réforme ou la reconstruction de la société politique, explique peut-être que Brissot ne se soit pas interdit de visiter et de louanger Washington, alors que cet homme était un colon, le propriétaire de quelque 300 esclaves ! Mais sous l'autorité de Condorcet, les Amis des Noirs resteront fidèles à l'idéal dont ils se réclament, et Brissot, comme Clavière, militera en faveur des opprimés du régime colonial jusqu'en 1792.

Les États généraux sont convoqués et les cahiers de doléances préparés, alors que les intellectuels, hommes des Lumières, attachés à l'idée de progrès, et vivant en symbiose avec le Tiers, dénoncent de plus en plus les méfaits de la colonisation par répulsion pour la traite et l'esclavage, mais aussi parce qu'ils jugent — ce qui est faux — que la mise en valeur de possessions lointaines dépeuple la nation, ruine le Trésor et assèche l'investissement privé. Sortant des arcanes que l'on goûte dans les sociétés de l'époque, Condorcet, au nom des Amis des Noirs, intervient publiquement en envoyant par tout le royaume une adresse *Au corps électoral contre l'esclavage des Noirs*. Dans cette circulaire, que reçoivent tous les bailliages, le marquis demande aux électeurs de ne pas réclamer seulement contre les iniquités dont ils souffrent, mais plus généralement contre tous les abus qui blessent la raison et le droit naturel. « La Société des amis des Noirs ose donc espérer que la nation regardera la traite et l'esclavage des Noirs comme un des maux dont elle doit décider et préparer la destruction. » Après cet exorde impératif, le développement qui suit cherche à apaiser d'éventuelles inquiétudes et prend un ton plus nuancé. « Nous savons qu'il est des injustices qu'un jour ne peut réparer, qui, liées avec l'intérêt politique ou paraissant l'être, ne peuvent être détruites qu'avec des précautions nécessaires pour assurer le bien, et ne point le faire trop acheter, aussi nous ne vous demandons point de voter la destruction actuelle de ces maux. » Cette concession dans le raisonnement ouvrira ultérieurement la porte aux hésitations, puis aux reniements. Pour l'heure, l'académicien, écartant les soucis de calendrier, en appelle à la bonté, l'humanité innée du peuple français. « Nous vous conjurons d'insérer dans vos cahiers une commission spéciale, qui charge vos députés de demander aux États généraux l'examen des moyens de détruire la traite, et de préparer la destruction de l'esclavage ; car il serait trop déshonorant pour l'espèce humaine de penser que de tels abus puissent être nécessaires à l'existence politique, à la prospérité d'un grand État, que le bien-être de vingt-quatre millions de Français doit être nécessairement acheté par le malheur et l'esclavage de quatre cent mille Africains, et que la nature n'eût ouvert aux hommes que des sources de bonheur, empoisonnées par les larmes et souillées du sang de leurs semblables. » Après avoir donné la parole à la justice, Condorcet, comme dans un balancement nécessaire, laisse parler le réalisme. « On nous accuse d'être les ennemis des colons, nous le sommes seulement de l'injustice ; nous ne prétendons point qu'on attaque leur propriété : mais nous disons qu'un homme ne peut, à aucun titre, devenir la propriété d'un autre homme ; nous ne voulons pas détruire leurs richesses, nous voudrions seulement en épurer la source, et les rendre innocentes et légitimes. » L'adresse des Amis des Noirs, malgré sa flamme teintée de prudence, ne fait pas recette : les Français ne se passionnent pas pour les affaires coloniales. La question de l'esclavage, prise au sens le plus large, n'est abordée que par 44 cahiers de doléances, dont 22 du tiers, 11 du clergé et 8 de la noblesse. Celui du Tiers de Nantes demande la protection de la traite, tandis que 9 autres condamnent l'infâme commerce. Et, si 19 cahiers exigent l'abolition de l'esclavage, 15 se bornent à en demander l'humanisation. Dans ce désintérêt général, il revient au tiers de manifester le plus souvent la volonté d'anéantir le trafic négrier et la servitude tropicale : 16 petites fois. Autant dire que si les Lumières éclairent Paris, elles ne déchirent pas l'obscurité où les provinces se plaisent. Condorcet, Brissot et leurs alliés reçoivent néanmoins un appui officiel en la personne de Necker, qui déclare le 5 mai devant les États réunis : « Un jour viendra peut-être où, associant à vos délibérations les députés des colonies, vous jetterez un regard de compassion sur ce malheureux peuple dont on a fait tranquillement un barbare objet de trafic ; sur ces hommes semblables à nous par la pensée et surtout par la triste faculté de souffrir ; sur ces hommes cependant que, sans pitié pour leur douloureuse plainte, nous accumulons, nous entassons au fond d'un vaisseau, pour aller ensuite à pleines voiles les présenter aux chaînes qui les attendent. Quel peuple aurait plus de droits que les Français à adoucir un esclavage considéré comme nécessaire, en faisant succéder aux maux qui dévastent deux mondes, ces soins féconds et prospères qui multiplieraient dans les colonies mêmes les hommes destinés à nous seconder dans nos utiles travaux ? »

Malgré l'effort des Amis des Noirs, malgré la caution ministérielle du Genevois, le débat sur la traite et l'esclavage des Nègres relève de la métaphysique pour la quasi-totalité des sujets du royaume. Il en va différemment dans les colonies où Peinier à Saint-Domingue et Vioménil aux îles du Vent redoutent que l'écho du combat parisien n'échauffe les esprits et ne suscite des troubles. Lors de la réunion des États, Pierre Dessalles, membre du Conseil supérieur de la Martinique, note l'inquiétude qui l'envahit dans l'*Historique* qu'il tient des événements de la Révolution : « Ce qui ne pouvait nous être indifférent est cette immensité d'écrits que vomissait chaque jour dans la métropole, et propageait dans tous les coins de l'univers une prétendue société qui, sous le nom de " philanthropes ", aiguisait en secret les poignards avec lesquels nos esclaves devaient nous égorger, et préparait de loin dans des imprimés incendiaires les maux dont nous allions être environnés. Ces écrits répandus à la Martinique avec profusion étaient dans les mains de presque tous les nègres de nos villes principales. Ils s'assemblaient pour en faire une lecture à une voix. »

LA PREMIÈRE RÉVOLUTION : LA VICTOIRE DE L'HOMME BLANC
1789-1790

La première période de la Révolution couvre les années allant de 1789 à 1795, pendant laquelle la France a été gouvernée par un régime d'assemblée, qui eut successivement pour axe l'Assemblée constituante (1789-1791), la Législative (1791-1792) et la Convention (1792-1795).

Réclamations contre les despotismes

Les colonies ne présentent pas un aspect uniforme. Elles mettent en œuvre des économies différentes auxquelles correspondent des types de sociétés spécifiques. Pêche et petit peuplement blanc aux îles de Saint-Pierre et Miquelon ; agriculture tropicale fondée sur la plantation dans le bassin de la mer des Antilles et aux Mascareignes, d'où une population nombreuse, hiérarchisée en trois classes, les Blancs, les métis ou gens de couleur libres et les esclaves noirs ; enfin les comptoirs, ceux d'Afrique, où la société reflète à une toute petite échelle celle des îles à plantation mais pratique la traite des Nègres et presque accessoirement celle de la gomme et de l'or. Quant aux établissements de l'Inde, une société libre de quelques milliers d'autochtones et d'Européens y assure l'expédition de produits de luxe vers la métropole, tout en spéculant sur les échanges régionaux ou commerce d'Inde en Inde. Saint-Domingue, avec ses 500 000 esclaves, ses 30 000 Blancs et au moins autant de mulâtres, écrase la scène coloniale française, aussi va-t-elle se tailler la part du lion dans le déroulement des événements révolutionnaires.

Les autonomistes blancs

Les Antilles cultivent une vieille tradition d'autonomisme dont les contraintes issues du monopole métropolitain sur les échanges commerciaux — l'Exclusif —, de l'administration directe assurée par Versailles et ses agents, et enfin du régime des milices, sont responsables. Depuis la fin du xviie siècle, quelques accès de fièvre ont éclaté dans la chaleur américaine, qui revendiquent la liberté du commerce. En 1750, un membre du Conseil supérieur du Port-au-Prince, Émilien Petit, député à Versailles, expose les plaintes des îles et développe leurs réclamations particularistes dans un ouvrage court et mordant, au titre significatif : *Le Patriotisme américain*. À Saint-Domingue, la suppression des milices, décidée à la va-vite par Choiseul, exécutée avec maladresse par le gouverneur général d'Estaing, suscite un enthousiasme qui se mue en colère, quand presque aussitôt on annonce leur rétablissement. Aussi, le nouveau chef de la colonie, le prince de Rohan, n'a-t-il d'autre ressource que de mater avec vigueur les émeutes de petits-Blancs et de mulâtres libres dont les grands propriétaires et Conseils supérieurs ont tissé les fils dans l'ombre. Venant après ces événements, les ordonnances prises par le maréchal de Castries, réprimant l'interlope, organisant la surveillance par les agents du roi des plantations dont les propriétaires résident en France, et imposant enfin l'adoucissement de l'esclavage par immixtion de la puissance publique, soulèvent l'ire des Blancs qui vivent dans l'île. Cette exaspération atteint son paroxysme, quand la Cour supprime le Conseil du Cap-Français pour refus d'enregistrement et obstruction à l'application des lois. Enfin, une menace sourde entretient la suspicion irritée des colons depuis la fin de la guerre de Sept Ans : périodiquement, la rumeur propage que Versailles songe à suspendre la traite et à s'attaquer au préjugé qui sépare et hiérarchise les races. Des gouverneurs généraux, comme Bory de Saint-Vincent, Estaing, Bellecombe, sans parler du ministre de Castries, se sont attiré les foudres de l'opinion antillaise pour avoir songé à rapprocher les conditions de tous les individus libres, européens et gens de couleur. Le désir intime de Louis XVI d'abolir l'esclavage par rachat ou indemnisation a tout à la fois allumé les fureurs et pétrifié les plus indignés. Quant aux philosophes — à ne pas confondre avec les philanthropes des ultimes années de l'Ancien Régime —, ils ne scandalisent pas les coloniaux, malgré la réprobation que contiennent certains de leurs propos. Au contraire, on se régale de ses auteurs sulfureux qui ne craignent pas de vitupérer le despotisme versaillais et la tyrannie de l'Église. On savoure aussi les plaidoyers en faveur de la liberté du commerce, et, en application de la théorie du contrat, on s'empresse de conclure que les lointaines possessions ne sont pas soumises à l'assujettissement oriental de la métropole, mais qu'elles sont unies à celle-ci par des liens fédératifs et d'égalité. C'est l'un des thèmes que développa Hilliard d'Auberteuil, en 1776-1777, au long de ses *Considérations sur l'état présent de la colonie de Saint-Domingue*, qui fut censuré.

Tandis qu'en 1787, il cassait le Conseil du Cap, ne laissant subsister que la Cour supérieure du Port-au-Prince, Castries, sourd aux cris qui revendiquaient la création d'une troisième juridiction d'appel aux Cayes, dotait la Martinique et la Guadeloupe d'une assemblée coloniale, comme en France, depuis Necker, on mettait des assemblées provinciales à l'épreuve. Ces institutions représentatives élues, qui ont reçu des compétences fiscales et financières, dressent aussitôt colons et commerçants en deux blocs ennemis et figent ce conflit qui ne demande qu'à exploser. Les Domingois, qui ne peuvent faire connaître leur sentiment sur l'action du gouverneur et de l'intendant que par la voix subalterne des Chambres d'agriculture, s'émeuvent dès que la rumeur évoque l'éventuelle réunion d'États généraux, à la fin de 1787. Cette émotion s'accroît en 1788 quand la colonie apprend que les philanthropes ennemis de la traite, de l'esclavage, donc de la colonisation tropicale, s'organisent et se préparent à l'action. En 1787, création à Londres de la Société des Amis des Noirs de Sharp, Clarkson et Wilberforce ; en 1788, fondation, à Philadelphie, de la

Société philanthropique et à Paris, formation de la Société des Noirs de Brissot. Parmi les journaux les plus répandus, le *Mercure de France* ne cache pas sa sympathie pour le mouvement abolitionniste, tandis que des propriétaires antillais, comme Malouet et Duval de Sanadon, prennent la défense du système colonial fondé sur la servitude. Comme l'écrira le magistrat capois Moreau de Saint-Méry en 1791, les premières alarmes se répandirent à Saint-Domingue « à cause d'une discussion dont l'avènement parut menacer la vie et la propriété des colons. Les chambres d'agriculture [de l'île] s'occupèrent de mémoires dont le but était de conjurer cet orage menaçant et qui prit un aspect encore plus sinistre, lorsqu'on apprit qu'il s'était formé une société des Amis des Noirs en France, à Paris même ».

En novembre 1787, la promesse du ministère de réunir les États généraux en 1792, détermine une poignée d'hommes, disposant de biens aux îles, à se grouper, à réunir autour d'eux le millier de Domingois résidant en France pour demander la représentation de la Grande Île aux États. Ces frondeurs vont s'appuyer sur le riche vivier des mécontents de haut vol, membres des Chambres d'agriculture du Cap et du Port-au-Prince, anciens conseillers de la défunte Cour supérieure capoise, et grands propriétaires, tous familiers de la contestation contre la métropole au nom du patriotisme américain. Qui sont les directeurs parisiens de ce mouvement ? Le marquis de Gouy d'Arsy, colonel attaché aux Cuirassiers du Roi, homme en cour, propriétaire de plantations depuis son mariage avec la demoiselle Hux de Bayeux, créole de Saint-Domingue ; Reynaud de Villevert, allié aux Choiseul, ancien gouverneur général intérimaire, jamais titularisé, souvent en dispute avec son ministre, propriétaire d'une sucrerie ; le marquis de Paroy, lieutenant général des armées navales, père du mémorialiste, possesseur de deux sucreries et d'une caféterie par son mariage avec Louise-Élisabeth de Vaudreuil. En réalité, ces trois officiers — le premier, arriviste appartenant à la faction d'Orléans, le second, vieillard aigri, le troisième, apparenté par sa femme au marquis de Vaudreuil, l'ami des Polignac, du comte d'Artois, l'un des favoris de la reine et allié des Durfort de Duras —, que poussent leurs intérêts économiques ou la vanité blessée, ont rédigé de toutes pièces, à Paris, avec quelques complices, la *Lettre des colons résidents à Saint-Domingue, au Roi, en date du 31 mai 1788 !* Davantage, ce petit groupe, que vient compléter Moreau de Saint-Méry dès son arrivée en France, réunit une assemblée des colons présents dans la capitale, qui, le 15 juillet, élit neuf commissaires, constitués en *Comité colonial de France :* c'est vers cette date qu'a été rédigée la *Lettre au Roi* du 31 mai, vraisemblablement dans les dix premiers jours de juillet. Que dit la *Lettre au Roi*, acte trouble, qui relève à la fois de l'abus de confiance et du coup de force fomenté par des membres distingués de l'élite sociale ? Ce texte, auquel Gouy d'Arsy a donné le meilleur de soi-même, adoptant tour à tour le ton subtil du courtisan, celui brusque et âpre du planteur et la finasserie du politicien, évoque la formation et l'état de Saint-Domingue, appelle à des réformes précises et réclame la représentation de la colonie aux États généraux. Une fresque au lyrisme économique, pour commencer : « La Colonie de Saint-Domingue est devenue la plus précieuse de France. Sans être à charge à la population de la métropole, elle a trouvé le secret pour doubler ses jouissances et augmenter les revenus du monarque, de défricher un second Royaume ; elle a appelé l'Afrique à son secours, elle a forcé l'admiration de l'univers, en lui montrant que cinq mille planteurs français étaient capables à eux seuls de cultiver deux cents lieues de côtes, de former des milliers de matelots, de vivifier le commerce, et de faire circuler plus de deux cents millions chaque année d'un pôle à l'autre. » Vient ensuite la plainte triste que les mers et l'autorité aient empêché les Domingois de soumettre au souverain les moyens de doubler l'éclat de sa possession. Les griefs se succèdent, détaillés, l'humeur verse dans l'indignation à la constatation que le despotisme s'est substitué à l'antique gouvernement des lois. Alors, le programme, combinaison de reproches et de propositions, ouvre son cahier : « Nous voulions représenter à Votre Majesté, que depuis 50 ans la Colonie de Saint-Domingue a été assez malheureuse pour avoir été gouvernée par 24 gouverneurs, et par 16 intendants, les uns après les autres : que la plupart d'entre eux en arrivant, ne connaissait rien au gouvernement de l'île, à sa culture, à ses usages, que chacun d'eux a été rappelé au moment où il commençait à être instruit ; qu'avant de l'être, chacun d'eux avait ordinairement supprimé toutes les institutions de ses prédécesseurs : que de ce changement perpétuel de système, il en avait résulté tant de maux, que l'existence de la Colonie était une espèce de problème : que le seul moyen de remédier à cet inconvénient, vice radical, qui s'oppose à la prospérité des habitants, et au plus grand bien de la métropole, était d'établir à Saint-Domingue des Assemblées Provinciales permanentes, et des Assemblées Coloniales périodiques, composées les unes et les autres de propriétaires choisis librement par les colons, et non de magistrats et de commandants de quartier appointés par la Cour ; que dans ces Assemblées qui n'auraient point de pouvoir exécutif, mais qui connaîtraient à fond les intérêts de la Colonie, un gouverneur et un intendant trouveraient en débarquant, des conseillers éclairés, intègres, des avis salutaires, celui surtout de s'en tenir au système suivi, établi dès longtemps pour le bien de tous, celui de rien innover que pour le mieux, et que de cet établissement résulteraient des lumières qui ne permettraient plus aux administrateurs, lorsqu'ils auraient vexé la Colonie pendant leur gestion, de dire : ce n'est pas ma faute, je n'étais pas instruit. »

Pour la première fois, des coloniaux réclament au roi de leur octroyer l'autonomie de leur administration, qu'ils ont l'intention de confier aux représentants des grands propriétaires, à des capitalistes, hommes à la tête de leur temps, hommes de progrès et de terrain. En France même, les prétendus signataires de la *Lettre au Roi* insistent auprès de leurs mandataires présumés de conjurer le monarque d'assigner aux Domingois la place qu'ils doivent occuper « dans l'Assemblée de la grande famille. N'oubliez pas de lui dire que nous ne connaissons pas ces trois divisions d'ordres observés dans le continent. Que nous sommes tous égaux, mais que nous sommes tous soldats, tous les premiers défenseurs de notre Province, et par conséquent tous nobles [...] que Saint-Domingue est le plus beau Fief de l'Empire Français, et que ceux qui l'ont conquis, défriché, cultivé, fécondé, que ceux dont l'alliance n'a point été dédaignée par les premières Maisons de l'État, ne peuvent, ne doivent voter qu'au milieu de l'ordre de la Noblesse avec lequel ils ont tant d'actes communs ». Le 15 juillet, les propriétaires de Saint-Domingue présents à Paris, et réunis effectivement, avaient élu un Comité colonial de France, dont les neuf membres, tous nobles, prouvaient la créolisation de la Cour aux yeux du roi et de ses ministres. Étaient membres : le duc de Choiseul-Praslin, le duc de Céreste-Brancas, les marquis de Gouy d'Arsy, de Paroy, de Perrigny, les comtes Reynaud de Villevert, de Peyrac, de Magallon, et le chevalier Dougé. Ces commissaires, indique le texte de leur mandat, sont « désignés pour faire parvenir aux pieds du Roi les différentes demandes des Habitants, et particulièrement leurs vœux pour être représentés aux États Généraux, dont Sa Majesté a annoncé la convocation, et ce par des députés choisis librement et volontairement ». Le 8 août, Louis XVI décide que les États se réuniront l'année suivante, le 1er mai 1789. Le 25 septembre, le Parlement, que Necker a rappelé au prix de l'annulation des réformes de Lamoignon et du départ de celui-ci, réclame que les États soient convoqués « suivant la forme observée en 1614 » : par ordre et à l'exclusion de toute participation coloniale. Le Comité colonial de France, qui semble avoir prévu cet obstacle, avait demandé audience à La Luzerne, le 31 août. Le ministre reçoit les « commissaires » des colons, le 4 septembre, mais ne dit rien. Il estime, dans son for intérieur, « que la mère patrie devrait reconnaître toutes les colonies comme ses enfants », mais, pour des raisons matérielles, ce principe ne lui paraît pas immédiatement applicable. Le 11 septembre, le Conseil d'État adopte les conclusions de l'ancien gouverneur général. Dans ces conditions, le Conseil juge qu'il ne convient pas de considérer les neuf commissaires comme les mandataires des colons de Saint-Domingue. Le Comité colonial de France, placé dans l'illégalité, loin de suspendre son action, choisit de la développer. Le 28 septembre, il publie un imprimé sous le titre de *Mémoire instructif à consulter et consultation,* où il continue de soutenir le droit de la Grande Île à siéger aux États. Le 30 octobre, il envoie au ministre « le plan d'une convocation constitutionnelle des planteurs de la colonie pour procéder à l'élection de leurs députés ». Gouy d'Arsy et ses associés qui parlent d'un ton de plus en plus agressif, s'adressent au mois de novembre 1788 à la seconde Assemblée des notables, et réitèrent leur supplique au roi, qui répond en confirmant sa décision du 11 septembre. Tandis que Necker, également saisi, se dérobe, La Luzerne interdit aux notables d'examiner la requête de la cabale américaine.

À la suite des neuf commissaires, constituant le Comité colonial de France, venaient les noms de 82 propriétaires qui donnaient procuration pour agir au nom des colons de Saint-Domingue. Qui sont ces personnes ? Des possesseurs de plantations étendues et parmi eux un groupe important de nobles, parmi lesquels des noms se détachent : marquis de Massiac, marquise de Mondion, vicomte de Léaumont, les comtes de Noé, d'Héricourt, d'Autichamps, de Charitte, de Lentilhac, de Bayeux, de Vaudreuil, la vicomtesse de Choiseul, les comtesses de Pardieu, de Chambellan, O'Gormann, du Poulpry, le marquis de Rostaing, et le patron de ces commettants, Louis-Philippe-Joseph d'Orléans, premier prince du sang. Ce groupe de pression politico-économique ne s'enferme pas dans les limites de son objet. La présence nombreuse de la noblesse lui donne le ton mondain des coteries. Ce caractère se dissoudra à Saint-Domingue où la quasi-totalité des membres des Comités du Nord, de l'Ouest et du Sud, appartiennent à la roture, pour réapparaître dans la députation de la Grande Île. Là où la nécessité d'une représentation sociale de qualité se fait sentir, le recrutement obéit à des exigences de plus en plus strictes : 27 nobles sur 37 à la députation de Saint-Domingue, dont les neuf commissaires du Comité colonial de France. Commissaires et députés ne sont-ils pas appelés à fréquenter la Cour, ses ministres et son aristocratie créolisée ?

Saint-Domingue entame seule le combat pour la représentation des colonies aux États. Aussitôt après la décision royale du 8 août, Gouy et ses amis inondent la Grande Île de lettres et de factums. À leur demande, un Comité de la partie du Nord de Saint-Domingue se constitue officieusement en août 1788, puis se réunit officiellement le 7 décembre 1788 suivi les 25 janvier 1789 et 9 mars par ceux des provinces de l'Ouest et du Sud. Ces assemblées régionales, formées illégalement, élisent, entre le 27 janvier et le 10 mars 1789, une députation de 37 membres où figurent 8 des 9 membres du Comité colonial de France. Les chefs de l'Antille ferment les yeux, se bornant, pour ne pas transgresser eux-mêmes la loi, à inviter les colons à leur exposer leurs requêtes par lettre et à leur interdire la réunion de toute assemblée illicite. Pendant que la députation de Saint-Domingue se dégage de scrutins, que ni le ministère ni le gouvernement insulaire n'ont voulu empêcher, l'Assemblée provinciale du Nord publie son projet politique, le 27 janvier 1789, dans deux documents distincts : un « Cahier de doléances de la colonie de Saint-Domingue, à présenter au Roi dans l'Assemblée des États

Généraux de la Nation, par MM. les Députés de cette Colonie » et un « Plan proposé par la Colonie pour la formation des Assemblées coloniales, Assemblées provinciales et de comités intermédiaires permanents tant dans la Colonie qu'à Paris ». Ultérieurement, le Comité de l'Ouest établit, à son tour un « Cahier de doléances et de redressement de griefs », et la Chambre d'agriculture du Cap compose un cahier. Ces différents documents ne présentent pas une grande originalité ; nourris aux sources traditionnelles de l'autonomisme, ils reprennent et durcissent les termes de la *Lettre au Roi* du 31 mai 1788 et s'inspirent, par ailleurs, du règlement d'octobre 1788 pour les assemblées du Dauphiné. Après avoir affirmé avec une solennité amgibuë que la Grande Île fait partie intégrante du royaume, ils réclament vivement « la régénération entière de la Colonie dans toutes les parties de son administration, car Saint-Domingue diffère essentiellement des autres provinces du royaume, par son climat, par ses cultures, par son commerce et par une foule d'autres rapports ». Alors, l'esprit colon fait tonner son artillerie avec une audace qu'il comprimait depuis des décennies. On flétrit le despotisme du ministre de la Marine, celui du gouverneur et de l'intendant, et celui des états-majors locaux, on stigmatise le poids odieux du service des milices et la contrainte des corvées militaires, on condamne l'égoïsme des négociants de France. Puis, on exige l'autonomie administrative, financière et fiscale, la réorganisation de la justice, l'ouverture des ports à la traite étrangère et même la liberté du commerce en cas de crise, qu'il s'agisse d'une défaillance momentanée de la métropole ou d'un accident climatique américain. La colonie dont rêvent Gouy d'Arsy et un certain nombre de grands Blancs devient une sorte de province associée qui se gouverne dans le respect des spécificités locales — dont l'esclavage — grâce à la combinaison d'assemblées provinciales aux sessions illimitées et d'une assemblée coloniale aux réunions épisodiques. La noblesse libérale, qui exerce une influence avantageuse au sein de la direction du Comité colonial de France, se promet de donner à Saint-Domingue une large liberté, garantie par une constitution particulière, comme elle se prépare à parlementariser la monarchie par le moyen d'une charte fondamentale.

À l'origine de ce que l'on appellera plus tard les troubles de Saint-Domingue, on rencontre donc la conjonction de la vieille tradition autonomiste de l'élite sociale, avivée par le succès de la guerre d'Indépendance américaine, et de l'action égoïste de trois officiers, que le magistrat colonial Moreau de Saint-Méry, ancien collaborateur du maréchal de Castries, vient rejoindre dès les premiers jours de juillet 1788. Mais le gouvernement aristocratique, que le Comité colonial de France imagine de confier à une oligarchie de grands propriétaires ne fait pas l'unanimité parmi les Domingois. Les petits-Blancs, plus d'un tiers de la population européenne selon La

Luzerne, soit une douzaine de milliers de personnes, ne peuvent éprouver qu'hostilité pour un système qui les exclut. Quant aux planteurs eux-mêmes, loin de partager une opinion massivement unique, au contraire ils se divisent en plusieurs courants. Tous n'adhèrent pas aux excès d'un autonomisme, proche du séparatisme, tous n'aspirent pas à la disparition de fait de l'autorité métropolitaine, représentée par le gouverneur général et l'intendant. Tous ne réprouvent pas le principe d'égalité. Ainsi, Tanguy La Boissière, procureur près de la sénéchaussée et l'amirauté des Cayes et propriétaire d'une caféterie dans la partie du Sud, s'exclame-t-il dans un petit opuscule : « Tout Français blanc qui habite Saint-Domingue, qui y paie sa part d'impôt est citoyen. »

Les riches colons des îles du Vent, comme ceux de la Grande Île, attendent beaucoup de la régénération. Pierre Dessalles, membre du Conseil supérieur de la Martinique, nourri à la sève frondeuse des cours souveraines de la métropole — alors que les débordements de la guerre janséniste n'ont pas traversé l'Atlantique —, compte parmi ceux-là. Il donne libre cours à son esprit faux et sectaire pour dresser un tableau où les colonies de la monarchie française paraissent sous les couleurs d'un enfer pour Blancs. Sous les tropiques, « l'autorité y exerçait également son empire, comme en France. Pendant longtemps, les abus en ce genre ont été inouïs. Les colons se trouvaient absolument sous le régime le plus dur, le plus tyrannique ; il avait été défendu par plusieurs ordonnances de nos Rois aux gouverneurs de mettre en prison les habitants ; mais ces défenses, dictées par un prince ami de l'humanité, avaient toujours été mises en oubli, foulées aux pieds par ceux auxquels le souverain distribuait une partie de ses pouvoirs. [...] Cette autorité excessive, ces abus de pouvoirs s'exerçaient aux colonies par tous ceux qui avaient tant soit peu d'empire sur les autres. Il n'y avait point de commandant de troupes dans un quartier, point de commandant de milice qui ne se crût en droit, pour la faute la plus légère, de vexer, d'emprisonner un citoyen. [...] L'homme honnête qui avait eu le malheur d'être puni, d'être maltraité injustement, n'avait pour lui que les regrets de ses concitoyens : c'était le seul adoucissement qu'il éprouvait dans ses maux. La moindre plainte de sa part eût été suivie d'un châtiment encore plus rigoureux. Il était temps que les droits des colons fussent respectés, leur personne protégée, et qu'ils sentissent qu'il existait pour eux dans le Royaume un Roy jaloux de leur bonheur, et qu'à quelque distance qu'ils fussent placés de son trône, ils n'en étaient pas moins l'objet de ses sollicitudes. [...] Si l'on en excepte le vice de notre gouvernement arbitraire et despotique, nous ne connaissions aucune de ces vexations énormes sous lesquelles gémissaient les habitants de la France. Nous vivions en quelque sorte tous égaux, tous frères, tous citoyens de la même patrie ; il n'y avait de différence que du Blanc au Noir. [...] Les planteurs de la Martinique pouvaient-ils haïr une Révolution qui les allégeait de tous les maux dont ils se plaignent depuis si longtemps ? La forme de leur gouvernement n'était-elle pas telle qu'il leur était impossible de faire parvenir jusqu'aux pieds du trône leurs plaintes lorsqu'ils étaient opprimés ? Le ministre ne trouvait-il pas toujours mille inconvénients à donner tort à un officier en place qui était presque toujours sa créature, pendant longtemps son fermier ? Sur une infinité de citoyens fixés depuis l'établissement des îles, en a-t-on vu un seul vengé d'une manière satisfaisante ? Ajoutez encore à ces actes de despotisme, les traitements particuliers, les épithètes injurieuses, les paroles grossières prodiguées à tort et à travers. [...] Tous ces abus ne prouvent-ils pas combien le véritable colon devait bénir la Révolution qui se préparait dans le Royaume ? Elle était toute à son avantage. Il était même à présumer que les colonies devaient profiter du bienfait de la régénération sans en éprouver les malheurs qui en sont en quelque sorte une suite inséparable, et que les secousses cruelles qui ont ravagé, ensanglanté presque toutes les provinces de France ne s'étendraient pas au-delà des mers. En effet, il faut l'avouer, s'il existait un endroit où la tranquillité bannie du reste de l'empire eût dû se réfugier, c'était dans les îles françaises du Vent de l'Amérique. »

Les Amis des Noirs

Le républicanisme des îles est aux antipodes de celui de ces philanthropes, dont les planteurs ne mesurent pas l'influence réelle sur la société parisienne, parce qu'ils les estiment à leur poids économique : celui d'une plume. Le Comité colonial de France, seul d'abord, puis en compagnie de certains des 37 députés élus par les trois assemblées provinciales de Saint-Domingue, jauge vite leur erreur de jugement. Le roi et le secrétaire d'État de la Marine opposent une fin de non-recevoir à la demande de représentation de la Grande Île aux États, que Gouy d'Arsy et ses amis avaient déposée le 4 septembre 1788. Au mois de mai 1789, dès que les mandataires de la métropole s'établissent à Versailles, la délégation domingoise hante les couloirs, multipliant les démarches. Déception : ni le clergé, ni la noblesse n'acceptent de l'entendre. Tenace, elle entame des tractations avec le tiers, malgré un climat d'hostilité rebutant. Des factums paraissent, requérant l'abolition de la traite et de l'esclavage. Au nom des Amis des Noirs, Brissot ne s'est-il pas prononcé en ce sens dans son *Mémoire sur les Noirs de l'Amérique septentrionale*, édité en février 1789, et n'a-t-il pas demandé à Necker d'abolir les primes à la traite ? Le marquis de Condorcet, déjà auteur de la fulminante lettre *Au corps électoral contre l'esclavage des Noirs*, ne prend-il pas position, dans une brochure mince mais passionnée, *Sur l'admission des députés des planteurs de Saint-Domingue dans l'Assemblée Nationale?* On serait tenté, écrit l'éminent académicien, « de désirer une loi qui exclût à l'avenir de l'assemblée nationale tout homme qui, ayant des esclaves, ou se trouvant le mari d'une femme qui en possède, est intéressé à soutenir des principes contraires aux droits naturels des hommes, seul but de toute association politique ». Gouy et ses associés domingois que rien ne désarçonnent, ni le refus du roi, ni le silence du clergé et de la noblesse, ni la campagne qui les prend pour cible, se tournent désormais vers le tiers. Comme à tous les élus du royaume, ils ont envoyé à ses membres une lettre qui tient du cours d'économie nationale et de la leçon de politique régénérée. « De ces places élevées où le suffrage de la Nation a placé chacun de vous, daignez étendre vos regards au-delà du royaume ; franchissez l'océan, embrassez l'immense pays que nous représentons. Dans un espace de trois cents lieues de côtes, couvertes des productions les plus riches, comptez trois capitales, soixante villes et bourgs, six mille habitations qui sont autant de villages ; voyez quarante mille têtes françaises qui font agir un million de bras africains. Voyez le commerce vivifié par nous, la navigation encouragée par nous, vingt mille matelots occupés, six cents millions chaque année mis en circulation. Voyez tous les ans cinq cents vaisseaux français, chargés de nos denrées, voguer sur toutes les mers, approvisionner les marchés de l'Europe, l'Asie et l'Afrique. Voyez sur un sol destructeur nos jours s'écouler loin d'un Roy plein de bonté, sous l'empire immédiat de l'abus et du pouvoir arbitraire qu'il déteste ; et frappés de ce grand tableau, daignez, sur la présentation et l'examen de nos pouvoirs, nos titres et nos droits, nous assigner la place que votre justice s'empressera d'accorder à Saint-Domingue dans l'Assemblée de la grande famille. »

Nos seigneurs du tiers ne manifestent aucun enthousiasme à la lecture de l'appel satisfait des colons. Mais les événements se précipitent. Le tiers se proclame Assemblée nationale le 17 juin. Gouy d'Arsy et ses compagnons accourent. Le 20, dans l'atmosphère électrique de la salle du Jeu de Paume, ils clament leur solidarité avec les nouveaux souverains qui, emportés par l'émotion, décident sur-le-champ d'admettre à titre provisoire neuf députés de la Grande Île parmi eux : les marquis de Gouy d'Arsy, de Rouvray, de Perrigny et de Cocherel, les comtes de Magallon et Reynaud de Villevert, Larchevêque-Thibault, Bodkin de Fitz-Gerald et Viau de Thébaudières. Bien que comblés par un hasard inespéré, les neuf compères se plaignent et expliquent que Saint-Domingue, forte d'une population de quelque 500 000 personnes est en droit de revendiquer trente députés ! L'affaire vient en séance le 3 juillet. Les esprits se sont ressaisis depuis la journée fervente du Jeu de Paume, mais les Domingois ne le devinent pas. Dans son *Journal*, Creuzé-Latouche note l'intervention virulente d'un parlementaire déjà célèbre. « M. de Mirabeau a repris les moyens qu'employaient les colons. Ils veulent, a-t-il dit, se prévaloir des millions qu'ils mettent dans le commerce ; mais quelle manufacture met plus de millions dans le commerce que les laboureurs ? En conclut-on qu'il faut leur accorder une plus grande représentation ? Toutes les villes principales pourraient soutenir les mêmes prétentions. Prétendent-ils s'appuyer sur la quantité de leurs nègres, qu'ils traitent de bêtes de somme ? Ils n'ont seulement pas compris au nombre de leurs électeurs les gens de couleur qui sont libres. Ils ne sont que 25 000 Blancs, ils ne doivent avoir qu'une députation comme un bailliage. [...] Leurs nègres, dit-on, doivent être considérés, puisqu'ils sont les agents de nos richesses. De quel droit 23 000 hommes voudraient-ils avoir 20 représentants ? »

La charge violente du député aixois recueille de nombreuses approbations dans les travées de l'Assemblée. Gouy et ses collègues, manquant d'intuition politique jusqu'à l'inconscience, semblent surpris du succès de cet assaut. Dans le numéro 3 du *Point du Jour*, journal du député Barère, que quelques années plus tard on surnommera l'*Anacréon de la Guillotine*, n'avaient-ils pas lu avec une sérénité affermie : « La colonie de Saint-Domingue, française d'origine, française d'adoption, française par l'administration et par les tributs dont elle grossit les trésors de la mère patrie, doit être reçue à développer ses grands intérêts dans la plus belle assemblée qu'ait jamais eue la monarchie française. Si le droit naturel n'était pas consulté dans le Siècle des Lumières, le droit politique, et ce qu'on appelle *la raison d'État*, devraient faire admettre cette députation coloniale : on sait ce qu'il en a coûté à l'Angleterre, de discuter cette question les armes à la main, plutôt qu'avec les lois invariables de la raison et de l'équité naturelle [...] il serait à désirer que le nom de province remplaçât celui de colonie, et qu'on pût concilier les droits de l'humanité avec les calculs de la politique, pour adoucir dans nos provinces américaines le sort de tant de malheureux voués à l'esclavage et à des travaux destructeurs dans un climat brûlant. » Le propos de l'avocat tarbais, futur président de la Convention qui jugera Louis XVI, n'affiche pas l'intransigeance de Mirabeau, mais au contraire fait des ouvertures de conciliation : éviter le conflit et la rupture de type anglo-américain, et apaiser l'inquiétude de principes qui paraissent prêts au compromis. Gouy d'Arsy comprend que tous les philanthropes ne raisonnent pas pareillement ; il s'engouffre dans la brèche que Barère lui désigne à mots ouverts. Dans sa réponse à Mirabeau, où il défend le principe de la participation des colonies aux travaux de l'Assemblée contre le redoutable orateur, il embrasse les enseignements du Bigourdan : *Le Point du Jour* en rend compte ! « Jamais, dit le marquis, plus grande cause n'a été soumise à un tribunal plus auguste. La question qui vous occupe, plaidée en Angleterre par la force, va l'être en France par la justice, et les résultats en seront différents pour la métropole. » Après avoir écarté la menace d'un divorce franco-domingois, le fougueux colonel évacue avec une modération habile la question explosive de la servitude. « Quant à l'esclavage des nègres, et à l'abolition de la traite, M. De Gouy a répondu que si l'Assemblée trouvait dans sa sagesse les moyens d'allier la conservation des colonies, les propriétés des colons, et l'entretien de leurs ateliers, avec l'abolition de l'esclavage et de la traite, il n'est pas de colon qui ne donnât avec empressement des preuves de son humanité et de son patriotisme. » Peut-être ce discours n'arrache-t-il pas une adhésion irrépressible, mais au moins démontre-t-il que tous les planteurs ne sont pas des tigres assoiffés de sang, et qu'il en est qui acceptent le débat et la négociation.

La séance, ouverte le 3 juillet, s'achève le lendemain, dans une certaine confusion. Contre Mirabeau, Gouy obtient que Saint-Domingue soit représentée à l'Assemblée nationale ; mais au lieu des douze députés qu'il avait demandés, il ne lui en est accordé que six. Surtout, la division de l'opinion coloniale a éclaté sous les yeux du public. *Le Point du Jour* relate l'incident avec une discrétion qui souligne la bienveillance de Barère pour le jeune marquis. « Tandis qu'on parlait d'aller aux voix, un des secrétaires a fait la lecture d'un acte d'opposition formée par quelques colons, à l'élection des députés de Saint-Domingue ; on n'y a eu aucun égard. » Après cette victoire à la Pyrrhus, qui toutefois ouvre les portes de l'Assemblée aux possessions d'outre-mer, les Domingois se partagent les mandats : Viaud de Thébaudières et Larchevesque-Thibault représentent la partie du Nord, les marquis de Cocherel et de Gouy d'Arsy, la partie de l'Ouest, le marquis de Perrigny et J.-B. Gérard, la partie du Sud. Pendant que l'Assemblée nationale se proclame Constituante, le 7 juillet, Paris se prépare à d'autres bouleversements. La Bastille est prise par l'insurrection, le 14, en représailles contre la décision du roi de renvoyer Necker, ministre incapable mais populaire. La bourgeoisie, inquiète se réunit à l'Hôtel de Ville, où siège le président de l'Assemblée de la capitale : le Martiniquais Moreau de Saint-Méry, ancien membre du Conseil supérieur de Saint-Domingue, ancien collaborateur des ministres de Castries et de La Luzerne, et dignitaire de la maçonnerie. Alexandre de Lameth, personnalité modérée, beau-frère d'une propriétaire de la Grande Île, accourt auprès de Moreau pour lui conseiller de former une garde nationale, dont son ami, le colonel Mathieu Dumas arrête l'organisation. Dans ses *Mémoires*, Charles de Lameth rapporte que le magistrat antillais avait souscrit au plan qu'on lui avait suggéré, disant à son frère Alexandre : « " Nous ne cherchons pas qui sera commandant de la garde nationale, évidemment cette place vous appartient. " La réponse fut : " Vous auriez tort de penser à moi, je suis trop jeune, trop loin des antécédents nécessaires. " Moreau reprit : " Les circonstances exigent un homme qui ait donné des gages à la liberté, qui choisirons-nous ? — Eh bien ! prenez Lafayette " — Il fut nommé. » Ainsi par l'amitié — peut-être superficielle — de deux maçons américains, l'un magistrat aux îles, l'autre ancien officier du corps expéditionnaire de Rochambeau, un troisième, le *Héros des deux mondes*, illustration internationale de la franc-maçonnerie, devenait le chef de la seule force nationale organisée, l'armée se désagrégeant dès le mois de juillet. Véritable maire du palais jusqu'à sa démission en octobre 1791, La Fayette, comme l'a remarquablement analysé et montré E. Taillemite, se noyant dans des combinaisons changeantes, exhibera toutes les facettes de son incapacité. Le rôle de Moreau de Saint-Méry ne s'arrête pas là. Le 17 juillet, il accueille le roi qui vient de rappeler Necker. Haussant sa grande et puissante stature, il prononce une harangue de bienvenue dans la plus pure tradition maçonnique. Quelle délectation pour Moreau, bourgeois vaniteux, de faire la leçon au descendant de Louis le Grand ! À nouveau, il goûtera à ce plaisir le 6 octobre, quand le souverain, non plus humilié mais définitivement abaissé, est contraint par l'émeute parisienne de résider à Paris. Le colonial, démocrate comme tous les Américains des îles françaises, s'écarte de ses frères de l'aristocratie libérale qui, pour croire aux vertus d'une constitution monarchique, ne rêvent pas pour autant d'égalité.

Avant que les Parisiens n'aient emprisonné la famille royale dans la capitale, les députés n'ont jamais cessé de débattre et de voter. Ainsi, à l'initiative de La Fayette que nombre de ses collègues ont relayé, adoptent-ils un texte terne et ennuyeux — embryon de catalogue avorté — mais explosif, la *Déclaration des droits de l'homme et du citoyen*. Celle-ci prononce, dans son premier article, ce décret célèbre : « Les hommes naissent et demeurent libres et égaux en droits. » Malouet, propriétaire domingois par sa femme, mesure, avant même l'ouverture des travaux, à la simple lecture des projets qui fleurissent sous la plume des députés, le danger que la sacralisation des principes de liberté et d'égalité fera courir à la société coloniale esclavagiste. Aussi demande-t-il le renvoi de la discussion de cet « exposé métaphysique » aux lendemains de l'achèvement de la constitution, prenant soin de préciser « qu'il est nécessaire, dans un grand empire, que les hommes placés par le sort dans une condition dépendante voient plutôt les justes limites que l'extension de la liberté naturelle ». L'ancien ordonnateur au Cap-Français n'est pas suivi. Quant à la foule des colons, qui va et vient entre Paris et Versailles, elle opte pour un silence prudent, tout comme les députés ordinaires et extraordinaires du Commerce. En réalité, la Déclaration que les constituants ont élaborée, n'apporte pas une garantie intangible aux privilèges naturels de l'Homme, au contraire, elle affirme la suprématie de la loi positive, sans la définition de laquelle rien n'existe. Le Droit naturel, que philosophes et philanthropes invoquent si fort, ne prend consistance que par et dans la loi positive, instrument froid, susceptible du meilleur et du pire, qu'aucun garde-fou ne borne. Cette terrible menace n'a pas échappé à l'œil averti de Lally-

Tollendal, fils naturel du triste commandant général dans l'Inde. Proposant quelques modifications à la déclaration déposée par Mirabeau, il dit en se tournant vers l'orateur aixois : « Je l'inviterai surtout à y joindre un article que j'ai trouvé dans celle de M. Pison du Galland, sur le rapport de l'homme avec l'Être suprême : qu'en parlant de la nature on parle de son auteur, et qu'on ne croie pas pouvoir oublier, en formant un gouvernement, cette première base de tous les devoirs, ce premier lien des sociétés, ce frein le plus puissant des méchants, et cette unique consolation des malheureux. » Qu'écrivait le magistrat dauphinois dans sa proposition ? « L'ordre de la nature, la paix du juste, le remords du méchant, la tradition de nos pères, tout témoigne qu'il existe un Dieu Vengeur du crime, et rémunérateur de la justice et de la vertu. Cette vérité donne un appui immuable, éternel et sacré aux droits de l'homme. » Les deux parlementaires ne sont pas écoutés : le Droit naturel, émané de Dieu au travers des enseignements des Pères de l'Église, ne transcendera pas le Droit positif qui, dans sa marche autonome, hors des normes et des exigences chrétiennes, pourra à loisir abolir, instaurer ou étendre l'esclavage. Les droits naturels tombent comme des coquilles vides dans le désert de l'immanence, où le législateur leur donne le contenu qu'il veut. Juridiquement, la Déclaration des droits n'annonce pas un changement certain de leur condition aux Nègres des îles. Politiquement, elle est un système idéologique, confectionnée par les Blancs, pour les Blancs. En effet, la vocation universelle, que beaucoup veulent donner à la nouvelle table des valeurs, manque de franche vigueur. Ainsi l'un des plus convaincus, le comte de Castellane, considérant le petit nombre de nations qui ont conservé leurs droits, « et sans être obligé de citer l'Asie entière, ni les malheureux Africains, qui trouvent dans les îles de l'Amérique un esclavage plus dur encore que celui qu'ils éprouvaient dans leur patrie », sans même sortir de l'Europe, si mutilée par le despotisme, avoue dans un cri : « Mais c'est de la France que nous devons nous occuper. » Dans cette optique, la Déclaration des droits est un pallium réservé exclusivement aux épaules des Blancs français.

Les sang-mêlé

Tandis que les députés savourent les délices du discours et du scrutin, dans un royaume où l'autorité s'est dissoute, où l'insurrection parisienne s'est installée, ouvrant la porte à l'émigration, à l'irruption des municipalités et à la Grande Peur paysanne, les gens de couleur de Saint-Domingue, c'est-à-dire les métis, poursuivent le combat pour obtenir l'égalité civique avec les Européens, que pourtant le Code Noir leur reconnaissait depuis 1685 ! Depuis des décennies, ces hommes libres, à qui la loi commande de respecter les

Blancs, souffrent une humiliation que le temps et l'élévation sociale — ils possèdent un cinquième de la fortune de la Grande Île — rendent de plus en plus douloureuse. Ayant accédé à la liberté par la voie de l'affranchissement, ils sont considérés par leurs anciens maîtres comme des esclaves émancipés toujours susceptibles de retomber en cette servitude dont ils portent l'indélébile tache africaine. Les mœurs leur imposent de s'effacer devant les Blancs, dans la rue comme à l'église ou à la comédie. Les règlements leur interdisent de porter l'épée, d'accéder aux emplois de chirurgien, d'orfèvre et aux charges publiques, d'aller en France, de se marier avec une personne de race blanche, de s'assimiler aux Européens par le vêtement, le nom, en roulant en chaise ou en votant dans les assemblées paroissiales. Ces usages et cette législation traduisent plutôt un état d'esprit qu'une contrainte de tous les instants, encore que les petits-Blancs, jaloux de la concurrence que leur font les sang-mêlé dans nombre de secteurs professionnels, veillent à leur respect. Toutefois l'uniformité ne régit pas la condition des mulâtres. Si les Antilles imposent une certaine rigueur, les Mascareignes et la Guyane autorisent un relâchement assez paisible. À la fin de l'Ancien Régime, les bureaux de la Marine vont jusqu'à considérer que « presque tous les habitants des îles de France et de Bourbon sont de sang-mêlé ». À la même époque, Lescallier, ordonnateur en chef à Cayenne, évoquant le territoire où il sert et plus généralement les possessions de la zone torride, juge avec bon sens : « Il est connu de tous ceux qui ont fréquenté les colonies, et qui les connaissent un peu, qu'il s'est glissé fréquemment dans les emplois publics, dans la magistrature, etc., des hommes qui n'étaient pas encore à une grande distance de l'origine des sang-mêlés ; on tenait des propos, et insensiblement cela s'oubliait, sans qu'il en résultât aucun bouleversement. »

Dès 1784, un homme de couleur libre de la partie du Sud de Saint-Domingue, propriétaire d'une plantation, lassé des tracasseries et des dégoûts dont sa race fait l'objet, décide de réagir en utilisant les voies légales, mais discrètes, attentives et réformistes de l'administration. Il remet donc au gouverneur général de Bellecombe et à l'intendant de Bongars (dont l'une des filles a épousé le marquis de Massiac, fils du secrétaire d'État de la Marine de Louis XV) un mémoire qui réunit les plaintes de ses frères contre le préjugé de couleur et leurs réclamations pour que l'article du Code Noir stipulant l'égalité de toutes les personnes libres soit appliqué. Les administrateurs reçoivent cette requête avec compréhension. Bellecombe, vieil officier colonial, qui a bourlingué du Canada à Pondichéry, en passant par Bourbon, encourage certainement son visiteur à persévérer, car, à peine a-t-il quitté ses fonctions, en 1785, qu'à son tour Raimond s'embarque pour France. Aussitôt arrivé, il cherche à voir l'ancien gouverneur général : bientôt il le rencontre et celui-ci le présente au secrétaire d'État de la Marine, le maréchal de Castries, qui l'invite à lui faire parvenir des mémoires sur le préjugé de couleur et les moyens de le réduire. Le mulâtre se met au travail et envoie ses réflexions au maréchal, qui les transmet aux nouveaux chefs de Saint-Domingue, La Luzerne et Barbé de Marbois, accompagnées d'un avis favorable. Le ministre souhaite que ses deux agents lui proposent des mesures contre le préjugé de couleur, propres à faciliter l'assimilation d'une partie des sang-mêlé par la société européenne. Les administrateurs, craignant de provoquer la colère des colons, découragent le marquis de Castries d'autant plus aisément que celui-ci quitte le ministère. Raimond, déçu, se retire alors en Angoumois où son épouse a du bien. En 1788, à la fin de l'année, il écrit à La Luzerne, qui a abandonné le gouvernement général de Saint-Domingue pour le secrétariat d'État de la Marine, et lui demande une réponse aux observations qu'il avait adressées à Castries. En 1789, il répète sa démarche, et envoie un nouveau mémoire au ministre. Cette persévérance à agir dans le respect des lois et dans la discrétion ne reçoit aucune récompense. Cependant, le Domingois se refuse à capituler ou à changer de tactique. À Angoulême (paroisse de Saint-Antonin), où il demeure, il a l'occasion de faire la connaissance de Charles de Rohan-Chabot, comte de Jarnac qui, par sa femme, née Guyonne-Hyacinthe de Pons Saint-Maurice, possède des plantations à Léogane, petite ville voisine du Port-au-Prince. Or, le 29 juillet 1789, il donne et signe, par-devant notaire, une procuration au comte. Julien Raimond déclare dans ce document, qu'il « aurait été chargé verbalement par la majeure partie des personnes de couleur libres » de Saint-Domingue « de venir solliciter au pied du trône la cessation des injustices et vexations, que lesdites personnes de couleur libres éprouvent dans cette colonie, à cause du préjugé qui règne contre elles ». Après avoir rappelé les démarches qu'il a accomplies dans l'île et à Paris, il dit qu'en conséquence des pouvoirs verbaux qu'il a reçus « il a créé et constitué pour son procureur général et spécial, suppliant même d'accepter d'avance le patronage de la classe des gens de couleur libres, Illustre Seigneur Charles Rosalie Chabot, comte de Jarnac, maréchal des camps et armées du Roy, Inspecteur divisionnaire de cavalerie de la quinzième division, demeurant ordinairement en son hôtel, en la ville de Paris, Rue de Monsieur, faubourg Saint-Germain. Auquel ledit constituant donne plein pouvoir et puissance et supplie même, de sa personne représenter pour faire agréer et recevoir aux États généraux de ce royaume, actuellement assemblés à Versailles, les remontrances, plaintes, doléances et réclamations de ladite classe des personnes de couleur de la colonie de Saint-Domingue, afin d'obtenir pour eux de la bonté du Roy et de la justice de la Nation assemblée, une loi qui fasse jouir à l'avenir les personnes de couleur à la seconde génération de la légitimité ingénue, et en cette qualité leur donner la possibilité de parvenir à tous les rangs et privilèges dont jouissent les Blancs. »

Patronné par un protecteur qui porte l'un des grands noms de France, et dont un proche parent, le prince de Rohan-Montbazon, exerça les fonctions de gouverneur général de Saint-Domingue, Julien Raimond a le sentiment, cette fois, d'approcher du but. Il veut d'autant plus croire qu'il approche du terme de sa mission que, le 27 novembre 1788, ses amis ont vainement imploré les autorités de la Grande Île d'accorder à leur caste une représentation aux États généraux. Quant au ministre La Luzerne, il leur répondra, le 1er octobre 1789, qu'ils doivent saisir de leur vœu, les députés de l'Antille, Gouy d'Arsy et ses amis, tous attachés au préjugé de couleur ! À n'en pas douter la cause des mulâtres libres nécessite un défenseur puissant : ce ne sera pas le comte de Jarnac, que les troubles inciteront à prendre le chemin de l'Angleterre.

Depuis le 17 juin 1789, date de sa naissance politico-juridique, la Révolution suit un cheminement colonial confus et marqué de contradictions graves. Personne ne souhaite voir les lointaines possessions siéger dans les rangs de la Nation assemblée. Les colons eux-mêmes ont d'ailleurs montré au grand jour leurs divisions sur le problème de la nécessité ou de l'utilité de leur représentation dans le grand débat qui s'est instauré en métropole. L'adoption d'une Déclaration des droits de l'homme et du citoyen, accueillie dans une inquiétude silencieuse par les planteurs et les négociants, a tourné le dos à la vocation universelle que de nombreux législateurs lui avaient assignée. En effet, proclamant ses principes à l'intention du seul monde blanc, elle n'a aboli ni la traite ni l'esclavage des Noirs : le cri français de liberté et d'égalité s'accommode de coexister avec le commerce des hommes et la servitude, indifférent aux objurgations des philanthropes. En fait, les députés ne se passionnent que pour une chose : attaquer et détruire le prétendu despotisme monarchique, pour se saisir du pouvoir et l'exercer sans partage aucun, unissant toutes les compétences dans leurs mains, se gaussant, dans l'action, de l'irréelle et chimérique séparation des pouvoirs.

La légalisation de la traite, de l'esclavage et du préjugé de race

Colons contre négociants de France

Plus le temps passe, plus le tapage du colonel de Gouy d'Arsy agace les planteurs qui sont de passage en France. Ces hommes, attachés à leur terre insulaire, qui n'ont aucun goût pour le fracas parisien, se voient, se réunissent, échangent leurs impressions et en arrivent, à la fin du mois d'août 1789, à juger urgent de prendre les affaires coloniales en main. Ils créent la Société correspondante des colons, communément connue sous le nom de Club Massiac. Cette association, qui groupera plus de trois cent cinquante membres, tient ses assemblées à l'hôtel de Massiac, sis place des Victoires à Paris. Cette institution essentiellement domingoise, où les autres colonies se font modestes, unit derrière les planteurs, temporairement dans la métropole, les propriétaires qui résident en France de manière définitive, parmi lesquels on compte nombre de nobles et même de grands noms. Cette société démocratique, rehaussée de la présence d'aristocrates, conduite par des hommes de terrain, se fixe quelques objectifs clairs et concrets : contrôler les députés de la Grande Île, lutter contre les Amis des Noirs, obtenir le maintien du régime socio-économique colonial, la libéralisation du commerce, et enfin l'administration des colonies par les créoles.

L'idéologie pragmatique du Club a été résumée par l'un de ses membres, qui appartient aussi à la députation, le marquis de Cocherel, dans un factum de quelques pages, intitulé *Aperçu sur la constitution de Saint-Domingue*. L'île, connue « sous la fausse dénomination de colonie, n'en est pas une. C'est une contrée qui s'est toujours régie en Pays d'États par les lois qui lui sont propres. » En effet, explique le planteur, l'Antille n'a pas été conquise par le roi : ce sont les flibustiers et boucaniers qui en firent don à la France. « Mais si Saint-Domingue n'est pas une colonie française, elle est encore moins une Province Française. » Cette affirmation relève de l'évidence. « La France ne peut et ne doit être habitée que par un peuple libre ; son nom en porte l'expression et la nécessité ; son régime, ses mœurs, son climat, ses cultures, ses manufactures, sa constitution, en un mot annoncent et demandent un peuple libre. Saint-Domingue au contraire est habité par des peuples de diverses couleurs et de différentes origines. Les uns nés dans le sein de la liberté, Français, Espagnols, Anglais, Hollandais de naissance, habitent cette contrée éloignée ; les autres arrachés du climat brûlant de l'Afrique, par des négociants des ports de mer, et soustraits par eux au plus dur des esclavages, qui fait la base de la construction indestructible de ce peuple barbare, ont été transportés sur les rives fortunées de Saint-Domingue, habitée par une nation libre, hospitalière... » La Grande Île expose dans tous les domaines sa différence originelle avec la métropole. « Saint-Domingue ne peut conséquemment être considérée que comme une Province mixte, et la seule dénomination qui lui convienne est celle de Province Franco-Américaine. À ce titre, elle doit donc avoir une constitution mixte composée de la constitution de la France à qui elle appartient par droit de donation, et d'une constitution particulière et nécessaire à sa position, qui ne peut être réglée et déterminée que par les seuls habitants résidant à Saint-Domingue, qui offriront, à cet effet, par leurs députés à l'Assemblée nationale, le plan d'une nouvelle formation d'Assemblée en États Particuliers et Provinciaux. » Tout en ménageant ses collègues de l'Assemblée, Cocherel révèle la pensée du Club Massiac, des planteurs de la Grande Île qui, contrairement à Gouy d'Arsy et ses amis, dirigent sur place l'exploitation de leur terre. Il exprime l'esprit colon traditionnel, c'est-à-dire une volonté autonomiste créatrice d'un pouvoir créole qui s'exercerait sans gêne dans le cadre de l'empire français. Or, ce gouvernement patriotique exclut l'existence et le fonctionnement des structures sur lesquelles s'appuie la députation : le Comité colonial de France et les trois Comités provinciaux mis en place dans la colonie. Aussi, la Société, à peine formée, s'en prend-elle ostensiblement aux six élus. Le 22 août 1789, Nairac, député extraordinaire du commerce de La Rochelle, rapporte à ses mandants l'étrange spectacle auquel il a assisté. « Il y a eu ici avant-hier une assemblée générale de tous les Américains de Saint-Domingue qui sont à Paris : j'assistai à cette réunion ; je serais en peine de vous dire ce qui s'y est passé ; elle fut excessivement tumultueuse et je me retirai. Je vis en général qu'on était fâché d'avoir des députés à l'Assemblée nationale, qu'on regardait que les colonies exigeaient une constitution particulière, qui n'était point celle que pourrait se donner la France, mais je m'aperçus surtout qu'on en voulait aux députés et qu'il y avait un parti pour les destituer. » Les hommes du Club, forts de leurs prolongements dans le royaume et de leurs liens dans la colonie, vont agir avec plus de subtilité. Ils se rapprochent de La Luzerne, deviennent ses interlocuteurs, le convainquent d'écarter les propositions des députés et de retenir leurs plans. Ainsi, le 26 septembre, le Conseil d'État autorise-t-il la réunion d'une Assemblée générale de la colonie, qui possédera l'initiative de la législation locale.

En ces mois de septembre et d'octobre 1789, les colons de la Martinique de la Guadeloupe résidant à Paris, décident, après réflexion, de désigner leurs députés à l'Assemblée nationale, suivant en cela l'exemple domingois de Gouy d'Arsy. Cette fois encore Barère accueille les heureux élus, parmi lesquels la représentation nationale en a choisi quatre à titre définitif : Moreau de Saint-Méry et le comte Dillon, ancien gouverneur de Tabago, pour la Martinique, le sieur de Curt et le vicomte de Galbert, pour la Guadeloupe. Les planteurs des îles du Vent, qui s'étaient réunis à Paris à la demande de leurs Assemblées locales, après que celles-ci eurent été informées par La Luzerne que les colonies n'avaient pas le droit de députer aux États actuels, mais disposeraient de cette faculté « pour les convocations subséquentes », si lesdits États en exprimaient le vœu. Les assemblées parisiennes des électeurs des deux petites Antilles avaient hésité avant de transgresser la volonté ministérielle. Certains, comme Dubuc, collaborateur fidèle de Choiseul et ami des philosophes, avaient déconseillé à leurs compatriotes de s'engager dans la voie de l'illégalité. Dans son *Historique des troubles survenus à la Martinique*, le conseiller Pierre Dessalles n'a pas manqué de rappeler l'attitude de l'ancien premier commis des colonies et premier avocat des colons.

« M. Dubuc, qui avait été nommé président des électeurs, lut un mémoire qui tendait à prouver que l'intérêt de la Martinique exigeait que l'on s'abstînt de nommer des députés à l'Assemblée nationale. Les preuves qu'il alléguait portaient sur la nature des colonies en général et de la Martinique en particulier. » L'inventeur de l'Exclusif mitigé parle comme le Club Massiac, bien que ni lui ni aucun membre de sa famille ne s'y soient inscrits, et que Moreau de Saint-Méry fût le seul représentant des îles du Vent à y siéger. Enfin les députés des Mascareignes et de l'Inde se présentèrent à Paris dans les derniers mois de 1789 et parurent régulièrement à l'Assemblée nationale.

Après le 6 octobre, les élus du peuple quittent Versailles et reprennent leurs habitudes à Paris. La régénération poursuit son cours. Les parlements, qui pendant un demi-siècle avaient — au nom des droits de la nation — empêché la monarchie de gouverner dans la paix civile et de procéder aux réformes les plus indispensables sont suspendus, la révolution de Brabant inquiète, les protestants se voient ouvrir l'accès aux charges publiques, et devant l'accroissement continu de la dette on tente de colmater la brèche en gâchant ce bel investissement potentiel que représentait la liquidation des biens du clergé, et dans une France qui, jour après jour, adopte de nouveaux articles constitutionnels, les départements et les municipalités s'installent. Les colonies ne sont pas absentes de ce bouillonnement. Leurs députés souhaitent au plus vite discuter leur statut devant l'Assemblée, alors que les habitués de l'hôtel de Massiac désirent, au contraire, négocier l'autonomie des îles dans l'ombre secrète du ministère de la Marine. Les uns et les autres vont se heurter, dans une suite d'affrontements, aux députés ordinaires — peu nombreux — et extraordinaires du grand commerce. Les représentants des ports ne dissimulent pas leur inquiétude devant les ambitions proclamées ou secrètes des planteurs. Le 15 août, Nairac confie aux Rochelais : « Je suis déjà instruit que les députés des colonies admis dans l'Assemblée nationale ont de très grandes prétentions, et qu'elles ne tendent pas moins qu'à mettre toutes les administrations des colonies dans les mains des colons. [...] Je doute, Messieurs, que l'on puisse s'opposer avec succès aux vœux que les colons forment déjà pour réunir dans leurs mains l'administration intérieure et former dans les colonies des États provinciaux, comme il en sera formé dans toutes les provinces du royaume. Mais cette administration doit être soumise aux lois prohibitives, et il ne faut point qu'elle ait le pouvoir de s'en écarter, voilà je crois à quoi doivent tendre vos députés. Il serait dangereux de former des prétentions qu'on pourrait trouver trop rigoureuses et qui pour cela même desserviraient le commerce. Il faut pour les colonies comme pour nous de bonnes lois dont personne ne puisse s'écarter. N'imaginez pas que je puisse fléchir sur les lois prohibitives. Je regarde au contraire qu'elles seules peuvent faire le bonheur de l'Empire, et qu'il faut absolument que les principes à cet égard soient rappelés, et qu'on leur donne désormais une force et des appuis inébranlables, mais quand nous en serons là, peu importe que ce soit des colons qui soient chargés de l'exécution d'un régime auquel ils seront forcés de rester soumis. » Garder au négoce national le monopole des échanges de la métropole avec ses possessions, telle fut et demeure la stratégie des ports. Nairac, toujours aux aguets, tenant tout le monde à l'œil, rend compte, le 22 août, montrant les intrigues et précisant ses craintes. « J'ai eu l'honneur de vous prévenir des démarches que faisaient les habitants de Saint-Domingue, pour obtenir une assemblée coloniale, de l'opinion que j'avais à cet égard, et des mesures que j'avais cru devoir prendre. M. le comte de La Luzerne, qui dans un premier entretien m'avait paru peu disposé à seconder le vœu des habitants changea totalement dans un second et je vis clairement que le parti était pris. Il a passé en effet au Conseil que la colonie pourrait s'assembler provisoirement pour veiller par elle-même à sa sûreté intérieure. Jusques là, Messieurs, il n'y a point de mal, le commerce de France ne peut même attaquer raisonnable-ment un pareil motif, mais Dieu veuille que la colonie une fois assemblée ne prenne pas le parti de se former une constitution particulière et en opposition avec les intérêts de la métropole. Il serait plus difficile alors que jamais de la ramener aux principes. »

Les positions du commerce de France — qui souhaite la fermeture des ports d'entrepôt des colonies, et l'application rigoureuse de l'Exclusif —, et celles des îles — qui dénoncent l'incapacité des ports nationaux à les approvisionner, et qui réclament une libéralisation de leurs échanges avec les États-Unis — sont inconciliables et comman-dent la soumission de l'une des deux parties à l'autre. Or, survient en 1789 la crise frumentaire qui empêche la métropole de livrer les farines dont elles ont besoin à ses possessions. Celles-ci profitent de l'occasion, gémissent, tempêtent. À Saint-Domingue, le gouverneur général du Chilleau et l'intendant Barbé de Marbois autorisent, le 30 mars, l'introduction de farines étrangères dans les trois ports d'entrepôt, pendant trois mois. Mais le général, après une inspection dans la partie méridionale, rend, le 9 mai suivant, une ordonnance accordant pour cinq ans la liberté aux étrangers de commercer dans tous les ports du Sud : l'intendant refuse de contresigner cette décision et demande même à Versailles de la casser. Le gouverneur, de plus en plus irrité par le ton d'indépendance de son subordonné — Marbois n'entretient-il pas les meilleures relations avec les Castries et les La Luzerne — arrête seul, le 27 mai, que les colons pourront acheter les farines étrangères en denrées. Nouvelles protestations de l'intendant qui, contrairement à son chef, a une vision aveuglément réglementaire du gouvernement de la colonie, que la perception politique ne vient jamais éclairer ou adoucir. Les négociants exultent et font leur héros de cet administrateur intègre mais étriqué et tatillon, tandis qu'ils requièrent le rappel du marquis du Chilleau.

Celui-ci, excédé par les tracasseries de son second part pour la France sans attendre l'autorisation ou l'ordre du ministre. À Versailles puis à Paris, représentants du négoce et des planteurs font le siège de La Luzerne : finalement, la Cour désavoue le général, condamnant par là toute velléité d'autonomie commerciale dans les colonies et confirmant du dogme de l'Exclusif. Cette « crise des farines étrangères » conduit les délégués des ports à se défier davantage de la députation coloniale : n'a-t-elle pas tenté d'obtenir du ministre et même de l'Assemblée la libre introduction des farines pendant deux ans ? N'avait-on pas entendu le comte de Reynaud, les marquis de Gouy d'Arsy et de Cocherel soutenir que la mise en œuvre de la libre circulation des grains dans le royaume ne permettrait plus à la France de pourvoir aux besoins de ses possessions. Toujours au cours de ces séances des 29 août et 3 septembre, ces mêmes orateurs n'avaient-ils pas osé célébrer les mérites du gouverneur du Chilleau, et leurs prétentions n'avaient-elles pas provoqué la condamnation indignée du sieur Guinebaud, négociant de Nantes, et du sieur Huard, négociant de Saint-Malo ?

En même temps qu'il entre ouvertement en conflit avec les députés coloniaux, le Commerce se rapproche des animateurs de l'hôtel de Massiac. Cela correspond à ce moment particulier de la stratégie du Club qui s'emploie alors à susciter la création de sociétés alliées dans les places maritimes, afin d'harmoniser et de fortifier la défense des intérêts que les colonies et le négoce ont en commun. Tous les ports ne répondent pas avec un enthousiasme égal. Mais certains s'engagent aussitôt. Des armateurs-planteurs prennent la tête du mouvement : le puissant Gradis à Bordeaux, Fleuriau de Touchelongue à La Rochelle. Dans sa correspondance, Nairac ne manque pas de noter les distinctions qui s'opèrent, les alliances qui se nouent. Le 3 septembre, il observe : « Tous les Américains raisonnables blâment cette demande (l'introduction libre des farines étrangères à Saint-Domingue pendant deux ans) et les commissaires du comité (le Club Massiac) qu'ils ont formé à Paris, s'unirent à nous dimanche dernier pour en manifester leur mécontentement au ministre de la Marine. Mais vous saurez qu'il y a deux partis parmi les Américains, celui attaché aux députés qui sont à l'Assemblée nationale, le moins nombreux, heureusement, mais le plus dangereux par ses principes d'indépendance, la véhémence de ses opinions et l'appui qu'elles trouvent chez M. de Mirabeau. L'autre est le comité qui désire la réunion et la conciliation avec le commerce, c'est le plus considérable par le nombre et l'importance des propriétaires qui le composent. C'est lui qui vous adresse la lettre que je joins ici et dont le contenu mérite les égards et l'attention du commerce. Ils ont également écrit à tous les invités à assister à leur assemblée. Je souhaite que ce rapprochement puisse conduire à des termes de conciliation raisonnables. » Nairac voit bien les manœuvres qui s'engagent, mais il se trompe sur deux points : Mirabeau est l'ennemi de tous les coloniaux, sans distinction, et partant du négoce, dans une certaine mesure ; les amis de Gouy d'Arsy et les hommes du Club veulent atteindre le même objectif, et ne se divisent que sur la tactique à employer. Les Chambres de commerce le savent, cependant, comme les propriétaires de l'hôtel de Massiac, elles entrent dans le jeu, sous la contrainte de la conjoncture, qui, pour le public, porte le nom de Mirabeau.

Propriétaires résidant aux îles, et négociants ont compris dès l'ouverture des États, à la lecture des adresses de Condorcet et de Brissot, que l'Assemblée de la Nation serait plus sensible aux discours sur la liberté, qu'aux débats sur l'expansion économique. Nairac, représentant d'un groupe de pression, qui appartient à la minorité des acteurs les plus dynamiques du développement national, s'alarme en constatant que la souveraineté est tombée entre les mains d'improducteurs. Le 15 août, il confie aux Rochelais : « Car il ne faut point se dissimuler, Messieurs, que quoique la cause que les députés du Commerce sont appelés à défendre soit véritablement la cause de la Nation, cependant cette cause est si étrangère à la plupart des membres de l'Assemblée nationale, qu'il sera difficile de les convaincre de cette vérité et de les y attacher. » Le 8 septembre, l'inquiétude du mandataire du capitalisme progressiste perdure, au spectacle du désintérêt des nouveaux maîtres pour la vie économique. « Cette indifférence peut n'être que l'effet de très importantes occupations de l'Assemblée, cependant, ce qui serait plus fâcheux encore, elle peut venir de son ignorance ou de sa prévention contre le commerce et surtout celui des colonies. Les sacrifices immenses qu'il a fallu faire dans les guerres dont elles ont été l'occasion, font envisager les colonies plutôt comme une charge pour l'État que comme un bénéfice, et les calculs qui se font à cet égard sont très effrayants. Cependant il faut considérer que si les colonies ont élevé le fardeau des charges publiques, elles aident si puissamment à le supporter que sans elles nous n'y suffirions pas. L'embarras n'est pas de le prouver mais bien de trouver des esprits disposés à saisir les preuves. »

Le négoce sauve la traite négrière

Face à la masse gouvernante des improducteurs, les planteurs et négociants — producteurs avérés — se sont coalisés, car les appels abolitionnistes de Brissot et de Condorcet, et les leçons libérales des physiocrates, ont trouvé en Mirabeau la voix qui clame contre la traite, l'esclavage et l'Exclusif. Le 29 août, Nairac, toujours attentif, informe ses commettants des premiers éclats de l'aventurier aixois. « M. de Mirabeau a mis dans son journal n° 30, un article pour la liberté des Noirs, qui peut faire beaucoup de mal. Tous les intéressés des colonies en ont conçu de justes alarmes. Les Américains sont désespérés, le désespoir nous les ramène, ils ont pris à ce qu'on m'a dit la délibération de nous inviter à leurs assemblées et à faire cause commune avec eux. Cette délibération ne nous a point encore été signifiée ; s'il est possible qu'elle nous réunisse sur tous les points, ce serait un très grand bonheur. Nous ne croyons pas qu'il convienne de combattre dans ce moment les opinions sur la liberté des Noirs, il faut les laisser s'affaiblir d'elles-mêmes ; une résistance trop prompte ne ferait que les irriter. Je suis toujours persuadé que ces opinions là ne feront que du bruit et finiront comme en Angleterre. » Le 24 novembre, Nairac, surpris de l'offensive continuellement répétée des Amis des Noirs, ne conseille plus d'opposer le silence aux assauts de Mirabeau. « Vous avez reçu, Messieurs, une lettre de notre comité pour vous informer de la motion que M. le comte le Mirabeau se propose de faire contre la traite des Noirs, et vous engager à faire mouvoir votre commune auprès des députés du bailliage pour s'opposer au succès de cette motion. L'importance de l'objet vous est trop connue pour que j'aie besoin de peser sur les soins que vous avez à prendre. M. de Mirabeau est très redoutable par ses talents, son parti dans l'Assemblée et celui des Amis des Noirs. Cependant je me flatte que les idées saines et raisonnables prévaudront sur des principes philosophiques dont l'application opérerait la ruine du Royaume. »

Les ports, qui ont sauvé leur monopole commercial sur les colonies à l'occasion des débats sur l'introduction des farines étrangères, redoutent que la discussion de la traite et de l'esclavage ne ruine leur succès et ne remette en cause le commerce sous toutes ses formes. Il faut donc, à tout prix, « laisser dormir » ces sujets dangereux, jugent les Bordelais, approuvés par leurs amis de toutes les places maritimes. Mais les Amis des Noirs paraissent déterminés à bouleverser ce plan. Ils ont à leurs côtés le fougueux Clarkson qui excite la détermination de La Fayette, de La Rochefoucauld, et surtout de l'abbé Grégoire, de Brissot et de Mirabeau. Comme l'a rappelé M. Chatillon, c'est à cette occasion que le Britannique distribue de nombreuses brochures sans compter un millier de plans et coupes du navire négrier *Brooks*. Cette gravure soulève une vague d'émotion profonde et sincère. Clarkson lui-même rapporte dans son *Histoire de l'abolition du commerce négrier* la réaction de ses hôtes, parmi lesquels le tribun aixois. « Quand Mirabeau la vit, il en fut tellement impressionné qu'il demanda à un ouvrier de lui en faire un modèle réduit en bois, dépense considérable. Il conservait ce modèle dans sa salle à manger. C'était un bateau long d'environ un yard. On y voyait, à leurs places respectives, de petits personnages, hommes et femmes, peints en noir, figurant les esclaves. » Au cœur de ce moment d'humanité blessée et d'horreur, à la mi-décembre 1789, Nairac affiche un optimisme inattendu : les projets philanthropiques de Mirabeau tourmentent moins que par le passé ! « M. le comte de Mirabeau n'a point encore fait sa motion. Il ne renonce cependant pas à la faire, mais je crois qu'elle sera très mitigée, c'est-à-dire qu'elle présentera les choses de manière à ne point porter l'attention sur la traite des Noirs, mais plutôt sur le régime auquel ils sont soumis dans les colonies. C'est du moins l'opinion que quelques personnes m'ont donnée, et il est vraisemblable que M. de Mirabeau, instruit des mouvements que cette motion a causé sur les places de commerce, a senti le danger et changera l'objet. Je suis certain qu'il a promis à un négociant, membre de l'Assemblée, de ne point la faire sans la lui communiquer. » Comment expliquer la volte-face du Provençal ? Connaissant l'homme, on n'imagine qu'une explication : la séduction convaincante de louis d'or, versés par l'alliance des planteurs et des ports. Au Havre, on observe le comportement de Mirabeau avec une perplexité attentive. Au cours de ce mois de décembre 1789, la municipalité envoie une adresse à l'Assemblée, où elle ne craint pas de dire : « Nous nous flattons toujours que M. de Mirabeau fera de sérieuses réflexions, et qu'enfin l'on s'apercevra que les promoteurs ne peuvent être que vendus et soudoyés au Cabinet de Londres, s'ils ne sont égarés par leurs propres lumières. » Mais le 11, sous la plume du député Begouën, le propos se nuance même s'il reste méfiant. « On assure que M. de Mirabeau persiste toujours à vouloir faire cette motion, mais je vous avoue que j'ai trop de confiance dans la sagesse et les lumières de l'Assemblée pour croire qu'elle puisse être accueillie, quelque éloquence qu'il y emploie et quelque adresse qu'il y mette. On me disait hier que pour tâcher de faire passer sa motion il ne proposerait de supprimer la traite que dans 2 ou 3 ans, ou de l'anéantir graduellement : mais il faudra toujours en venir au fond. La suppression de la traite en France tandis qu'elle serait continuée par les Anglais et autres nations ferait tomber tout le commerce, et ensuite la possession de nos colonies dans leurs mains. » Une semaine plus tard, le 18, Begouën laisse pointer son espoir, mais sans désarmer sa prudence normande : « On ne peut compter sur la marche de M. de Mirabeau, quand même on tiendrait son projet de sa propre bouche, y ayant quelquefois fort loin de ce qu'il fait à ce qu'il dit. Ainsi je ne puis, Messieurs, prévoir s'il fera ou ne fera pas sa fameuse motion sur l'abolition de la traite des Noirs. »

Ce mois de décembre parlementaire est houleux : le colonel de Gouy d'Arsy est entré en guerre contre le lieutenant général de La Luzerne, et surtout, les provinces maritimes, affolées par les bruits de suppression du trafic négrier et par la rumeur, vite démentie d'un soulèvement servile à la Martinique, inondent l'Assemblée nationale d'adresses angoissées, imitées en cela par les colons qui résident à Paris et à Bordeaux. L'affaire des colonies, combinant les matières les plus diverses mais toujours très sensibles, dévide son écheveau emmêlé dans la dispute et la confusion. On ne peut jamais assurer ce que sera le lendemain : l'imprévu appartient au prévisible. La lutte d'influence, qui roule d'intrigues en incertitudes, se traîne vers une issue incertaine. Stupéfaction, le 1er mars 1790, quand Mirabeau, qui s'est éloigné de la Société de 89 où figurent ses amis Alexandre de Cazaux et Brissot, pour revenir aux Jacobins, y prononce une diatribe violente et célèbre contre la traite. Ce discours, dont l'essentiel se trouve dans les *Mémoires de Mirabeau* publiés par Lucas de Montigny, arrache nombre d'adhésions par la puissance de son souffle et l'originalité frappante de ses métaphores. La voix s'enfle, dénonce, interroge, soutenue par le geste. « Vous l'avez vu, nos adversaires soutiennent que la traite des nègres n'est pas inhumaine. Voyez le modèle d'un navire chargé de ces infortunés et tâchez de ne pas détourner vos regards. Comme ils sont entassés les uns sur les autres ! Comme ils sont étouffés par les entreponts, ne pouvant se tenir debout, ni même assis, ils courbent la tête. Bien plus, ils ne peuvent ni mouvoir leurs membres étroitement garottés, ni leurs corps mêmes, car soumis à tous leurs besoins, à tous les maux de celui dont ils partagent les fers, chaque homme est attaché à un homme, parfois à un mourant, quelquefois à un cadavre. Voyez comment le vaisseau qui se roule, les meurtrit, les mutile, les brise les uns contre les autres, les déchire par leurs propres chaînes. Se couchent-ils ? tout l'espace est rempli et l'insensée cupidité qui les voudrait secourir, n'a même pas prévu qu'il ne restait plus de passage et qu'il faudrait fouler aux pieds ces corps de suppliciés vivants. Ont-ils du moins une somme suffisante d'air respirable ? Calculons ensemble : un espace d'un peu moins de six pieds de longueur sur un peu plus d'un pied de largeur ; aussi cet air vicié en peu de temps, à peine, renouvelé se change bientôt en poison. Ces infortunés, je les vois, je les entends, altérés de respiration : leur langue brûlante et pendante peint leur douleur et ne peut plus l'exprimer (...) Suivons ce navire ou plutôt cette longue bière flottante, traversant les mers qui séparent les deux Mondes. L'infortuné qui voit périr son compagnon, se prive en vain du mouvement, seule manière dont il puisse le secourir. On oublie souvent pendant plus d'un jour qu'il n'est plus attaché qu'à un cadavre. L'horrible cachot mouvant se dépeuple de plus en plus, nègres et matelots moissonnés ; les maux les plus affreux naissant les uns des autres trompent par leur ravage l'avarice même qui les a enfantés, l'avarice qui trouve l'or pour acheter des hommes et qui n'en a pas eu pour acheter l'air. *Et ce commerce n'est pas inhumain...* » L'image du négrier, « longue bière flottante », frappera les esprits : Robespierre l'utilisera le 24 avril 1793, dans son discours sur le droit de propriété, mais amputée et ternie ; Mathiez, dans sa passion, en attribuera la paternité à l'Incorruptible.

Le fracas de cette philippique n'émeut pas Nairac outre mesure. Le lendemain, le 2 mars 1790, il fait part aux Rochelais de ses calmes réflexions : « Hier au soir, au club de la révolution, autrement dit des

Jacobins, dont vous connaissez sans doute l'institution, M. le comte de Mirabeau commença la lecture de son discours sur la traite et l'esclavage des Noirs. Elle dura 3 1/2 heures, et il n'était encore qu'aux 2/3 ; l'heure le força d'en remettre le reste à aujourd'hui. Ce discours est rempli de morceaux de la plus grande éloquence, il y a des images fortes et faites pour produire le plus grand effet, la partie de la morale est supérieurement traitée. Les commerçants, les traiteurs, leurs moyens sont traités avec le plus grand mépris, nos vaisseaux négriers sont appelés de longues bières ; cependant je crois fermement que M. de Mirabeau ne produira d'autre effet que celui qu'obtient communément un discours bien fait, c'est-à-dire de vains applaudissements, et qu'un décret favorable sera le résultat de la discussion. Mais elle sera longue et violente, plus de trente orateurs sont peut-être inscrits. » À la suite d'une habile manœuvre parlementaire et d'un artifice de procédure, l'Assemblée vote un texte sans avoir à opiner sur la traite. Le 8 mars, Begouën commente cette séance en trompe-l'œil d'une encre épanouie. « M. de Mirabeau est furieux. Bien des gens regardent son échec comme le signal de la chute de son crédit dans l'Assemblée. On assure qu'il y avait cent mille écus chez un notaire, et que cette somme, si le décret eût été rendu en sens contraire, devait être délivrée... à qui ? Je ne me permettrais pas de le dire, quoique ici on en parle tout haut. » Sur cette étrange parodie parlementaire, Nairac ne s'étend guère, allant à l'essentiel. Dans sa lettre du 8 mars, jour du vote de ce décret forcé, il se contente de rapporter : « Cinq personnes seules dans l'Assemblée n'ont pas donné leur suffrage au décret, M. le comte de Mirabeau, M. Pétion de Villeneuve, M. de Castellane, M. Mathieu de Montmorency et l'abbé Sieyès. Les deux premiers sont montés à la tribune pour attaquer le décret, l'Assemblée a décrété qu'il n'y avait point lieu à discussion ; ces orateurs ont été honteusement renvoyés de la tribune, et la Société des Amis des Noirs, tous sectaires et sectateurs, sont éconduits pour jamais. » Dans son *Journal*, Duquesnoy va plus loin, s'attachant à décrire la réaction du député aixois devant le déchaînement de cris qui l'empêche de parler et peut-être de répéter devant ses collègues le discours qui avait galvanisé les jacobins. « Je ne pourrais rendre la fureur qui animait M. de Mirabeau ; elle était peinte sur toute sa figure, et je l'ai entendu dire à ceux qui l'entouraient : Lâches coquins que vous êtes ! Cependant dans tous les coins de la salle, on entendit : Il veut tout perdre. »

La colère de Mirabeau est-elle sincère ou feinte ? La séance du 8 mars recèle-t-elle un coup de force ou une duperie dans laquelle plusieurs complices auraient trempé ? On ne sait que répondre. La très grande majorité de l'Assemblée ne glorifie-t-elle pas les principes de liberté, au désespoir des représentants des colonies, du commerce et des manufactures ? Mais, paradoxalement, ne faudra-t-il pas attendre le 19 septembre 1793 pour que la Convention supprime les primes à la traite négrière ? Paradoxalement encore, jamais la Révolution, fille des droits de l'homme, n'abolira solennellement le commerce de la chair humaine, dénoncé, pourtant, avec une violence indignée ! Ce contexte, combien déroutant, ne doit pas interdire de chercher quelque lumière. Dans ses *Mémoires sur la Révolution française,* Condorcet relate une curieuse anecdote qui a pour théâtre un dîner parisien : « M. de Casaux dit à Mirabeau que son discours sur l'esclavage des nègres était plein de belles choses, mais aussi plein d'assertions fausses. Mirabeau en colère dit qu'il mettrait dans la boue celui qui oserait attaquer la vérité de ses allégations. M. de Casaux se leva en pied et dit très haut avec un calme très dédaigneux : " Vous, Mirabeau, mettre quelqu'un dans la boue ! " Puis il se rassit et il n'en fut plus question. » Vraisemblablement, cet incident cache quelque chose — la vérité sur la conduite du Provençal ? — sinon l'éminent mathématicien n'aurait pas pris la peine de le noter. Au tour de Brissot, maintenant, de créer un mystère suspicieux. Que dit le futur chef girondin à Condorcet dans une lettre d'avril 1790, publiée récemment par M. Châtillon ? « Sont-ils excusables ces membres de l'Assemblée nationale qui ont déserté au moment même où l'orage arrivait sur nos têtes ? En est-il un qui ait osé affronter la tempête ou venger la Société ? On se contente de faire des vœux en secret, de gémir lorsqu'il fallait tonner et puis l'on reviendra avec empressement lorsque l'opinion publique sera réformée, lorsque le corps législatif sera forcé d'être philosophe. J'aimerai un jour écrire l'histoire de cette Société : je livrerai les noms de ces apostats, car il ne faut pas que le siècle suivant soit dupe de faux patriotes. » Comment ne pas soupçonner que cette correspondance vise Mirabeau qui, selon le Suisse Dumont, « traitait Brissot de jockey littéraire, n'en parlait qu'avec pitié ». Alors que les philosophes de l'Assemblée — pourtant improducteurs, pourtant fort souvent gens de loi — esquivent le débat sur la traite, reniant les Lumières ou leur rendant leur éclat véritable, abjurant la vocation universelle de la Déclaration des droits de l'homme et de la Révolution elle-même, les gens de couleur, libres en quarantaine, persévèrent dans leur combat pour l'égalité des conditions.

Les sang-mêlé devant la Constituante

Julien Raimond, que les troubles et l'émigration privent de la protection du comte de Jarnac, décide de se tourner vers le Club Massiac, vers ce groupe de colons, qui pour la plupart résident à Saint-Domingue, vers ces hommes du juste milieu. « Mais d'ordinaire cette position moyenne cache des intentions bien arrêtées et radicales », observe finement G. Debien. Bref, le 26 août 1789, à peine une semaine après la constitution de la société des planteurs, le mulâtre se présente à l'hôtel de la place des Victoires. Il expose les revendications, volontairement limitées, de sa classe. On lui dit d'envoyer un mémoire explicatif. C'est chose faite le 28. En guise de réponse, les propriétaires blancs, qui suspectent un dangereux factieux dans leur interlocuteur, se hâtent de demander à leurs compatriotes, aux chambres de commerce et même au ministre — lequel ne cède pas — d'empêcher tous les mulâtres, domestiques ou libres, de quitter la France pour la Grande Île.

Le 7 septembre, un deuxième homme de couleur, Vincent Ogé, originaire du Nord de Saint-Domingue et non du Sud, comme son prédécesseur fait visite au Club Massiac, où il dépose une motion que le plus autonomiste des colons blancs n'eût pas désavouée. Dès la première ligne, il se campe. « Propriétaire de biens à Saint-Domingue, dépendance du Cap, je viens supplier l'Assemblée de m'admettre à ses délibérations ; je n'ai d'autre but que de concourir avec elle à la conservation de nos propriétés, et de parer au désastre qui nous menace. » S'étant ainsi présenté, manifestant la volonté claire et ferme de s'assimiler au groupe des Blancs, le mulâtre s'abandonne à un acte de foi nourri à l'idéologie des planteurs qui le reçoivent. « Ce serait un grand bonheur pour les îles et pour la France elle-même que cette assemblée eût commencé plus tôt. La distinction de la plupart des membres qui la composent, la réunion de leurs lumières et de leur crédit, et surtout l'importance et la justice de leurs réclamations auraient éclairé le Gouvernement, ou du moins balancé les efforts du Pouvoir arbitraire ; cette Assemblée aurait été consultée pour le choix des généraux et des intendants, pour la rédaction des ordonnances rendues en divers temps, surtout en fait de commerce ; dès lors les procès auraient été plus rares, les injustices moins nombreuses ; les vexations auraient été évitées ou punies ; et la colonie serait parvenue au plus haut degré de gloire auquel elle puisse prétendre. » Et l'émissaire des sang-mêlé de réclamer « un règlement de police pour les Nègres qui sont en France », la protection des débiteurs coloniaux, le choix des généraux et intendants sur une liste établie par le Club et composée seulement de propriétaires résidant à l'Antille. Rien ne comble Ogé, dont le patriotisme américain, célébré trente ans plus tôt par le conseiller Petit, exige la faculté pour les insulaires de révoquer leurs administrateurs, stigmatise le despotisme ministériel et enfin prophétise les lendemains rêvés. « Mais les temps sont arrivés, le chaos va bientôt disparaître, nous voilà tous égaux, nous aurons la liberté d'aller vendre nos denrées où il nous plaira, et de recevoir dans nos ports celles que nous voudrons y faire apporter, soit de France, soit de chez les Anglo-Américains. » Le mulâtre tient le discours de l'hôtel de Massiac : il aspire à un pouvoir créole et à la liberté du commerce. Estime-t-il que cela soit suffisant pour être accueilli dans la famille des Blancs ? Non. Aussi brandit-il son dernier argument comme le drapeau rouge des jours de troubles et de rétablissement de l'ordre. « Si l'on ne prend les mesures les plus promptes, les plus efficaces ; si la fermeté, le courage, la constance ne nous animent tous ; si nous ne réunissons pas vite en faisceau toutes nos lumières, tous nos moyens, tous nos efforts ; si nous sommeillons un instant sur le bord de l'abîme, frémissons de notre réveil ! Voilà le sang qui coule, voilà nos terres envahies, les objets de notre industrie ravagés, nos foyers incendiés, voilà nos voisins, nos amis, nos femmes, nos enfants égorgés et mutilés, voilà l'esclave qui lève l'étendard de la révolte, les îles ne sont plus qu'un vaste et funèbre embrasement ; le commerce est anéanti, la France reçoit une plaie mortelle, et une multitude d'honnêtes citoyens sont appauvris, ruinés ; nous perdons tout. » Une coalition de tous les propriétaires, de tous les privilégiés du système colonial, voilà ce que propose le sang-mêlé aux Blancs pour prévenir un soulèvement des esclaves, pour réprimer les désordres africains générateurs des désastres irréparables. Les colons restent sourds à cet appel marqué de racisme pour ne pas contrevenir au préjugé de couleur qui commande l'organisation d'une société hiérarchisée en castes étanches où la tache de Guinée tient la liberté en échec, au prix même de la paix civile.

Les démarches des deux chefs des gens de couleur inquiètent les planteurs, qui veulent y lire la menace d'une insurrection, plutôt que la quête d'une conciliation. Aussi les mulâtres, à qui le comte de Jarnac manque, cherchent-ils un intermédiaire pour approcher l'hôtel de Massiac : Brissot leur conseille Dejoly, avocat au Conseil. Les Blancs, désormais convaincus que Raimond et les siens obéissent aux consignes des Amis des Noirs, se raidissent et se ferment. Le 9 septembre, Dejoly se présente au Club : il expose les plaintes de ses protégés ; on l'écoute avec courtoisie, dans un silence souriant. Alors, les sang-mêlé, intelligemment guidés par leur mentor, rationalisent leur action. Déjà constitués en Assemblée des citoyens de couleur des îles et colonies françaises, depuis le 29 août, ils prennent le nom de *Société des colons américains*, le 12 septembre. Dix jours plus tard, ils mettent la dernière main à un *Cahier contenant les plaintes, doléances et réclamations des citoyens libres et propriétaires de couleur des îles et colonies françaises*. Ce document de 27 articles rappelle que « la classe d'hommes libres comprend non seulement tous les Blancs, mais encore tous les créoles de couleur, soit nègres libres, mulâtres, quarterons et autres ». Ensuite, et semble-t-il pour la première fois, la charte philosophique de la régénération est invoquée à l'appui d'une requête où les métis exigent de « jouir des mêmes droits, rangs, prérogatives, franchises et privilèges que les autres colons ». En effet, au nom du principe d'égalité, « les créoles de couleur demandent que la Déclaration des droits de l'homme, arrêtée par l'Assemblée nationale, leur soit commune avec les Blancs ; en conséquence, que les articles LVII et LVIII de l'édit de mars 1685, soient renouvelés et exécutés suivant leur forme et teneur ». Comment ne pas remarquer que Raimond et Ogé en appellent à la nouvelle table des valeurs pour solliciter la mise en vigueur de dispositions du Code Noir, vieille loi signée par Louis XIV et Colbert! Ainsi préparés, les sang-mêlé et Dejoly se présentent devant l'Assemblée nationale, le 22 octobre. Ils déposent sur son bureau leur Cahier de doléances et une adresse, datée du 18. Dans cette pièce, ils demandent à la Constituante « une représentation nécessaire, pour être en état d'y faire valoir leurs droits et surtout d'y défendre leurs intérêts contre les prétentions tyranniques des Blancs. Ils ne quémandent aucune faveur, disent-ils aux députés. « Ils réclament les droits de l'homme et du citoyen, ces droits imprescriptibles, fondés sur la Nature et le contrat social, ces droits que vous avez si solennellement reconnus et si authentiquement consacrés, lorsque vous avez établi pour base de la constitution, " que tous les hommes naissent et demeurent libres et égaux en droits ". » Fréteau, ancien conseiller au parlement de Paris, qui présidait la séance, se dégage de ce contentieux au plus vite. « Aucun citoyen ne réclamera jamais en vain son droit auprès de l'Assemblée. Ceux que l'intervalle des mers ou les préjugés relatifs à la différence d'origine semblent placer plus loin de ses regards, en seront rapprochés par ces sentiments d'humanité qui caractérisent toutes ses délibérations. »

Pendant que les sang-mêlé, de plus en plus proches des Amis des Noirs, se comportent en groupe reconnu, respectable et honorable, le Club Massiac, au mois de novembre organise une diversion qui, avec la complicité de la presse atteindra l'Assemblée. Il s'agit des « Réclamations des Nègres libres américains », qui paraissent dans le *Moniteur* avant d'être portées à la Constituante par leurs auteurs que les colons encouragent. Ce texte est abrupt, et cherche à mettre les mulâtres dans l'embarras. « Le Nègre est issu d'un sang pur; le mulâtre, au contraire, est issu d'un sang mélangé; c'est un composé du noir et du blanc, c'est une espèce abâtardie. D'après cette vérité, il est aussi évident que le Nègre est au-dessus du mulâtre, que l'or pur est au-dessus de l'or mélangé. D'après ce principe, le Nègre libre dans l'ordre social doit être classé avant le mulâtre ou homme de couleur; donc les Nègres libres doivent au moins espérer, comme les Gens de couleur, une représentation à l'Assemblée Nationale, si ces derniers obtiennent cette faveur qu'ils viennent de solliciter; les Nègres libres se reposent à cet effet sur la haute sagesse des députés de Saint-Domingue, leurs patrons et leurs protecteurs naturels, qui ne souffriraient point une exclusion injurieuse à la pureté de leur origine; ils ne doutent pas que les députés de Saint-Domingue ne dévoilent, avec toute l'énergie dont ils sont capables l'ingratitude des Gens de couleur qui semblent dédaigner les auteurs de leurs êtres, qui les ont oubliés volontairement dans la demande qu'ils viennent d'adresser au Tribunal de la Nation, en lui faisant une offre patriotique de six millions, sans daigner les y comprendre. Mais les

Nègres libres, colons américains, plus généreux que leurs enfants, se proposent de venir incessamment offrir eux-mêmes à l'Assemblée nationale un don patriotique de douze millions ; ils ont lieu de croire qu'il sera reçu avec le même enthousiasme et qu'il leur méritera les mêmes bontés : étant en beaucoup plus grand nombre que les Gens de couleur, non moins fondés en droits et en pouvoirs, ils ne seront pas plus embarrassés qu'eux à réaliser ce faible don patriotique. » Cette adresse ment quand elle affirme que les Nègres libres sont plus nombreux que les sang-mêlé — au contraire on n'en compte guère — et elle avilit aux yeux de l'opinion incertaine, la classe de ces métis, rejetés de tous, bâtards sans famille ni race. Ensuite, cette prière et la démarche qui la suivra auprès des députés, dans les derniers jours de novembre, ridiculisent les mulâtres dans la mesure où les Nègres libres proposent, comme à la comédie, un don deux fois supérieur au leur, enfin elles soulignent la division du monde coloré, l'antagonisme des deux parties qui le compose, et par là peuvent inciter la représentation nationale à ne pas s'engager dans un processus aux complications vraisemblables et dangereuses.

Colons et gens de couleur fourbissent leurs armes, chacun de son côté. Le Comité de Vérification de la Constituante, sensible à la plainte des sang-mêlé, s'apprête à déposer un rapport qui donnera satisfaction à leur demande d'être représentés par deux députés, le 27 novembre 1789. À ce moment M. de Curt, député de la Martinique propose de créer un Comité des Colonies, qui préparerait le travail législatif. Aussitôt les mulâtres demandent à en faire partie, tandis que le Club Massiac, devinant le danger, réclame le renvoi du débat à une date ultérieure : il revient devant l'Assemblée le 3 décembre. Aussitôt, l'abbé Grégoire soutient que l'on accorde une représentation aux gens de couleur. Le *Point du Jour* de Barrère commente pudiquement : « mais comme ce n'était point relatif à la question agitée, on a réclamé l'ordre du jour. » On entame alors la discussion sur la constitution de ce Comité, dont ne veulent ni les députés coloniaux ni les associés de l'hôtel de Massiac, et à propos duquel, Grégoire, avant d'être réduit au silence, avait crié : « Qui défendra dans ce Comité, contre les passions des uns et des autres, une race malheureuse qu'ils veulent continuer d'opprimer, les sang-mêlé et les esclaves ? » C'est un autre ecclésiastique, l'abbé Maury, orateur traditionaliste d'envergure qui va crever l'abcès et débarrasser ses amis de cette dangereuse menace. Il monte à la tribune et s'adresse à ses collègues. « Vous voudrez sans doute établir une constitution uniforme pour toutes les colonies ; mais vous n'avez ici que les députés de Saint-Domingue, de la Martinique et de la Guadeloupe. Tabago, Sainte-Lucie et vos autres îles n'ont point de représentants. Vos établissements de l'île Bourbon et de l'île de France savent à peine que vous formez une constitution. [...] Pour donner à ces îles des lois constitutionnelles, il faut considérer leur état de détresse, leur

force, leur produit, leurs cultures, leurs impôts et leur commerce :
depuis cent ans, le gouvernement hésite à leur donner des lois
invariables ; vous devez tout créer dans ces climats ; des hommes y
sont privés de leur liberté ; la terre même y est frappée d'esclavage : la
volonté des ministres y supplée souvent les lois. Nous devons réparer
leurs erreurs au lieu d'y en ajouter de nouvelles. Attendons le vœu
réfléchi de ces colonies, dont il faut assurer le bonheur par des lois
rédigées avec maturité. Je m'oppose à l'établissement actuel d'un
comité colonial. » Une immense majorité suit les conclusions de
l'abbé : la proposition de M. de Curt est rejetée, et avec elle les
prétentions des sang-mêlé à disposer d'une représentation propre.

Le curé d'Emberménil, malgré son échec du 3 décembre, n'abandonne pas la partie. Dans les derniers jours de cet ultime mois de
1789, il revient à l'assaut en publiant un *Mémoire en faveur des gens de
couleur,* qui est adressé à l'Assemblée nationale. Le député de
Lorraine propose aux Constituants d'adopter un décret qui vise à
établir un régime d'égalité en faveur de ses protégés. Parmi les
dispositions de ce projet, deux frappent et retiennent l'attention. La
première dit : « Les gens de couleur de Saint-Domingue et des autres
colonies françaises, y compris les nègres libres, sont déclarés citoyens
dans toute l'étendue du terme, et en tout assimilés aux Blancs ; en
conséquence, ils peuvent exercer tous les arts et métiers, émigrer des
îles, fréquenter les écoles publiques, et aspirer à tous les emplois,
ecclésiastiques, civils et militaires. » Quant à la deuxième prescription, elle spécifie : « Les gens de couleur réunis à Paris choisiront
cinq députés, qui, après vérification de leurs pouvoirs, auront, ainsi
que les autres députés coloniaux, séance provisoire à l'Assemblée
nationale, jusqu'à ce que l'on ait procédé dans les îles à de nouvelles
élections par des Assemblées régulières de tous les citoyens libres,
conformément aux règlements que l'Assemblée nationale fera sur cet
objet. » Moreau de Saint-Méry répond à la brochure de l'abbé
janséniste dans un opuscule, les *Observations d'un habitant des
colonies,* mais ne convainc guère. En effet, le comité de vérification de
l'Assemblée, retient la conclusion de Grégoire, se contentant de
rabattre de cinq à deux le nombre des représentants des mulâtres. Les
vociférations fusent sur les bancs des coloniaux. Étouffé par ces
clameurs, le rapporteur Grellet de Beauregard ne peut faire entendre
à la Constituante la décision qu'a prise le Comité de vérification.
Après deux tentatives, il capitule : Raimond et ses amis essuient un
nouvel échec. Le bilan est lourd et désespérant. La demande de
députation, que les gens de couleur ont portée aux chefs de Saint-
Domingue, en mars 1789, a été transmise au ministre de la Marine.
Les requêtes au ministre ont été acheminées à l'Assemblée, et celle-ci,
par deux fois, en décembre 1789, puis en janvier 1790, a cédé sa
parole au vacarme. À ce point de déconvenues, que faire ?

Dejoly et la Société des colons américains décident de se tourner vers la commune de Paris, où siège Brissot, le remuant fondateur des Amis des Noirs. Le 11 février 1790, à 11 heures, l'avocat et les sang-mêlé s'avancent devant les élus de la capitale. La délégation prend la parole. « C'est au nom des Citoyens de Couleur, que nous avons l'honneur de nous présenter devant vous, c'est-à-dire au nom de plus de soixante mille personnes, Nègres-Libres ou issus d'un sang-mêlé ; c'est à leur nom que nous venons réclamer votre protection et votre appui. Déchus par le plus barbare et le plus tyrannique des préjugés, des droits et des prérogatives de Citoyens ; livrés à la honte, au mépris ; exclus de toutes les places, de toutes les dignités ; repoussés du milieu des Assemblées primaires, les Citoyens de Couleur sont considérés comme un peuple proscrit, au milieu du peuple qui les domine. [...] Il est temps de sortir d'un état aussi pénible ; il faut que la justice reprenne enfin tout son empire : c'est par vous, Messieurs, par votre médiation, par celle de vos Représentants à l'Assemblée Nationale, que nous espérons y parvenir. Nous n'ignorons pas tout ce que l'Assemblée Nationale peut attendre de vous, tout ce qu'elle doit exiger de vous. Nous respectons vos moments, et nous serions désespérés de compromettre votre caractère : mais les Citoyens de Couleur sont vos frères ; comme vous, Messieurs, ils sont libres, Propriétaires et Contribuables ; cependant ils sont malheureux, persécutés ; et à ces titres, ils ont toutes sortes de droits à votre intercession. » Brissot répond. Ne mesurant pas la portée de ses propos, il associe la reconnaissance des droits politiques des mulâtres à l'abolition de la traite. Or, si des colons, si les négociants ont des opinions divergentes sur le principe de l'égalité civique des sang-mêlé, tous se refusent à accepter la suppression du trafic négrier. Parmi les orateurs qui suivent, l'un d'eux, Maissemy, membre du Club Massiac, accable la délégation et ses partisans. Il s'en prend aux Amis des Noirs, ces « novateurs incendiaires, peut-être vendus à l'Angleterre ». Il dénonce l'incompétence de la Commune de Paris dans l'affaire qui lui est soumise. Bref, après trois heures de bavardages perfides ou lyriques, l'assemblée parisienne estime avoir accompli son devoir. Dejoly, Raimond et Ogé s'en repartent les mains vides. Passé cette nouvelle déception, l'amertume aigrit les réflexions et tourmente les esprits. Dans *Les Révolutions de Paris*, le journaliste Loustalot, évoquant l'entrevue de l'hôtel de ville, verse au contraire dans la raillerie : « Le Brissot ne cessera pas de remuer, de motionner, d'intriguailler, qu'il n'ait vu cinq ou six enfants du Congo assis dans une Assemblée nationale de France. »

Triomphe du négoce : le décret des dupes

Dans ce moment de désillusion et de flottement, les événements se chevauchent, s'emmêlent et électrisent l'air. L'abolition de la traite occupe les conversations, excite les passions. C'est dans ces jours que colons et négociants s'inquiètent de chaque geste de Mirabeau, cet ennemi du progrès économique. C'est alors qu'une députation venue de Bordeaux, « l'armée patriotique bordelaise », envahit Paris, protestant auprès des autorités pour que le système colonial soit maintenu dans sa totalité. Le 27 février, neuf jours après avoir fait visite à la Commune de Paris, les Bordelais, suivis d'une délégation des députés extraordinaires des manufactures et du commerce, s'avancent à la barre de la Constituante et déposent une adresse exigeant la conservation du trafic négrier. Comme le note Nairac, le président répondit d'une phrase « que l'Assemblée balancerait dans sa justice les grands intérêts [...] avec les principes de la liberté sur lesquels elle établissait la constitution ». Enfin, l'examen de la pétition aquitaine était renvoyé au 1er mars. Dans ce tourbillon confus où Mirabeau et ses alliés disent vouloir légiférer sur ces affaires vitales que sont la traite et l'esclavage, la démarche des gens de couleur pour obtenir une députation paraît d'autant plus compromise qu'elle est liée par la conjoncture à des questions d'importance capitale. De ce bouclier, qu'aucune partie n'avait souhaité, où chacun piétine ne sachant comment s'en extraire, va jaillir le sublime étonnement qui comblera d'aise les planteurs et les places maritimes. Le 1er mars, les choses commencent mal : le Comité des Rapports annonce qu'il n'est pas prêt. Le lendemain 2 mars, le débat tant attendu sur les colonies débute enfin. La discussion part dans tous les sens, et s'abîme bientôt dans un désordre inextricable. Alors Alexandre de Lameth, dont le frère Charles est propriétaire domingois par son mariage, propose de créer un Comité des Colonies qui présentera un plan de travail aux lignes et à l'objet clairs. La formation de cet organisme, refusée au mois de décembre sous l'applaudissement des colons, trouve grâce aujourd'hui, à la satisfaction de Grégoire et par la faute de dissensions dans le parti colonial. Le Club reprend l'initiative dès le 4 mars, avec la complicité du négoce. Ce jour-là, l'Assemblée élit les douze membres de ce comité qui deviendrait une arme de guerre si Mirabeau et ses amis le contrôlaient. Il n'en est rien : le scrutin désigne six propriétaires de la Grande Île, deux négociants, Garesché et Begouën, eux-mêmes possesseurs de plantations à Saint-Domingue, un officier de marine, Alexandre de Lameth, enfin quatre avocats, dont Barnave qui entretient des liens d'amitié avec les frères Lameth. Le Comité des Colonies se réunit aussitôt et se donne pour rapporteur le jeune Barnave, à qui l'on demande de se tenir prêt pour le 8. Quatre jours pour rédiger un rapport sur une matière complexe, délicate et explosive, voilà qui paraît bien court.

Cet homme des Lumières qu'est Barnave ne se ferme pas au discours de ceux qu'il aurait dû combattre : au contraire, il devient le rédacteur zélé des planteurs et des négociants. Le 6 mars, deux jours après sa nomination, il comble déjà deux hommes exigeants. Le premier, Begouën écrit aux Havrais : « Les bases du décret sont tranquillisantes pour les Colonies et pour le Commerce ; je pense que les gens raisonnables qui voudront peser les circonstances seront satisfaits. » Le second, Nairac, confie aux Rochelais que les « grands intérêts seront traités comme je n'ai jamais cessé de l'espérer, d'une manière raisonnable et conforme aux vœux du commerce. L'opinion générale s'est enfin formée à ce sujet et le parti qui a proposé et fait passer le comité n'a eu d'autre vue que de favoriser et de prévenir non seulement la longueur et l'inconvénient d'un débat, mais plus que cela encore des déclamations de M. le Comte de Mirabeau. » Seul un point préoccupe cet honorable mandataire : le « mode du décret », qui devrait offrir l'aspect d'un fourre-tout juridique à la terminologie anodine. Comment l'homme intransigeant qui, le 22 juillet 1789, après l'assassinat de Foulon et de Bertier de Sauvigny, avait prononcé ces mots terribles, « le sang qui coule est-il donc si pur ? », peut-il s'associer à une entreprise si opposée à ses principes et à ses convictions ? Comment expliquer une pareille révolution dans le comportement ? Par sa parenté avec un grand planteur de Saint-Domingue, le brigadier des armées du roi, Bacon de La Chevalerie, éminent pontife de toutes les maçonneries, devenu depuis peu un agitateur bavard et écervelé ? Par son entrée « dans la faction Lameth, ennemie de Mirabeau », comme eût dit Dumont l'un des faiseurs de discours de l'Aixois ? Ces deux motifs, généralement avancés, manquent de cette consistance solide et lourde qui persuade. Et l'on se prend alors à penser à ce que note la duchesse de Tourzel dans ses *Mémoires*, à propos du rapport sur les colonies que le protestant grenoblois avait accepté d'écrire. « Le Roi, qui en sentait toute l'importance, était fort agité du résultat. On parvint heureusement à faire sentir à Barnave chargé de ce rapport, l'importance de conserver une propriété aussi essentielle à la France ; et il promit d'employer tous ses moyens pour que sa rédaction fît cesser toute inquiétude et pour la faire adopter à l'Assemblée. » À défaut d'éclairer le secret de la démarche de Barnave, au moins peut-on affirmer qu'il écouta les conseils de la gent coloniale et commerciale, et qu'il se laissa guider.

Le 8 mars 1790, Barnave monte à la tribune. Il commence la lecture de son rapport, dont il prend soin de définir et de souligner la finalité. « Rassurer les colonies sur leurs plus chers intérêts ; recevoir d'elles-mêmes les instructions sur le régime de gouvernement qui convenait à leur prospérité et qu'il était temps d'établir enfin ; les inviter à présenter leurs vues, concurremment avec le commerce français sur leurs rapports réciproques. » D'emblée, l'on sait que l'éminent avocat, dont le Suisse Dumont admire la dialectique et « le talent pour la discussion », a construit un exposé et un décret qui satisferont les colonies et les places maritimes, à l'exception de tout autre. Comment eût-il pu en être autrement, puisque le Dauphinois avait préparé ses textes en liaison avec Billard, président du Club

Massiac, et Lafond de Ladébat, négociant protestant de Bordeaux, possesseur de biens à la Grande Île. À peine l'avocat a-t-il achevé sa lecture, que l'Asssemblée quasi-unanime l'applaudit et lui fait une ovation. Des députés crient : « Aux voix ! Aux voix ! » Le vote est bâclé en quelques minutes sans discussion. C'est ce scrutin à la hussarde qui mit le comte de Mirabeau dans une colère vraie ou insincère : en effet une loi de six articles, soutirée à la hâte, tranchait sur toutes les questions que soulevait le régime colonial. Planteurs et hommes du commerce, chacun avec ses arrière-pensées, baignent dans un ravissement inespéré. Le 8 mars, le jour même de l'événement, Nairac se précipite sur sa plume, pour annoncer la bonne nouvelle à ses compatriotes. « Je profite d'un courrier qu'expédient les députés de Nantes pour vous envoyer le décret rendu unanimement, ce matin à midi, par l'Assemblée nationale au sujet du commerce et des colonies. Sans nommer les choses par leur vrai nom, il conserve la traite, l'esclavage, le régime prohibitif. Si vous trouvez qu'on traite les colonies avec une grande indulgence, cette indulgence est tout à la fois l'effet de la Révolution et des principes de l'Assemblée. » Le lendemain, Nairac reprend et développe son analyse de la nouvelle loi régissant les affaires coloniales. « J'espère, Messieurs, que le commerce en général sera satisfait du décret qui a été rendu. On lui reprochera peut-être la faiblesse qu'il présente dans la contexture, mais il faut pardonner à des enthousiastes de la liberté, et qui en ayant établi les principes n'ont pas voulu les attaquer ouvertement : cependant le décret n'en consacre pas moins la traite des Noirs, l'esclavage et les propriétés des colons et du commerce. Je regarde même que par ce décret l'Assemblée ne peut plus toucher aux encouragements de la traite, quand elle en aurait le projet et qu'ils ont maintenus sur le pied où ils sont. Un reproche qu'un défaut de réflexion peut encore exciter contre ce décret, ce sont les ménagements avec lesquels on traite les colonies. Mais qu'on considère d'abord qu'on ne leur accorde que ce que possèdent tous les autres sujets du royaume ; que comme Français ils y ont les mêmes droits, que leur régime intérieur n'intéresse point le commerce ; ensuite que ces colonies étaient en quelque sorte invitées par nos ennemis à se déclarer indépendantes et qu'il fallait nécessairement les retenir par l'espérance. Cette considération a eu une grande influence dans le décret. » La « grande affaire » se termine pour le mieux : les Blancs conservent intacts leurs droits acquis dans les colonies. Pour sa part, le commerce particulier viendra rapidement à bout des deux dernières compagnies : le 3 avril 1790, le privilège des Indes sera aboli, et celui du Sénégal tombera le 18 janvier 1791.

Que dit, de manière précise, le décret du 8 mars 1790, qui a été rendu sous la pression des villes de commerce et de manufactures, et sous celle aussi des colonies et de leurs représentants, élus ou non ? Il déclare que les possessions lointaines font partie de l'Empire français, qu'elles ont le droit de jouir des fruits de la régénération, puis il atteste que l'Assemblée « n'a cependant jamais entendu les comprendre dans la constitution qu'elle a décrétée pour le royaume et les assujettir à des lois qui pourraient être incompatibles avec leurs convenances locales et particulières ». Dès son préambule, la loi reconnaît et consacre le principe de localité des colonies, c'est-à-dire leur spécificité géographique, sociale et économique, sur laquelle logiquement s'édifiera de façon singulière une construction juridique originale. Comme pour illustrer cette vérité, le premier article autorise chaque colonie « à faire connaître son vœu sur la constitution, sur la législation et sur l'administration qui conviennent à sa prospérité et au bonheur de ses habitants, à la charge de se conformer aux principes généraux qui lient les colonies à la métropole et qui assurent la conservation de leurs intérêts respectifs ». Mais tout cela n'est qu'apparence. En réalité, cette disposition juxtapose deux normes antagonistes : l'autonomie insulaire, cette vieille aspiration des planteurs, et la primauté souveraine des institutions métropolitaines. Davantage, l'instruction du 28 mars, qui explicite le décret du 8, écarte le système anglais où le régime intérieur est de la compétence des coloniaux, et le régime extérieur (commerce et défense particulièrement) de celle du Parlement de Londres, pour s'appliquer à rendre le principe d'autonomie fragile, précaire, révocable à discrétion. En effet, l'assemblée coloniale, qui est établie, peut agir dans le domaine intérieur, mais ses lois, exécutoires, dans les cas pressants, avec la sanction du gouverneur, « ne sauraient avoir une existence entière et définitive avant d'avoir été décrétées par l'Assemblée nationale et sanctionnées par le Roi. » À l'occasion d'un débat ultérieur sur les colonies, le 23 septembre 1791, Barnave détaillera la philosophie qui l'avait inspiré lors de l'organisation des rapports de la mère patrie avec ses possessions, en mars 1790. « ... Nous cherchâmes un régime qui pût concilier la nécessité absolue de donner aux colonies un régime local, provisoire, avec la nécessité non moins importante de les lier à la métropole par des liens puissants. [...] Par ce moyen nous conservâmes aux colonies la faculté de commencer leurs lois, de les faire elles-mêmes, de les exécuter provisoirement ; mais nous établîmes dans le Corps législatif une puissance capable de les soumettre. [...] Nous avions donc cru par ce système pouvoir conserver la nécessité d'une législation provisoire émanée d'eux, et néanmoins la suprématie de la puissance nationale et le maintien des mœurs qui attachent les colonies à la métropole. » À l'évidence, ce raisonnement ne se fixe pas pour objet d'organiser la liberté des îles, mais au contraire il assied en Amérique la souveraineté indivisible de la nation, ce royaume d'Europe. Enfin, toujours dans le décret du 8 mars 1790, l'Assemblée, uniquement soucieuse de l'intérêt de la métropole, « déclare qu'elle n'a entendu rien innover dans aucune branche du commerce, soit direct soit indirect de la France avec ses colonies ; met les colons et leurs propriétés sous la sauvegarde spéciale de la nation ; déclare criminel envers la nation quiconque travaillerait à exciter des soulèvements contre eux ». Belles mesures par lesquelles le législateur français s'assure pour ne pas perdre le contrôle du marché international des sucres et des cafés !

Qui peut s'avouer gagnant à la suite de l'adoption du décret du 8 mars et de l'instruction du 28 ? À n'en pas douter le Commerce. J-M. Deveau a publié la correspondance de Nairac pour édifier les plus sceptiques. Le député extraordinaire dresse un bilan bref mais consistant à l'intention des négociants rochelais. « Au reste tous les intérêts sont conservés et conciliés : la nation reste la maîtresse et le juge de la constitution des colonies ; les lois prohibitives sont maintenues jusqu'à ce que sur les représentations des colons et celles du commerce, il ait été décidé qu'elles étaient susceptibles de modifications. C'est aujourd'hui au commerce à s'occuper de cet objet important, à démontrer les rapports intimes qu'elles [les lois prohibitives] ont avec la prospérité de la métropole, et j'ose dire celles des colonies, par conséquent la nécessité de les assurer sur des bases plus solides que jamais. Enfin aucun des abus qui se sont introduits dans les colonies ne sont consacrés par ce décret, et les réclamations restent ouvertes sur tous. » Les places maritimes, identifiant leur intérêt à celui du royaume, caressent l'espoir d'assujettir un peu plus les colonies en obtenant la révocation de l'arrêt du 30 août 1784, ouvrant sept ports d'entrepôt aux Antilles, pour revenir au régime de monopole rigoureux qu'avaient instauré les lettres patentes de 1717 et de 1727. Alors qu'à travers le décret du 8 mars, les planteurs découvrent des horizons libérés, les négociants voient des chasses gardées commerciales. Excellent pédagogue, Nairac multiplie les occasions d'apprendre. Le 27 mars, il envoie à ses commettants un extrait de la *Gazette de Paris*, agrémenté de commentaires significatifs. « Vous y reconnaîtrez l'esprit des colons, leurs principes et malheureusement des prétentions que les circonstances appuient fortement, et qui ne tiendraient pas moins qu'à rendre les colonies indépendantes dans le fait, à réduire la métropole au rôle très actif de protectrice, mais à un rôle passif quant aux intérêts commerciaux. Ce système est généralement répandu. Il s'appuie sur la liberté qu'on considère toujours par tous les côtés moraux, sans égards aux considérations politiques, qui ne permettent absolument point que le régime de liberté des colonies soit le même quant à ses relations commerciales que celui de la métropole. Mais ce système, après avoir fait beaucoup de bruit comme a fait la Société des Amis des Noirs, finira par tomber sous un décret raisonnable. J'avoue cependant que je crois intéressant pour l'intérêt public que le vœu des colonies, que leur constitution enfin ne vienne à la discussion et à la décision de l'Assemblée nationale, que lorsque la constitution du royaume sera finie, l'ordre public rétabli par le retour du pouvoir exécutif dans les mains du Roy, que la Nation enfin pourra se montrer avec tout le poids de sa puissance. Les colons sont forts de notre faiblesse actuelle, ils en abusent et se montrent aussi mauvais Français que mauvais citoyens ; mais il faut plus que le courage de le sentir et de le dire, il faut le pouvoir de les contenir ; jusque-là peut-être, la prudence impose de grands ménagements. » Les ports maritimes possèdent la science des sophistes. Au nom de la nation, ils condamnent la volonté de liberté des créoles à qui ils assignent la cage de l'exclusif pour tout destin, et au nom de cette liberté qu'un instant plus tôt ils flétrissaient, ils réclament et obtiennent l'anéantissement du monopole commercial des Compagnies des Indes et du Sénégal !

Le décret du 8 mars se montre plus chiche à l'égard des colons qui ne font figure que de demi-vainqueurs à côté de leurs rivaux, les négociants. Dans le domaine de l'administration intérieure ils se contentent d'une autonomie surveillée. En matière commerciale, ils ne reçoivent rien de plus que ne leur accordait l'arrêt du 30 août 1784, pris naguère par le maréchal de Castries. Ils l'emportent au seul chapitre de l'état social, en grande partie d'ailleurs grâce au Commerce pour lequel l'économie coloniale profite autant qu'aux créoles : point de plantations, point de traite ; point de nègres, point de sucres ni de cafés. Aussi le régime social, bien qu'il relève de l'ordre intérieur, n'est-il pas à l'abri de l'intervention des ports de France : ceux-ci, pour sauver leurs échanges avec les îles, sont disposés à favoriser l'adoucissement de l'esclavage et l'égalité civique des gens de couleur libres. Les propriétaires français — de la députation comme de l'hôtel de Massiac —, suivant l'exemple du très britannique *West India Interest,* se sont alliés aux négociants, mais dans un contexte différent, faisant plutôt figure d'otages que de directeurs. La précipitation irréfléchie de Gouy d'Arsy, ou rancuneuse des Chambres d'agriculture du Cap, du Port-au-Prince et d'anciens membres de Conseils supérieurs, qui imposa maladroitement la question de la représentation coloniale aux États généraux, empêcha les planteurs de réfléchir à une autre stratégie que celle à laquelle ils furent contraints. Dans l'ombre, épargnés par les maladresses et l'agitation compromettante des députés, les maîtres de plantations, n'auraient-ils pas gagné à fréquenter moins les Begouën, les Gareschéet autres Nairac, qui ne songent qu'à s'asservir les possessions tropicales et à rencontrer davantage l'accessible comte de Mirabeau ? L'élève de Turgot ne condamne-t-il pas aussi fort que les colons, cet odieux Exclusif si cher au Commerce ? L'Aixois, à l'instar de feu le Contrôleur général des Finances, ne croit pas à la pérennité de la dépendance des terres lointaines vis-à-vis de leur métropole : au contraire, il juge que les colonies nourrissent une vocation innée à l'indépendance. Il a exposé ce point de vue dans sa *XVIe Lettre à ses Commettans,* publiée le 4 juillet 1789, dans *Le Courrier de Provence.* Il était tenté de douter, « s'il n'eût pas été plus avantageux d'abandonner les colonies à leurs propres soins avec une entière indépendance, même sans attendre le moment où les événements forceront de prendre ce parti. Il y a bien longtemps que cette manière de voir eût été traitée comme un paradoxe insoutenable et faite pour être rejetée avec indignation. On pourra en être moins révolté maintenant, et peut-être n'est-il pas sans utilité de se préparer d'avance des consolations pour les événéments auxquels on peut s'attendre ». Mirabeau partage cette vision de l'avenir des colonies avec les physiocrates. Il parle au nom d'un courant d'opinion, quand il dit plus loin : « Sage et heureuse la nation, qui consentira à ne voir dans ses colonies que des provinces alliées et non plus sujettes de la métropole. » Or, tel était le sentiment du Club Massiac, telle était aussi la stratégie qu'il voulait mettre en œuvre : mais, à l'inverse de la politique de Gouy d'Arsy, il fallait pour cela tenir les colonies hors des États généraux ou de l'Assemblée nationale, et négocier sous l'or muet des lambris. À vouloir trop paraître, l'ambitieux marquis gâcha la cause des créoles : aux yeux de plus d'un, il associa la colonisation à l'esclavage et au préjugé de race dont les propriétaires libres de couleur étaient injustement les victimes.

Des trois groupes, qui avaient occupé la scène parlementaire, les mulâtres apparaissent comme les grands perdants. Ni le décret du 8 mars ni l'instruction du 28 ne les mentionnent. Le décret, dans son deuxième article, dispose, en évoquant le corps électoral des possessions : « Dans les colonies où il existe des Assemblées coloniales, librement élues par les citoyens et avouées par eux, ces Assemblées seront admises à exprimer le vœu de la colonie ; dans celles où il n'existe pas d'Assemblées semblables, il en sera formé incessamment pour remplir les mêmes fonctions. » Dans la mesure où la Constituante n'avait pas accepté de députés des gens de couleur aux côtés de la députation conduite par Gouy d'Arsy, l'analyse juridique réservait automatiquement la qualité de citoyen aux seuls Blancs. Pis, la queue de phrase, qui « déclare criminel envers la nation quiconque travaillerait à exciter des soulèvements contre » les colons, recèle une connotation raciale désignant les sang-mêlé. Raimond et ses amis comprennent que la logique blanche, qui a présidé à la rédaction de la loi, et qui éclairera nécessairement son interprétation, exclut leur caste des honneurs et leur réserve l'infamie de châtiments. Aussi envoient-ils à l'Assemblée les *Réclamations des citoyens de couleur... sur le décret du 8 mars*, qu'un second mémoire suivra le 14 mars. L'instruction du 28 mars renoncera au terme de citoyen et définira le corps électoral des colonies sans y recourir. Son article 4 indique : « Immédiatement après la proclamation et l'affichage du décret et de l'instruction dans chaque paroisse, toutes les personnes âgées de 25 ans accomplis, propriétaires d'immeubles, ou, à défaut, d'une telle propriété, domiciliées dans la paroisse depuis deux ans et payant une contribution, se réuniront pour former l'Assemblée paroissiale. »

Cette rédaction étrange, où les citoyens le cèdent aux personnes, est l'œuvre du Comité des colonies qui, un moment, aurait hésité à prononcer l'égalité des droits en faveur des mulâtres, avant d'y renoncer définitivement. Le 28 mars, le texte de l'instruction vient en discussion devant l'Assemblée. Aussitôt l'abbé Grégoire s'interroge : qui, l'expression « toutes les personnes », désigne-t-elle ? Pour bannir toute espèce de doute, il propose que les gens de couleur soient « expressément compris, nominativement désignés ». Les colons s'inquiètent : le débat sur l'égalité des droits, toujours évité, va-t-il s'ouvrir alors que la trappe se refermait irrévocablement sur cette affaire épineuse. Dans le tumulte, le marquis de Cocherel affirme que jamais les Blancs de Saint-Domingue ne reconnaîtront le droit de députation aux sang-mêlé, tandis que Barnave convainc Grégoire de l'inutilité de désigner quiconque expressément. Plein d'optimisme, le curé d'Emberménil se rassied, persuadé que les mulâtres « étaient compris dans la classe des citoyens actifs ». Pressé d'en finir, Charles de Lameth demande la fermeture du débat « sur la proposition indiscrète de M. l'abbé Grégoire ». Réclamation, qui est votée dans l'instant. Quand, à la fin de l'année, les gens de couleur demanderont à participer à l'élection de l'Assemblée coloniale, dont la Constituante a commandé la convocation, le gouverneur général de Peinier se trouve dans l'embarras. Cet homme, qui ne cultive pas le goût des difficultés, évite de trancher entre l'absence d'instructions parisiennes claires et positives et l'hosilité de l'opinion blanche de la Grande Île. Sans dénier la citoyenneté aux mulâtres, il autorise les marguilliers à ne pas les convoquer aux assemblées de paroisses, « en raison de l'usage ». À Paris maintenant de prendre ses responsabilités de manière franche et définitive.

Si les Blancs se partagent inégalement la victoire, si les sang-mêlé se crispent sur leur défaite, les esclaves, quant à eux mesurent leur inexistence. Bref, à ceux, qui ne possèdent pas ce teint d'albâtre dont l'Europe gratifie ses enfants, le décret du 8 mars et l'instruction du 28 n'apportent rien. La Régénération a accru les privilèges de ceux qui en détenaient déjà, oubliant les autres avec une hypocrisie cynique. Cette abjuration des principes fondateurs d'une nouvelle Jérusalem, ce reniement de la Déclaration des droits de l'homme et de sa vocation universelle, cette apostasie des apôtres d'un ordre politique et social réfléchissant l'ordre naturel sacré, tant d'infidélité et tant d'imposture heurtent d'autant plus qu'elles sont l'œuvre de praticiens du Droit et non de poignes brutales au service du commerce, des manufactures, de la banque ou des armées. La Constituante, par le décret et l'instruction qu'elle a votés au mois de mars 1790, n'a rien moins fait que de légaliser la traite, l'esclavage et le préjugé de couleur, qui ont ainsi reçu la sanction solennelle du Droit positif régénéré. Par ces mêmes mesures, l'Assemblée nationale a indiqué la nature et la valeur véritables de la Déclaration des droits de l'homme : c'est une page blanche où la Constitution et la loi écrivent pour modifier et circonscrire les titres inaliénables reconnus à l'individu. Selon cette logique impudente les députés n'ont commis aucune forfaiture les 8 et 28 mars : composant avec les circonstances, ils ont agi en législateurs, établissant des bornes et des limites à ces « vérités de tous les temps et de tous les pays », uniquement soucieux du bonheur de leur race.

Dans l'immédiat, le Commerce, qui a étendu son protectorat sur les colonies, se gonfle d'orgueil et d'ambition. Au terme d'une campagne de pétitions des ports maritimes, il a obtenu ce qu'il voulait. Il a même soutiré de Barnave une disposition violant le principe constitutionnel, selon lequel la nomination des administrations appartient au peuple. Grâce à l'article 18 de l'instruction, il en ira différemment aux Antilles et aux Mascareignes. En effet, « en organisant le pouvoir exécutif », l'Assemblée nationale et les assemblées coloniales « reconnaîtront que le roi des Français est, dans la colonie comme dans tout l'Empire, le chef unique et suprême de la puissance publique. Les tribunaux, l'administration, les forces militaires le reconnaîtront pour leur chef ; il sera représenté dans la colonie par un gouverneur qu'il aura nommé et qui dans les cas prescrits exercera provisoirement son autorité, mais sous la réserve toujours observée de son approbation définitive ». Tout à leur bonheur, les places maritimes fêtent la noucelle du décret du 8 mars. À Rouen, patrie de Begouën, le 12 mars, « la Chambre de Commerce s'est empressée de faire imprimer ce décret pour être répandu sur le champ dans toute la ville. Il est impossible de peindre les sentiments de reconnaissance et d'allégresse qui à la Bourse se manifestaient dans tous les yeux. Bientôt après, tous bâtiments tant nationaux qu'étrangers ont hissé leur pavillon, et ce signal de gratitude a été suivi des bénédictions de tout un peuple rendu à l'espérance ». En cette fin du mois de mars, les négociants se sentent assez forts pour parler haut, à la barbe des colons. La prospérité du Commerce et des manufactures, entend-on, commande la suppression de l'entrepôt des sucres en France, le relèvement du droit sur le sucre terré à peine de ruiner les raffineries métropolitaines, et, toujours dans le même but, l'interdiction d'augmenter le nombre des plantations en blanc, c'est-à-dire, exportant des sucres terrés ou préraffinés ! Les créoles, qui ont suivi Gouy d'Arsy dans son aventure parlementaire, convaincus que la Régénération les dépouillerait de ce statut infamant de *fermiers du Commerce*, se sont gravement trompés. À moins d'un événement imprévisible, ils sont condamnés à souffrir, plus que par le passé, le joug de leurs amis de circonstance mais adversaires de toujours.

LES COLONIES : DOLÉANCES ET PREMIERS TROUBLES

Saint-Domingue : séditions blanches et de sang-mêlé

L'opinion de Saint-Domingue — en avance sur celle des autres îles — entre en effervescence dès 1784, quand le maréchal de Castries, sous le prétexte d'ouvrir des ports d'entrepôt, organise et développe la lutte contre l'interlope, renforçant ainsi le monopole du Commerce de France. L'irritation se généralise contre « le despotisme ministériel » en 1785 et en 1786, lorsque le même marquis de Castries prend deux ordonnances qui permettent aux administrateurs généraux d'intervenir dans le fonctionnement des plantations pour réprimer les fraudes et humaniser l'esclavage. En 1787, la colère atteint son paroxysme, quand six mois avant de quitter le ministère, Castries, devenu la bête noire des colons supprime le Conseil supérieur du Cap et transforme celui du Port-au-Prince en Conseil supérieur de Saint-Domingue, espérant ainsi briser l'esprit de contestation et d'autonomie de la Grande Île. Or, le contraire se produit. À cela plusieurs raisons : un contexte métropolitain désordonné, la gestion administrative, financière et fiscale très réglementaire mais amputée de tout sens politique de l'intendant Barbé de Marbois, enfin, la tournée d'agitation qu'effectue, en 1787 et 1788, Moreau de Saint-Méry, fâché que la destruction du Conseil du Cap l'ait privé de l'emploi de procureur général dont il rêvait. Fort mécontent de voir le magistrat créole dénoncer les réformes gouvernementales au lieu de les expliquer et de les faire accepter, Marbois se plaint au ministre de La Luzerne, le 1er juin 1788 : « Il s'est déclaré le champion de la vermine judiciaire dont il était si nécessaire d'arrêter les rapines. »

Insurrection de Bacon de La Chevalerie au Cap-Français

Avec ses amis des Chambres d'agriculture, du Cercle des Philadelphes du Cap-Français, devenu Société royale des Sciences et Arts, de la magistrature, des loges maçonniques, avec ses amis planteurs, médecins et avocats, bref avec l'élite frondeuse de la société domingoise, Moreau parle de la convocation de plus en plus certaine des États généraux et de la nécessité pour la colonie d'être présente dans cette assemblée. De tous ces conciliabules, que résulte-t-il ? Le 1er mai 1788, deux amis de Moreau quittent le Cap pour la France où la Chambre d'agriculture du Nord les a chargés de présenter leurs doléances. Barré de Saint-Venant et Belin de Villeneuve seront bientôt rejoints à Paris par le savant juriste, qui les introduira auprès de Gouy d'Arsy, son frère en loge. Désormais, la Chambre d'agriculture capoise, en relation avec le Comité colonial de France, peut concevoir et mettre en œuvre, dans l'île, une politique agressive et coordonnée. D'abord, elle s'emploie à constituer un comité à vocation électorale. Celui-ci, préparé par de multiples entretiens secrets, voit vraisemblablement le jour au mois d'août 1788 : il est formé de manière définitive, le 7 décembre. Dans le même temps, des émissaires vont prêcher la bonne parole dans les parties de l'Ouest et du Sud, et inviter les sympathisants à se structurer. Les Comités de l'Ouest et du Sud sortent de l'ombre le 25 janvier et le 9 mars 1789. La Chambre d'agriculture du Cap, véritable chef d'orchestre de ce mouvement illégal qui s'étend sur toute la colonie, adresse, le 7 novembre 1788, un mémoire aux administrateurs généraux et au ministre. Dans ce document singulier, elle forme « le vœu ardent » que l'île soit « admise comme les autres provinces du royaume à envoyer des députés aux États généraux ». Face à ce pouvoir qui se dresse et s'exprime avec hauteur, les chefs, sans ordres de Versailles depuis le début de l'année, temporisent, laissant le discrédit avilir leur autorité. Le 5 décembre 1788, la Chambre d'agriculture capoise, liguée avec celle du Port-au-Prince, franchit un nouveau pas. Dans une délibération, communiquée au ministre, elle invite les administrateurs, d'un ton souverain, « à donner sur-le-champ les ordres nécessaires pour que dans toutes les paroisses de la colonie, il soit incessamment et au même jour tenu des assemblées, à l'effet de nommer pour chaque paroisse deux commissaires électeurs ». Ces élus désigneront à leur tour les 21 députés de Saint-Domingue aux États.

Le gouverneur général du Chilleau arrive au Port-au-Prince le 20 décembre 1788, non sans avoir rencontré et entendu de nombreux colons résidant en France. Le maréchal de camp de Vincent, qui pendant un an avait représenté le roi dans l'île à titre provisoire, reprend ses fonctions de commandant en second dans la partie du Nord. Après un an de silence, passé à attendre des instructions de Versailles et à tolérer le désordre, l'émergence bouillonnante d'un pouvoir insurrectionnel, les chefs décident d'agir. Le 26 décembre, ils publient une ordonnance où, ayant constaté la division de l'opinion insulaire, ils « autorisent et invitent même les colons à exposer leurs demandes par lettres et requêtes signées au plus de cinq personnes » sur l'admission de députés de la colonie aux États généraux. Ils terminent en interdisant « toute assemblée illicite, sous peine d'être ceux qui y assisteraient poursuivis suivant la rigueur des ordonnances ». Cette mesure trop tardive et trop timide n'effarouche pas les conjurés, dont la détermination compense le faible nombre. Les lettres secrètes de Gouy d'Arsy et du marquis de Paroy entretiennent la passion de ces quelque 3 000 planteurs (auxquels il faut ajouter un millier résidant en France) sur un total de 12 000 propriétaires. Bref, cette minorité, qui est aussi l'aristocratie de l'île, poursuit son chemin, comme si de rien n'était. D'ailleurs le Comité du Nord n'est-il pas déjà formé ? Finalement, les trois comités, dont aucun règlement n'a empêché l'établissement, nomment leurs 37 députés aux États. Celui du Nord, le 27 janvier 1789, celui de l'Ouest, le 12 février, celui du Sud, le 10 mars. La violation fracassante de l'ordonnance du 26 décembre 1788 par la sédition de l'élite des planteurs blancs, que conduit le Comité colonial de France de Gouy d'Arsy relayé localement par la Chambre d'agriculture du Cap et des réseaux de conjurés, ridiculise les administrateurs généraux et divulgue leur étonnante impuissante. Jour après jour, l'autorité des chefs est bafouée un peu plus. Sans cesse, le gouverneur et l'intendant reculent devant la révolte des privilégiés, n'ayant d'autre recours que de demander des ordres à un ministère silencieux. Ayant assisté à la tenue d'assemblées primaires, à la résolution du problème de la représentation de la colonie aux États, au mépris de la loi et des principes constitutionnels, ayant vu leurs décisions bravées et transgressées, ils pensent pouvoir endiguer la révolution qui les emporte, en annonçant, le 10 avril 1789, la réunion prochaine d'une assemblée coloniale. Cette instance étudiera l'épineuse question de la députation domingoise, et son avis sera transmis aux États pour décision. Aussitôt la Chambre d'agriculture du Cap proteste contre cette mesure, arguant que Saint-Domingue a déjà élu ses députés et que le besoin de régénération se fait sentir aussi fort dans la mer des Antilles que dans les provinces du royaume.

Parvenus à ce point inédit de déchéance et de grotesque, le marquis du Chilleau et Barbé de Marbois éprouvent le besoin d'offrir le spectacle de leurs déchirements à une opinion tiraillée entre une minorité orgueilleuse et autoritaire et une grande majorité fidèle mais silencieuse. Ne réussissant pas à imposer sa prééminence à son intendant, aussi intègre qu'obtus en politique, le gouverneur général, dégoûté de l'obstruction systématique de son second, non seulement à propos de l'introduction libre des farines mais plus encore dans tous les champs de l'administration, abandonne son gouvernement le 10 juillet 1789. Marbois, quant à lui, s'enfuit le 26 octobre, menacé par une expédition d'émeutiers capois, aux ordres du brigadier des armées du roi, Bacon de La Chevalerie, grand propriétaire, maçon très éminent et parent de Barnave : cette foule entre dans le Port-au-Prince après que l'intendant eut déguerpi, et, sa démonstration achevée, retourne dans ses foyers. Le nouveau gouverneur général, le chef d'escadre de Peinier, homme d'une grande prudence, préférant la discrétion des heures ternes aux risques et aux responsabilités des jours de tempête, avait débarqué à Saint-Domingue, le 18 août précédent. Depuis la fin de 1787, depuis le départ pour le ministère de la Marine de La Luzerne, général philosophe, neveu de Malesherbes, allié à Montmorin, ministre mou des Affaires étrangères, la Grande Île n'est plus gouvernée : le commandement a fait place aux scrupules, l'autorité aux décisions incertaines et la prévoyance aux retards dévastateurs. Mais depuis le second semestre de 1788 l'on est passé du désordre informe à la sédition organisée : le renversement de l'autorité légitime est accompagné d'assassinats. Aux Cayes, le sieur Goys est abattu pour ne pas porter la cocarde et pour manifester trop de zèle à l'égard du gouvernement. Au Petit-Goave, le sénéchal Ferrand de Baudières, suspecté d'avoir rédigé une pétition où les mulâtres libres réclamaient le droit de participer aux assemblées paroissiales, est mis à mort ; un de ses proches, le vieillard Labadie, subit le même sort. Au Cap, le nommé Lacombe est pendu sans autre forme de procès.

À la suite de la campagne de Bacon de la Chevalerie, le Nord verse dans l'insurrection : une assemblée récemment élue supprime, le 2 novembre, les cahiers de doléances dont le caractère aristocratique provoque dissensions et remous dans la population blanche. Tout en maintenant le Comité, l'Assemblée du Nord, dont Bacon est le démiurge, se déclare permanente, et instaure un serment à la nation, dont les huit articles aménagent sa domination. Elle intercepte les ordres du ministre et les publie. Elle condamne le plan élaboré par La Luzerne et le Club Massiac, prévoyant l'élection d'une assemblée coloniale temporaire. L'Assemblée nordiste, en se substituant à l'administration nationale, en annulant toutes les procurations envoyées en France, en invitant les membres du Club Massiac à rentrer dans l'île sous huit mois, n'agit pas à la légère. Elle a appris les événements marquants de la vie politique métropolitaine, notamment le vote de la Déclaration des droits de l'homme. Or elle ne peut accepter cette dernière charte sans abolir le système colonial esclavagiste. Comme il n'en est pas question, il lui faut prendre ses distances avec Paris. Geste ou décision symbolique : elle ordonne l'arrestation de Dubois, substitut du procureur général du Conseil supérieur de Saint-Domingue, coupable d'avoir exposé une doctrine dangereuse sur la liberté des Nègres. Mais pour bien marquer la différence qui sépare la colonie de sa métropole, l'assemblée nordiste doit donner une légitimité politique propre à Saint-Domingue. D'où l'annexion de l'administration royale dans la partie du Nord, d'où, plus tard, la réunion d'une assemblée coloniale, non à Léogane, comme Peinier l'avait arrêté, mais à Saint-Marc, selon la volonté des autonomistes ; d'où enfin l'échange de lettres explicatives entre Bacon de La Chevalerie et le gouverneur. Ainsi, le 31 décembre, le chef des notables écrit-il en pesant ses mots et ses phrases : « Nous n'avons nommé des députés que pour présenter nos justes griefs à l'Assemblée nationale. [...] Ils n'ont pu engager leurs commettants à une obéissance passive au décret qui les dépouillerait de leur propriété. Vous avez bien jugé l'assemblée provinciale en la regardant comme incapable de manquer à ce qu'elle doit à la nation, au roi et à la loi ; elle n'attaquera pas l'ancien régime des colonies, elle ne fait qu'en réclamer l'exécution. » Hier les grands planteurs demandaient à siéger aux États, au nom du droit naturel, aujourd'hui, c'est encore lui qu'ils invoquent pour se soustraire aux lois de cette Assemblée nationale dont la célèbre Déclaration menace la propriété des colons dans la mesure où, affirmant la liberté et l'égalité de tous les hommes, elle s'apprête à les déposséder de leurs esclaves noirs. Là est le nœud du contentieux : mais, habilement, Bacon déplace le conflit sur le terrain fiscal en s'en prenant à deux décrets portant prorogation des impôts. Mais cette astuce manque de consistance pour cacher la véritable cible : la Grande Île ne doit pas participer aux travaux législatifs métropolitains, sinon, emportée par le mouvement aveugle de cet engrenage, elle perdra la maîtrise de son destin. Et, le président de l'Assemblée du Nord, pour être bien compris, reproche à Peinier et à ses officiers de n'avoir pas encore prêté le serment civique domingois !

Infatigable, Bacon de La Chevalerie, dont le gouverneur, accommodant, est disposé à reconnaître la légitimité et celle du parlement nordiste s'ils cessaient tout excès, poursuit son discours. Nouvelle lettre, le 7 janvier. « On peut chercher à nous compromettre avec l'Assemblée nationale. [...] En attendant, nous vous déclarons que nos députés n'ont pu concourir qu'aux dispositions de l'Assemblée, qui, faites pour le continent, pourraient s'appliquer à nos îles. [...] Que les administrateurs marchent dans un sentier pur ; qu'ils se soumettent à l'inspection de l'assemblée coloniale. Nous ne vous reconnaîtrons pour dépositaires du pouvoir exécutif, que lorsque vous aurez prêté le serment civique. L'assemblée coloniale peut se convoquer sans vous, et nous saurons en écarter nos ennemis, les vôtres, et surtout la vermine qui nous ronge. » À la demande de Bacon, promu capitaine-général et de l'Assemblée du Nord, l'Ouest et le Sud se dotent à leur tour d'une assemblée les 14 janvier et 15 février 1790, et, dans l'immédiat, les responsables autonomistes des trois provinces décident qu'une Assemblée coloniale se réunira le 25 mars : seuls les colons présents voteront, tandis que les mulâtres libres seront exclus du scrutin. La nouvelle de ce coup de force, qui pour se justifier invoque l'avis où le Conseil d'État s'était prononcé, le 26 septembre, en faveur de la convocation d'une assemblée temporaire, parvient aux oreilles de l'Assemblée nationale dans les premiers jours de mars. Le tumulte domingois, joint à la campagne que mènent les Chambres de commerce pour sauver la traite et le trafic tropical, incite les représentants de la nation à adopter le projet de statut des colonies que Barnave leur soumet le 9 mars. L'opinion publique métropolitaine s'inquiète. Le 1er mars 1790, le libraire

Nicolas Ruault, esprit philosophique, éditeur de Beaumarchais, note ses alarmes dans son *Journal*, et impute les désordres antillais à ceux que l'on aurait pensé ses amis. « Ce qu'on craignait depuis l'ouverture des États généraux est arrivé. Nos colonies sont dans une fermentation très alarmante pour le commerce qui bientôt sera presque anéanti dans nos grands ports. Elles ne sont pas tout à fait en insurrection, mais elles y tendent furieusement. Les colons ont fait comme nous, ils ont secoué le joug de l'autorité royale ou ministérielle et se sont emparés provisoirement du gouvernement des îles. Caisse, magasins, arsenaux, etc. sont passés dans leurs mains ; ils ont créé des milices dans lesquelles ils ont incorporé des régiments. Ce qui les a portés à ces extrémités, c'est la crainte d'entendre l'Assemblée nationale proclamer la liberté des nègres. [...] Les Amis des Noirs devaient proposer, non une liberté brusque et illimitée, mais une liberté conditionnelle et progressive, un affranchissement à terme ou décennaire ; faire apercevoir au nègre sa liberté dans un temps donné s'il se conduit sagement ou utilement. Mais la liberté a ses enthousiasmes, ses fanatiques comme la religion a eu les mêmes, et je vois que les Amis des Noirs sont un peu trop entichés de ce fanatisme. Ils ne feront probablement rien de bon. Il y a parmi eux un Monsieur Brissot de Varville qui leur monte la tête au plus haut degré d'enthousiasme en faveur de ces malheureux Africains. »

La majorité silencieuse

Les colonies, les ports de France, Paris vivent au rythme agité du chassé-croisé continu des correspondances, des gazettes, des prospectus, et des nouvelles, qu'à leur débarquement, les passagers se plaisent à jeter en pâture à des auditoires aussi curieux qu'anxieux. La rumeur et l'effervescence règnent souverainement. Le Nord de Saint-Domingue, où est revenu l'avocat-colon Larchevesque-Thibaud, qui a démissionné de son mandat de député à l'Assemblée nationale lors du débat sur la Déclaration des droits, s'organise en république autonome. L'Assemblée provinciale, qui s'est arrogé tous les pouvoirs civils et militaires, administre et réglemente souverainement, rétablissant le Conseil supérieur du Cap, organisant la milice en garde nationale, ne reconnaissant même plus l'autorité d'un gouverneur général à qui un opportunisme hésitant commande d'échanger des courriers avec les insurgés plutôt que d'assumer ses responsabilités de chef. Néanmoins, les Blancs, toujours divisés, commencent à s'organiser. Sous les auspices du Cap, des sociétés populaires, des comités apparaissent, ainsi qu'une association patriotique, les Pompons Rouges, qui s'assignent la mission de défendre et de propager l'action autonomiste de l'Assemblée du Nord. Face à eux se dressent dans l'Ouest les Pompons Blancs, rassemblement de colons loyalistes parmi lesquels figurent des officiers qui ont quitté le service du roi pour gérer leurs habitations, tels Hanus de Jumécourt, ancien de la campagne d'Amérique, et Baudry des Lozières, beau-frère de Moreau de Saint-Méry et l'un des fondateurs du Cercle des Philadelphes. Enfin, en ce premier trimestre troublé de 1790, il est encore des hommes pour qui la plantation emplit l'horizon de toutes leurs préoccupations. Dans le précieux recueil de cahiers de doléances des colonies qu'elle a publié, Mme M. Pouliquen rapporte celui de la paroisse des Gonaïves — plus proche du Cap que du Port-au-Prince —, établi au mois de janvier 1790. Ce document, fuyant la déclamation, l'emphase et l'outrance, développe sa conception de la colonie d'un ton posé, empreint d'un pragmatisme qui n'abjure pas les revendications traditionnelles, mais qui se refuse à l'épreuve de force.

Que réclame la majorité silencieuse de la Grande Île ? Certainement pas l'indépendance, mais la maîtrise de son régime intérieur que des institutions analogues à celles des provinces métropolitaines administreront. Ainsi le cahier des Gonaïves propose « que la colonie jouira de la constitution générale qui sera établie pour la France, sauf à nous s'il était nécessaire, à retrancher et à augmenter ce qu'il faudra pour l'accommoder à nos mœurs, à nos usages et à notre position, sous la soumission de notre part de suivre l'esprit de ladite constitution française ». La reconnaissance du gouvernement local domingois, impliquant celle du fait colonial que caractérise un système socio-économique fondé sur l'esclavage, sera mise en pratique par le moyen d'une procédure très simple. « Toutes les lois, édits et déclarations du Roi qui seront à l'avenir rendus pour la colonie et concernant les citoyens pour quelque objet que ce soit, seront communiqués aux États coloniaux pour les consentir ou expliquer. Une fois revêtus du consentement, ils seront purement et simplement enregistrés par les cours souveraines, publiés et exécutés. » Le planteur commun, fidèle à sa nation et à son souverain, souhaite l'affirmation de deux principes : la décentralisation se traduisant par l'installation d'un pouvoir local créole, la garantie de la métropole de ne pas légiférer sur l'état des personnes, plus précisément des gens de couleur et des esclaves, et la libéralisation du commerce. Le décret du 9 mars et l'instruction du 28, textes préparés par Barnave, ne pouvaient que combler les vœux du plus grand nombre des propriétaires des îles. La majorité silencieuse conçoit l'autonomie comme l'obstacle dirimant à l'abolition de la servitude. En cela, elle raisonne comme le Club Massiac, dont toutefois elle se différencie à propos des mulâtres avec qui elle ne paraît pas hostile à négocier les conditions de leur accession à l'égalité civique. Sensible à l'argument humanitaire, elle n'accepte cependant pas de céder à la pression désordonnée de la philanthropie. Elle refuse qu'on lui force la main, elle veut agir d'elle-même, à son heure, à l'abri de l'intervention métropolitaine. Ainsi, le cahier des

Gonaïves, sans mettre en cause le principe de la traite, critique-t-il la manière de l'accomplir. « Il sera défendu au commerce de France d'entasser dans ses navires les nègres qu'il fait traiter à la Côte, ce qui, en l'enrichissant, ruine toujours le colon. À cet effet, il sera réglé qu'un navire ne pourra porter qu'un nombre de nègres déterminé, proportionnellement à sa grandeur, de manière que ces malheureux y soit à leur aise, puissent respirer un air non corrompu, et afin qu'il soit possible d'embarquer des provisions bonnes et suffisantes pour les nourrir, et surtout de bonne eau. S'il arrivait qu'au mépris d'un réglement aussi humain, les navires négriers introduissent plus de nègres à la fois qu'il ne leur sera permis, le surplus (pris cependant sur le rebut) sera confisqué au profit du Roi. » Aucun angélisme dans ce propos, qui outre un humanitarisme calculé, recèle une égratignure perfide contre le Commerce, commise à ses propres frais.

Le colon domingois n'est qu'un paysan français transplanté. Il raisonne comme son frère de la mère patrie : il range son bien à la première place, avant toute autre chose, s'employant à le tenir à l'écart des troubles, générateurs de destruction. Ainsi, au nom du patriotisme, de la plantation américaine, les habitants de la Martinique et de la Guadeloupe avaient accepté l'occupation anglaise sans avoir eu le sentiment de trahir. Aujourd'hui, par temps de paix internationale, le problème se pose de manière différente : comment protéger les sucreries et caféteries des effets de l'agitation intérieure ? La majorité silencieuse, pour y réussir, conçoit, comme le Club Massiac, une architecture constitutionnelle dont le roi, symbole de la permanence, figure l'axe. Elle pourrait reprendre à son compte l'argumentation que Blin, député du commerce de Nantes, lié au Club, avait utilisée en 1789 dans une brochure. Le négociant suggérait que la France et Saint-Domingue formassent deux royaumes sur lesquels un monarque unique régnerait. En définitive, la position des planteurs loyalistes souffre d'une grande fragilité : ces hommes sont condamnés à adopter la solution — allant du respect de la loi à l'indépendance, en passant par le protectorat étranger — qui leur assurera le maintien du régime socio-économique, fondé sur l'esclavage, sans lequel ils ne seraient rien.

L'Assemblée insurrectionnelle de Saint-Marc

La population blanche partagée en deux camps, l'un acquis à une autonomie immédiate, conquise de force, et dont on ne discerne pas les limites, l'autre dévoué au roi ou respectueux de la loi, ennemi de toute aventure susceptible de menacer l'existence de l'ordre colonial en vigueur, s'engage dans la campagne électorale. Aux gens de couleur libres, qui en sont exclus, l'Assemblée de l'Ouest demande de prêter le serment civique qu'elle complète de formules de respect pour les Européens. Amers d'être tenus à l'écart et de surcroît brimés, les mulâtres de la province occidentale appellent les leurs à un soulèvement général, au mois de janvier 1790 : ils ne sont pas suivis, mais plongent les Blancs dans une appréhension qui laissera des séquelles. L'Assemblée coloniale, formée provisoirement le 25 mars, se constitue officiellement le 15 avril à Saint-Marc, bourgade maritime proche du Port-au-Prince. Les 212 élus sont dominés par une majorité d'autonomistes extrémistes, qui, à l'appellation d'Assemblée coloniale, exprimant la dépendance à l'égard de la métropole, préfère celle d'Assemblée générale de la partie française de Saint-Domingue. Ce concile colonial prend d'autres décisions qui reflètent son état d'esprit : ses actes porteront le nom de décrets, comme les règlements de l'Assemblée nationale ; elle fait graver une devise parlante dans la salle des séances, « Saint-Domingue, la Loi, le Roi ; notre union fait notre force ».

Auparavant, le 15 avril, Bacon de La Chevalerie, élu à la présidence de l'Assemblée, avait prononcé un discours qui traçait les perspectives, dessinait l'horizon, et résumait à l'intention de chacun le catéchisme de l'idéologie victorieuse. « Oui, Messieurs ! oui, mes chers Collègues, recevez cet augure ; oui, vous serez les éternels régénérateurs de la félicité publique ; oui, de vos heureux travaux, de votre constant courage, de votre inébranlable fermeté, doit éclore un nouvel ordre de choses. Chaque classe de citoyens va participer à vos succès ; tous les Habitants seront mis en activité ; l'oisiveté, mère des jeux de hasard, des combats singuliers et des séditions, sera détruite ; les hommes de couleur libres seront remis dans leur ligne de démarcation, ils en imposeront au déréglement de leurs idées, ils se rendront dignes de se voir dans un long avenir, et, à force de vertus, inscrits sur la liste des bons citoyens, et dès à présent ils seront délivrés des humiliations arbitraires, et qu'ils n'auront point encourues ; les esclaves verront leur sort s'adoucir, ils seront vêtus, nourris et couchés avec soin. Vous chasserez, à force de mépris, la horde infernale du fisc, vous créerez, en ouvrant vos portes, des négociants dans votre propre sein ; vous les affranchirez du rôle passif de commissionnaires ; ils seront vos frères, vos amis, ils détruiront la fraude qui s'est introduite dans les qualités, quantités, poids et mesures ; vous fixerez près de votre sein les enfants auxquels vous aurez donné le jour, en établissant une ou plusieurs universités, dans lesquelles surtout on enseignera le droit des gens. Vous multiplierez les juridictions de manière à ne pas exposer les justiciables à de grands déplacements ; les magistrats, formés au milieu de vous, seront choisis parmi vous : vous créerez des cours suprêmes, composées d'hommes sages, instruits, intègres, et vénérables, pour vérifier la régularité des arrêts en dernier ressort ; vous éviterez par-là l'arbitraire du Conseil des dépêches [...] vous multiplierez vos communications, vous accroîtrez la salubrité de l'air : par de sages lois vous assiérez les moyens les plus prompts et les plus efficaces pour l'acquittement des dettes, et vous ouvrirez, la balance à la main, la carrière des rapports réciproquement fructueux entre l'île de Saint-Domingue et la France. » Ayant brossé à grands traits ce nouvel ordre de choses, à la préparation duquel le Cercle des Philadelphes du Cap s'était consacré, Bacon, en fidèle disciple de Claude de Saint-Martin et de Martines de Pasqually, et en éminent dignitaire de tous les rites maçonniques, termine par une invocation incantatoire, qui révèle à quel point la Grande Île s'est écartée des chemins du catholicisme traditionnel pour s'organiser en société laïque, républicaine.

L'Assemblée générale, à l'instar de sa sœur de la métropole s'empresse de se parer du vêtement de la souveraineté. Elle refuse de prêter le serment civique national, comme l'y invite le gouverneur général : car ce serait adhérer à la déclaration des droits de l'homme. Elle arrête que la colonie ne recevra plus aucune recrue, afin de se protéger des poisons de la secte désastreuse des philanthropes. Elle s'adjoint un comité de recherches des délits commis à son encontre et crée sept autres organismes similaires, chacun possédant sa spécialité : Constitution, législation, commerce, finances, agriculture, correspondance, et rapports. À ce moment, les gens de couleur libres font parler d'eux. Après le tumulte de Plassac, au mois de janvier, éclate l'émotion du Fonds-Parisien, non loin du Port-au-Prince. Le synode de Saint-Marc réagit vivement : il interdit aux mulâtres de porter des armes et de sortir des limites de leur paroisse. Dans le Sud, le président de l'Assemblée provinciale convoque les représentants des libres et leur lance un avertissement violent et méprisant : « Gardez-vous de faire des demandes qui seraient incompatibles avec l'état de subordination dans lequel vous devez rester, et persévérez avec les Blancs dans la déférence respectueuse que vous leur devez ; et n'ayez pas l'orgueil et le délire de croire que vous puissiez jamais marcher l'égal de vos patrons, de vos bienfaiteurs, de vos anciens maîtres, ni de participer à toutes les charges publiques et à tous les droits politiques. » Dans ce paysage d'effondrement du pouvoir administratif national, de gouvernement séditieux, de tensions raciales et sociales entre personnes libres et privilégiées, l'Assemblée du Cap fait parvenir à Saint-Marc le décret du 9 mars que lui a remis un navire marchand. L'Assemblée générale en prend connaissance, ne dit mot et se garde de le transmettre aux parties de l'Ouest et du Sud. Et, comme si de rien n'était, elle rend des décrets, tous immédiatement exécutoires, sur des matières capitales : justice, police générale, municipalités, troupes réglées, commerce et gens de mer. Cette activité intense ne nécessite que quelques jours : du 14 au 26 mai ! L'Assemblée du Nord crée alors la stupéfaction : le 17 mai, elle refuse de promulguer les décrets sur l'ordre judiciaire. En effet, satisfaite de la loi de Barnave, elle s'émeut de la politique de provocation des Saint-Marcois, au point de rompre la solidarité insurrectionnelle et de se rapprocher de Peinier.

Les autonomistes forcenés ne se laissent pas impressionner. Le 22 mai, le Comité de Constitution dépose son rapport. Le 28 mai, après discussion, l'Assemblée générale vote à l'unanimité les *Bases constitutionnelles de la Partie Française de Saint-Domingue*. Elle envoie cette charte à l'Assemblée nationale, le 7 juin, expliquant qu'elle découle du décret du 8 mars et regrettant que l'instruction du 28 mars l'ait atteinte trop tard, le 1er juin. Tandis que le gouverneur déclare ne vouloir connaître que les principes édictés les 8 et 28 mars, les municipalités se mettent en place et les assemblées paroissiales confirment l'Assemblée coloniale dans des conditions confuses. Qu'annonce le parlement domingois dans son décret constitutionnel ? Il commence par énoncer un certain nombre de normes, au long d'un préambule : « le droit de statuer sur son régime intérieur appartient nécessairement et essentiellement » à la colonie, à cause de la particularité de son climat, de sa population, de ses mœurs et de ses habitudes ; l'Assemblée nationale ne peut « décréter de lois concernant le régime intérieur de Saint-Domingue, sans renverser les principes qu'elle a consacrés par ses premiers décrets et notamment par la déclaration des droits de l'homme » ; les décrets établis par l'Assemblée de la Grande Île « ne peuvent être soumis à d'autre sanction qu'à celle du Roi » ; « en ce qui concerne les rapports commerciaux et les autres rapports communs entre Saint-Domingue et la France, le nouveau contrat doit être formé d'après les besoins et le consentement des deux parties contractantes ». Maîtresse du pouvoir législatif pour ce qui touche au régime intérieur, capable d'interdire l'application de tout décret de l'Assemblée, soumise à la seule sanction du monarque, qui peut suspendre l'exécution des lois coloniales, la Perle des Antilles, non seulement s'érige en État associé par contrat à la France, mais encore transforme le système constitutionnel national qui devient, comme l'avait suggéré le député nantais Blin, un double royaume à souverain unique. Comme les États-Unis qui, le 4 juillet 1776, s'étaient signalés au monde en publiant leur déclaration d'indépendance, Saint-Domingue invitait l'univers à prendre acte de sa singularité. L'Assemblée du Nord, mesurant les conséquences de la stratégie des Saint-Marcois, dont les rangs s'éclaircissent chaque jour un peu plus, ne cède pas à la tentation : par arrêté du 1er juin, elle rejette la promulgation des *Bases constitutionnelles*. Quelques mois plus tard, au mois de janvier 1791, les Capois s'expliqueront publiquement. « En flattant Saint-Domingue d'une indépendance chimérique, on se préparait à la mettre dans les fers : il était indispensable de les briser avant qu'ils fussent entièrement forgés, et en cela c'était servir la colonie même, l'Assemblée nationale, le Roi, le Commerce de France, tout le royaume. »

Les places maritimes, à peine remises de leur bataille contre les philanthropes, suspectant toujours les planteurs d'arrière-pensées trompeuses, quand ce n'est de traîtrise préméditée, s'inquiètent de l'avenir de la grande Antille. Déjà, lors de la première levée de boucliers des colons du Nord, en novembre et décembre 1789, ils avaient craint le pire. Le 26 février 1790, Begouën ne confiait-il pas aux Havrais, d'une plume désespérée : « La colonie est en insurrection complète : le Général et les autres chefs du Gouvernement destitués, les milices cassées et reformées sous le nom de gardes citoyennes, M. de La Chevalerie, président du comité permanent de la partie du Nord, nommé président de cette garde, la colonie ouverte à tous les étrangers. [...] Enfin leur état me paraît être celui d'une indépendance de fait. » Les déchaînements de Saint-Marc engendrent les mêmes hantises. Le 17 juillet 1790, Nairac cherche des raisons de ne pas désespérer ses amis rochelais, mais n'en trouve guère. « Vous avez été à portée de connaître toutes les nouvelles des colonies et les principes de l'Assemblée générale de Saint-Marc qui tendent nettement à l'indépendance. Il paraît que ces principes ne sont pas goûtés de la colonie et nous savons que l'Assemblée générale s'anéantissait d'elle-même par la retraite de la plupart de ses membres. Il est vraisemblable qu'il en sera formé une autre sur les principes décrétés par l'Assemblée nationale, mais on doit craindre que la division des esprits n'amène quelque désordre fâcheux pour la colonie et, par un contrecoup, inévitable, pour le commerce. » Le 24 juillet, Nairac, très défiant à l'égard des colons, avoue sa peur des lendemains tropicaux. « J'ignore à quoi nous nous arrêterons, mais il est certain que si les bons citoyens qui sont dans les colonies ne sont promptement soutenus, l'Assemblée de Saint-Marc prendra le dessus, et ne nous laissera plus qu'un titre de propriété aussi vain qu'onéreux. Nous avons prévu tout ce qui arrive, nous avons fait tout ce que nous avons pu pour exciter la sollicitude de l'Assemblée nationale, mais nous avons toujours rencontré une sévérité imperturbable. » La majorité des colons partagent l'anxiété des ports, leurs alliés momentanés. À Paris, le Club Massiac est effrayé. Il se dépensait discrètement à faire face aux Amis des Noirs, aux ennemis de la députation domingoise, tel Mirabeau, à Gouy d'Arsy et à ses affidés qui, à la fois, jettent les affaires coloniales en pâture à une Assemblée nationale d'improducteurs à la formation juridique pointilleuse et insultent le ministre de la Marine de La Luzerne. Il déployait ses efforts pour mériter la confiance de la Cour et en obtenir le partage du gouvernement des colonies entre l'administration nationale et les propriétaires créoles, utilisant pour informer et se renseigner un gigantesque réseau dont les mailles couvraient la France, Saint-Domingue et à l'occasion l'étranger. Bref, tant d'énergie dépensée dans l'ombre à construire un groupe de pression et une politique pour être désavoué par des trublions, qui non seulement somment les planteurs absents de regagner leurs habitations dans les huit mois, mais surtout qui livrent aux clameurs métropolitaines, le règlement depuis si longtemps disputé de la direction des îles. La députation, quant à elle, étouffe d'indignation. L'Assemblée générale ne la met-elle pas en congé, créant une commission chargée de soumettre les *Bases constitutionnelles* à l'acceptation de l'Assemblée nationale en évitant toute discussion. Parmi les commissaires, deux députés néanmoins, le marquis de Cocherel et Gérard, sinon, six personnalités extérieures, les comtes O'Gorman et de Magallon, les chevaliers de Dougé et de Marmé, le vicomte de Galbert et le marquis de Perrigny.

À Saint-Domingue, les partisans d'une solution quasiséparatiste voient fondre leurs effectifs. De nombreux députés quittent Saint-Marc et rentrent chez eux. L'Assemblée du Sud, à l'exemple de celle du Nord, approuve le décret de Barnave et condamne les tendances sécessionnistes (18 mai 1790). Le comte de Peinier lui-même donne de la voix. Le retour, le 17 juin, du chevalier de Mauduit du Plessis, colonel du régiment et de la place du Port-au-Prince, explique ce raidissement subit. Mauduit, esprit des Lumières, héros de la guerre d'Amérique, franc-maçon, proche des Rohan, marié depuis peu à une propriétaire de l'île, malgré ces contradictions apparentes, porte un attachement passionné à la Couronne. De plus ce Breton a du caractère et du commandement : il va rendre confiance au gouverneur et l'inciter à ressaisir d'une poigne ferme le gouvernail indécis de la colonie. Toutefois, Peinier, sans jamais passer à l'offensive avait toujours refusé de capituler complètement devant les insurgés. Il avait rappelé à l'Assemblée générale son statut d'organisme *consultatif*, il avait refusé d'approuver et d'exécuter ses décrets, et quand celle-ci l'avait menacé d'ordonner elle-même leur application, il lui avait répondu le 24 mai, que ce serait « faire un acte de souveraineté et de scission [...] qu'alors Saint-Domingue serait un État libre, législateur, souverain, et la nation française ainsi que le Roi, rien du tout ». Mais ces actes, participant d'une symbolique qui a perdu sa puissance, suffisent d'autant moins que, les municipalités, se substituant aux assemblées provinciales défaillantes, volent au secours de l'Assemblée générale qui persévère dans sa carrière révolutionnaire.

À compter du 6 juillet 1790, date à laquelle, en application de l'instruction du 28 mars, invoquant les résultats des assemblées paroissiales — mesure que Peinier avalisera le 13 —, le parlement insurrectionnel de Saint-Marc engage une opération de prise du pouvoir. Il va procéder par harcèlements successifs pour aggraver l'incertitude qui gagne les troupes et exciter ses partisans, pour isoler et affaiblir les chefs militaires, avant de leur porter le coup de grâce. Par décret du 6 juillet, il signifie aux soldats et aux officiers que le 14 juillet, ils devront jurer fidélité à la nation, à la loi, au roi et à la Partie française de Saint-Domingue. Refus du gouverneur. Tandis que Mauduit rassemble autour de lui la corporation des Pompons Blancs, partisans du gouvernement et le régiment mulâtre de la Crête-

Dragon, levé et équipé par Baudry des Lozières, le Comité de l'Ouest entre en lice pour s'y opposer. Il échoue, mais, le 22, à Léogane, le Comité s'empare des magasins à poudre. Après des incidents incessants, l'Assemblée générale, qui vainement a commandé à Peinier de s'établir à Saint-Marc, d'ouvrir tous les ports aux étrangers, décrète le licenciement des troupes de ligne et la formation de gardes nationales soldées, aux ordres des municipalités, comités et autres corps populaires. Le même jour, le 27 juillet, l'équipage du navire du roi, le *Léopard*, démet son commandant, La Galissonnière, le remplace par le second, le baron de Santo-Domingo, un créole, et fait voile vers Saint-Marc. Les Saint-Marcois proscrivent Peinier le 31 juillet et lancent un appel au soulèvement général ; ils destituent le gouverneur général le 2 août et le remplacent par le commandant particulier de la ville des Cayes, M. de Fierville, qui accepte. Le 3 août, le Sud de l'île se constitue en confédération armée : M. de Codères, ancien major, est assassiné aux Cayes .

Dissolution de l'Assemblée de Saint-Marc

La subversion s'est emparée de la province du Sud, corrode et menace l'Ouest. Seul le Nord échappe à la contagion, et même combat les visées des Saint-Marcois depuis la publication des *Bases constitutionnelles* et du décret sur l'ouverture des ports aux étrangers. L'Assemblée provinciale expulse les agents du séparatisme, dissout la municipalité du Cap, se rapproche du maréchal de camp de Vincent, commandant en second, du colonel de Cambefort et assure le gouverneur général de sa fidélité et de son soutien. Sous la pression de la Révolution domingoise, qui veut renverser le pouvoir en place et établir des relations contractuelles avec la France, une coalition se forme entre le grenier à sucre de l'île et l'armée. Au Port-au-Prince, la capitale, où le Comité de l'Ouest, ligué avec les insurgés, cherche à faire la loi, le colonel de Mauduit, nommé major général des forces de la colonie, a réuni sous son commandement tous les loyalistes civils et militaires de la ville et des environs. Les détenteurs de la légitimité jugent alors le moment venu d'en finir avec les révolutionnaires. Le 29 juillet, un conseil de guerre, présidé par Peinier, décide que Mauduit arrêtera dans la nuit les principaux membres du Comité de l'Ouest et leurs partisans les plus factieux. À la tête de moins de cent hommes, le colonel, malgré la résistance meurtrière qu'il rencontre, dissout le Comité, chassant ses membres et saisissant ses registres. L'action « a été aussi vive qu'elle a été courte », commente le maréchal de camp de Coustard commandant en second de l'Ouest. Le 31 juillet, les autorités nationales prennent connaissance de l'appel au soulèvement général, que lancent les Saint-Marcois, en réponse à l'opération du 29. « Au nom de la nation, de la loi, du Roi, et de la

Partie française de Saint-Domingue en péril. Toutes les paroisses sont invitées et pressées de se réunir sur le champ pour venger les assassinats qui viennent d'être commis au Port-au-Prince. L'horrible conjuration a éclaté ; les exécrables Peiner, Mauduit, Coustard, de la Jaille, etc., se baignent dans le sang : que les bons citoyens courent aux armes ! Union, célérité et courage ! Thomas Millet, Président. » Le 1er août, Peinier fait placarder au Port-au-Prince une proclamation, datée du 29 juillet, où il annonce le renvoi de l'Assemblée générale. « ... Elle a souffert qu'il fût fait et appuyé dans son sein des motions précises d'indépendance. Les bons citoyens qui l'entouraient les ont étouffées par leurs cris d'indignation ; mais si elle a renoncé à prononcer le mot d'indépendance, elle n'en a pas moins marché constamment vers son but. Pour parvenir à se faire continuer, elle a député ses membres dans toutes les paroisses ; dans plusieurs, et surtout dans celle du Port-au-Prince, elle a soulevé les citoyens contre les citoyens, fomenté des cabales, excité du tumulte et des violences, et c'est par là qu'elle a acquis une majorité apparente. Enhardie par ce succès, elle a levé le masque, elle a voulu s'emparer des finances publiques, pour les distribuer entre ses membres, et s'en faire des moyens de corruption ; elle a livré le commerce aux étrangers, elle a, par des projets de décrets insidieusement répandus, tenté de séduire les troupes. [...] En conséquence, et vu le péril évident où l'assemblée coloniale, séante à Saint-Marc, met la France et la colonie, je déclare ladite assemblée et ses adhérents traîtres à la patrie, criminels envers la nation et envers le roi ; je déclare que, dès cet instant, je vais déployer toutes les forces publiques qui sont en mon pouvoir pour la dissoudre, la disperser et l'empêcher, ainsi que ses complices, de consommer leurs horribles projets. »

Toujours ce 1er août, une députation de la plaine du Cul-de-Sac, que Mauduit avait accueillie la veille avec solennité, demande au gouverneur d'anéantir l'Assemblée générale de Saint-Marc. Les Volontaires du Port-au-Prince ou Pompons Blancs s'associent à cette requête. Enfin par cette journée singulière, Peinier apprend que le 30 juillet l'Assemblée du Nord a résolu d'en finir par la force avec la Révolution saint-marcoise. Le 3 août, 12 députés du Cap arrivent dans la capitale et, à leur tour, supplient le chef de la colonie de mettre un terme aux agissements des insurgés. Ils lui annoncent, qu'à cette fin, ils ont nommé M. de Vincent, commandant général des forces patriotiques et de ligne, et que celui-ci, à la tête de 600 hommes, attend les ordres du gouverneur aux Gonaïves, petit port maritime voisin de Saint-Marc. Le conseil de guerre fixe aussitôt la stratégie à appliquer : tandis que Mauduit interdira aux factieux de l'ouest et à ceux plus nombreux du Sud de marcher au secours du foyer révolutionnaire, Vincent sommera « les membres de l'Assemblée de Saint-Marc à vider les lieux dans deux heures, et d'avoir à se retirer chacun chez soi, et dans le cas de refus de les y contraindre par la voie des armes ». Les opérations se dérouleront, à quelques détails près, comme il avait été convenu. Le 8 août, ce qui reste du parlement séditieux — 85 députés sur 212 — se rend à bord du « *Léopard*, sauveur des Français », afin, dit le décret d'embarquement, « d'épargner le sang d'un peuple de frères », et aussi « pour porter à la nation les assurances de l'inviolable attachement que lui a voué la portion des habitants qui habitent la partie française de Saint-Domingue ». Peinier n'a plus en face de lui que l'armée patriotique, recrutée dans les paroisses du Sud en révolte. Cette troupe, venue jusqu'à Léogane quand les Saint-Marcois avaient appelé au soulèvement général, fait des propositions de paix au gouverneur, mais en affirmant sa fidélité à l'Assemblée générale, c'est-à-dire en se posant en porte-parole suppléant de la Révolution blanche de la colonie. Aussi, les planteurs-négociateurs, s'exprimant au nom de leurs commettants sudistes, font-ils précéder leur projet de traité d'un préambule où l'esprit de Saint-Marc affirme sa pérennité. « Comme habitants de Saint-Domingue, leur patrie, ils prétendent à une constitution particulière que nécessite leur localité et leur genre de propriétés. Ce droit leur est encore reconnu par l'Assemblée Nationale. L'Assemblée générale des Représentants du peuple Français de Saint-Domingue convoquée et autorisée par la Nation et le Roi, légitimement constituée par la majorité du vœu des paroisses, reconnue comme telle par la promulgation du gouverneur général, s'occupait de cette constitution, lorsque les dispositions hostiles du gouvernement sont venues interrompre ses travaux, et ont mis les députés dans le cas de réclamer de leurs Constituants, le serment sacré qu'ils ont proféré de les secourir et de les défendre. Fidèles à leur promesse, pleins de respect pour leurs légitimes représentants, ils sont accourus sur l'invitation qui leur a été faite pour voler à la défense des hommes généreux, chargés de leurs plus chers intérêts. Arrivés dans cette ville (Léogane), on leur a communiqué une adresse de l'Assemblée générale à ses Constituants, qui leur apprend que les Représentants de Saint-Domingue se sont embarqués le 8 août, sur le vaisseau le *Léopard*, pour se rendre dans le sein de l'Assemblée nationale, seul juge capable de connaître des discussions qui se sont élevées entre le gouverneur général et les légitimes Représentants du peuple Français de Saint-Domingue. » Sur quoi les plénipotentiaires de l'insurrection déclarent que, réunis pour la défense des « Représentants menacés et opprimés », leur premier devoir réside dans « le maintien de l'Assemblée générale, ainsi qu'elle est constituée ».

À travers ces lignes, comment ne pas sentir que pour la minorité active de l'île, le départ des « Léopardins » pour Paris ne met pas un terme à la Révolution de Saint-Domingue. Les Sudistes raisonnent comme le Tiers, quand il refusait de se soumettre à la volonté du roi et quand il s'était formé en Assemblée nationale. Les électeurs de la grande Antille ne constituent pas une fraction du corps populaire métropolitain. Ils composent à eux seuls un peuple : « le peuple français de Saint-Domingue », comme ils aiment à le répéter. Et, de même que le Tiers a substitué la souveraineté nationale à la souveraineté royale et changé de légitimité, eux, les patriotes américains, jouissent du même droit de disposer d'eux-mêmes, de s'affirmer maîtres de leur destin ! Dans le cadre neuf de la Régénération, comment réfuter la justesse de ce raisonnement, autrement que par la force ? Dès lors, peut-on accorder quelque créance au traité de paix, signé les 17 et 19 août 1790, entre les révolutionnaires insulaires et le gouverneur, chef des troupes d'occupation puisque l'Assemblée générale, organe représentatif légitime de Saint-Domingue a dissous toutes les unités militaires d'outre-Atlantique ? Logiquement, cet accord, qui ne contient aucune renonciation, ne représente rien d'autre qu'une manœuvre imposée par une conjoncture particulière. Les colons-négociateurs apportent la preuve de cette évidence, le 25 août, avant de se séparer, en prêtant publiquement le serment de persévérer dans la voie tracée. « Nous... jurons sur l'autel de la patrie, en présence du dieu des armées, de maintenir la constitution de l'empire français, dans tout ce qui sera conforme à nos convenances locales, ainsi que l'Assemblée générale de nos Représentants, ci-devant séante à Saint-Marc, partie sur le vaisseau le Léopard ; de maintenir de même, tous ses décrets, dès l'instant que, par la sanction de Sa Majesté, ils auront force de loi ; d'être fidèles à la nation, à la loi, au Roi, et à la partie française de Saint-Domingue. Jurons de protéger la liberté publique et individuelle des citoyens, de garantir les propriétés [...] d'y employer la force de nos armes, quand nous en serons requis par la loi. Déclarons prendre sous notre sauvegarde les hommes généreux qui, par un entier dévouement à notre cause, ont tout sacrifié pour s'unir à nous ; [...] déclarons qu'inflexiblement opposés à tous les genres de désordres [...] nous le serons surtout à ceux qui fomentent contre nous les lâches partisans de l'arbitraire, les ennemis du bien public et de la nouvelle constitution ; jurons de ne jamais reconnaître pour frères ceux qui persisteront à porter d'autres marques distinctives que la cocarde nationale, et qui ne se rangeront pas sous les drapeaux de leurs districts, conformément aux décrets de l'Assemblée nationale et à la proclamation du roi ; jurons de rester à jamais unis et de poursuivre avec le fer les téméraires qui oseraient encore tenter une contre-révolution. »

Soulèvement des mulâtres du Nord

La dissolution de l'Assemblée révolutionnaire de Saint-Marc ne retourne finalement pas la situation politique de l'île en faveur du gouvernement, comme l'espéraient les chefs militaires. La minorité insurrectionnelle tient tout le Sud de la colonie, à l'exception de deux paroisses, elle crée des municipalités dans toutes les parties du territoire, en vertu d'un décret saint-marcois illégal, enfin, outre les colons qui lui sont restés fidèles comme les frères Caradeux et le marquis de Borel, elle dispose maintenant de la masse des petits-Blancs — un tiers de la population — qu'elle a commencé à utiliser comme force mercenaire pour intimider les indécis et les autorités légitimes. Quand, le 29 août, Peinier convoque les assemblées paroissiales pour désigner une Assemblée coloniale, en application du décret et de l'instruction de Barnave, les électeurs s'enferment chez eux. D'aucuns assurent même que l'initiative du gouverneur est entachée d'irrégularité puisque l'Assemblée nationale n'a pas cassé le parlement de Saint-Marc. Peinier, cédant à nouveau à sa pusillani-mité naturelle, se tait, fermant les yeux devant l'extension du phénomène révolutionnaire qui se généralise et s'organise. Tandis que l'ordre national métropolitain sombre et que l'ordre patriotique domingois prend des forces dans la confusion et la dispute — le Cap refusant de reconnaître la confédération sudiste — Vincent Ogé, l'un des porte-parole des mulâtres parisiens, débarque à Saint-Domingue le 16 octobre 1790 après avoir déjoué les interdictions mises en œuvre par le Club Massiac et les Chambres de commerce. Aussitôt, le jeune homme écrit au gouvernement général pour lui demander l'applica-tion du décret et de l'instruction du mois de mars : il obtient une réponse bienveillante mais négative. Ogé ne se décourage pas. Le 29 octobre il s'adresse aux autorités du Cap : n'est-il pas originaire de la partie du Nord où il possède ses biens ? Au président de l'Assemblée de la province, il mande : « Je vous somme de faire promulguer dans toute la colonie le décret de l'Assemblée nationale du 28 mars, qui donne, sans distinction, à tous citoyens libres le droit d'être admis dans toutes les charges et fonctions. Mes prétentions sont justes, et j'espère que vous y aurez égard. Je ne ferai pas soulever les ateliers ; ce moyen est indigne de moi. [...] Lorsque j'ai sollicité à l'Assemblée nationale un décret que j'ai obtenu en faveur des colons américains connus anciennement sous l'épithète injurieuse de sang-mêlé, je n'ai point compris dans mes réclamations le sort des nègres qui vivent dans l'esclavage. Vous et nos adversaires ont empoisonné mes démarches pour me faire démériter des habitants honnêtes. Non, non, messieurs, nous n'avons réclamé que pour une classe d'hommes libres qui étaient sous le joug de l'oppression depuis deux siècles. [...] Avant d'employer mes moyens, je fais usage de la douceur. Mais si contre mon attente, vous ne me donniez pas satisfaction, je ne réponds pas du désordre où pourra m'entraîner ma juste vengeance. »

Sur le même ton comminatoire, Ogé signifie à Vincent, comman-dant de la province, la volonté des gens de couleur de participer à la désignation de la prochaine Assemblée coloniale. Et il répète son avertissement : « Nous repousserons la force par la force, si l'on nous inquiète ». L'Assemblée du Nord, souveraine dans sa province, comme la *Confédération* l'est dans le Sud, suffoque d'indignation à la lecture des lettres de Vincent Ogé. Des mesures sont arrêtées, sans tarder. Vincent marche sur le parti armé qu'Ogé a formé avec l'aide de son ami Chavannes. Le maréchal de camp, bousculé, rebrousse chemin et cède la place au colonel de Cambefort, commandant du régiment du Cap, qui, à la tête de 1 500 hommes et de quelques pièces d'artillerie, disperse les rebelles, et en saisit certains. Mais les deux meneurs réussissent à se réfugier dans la partie espagnole de l'île. À la nouvelle de ce tumulte, deux rassemblements de gens de couleur jettent l'alarme chez les colons. L'un dans l'Ouest, l'autre dans le Sud. Le colonel de Mauduit les réduit successivement, davantage par la négociation que par les armes : toutefois, Pinchinat et Rigaud sont momentanément emprisonnés pour les soustraire à la furie des partisans de Saint-Marc. Cette mesure ne remet pas en cause l'alliance des mulâtres et des autorités du Port-au-Prince que la Révolution blanche avait scellée. Dans ce moment critique, Peinier, fuyant ses responsabilités pour la dernière fois, remet ses pouvoirs au maréchal de camp Rouxel de Blanchelande, naguère gouverneur de Tabago, qui vient de débarquer à Saint-Domingue, en qualité de lieutenant au gouvernement général. En ce début de novembre 1790, la colonie s'enfonce dans l'incertitude pesante d'une anarchie qu'administrent des féodalités et que traversent de dangereuses tensions. Si la Révolution créole ne l'a pas emporté, elle reste sous les armes. Si les représentants de la nation et du roi n'ont pas été chassés, leur gouvernement s'exerce sur un territoire circonscrit et vacillant. Quant aux gens de couleur, qui s'irritaient, à Paris, d'entendre l'abbé Maury plaider haut et fort la cause des planteurs, ils se souviennent avec amertume des propos rassurants et mensongers de Barnave, enfant de la basoche et apôtre des Lumières.

Par un jeu étrange du hasard, l'âme de la Révolution blanche de Saint-Domingue, depuis la fin de 1788, est Bacon de la Chevalerie, un parent du député de Grenoble. Ce brigadier des armées du roi, retiré sur la belle sucrerie de son épouse, qui successivement présida les Assemblées du Cap et de Saint-Marc, a marqué l'Antille de son sceau singulier. Cet officier avait été naguère le disciple du Juif portugais Martines de Pasqually — mort en 1774 dans la Grande Île, où un héritage l'avait appelé — qui laissa son nom à la postérité pour son mysticisme maçonnique et pour avoir créé l'ordre des Chevaliers Élus Cohen de l'Univers. Or, Bacon, par son zèle, mérita la confiance de son maître, au point que celui-ci le nomma « substitut universel du grand maître des Chevaliers *Élus* Cohen — c'est-à-dire son successeur. Malgré la brouille et la rupture qui suivront bientôt, le militaire, initié à l'occultisme, demeurera un « doux illuminé ». Fidèle à la maçonnerie, il compte, en 1771 parmi les fondateurs du Grand Orient de France, dont il fut le Grand Orateur, plusieurs années durant. Est-ce à dire que l'on doit voir dans la Révolution blanche de Saint-Domingue une opération maçonnique ? Non, sans doute aucun. Mais a-t-elle subi l'influence de l'esprit cultivé dans les loges ? Comment le nier, tant le grand régénérateur domingois souhaitait l'établissement d'un nouvel ordre de choses. Cela dit, il ne devait point paraître nécessaire au colon commun de s'affilier à un atelier pour souscrire aux principes autonomistes, voire séparatistes.

Le Chevalier *Élu* Cohen a échoué dans son entreprise : entre le dernier trimestre de 1788 et le mois d'août 1790, le mouvement révolutionnaire, qu'il conduisait, a dégénéré. À l'origine, une minorité de grands colons avait organisé un soulèvement autonomiste dont le caractère aristocratique était si marqué, qu'il en avait heurté plus d'un, même parmi les propriétaires. Dès lors, Bacon et ses amis, s'enfonçant dans une illégalité de plus en plus radicale, ont eu besoin de la masse de manœuvre des petits-Blancs pour s'imposer à l'opinion, puis pour tenter de renverser le gouvernement. Cette sédition d'oligarques, par ses ambitions outrancières, a été contrainte de changer de nature, de se populariser, de compter avec la foule nombreuse — plus de 10 000 personnes — des « gens sans aveu » et sans propriété, promue au rang de garde prétorienne. La conjoncture politique insulaire, au moment où Bacon s'embarque sur le *Léopard*, annonce la domination du nombre. À moins d'événements providentiels, le brigadier ne peut plus espérer que Saint-Domingue s'organise d'après le plan aristocratique de la maçonnerie d'Ancien Régime. La Révolution blanche ne se dirige plus vers un renforcement de la hiérarchie sociale européenne, qui aurait peut-être évolué et favorisé une amélioration de l'état des esclaves : à son arrivée à Paris, l'étrange *Élu* ne sera-t-il pas reçu à la fois par le Club Massiac et... les Amis des Noirs ! La turbulence européenne, en s'encombrant de l'aigreur sociale et du racisme des petits-Blancs, semble condamnée à marcher, telle une force aveugle et violente, vers des déchirements et des explosions sans objet ni finalité, vers les désordres destructeurs d'une anarchie où propriétaires et non-propriétaires, planteurs et mercenaires des municipalités, se livreront une guerre sans merci.

Martinique : commissionnaires et petits-Blancs
contre colons et gens de couleur

Saint-Domingue, par sa richesse, indispensable au commerce et à l'économie de la nation, par la nature des événements dont elle offre le spectacle — n'est-elle pas la première colonie européenne à se donner une constitution, depuis l'indépendance des États-Unis ? — étouffe les autres possessions dans son ombre. Néanmoins, la

Révolution traverse toutes les terres lointaines de l'empire, suscitant actions et réactions. D'une manière générale, les colonies réclament une large autonomie administrative; quand elles jouissent d'une prospérité certaine, la libération du commerce; quand elles sont pauvres ou sous la menace de l'ennemi, des primes et aides financières, ainsi qu'une protection accrue.

Les troubles de Saint-Pierre

Il revient aux îles du Vent, plus précisément à la Martinique, de faire retentir le premier coup de tonnerre — révolutionnaire dans toute l'acception du terme. Il s'agit d'une révolte servile, évoquée par le marquis de Valous au travers des souvenirs d'un sien ancêtre, publiés en 1930, et à laquelle L. Élisabeth a consacré une analyse fouillée. L'affaire commence le 28 août, quand le lieutenant-colonel de Mollerat, commandant de la ville commerçante de Saint-Pierre, prend connaissance d'une lettre bien étrange. « Messieurs, Général, Intendant, Gouvernement, Conseillers et autres Particuliers, nous savons que nous sommes libres, et vous souffrez que ces peuples rebelles résistent aux ordres du Roi. Eh bien! Souvenez-vous que nous Nègres, tous tant que nous sommes, nous voulons périr pour cette liberté, car nous voulons et prétendons de l'avoir à quelque prix que ce puisse être, même à la faveur des mortiers, canons et fusils. Comment, depuis combien de centaines d'années nos pères ont été assujettis à ce sort qui rejaillit jusqu'à présent sur nous. Est-ce que le Bon Dieu a créé quelqu'un esclave? Le Ciel et la Terre appartient au Seigneur Dieu ainsi tout ce qu'il renferme. Vous avez suborné nos précédents, non seulement eux, mais encore leurs descendants, cela n'est-il pas horrible? Messieurs, il faut croire en vérité que vous soyiez bien inhumains pour ne pas être touchés par la commisération des souffrances que nous endurons. La Nation, même la plus barbare, fondrait en larmes si elle savait nos maux; je vous laisse un peu à penser avec quelle promptitude chercherait-elle à abolir une loi si odieuse; enfin c'est en vain que nous vous prenons par des motifs de sentiment et d'humanité, car vous n'en avez pas. Mais à la faveur des coups nous l'aurons, car nous voyons que c'est le seul moyen d'en venir à bout. C'est Clarke, dit-on, Belle Isle, Bras Coupé et le jeune Montnoël *les plus têtus, et quelques autres que nous ne connaissons pas; mais nous verrons s'ils le sont davantage que nous. Car il en sortira avant peu, si ce préjugé n'est pas entièrement anéanti, autant d'une part que de l'autre, des torrents de sang qui couleront aussi puissants que nos ruisseaux qui coulent le long des rues; mais le

---

* Ces noms désignent le doyen du Conseil Supérieur et les principaux chefs de la milice.

Gouvernement et les monastères seront respectés. Messieurs nous avons l'honneur d'être. Signé par nous Nègres. » Ce pli mérite quelques remarques. Il ne doit rien à la Déclaration des droits de l'homme, dont la Martinique apprendra l'adoption à la fin du mois de septembre. Il s'appuie sur deux éléments. D'abord, un enseignement — Dieu a créé une humanité libre — qui ne peut découler que d'un commentaire évangélique ou de la propagande philanthropique. Ensuite une rumeur — le roi a pris la décision de libérer les esclaves, mais les Blancs de l'île s'opposent à l'application de son décret — qui témoigne de la vieille conviction des Nègres selon laquelle seuls le monarque et son administration se préoccupent de leur bien. Ainsi emportés, les auteurs de l'adresse du 28 août n'envoient pas une supplique mais une sommation dont Diderot n'eût pas désavoué la violence sanguinaire.

Le lendemain, 29 août 1789, les Noirs s'adressent au maréchal de camp, comte de Vioménil, combattant distingué de la guerre d'Amérique, royaliste aussi convaincu qu'ouvert à l'esprit de réforme, qui assure le remplacement momentané du gouverneur de Damas. « Grand Général, la Nation entière des Esclaves Noirs supplie très humblement Votre Auguste Personne de vouloir bien agréer ses hommages respectueux, et de jeter un regard d'humanité sur la réflexion qu'elle prend la liberté de vous faire... Nous venons d'apprendre avec un extrême désespoir que les Mulâtres, loin de s'intéresser de leurs mères, frères, sœurs esclaves, ont osé nous montrer indignes de jouir comme eux des douceurs que procurent la paix et la liberté et incapables de continuer nos travaux qui font subsister le négoce de la Nation blanche et de ne pouvoir rendre aucun service à l'État. C'est une absurdité très grande et ce procédé ignoble doit vous découvrir la bassesse de l'âme de cette Nation orgueilleuse et vous faire connaître la haine, la jalousie et toute l'horreur du mépris que cette Nation nous porte. Nous osons reprocher cela à vos illustres prédécesseurs qui les ont toujours donné quelques avantages sur nous, soit en les facilitant dans les entreprises d'affaires ou en les accordant dans les inspections de revue le second rang. Ce n'est point la jalousie qui nous oblige à nous plaindre des Mulâtres, mais la hardiesse qu'ils ont eue de faire un plan de liberté pour eux seuls, tandis que nous sommes tous d'une même famille. » Cette adresse, qui se présente avant tout comme un réquisitoire contre les mulâtres, poursuit son développement. « Nous ignorons, Grand Général, si vous avez reçu la requête des Mulâtres, mais vous la recevrez incessamment et nous sommes heureux si nous avons le bonheur de la devancer... Nous terminons nos réflexions en vous déclarant que la Nation entière des Esclaves Noirs réunis ensemble, ne forme qu'un même vœu, qu'un même désir pour l'indépendance, et tous les Esclaves, d'une voix unanime, ne font qu'un cri, qu'une clameur pour réclamer une liberté qu'ils ont justement gagnée par des siècles de souffrance et de servitude ignominieuse. Ce n'est plus une Nation aveuglée par l'ignorance, et qui tremblait à l'aspect des plus légers châtiments ; ses souffrances l'ont éclairée et l'ont déterminée à verser jusqu'au dernier goutte de son sang plutôt [que] de supporter davantage le joug honteux de l'esclavage, le joug affreux, blâmé par les lois, par l'humanité, par la nature entière, par la Divinité et par notre bon Roi LOUIS XVI. Nous aimons à croire qu'il sera condamné par l'illustre VIOMÉNIL. Votre seule réponse, GRAND GÉNÉRAL, décide de notre sort et de celui de la Colonie. Daignez l'adresser aux curés des paroisses qui nous l'apprendront à la messe, au prône. Nous l'attendons avec la plus grande impatience, cependant sans sortir du respect qui est dû à votre Dignité, et la Nation vous prie de la croire, GRAND GÉNÉRAL, votre très humble et très obéissante servante. Signé la Nation entière. À Saint-Pierre, le 29 août 1789. » Les 30 et 31 août, esclaves et libres de fait de Saint-Pierre s'attroupent. Pourquoi ? Pour entourer Vioménil et lui permettre d'annoncer la libération générale des esclaves, comme le voudrait le roi, et comme les colons le refusent ? Pour arracher par la force, le 30 août, à l'occasion de la Saint-Louis, la proclamation de la volonté royale d'abolir l'esclavage ? On ne sait que répondre, sinon que le rassemblement des Nègres devait marquer l'avènement de la liberté, sans pouvoir préciser si cette révolution aurait été accompagnée du massacre des Blancs. Le peu de bruit qui entoure cette affaire intrigue et invite à la suspicion. Des Noirs, sincèrement actionnés par la rumeur, la propagande philanthropique et les propos de religieux comme le P. Jean-Baptiste, n'auraient-ils pas été manœuvrés par des Blancs ? Par aigreur à l'égard des propriétaires, par haine des gens de couleur, en faisant apparaître les dangers que recèle l'égalité civique, par intérêt financier, pour obtenir l'ouverture des ports, en faisant accroire que la main-d'œuvre servile, manquant de vivres, pourrait bouleverser l'île. Il ne ressort qu'une certitude : il y a eu un tumulte, une répression et plusieurs suppliciés. Quant à l'auteur de la lettre au gouverneur, le conseiller P. Dessalles lui consacre quelques lignes. Il s'agit du « nègre Casimir, qui a longtemps servi en France le prince de Montbarrey, qui s'est beaucoup livré au théâtre, à la déclamation, et qui, par une autre lettre écrite à M. de Mollerat, avait promis de surveiller les démarches des Nègres et de lui en rendre un compte fidèle. Il a donné dans cette affaire les plus grands éclaircissements ; aussi a-t-il évité la peine qu'il avait encourue ». Les choses coloniales ne sont pas faciles à démêler. Cependant, ne faut-il pas s'étonner que les Blancs n'aient pas été surpris par le rassemblement de leurs esclaves et qu'ils l'aient attendu l'arme au pied ? Ne doit-on pas également se demander si cette fièvre, dont l'éruption peut paraître concertée ou spontanée, n'est pas le prodrome du conflit qui, bientôt, opposera avec violence ces ennemis de toujours que sont la ville et la campagne, les commissionnaires de Saint-Pierre et les propriétaires de plantations ?

La Martinique, comme les autres îles de plantation, ne goûte pas ses gouverneurs : elle leur reproche le traditionnel « despotisme militaire », et quand ils ne possèdent pas d'Habitations, de se comporter en disciples du maréchal de Castries, désireux de lutter contre le préjugé et pour l'humanisation de l'esclavage, décidés à briser l'interlope et à maintenir les droits du commerce national. Vioménil, qui appartient à cette catégorie d'administrateurs réformistes et autoritaires, ne jouit pas d'une popularité excessive. S'il réprime le « soulèvement » servile à la satisfaction de ses compatriotes, il provoque l'ire de Saint-Pierre et de sa tourbe de petits-Blancs, à propos de la cocarde qu'il arbore après deux semaines d'hésitation. Le 29 septembre, il assiste même à un *Te Deum* au Fort-Royal, qui solennise l'événement. Alors l'inconcevable se produit, qui court bientôt la colonie et que le conseiller Pierre Dessalles ne manque pas de consigner. Dans l'après-midi, « au milieu des fêtes, tandis que le peuple se réjouissait au Fort avec les troupes, M. le général, paraissant pris de vin, avait maltraité MM. de Laubenque, major commandant de la ville, et Castella, major du régiment, parce qu'ils n'avaient pas laissé entrer les mulâtres conformément à ses ordres ; qu'il avait publié un ban, et enjoint à la troupe de reconnaître les mulâtres libres comme citoyens et bons serviteurs du Roy, de faire société avec eux ; que les mulâtres, fiers d'un pareil traitement, s'étaient livrés à des excès ; que les Blancs avaient été obligés de prendre les armes ; que la confusion était dans la ville ». Aussitôt une députation du Fort-Royal se rend à Saint-Pierre. Elle accuse Vioménil d'avoir fraternisé avec les gens de couleur, il répond que « pour montrer l'exemple, il a donné l'accolade à l'un d'eux », et demande des secours pour rétablir l'ordre.

Les Pierrotins se gardent de laisser passer cette occasion inespérée d'intervenir dans la vie publique. Dans l'instant, ils créent un comité qui se pose en interlocuteur des autorités, pendant que, dans la foule, des orateurs réclament le départ du gouverneur pour la France. Le décor, où les nouvelles de la Révolution de Paris viendront frapper et rebondir et où la bataille insulaire se déploiera, est posé : d'une part l'antagonisme entre Blancs des villes et sang-mêlé, d'autre part le conflit entre citadins — négociants et petits-Blancs — et colons. Dans l'immédiat, Vioménil, dominant sa fierté, se dégage du bourbier où des Pierrotins se promettaient de le noyer, et reçoit même des témoignages d'approbation et de gratitude. Dans l'espoir d'apaiser plus complétement les esprits, il satisfait au vœu de l'Assemblée coloniale, organisme pour partie administratif, de convoquer une Assemblée générale élue pour le 16 novembre. Le petit parlement, dominé par les planteurs, s'empresse d'entreprendre l'édification de l'autonomie de l'île et de la suprématie des cultures, en publiant une foule de mesures convergentes. Autorisation aux bâtiments espagnols — porteurs de mulets, indispensables au fonctionnement des habitations — de mouiller ailleurs que dans l'entrepôt de Saint-Pierre, c'est-à-dire dans les anses les plus proches des propriétés de leurs clients ; abaissement de l'impôt sur les esclaves ; admission des navires américains dans les ports, et suppression des droits imposés sur les marchandises qu'ils vendront. Ces décisions, qui favorisent la plantation au détriment du négoce, excitent la colère des députés de Saint-Pierre, qui se retirent de l'Assemblée générale dans les premiers jours de décembre 1789. Les parlementaires martiniquais, au cours de leurs travaux, confirment Moreau de Saint-Méry et Dillon dans leurs fonctions de législateurs nationaux, autorisent la création de municipalités et renouvellent la réglementation interdisant les attroupements. Ce dernier arrêté, pris le 9 décembre, à la veille de la clôture de la session déchaîne la fureur des Pierrotins : ils comprennent que l'Assemblée peut les anéantir sous l'arbitraire et la rigueur de la loi martiale. Aussi se soulèvent-ils et font-ils biffer, par la force, l'enregistrement de ce texte lourd de menaces (13 décembre). Cependant l'effervescence ne tombe pas. Les 19 et 24 décembre, Saint-Pierre se donne successivement une municipalité, une commune, et s'installe dans un désordre insurrectionnel. L'Assemblée générale, refusant de se laisser intimider, envisage de faire scission, ou plus exactement de faire le blocus de la capitale commerciale, afin de contraindre les citadins, partisans de l'ordre, à rejoindre le parti des colons, d'autant qu'une partie de la population du Fort-Royal cédait au vertige de l'anarchie.

Vioménil, voyant la colonie se partager en deux camps ennemis n'aspirant qu'à en découdre, s'efforce de ramener le calme dans les esprits. Il n'est pas écouté de Saint-Pierre, où l'État a perdu tout crédit. Il est finalement entendu de l'Assemblée qui, finalement, renonce à mettre en œuvre son projet de scission. Dans ce dérèglement général, le corps des canonniers du Fort-Royal se mutine le 7 février 1790. Tout le monde tremble. Seul le gouverneur fait face. Cet homme, dont le conseiller Dessalles condamnait l'humanité, la philanthropie, l'absence de préjugé, qu'il expliquait par un goût intempéré pour la boisson, devient soudain un héros. « La colonie doit en quelque sorte son salut dans cette occasion à M. de Vioménil qui, par sa fermeté, arrêta les malheurs de toute espèce que pouvait produire cette première fermentation des soldats. » Le 22 février, de nouveaux troubles éclatent, mais cette fois à Saint-Pierre. La foule blanche s'empare de deux officiers qui ne portaient pas la cocarde et les jette au cachot. Le commandement, craignant que la troupe ne fasse usage de ses armes pour libérer ses chefs, l'évacue vers le Fort-Royal. L'intendant Foullon d'Écotais et Mollerat, commandant de la ville, rallient publiquement les insurgés avec qui ils forment une garde nationale. L'arrestation des deux officiers, suivie de leur embarquement forcé pour la France, sur l'ordre de la Commune de Saint-Pierre, indigne le régiment de la Martinique, maintenant au complet dans les murs du Fort-Royal. Les soldats s'agitent, réclament la restitution des armes et munitions qui leur ont été volées. À ce moment, la souveraineté de la nation, bafouée par l'Assemblée générale qui a légiféré sans délégation parisienne, méprisée par la ville qui veut imposer sa loi par la violence, est répudiée par les deux camps qui se disputent la direction de l'île. Pourtant la situation menace d'empirer. Le 1ᵉʳ mars, « le Peuple de la Pointe-à-Pitre, Grande-Terre, Guadeloupe » envoie une adresse de solidarité « au Peuple de Saint-Pierre, Martinique ». Les Guadeloupéens flétrissent, sans les désigner nommément, l'Assemblée générale et le régiment de la Martinique, dont l'action met en péril le vaisseau de la félicité publique. « Les ennemis du bien public vous menacent ; vos fortunes, vos jours sont en danger. Le trouble peut être dans un moment porté à son comble ; que peuvent faire des frères, si ce n'est aller au secours de leurs frères lorsqu'ils sont en péril ? Cette adresse a pour objet essentiel de vous offrir les faibles moyens qui sont en notre pouvoir pour ramener le calme, rétablir la tranquillité, et rappeler le bonheur parmi vous. » Le mouvement insurrectionnel des Pierrotins s'amplifie au point de se prolonger en une véritable confédération patriotique des îles du Vent. Le 4 mars, la Commune de Saint-Pierre répond avec enthousiasme au Peuple de la Pointe-à-Pitre. « Qu'ils viennent nos ennemis ! Qu'ils contemplent cet accord des vrais citoyens ! [...] Nos frères de Sainte-Lucie sont prêts à partir. Nos frères de la Pointe-à-Pitre se sont embrasés au récit de nos dangers ; ils volent à notre secours. Venez, braves concitoyens, vous serez reçus avec transports dans une ville où la même cause arme tous les bras, où le même sentiment anime tous les cœurs, où ce sera une gloire plus belle de vous faire participer au triomphe qui ne peut plus nous échapper contre nos détestables oppresseurs. »

Tandis que les *patriotes* des îles du Vent se coalisent avec Saint-Pierre, la rébellion de l'intendant de la Martinique, Foullon, se complique de l'indignité du gouverneur de la Guadeloupe, le baron de Clugny, parent de feu le contrôleur général des Finances de Louis XV. Cet étrange représentant du roi, apprenant que de jeunes Guadeloupéens se préparent à porter secours aux Pierrotins, se présente devant le parlement de son île, puis écrit au maire de Saint-Pierre. « Je me suis rendu à l'Assemblée pour y annoncer la résolution que je prenais moi-même de venir vous offrir mes services, et employer tous les moyens de conciliation qui seraient en mon pouvoir. » Malgré une certaine autonomie que Versailles lui avait accordée, la Guadeloupe était soumise à la tutelle de la Martinique. Clugny transgresse cette règle, et, en partant pour Saint-Pierre sans avoir ni autorisation ni convocation de Vioménil, gouverneur général intérimaire des îles du Vent, commet un acte d'insubordination et déconsidère son chef aux yeux des Pierrotins. Comme pour répondre à cette intrigue, Vioménil fait savoir, le 7 mars, qu'aucune fermentation n'agite l'esprit des soldats du régiment de la Martinique. Le 9 mars, une grande réunion se tient dans la capitale administrative de la Martinique. Pierre Dessalles note : « Monsieur de Clugny et les députés de l'Assemblée de la Guadeloupe, réunis au Fort-Royal, avaient employé leur médiation auprès du régiment. Ils eurent la satisfaction de voir leurs vœux couronnés par le plus heureux succès. Le régiment sacrifia tout son ressentiment au bonheur de voir la tranquillité rétablie. » Cette capitulation de l'autorité légitime devant l'insulte de la rue, Clugny l'apporte le 10 mars à la Commune et à la municipalité de Saint-Pierre, qui dressent un procès-verbal enthousiaste. « M. le baron de Clugny a déclaré que les officiers du régiment n'avaient point hésité à satisfaire aux demandes du peuple ; que ce n'était point la paix qu'il annonçait, mais la certitude que la plus parfaite tranquillité devait régner parmi les citoyens, et qu'il n'y avait personne qui eût l'intention de la troubler. [...] Il a été arrêté qu'il serait fait une adresse de félicitations et de remerciements à tous les Français et notamment à nos frères de l'Isle Guadeloupe qui, par leur zèle, leur énergie, leur dévouement patriotique ont procuré cette justice ; que M. le baron de Clugny et MM. les députés seraient remerciés de s'être rendus les interprètes des sentiments du peuple, et qu'il serait incessamment travaillé à former la confédération de toutes les Isles du Vent qui, fondée sur un exemple aussi frappant, ne peut manquer de devenir la force, la sûreté et la gloire des colonies. » Clugny a abaissé le gouvernement, par son intervention aux côtés d'insurgés, qui ont pour ambition de détruire la force armée établie à la Martinique. Lui, le colon créole, il l'a affaibli un peu plus et humilié par sa présence au milieu des fondateurs d'une confédération révolutionnaire des îles du Vent, instrument de guerre aux mains des petits-Blancs et pouvoir nouveau, ennemi de la plantation et des structures nationales traditionnelles.

Le parlement martiniquais, toujours sous la houlette de Dubuc-fils, entre en session le 16 mars. Le lendemain, Moreau de Saint-Méry et Dillon étant confirmés dans leurs fonctions de députés à l'Assemblée nationale, il vote à leur intention des instructions longues et précises. En préambule, un discours doctrinal. « Les colonies ne sauraient être considérées comme des provinces de l'Empire français. » À partir de ce postulat, la question se pose de savoir si les députés de la Martinique doivent réclamer la voix délibérative dans l'Assemblée nationale, jusqu'à quel point il leur convient « d'user du droit de participer à la souveraineté, et si le prix à payer pour l'exercice de ce droit ne pourrait pas être si haut qu'il leur conviendrait d'y renoncer ». Les mobiles de cette méfiance sont ceux qui inspireront l'Assemblée révolutionnaire de Saint-Domingue. « L'Assemblée nationale a décrété une déclaration des droits de l'homme qui doit servir de base au corps de législation. Les représentants des colonies, votant dans l'Assemblée nationale pour la confection des lois, fidèles aux intérêts de leurs commettants, seront forcés de heurter de front les principes adoptés par ladite Assemblée, dès qu'il s'agira de faire des lois pour le régime intérieur des colonies dont l'existence est fondée sur l'esclavage. Là est donc posée la limite où leurs députés doivent cesser de voter en commun avec les représentants des provinces. »

L'Assemblée générale commande alors aux députés d'obtenir, sous la sanction directe du roi ou de son représentant, « le pouvoir législatif absolu », pour tout ce que le régime intérieur de l'île « a de particulier relativement aux esclaves et aux affranchis ». Les arguments abondent, qui étayent cette énergique revendication. « Nos esclaves sont notre propriété. [...] Les affranchis sont des esclaves que nous avons rendu libres en leur donnant la liberté. Nous seuls avons pu fixer l'étendue de ce don ; et si jamais nous avons entendu les assimiler à nous, si jamais en recevant cette faveur, ils n'ont compris qu'ils devinssent nos égaux, qui pourrait venir s'interposer entre eux et nous, et changer quelque chose à une convention qui a été réciproque et dont tout le bénéfice a été pour ceux qu'on voudrait autoriser et même exciter aujourd'hui à de nouvelles prétentions. » Les Martiniquais mesurent, en réalité, que leur position n'est pas aussi avantageuse qu'ils essaient de le faire accroire. À propos des sang-mêlé, comment prétendre qu'un affranchissement est une convention, alors que le Code Noir n'a envisagé cette hypothèse dans aucune de ses dispositions. Par ailleurs, la reconnaissance d'un régime intérieur où seule l'assemblée coloniale pourrait réglementer ne peut découler que de la volonté du souverain, c'est-à-dire de la représentation nationale : à la soumission à la métropole, il n'existe d'autre issue que la sécession. Finalement, l'Assemblée générale, excluant l'hypothèse séparatiste, donne ses instructions à ses mandataires parisiens. « Ils déclareront à l'Assemblée nationale qu'ils renoncent, au nom de leurs commettants, à la voix délibérative, ne se réservant que le droit de séance et la voix consultative. Ils ne feront usage de cette voix consultative que lorsqu'il s'agira d'objets relatifs aux colonies ou qui pourraient y avoir quelque rapport indirect. » En échange, ils demanderont la création d'une assemblée coloniale dans laquelle « résidera le pouvoir législatif de la colonie, provisoire pour tous les objets en général, absolu pour le régime de ses affranchis et de ses esclaves ». L'Assemblée coloniale ne traitera qu'avec le roi ou son représentant, aussi, « il est clair que les députés de la Martinique n'auront d'autres fonctions à l'Assemblée nationale que de l'éclairer sur les vrais intérêts des colonies, d'y veiller à ce qu'il n'y soit rien décrété qui y soit contraire ».

La Confédération loyaliste contre Saint-Pierre

Les colons, en dissertant sur les meilleurs moyens de « créoliser » le pouvoir insulaire, raisonnent pour un avenir indéfini. Pour l'heure, la Martinique vit dans la confusion et l'incertitude. Les commissionnaires de Saint-Pierre, maîtres haïs du commerce des îles du Vent, ont fait échec aux velléités et aux tentatives autonomistes des planteurs, mais ont payé leur succès très cher. Ils se sont alliés aux petits-Blancs qui, vite las de tenir le rôle anonyme de piétaille, revendiquent maintenant de participer à la direction de la Régénération. Ils se sont aliénés, en contrepartie, le gouvernement et les mulâtres. Ce faisant, ils ont déterminé la stratégie des propriétaires à qui il ne reste plus qu'à se coaliser avec les représentants de la nation et avec les gens de couleur libres. Le 28 mars, l'Assemblée générale, répondant à la création par les Pierrotins d'une Confédération patriotique des îles du Vent entérine le projet de former une Confédération loyaliste, et arrête « que M. le Général sera prié d'approuver cette confédération ». Un formulaire d'adhésion est rédigé et envoyé par toute la colonie. « Nous, citoyens de la Martinique, habitants de la paroisse de..., désirant maintenir le régime des lois anciennement établies et de celles faites provisoirement par l'assemblée de la colonie, sanctionnées par les administrateurs et enregistrées par les tribunaux, et assurer notre tranquillité et notre défense mutuelle contre les infracteurs de ces lois et les perturbateurs du repos public, renouvelons le serment que tout honnête homme fait dans son cœur d'être toujours soumis aux lois et à l'autorité légitime. » La formation de cette confédération satisfait Vioménil, mais il revient au gouverneur général titulaire, Damas, de retour à la Martinique le 29 mars, de l'approuver. Saint-Pierre s'indigne de ce geste, mais que faire contre le Fort-Royal où 700 mulâtres en armes ont été rassemblés par Vioménil. Pour apaiser les Pierrotins, « ce digne général, — qui avait eu si longtemps à lutter contre les horreurs des mauvais sujets de la colonie, qui a prouvé dans ces moments de crise combien il était fait pour commander — s'embarqua sur la frégate *La Gracieuse* », regrette Pierre Dessalles, envahi d'une admiration soudaine. En même temps que Vioménil, un émissaire muni des *instructions*, adoptées le 19 mars par l'Assemblée coloniale, part pour Paris. Finalement les Martiniquais ont arrêté que les colonies doivent distinguer trois espèces de lois : les lois générales qu'elles doivent recevoir de la métropole ; les lois particulières qu'elles doivent faire elles-mêmes ; les lois relatives au commerce qu'elles doivent faire ensemble. Et, comme tous les planteurs, ils jugent que les lois « pour être bonnes [...] doivent d'abord assurer le bonheur et la prospérité des colons », c'est-à-dire, maintenir l'esclavage et le préjugé de couleur, et abaisser les prétentions insatiables du négoce national. Sur le point délicat des échanges commerciaux, il faut que la métropole se rende à l'évidence. « Le Code prohibitif écrit sous la dictée des marchands ressemble bien plus à des lois imposées par des conquérants barbares à des pays soumis par les armes qu'à des conventions pour l'utilité réciproque et la félicité commune de citoyens et de frères qui, unis d'esprit et de cœur, n'auraient jamais dû être séparés que par l'intervalle des mers. » Ce discours répète la doctrine de Dubuc. Mais alors que le premier commis savait noyer son propos dans l'idéologie officielle, ses compatriotes, étrangers à la diplomatie, plus portés à la vocifération qu'à l'efficacité masquée, s'abandonnent à une dangereuse provocation. Dans leur plan constitutionnel, les Martiniquais, en application de la doctrine autonomiste, organisent un régime d'assemblée où les élus planteurs détiennent et exercent le pouvoir. Si le gouverneur général, représentant du roi, est conservé, l'intendant est supprimé et la plus grande partie des officiers d'administration est réformée : la fiscalité et les finances passent aux mains des créoles. Après avoir constaté que l'île ne possède pas un revenu suffisant pour « entretenir un évêque dont la trop grande influence, que lui donnerait son état, causerait bientôt des troubles dans la colonie », les insulaires en arrivent au commerce, dont les intérêts, soulignent-ils, ne recoupent pas ceux des commerçants. Les députés de l'île à Paris réclameront : la libre introduction des Nègres de traite étrangère pour un temps limité ; la libre introduction de tous les comestibles déjà permis, sans aucun droit, payables seulement en sirops, rhums, tafias ou *argent*. L'admission des navires étrangers dans *cinq* ports : Saint-Pierre, Fort-Royal, Trinité, le Marin et le François.

Alors que Damas applique la politique qu'il a choisie à son retour, pacifiant notamment les municipalités hostiles, la commune de Saint-Pierre ne cesse de donner de la voix, et le 4 avril 1790, menace. « C'est par la violence qu'on veut triompher du patriotisme, qu'on veut arrêter le cours de la Révolution. [...] Cette colonie sera-t-elle donc en opposition avec tout le Royaume ? [...] Il en est temps encore, M. le Général, tendez la main au peuple et concourez avec lui à tout pacifier, en laissant un libre essor au patriotisme. » Le 6 avril, le gouverneur tombe gravement malade, incapable d'exercer ses fonctions. Un conseil de guerre, présidé par le colonel de Gimat, gouverneur de Sainte-Lucie, confie le commandement au comte de Damoiseau, maréchal de camp, directeur des fortifications, écartant ainsi Clugny à qui il revenait de remplacer Damas. Décision qu'entérine l'Assemblée coloniale. Ce même jour, Saint-Pierre, invoquant des menaces inventées, demande secours et protection aux colonies voisines. La confédération patriote des îles du Vent — Guadeloupe, Marie-Galante, Saintes, la Désirade, Tabago — envoie 2 500 hommes aux ordres du gouverneur de Clugny et du colon Coquille Dugommier. Les deux meneurs arrivent à Saint-Pierre le

9 avril, ils se rendent le 11 au Fort-Royal, chargés d'une mission de médiation, après que Dugommier eut fait diffuser, le 9, une adresse promettant le châtiment aux gens de couleur. « Nos armes brilleront et frapperont de terreur une classe d'hommes qui a osé s'armer contre des citoyens, contre nos frères : qu'ils rentrent promptement dans leurs devoirs, qu'ils témoignent le plus vif repentir d'avoir suivi les perfides conseils d'un chef [Vioménil] passager et extravagant qui les a égarés, et dont la doctrine perverse les a rendus ingrats envers leurs bienfaiteurs, et dès lors très coupables envers la loi la plus essentielle de notre ordre politique [...] notre projet est de châtier les insurgents de couleur qui manqueront à nos frères, et dont la conduite, à l'avenir, ne se modèlera pas sur celle des braves gens de leur sorte qui n'ont pas voulu sortir des bornes de leur état. » Au Fort-Royal d'abord, puis le 13 avril 1790, devant l'assemblée communale, se déroule un étrange ballet au cours duquel on voit Clugny souhaiter le gouvernement général et le refuser sous l'œil du colonel de Gimat, ancien du secret du roi, qui semble pressé de voir le gouverneur créole rentrer dans sa Guadeloupe.

Au cœur de ces moments d'intrigue intense, où Saint-Pierre ne réussit pas à imposer Clugny à la tête des îles du Vent, un navire marchand apporte le texte de la loi du 8 mars, organisant l'autonomie intérieure des colonies. Une fois n'est pas coutume, tous les Blancs crient leur satisfaction à l'unisson. Le conseiller Pierre Dessalles contemple avec reconnaissance et ravissement ce « premier décret qui ait été rendu en faveur des colonies et qui les garantit de toute atteinte à l'avenir, tant sur leurs personnes que sur leurs propriétés ». Si les mulâtres libres avaient pensé que leur soutien armé à la cause des campagnes inciterait les planteurs à se poser en avocats de l'égalité des droits entre Blancs et gens de couleur, ils avaient commis une lourde erreur. Mais ils n'avaient rien à espérer non plus des patriotes de Saint-Pierre, état-major d'ambitieux, entraîné par la foule des petits-Blancs. De la société des mulâtres libres du grand port martiniquais, et de ses rapports de concurrence avec les Européens sans état, Dessalles trace une esquisse fidèle. « Parmi ces hommes de couleur libres, il en existait une infinité qui vivaient du même métier que beaucoup de Blancs. Ils étaient tailleurs, cordonniers, bouchers, perruquiers, marchands. Leurs boutiques étaient plus occupées, mieux servies que celles des Blancs. On préférait également leur donner le commandement des différents bateaux destinés au cabotage de l'île. Les flibustiers* avaient dans tous les temps vu d'un très mauvais œil cette préférence, et au moment de la Révolution ils avaient même, à ce sujet, présenté une requête au comité qui avait usurpé les pouvoirs. [...] Voilà le premier principe qui a dirigé l'acharnement des artisans et flibustiers... » Outre la concurrence

---

* Gens de mer, matelots, caboteurs.

professionnelle, un motif plus subtil envenime les relations entre libres et certaines familles blanches qui dissimulent un métissage plus ou moins lointain et peut-être plus fréquent qu'on ne le dit. « Ceux qui les maltraitaient davantage étaient ceux qui auraient dû les ménager. Ils jouissaient, il est vrai, pour le plus grand nombre, de la qualité de Blancs ; mais les mulâtres n'ignoraient pas qu'ils étaient de la même classe qu'eux, et que le titre dont ils s'étaient emparés était obscurci par une origine africaine. Il est étonnant combien, sur cet article, les mulâtres sont éclairés. Ils connaissent parfaitement tous ceux qui, dans la colonie, peuvent tenir à leur espèce. Ils sont même en état d'en administrer toutes les preuves. Injuriés, maltraités, leur patience fut poussée à bout. Ils répandirent dans le public une liste de tous les Blancs qui avaient usurpé cette qualité. On doit aisément concevoir les murmures, le mécontentement qu'occasionna cette liste parmi ceux qui se voyaient ainsi attaqués dans l'état dont ils jouissaient. Cette tache, insupportable dans les colonies, est une injure très grave. » Déclarer à certains Blancs et, fatalement, laisser entendre à tous les autres que les Antilles sont des îles métissées où la pure blancheur relève du mythe, ce geste met en cause l'ordre colonial, menace la légitimité de la domination de la race la plus claire. Phénomène attendu, la réaction des Blancs ne trouve pas son levier chez les colons, mais à Saint-Pierre.

L'orage éclate à Saint-Pierre, le 3 juin 1790, à l'occasion de la Fête-Dieu. La messe et la procession se déroulent dans le calme, quand soudain, rapporte Pierre Dessalles, « des jeunes gens se répandent dans la ville en criant : " Aux armes. Les mulâtres se révoltent " ». Le tocsin sonne, chacun s'arme et se rend du côté du fort. « Dans cet instant, le tumulte devient épouvantable. On s'empare de tous les mulâtres qu'on trouve dans les rues, on poursuit ceux qui fuyaient dans les campagnes, on arrache de leurs maisons ceux qui n'en étaient pas sortis. On les traîne impitoyablement dans les cachots. Ceux qui furent arrêtés dans le premier moment furent pendus sans autre forme de procès. Une infinité se rendit à la geôle ou se réfugia chez des personnes honnêtes qui les conduisirent eux-mêmes à la geôle, croyant les y mettre en sûreté. Les malheureux cherchaient à justifier leur conduite. Tous les matelots des navires de la rade étaient descendus à terre et s'étaient mêlés dans la foule des assassins. Les uns armés de poignards, les autres de couteaux, plusieurs de lames d'épée, quelques-uns de baïonnettes, tous, les bras retroussés, ne respiraient que le sang. » Combien cette Saint-Barthélemy des sang-mêlé fit-elle de victimes ? Quatorze personnes, comme l'assure Pierre Dessalles, ou davantage ? Enfin, outre les mulâtres assassinés, « trois Blancs, tous trois officiers de la compagnie des hommes de couleur furent sacrifiés à la haine et au ressentiment qu'on leur portait ». Ce massacre, perpétré dans la capitale commerciale de l'île, envenime l'antagonisme de la ville et de la campagne. Malgré l'opposition de

Damas, la municipalité de Saint-Pierre crée, dès le 4 juin, une chambre prévôtale « pour juger tous les mulâtres qui sont dans les prisons » et briser « l'insurrection des mulâtres ». L'Assemblée coloniale, alarmée par la gravité des événements, se réunit au Fort-Royal, le 7 juin et rend aussitôt sa décision. « Considérant que de tels événements ne peuvent être commis que par des scélérats dont on doit attendre aujourd'hui les crimes les plus horribles [...] elle requiert M. le Général de déployer promptement toutes les forces qui lui sont confiées : troupes réglées, artillerie, marine, milices, etc. » Damas, qui ne réussit toujours pas à faire entendre raison aux Pierrotins, répond favorablement aux députés de l'île, le 8 juin. « Responsable à la Nation et au Roy de la sûreté, de la tranquillité et de la conservation de cette colonie, je me rendrais coupable si je différais plus longtemps d'user de tous les moyens qui sont en mon pouvoir pour réprimer des excès aussi criminels, et qui ne peuvent que s'accroître par l'impunité. »

Les 9 et 10 juin, les forces du gouverneur général entrent dans Saint-Pierre et l'occupent. Le 14, au milieu d'une population attentive, l'Assemblée coloniale tient séance. Elle prie Damas de casser la chambre prévôtale, de libérer les mulâtres emprisonnés et de suspendre la municipalité. Le général approuve ces requêtes et commande leur exécution, après quoi, le 18, s'étant vivement heurté à la mauvaise volonté de l'intendant Foullon, dont l'émeute parisienne avait pourtant assassiné le père en juillet 1789, part pour le Fort-Royal, accompagné de l'essentiel des troupes et de la station navale. Saint-Pierre, en recouvrant sa liberté, s'empresse de revenir à ses errements anciens. Sous une paix apparente, les vieux démons entretiennent une braise qui prend flamme les 30 et 31 août 1790, quand plusieurs soldats manifestent une insubordination ouverte. Est-ce un hasard ? toujours est-il qu'au Fort-Royal la garnison du Fort-Bourbon s'insurge. Le bataillon de Saint-Pierre venu en hâte dans la capitale, sur l'ordre de Damas, pactise avec l'insurrection. Le 3 septembre, toutes les troupes refusent obéissance à leurs chefs, seule la station navale demeure fidèle. Le gouverneur, entouré de ses officiers, quitte le Fort-Royal et, après quelques étapes, décide de s'établir au Gros-Morne, le 6. Le conseiller Pierre Dessalles éclaire la position de ce chef sans soldats, officier libéral, devenu le commandant des planteurs et des gens de couleur. « M. de Damas s'était environné au Gros-Morne de presque tous les habitants de l'Île qui y étaient accourus. Leur armée s'était organisée ; mais on manquait d'armes, de munitions et de vivres, et d'une infinité d'autres choses nécessaires. C'est dans une telle situation qu'effrayés des dangers qu'ils ne pouvaient se dissimuler, mais pleins de confiance dans la justice de leur cause, ces colons jurèrent de tout sacrifier pour la défense de leurs droits, de leur liberté, et de la Constitution que l'Assemblée nationale leur avait donnée. » De son camp retranché,

Damas correspond avec les représentants des deux villes entrées en dissidence. Personne ne veut céder. Excédés, les rebelles du Fort-Royal et de Saint-Pierre lancent une proclamation, le 10 septembre, véritable mise en demeure au général de se soumettre à la *Régénération*. « La France a fait, a consommé sa Révolution ; et les efforts des ennemis du bien ne peuvent prévaloir contre elle. Il faut donc que cette Révolution s'étende sur toutes les parties de l'Empire français, et la résistance peut bien retarder, mais non pas empêcher que la Martinique soit soumise aux lois bienfaisantes de la Constitution. [...] Nous déclarons que, si quelque personne résistait encore à notre invitation, si les démarches hostiles qui se sont commises de divers côtés sur les habitations et sur les personnes de plusieurs patriotes continuaient, si enfin le camp qui s'est formé au Gros-Morne avait quelques idées de guerre, M. le Général et les membres de l'Assemblée coloniale sont responsables à la Nation des événements qui pourraient en être la suite ; qu'à eux seuls en est tout le blâme ; et que, s'il en résulte des représailles, si la colonie qu'ils pouvaient pacifier est en proie aux horreurs de la guerre, eux seuls seront comptables des maux infinis que tous nos efforts n'auront pu éviter. » Cet appel comminatoire, où les insurgés exigent la soumission de l'autorité légitime, rompt toutes les tentatives de conciliation pour choisir le terrain de l'affrontement, pour passer de la sédition à la guerre civile.

La situation s'exaspère, le 15 juin, quand des soldats du régiment de la Guadeloupe débarquent à Saint-Pierre. L'un des meneurs prononce un bref discours. « Nous venons, généreux frères, unir nos sentiments et nos forces aux vôtres, afin de protéger tous les colons de votre ville contre tous les ennemis domestiques qui pourraient profiter d'une dissension funeste pour se livrer au désordre. Nous venons avec la ferme résolution de faire rentrer dans le respect et la soumission qu'elle doit aux Blancs une classe d'hommes dont les prétentions absurdes et choquantes, malheureusement soutenues par l'erreur de quelques-uns de nos frères, ont été la source la plus féconde des maux qui affligent cette colonie. » À cette péroraison, un membre du conseil de la ville répond approbatif : « Oui, il est instant de faire rentrer dans l'ordre une classe d'hommes qui se sont écartés de leurs devoirs ; l'ordre moral et politique le demande. » Au fil des mois, la concurrence professionnelle entre la foule des petits-Blancs de Saint-Pierre, et les gens de couleur, a dégénéré en une guerre sociale et raciale, mais aussi en un conflit politique qui vise les officiers, protecteurs libéraux des sang-mêlé — Vioménil est ce symbole — et les colons, race orgueilleuse de propriétaires, toujours détestée des citadins. La proclamation de l'ouverture des hostilités, par les deux grands ports de l'île, menace les hommes de Damas et les planteurs d'asphyxie. Pour parer à ce danger, l'Assemblée coloniale se réunit le 9 septembre et décrète, le 11, « que les ports de la Trinité, du Marin, et plus généralement toutes les anses de la colonie seront ouverts aux étrangers qui y seront admis avec toutes sortes de marchandises, et pourront y charger toutes les denrées coloniales ». Pierrotins et gens du Fort-Royal sont pris au piège qu'ils tendaient : Saint-Pierre, si longtemps maîtresse du commerce des îles du Vent, et même le Fort-Royal se voient, d'un trait, rayés de la carte économique de la Martinique. Tout le littoral insulaire va s'ouvrir au trafic, permettant aux Habitants de respirer à pleins poumons. La proclamation de la liberté de trafic sur tous les points de la côte répond à la déclaration de guerre des insurgés. Les commissionnaires de Saint-Pierre, profiteurs de la sédition, et les caboteurs, âme de la politique d'abaissement des gens de couleur, sont joués : ils se retrouvent, à leur tour, coupés des circuits du négoce national et des échanges régionaux, n'ayant rien à exporter, leurs ports déserts ! Les rebelles, désappointés, entrent en fureur. La délibération de l'Assemblée coloniale écrivent-ils, le 16 septembre à Damas, « est une déclaration de guerre, et le signal de tous les maux ». Ayant contraint le colonel de Chabrol commandant du régiment de la Martinique à les rallier, ils se croient autorisés à renverser les rôles, à jouer les loyalistes et à menacer. « Nous sommes obligés de nous armer. Mais nous prouverons à la France que vous avez refusé la paix, que l'Assemblée coloniale a décrété la guerre, et que vous, M. le Général, avez sanctionné ce décret sanguinaire, et que les malheurs accumulés de la colonie auront été son ouvrage et le vôtre. » Damas, d'un esprit de conciliation qui inquiète les siens, tente une démarche auprès de l'insurrection. Chabrol répond, mais, le 22 septembre, les « commissaires de la Martinique » le désavouent et opposent aux avances du gouverneur un refus catégorique. À ce point, la révolte de Saint-Pierre et du Fort-Royal dépouille son déguisement. Elle compte deux partis, qui ont chacun leur stratégie. Les plus bruyants, les petits-Blancs, veulent en finir avec la concurrence professionnelle des sang-mêlé : pour y parvenir, l'assassinat individuel et collectif ainsi que l'interdiction de s'établir en ville, leur semblent des moyens adaptés. Les commissionnaires, qui abandonnent la rue à la populace européenne, veulent, eux, éliminer l'Assemblée coloniale qui, depuis que Castries l'a créée, en 1787, les attaque dans leurs intérêts, voulant leur faire supporter toute la charge de l'impôt. De plus en plus clairement, entre planteurs et négociants, le conflit est institutionnel et économique : le problème des gens de couleur et des petits-Blancs le cachant. Que l'on prive l'assemblée de l'île de toute compétence fiscale, qu'on ne lui accorde pas la faculté de déclarer la liberté du commerce ailleurs qu'à Saint-Pierre, voilà ce que veulent les commissionnaires : rien d'autre. Qu'on les entende et les petits-Blancs, dont ils tiennent en main le destin professionnel, rentreront dans le rang.

Les Pierrotins, sûrs d'eux, continuent de rejeter les offres de rapprochement de Damas. Ils veulent l'épreuve de force qui leur permettra d'imposer leurs vues, sans partage. Les petits-blancs, qui n'ignorent rien des revendications et de l'agitation des mulâtres de Saint-Domingue, excitent les commissionnaires à l'intransigeance qui mènera à la victoire. Finalement, le 25 septembre 1790, les insurgés, répartis en deux colonnes, l'une commandée par le colonel de Chabrol, l'autre par Dugommier, quittent le Fort-Bourbon et marchent contre le Gros-Morne. Chabrol, toujours tiède, évite l'affrontement. Dugommier, toujours emporté, se brise contre le corps de sang-mêlé de Dugué, qu'assistent Courville et Percin. Cette lourde défaite se solde par 470 morts et 70 prisonniers : Saint-Pierre et le Fort-Royal, étonnés, reprennent leurs esprits. Damas, croyant le moment de l'union venu, lance un appel le 26 septembre, où il affirme ce que Saint-Pierre ne veut pas entendre : l'Assemblée nationale n'a jamais souhaité comprendre les colonies « dans la constitution qu'elle a décrétée pour le Royaume, et les assujettir à des lois qui pourraient être incompatibles avec leurs convenances locales et particulières ». Les villes rebelles s'enferment dans leurs murs, fourbissent leurs armes et leurs plumes et, le 6 octobre, publient un factum incendiaire, où elles n'avouent que la partie de leur stratégie, chère aux petits-Blancs, tout en essayant d'inquiéter les colons des campagnes. « Nous dirons à toutes les colonies, sous quelque empire qu'elles soient : " Voyez et tremblez ! Il s'est trouvé dans cette île des hommes capables d'oublier ce qu'ils doivent à leurs frères. Ils ont armé contre eux les mulâtres, soulevé les esclaves ; ils veulent nous immoler par ces vils instruments. Vous verrez vos esclaves s'armer et tourner leurs armes contre vous. Aidez-nous à confondre ces indignes projets ; employez tous vos moyens pour terminer la crise affreuse qui nous consume, et qui vous consumera peut-être à votre tour. " » Le rapport de force, malgré cet appel démagogique, ne subit aucune variation. Les deux ports caressent de terribles vengeances, tandis que les campagnes, arme au pied, travaillant dans l'ordre et la paix, attendent la soumission de la populace citadine et des parasites urbains. Au début du mois d'octobre, des députés de la Guadeloupe, de Sainte-Lucie et de Marie-Galante débarquent à nouveau à Saint-Pierre et offrent leur médiation, réclamant, d'abord, le désarmement des gens de couleur. Le 9 octobre, Damas répond à ces émissaires, qui parlent le langage des insurgés, s'adressant particulièrement au marquis Dubarail, leur président, qui est surtout lieutenant-colonel au régiment de la Guadeloupe. « Il est ordonné aux officiers et soldats du régiment de la Guadeloupe, qui se trouvent actuellement à la Martinique, de retourner à la Guadeloupe où ils doivent tenir garnison, annulant à cet effet tout ordre qui aurait pu leur être donné d'en sortir. » À travers cette fin de non-recevoir et cet ordre à la fois, la sédition de Saint-Pierre éclaire, une fois encore, la confusion où les officiers se débattent. En face de lui, Damas voit se dresser Clugny, gouverneur au comportement faux, Dugommier ancien officier et

futur général, personnage aussi ambitieux et exalté que Bacon de La
Chevalerie à Saint-Domingue, tandis que le colonel de Chabrol,
caractère hésitant, se soumet à la rébellion contre son sentiment
intime, imité en cela par le lieutenant-colonel de Mollerat, le capitaine
Félix, et plusieurs autres officiers. Dans ce dérèglement militaire, le
salut va venir de la Marine, restée loyale. Le 20 octobre, le comte de
Rivière, nouveau chef de la station navale des îles du Vent, arrive à la
Martinique. Après s'être accordé avec le gouverneur général, il
entame le blocus des ports en révolte, dont les voies de communication vers l'intérieur et l'extérieur sont désormais coupées. Saint-
Pierre et le Fort-Royal tentent, l'un après l'autre, de desserrer
l'étreinte qui les étouffe, au début du mois de novembre : deux
échecs cuisants.

Guadeloupe : conflit des villes avec les campagnes

L'archipel guadeloupéen n'échappe pas à l'agitation qui bouscule la
plupart des colonies en 1789-1790. Comme à Saint-Domingue et à la
Martinique, on y observe l'antagonisme des campagnes et des villes,
des colons et des citadins, des producteurs et des profiteurs. À cette
première tension, une seconde s'ajoute : la rivalité jalouse qui oppose
la Pointe-à-Pitre à la Basse-Terre. L'arrêt de 1784 avait créé un
entrepôt à la Pointe-à-Pitre, qui aspirait à devenir la capitale de la
colonie, mais un second arrêt avait transféré le commerce étranger à la
Basse-Terre. D'où entre ces deux cités, une grande acrimonie.
Pendant que les « Guadeloupiens » de Paris élisent deux députés aux
États généraux, les sieurs de Curt et de Galbert, l'île accueille la
nouvelle des événements révolutionnaires avec enthousiasme. On
porte la cocarde, on organise des fêtes, on célèbre des *Te Deum*,
cependant l'animosité demeure et même éclate. La Pointe-à-Pitre et
son arrière-pays, la Grande-Terre, parlent de se séparer de la Basse-
Terre et de la Guadeloupe proprement dite. Le ton monte, les esprits
s'échauffent, certains accusent le gouverneur de Clugny, qui possède
des propriétés à la Grande-Terre, d'inspirer les revendications de la
Pointe-à-Pitre. Afin de pacifier la situation, Clugny réunit l'Assemblée coloniale qui, loin de concilier les parties en conflit, se divise en
deux camps. On sort de cette impasse en provoquant des élections
pour la désignation d'une Assemblée générale. Celle-ci, pour échapper à la pression de la rue, décide de s'éloigner à la Basse-Terre et de
siéger au Petit-Bourg. Le 9 novembre, elle rend un jugement de
Salomon : les deux ports seront ouverts au commerce étranger. La
menace de scission de l'archipel guadeloupéen s'éloigne et trois
députés supplémentaires sont désignés pour siéger à l'Assemblée

nationale : Chabert de la Charrière, Nadal de Saintrac et Robert Coquille. L'Assemblée coloniale, toujours soucieuse d'apaisement, décide pour finir qu'elle délibèrera alternativement à la Pointe-à-Pitre et à la Basse-Terre, qui l'une et l'autre se dotent d'une municipalité, en application du décret du 8 mars 1790. L'agitation, tombée un moment, reprend au mois d'avril : expédition de Clugny et de ses volontaires à Saint-Pierre, tentative de soulèvement d'esclaves qu'éteint l'exécution de ses cinq chefs, et crise de l'autorité dans le régiment de l'île, désormais en proie aux idées égalitaires. Peu à peu les institutions populaires, municipalités notamment, s'irritent de l'attitude conservatrice de l'Assemblée coloniale qui fait bloc derrière Clugny, l'un des siens, puisque planteur. Le 28 août 1790, après que le gouverneur général de Peinier a prononcé la dissolution de l'assemblée insurrectionnelle de Saint-Marc, les « Guadeloupiens » mettent la dernière main au cahier de doléances qu'ils destinent à l'Assemblée nationale.

Le discours introductif expose, en quelques lignes, la philosophie générale qui inspire les maîtres d'Habitations. Les propriétaires disent leur bonheur et leur confiance, avec une pointe de perfidie : « En effet, il est désormais impossible à la France, libre et heureuse, d'avoir en Amérique des colonies qui seraient encore opprimées. » Reconnaissants « que la Guadeloupe, colonie française par son établissement, forme une partie intégrante de l'Empire français », ils acceptent « avec transport la constitution nouvelle », en tant que Français. Puis viennent les restrictions. « Comme colons nous sommes obligés de faire à quelques-uns de ses principes des exceptions commandées par les lois d'une nécessité impérieuse, et par des différences de localités, qui ont toutes les forces de la nature. » Les colons, ce préambule fini, expriment deux vœux. Ils « doivent vivre heureux et tranquilles sous la garde et la protection de l'État, qui ne doit plus les surcharger des frais énormes de cette protection, ni les tyranniser par le despotisme de ses lois prohibitives ». Ensuite, il est de la justice, de la prudence de la métropole, et « même de son plus grand avantage comme du nôtre, de nous confier sans inquiétude l'exercice du droit que les localités nous donnent, de nous gouverner nous-mêmes et de faire pour notre régime intérieur, avec l'intelligence et le soin du propre intérêt, tout ce que l'autorité royale était obligée de déléguer à des préposés souvent ignorants, et plus occupés d'eux que de nous ». Ayant rappelé les préceptes de l'autonomisme colonial, grâce à la Révolution qui les réintègre dans leurs droits, ils esquissent le plan de constitution le plus convenable à leur situation particulière. Comme les Martiniquais, ils instaurent un régime d'assemblée, au sein duquel le « commandant militaire » et le « commissaire du Roi » sont réduits à la portion congrue, et émondent allégrement le régime fiscal et les lois prohibitives. Enfin, vraisemblablement sous l'inspiration du président Poyen, huguenot, les colons se prononcent contre l'établissement d'un évêque mais surtout stipulent : « Il y aura tolérance religieuse dans la colonie comme en France, et cette tolérance sera établie par une loi qui remédiera à l'insuffisance de l'édit concernant les mariages de non-catholiques, et autorisera même à l'avenir les mariages des catholiques avec les non-catholiques. » Après l'achèvement de ces travaux, la fièvre s'empare de la municipalité de la Basse-Terre. Au mois de septembre, soupçonnant Clugny de comploter avec Damas, elle se dote d'un corps de « chasseurs de la garde nationale ». Le gouverneur et l'ordonnateur Petit de Viévigne s'allient à l'Assemblée coloniale, réclament et obtiennent la suppression de la garde municipale, puis se retirent à la Pointe-à-Pitre. Le régiment de la Guadeloupe, suivi des marins de la Basse-Terre, se joint à la commune insurgée, qui, ayant perdu la partie dans l'archipel, attise la flamme de la Régénération avec les Pierrotins. Cette maigre satisfaction ne souligne que davantage le succès des tenants de l'Ancien Régime : la coalition du gouverneur et des planteurs de l'Assemblée coloniale et du Conseil supérieur.

Dans les autres îles du Vent, l'irruption de la Révolution ne dégénère pas en affrontement sanglant, comme à la Martinique, bruyant, comme à la Guadeloupe. Tabago et Sainte-Lucie, quoique échauffées par les idées nouvelles, se soucient avant tout de l'ouverture de leurs ports et de la suppression de l'impôt. À Sainte-Lucie, les gens de couleur, relativement nombreux, demandent à être considérés comme citoyens actifs, mais les municipalités font obstruction à cette requête ; par ailleurs, ils protestent contre la participation à la vie publique de personnes dont on sait le métissage.

De la Guyane à Saint-Pierre et Miquelon : différences et similitudes

La Guyane accueille la nouvelle des événements parisiens dans une effervescence calme : crise de l'obéissance dans la troupe et formation d'une garde nationale. Le décret du 8 mars ne parvient dans la colonie qu'au mois de juin. Aussitôt, les gens de Guyane élisent une assemblée, ignorant l'existence des citoyens actifs qui vivent loin de la capitale. Comme toujours, l'opposition entre ville et campagne ressurgit et, une fois encore, le gouverneur prend le parti des colons contre les citadins. Bourgon, le représentant du roi obtient l'élection d'une Assemblée coloniale régulière, mais celle-ci, prise d'une fièvre régénératrice, limite aussitôt les pouvoirs du gouverneur, octroie une municipalité à Cayenne, établit un directoire et un conseil d'administration, s'assure le commandement du bataillon, légifère, réglemente, crée un tribunal, prononce quelques déportations. Étrangement, la poignée de créoles qui vit dans cette possession déserte a pris le pouvoir totalement, comme aucune autre colonie n'y a réussi ! Ces bouleversements n'isolent pas la possession de la mère patrie. Au contraire, au mois de décembre 1790, les « Habitants des terres basses dans la rivière de l'Approuague et la Guyane française » recensent leurs doléances à l'intention de « l'auguste Assemblée nationale de France ». Les colons des « terres noyées de l'Approuague » rappellent, dans ce document, qu'en 1776 l'ordonnateur Malouet, désireux de procurer la richesse hollandaise de Surinam à la Guyane française, avait accordé quelques avantages — matériel, vivres et suppression de la capitation sur les Nègres — à ceux qui asséicheraient, défricheraient et cultiveraient la partie basse et noyée de la colonie. Les Français ont beau imiter les Hollandais, leurs efforts n'engendrent que déceptions. Échec des cotonniers, « qui donnèrent peu de fruits », échec de l'indigo, en proie aux « ravages des chenilles, des criquets et autres insectes destructeurs », tentatives de culture des caféiers, cacaoyers, girofliers et de canneliers, dont on ne peut espérer un revenu éventuel avant quatre ou cinq ans. Au terme de cet exposé franc mais ne traduisant aucun esprit d'abdication, les pionniers des terres basses demandent l'annulation de leur dette, « des primes proportionnées aux capitaux [...] mais en vivres, ustensiles, matériaux et nègres ». Enfin, ces hommes réclament ce qui a toujours été mesuré aux fondateurs de plantations : des avances. « Nous avons déjà observé qu'on ne peut avoir recours au crédit dans ce pays, et d'ailleurs pour nous en persuader, il faudrait que les capitalistes de notre nation fussent aussi persuadés que nous-mêmes de la certitude de notre réussite, et qu'ils fussent aussi peu pressés de jouir que ceux d'Hollande. » Le 3 décembre 1790, l'Assemblée coloniale s'écarte des réalités pour verser dans l'idéologie : elle invoque la Déclaration des droits de l'homme pour interdire le port des titres de noblesse et des armoiries, mesure d'urgence que l'Assemblée nationale avait arrêtée par son décret du 19 juin 1790.

Au septentrion de l'Amérique, la vague révolutionnaire atteint Saint-Pierre-et-Miquelon, évacuées pendant la guerre d'indépendance, réoccupées en 1783-1784. Les 1 500 personnes qui habitent ces îlots ont bien des raisons de se plaindre. Ils le font, le 23 juin 1790, dans un mémoire à l'Assemblée nationale. « Le sol ingrat de ce rocher, quelque précieux qu'il soit pour la pêche à la morue, ne permet point aux habitants de s'y procurer aucune provision pour la vie, sinon quelques herbages pendant l'été, et encore avec beaucoup de peine et de dépense. La plus grande partie de ces colons sédentaires exercent la pêche par eux-mêmes, ou la font faire, mais ce dur et périlleux métier, vu la cherté des fournitures, suffit à peine à l'entretien de leurs familles pendant la saison de la pêche, et ne leur offre aucune ressource assurée pour les besoins de l'hiver. » La rigueur des jours, loin de s'atténuer, s'aggrave. Les Saint-Pierrais, depuis 1789, souffrent de l'attitude du Commerce qui ne veut plus les approvisionner en sel, vivres, bois et objets de pêche. Au contraire, il dévalise les magasins que le roi entretient dans les deux îlots et reproche de vendre à perte la morue salée qu'il vient charger ! « C'est donc sur le seul habitant que tombe la faute puisqu'on lui augmente le prix des fournitures de près d'un tiers, et qu'il donne sa morue en paiement, au même prix qu'il la livrait il y a vingt ans. » Ces victimes de la décadence française en Amérique prennent leur courage à deux mains. « Ils s'adressent donc avec confiance à la justice et à la commisération de l'Auguste Assemblée, et osent attendre de ses attentions bienfaisantes pour tous les colons français [...] qu'elle leur accordera l'approvisionnement annuel des vivres, qu'ils réclament à titre d'avance pour l'hiver seulement, et la libération totale de ce qu'ils peuvent devoir à l'État pour les sus-dits matériaux et autres objets par eux reçus des magasins du roi, en 1783 et 1784, et la prolongation de la prime » versée aux armateurs, pour que ceux-ci les approvisionnent. Les Miquelonnais et leurs frères sollicitent peu de la Régénération. Des farines, un peu de ce tafia interdit en France, et quelques fournitures : ils paieront tout ! L'humilité honnête des déshérités, après l'arrogance des riches parvenus antillais.

Sénégal : doléances pour la liberté du commerce

À Saint-Louis, au Sénégal, la Régénération, comme partout ailleurs, plonge les esprits dans l'effervescence. Dès le 15 avril 1789, Dominique Lamiral, ancien agent de la Compagnie de la Guyane, expose les « très humbles doléances et remontrances des habitants du Sénégal », à l'intention des « citoyens français tenant les états généraux ». Il les publiera l'année même dans son ouvrage *L'Afrique et le peuple affriquain considérés sous tous leurs rapports avec notre commerce et nos colonies*. L'île Sénégal, comme l'on disait alors, est une petite ville peuplée de Blancs, de métis ainsi que de Noirs, les uns libres, les autres esclaves. Tous vivent de deux activités : la traite exclusive de la gomme et des Nègres. Blancs et gens de couleur « qui gémissent sur les bords arides du Niger », se tournent vers « ceux qui habitent les bords fortunés de la Seine ». Cette population infime, accrochée à la côte de la Négritie, les implore d'intercéder auprès du roi, et revendique. « Daignez, Messieurs, lui faire entendre la voix timide et plaintive des malheureux habitants du Sénégal, courbés sous le joug insupportable du despotisme affreux d'une compagnie privilégiée*. Nègres ou mulâtres, nous sommes tous Français puisque c'est le sang des Français qui coule dans nos veines ou dans celles de nos neveux. Cette origine nous enorgueillit et élève nos âmes ! » Le monopole de la gomme subit les premières critiques. Naguère, la population de Saint-Louis participait aux différentes opérations de ce trafic ; désormais il n'en va plus de même. Or, « de ces travaux dépendent notre existence et celle de nos familles ; s'ils nous sont enlevés, il ne nous reste plus aucun moyen de subsister. C'est ce qui arrive aujourd'hui, que la compagnie emploie un bien plus petit nombre de vaisseaux pour faire la traite, que n'en employait le commerce libre. De plus de six mille individus, qui composent l'île Saint-Louis, il y en a deux mille dont les bras sont ordinairement voués au service du commerce. De ce nombre, la compagnie n'en emploie pas six cents. » Non seulement le monopole engendre le chômage mais la politique d'achat des négociants havrais entraîne aussi la hausse du prix d'un produit qui, sur place, devient inabordable, pour les utilisateurs locaux, et en France, pour le commerce anglais. Enfin, en échange de son privilège, cette société prend en charge les dépenses de la colonie. Tout ce qui tient à la garnison et à l'administration civile est à sa solde. « N'est-ce pas un nouvel abus qui donne à la compagnie une influence si grande qu'elle nous expose sans cesse à toutes les vexations de son directeur sans qu'il existe pour ainsi dire entre elle et nous aucun juge ? »

Saint-Louis, plaçant tout son espoir dans la Cour, attendait des mesures réparatrices. « Aussi notre étonnement fut-il extrême, quand nous vîmes publier le privilège exclusif de la traite des Noirs dans toute l'étendue du fleuve jusqu'à Galam. Ce fut un jour de deuil et de consternation dans tout le pays ! [...] La traite des Noirs est celle où nous avons généralement le plus de part, parce que nous avons des bateaux et des esclaves matelots que nous envoyons jusques à Galam traiter des Noirs que nous vendons ensuite à des marchands européens au Sénégal, avec un léger profit. Nous y traitons à bon compte du riz, du millet, du beurre, du tabac et toutes sortes d'ustensiles de ménage dont nous nous approvisionnons pour le restant de l'année. Les gens du pays nous reçoivent bien, nous ne payons que des droits très modiques aux princes riverains. Mais depuis le privilège, les choses sont bien changées, nous sommes à la fois à la merci des vexations de ces princes et de celles de la compagnie. Nous payons des droits énormes et nos bateaux sont pillés, parce que, disent-ils, tout ce que nous traitons est pour la compagnie, et que nous sommes les captifs de la compagnie. » Ce

---

* La Compagnie de la Guyane, qui avait reçu le privilège de la traite des Noirs en 1777, disparaît en 1783. Cette année-là, le privilège de la traite de la gomme est accordé à une Compagnie de la traite de la gomme (1783), qui reçoit, en 1786, le privilège de la traite des Noirs au Sénégal. Alors, on l'appelle communément Compagnie du Sénégal.

monopole de la traite négrière, odieusement accordé à une compagnie despotique, suscite l'indignation et la colère des habitants de Saint-Louis, car il les prive de la partie la plus importante de leur revenu. Ces hommes, dont le sang porte souvent la marque de l'Afrique, se révoltent à l'idée de ne pouvoir vendre librement les enfants du continent noir. Ils se comportent en marchands, écartant toute autre considération, et élèvent leurs cris pour réclamer justice. « La compagnie a résolu de conserver un assez grand nombre d'esclaves à elle, pour en faire des ouvriers, des matelots, pour tous ses travaux et sa navigation, afin de pouvoir se passer de tous nos services pour son commerce. Alors, quelle ressource nous resterait-il ?... L'alternative est trop cruelle... Mais non !... Trop faibles victimes nous doutons encore si nous aurions le courage de nous venger ! Le sang des Français, dont nous nous glorifions d'être issus, coule dans nos veines, c'est encore le sang pacifique et humain de nos pères, qui sans doute étaient d'une autre race que ceux qui les remplacent aujourd'hui ! Toutefois, les dents des lions, les griffes des tigres nous inspirent moins de crainte et d'horreur que le despotisme de la compagnie. [...] Quel est donc notre crime ? De quoi sommes-nous donc coupables envers la mère patrie, pour qu'elle nous livre ainsi, sans pitié, au glaive d'un privilège vexatoire ? » La rage des commerçants blancs, métis et autres, spécialisés dans le trafic des Africains, éclate, tonitruante, plus offensée que la douleur juste, qui laisse les captifs sans voix.

L'Assemblée nationale abolira, en 1791, le « privilège odieux, également contraire aux lois de la raison, de la nature, et qui en violant le droit des gens, renverse les fondements d'une saine politique ». Mais, après avoir satisfait aux doléances du commerce de France d'abord, et accessoirement à celles des habitants de Saint-Louis, au-dessous desquelles Ch. Cornier, maire mulâtre de la ville, avait apposé sa signature, les élus de la nation aboliront l'esclavage, en février 1794, rendant momentanément le commerce inhumain à l'Afrique et aux Arabes. Auparavant, Ch. Cornier aura eu le temps de ratifier une sorte de déclaration de grève des gens de Saint-Louis, à qui la compagnie réclamait de « faire le voyage de Galam », d'où l'on tirait gomme et esclaves.

Mascareignes : la quête de la puissance

La Révolution ne s'enferme pas dans un tourbillon atlantique. Avec plus de lenteur, car ses intérêts y sont modestes, elle descend vers la mer des Indes, où elle s'annonce aux Mascareignes, aux mois de janvier et février 1790. Aussitôt les cocardes fleurissent, la passion envahit les esprits. Les Îles Sœurs se dotent d'Assemblées générales, qui, après l'annonce, au mois de juin, du vote du décret du 8 mars, laissent place à des Assemblées coloniales. Dès les premiers moments de cet ouragan, les autorités traditionnelles perdent le pouvoir, au bénéfice du régime créole qui se renforce en créant des municipalités, des gardes nationales et en élisant des députés à l'Assemblée nationale. Également, on n'oublie pas d'envoyer adresses et pétitions aux nouveaux souverains. Le 1er juillet 1790, l'Assemblée générale de Bourbon prend la parole. « Depuis longtemps, la colonie soupirait après l'instant où elle pourrait vous faire parvenir ses vœux ; des difficultés résultant du vice de l'Ancien Régime s'y sont longtemps opposé, mais, assemblée aujourd'hui par des représentants librement élus, elle s'occupe sans relâche des moyens de vous faire connaître ses griefs et ses demandes. » On crie son adhésion et son enthousiasme, avec d'autant plus de conviction que l'on précise les conditions de cette unanimité. « Pénétrés de confiance en votre sagesse et en vos lumières, nous adhérons avec soumission et empressement aux lois bienfaisantes que vous dictez à l'empire français, bien persuadés que votre prudence aura égard à la localité qui doit apporter des modifications à telles de ces lois générales qui ne peuvent être pleinement exécutées dans un pays si différent par sa position physique et la nature des propriétés, de celui pour lequel, principale-ment, ces lois ont été faites. » Ces préoccupations ne se différencient pas de celles des Antillais, mais elles sont exprimées sans arrogance, sans violence, au contraire, avec respect. « Que les augustes représen-tants de la nation, achèvent, aux yeux du monde étonné le plus beau monument que l'homme ait jamais élevé à la liberté ! » Ultime rappel du vœu le plus cher, de la revendication la plus avancée dans le cœur de tous les colons : « Jetez, ensuite, Nosseigneurs, un œil de bienveillance sur des Français relégués aux extrémités de la terre, et livrés depuis longtemps au *despotisme ministériel*. Daignez nous y soustraire, et accueillir avec bonté l'hommage que nous vous présentons des sentiments d'amour, de reconnaissance et de respect que vous nous avez inspiré. » Comme l'a justement souligné Claude Wanquet, Bourbon s'intègre dans le mouvement métropolitain de régénération, demandant seulement la reconnaissance de son origina-lité créole, partant, d'une certaine autonomie au sein de l'empire français. Après l'adoption de la *Déclaration des Droits de l'homme*, et contrairement aux Antilles, les Mascareignes ne prennent pas leurs distances avec la nation : elles restent solidaires de son destin, dans le cocon protecteur de la localité.

L'île de France, où la troupe prend des libertés avec l'obéissance, où le sentiment d'Ancien Régime du gouverneur général de Conway et du commandant de la station navale, Macnemara, heurte une partie de la population, manifeste plus de nervosité que Bourbon. Comme toutes les villes, le Port-Louis exalte les principes nouveaux pour mieux dénoncer la dictature des chefs militaires. Le 30 juillet 1790, les gardes nationaux prennent la plume et envoient une adresse au président de l'Assemblée nationale de l'Empire français, à Paris, rendant hommage à la régénération, mais pleurant que « les tyrans trompent la religion du meilleur des Rois ». En effet, « les horreurs d'une guerre civile menacent nos têtes, et les tyrans sourient avec complaisance ». Inlassables et malfaisants, « les ennemis de la chose publique trament encore contre la liberté, ils cherchent à intimider les bons citoyens par des bruits criminels adroitement semés ». Devant le danger des « nouveaux complots du despotisme », les gardes nationaux en appellent aux représentants de la nation. « Ils vous supplient, Pères de la Patrie, de prendre sous votre protection immédiate, des Français transplantés au milieu de l'Océan Indien. » L'Assemblée coloniale est élue, en application du décret du 8 mars 1790. Si elle n'apaise pas les tensions qui agitent la capitale, elle fait au moins connaître ses vœux et, par-delà, ceux des Mascareignes, dans une pétition à la représentation nationale, du 27 octobre 1790. Dès le premier article, elle surprend. Au nom de son appartenance au monde indianique, selon l'expression de Claude Wanquet, elle propose une géographie politique et stratégique de la France en Asie. Elle « se plaint du système qu'elle prétend qu'on a mis en avant d'abandonner les colonies de l'Inde, et de l'évacuation de Pondichéry. Elle déclame contre M. de Conway et réclame une loi de l'État qui mette pour toujours la conservation des colonies françaises dans l'Inde, sous la sauvegarde de l'honneur national ». L'île n'oublie pas que le commerce de l'Asie, dont celui des Indes, a fait sa richesse. Aussi, dès les premières lignes de ses doléances, laisse-t-elle parler l'anglophobie, que lui inspire la mainmise progressive de la Grande-Bretagne sur le monde qui s'étend au-delà du cap de Bonne-Espérance. Décidément plus ambitieuse que les autorités de la métropole, « l'Assemblée coloniale s'empresse de solliciter l'Assemblée nationale en faveur des îles Séchelles, et la supplie de prendre dans une plus grande considération cette petite colonie qui est située de manière à devenir très utile, sous plusieurs rapports, et que la ridicule somme de 1 800 livres, qui est celle fixée par le ministre pour la dépense totale annuelle de cet établissement soit convenablement augmentée ». De cet archipel, dont Mahé est l'île-capitale, et où l'on ne compte que onze chefs de famille libres, en 1788, les Français des Mascareignes souhaitent faire une région d'émigration. Projet intéressant, qui permettrait de peupler une poussière de terres désertes, mais que les Séchellois ne goûtent pas, préférant rester entre eux plutôt que d'être troublés par le débarquement de quelques familles en quête de concessions. Les membres de l'Assemblée de l'île de France ne s'arrêtent pas en si bon chemin et poussent plus loin leur volonté d'expansion. « Sur la fin de l'Ancien Régime, le ministre a été sollicité par l'évêque d'Adran et par le Roi de la Cochinchine même, qui dans ces vues avait envoyé son fils en France, avait médité une expédition dans cette contrée, pour secourir son légitime souverain contre un usurpateur. [...] Sans entendre demander que ce projet soit repris, nous supplions l'Assemblée nationale d'ordonner que les avantages, que notre commerce pourrait retirer d'un établissement dans cette contrée, soient pris dans une nouvelle considération, d'après les mémoires que nous enverrons à nos députés. » L'esprit de commerce et de conquête des gens de l'île de France, ne se contente pas de vouloir reprendre le chemin tracé par Mgr Pigneau de Béhaine, il s'engouffre dans tous les plans d'expansion dont les ministres de la Marine du XVIIIe siècle avaient été saisis. Sous prétexte de sollicitude pour de malheureux compatriotes, les représentants de l'île de France suggèrent sans détour une entreprise à laquelle songèrent les chefs de l'Inde. « Par des naufrages, ou d'autres événements malheureux, plusieurs Français ont été successivement faits esclaves au *Pégou**. Jusqu'ici l'on a vainement tenté de tirer ces infortunés des fers où ils gémissent. Il faut convenir que les tentatives, qui ont été faites pour cet acte de bienfaisance, n'ont jamais été préméditées et qu'elles sont seulement dues à l'humanité de quelques armateurs ou capitaines de vaisseaux particuliers. Nous demandons qu'une expédition ad hoc soit ordonnée. Elle aura de plus l'avantage de faciliter peut-être quelques liaisons avantageuses avec le pays qui offre de grandes ressources au commerce, et dont les Anglais savent tirer un grand parti. Elle pourra être aussi appliquée successivement à remplir les mêmes vues d'humanité dans quelques autres lieux... »

On est pris de vertige et aussi, l'on se croit reporté quelques siècles en arrière, quand Cortés transformait l'île de Cuba en relais de la métropole pour partir à l'assaut du continent américain. La politique de la tache d'huile, chère à Lyautey, conduite par les coloniaux eux-mêmes pour agrandir le patrimoine extérieur de la nation, est plus vieille que l'on ne s'abandonne à le dire ! Les Mascareignes, surtout l'île de France, et avant tout le Port-Louis savent leur inexistence si le trafic asiatique ne les inonde de ses denrées et de ses produits. D'où cet appétit désespéré de conquête et de mise en valeur — Rodrigue, les Chagos, les Amirantes et cette funeste Madagascar, sont aussi visées — d'où ces desseins grandioses pour exorciser le sort de poussières orphelines, prisonnières d'horizons vides. La haine de l'Anglais, tel un ressac perpétuel, actionne les mouvements de la colère, de la revanche et des ambitions violentes. Les élus de l'île de France n'entendent pas le discours pacifiste et ruineux des dépêches de Vergennes. Nous demandons, s'écrient-ils, regardant vers l'Inde, « que la nation ouvre les yeux sur l'état infime et l'abjection où elle est dans cette opulente et intéressante partie de l'Asie ». Les Britanni-

---

* Birmanie.

ques se sont emparés de tout. Au cœur du riche Bengale, Chandernagor porte le masque défait de l'asservissement et de la ruine. Comment accepter telle humiliation, pareille faillite ! Nous demandons, protestent les insulaires français, « que le pouvoir exécutif soit requis de s'occuper sérieusement de ce pays important : qu'il réclame hautement contre les violations du droit des gens que les Anglais s'y permettent souvent et prennent tous les moyens possibles d'y rendre à notre commerce une consistance digne de la nation à laquelle il appartient ». L'exécration de l'Angleterre — constante de la politique française —, de la paix sans conditions, la passion de la puissance de la Grande Nation, se seraient-elles épanchées au Port-Louis, avant qu'à Paris ? Les habitants des Mascareignes reportent leur aversion farouche pour les Anglais sur le gouverneur général de Conway et sur le commandant de la station navale Macnemara, tous deux d'origine irlandaise. Ils abordent explicitement ce problème dans la pétition du 27 octobre 1790. Ils dénoncent « combien il est dangereux de confier le commandement en chef à des étrangers, surtout dans ces possessions éloignées de la surveillance nationale. [...] Il n'y a qu'un amour et bien connu pour la Patrie, qui doive donner le droit de commander pour elle en chef, et cet amour ne se trouve jamais dans le cœur de l'*étranger* qui la sert, s'il n'est séparé par plusieurs suites de son origine. Au contraire, la plupart ont l'ingratitude de jalouser, de déprimer jusque dans son sein la nation, leur bienfaitrice. [...] Plusieurs ne rougissent point de manifester qu'ils n'ont d'attachement que pour les faveurs qui leur sont prodiguées, car dans le régime précédent, il suffisait d'être étranger pour avoir droit à toutes les faveurs de la Cour. Nous regardons cet usage comme injurieux à la nation. [...] D'après ces considérations, nous demandons qu'il soit décrété qu'à l'avenir, nul ne pourra commander en chef, même dans un corps détaché, ni ici ni dans l'Inde, soit par terre, soit par mer, s'il n'est Français de naissance et d'origine française déjà ancienne ». Outre Conway et Macnemara, ce réquisitoire semble viser nombre de responsables d'origine étrangère, comme Law de Lauriston, pâle gouverneur général de l'Inde, ou Sutton, comte de Clonard, qui avait appartenu à l'administration de la Compagnie des Indes. Tous ces hommes, que les affaires commerciales amenaient à fréquenter les Anglais, inspirent une méfiance ignorée des îles du Vent, où les colons ont apprécié l'occupation anglaise, pendant la guerre de Sept Ans, et où ils viennent d'élire le comte Dillon, d'origine irlandaise, pour les représenter à Paris. Les Mascareignes, jamais soumises au joug anglais et dont le déclin s'aggravera d'autant que la puissance britannique croîtra en Asie, ne raisonnent pas comme les Antilles. L'opulence du Port-Louis nécessite que la nation française débarrasse la mer des Indes de l'hégémonie grandissante de Londres. Cette vision politique d'un nationalisme combattant conduit, le 4 novembre 1790, à l'assassinat de Macnemara, Rochefortais de souche irlandaise, homme aux manières plus militaires que diplomatiques, mais qui, tel son oncle, avait servi la France avec honneur contre les escadres anglaises.

L'île de France se singularise, enfin, à propos des questions brûlantes du statut des gens de couleur et de l'esclavage. L'Assemblée coloniale établit un constat, demande des instructions sans manquer d'exprimer ses vœux. Abordant le problème des mulâtres, elle dit : « Les affranchis ou même les hommes nés libres de couleur ont été encore plus cruellement vexés par le pouvoir arbitraire, suprême et délégué, que les autres habitants de la colonie. L'Assemblée générale se plaît à rendre justice à leur zèle et à leur bonne conduite, en tout point, depuis la Révolution. Elle les a délivrés de la tyrannie qui pesait sur eux, mais elle ne s'est pas crue suffisamment autorisée pour statuer définitivement sur l'état civil de cette classe de citoyens. » La société des Mascareignes, largement métissée et n'ayant pas honte de son sang-mêlé, contrairement aux Blancs des Antilles qui se trouvent dans ce cas, souhaite l'octroi de l'égalité des droits aux mulâtres libres. Ses députés locaux en font la demande à l'Assemblée nationale. « Nous la supplions de statuer sur leur sort de la manière la plus favorable, en observant que dans le nombre des gens de couleur qui habitent cette colonie, il en est qui ne doivent leur liberté qu'à la nature, comme sont les originaires de plusieurs parties de l'Inde et quelques Madécasses. » L'esclavage n'inspire pas un tel élan de libéralisme. Les habitants de la mer des Indes partagent le même sentiment que ceux de la mer des Antilles, dont ils ne se différencient qu'en « rendant hommage à la sensibilité et aux motifs de la Société des Amis des Noirs ». Les colons, même s'ils ne possèdent pas de grandes plantations, comparables à celles des îles de l'Amérique, n'en tirent pas moins leurs ressources d'une économie servile. Dans ces conditions, déclarent-ils, « nous sommes obligés de nous opposer de tout notre pouvoir » aux vues « plus humaines que politiques sur l'affranchissement général et subit », prôné par les amis de Brissot ; en réalité, ceux-ci ne réclament qu'une abolition graduelle. Soudés dans une unanimité à toute épreuve, les propriétaires de la mer des Indes concluent : « Un tel bouleversement de l'ordre actuel des choses est impraticable, sans une souveraine injustice envers les propriétaires, sans une perte immense pour l'État par l'anéantissement de ses colonies, sans le plus grand danger pour les Européens qui les habitent, et même sans le plus grand malheur pour la plupart des individus en faveur desquels la philosophie s'est tant exaltée. » En foi de quoi, ils invitent leurs députés à Paris « de s'unir étroitement à ceux de Saint-Domingue et de toutes les autres îles de l'Amérique pour combattre cette dangereuse erreur » qu'est l'abolition. Mascareignes et Antilles n'adoptent un comportement identique que sur deux points, d'importance, il est vrai : la créolisation du pouvoir et le maintien des Noirs dans la servitude.

À la fin de l'année 1790, L'Assemblée coloniale de l'île de France, toute à ses certitudes, exerce le pouvoir. Avant même l'assassinat de Macnemara, le lieutenant général de Conway avait confié le gouvernement général des Îles Sœurs au chef de Bourbon, le maréchal de camp Charpentier de Cossigny. À l'abri des *étrangers* les insulaires s'organisent, réglementent et débattent d'une constitution.

L'Inde : rétablir la politique de Dupleix

La Révolution fait son entrée dans la capitale des établissements français de l'Inde, le 22 février 1790. Aussitôt, cris, cocardes, désignation d'une Assemblée générale des citoyens, sous l'œil aigu de Moracin, représentant de la dernière Compagnie des Indes orientales, empiétements sur les pouvoirs du gouverneur particulier, le chevalier de Fresne, et désignation de députés à Paris. Enfin, comme partout, rédaction des vœux et doléances de la colonie : à Pondichéry, c'est chose faite dès les premiers jours de mars 1790. Dans le mémoire qu'ils envoient à l'Assemblée nationale, les Pondichériens laissent parler l'humiliation, l'amertume et, comme aux Mascareignes, le nationalisme que le triomphe anglais exacerbe. Mais ici, la résignation et la nostalgie, bayadères funèbres, répètent les pas endeuillés d'une danse effacée. « Quand, nous arrachant aux réflexions douloureuses dans lesquelles nous absorbe le sentiment de notre malheur, nous recherchons quelquefois les motifs qui ont pu déterminer le système destructeur de notre existence en Asie, nous ne trouvons que des raisonnements qui nous paraissent faux ou illusoires, et nos idées se perdent dans le vague des conjectures. » On se remémore l'action gouvernementale passée. Un ministre hésitant, noyé de rapports contradictoires, ne sachant quel parti prendre, cherchant le conseiller compétent sur qui se décharger. « Quoique conçue en termes généraux, telle est l'exposition abrégée mais trop fidèle, de ce qui a amené l'évacuation prodigieuse de Pondichéry. La ruine de nos établissements, l'anéantissement total de notre commerce dans l'Inde, l'accroissement terrible de l'existence des Anglais en Europe, et notre avilissement aux yeux de l'Asie, et peut-être de tout l'univers, en sont les conséquences inévitables. Hâtez-vous de les prévenir, Messieurs ! Puisse le patriotisme de nos sentiments ajouter à la force et à la solidarité des réflexions, dont nous prenons ici la liberté de vous offrir l'hommage, et puisse le pavillon français se déployer encore à Pondichéry avec la majesté qui appartient à la Nation ! Il est peut-être au moins aussi intéressant à la France d'avoir dans l'Inde une existence politique, que d'y avoir une existence commerçante. Toutes deux nous paraissent si nécessairement liées entre elles que nous ne balancerions pas à ranger au nombre des chimères, enfantées par l'ignorance et adoptées par la prévention, tout système qui tenterait d'établir la possibilité de l'une, sans l'appui et le concours de l'autre. »

Cette liaison nécessaire du politique et du commercial, qui relève de l'évidence à Pondichéry, ne s'impose pas au gouvernement. Après avoir créé, en 1785, la troisième Compagnie des Indes, association de financiers continentaux, selon la volonté du Contrôleur général des Finances de Calonne, La Luzerne avait commandé, en 1788, l'évacuation de l'essentiel des forces françaises — pourtant modestes — en garnison dans le sous-continent. La Cour, par cette mesure, renonçait publiquement à toute ambition nationale dans l'Inde et abandonnait son allié, Tippou Sahib, fils d'Haïder Ali, au feu des armes anglaises. Devant ce qu'ils considèrent comme une trahison du gouvernement, les Pondichériens se réfugient dans le passé et invoquent la mémoire du commandeur, gardien de l'honneur français dans l'immense péninsule asiatique. « Ici, Messieurs, laissez-nous ramener vos regards sur ces jours de gloire, qui ont gravé dans les esprits de tous les Indiens un respect pour les Français et une admiration, dont les traces profondes ont triomphé du temps. [...] Laissez-nous rappeler les instants où Dupleix, après avoir montré dans le Bengale, le commerçant habile, vint déployer à Pondichéry les talents de l'administrateur consommé et jeter les fondements du superbe édifice que son vaste génie voulait élever dans l'Inde à la majesté et à la puissance de la Nation. Ce grand homme, dont les Anglais eux-mêmes, d'accord avec leurs contemporains, ont dit " que son rappel avait été le plus grand tort qui pût être fait aux intérêts de la France dans l'Inde ", ce grand homme avait senti parfaitement combien il était important pour nous d'avoir une existence politique dans l'Inde, et avait apprécié l'influence nécessaire qu'elle devait avoir sur notre commerce. Mais ses vues étendues embrassaient un plan dont l'exécution et la suite exigeaient une confiance et une ténacité qui ne pouvaient se trouver que dans celui qui avait pu les concevoir. On ne connaissait pas l'Inde. On traita ses idées de chimères. » Vraisemblablement, Moracin, neveu de l'ancien directeur de Mazulipatam, membre du clan Dupleix et de celui de la finance, n'est-il pas étranger à l'apothéose de son héros. Mais si le personnel n'a pas su convaincre au temps de son règne, il est trop tard aujourd'hui, après la défaite de Lally, le désaveu de Sartine par Vergennes, pour imaginer que sa stratégie soit retenue. La France, ruinée par la guerre d'indépendance américaine, préfère s'accommoder de son avilissement, si fort dénoncé par les Pondichériens, dans les avantages fragiles d'un commerce, révocable à chaque instant par les Anglais, plutôt que de s'engager dans une partie dont elle s'est retirée à tout jamais. Il y a des accents émouvants et douloureux dans le mémoire où l'Assemblée des citoyens des lointains établissements de l'Asie implore la métropole, au nom de la gloire de la Nation, de ses intérêts politiques et de ceux du commerce, de lui envoyer « des troupes, des munitions, des ingénieurs et des moyens pour achever les fortifications, d'assurer des fonds pour les entretenir ». Il y a du désespoir dans cette supplique vaine, qu'une longue expérience contraint à cette constatation cruelle : « Les Anglais eurent toujours ou le bonheur ou l'adresse de nous prévenir partout. »

Les Indiens de Pondichéry font à leur tour entendre leur voix, le 11 mars 1790. Ils affirment leur fidélité à la mère patrie et se rangent au nombre de ses peuples. « Il y a plus de cent ans que nous vivons sous l'ombre du noble pavillon blanc. Nous ne nous mêlions d'autre chose que de ce qui regardait nos cultures et nos commerces. Une longue habitude de vivre sous le doux gouvernement français a transformé notre cœur en celui de Français. Nous envisagions le Roi de France comme le nôtre. La couleur, l'habit, la langue et certaines lois civiles de nos tribus étaient les seules différences entre les Français et nous. Notre cœur était si attaché et si uni à cette nation, que son bonheur faisait le nôtre. Les malheurs arrivés aux Français dans les différentes occasions nous ont aussi accablés de douleur. Ces malheurs, au lieu de ralentir cet amour, l'augmentaient de plus en plus. » Les guerres avec les Anglais se succèdent, dispersant les familles, ruinant les maisons et les biens. Les indigènes de la capitale, qui se donnent le nom de Malabars, s'étonnent de ces désastres répétés. « L'illustre Dumas * et le célèbre Dupleix, deux instruments glorieux, ont mis le fondement de l'agrandissement de la nation dans l'Inde. Ils ont été honorés du titre de nabab et de mansebdar. La ville de Pondichéry a longtemps servi d'asile des illustres infortunés. Ce temps heureux est donc évanoui comme un songe ? Comment est-ce donc que cette cité, qui était naguère si brillante, soit tombée dans l'opprobre. La Reine des nations est-elle donc devenue semblable à une veuve destituée de tout secours ! Comment se peut-il faire que l'or ait perdu son éclat, que sa vive couleur soit changée ! Comment donc que la Nation française, reconnue pour la plus brave des nations, fut contrainte de succomber si souvent dans l'Inde. » Pour chasser l'inquiétude qui les ronge, — ne sont-ils pas « entre l'enclume et le marteau ? » —, les Indiens demandent le retour des troupes françaises, le rétablissement des fortifications, la restauration de la splendeur ancienne. Revenus à l'état antérieur, celui de Dupleix, « faisons voir à toute la terre notre courage et notre valeur, portons nos vues aussi loin que nous pourrons et autant que la justice nous permettra. Ne pensons pas aux dépenses que demanderait cette entreprise honorable ». Non, mieux vaut mesurer la puissance de l'Angleterre dont les possessions et le commerce sont immenses, et

---

* Prédécesseur de Dupleix au commandement des Établissements français dans l'Inde.

tirer les conclusions qui s'imposent. « Pourquoi n'en ferions-nous pas autant ? Ne sommes-nous pas aussi belliqueux et aussi riches qu'eux ? Dirons-nous que l'industrie nous manque ? Notre intention n'est pas d'exciter une guerre injuste ; la sagesse et la probité, dont nos voisins font gloire, leur feront voir que notre plainte est fondée. L'union et la paix qu'ils désirent conserver entre eux et nous, et leur propre intérêt les engageront sans doute à nous rendre notre part sans litige. » S'identifiant pleinement aux Français, les Malabars ne songent pas, tels, Raynal et Diderot, à une guerre de libération indienne, mais à un partage du sous-continent entre les deux plus grandes puissances européennes ! Malgré cette bonne volonté, ils n'obtiendront pas la citoyenneté française, qui sera accordée aux Topas, ou métis. Enfin, pareils aux négociants des ports de France, les Indiens revendiquent la liberté du commerce, à peine de voir la colonie sombrer dans un engourdissement dangereux. Un mois plus tard, le 3 avril, l'Assemblée nationale, relativement acquise aux idées physiocratiques, abolit le privilège de la compagnie des Indes.

Tandis qu'à Pondichéry, le commandant de Fresne et le maréchal de camp de Civrac, président du Comité permanent de l'Assemblée des citoyens, canalisent la Révolution, il en va différemment à Chandernagor. Sous l'impulsion du procureur du roi de Richemont, les citoyens chassent leur gouverneur. Celui-ci n'est autre que le colonel de Montigny, ancien agent de Sartine auprès des Mahrattes, renvoyé auprès de ceux-ci, par Castries, en 1781, créé *nabab* par le Grand Moghol, en 1785, enfin, chargé d'une mission d'information au Deccan, en 1788, avant de recevoir, cette même année, le gouvernement de Chandernagor. Réfugié à Calcutta, Montigny s'embarquera à bord d'un navire qui fera naufrage sur la côte orientale de l'Afrique et n'atteindra la France qu'au mois de décembre 1791. En cette fin de 1790, année où la fracture, ouverte par les événements français de 1789, s'élargit et devient irréversible, métropole et colonies célèbrent la mort du despotisme. Toutefois, les possessions d'outre-mer, dont le discours ne réfléchit pas à l'identique celui de l'Assemblée nationale, se divisent en deux catégories. Les Antilles — les plus riches — et la Guyane — quoique pauvre — s'engagent dans un mouvement centrifuge : hostiles aux droits de l'homme, elles s'éloignent de la France régénérée. Au contraire, les Mascareignes, ennemies de la philanthropie, mais menacées de déclin économique, et Pondichéry, abaissée, se solidarisent avec la France nouvelle dont elles attendent la répudiation de la politique pacifiste et de grandes entreprises en Asie, pour arracher l'hégémonie commerciale et territoriale aux Anglais. La misère pousse aussi les pêcheries de Saint-Pierre-et-Miquelon et Saint-Louis du Sénégal dans cette trajectoire centripète. Ces positions, qui transparaissent malgré les désordres locaux et la désobéissance militaire, soulèvent une question : les colonies auront-elles sur l'évolution du cours révolutionnaire, une influence politique proportionnelle à leur poids économique ? Leurs appels, leurs doléances ou leurs menaces seront-ils écoutés ? Infléchiront-ils la politique de la nation assemblée ?

LA DEUXIÈME RÉVOLUTION : LA VICTOIRE DES COULEURS
1791-1799

Après le vote du décret du 8 mars 1790 et de l'instruction du 28 mars suivant, règlements qui avaient marqué le triomphe du négoce et la victoire relative des colonies, les planteurs se tiennent à l'écoute des îles dont ils apprennent le bouleversement, et de la métropole qui leur offre un spectacle inquiétant. Que voient-ils ? L'action incessante des Amis des Noirs, l'apparition des assignats, la suppression de la noblesse, l'adoption de la Constitution civile du clergé — aboutissements victorieux de la ruineuse guérilla janséniste —, et la mise en vente des biens nationaux. Ce renversement ininterrompu de la société traditionnelle, au nom de la philosophie régénératrice, pousse les colons à une circonspection toujours plus grande, et à la conviction, chaque jour plus affirmée, d'établir leur autonomie loin des fièvres parisiennes. Or, les Antilles sont en feu, et le 14 septembre 1790, les 85, ou *Léopardins*, du nom du navire qui les a transportés, bref les membres les plus déterminés de l'Assemblée domingoise de Saint-Marc débarquent à Brest. Ces rebelles tiennent séance, envoient une adresse à l'Assemblée nationale, s'ajournent au 5 octobre, mais auparavant distribuent des certificats de reconnaissance à l'équipage mutiné du *Léopard !* Gouy d'Arsy et la députation de la Grande Île à l'Assemblée nationale prennent aussitôt le parti des insurgés, tandis que le Club Massiac les accueille en évitant de se compromettre. N'annonce-t-on pas l'arrivée prochaine de commissaires de l'Assemblée du Nord et de quartiers de l'Ouest qui viennent se plaindre des agissements des Saint-Marcois et demander leur condamnation solennelle ?

Derniers succès autonomistes et triomphe des sang-mêlé

Le 2 octobre, au soir, Valentin de Cullion, agitateur domingois aux talents notoires, se présente à la barre de l'Assemblée nationale. Il présente un tableau de Saint-Domingue, au terme duquel il demande à la Nation réunie de rendre justice à l'Assemblée générale, après qu'un comité *ad hoc* a entendu ses déclarations et lu les pièces qu'elle lui soumettra. Pour l'heure, il dénonce l'arbitraire dont ses compatriotes sont les victimes depuis toujours. « Ce pays si digne d'être heureux, a constamment gémi sous le joug du despotisme. La vexation des généraux, les dilapidations des intendants, les violences d'états-majors hautains, conspiraient avec des ministres despotes contre la splendeur de la colonie et la félicité des colons. Les simples lettres de ces ministres étaient des lois. » La Révolution a suscité l'espoir, que le gouverneur général de Peinier et le colonel de Mauduit, notamment, ont brisé. L'orateur antillais, dont le mensonge dicte la harangue, enfle la voix et porte l'estocade. « Rien ne peut excuser les agents du pouvoir exécutif ; ils se sont couverts du manteau de l'Assemblée nationale, ils se sont entourés de vos décrets ; ils ont violé tous vos décrets ; ils ont dissous les assemblées du peuple, des assemblées reconnues par vous, formées d'après vos décrets. Sans réquisition, sous le ridicule prétexte d'indépendance, et pour les vils intérêts du despotisme, ils ont égorgé des citoyens. Et l'on voterait des remerciements à nos assassins ! » Malgré ces beaux effets oratoires, les représentants de la nation se figent dans une froideur digne.

Des décrets d'Ancien Régime

Les 11 et 12 octobre 1790, l'affaire de Saint-Domingue, l'Assemblée nationale écoute le rapport de Barnave sur l'œuvre du parlement saint-marcois. Le jeune avocat grenoblois condamne l'action des insurgés dans sa totalité. « Il résulte des actes de l'Assemblée générale de Saint-Domingue qu'elle s'attribuait le pouvoir législatif, car elle faisait des lois et les faisait exécuter. Quant aux relations extérieures, elle proposait un véritable traité de commerce : un traité de commerce n'est autre chose que des lois réciproquement consentis. Quant au pouvoir exécutif, elle se l'attribua par son décret sur les municipalités, et rompit ainsi presque tous les liens avec la métropole. L'ouverture des ports rendait illusoire l'inspection sur les fraudes, et cette inspection était confiée aux citoyens intéressés pour lesquels la fraude ne fût pas sévèrement réprimée ; autoriser à payer en denrées coloniales les denrées étrangères, c'était détruire tout le prohibitif du commerce entre la métropole et les colonies. L'Assemblée générale s'est emparée des forces de terre et de mer, elle a destitué les officiers nommés par le Roi ; ses lettres et ses actes dans les derniers moments annoncent l'intention la plus forte de mettre les armes à la main des citoyens mais ses derniers actes, quoique extrêmement coupables, appellent moins de sévérité, parce qu'ils ont été faits pour la défense personnelle des membres de l'Assemblée générale. » La chute de ce réquisitoire accablant stupéfie, tant il va à contresens de la démonstration de l'orateur. Excellent dans les exercices approximatifs de la basoche, Barnave ne possède pas la rigueur de raisonnement de l'homme d'État. Il n'en entreprend pas moins, avec gravité, une leçon de droit constitutionnel à l'intention de ses collègues. « Les assemblées coloniales ne font pas partie de la Constitution française ; elles n'ont à remplir que des fonctions momentanées, extraordinaires, uniques, qui s'évanouiront avec elles, elles ne sont autre chose que des commissions du pouvoir constituant [...] c'est à vous à voir si ces commissions se sont rendues indignes du pouvoir que vous leur avez confié. Je pense donc que vous pouvez déclarer l'Assemblée de Saint-Domingue déchue de ses pouvoirs. » Barnave, après avoir parlé avec sévérité, réclame leur compréhension aux élus de la nation. « Il m'est permis de disculper devant vous des hommes, des Français, ils étaient égarés, ils n'étaient pas corrompus ; ils ont toujours rejeté les idées d'indépendance, et si quelques citoyens les ont présentées, elles ont été constamment repoussées par des sentiments d'attachement et de fidélité pour la nation française. » Était-il nécessaire, pour rassurer la masse fidèle des colons, d'utiliser deux langages, de jouer le roseau peint en fer ? L'Assemblée nationale, ayant entendu Barnave, rapporteur du Comité des colonies, adopte le 12 octobre 1790, le projet de décret qui lui est soumis. Le parlement de Saint-Marc est dissous, toutes ses décisions sont cassées ; une deuxième assemblée coloniale est convoquée, en application du décret du 8 mars ; le gouverneur de Peinier, le colonel de Mauduit, l'Assemblée du Cap et tous les loyalistes sont félicités, tandis que les 85 resteront à Paris. En tête de ces décisions insultantes pour les patriotes de Saint-Domingue, un considérant très politique affirme que la philosophie coloniale de la Révolution n'a pas changé. « L'Assemblée nationale a promis aux colonies l'établissement prochain des lois les plus propres à assurer leur prospérité. [...] Elle a, pour calmer les alarmes, annoncé d'avance l'intention d'entendre leur vœu sur tous les changements qui pourraient être proposés aux lois prohibitives du commerce, et la ferme volonté d'établir, comme articles constitutionnels dans leur organisation, qu'aucune loi sur l'état des personnes ne sera décrétée pour les colonies que sur la demande formelle et précise de leurs assemblées coloniales. » En quelques lignes fades, la représentation nationale s'engage à maintenir l'esclavage et la distinction des couleurs ! De quoi sceller l'union de tous les colons, 85, députation, Club Massiac : ce qui s'opère au mois de janvier 1791. De quoi relancer la campagne des Amis des Noirs : ce qui se produit aussitôt, sous l'impulsion de Grégoire. De quoi ranimer le combat de Julien Raimond et des libres de Paris, pour l'égalité civique : ce qui a lieu, discrètement d'abord, publiquement ensuite.

La bataille des droits de l'homme et du citoyen, où représentants et amis des planteurs s'opposent aux Amis des Noirs et à leurs alliés, n'a jamais cessé, mais rebondit à l'occasion de tout événement colonial. Les désordres antillais, après avoir provoqué le vote du décret du 12 octobre, obligent Assemblée et gouvernement à adopter le décret du 27 novembre 1790, dépêchant quatre commissaires du roi aux îles du Vent et 6 000 hommes aux Antilles, et les décrets des 1er février et 29 mars, nommant des commissaires du roi à Saint-Domingue et à la Guyane. La représentation nationale entame la discussion des instructions, accompagnant les décrets, le 7 mai. Or c'est le moment que le Club Massiac choisit pour en finir avec le problème explosif de l'état des personnes en obtenant que le considérant du décret du 12 octobre devienne loi constitutionnelle. Le 7 mai 1791, au nom des Comités, Delattre, député d'Abbeville, propose qu'aucun règlement sur l'état des personnes ne pourra être pris par le Conseil législatif que sur la demande précise et formelle des assemblées. À la suite des interventions de Pétion, de Destutt de Tracy et de Grégoire, cette initiative avorte. Coup terrible pour les colons, un moment effarés. Les débats reprennent le 11. Cette fois les Amis des Noirs donnent l'assaut les premiers. Grégoire demande à l'Assemblée de décréter la citoyenneté des hommes de couleur et Nègres libres, propriétaires et contribuables, afin de dissiper les ambiguïtés d'interprétation des décret et instruction, des 8 et 28 mars 1790. Pétion et Barnave s'affrontent : l'avocat des colonies ne recueille pas autant d'applaudissements qu'il avait espéré. Le 12, Robespierre parle longuement. *Le Point du Jour* rapporte ses propos. Sur quoi, demande-t-il, les planteurs fondent-ils leur répugnance à reconnaître l'égalité civique des mulâtres ? « Nos esclaves, disent-ils seront moins soumis, s'ils voient des hommes de couleur s'élever jusqu'à nous ; mais ces hommes libres étaient vos égaux ; mais ils ont comme vous des propriétés, même des esclaves ; mais le moyen de conserver vos propriétés, c'est qu'ils soient unis à vous par un intérêt commun, non disposés à vous nuire par le ressentiment de votre injustice, et par la disposition funeste qui les condamnerait à la servitude politique. » Le révolutionnaire d'Arras ne s'exprime pas comme un Spartacus moderne, mais comme un vieux colon ! Défenseur des gens de couleur, qui gardent l'ordre colonial, il prône l'union des Blancs et des métis ; car, « ayant le même intérêt à maintenir les Noirs dans la subordination, il est évident que la subordination sera cimentée d'une manière encore plus ferme dans nos colonies ». On entend encore Pétion, Grégoire, qui ne réussissent pas à obtenir l'ajournement du projet présenté par Delattre. Les planteurs vont-ils réussir à remonter la pente ? Le 13 mai, l'Assemblée reprend la discussion du projet de Delattre. L'abbé Maury prononce un long discours en faveur des colons. S'adressant à ses collègues, il les interroge. « Imaginez, messieurs, que la nation française met en ce moment une balance entre vos mains ; dans l'un des bassins je vois 50 000 Blancs, et de l'autre j'aperçois 700 000 Noirs ou hommes de couleur. Si vous ne vous hâtez pas de mettre du côté des Blancs les prérogatives de la puissance publique, il n'y a plus d'équilibre. Nos concitoyens américains sont sacrifiés. » Cette démonstration mécanique et statistique fait impression sur l'auditoire. Alors, Moreau de Saint-Méry modifie brusquement la stratégie des colons. Il abandonne le projet de Delattre sur l'état des personnes, en général, pour soumettre à l'Assemblée nationale une proposition de loi constitutionnelle statuant qu'aucune loi sur le seul état des esclaves « dans les colonies de l'Amérique ne pourra être faite que sur la demande formelle et spontanée de leurs assemblées coloniales ». Les Amis des Noirs, avocats des mulâtres, sont pris de court, déconcertés.

Robespierre se lève alors et lit à ses collègues sa tirade fameuse sur l'esclavage et les colonies. « Le plus grand intérêt dans cette discussion est de rendre un décret qui n'attaque pas d'une manière trop révoltante et les principes et l'honneur de l'Assemblée. Dès ce moment où, dans un de vos décrets vous aurez prononcé le mot esclaves, vous aurez prononcé et votre déshonneur et le renversement de votre Constitution [...] c'est un grand intérêt que la conservation de vos colonies ; mais cet intérêt même est relatif à votre Constitution ; et l'intérêt supérieur de la nation et des colonies elles-mêmes est que vous conserviez votre liberté et que vous ne renversiez pas de vos propres mains les bases de cette liberté. Et périssent les colonies, si vous les conservez à ce prix. Oui, s'il fallait ou perdre les colonies ou leur sacrifier votre bonheur, votre gloire, votre liberté, je le répète : périssent vos colonies ! Si les colonies veulent par les menaces vous forcer à décréter ce qui convient le plus à leurs intérêts, je déclare, au nom de l'Assemblée, au nom de ceux des membres de l'Assemblée qui ne veulent pas renverser la Constitution, je déclare, au nom de la nation entière, qui veut être libre, que nous ne sacrifierons pas aux députés des colonies, ni la nation, ni les colonies, ni l'humanité entière. » À cette explosion d'indignation morale, Moreau de Saint-Méry répond qu'il n'a pas l'intention de se battre sur les mots. Et il présente à nouveau sa proposition en remplaçant le mot esclaves par l'expression *personnes non libres* : le texte est adopté, sans que l'avocat d'Arras proteste. C'est ainsi qu'après un exercice affligeant de logique formelle, la Révolution érige l'esclavage des Noirs dans les colonies en loi constitutionnelle (13 mai 1791). Pour ceux qui en doutaient encore, il devient évident que la Déclaration des droits de l'homme n'étend sa vocation universelle que sur l'humanité fragmentaire des Blancs.

Les colons ont marqué un point inattendu, mais le problème du statut des gens de couleur libres n'est pas résolu pour autant. Or, dès le 14 mai, Raimond se présente à la barre de l'Assemblée qui poursuit ses travaux. Reprenant le fil d'un opuscule qu'il a publié récemment, *Origine du préjugé des Blancs contre les hommes de couleur des colonies*, où il rend hommage à l'esprit de réforme des gouverneurs généraux d'Ennery et de Bellecombe, il marque que selon ce dernier, la plus saine partie des colons se montre favorable à l'égalité civique des mulâtres. Puis, continuant son analyse, il dénonce les adversaires de sa caste. « Nos plus grands ennemis sont les petits blancs; et j'observe que ce qu'on appelle petits blancs est infiniment plus nuisible à la colonie que toute autre espèce d'hommes. [...] Le préjugé leur facilitait les moyens non seulement de nous maîtriser, de nous insulter, mais d'envahir nos biens. Ils insultaient un homme de couleur, et puis lui disaient : Si tu oses donner un signe de mécontentement, nous te faisons condamner. Ces faits sont attestés dans un ouvrage de M. d'Auberteuil, imprimé il y a 8 ans. » Argument de poids, Raimond fait sentir l'utilité des hommes de couleur, propriétaires de terres et de captifs, « tant pour la police intérieure que pour la sûreté des colonies. Ce sont les hommes de couleur qui garantissent les colonies contre la rébellion des esclaves [...] les maréchaussées sont composées en entier d'hommes de couleur, excepté quelques Blancs qu'ils ont à leur tête ». Grégoire intervient après Raimond, et demande à l'Assemblée de proclamer l'égalité civique des mulâtres. Une majorité de voix repousse sa suggestion. Le 15 mai, les députés reprennent leurs disputes. Soudain, Reubell, député de Strasbourg et futur Directeur, propose un amendement de juste milieu : les gens de couleur, nés de parents libres, jouiront des droits attachés à la citoyenneté. On vote. Le texte de Reubell, aussi inopiné que l'avait été celui de Moreau de Saint-Méry, le 13, est adopté. Tandis que les uns crient leur satisfaction et que d'autres huent les vainqueurs, les colons mesurent l'ampleur de leur défaite. Le Club Massiac se réunit et décide de tout entreprendre pour empêcher l'application de ce règlement qui, selon eux, ouvre la porte au soulèvement des esclaves. Pourtant la classe intermédiaire, si chère à l'idéologie coloniale subsiste, composée des affranchis et de ceux dont l'un des parents est né dans la servitude. Mais cela ne suffit pas au Club qui se raidit dans une intransigeance aveugle, alors que la Régénération avait composé avec les principes. Pour toute oraison, Gouverneur Morris note dans son *Journal* : « Les coloniaux sont battus dans leur projet d'exclure complètement les mulâtres du gouvernement. » Le lendemain 16 mai, il ajoute : « Les députés des Antilles ont jusqu'ici recouru aux moyens extrêmes pour se rendre populaires et faire adopter les mesures qui leur tenaient à cœur; indifférents au bonheur de la France, ils ont beaucoup contribué aux malheurs survenus. » Plus grave, les places maritimes, que les excès de l'autonisme effraient, ont pris leurs distances avec les colons dans l'affaire des gens de couleur dont ils ont plaidé la cause discrètement mais fermement. Les ports, loin de s'inquiéter de l'adoption du décret du 15 mai, s'en félicitent, et sortant de leur réserve tradition-nelle, le font savoir. Ainsi, le 4 juin 1791, le président de l'Assemblée nationale lit-il à ses collègues une adresse du Commerce du Havre :

« Chers et dignes représentants de la nation, nous vous présentons nos hommages et nos sincères remerciements, pour le sage décret que vous avez rendu en faveur des hommes libres de couleur ; bien loin de nous alarmer, il nous tranquillise, et nous le regardons comme le conservateur de nos colonies. Les hommes libres de couleur, reconnaissants et satisfaits, se réuniront aux bons patriotes aux vrais amis de la justice et de l'humanité, et seront désormais les plus fermes appuis de nos colonies ; bien loin d'y causer une scission, ils nous en assureront de nouveau la possession, et formeront avec les soldats patriotes qu'on y enverra, une armée redoutable, qui déjouera toutes les tentations des sinistres ennemis du bien public, de tous ceux qui, corrompus par le luxe et la mollesse, et grevés de dettes, cherchent la division et à rompre nos liens avec elles. Tous les propriétaires, noirs ou blancs, auront un égal intérêt de veiller à la sûreté de leurs propriétés, et maintiendront la paix et la tranquillité sans la moindre effusion de sang ; notre commerce renaîtra, et nous jouirons tous du bonheur précieux que nous préparent la révolution et vos lois sages, auxquelles nous nous soumettons. » Dans le concert, quelques voix discordantes, celles des négociants qui possèdent des plantations aux îles.

Le Club Massiac, décidé à restaurer la situation antérieure au 15 mai, choisit d'agir sur tous les fronts qui s'offriront à lui ou qu'il pourra ouvrir. Le 31 mai, à l'instigation de Malouet notamment, l'abbé Raynal se rend à l'Assemblée nationale. Ce dernier géant de la philosophie, dont l'œuvre porte la marque incendiaire de Diderot, ne supporte plus d'être une référence pour les iconoclastes avec qui il ne se sent rien de commun. Aussi veut-il dans une sorte de testament oratoire dire ses réflexions sur la France révolutionnaire. « Que vois-je autour de moi ? Des troubles religieux, des dissensions civiles ; la consternation des uns, la tyrannie et l'audace des autres ; un gouvernement esclave de la tyrannie populaire ; le sanctuaire des lois environné d'hommes effrénés, qui veulent alternativement ou les dicter ou les braver ; des soldats sans discipline, des chefs sans autorité, des ministres sans moyens, un Roi, le premier ami de son peuple, plongé dans l'amertume, outragé, menacé, dépouillé de toute autorité ; et la puissance publique n'existant plus que dans les clubs, où des hommes ignorants et grossiers osent [se] prononcer sur toutes les questions politiques. » Comme Voltaire — qui ne l'aimait guère — Raynal appartient à l'Ancien Régime : il croit à l'alliance de la raison et de la tradition, non au sectarisme idéologique. Et ce prétendu père de l'anticolonialisme aborde le thème de l'égalité, qu'il traite avec une franchise audacieuse : « Vous avez fait une déclaration de droits, et cette déclaration est parfaite, si vous la dégagez des abstractions métaphysiques qui ne tendent qu'à répandre dans l'empire français des germes de désorganisation et de désordre. Sans cesse hésitant entre les principes, qu'on vous empêche de modifier, et les circonstances, qui vous arrachent des exceptions, vous faites toujours trop peu pour l'utilité publique et trop pour votre doctrine. » Les députés entendent mais n'écoutent pas ce qu'ils considèrent comme le radotage d'un vieillard pour conserver le souvenir du personnage qui convient à leur idéologie. L'adresse de Raynal ne prend pas même la dimension d'un incident : elle n'a servi en rien la cause des colons. Tandis que les partis aiguisent leurs antagonismes de manière souterraine ou au grand jour, éclate l'événement qui marque un tournant de la Révolution : la fuite de la famille royale et son arrestation à Varennes, le 20 juin. Le monarque, à qui les colons avaient résolu d'en appeler, est brutalement condamné à jouer les potiches, rôle qu'il apprenait depuis 1789. Sans négliger un recours éventuel au souverain, le Club Massiac, en complicité avec le ministre de la Marine, s'emploie à empêcher le départ des commissaires royaux pour Saint-Domingue. Après nombre de manœuvres et avec la compréhension des commissaires eux-mêmes, il obtient gain de cause : le 28 août, l'Assemblée nationale vote un décret suspendant le départ des agents du roi pour la Grande Île. Déjà le 28 juin, il avait arraché un décret à l'Assemblée, statuant qu'il n'y avait pas lieu à accusation contre les 85, les rebelles de l'Assemblée de Saint-Marc, et que liberté complète leur était rendue. Mais pendant que ces arrangements s'échafaudent, la situation se dégrade dans les colonies, particulièrement à Saint-Domingue où Ogé et ses amis ont été suppliciés et où le colonel de Mauduit, homme fort de la Grande Île et protecteur des gens de couleur a été assassiné. Les colons veulent aller vite : la séparation imminente de la Constituante et la nouvelle que Brissot siégera dans la prochaine législature les incitent à hâter le pas. Fort opportunément, des lettres de Saint-Domingue arrivent à Paris, où elles jettent l'alarme. Dans celle du 3 juillet 1791, le gouverneur général de Blanchelande dit sa crainte que le décret du 15 mai, « s'il n'est au moins modifié, ne soit l'arrêt de mort de plusieurs milliers d'hommes ». Dans la seconde, celle du 16 juillet, l'Assemblée coloniale répète les mêmes craintes et implore les constituants d'éviter le pire. « Placés entre vos deux décrets des 8 mars et 12 octobre et celui du 15 mai, qui leur est contraire, nous renouvelons le serment d'exécuter les deux premiers et d'en maintenir l'exécution. Nous vous sollicitons de révoquer votre décret du 15 mai, parce qu'il porte atteinte à la subordination des esclaves, et met la sûreté de la colonie dans le danger le plus imminent. [...] Tous les cœurs sont ulcérés, les agitations dont nous sommes témoins peuvent amener une explosion générale, affreuse dans ses effets ; alors nous n'avons à envisager qu'une résistance désespérée et un vaste tombeau pour la colonie. » En fait, l'hostilité domingoise au décret du 15 mai vient des petits-Blancs et d'une minorité de planteurs, alors que la majorité des colons acceptent cette mesure et son application sans mauvaise humeur : mais on tait cette réalité. Blanchelande, brave, démuni de l'énergie et du caractère à quoi l'on reconnaît les chefs, est débordé par les agitateurs de la seconde Assemblée coloniale, dont finalement il est l'exécutant plutôt que le maître. Le Club, aidé par Bégouën, provoque l'envoi de lettres où des capitaines marchands et des négociants supplient la représentation nationale d'abroger le décret du 15 mai afin de sauver l'opulente Antille du chaos et de l'abîme.

Une mesure constitutionnelle contre-révolutionnaire

Le Comité des colonies et le Club préparent complémentairement une offensive frontale à l'Assemblée nationale. Barnave est chargé de présenter un projet de décret sur le gouvernement des colonies. Il monte à la tribune le 23 septembre. Il rappelle la signification qu'a prise la Révolution dans les possessions lointaines. « Lorsque la révolution, qui a eu lieu en France en 1789, s'est fait sentir dans les colonies, un mouvement général s'y est manifesté ; et le vœu exprimé par tous leurs habitants, a été de se soustraire, comme ceux de la métropole, au régime sous lequel elles avaient vécu, et d'obtenir, sous une forme quelconque, un gouvernement, ou qui approchât, par sa nature, de celui auquel la France allait être soumise. » Ce gouvernement colonial, Barnave, en bon disciple de Montesquieu, court le chercher outre-Manche. Chez les Anglais, « les colonies sont en rapport avec la métropole sous deux caractères politiques. Elles sont purement sujettes, quant aux lois du régime extérieur, puisque ces lois sont faites pour elles, par le Parlement dans lequel elles n'ont pas de représentants ; elles sont co-États quant aux lois du régime intérieur, puisque celles-ci sont faites par elles sous la simple sanction du Roi ». Par régime extérieur, en entend les lois sur le commerce, sur la défense et sur l'usage du pouvoir national ; le régime intérieur englobant les affaires locales. Or, qu'a fait l'Assemblée nationale ? Elle s'est écartée du modèle anglais, s'autorisant à légiférer sur le domaine intérieur. Cette démarche s'est brisée sur une question d'état des personnes, l'octroi aux libres des droits politiques. Il s'impose donc d'adopter au plus vite le modèle britannique, d'attribuer le régime intérieur à la seule compétence des assemblées coloniales, dont les actes seront portés à la sanction provisoire du gouverneur et à celle définitive du roi. Pour « assurer d'une manière invariable la tranquillité intérieure des colonies, et les avantages que la France retire de ces importantes possessions », le Grenoblois demande à la Constituante de décréter comme articles constitutionnels le système fédéral qu'il vient de lui exposer. Sa proposition est votée. Le sort des gens de couleur libres et des esclaves est entièrement abandonné à la discrétion du pouvoir créole, dont personne n'ignore la philosophie. Le négociant Bégouën, lié au Club Massiac, informe aussitôt la chambre de Commerce du Havre de la bonne nouvelle. « Je regarde ce décret comme le gage précieux du repos et de la conservation des colonies. C'est une grande victoire remportée sur la secte des Amis des Noirs. » Cette mesure, qui préserve les îles de toute atteinte à la propriété, dit-il encore, sauve le royaume de la ruine.

Étrange régénérateur que M. Barnave. Comment célébrer les vertus de la Déclaration des droits de l'homme et en même temps ériger l'esclavage et l'interdiction de citoyenneté aux libres en principes constitutionnels ? Au nom de la Révolution, devant une Assemblée qui lui donne raison malgré les protestations de Reubell, Tracy, Dupont de Nemours, Defermont, Pétion, Robespierre, La Rochefoucauld — contre l'abandon par la nation d'une partie de sa souveraineté —, il s'explique et se justifie. Il faut « se convaincre qu'il n'y a plus de tranquillité, d'existence dans les colonies, si vous attentez à ces moyens d'opinion, aux préjugés qui sont les seules sauvegardes de cette existence. Ce régime est absurde, mais il est établi, et on ne peut y toucher brusquement, sans entraîner les plus grands désastres ; ce régime est oppressif, mais il fait exister en France plusieurs millions d'hommes ; ce régime est barbare, mais il y aurait une plus grande barbarie à vouloir y porter les mains, sans avoir les connaissances nécessaires ; car le sang d'une nombreuse génération coulerait par votre imprudence, bien loin d'avoir recueilli le bienfait qui eût été dans votre pensée [...] chaque fois que vous croiriez faire un peu pour la philosophie, vous feriez infiniment trop contre la paix et la tranquillité ». L'enfant gâté de la Révolution et de la renommée, adepte de la philosophie du bonheur et de l'égalité, patauge dans un galimatias lamentable, où il veut prouver que seul le despotisme des colons peut garantir l'amélioration du sort des libres et des esclaves ! Parti des prémisses de la philosophie du bonheur et de l'égalité, Barnave aborde les îles noires, pour abjurer, dans des conclusions d'un opportunisme cynique, sa foi première. Dans ce cheminement, aucune logique, un balancement perpétuel entre la tentation du réalisme froid, et le remords philanthropique, une hésitation irrépressible entre la morale du particulier et le raisonnement d'État : une immaturité infinie. À travers la personnalité de ce jeune et brillant député qui, pour avoir prononcé à dix-huit ans un discours sur la division des pouvoirs, se comptait parmi les ennemis nés du despotisme, la Révolution des Grands Principes, de la Liberté et de l'Égalité, s'est déjugée, a renié son âme : l'esclavage d'abord, l'exclusion des libres hors des rangs des citoyens, ensuite — au nom de la pureté raciale —, sont des postulats décrétés par la Régénération. Ils ont valeur constitutionnelle au même titre que la Déclaration des droits de l'homme ! Jacobins et Amis des Noirs crient à la trahison et flétrissent le traître Barnave. Celui-ci, lucide, a conscience d'entamer la partie déclinante et finale de sa vie. Bientôt, avant d'être arrêté et guillotiné, il dira avoir perdu son éclatante popularité des premiers temps, dans l'affaire des colonies.

Au Club Massiac, on n'a pas d'états d'âme. On se frotte les mains. Le décret constitutionnel du 24 septembre 1791, mieux que les décisions des 8 et 28 mars 1790, lui donne ce qu'il voulait. Il répond entièrement au vœu que l'un des 85, Pons, a exposé devant la Commission générale, où les planteurs du Club, de la députation et de l'Assemblée de Saint-Marc s'étaient unis pour mieux défendre le projet autonomiste. Qu'a réclamé Pons pour les Antilles ? Possédant une connaissance pratique des États-Unis, il souhaite que la métropole et les îles, s'inspirant de la constitution de la jeune république, organisent leurs relations dans le cadre d'une fédération. Ce système de co-États, qu'a évoqué Barnave, où la souveraineté est partagée entre la mère patrie et ses possessions, l'Assemblée l'a fait sien le 24 septembre, l'inscrivant même dans la Constitution. Ainsi, estiment les colons, la France pourra vivre sous les auspices de la *Déclaration des droits de l'homme,* tandis que l'État de Saint-Domingue celui des îles du Vent, celui de la Guyane et celui des Mascareignes, à l'instar des États esclavagistes de la République américaine, évolueront sous l'égide de principes sociaux conformes à leur localité, à leur spécificité. Les planteurs, emportés par l'euphorie de leur triomphe, sont rappelés aux incertitudes de la réalité par deux décrets votés le 28 septembre. Le premier décide l'envoi de commissaires royaux à Saint-Domingue et l'amnistie générale en faveur des auteurs de troubles. Le second légalise l'antique franchise du royaume, mise à mal sous Louis XIV et abrogée sous la Régence. Désormais, tout individu qui entre en France « est libre aussitôt ». Le roi désigne bientôt ses commissaires à Saint-Domingue : Roume, Saint-Léger, créoles, et Mirbeck, métropolitain. Le Club Massiac, déconcerté, se ressaisit et redouble de vigilance.

Il était temps. À partir du 22 octobre, le bruit court à Paris que les esclaves de la plaine du Nord à Saint-Domingue se sont soulevés, qu'ils marchent sur le Cap, incendiant tout sur leur passage. Le 28, le ministre et le Comité des colonies confirment la gravité de la situation. Sans tarder, les colons demandent audience au roi, qui les reçoit le 2 novembre, ainsi que la reine, le Dauphin et Madame Élisabeth. Dans ses *Mémoires,* la duchesse de Tourzel, gouvernante des Enfants de France, raconte cet événement en le replaçant dans son contexte. Avant de se rendre aux Tuileries, les propriétaires rédigent une supplique à l'intention du souverain. « Cette adresse dépeignait de la manière la plus touchante les désastres de Saint-Domingue. Elle accusait la Société des amis des noirs de jeter des germes de discorde dans ce malheureux pays ; elle leur attribuait la surprise faite à la religion de l'Assemblée nationale lorsqu'elle avait rendu le fatal décret du 15 mai, qu'on pouvait regarder comme la cause des malheurs de Saint-Domingue, et elle se terminait en assurant que si cette révolte n'était promptement dissipée, elle entraînerait la ruine de six millions de Français et du commerce de la

France, qui ne pouvait séparer sa ruine de celle des colons ; que leur cause était celle des créanciers de l'État, exposés ainsi qu'eux, par cet événement, à voir leur fortune anéantie par une banqueroute universelle. [...] Le roi répondit, avec la plus vive émotion, qu'il était pénétré de douleur de la situation de la colonie de Saint-Domingue ; que, n'en ayant point encore de nouvelles directes, il se flattait que les maux étaient moins grands qu'on ne les annonçait ; qu'il s'occupait sans relâche des moyens d'y porter le remède, par tout ce qui était en son pouvoir. » Comme souvent, Louis XVI se montre compréhensif, avant de se réfugier dans une réponse évasive. Aussi ses interlocuteurs d'un instant iront-ils faire le siège du ministre de la Marine, maître de la puissance exécutive dans son domaine.

À la Législative, qui siège depuis le 1ᵉʳ octobre 1791, et où Brissot a été élu, les colons ne connaissent guère que les négociants des ports : Ducos, Journu-Aubert, Lafond-Ladébat, de Bordeaux ; Dumoustier, de La Rochelle ; Grégoire, du Havre, et Tarbé, de Rouen. À ce petit groupe s'ajoutent quelques propriétaires de plantations à Saint-Domingue, dont Vaublanc, ainsi que François de Neufchâteau, ancien procureur général au Conseil Supérieur du Cap-Français et ami de Moreau de Saint-Méry. Dès l'annonce de l'insurrection des esclaves du Nord de Saint-Domingue (22 août 1791), le ministre, le Comité des colonies et l'Assemblée s'accordent pour envisager l'envoi de secours, quand le 30 octobre, Brissot intervient, soulignant que « la douleur ne doit point étouffer la sagesse ». Après avoir demandé à ses collègues de se prémunir contre les exagérations qui peuvent servir ou des desseins secrets ou la cupidité, il lie l'envoi de troupes à la question des libres. « Je demande que, par amendement au projet de décret des comités, les commissaires civils soient aussi autorisés à réarmer des hommes de couleur comme ils le jugeront convenable, et à les faire jouir du droit d'aller, de venir, de pétitionner, de s'assembler dans leur paroisse pour pétitionner, d'écrire librement, et en un mot d'employer tous les moyens possibles pour les attacher aux Blancs et à la prospérité des colonies. » À travers ces quelques paroles, l'objectif des Amis des Noirs apparaît clairement : l'abrogation du décret constitutionel du 24 septembre et l'attribution de la citoyenneté aux gens de couleur libres. Certains ports, comme Nantes, Le Havre et Rouen, où la traite négrière représente une part appréciée de leur trafic se rangent aux côtés des colons. Dès le 30 octobre, les négociants du Havre, parmi lesquels Begouën, envoient une supplique à Louis XVI. « Sire, une des plus florissantes contrées du puissant Empire que vous gouvernez, était l'Isle de Saint-Domingue ; cette riche et superbe colonie était la principale source de la prospérité de la France [...] et cette florissante colonie n'est peut-être plus. Des monstres, se disant amis de l'humanité, agissaient dans l'ombre ; ils ont aiguisé les poignards de la vengeance et allumé les torches de la plus affreuse guerre civile. Une insurrection générale des

Noirs, suscitée par ces barbares, a bientôt fait, de ces précieuses et paisibles contrées, un vaste théâtre de carnage et d'horreur. Dans le seul district du Cap, plus de deux cents habitations sont réduites en cendres, et nous annoncent le désastre et le ravage qui affligent la colonie entière. [...] Craignons que cette terrible secousse n'ébranle ce beau royaume, que votre sagesse, aidée des représentants de la nation, peut encore néanmoins sauver. Les infortunés qui survivront à tant de désastres, attendent des secours de la mère patrie ; et c'est seconder votre tendresse paternelle, que de les solliciter de VOTRE MAJESTÉ. Ces secours doivent être principalement en vivres, argent, munitions et troupes ; ils doivent surtout être prompts. Nous prenons, SIRE, la liberté d'offrir à VOTRE MAJESTÉ l'aide et les secours qu'elle a droit d'attendre de vrais Français en cette occasion. Outre la frégate *La Fortunée*, qui se trouve en notre port, nous offrons nos personnes et nos navires gratuitement pour voler au soulagement de nos frères. » L'action des Havrais, qu'accompagne celle des Rouennais et des Nantais, se présente sous les traits de la solidarité nationale : on fait encore silence sur le danger qui pèse sur les intérêts particuliers des provinces atlantiques.

Les colons, en proie à une anxiété croissante, accueillent les six commissaires — Cougnacq-Mion, Millet, Lebugnet, Chesneau de La Mégrière, Le Gourgue et Saint-James —, que l'Assemblée coloniale dépêche à Paris, avec bien du retard. Méfiants à l'égard de la députation, ils se solidarisent aussitôt avec les nouveaux venus, qui ne sont reçus que le 30 novembre par l'Assemblée nationale. À cette occasion Millet s'en prend vivement aux Amis des Noirs. « Il ne peut pas exister un homme de bonne foi, qui doute que leurs travaux, leurs déclamations, leurs écrits, leurs infâmes émissaires soient la cause active et constante, qui depuis deux ans prépare notre ruine et qui vient enfin de la réaliser. » Que la propagande philanthropique ait touché les Antilles, rien de plus certain. Mais que des agents *autres que des insulaires* — mulâtres et Noirs de retour aux îles, petits-Blancs et religieux —, aient jeté la fermentation dans les esprits, rien de plus improbable. Même les brochures et les faïences révolutionnaires paraissent avoir joué un rôle mineur, comparé au spectacle permanent et bruyant des dissensions qui opposaient les Blancs, qui dressaient les citadins contre les planteurs. Le 1er décembre 1791, les Amis des Noirs, par la voix de Brissot, répondent aux accusations de Millet, le négociant des Cayes. « La servitude ne peut exister éternellement à côté de la liberté ; soyez bons et vous éviterez les scènes de sang ; soyez bons et vous serez chéris ; mais est-ce juste de condamner à l'enfer d'un esclavage éternel un homme né libre comme vous ? L'esclavage éternel doit être le foyer le plus actif des crimes parce qu'il est lui-même le plus grand des crimes. Songez donc, non pas à rendre subitement la liberté à vos esclaves, mais à les préparer et à adoucir leur sort. » Le Chartrain conserve le but qu'il s'était assigné le 30 octobre — abrogation du décret du 24 septembre, attribution de la citoyenneté aux libres — et élargit son champ. Aujourd'hui il parle des esclaves, excluant leur libération subite, mais requérant que l'on apprête leur affranchissement. Ce même 1ᵉʳ décembre, alors que Brissot affole les colons, l'éditeur voltairien Nicolas Ruault consigne la nouvelle du soulèvement servile dans son *Journal*. « Il n'est plus douteux que les Noirs se sont révoltés contre les Blancs à Saint-Domingue ; des députés de l'Assemblée de cette colonie sont venus à Paris en faire l'épouvantable récit. Quel parti va-t-on prendre ? Comment affermir de nouveau au joug plus de 600 mille esclaves qui ont brisé leurs fers ? Notre marine est dans un état pitoyable et le gouvernement dans l'anarchie. C'est une colonie perdue pour nous et pour elle-même ; je maintiens ce mal irréparable. » Comment contenir les progrès des Amis des Noirs, comment sauver le décret du 24 septembre ? Les planteurs se rassemblent autour du ministre de la Marine, Bertrand de Molleville, ancien intendant de Bretagne. Ensemble, ils examinent la situation de Saint-Domingue. Depuis la mort du colonel de Mauduit, la Grande Île va à la dérive, faute de chef. Ils conviennent donc d'y envoyer Malouet, pour exercer les fonctions d'intendant et de directeur politique, et le capitaine de vaisseau de La Jaille, à la tête d'une escadrille, qui remplacera l'indécis Blanchelande. Brissot est informé de ce projet, aussi quand La Jaille arrive à Brest, le 17 novembre 1791, est-il jeté en prison.

Après plus d'un mois de réflexion et de combats dans l'ombre, la Législative rend un bref décret le 7 décembre 1791. Elle considère « que l'union entre les Blancs et les hommes de couleur libres a contribué principalement à arrêter la révolte des nègres de Saint-Domingue ». En foi de quoi elle décide « que le Roi sera invité à donner des ordres, afin que les forces nationales ne puissent être employées que pour réprimer la révolte des noirs, sans qu'elles puissent agir directement ou indirectement pour protéger les atteintes qui pourraient être portées à l'état des hommes de couleur libres, tel qu'il a été fixé à Saint-Domingue à l'époque du 25 septembre dernier », quand furent signés les derniers concordats entre colons et mulâtres. Brissot et les Amis des Noirs, fermant les yeux sur une éventuelle réforme de l'esclavage, associent l'envoi de secours à une reconnaissance implicite des droits civiques aux gens de couleur. La duchesse de Tourzel ne s'y trompe pas. « Le décret de l'Assemblée du 7 décembre, qui bornait l'envoi des troupes à réprimer seulement la révolte des Noirs et confirmait les droits accordés aux gens de couleur, acheva d'ôter tout espoir aux colons. Ceux-ci s'adressèrent encore une fois au roi pour lui demander de venir à leur secours. Mais le malheureux prince, qui se voyait dépouillé chaque jour de quelque portion de sa faible autorité, ne pouvait que gémir sur leurs malheurs et s'attrister de ceux que préparaient à la France les meneurs de cette nouvelle Assemblée. » Le décret du 7 décembre inflige un second revers au Club Massiac et à ses amis, d'autant plus cuisant qu'il remet en question les articles constitutionnels du 24 septembre qui créaient une fédération où l'état des personnes relevait des co-États. Le 15 mars 1792, Molleville, traqué par Brissot, démissionne. C'est un coup dur pour les colons qui, toutefois, apprennent avec satisfaction la nomination à la Marine de M. de Lacoste, membre du Club, ancien premier commis des colonies et ancien député des Antilles au Bureau du commerce. L'atmosphère de ce début d'année est tendue. Les ports, particulièrement Nantes, expédient adresse après adresse à l'Assemblée, depuis le mois de janvier. Ainsi, le 18 janvier 1792, les agriculteurs, commerçants, manufacturiers, fabricants, artisans et diverses autres professions de la ville de Nantes, envoient-ils une pétition à l'Assemblée parisienne. À ceux qui demandent, avec la plus ignorante malveillance : à quoi nous servent nos colonies ? Ils répondent avec vivacité : « À balancer avec le plus grand avantage pour l'État l'importation des marchandises et denrées étrangères, dont la France ne peut se passer. À quoi servent nos colonies ? Que l'on considère avec quelle rapidité nos changes avec l'étranger ont baissé depuis que nous n'avons plus à lui offrir en paiement l'échange précieux de nos marchandises et de nos denrées coloniales. [...] À quoi servaient enfin nos colonies ? Elles procuraient du travail à dix millions de bras qui font la force, comme ils sont la cause de la richesse de l'Empire français [...] que vont devenir ces grandes, riches et populeuses cités, Marseille, Bayonne, Bordeaux, La Rochelle, Nantes, Saint-Malo, Le Havre, Rouen, Dunkerque, et tant d'autres dont la prospérité était liée à celle de ces Ports ? Que vont devenir toutes les raffineries, toutes les teintureries, toutes les filatures et fabriques de coton qui couvrent la surface de la France, dénuées des matières premières qui servent d'aliments à leurs travaux ? » En effet, outre le trafic commercial, certaines denrées animent l'industrie nationale. Le coton, de manière moins visible qu'en Angleterre, mais de façon tout aussi certaine, provoque la révolution du filage et du tissage, entraînant celle de la mécanique, de l'hydraulique et de la chimie, vaste mouvement qui, parallèle à l'apparition de sociétés capitalistes minières, sidérurgiques, de la compagnie des Eaux de Paris, émerge en même temps que les banques parisiennes. En ce premier trimestre 1792, l'opinion parisienne, notamment, s'insurge contre la raréfaction des sucres et des cafés qu'Albert Mathiez a analysée. La presse, le *Père Duchesne* d'Hébert, *Les Révolutions de Paris* de Prudhomme dénoncent les accapareurs, tandis que la foule jette le trouble dans les faubourgs Saint-Marceau, Saint-Antoine, Saint-Denis, à partir du 20 janvier. Un journal publie un *Avis aux Dames parisiennes sur le sucre* : « Prenez publiquement une ferme résolution de ne plus faire usage de sucre et de café jusqu'à ce que ces deux denrées de besoins factices soient remises à l'ancien prix. » Le 26 janvier, le patriote Gonchon, orateur de la pétition du faubourg Saint-Antoine, et ami de Brissot, déclame devant l'Assemblée : « Législateurs, les citoyens du faubourg Saint-Antoine laissent aux femmes, aux vieillards, aux enfants à crier pour le sucre. Les hommes du 14 juillet ne se battent pas pour des bonbons ! » À leur tour, les Jacobins s'émeuvent. Louvet, l'auteur de *Faublas,* y prêche en termes précieux et ridicules le sacrifice du sucre et du café, tant que Sparte est menacée par une foule d'ennemis audacieux et perfides ! chacun acquiesce et jure ! Les *Révolutions de Paris* brocarderont le pathétique appel du romancier-législateur. « Faire une répétition du serment sublime du jeu de paume pour du sucre ! »

Le 17 mars, la Législative commence l'examen de l'insurrection qui déchire Saint-Domingue. Le même jour le négoce nantais en appelle à l'Assemblée : il faut secourir Saint-Domingue, sans laquelle la nation courrait à la banqueroute. « Si vous calculez, sages législateurs, les dépenses d'un envoi de vingt mille hommes vous calculerez en même temps les produits d'une circulation de trois cents millions renaissants tous les ans. Sauvez la France en sauvant les colonies : vous concilierez les intérêts de la patrie avec les devoirs de l'humanité, en arrachant aux horreurs de la mort ses malheureux enfants, et ses richesses aux flammes. » L'Assemblée entend les Nantais, mais accorde plus d'attention au Bordelais Gensonné qui lui propose de donner les droits de citoyen à tous les libres. Elle adopte cette proposition le 24 mars et le 28 vote un décret global — couronnement de l'action des Amis des Noirs — qui confirme l'attribution de la citoyenneté aux gens de couleur, et demande au roi de nommer des commissaires dans toutes les Antilles et à la Guyane. Le 4 avril, le souverain promulgue cette décision qui achève la déroute du Club Massiac et des colons et consacre le succès de Brissot et des Amis des Noirs. Les esclaves sont les grands oubliés de cette opération : personne, sur les bancs de la législature, ne songe à détruire l'esclavage et à renoncer au revenu colonial, si nécessaire à la balance commerciale française. Les colons, à qui les préjugés tiennent lieu d'intelligence politique, ne comprennent pas que Brissot et ses associés, bons élèves de l'école physiocratique, aient, par leur décret, renforcé la structure capitaliste de la Grande Île. Ils ont fédéré tous les propriétaires blancs et mulâtres, précise le décret du 4 avril 1792, en « une réunion franche et sincère, qui peut seule arrêter les troubles dont ils ont été également victimes et les faire jouir des avantages d'une paix solide et durable ». Seuls les germes de discorde, qui ont divisé les producteurs capitalistes, ont livré les colonies « au danger d'une subversion générale, en soulevant les ateliers ». Seule la coalition des capitalistes insulaires de toute couleur peut « préserver leurs propriétés des horreurs et de l'incendie ». Brissot, désormais qu'il a satisfait à son obligation morale vis-à-vis des libres, n'évoque plus la libération des esclaves. Robespierre, naguère si soucieux du respect des principes et de l'honneur de l'Assemblée, n'a désormais plus rien à dire, plus rien à réclamer : la société d'outre-mer, dont le décret du 4 avril 1792 a fixé l'organisation, le satisfait. Pour lui, l'affaire des colonies est close.

L'abolition de l'esclavage ou la trahison fédéraliste

Comme le rappelle Yves Bénot avec pertinence, Camille Desmoulins, ancien camarade de collège de Robespierre, publie un pamphlet au début du mois de février 1792 : *J.-P. Brissot démasqué*. Tout en s'attaquant principalement au parlementaire belliciste, alors que le député d'Arras prêche la paix, il critique avec véhémence la politique coloniale du Chartrain. Il lui reproche d'avoir mis « avec opiniâtreté à l'ordre du jour des questions sur lesquelles sans doute, il était impossible de nier qu'il n'eût raison, mais que l'intérêt de la liberté elle-même lui faisait un devoir d'ajourner à des temps plus calmes, les questions d'état des hommes de couleur et des Noirs ». L'époux de la tendre Lucile ne s'arrête pas en si bon chemin. Il impute au chef girondin, traître à la nation, l'insurrection des esclaves de Saint-Domingue et le saccage de l'île. « Mais n'est-ce pas J.-P. Brissot qui le premier a incendié ces belles contrées ? Oui, Brissot, il vous est impossible de le nier ; car nous vous avions prédit ces maux avant qu'ils n'arrivassent ; nous vous avions demandé si vous ne trembliez pas de l'affreuse responsabilité dont vous chargeait votre précipitation. Nous vous avions montré les flammes du Port-au-Prince et du Cap, et vous ne pouvez prétexter cause d'ignorance. Oui si tant d'habitations sont réduites en cendres, si on a éventré les femmes, si un enfant porté au bout d'une pique a servi d'étendard aux Noirs, si les Noirs eux-mêmes ont péri par milliers, c'est toi, misérable, qui a été la première cause de tant de maux. Aurais-tu fait autrement si tu avais été d'intelligence avec Coblentz et le comité autrichien ? » Devant la violence de ce réquisitoire, Y. Bénot conclut justement : « Plus rien ne sépare le patriote avancé Camille Desmoulins des colons du Club Massiac. » Prolongeant ce raisonnement, on peut dire que dorénavant, Brissot lui-même va adhérer aux principes de Desmoulins et de Robespierre, ce qui, par contrecoup, souligne combien le préjugé racial avait pu obscurcir l'entendement des colons de Paris. Une fois proclamée la citoyenneté des libres, aucun député n'était tenté de bouleverser l'ordre colonial esclavagiste. Au moment où Desmoulins et son ami arrageois suspectent un agent de l'étranger en Brissot, Gouverneur Morris confie au président Washington : « Il est inutile de vous dire que quelques membres de l'Assemblée nationale sont à la solde de l'Angleterre, car vous le supposez bien.

Brissot de Warville est du nombre, dit-on, et à la vérité (soit par corruption ou pour tout autre motif que j'ignore) sa conduite tend à nuire à son pays et à favoriser celui de ses vieux ennemis, au plus haut degré » (4 février 1792). Quelques jours plus tard, Gouverneur Morris ajoute à l'intention du président, qu'on lui désigne « M. Clarkson, le grand avocat des nègres », comme étant l'agent de Pitt à Paris. Pendant ces temps troubles, Talleyrand s'était rendu à Londres à la demande de Dumouriez et du Comité diplomatique, que dirigeait Brissot, pour y proposer Tabago en échange de la neutralité anglaise dans l'hypothèse d'un conflit entre Paris et Vienne. Démarche ahurissante qui avorta.

Au milieu des intrigues et des désordres, après que le gouvernement eut déclaré la guerre au roi de Hongrie et de Bohême (20 avril 1792), et alors que l'insurrection parisienne envahit les Tuileries, les sieurs Polvérel, Sonthonax et Ailhaud sont nommés commissaires civils à Saint-Domingue où ils ont mission de faire appliquer le décret du 4 avril. Le général d'Esparbès les accompagne, désigné en remplacement du gouverneur général de Blanchelande. Maintenant que les droits de l'homme de couleur libre sont reconnus, la question coloniale passe à l'arrière-plan, laissant le premier rang aux bouleversements institutionnels et aux hostilités que la Révolution engage contre « l'Europe des tyrans ». La Convention, qui se réunit le 21 septembre 1792, proclamant la République le lendemain, n'évoque les colonies que pour examiner des problèmes de maintien de l'ordre ou de défense, sinon par accident. Le 4 juin 1793, l'Assemblée reçoit une délégation conduite par Chaumette, qui demande l'abolition de l'esclavage. Les 27 juillet et 19 septembre 1793, la Convention supprime les primes à la traite, mais n'abolit pas l'odieux trafic. Est-ce étonnant quand on sait, depuis que Michel Bruguière l'a montré, que les maîtres administratifs des finances et du commerce révolutionnaires se recrutent principalement dans l'industrie textile, le commerce maritime et la banque ! De surcroît, qui ignore que Robespierre, devenu maître de la Révolution, souhaite garder les possessions de la nation, sans en renverser le régime ? Comme Y. Bénot l'a justement remarqué, l'Incorruptible, dans son rapport de politique étrangère du 18 novembre 1793, l'a affirmé avec clarté, en condamnant les idées coloniales de Brissot et des Girondins qu'il avait éliminés quelques mois plus tôt. « La même faction, qui en France voulait réduire tous les pauvres à la condition d'ilotes, et soumettre le peuple à l'aristocratie des riches, voulait en un instant affranchir et armer tous les nègres pour détruire nos colonies. » Et certains, dans l'entourage du dictateur, ne vont-ils pas jusqu'à comparer l'insurrection noire de Saint-Domingue, au soulèvement vendéen ? Saint-Just, le bel archange de la Révolution, et ami troublant de Robespierre, fait part de ses réflexions sur les colonies, dès 1791, dans un ouvrage intitulé *L'Esprit de la Révolution*. Il considère que si jamais l'Europe « vient à perdre ses colonies, elle sera la plus malheureuse des contrées ». Dans un petit recueil de réflexions politiques publiées après sa mort, *Fragments d'institutions républicaines*, le jeune législateur note : « La république ne peut par aucun traité aliéner les droits de son commerce et de ses colonies. » Convaincu de l'utilité des colonies, Saint-Just aborde la question de l'esclavage de manière déconcertante : « L'État fera acheter les Nègres sur les côtes d'Afrique pour être transplantés dans les colonies. Ils seront libres à l'instant même : il leur sera donné 3 arpents de terre et les outils nécessaires à leur culture. » La perplexité envahit le lecteur. Le conventionnel refuse le régime servile, mais conserve la traite pour — si l'on devine juste — constituer par la force un prolétariat de petits propriétaires libres, à qui la loi imposerait une obligation de culture sur les plantations. Une sorte de travail forcé comme en imaginèrent Sonthonax et Toussaint Louverture à Saint-Domingue, ou Victor Hugues à la Guadeloupe.

Le grand événement de l'époque se produit au début de 1794. Trois députés domingois, l'ancien officier Dufay de La Tour, Blanc, Mills, mulâtre, et Belley, Noir, arrivent à Paris, à la fin du mois de janvier 1794. Aussitôt, les délégués des colons dans la capitale contestent la validité de leur désignation. Peine perdue. Danton les prend sous sa protection. Le 3 février, au milieu des applaudissements, Lacroix, député de l'Eure-et-Loir, s'écrie : " Depuis longtemps l'Assemblée désirait avoir dans son sein des hommes de couleur, qui furent opprimés pendant tant d'années. Aujourd'hui elle en possède deux ; je demande que leur introduction soit marquée par l'accolade fraternelle du président. " La motion d'admission est votée à l'unanimité, et Vadier échange le baiser fraternel avec les trois nouveaux députés. » Le lendemain, 4 février, Dufay annonce aux représentants de la nation que les commissaires Sonthonax et Polvérel ont aboli l'esclavage dans la Grande Île, l'année précédente, en août et en septembre 1793. Pourquoi les deux agents, sans instructions à ce propos, ont-ils pris sur eux de légiférer à la place de la Convention ? Dufay fournit plusieurs explications. D'abord, les commissaires ne pouvaient agir autrement, sinon « la colonie se trouvait replongée dans un nouveau chaos dont rien ne pouvait plus la tirer. » Ensuite, l'attitude, à l'égard des Noirs, de l'Angleterre et de l'Espagne à qui Paris a déclaré la guerre. « Les Espagnols et les Anglais auxquels s'était déjà réuni un grand nombre de contre-révolutionnaires, étaient là tout prêts qui les appelaient et leur tendaient les bras. Les Espagnols leur offraient de l'argent avec la liberté, et même des grades supérieurs. Il ne fallait pas laisser passer l'instant favorable, sans quoi tout était perdu. N'était-il pas d'une politique sage et éclairée de créer de nouveaux citoyens à la République pour les opposer à nos ennemis ? Au reste si nous devions perdre nos colonies (ce que je suis bien loin de croire ni de craindre), n'était-il pas plus glorieux d'être juste et plus raisonnable de faire tourner cette perte au profit de l'humanité ? » Peu convaincant, Dufay brûle alors sa dernière cartouche : « Dans cette extrémité pressante votre commissaire en résidence au Cap rendit la proclamation du 29 août, que nous avons remise au Comité de salut public. Les Noirs de la partie du Nord étaient déjà libres par le fait, ils étaient les maîtres. Cependant la proclamation, en les déclarant libres, les assujettit à résidence sur leurs habitations respectives, et les soumet à une discipline sévère en même temps qu'à un travail journalier moyennant un salaire déterminé ; ils sont en quelque sorte comme attachés à la glèbe. »

Après le plaidoyer de Dufay en faveur de Sonthonax, Levasseur de la Sarthe prend la parole : « Je demande que la Convention, ne cédant pas à un mouvement d'enthousiasme, mais aux principes de la justice, fidèle à la Déclaration des Droits de l'Homme, décrète dès ce moment que l'esclavage est aboli sur tout le territoire de la République, Saint-Domingue fait partie de ce territoire, et cependant nous avons des esclaves à Saint-Domingue. Je demande donc que tous les hommes soient libres sans distinction de couleur. » Lacroix, député d'Eure-et-Loir, monte alors à la tribune : « En travaillant à la constitution du peuple français nous n'avons pas porté nos regards sur les malheureux hommes de couleur*. La postérité aura un grand reproche à nous faire de ce côté ; mais nous devons réparer ce tort. [...] Il est temps de nous élever à la hauteur des principes de la liberté et de l'égalité. On aurait beau dire que nous ne connaissons pas d'esclaves en France, n'est-il pas vrai que les hommes de couleur sont esclaves dans nos colonies ? Proclamons la liberté des hommes de couleur. En faisant cet acte de justice vous donnez un grand exemple aux hommes de couleur esclaves dans les colonies anglaises et espagnoles. Les hommes de couleur ont, comme nous, voulu briser leurs fers ; nous avons voulu briser les nôtres, nous n'avons pas voulu nous soumettre au joug d'aucun maître ; accordons-leur le même bienfait. » Ainsi jusqu'au 4 février 1794, la Révolution n'avait proclamé qu'une liberté française, circonscrite dans les frontières européennes de la nation. Autant avouer que l'égalité des races n'avait pas été affirmée. La Convention adopte la proposition d'abolition de l'esclavage dans les colonies françaises. « Une citoyenne de couleur », assise au premier rang de l'amphithéâtre perd connaissance, revient à elle et pleure. L'incident est consigné au procès-verbal pour que cette femme « reçoive au moins cette reconnaissance de ses vertus civiques ». Ce même 4 février, l'inspecteur de police Béraud, qui écoute les consommateurs du café du Jardin-Égalité (Palais-Royal), note dans son rapport que cette femme de couleur « ne s'est pas trouvée mal de plaisir en voyant la liberté des Nègres décrétée, mais bien de crainte et de désespoir, car elle est propriétaire d'une habitation et de

---

* Il s'agit ici des esclaves noirs et non des mulâtres libres.

quantité de Nègres, qu'elle perdra incontestablement, parce que cette classe d'hommes est ennemie jurée de sa couleur [des métis], et que, naturellement enclins à la paresse, ils ne voudront plus travailler, ils se contenteront de vivre comme les sauvages, des productions de la terre ».

Pendant que les mouchards sillonnent les rues et investissent les lieux publics, Danton monte à la tribune où il prononce une péroraison rapide : « Représentants du peuple français, jusqu'ici nous n'avons décrété la liberté qu'en égoïstes et pour nous seuls. Mais aujourd'hui nous proclamons à la face de l'univers, et les générations futures trouveront leur gloire dans ce décret, nous proclamons la liberté universelle. Hier, lorsque le président donna le baiser fraternel aux députés de couleur, je vis le moment où la Convention devait décréter la liberté de nos frères. La séance était trop peu nombreuse. La Convention vient de faire son devoir. Mais après avoir accordé le bienfait de la liberté, il faut que nous en soyons, pour ainsi dire les modérateurs. Renvoyons aux Comités de salut public et des Colonies, pour combiner les moyens de rendre ce décret utile à l'humanité, sans aucun danger pour elle. Nous avions déshonoré notre gloire en tronquant nos travaux. Les grands principes développés par le vertueux Las Casas avaient été méconnus. Nous travaillons pour les générations futures ; lançons la liberté dans nos colonies : c'est aujourd'hui que l'Anglais est mort. (*On applaudit.*) En jetant la liberté dans le nouveau monde, elle y portera des fruits abondants, elle y poussera des racines profondes. En vain Pitt et ses complices voudront par des considérations politiques écarter la jouissance de ce bienfait, ils vont être entraînés dans le néant ; la France va reprendre le rang et l'influence que lui assurent son énergie, son sol et sa population. Nous jouirons nous-mêmes de notre générosité, mais nous ne l'étendrons pas au-delà des bornes de la sagesse. Nous abattrons les tyrans comme nous avons écrasé les hommes perfides qui voulaient faire rétrograder la Révolution. Ne perdons point notre énergie ; lançons nos frégates ; soyons sûrs des bénédictions de l'univers et de la postérité et décrétons le renvoi des mesures à l'examen des comités. » L'épilogue que Danton apporte au débat laisse à réfléchir. L'orateur n'a pas manqué de célébrer — en deux mots — la liberté universelle, d'appeler la ruine de l'Angleterre, en particulier celle de son commerce colonial. Mais, comme s'il voulait maîtriser l'excessive générosité de la Convention, il demande aux députés d'agir en « modérateurs » et sollicite les Comités de salut public et des Colonies de prendre « les moyens de rendre ce décret utile à l'humanité, sans aucun danger pour elle ». Qu'est-ce à dire ? Qu'après le coup de folie parlementaire — Grégoire, l'Ami des Noirs, juge également ainsi —, il convient que l'exécutif aménage le droit qui vient d'être accordé. Il convient de lui apporter les restrictions nécessaires pour que les Blancs — en tant qu'individus et en tant que nation — ne soient pas les victimes de cette liberté trop générale. Les mesures d'accompagnement du décret du 4 février 1794 ne seront jamais prises, évitant à la Révolution de bafouer l'un des dogmes de son idéologie. Comme le note Y. Bénot, *Les Révolutions de Paris* du 13 février 1794, journal auquel Sonthonax avait collaboré, publient un article sous le titre, « Les Nègres enfin libres », qui approuve chaleureusement le geste des Conventionnels. Robespierre, au contraire, accueille avec froideur l'initiative parlementaire. L'Incorruptible, mécontent, n'accorde pas même quelque poids à l'argument selon lequel la suppression de la servitude des Noirs va faire tache d'huile, toucher et bouleverser les possessions tropicales anglaises.

Les rapports de police observent dans leur ensemble que l'opinion publique parisienne approuve la décision de la Convention, émettant parfois quelques réserves : « Le décret de la liberté des Nègres fait le plus grand plaisir au peuple, note l'inspecteur Pourvoyeur. Quelques individus qui [...] aiment l'esclavage n'approuvent pas trop ce décret parce que, disaient-ils, cela va ruiner beaucoup d'honnêtes gens qui ont acheté un grand nombre de nègres ; mais ils ne furent pas écoutés, et même ils furent obligés de sortir des groupes. Quel coup de foudre pour Pitt, dit le peuple, quand il va apprendre cette nouvelle. » Le lendemain 5 février, l'inspecteur Bacon écoute et prend note : « Dans un café près de la Comédie-Italienne, on parlait du décret relatif à la liberté des nègres. On disait que ce décret ferait égorger tous les mulâtres et tous les Blancs qui sont aux colonies. Près Nicolet (boulevard du Temple) des femmes du petit peuple parlaient des négresses. Elles disaient : " Ma foi, on nous fout de belles sœurs noires ; nous ne pourrions jamais vivre avec des femmes comme cela. " »

Comment se présente le bilan colonial de la Révolution, à la veille de l'avènement de Bonaparte ? Pour appliquer la Déclaration des droits de l'homme et du citoyen aux mulâtres et Nègres libres, il a fallu trois ans (4 avril 1792). Pour que les esclaves noirs bénéficient de la protection de la Déclaration de 1789, il a fallu cinq ans : et encore s'agit-il d'une imposture, car à peine les nouveaux citoyens sont-ils nés que les représentants de la République les attachent aux plantations où ils travaillaient, et les soumettent aux rigueurs militaires du régime forcé ! Les législateurs révolutionnaires n'appartiennent pas à la classe des producteurs. Parasites sociaux pour la plupart, ignorant tout de l'économie, ils se passionnent davantage pour la politique intérieure française, succession de règlements de comptes et pour la politique de conquête dans l'Europe continentale, dont ils essaient de devenir les profiteurs, que pour les colonies. Ils ne mesurent pas la richesse qu'elles apportaient — Saint-Domingue, surtout — à la France. Aussi grave, ces improducteurs sont aussi des faussaires en idéal. Ils ont adopté la Déclaration des droits pour débarrasser le royaume de son corset réglementaire et corporatif, pour mettre en place un régime de liberté incontrôlée où les esprits éclairés, disposant de tous les leviers, peuvent asseoir leur domination sur la masse des hommes sans propriété ou sans revenu La Commune de Paris a contrarié, un instant, la réalisation de ce plan. Mais la Déclaration des droits a survécu, charte d'asservissement de la nation non fortunée à une minorité de nantis, d'autant plus dangereuse qu'elle confie à la loi positive le soin d'aménager les prétendus droits qu'elle énonce. Des droits naturels à la discrétion des suffrages d'une assemblée ! On croit rêver ! Mais voilà qui explique que cette Bible moderne n'a que la vocation qu'on veut bien lui donner : une déclaration d'une catégorie de Français pour une catégorie de Français, de Blancs pour les Blancs, certainement pas un manifeste universel protégeant les individus issus de tous les milieux sociaux, encore moins de toutes les races. L'abolition de l'esclavage ne représente pas un geste de libération, arrêté au nom de la philosophie de l'égalité : elle constitue la victoire de l'insurrection des esclaves nègres sur les maîtres blancs, le triomphe de la Révolution noire sur la Révolution française.

Des Droits de l'homme à l'expansion coloniale

La Révolution, dont le bilan porte la ruine de son empire commercial antillais, divorce d'avec les Lumières pour rester fidèle à certains aspects de la politique extérieure de la vieille monarchie. Comme Louis XIV et Louis XV, elle veut détruire la puissance anglaise ; contrairement à Vergennes, elle entreprend des guerres de conquête et n'a aucun goût pour les conflits pacifistes. De même, elle rompt avec la philosophie et renoue avec la tradition de Colbert — une illustration nationale — dans sa volonté d'agrandir l'empire colonial. N'arrache-t-elle pas la partie orientale de Saint-Domingue à l'Espagne, au traité de Bâle (1795) et Bonaparte satisfera les appétits des conventionnels Reubell, Merlin de Thionville et Rivaud, qu'avait desservis le négociateur Barthélemy : le 1er octobre 1800, au traité de Saint-Ildefonse, il contraint Madrid à lui céder la Louisiane, et regrettera de n'avoir pas exigé la Floride ! La Grande Nation rompt brutalement avec l'idéologie qui, de Montaigne à Vergennes en passant par Fénelon et l'abbé de Saint-Pierre, prêche à la France de jouir des plaisirs du coin du feu. À Diderot on emprunte la théorie de la violence et de la révolution, non pour libérer, mais pour assujettir. Sébastien Mercier siège peut-être à l'Institut, mais l'on ne s'extasie plus sur ses visions de sujet, élevé dans l'humilité, cachant sa résignation à se contenter de rien ou de peu, sous le manteau de la morale et de la raison. Comment le Français issu de la Révolution, citoyen victorieux, donnant sa loi aux rois, se contenterait-il de rêver de *L'An deux mille quatre cent quarante*, où, en 1771, le Parisien lui offrait le tableau de ses ambitions réalisées ? « Nous connaissons un commerce ; mais ce n'est pas l'échange des choses superflues. Nous avons sagement banni trois poisons physiques dont vous faisiez un perpétuel usage : le tabac, le café et le thé. [...] Nous ne pratiquons plus que le commerce intérieur, et nous nous en trouvons bien : fondé principalement sur l'agriculture, il est le distributeur des aliments les plus nécessaires ; il satisfait les besoins de l'homme, et non son orgueil. Personne ne rougit de faire valoir son champ par lui-même, de porter la culture des terres au plus haut degré de perfection. Le monarque lui-même a plusieurs arpents qu'il fait cultiver sous ses yeux : et l'on ne connait point cette classe de gens titrés dont l'oisiveté était l'unique emploi. [...] Nos vaisseaux ne font plus le tour du globe pour rapporter de la cochenille et de l'indigo. Savez-vous quelles sont nos mines ? Quel est notre Pérou ? C'est le travail et l'industrie. Tout ce qui sert à la commodité, à l'aisance, aux intentions directes de la nature, est encouragé avec le plus grand soin. Tout ce qui tient au faste, à l'ostentation, à la vanité, à ce désir puéril de posséder exclusivement une chose de pure fantaisie, est sévèrement proscrit. »

La Révolution, balayant un siècle de pacifisme éclaboussé de défaites et d'humiliations, n'aspire pas à instaurer un régime dont le brouet noir du Spartiate alimenterait les jours. Non ! jusqu'à 1815, son énergie ardente revendique — malgré les épreuves — la gloire, la puissance, la richesse, la première place dans l'assemblée des nations. Exaltation du Pouvoir un et indivisible, la Révolution, passé le temps des avocats de la Constituante, se dégage des théories qui fleurissent depuis le XVIIe siècle. Peu lui chaut la séparation des pouvoirs — qui ne peut séduire que les Girondins et autres fédéralistes, ennemis de l'État —, peu lui chaut le contrat social — sauf quand il est délégation de la souveraineté à l'État — sinon il est menace contre l'unité et l'autorité. Aussi bannit-elle les relations contractuelles entre métropoles et colonies, chères à Dubuc, à Choiseul, et qu'un ami fidèle du duc, l'abbé Barthélemy, a évoquées dans le célèbre *Voyage du jeune Anacharsis en Grèce vers le IVe siècle* : « Les liens qui unissent des enfants à ceux dont ils tiennent le jour subsistent entre les colonies et les villes qui les ont fondées. Elles prennent, sous leurs différents rapports, les noms tendres et respectables de fille, sœur, de mère, d'aïeule ; et de ces divers titres naissent leurs engagements récipro-ques. La métropole doit naturellement protéger ses colonies, qui, de leur côté, se font un devoir de voler à son secours quand elle est attaquée. [...] Tant de prérogatives accordées à la métropole ne rendent point son autorité odieuse. Les colonies sont libres dans leur dépendance, comme les enfants le sont dans les hommages qu'ils rendent à leurs parents dignes de leur tendresse. [...] Les lois dont je viens de parler n'obligent que les colonies qui se sont expatriées par ordre ou de l'aveu de leur métropole : les autres, et surtout celles qui sont éloignées, se bornent à conserver un tendre souvenir pour les lieux, de leur origine. »

Le 22 août 1795, la Convention thermidorienne répudie « l'autonisme mitigé », et toute tendance fédéraliste dans le titre premier de la constitution directoriale. L'article 6 édicte : « Les colonies françaises sont parties intégrantes de la République, et sont soumises à la même loi constitutionnelle. » Quant à l'article 7, il organise les possessions en départements. La doctrine de la Constituante, de la Législative et de la Convention robespierriste, jusqu'au 4 février 1794, qui reposait sur la reconnaissance de la servitude et de l'autonomie créole, est caduque. Désormais, la loi de Paris et de ses agents régira la vie des lointains territoires.

Le rejet de « l'anticolonialisme » philosophique dépasse le refus des théories développant l'inutilité des possessions d'outre-mer, la condamnation d'un Empire fédéral, qui associerait gouvernements des colonies et pouvoir métropolitain. Il exprime la volonté de la Révolution d'être présente et de s'agrandir en Europe et partout dans le monde. Aussi Sébastien Mercier, écouté des salons sous Louis XV et Louis XVI, agace-t-il quand il raille le Canada. « Nous serions extravagants de vouloir porter nos compatriotes à deux mille lieues de nous. Pourquoi nous séparer ainsi de nos frères ? Notre climat vaut bien celui de l'Amérique. Toutes les productions nécessaires y sont communes, et de nature excellente. Les colonies étaient à la France ce qu'une maison de campagne était à un particulier : la maison des champs ruinait tôt ou tard celle de la ville. » La Révolution, dans son appétit de colonisation renoue même avec une technique de peuplement que la Régence avait dû abandonner sous la pression de l'opinion parisienne : la déportation. Ainsi le décret du 15 octobre 1793 établit que les mendiants seront transportés dans les colonies. Cette mesure séduit : la Convention la répète dans son décret du 1er novembre suivant, en précisant cette fois, qu'elle veut, par ce moyen, prendre possession d'un territoire où toutes les tentatives de la monarchie ont échoué. En effet, l'article 1 de ce règlement dispose : « Les mendiants condamnés à la déportation et autres qui le sont et seront par suite des jugements des tribunaux criminels et révolutionnaires, seront transportés à la partie du sud-ouest sud-est de l'île de Madagascar, au lieu ci-devant dit le Fort-Dauphin, qui se nommera, dès ce jour, le Fort de la Loi. » Lorient était désigné comme lieu de dépôt et port de départ des détenus, colonisateurs forcés, qui devaient grouper pêle-mêle vagabonds des rues et adversaires politiques. Une fois encore, l'île des Madécasses échappera aux projets des Français.

En 1797, l'abbé Charles Leclerc de Montlinot commet un *Essai sur la transportation comme récompense, et la déportation comme peine*, où il propose de coloniser l'Afrique, la Guyane, Madagascar et la Corse en recourant à la transportation de pauvres et à la déportation de délinquants. Le plan de l'ancien chanoine de Lille s'inscrit dans un programme de colonisation libre : il est hors de propos pour lui d'établir l'esclavage où que ce soit. Au départ, une double constatation. D'abord, sachant que l'on perdra les Antilles « plus tôt qu'on ne pense », il est nécessaire « de préparer en Afrique les cultures de l'Amérique ». Ensuite une réflexion sur l'état social de la France. « On ne peut pas se dissimuler qu'il existe dans le nouvel ordre de choses, qu'il existera encore, dans un temps plus prospère, une infinité d'hommes déchus qui ne pourront jamais ni se remettre à leur place, ni se ranger dans les dernières classes des citoyens. [...] Si, à ces considérations générales, on ajoute qu'il sera bientôt nécessaire de placer des militaires réformés qui se trouveront sans asile et sans moyens de subsistance ; qu'il sera indispensable de diminuer ces ateliers nombreux qui concentrent les hommes dans un seul point d'activité, et enchaînent en quelque sorte leur industrie ; si on réfléchit qu'il faut dégorger les hôpitaux des générations saines, mais stériles, qui y végètent ; si enfin on calcule que la France aura toujours des vagabonds, des gens sans aveu, qui ont plus de besoins que de force, plus d'activité que d'industrie, on sentira combien il est pressant de mettre en mouvement tant d'êtres sans propriétés, en leur offrant tout à la fois une terre féconde et un travail doux. C'est vers la côte d'Afrique que nous désirons porter des établissements ; l'archipel des Bissagots, qui contient vingt-cinq à trente isles habitables, et qui aurait Bulam pour chef-lieu, nous paraîtrait propre à donner un asile à l'homme libre, à l'indigent et au vagabond dangereux. » L'honorable ecclésiastique, converti à la médecine sociale, veut rendre les inemployés et les dangereux utiles à la République. Dans la seule classe des journaliers, qui fournissent un travail passif, à la plus-value insignifiante, on ne compte pas moins de 400 000 hommes. L'État doit savoir tirer profit du malheur des individus plutôt que de les abandonner à un sort sans issue. « Les climats chauds, les terres neuves, où la nature est prodigue de bienfaits, semblent appeler l'homme indigent ; des dispositions sages doivent y pousser doucement et les générations qui gênent, et celles qui peuvent nuire. La lie d'une population sans propriété, rejetée dans des climats plus fertiles, laissera un travail plus lucratif à ceux dont l'industrie était en quelque sorte étouffée, et de nouveaux rapports ramèneront de nouvelles branches de commerce et de culture. Des établissements en Afrique sont donc les grands moyens offerts à la France pour épurer sa population et augmenter ses richesses. L'art de fonder des colonies est un art presque inconnu dans nos États actuels, et nous ne pouvons compter en France que des tentatives infructueuses ou des imprudences. » Flétrissant les essais malheureux de la monarchie à peupler certaines possessions, Leclerc de Montlinot, présente une image séduisante pour la nation et pour les expatriés. La colonie sera une école de capitalistes sans mise financière, de propriétaires : tout à la fois elle assurera la promotion sociale de l'émigré et l'enrichissement de l'État. Vision à laquelle on pourrait céder si l'on ne savait que des fonds sont nécessaires à la création de tout établissement, qu'il soit agricole ou industriel.

Pendant que le chanoine confie ses réflexions au papier, l'ancien évêque d'Autun expose ses vues devant l'Institut, le 3 juillet 1797. On dit que l'*Essai sur les avantages à retirer des colonies nouvelles*, qu'il lit en séance plénière, n'est pas de sa plume, mais qu'il a pour auteur le comte d'Hauterive, diplomate de qualité que Bonaparte distinguera. Si M. de Talleyrand, expert en opportunisme, appelle la France à la colonisation devant les élites réunies de la République, ne se comporte-t-il pas en apôtre zélé de la Révolution ? Les Directeurs le récompenseront en le nommant ministre des Relations extérieures, douze jours plus tard ! Cet affairiste, qui s'est essayé au commerce colonial, a des vues opposées à celles de Montlinot, mais infiniment plus justes. Un exemple : « Jusqu'à présent, les gouvernements se sont fait une espèce de principe de politique de n'envoyer pour fonder leurs colonies, que des individus sans industrie, sans capitaux et sans mœurs. C'est le principe absolument contraire qu'il faut adopter ; car le vice, l'ignorance et la misère ne peuvent rien fonder, ils ne savent que détruire. » Sur l'avenir français des Antilles serviles, l'académicien se montre pessimiste, même s'il évoque l'esclavage avec une aisance qui révèle que sur ce point la Révolution parle comme l'Ancien Régime, oubliant le décret d'abolition du 4 février 1794 ! « La question si indiscrètement traitée sur la liberté des Noirs, quelque soit le remède que la sagesse apporte aux malheurs qui en ont été la suite, introduira tôt ou tard un nouveau système dans la culture des denrées coloniales. »

Quand bien même on rétablirait la servitude à Saint-Domingue il faudrait y renoncer dans un avenir prochain. Partant de ce postulat, l'ancien constituant juge plus politique d'aller au-devant des profonds changements. Aussi propose-t-il à la Grande Nation d'entreprendre avec force et détermination, au plus vite, l'expansion territoriale de la République hors d'Europe. « De tout ce qui vient d'être exposé, il suit que tout presse de s'occuper de nouvelles colonies : l'exemple des peuples les plus sages, qui en ont fait un des grands moyens de tranquillité ; le besoin de préparer le remplacement de nos colonies actuelles pour ne pas nous trouver en arrière des événements ; la convenance de placer la culture de nos denrées coloniales plus près de leurs vrais cultivateurs ; la nécessité de former avec les colonies les rapports les plus naturels, bien plus faciles, sans doute, dans des établissements nouveaux que dans les anciens ; l'avantage de ne point nous laisser prévenir par une nation rivale, pour qui chacun de nos oublis, chacun de nos retards en ce genre est une conquête ; l'opinion des hommes éclairés qui ont porté leur attention et leurs recherches sur cet objet ; enfin la douceur de pouvoir attacher à ces entreprises tant d'hommes malheureux qui ont besoin d'espérance. » En quelques mots est exposé le programme de la Révolution, brûlant les mânes de Vergennes, ressuscitant les ambitions des Colbert et de Sartine.

L'ANCIEN RÉGIME TOUJOURS CONTINUÉ 1799-1815

La Révolution, de 1789 à la chute de l'Empereur, n'a jamais renié la politique coloniale de la monarchie. Elle veut, dès le premier jour, conserver les possessions, moteurs du capitalisme commercial, qui lui assure une balance excédentaire.

De la servitude à l'esclavage

Dans sa période parlementaire, tant qu'elle ne s'est pas emparée pleinement de l'exécutif, que propose-t-elle qui provoque les affrontements ? L'attribution de la citoyenneté aux gens de couleur libres. C'était là un projet, vieux de la guerre de Sept Ans ! Les gouverneurs généraux de Saint-Domingue de Bory, d'Ennery, de Bellecombe l'avaient défendu. Le maréchal de Castries y était favorable et l'eût sans doute réalisé, si son ambition ne l'avait distrait, et peut-être aussi s'il n'avait pas créé de bruyantes assemblées coloniales aux îles du Vent. Serviteurs du roi et législateurs révolutionnaires partagent donc un même sentiment, mais, la monarchie, toujours prudente, veut réformer dans la paix publique, alors que la Révolution n'en fait pas une nécessité. Une fois les révolutionnaires maîtres de l'exécutif, l'ancienne politique coloniale, corrigée par le décret du 4 avril en faveur des mulâtres, était appelée à la pérennité. Un individu, sans instructions ni pouvoirs, a bouté la Révolution hors de la voie qu'elle avait héritée de l'Ancien Régime : Sonthonax. La Convention fut obligée de sanctionner la mesure illégale de cet agent désobéissant, mais le Comité de salut public et Robespierre se gardèrent de la compléter de règlements d'application. Et la Convention laissa une servitude sévèrement surveillée succéder à l'esclavage : ainsi espérait-elle limiter les dégâts, éviter le pire. En effet, jamais le pouvoir révolutionnaire — et non plus quelques députés — n'a inscrit la suppression de l'esclavage des Noirs parmi ses projets de loi.

Arrive Bonaparte. Rétablira-t-il l'ancien ordre colonial qui, tout bien pesé, se perpétue de manière hypocrite, puisque les cultivateurs sont attachés à leur plantation, tenus de respecter un horaire de travail et soumis à une police générale impitoyable ? On ne sait que répondre. Le Premier consul ne semble pas avoir d'opinion précise sur la question, au début de son gouvernement ; plus exactement, il manifeste de l'attachement aux principes de liberté et d'égalité de la Révolution. En 1801, il affiche toujours le même sentiment, mais, servi par un entourage issu de l'Ancien Régime, du commerce, du monde créole, on le soupçonne de ne pas dire tout haut ce qu'il pense tout bas. En 1802, il abandonne ses premières idées et se rallie au vieux système esclavagiste, plus par politique, par réalisme résigné, a-t-on l'impression, que par conviction profonde. Dans la proclamation du 25 décembre 1799, destinée à Saint-Domingue, le général affirmait l'immuabilité des principes sacrés de la liberté et de l'égalité des Noirs. L'année suivante, le 2 mai 1800, il parle le même langage. Ces exhortations n'étaient-elles destinées qu'à endormir la méfiance des anciens esclaves ? Se réduisaient-elles à de misérables manœuvres de propagande ? Il ne semble pas. Quand, sous les ors sages et discrets du Conseil d'État, Barbé de Marbois, ancien intendant de l'Antille, prêche, le 16 août 1800, le retour à l'esclavage, Bonaparte soutient le contraire, rapporte Roederer dans son *Journal*. « La question n'est pas de savoir s'il est bon d'abolir l'esclavage, mais s'il est bon d'abolir la liberté dans la partie libre de Saint-Domingue. Je suis convaincu que cette île serait aux Anglais, si les nègres ne nous étaient attachés par l'intérêt de leur liberté. Ils feront moins de sucre, peut-être, qu'étant esclaves, mais ils le feront pour nous, et ils nous serviront, au besoin, de soldats. Si nous avons une sucrerie de moins, nous aurons une citadelle de plus occupée par des soldats amis. Ma politique est de gouverner les hommes comme le grand nombre veut l'être. C'est là, je crois, la manière de reconnaître la souveraineté du peuple. C'est en me faisant catholique que j'ai fini la guerre de la Vendée, en me faisant musulman que je me suis établi en Égypte, en me faisant ultramontain que j'ai gagné les esprits en Italie. Si je gouvernais un peuple de Juifs, je rétablirais le temple de Salomon. Ainsi, je parlerai de liberté dans la partie libre de Saint-Domingue ; je confirmerai l'esclavage à l'île de France, même dans la partie esclave de Saint-Domingue, me réservant d'adoucir et de limiter l'esclavage, là où je le maintiendrai ; de rétablir l'ordre et d'introduire la discipline, là où je maintiendrai la liberté. »

Aucune réflexion doctrinale, aucune référence à une philosophie politico-sociale dans le discours du Premier Consul. Au contraire, une leçon de relativité : il faut prendre les choses telles qu'elles sont, s'y adapter pour mieux les maîtriser. Aucun reniement des dogmes de la Révolution, mais non plus aucun prosélytisme. Dans la droite ligne de cette logique, Bonaparte rassure la population de Saint-Domingue dans la proclamation du 7 novembre 1801 qu'il remet à Leclerc et qui sera placardée au débarquement de l'expédition. Néanmoins, il réclame l'obéissance au capitaine-général Leclerc, en termes chargés de menaces qui disent sa détermination courroucée : « Quelles que soient votre origine et votre couleur, vous êtes tous Français, vous êtes tous libres et tous égaux devant Dieu et devant la République. [...] Le gouvernement vous envoie le capitaine-général Leclerc ; il amène avec lui de grandes forces pour vous protéger contre vos ennemis et contre les ennemis de la République. Si on vous dit : ces forces sont destinées à vous ravir votre liberté, répondez : la République nous a donné la liberté, la République ne souffrira pas qu'elle nous soit enlevée. Ralliez-vous autour du capitaine-général ; il vous apporte l'abondance et la paix. Ralliez-vous tous autour de lui ; qui osera se séparer du capitaine-général sera un traître à la patrie et la colère de la République le dévorera comme le feu dévore vos cannes desséchées. » Dans l'*Exposé de la situation de la République*, du 22 novembre 1801, le Premier consul confirme ses vues, mais se montre intransigeant sur la soumission de la Grande Ile à l'autorité de la métropole : « À Saint-Domingue des actes irréguliers ont alarmé la soumission. Sous des apparences équivoques le gouvernement n'a voulu voir que l'ignorance qui confond les noms et les choses, qui usurpe quand elle ne croit qu'obéir ; mais une flotte et une armée qui s'apprêtent à partir des ports de l'Europe auront bientôt dissipé tous les nuages et Saint-Domingue rentrera tout entière sous les lois de la République. À Saint-Domingue et à la Guadeloupe, il n'est plus d'esclaves ; tout y est libre, tout y restera libre. La sagesse et le temps y ramèneront l'ordre et y rétabliront la culture et les travaux. » Un double régime s'appliquera donc aux Antilles. Celles qui sont restées sous l'autorité de la République pendant la Révolution, la Guadeloupe et Saint-Domingue, conserveront un statut de liberté générale ; celle qui a subi le joug anglais, la Martinique, et où les lois d'Ancien Régime étaient restées en vigueur, demeurera dans la servitude.

Bonaparte est-il attaché à cette distinction ? Ou bien cette discrimination constitue-t-elle une étape décisive de l'évolution de sa pensée ? Les faits invitent à se rallier avec prudence à cette deuxième hypothèse. Un jour que le Conseil d'État débat des colonies, n'aurait-il pas prôné le retour au vieux système ? Mais les archives de cette institution ayant été détruites sous la Commune, peut-on jurer de la véracité de son intervention ? S'exprimant vivement, il aurait jeté à la figure de la docte assemblée : « Je suis pour les Blancs parce que je suis Blanc ; je n'en ai pas d'autre raison, et celle-là est la bonne. Comment a-t-on pu accorder la liberté à des Africains, à des hommes, qui n'avaient aucune civilisation, qui ne savaient seulement pas ce que c'était que les colonies, ce que c'était que la France ? Il est tout simple que ceux qui ont voulu la liberté des Noirs veulent l'esclavage des Blancs ; mais encore croyez-vous que si la majorité de la

Convention avait su ce qu'elle faisait, et connu les colonies, elle eût donné la liberté aux Noirs ? Non, sans doute ; mais peu de personnes étaient en état d'en prévoir les résultats, et un sentiment d'humanité est toujours puissant sur l'imagination. Mais à présent, tenir encore à ces principes ! il n'y a pas de bonne foi ! il n'y a que de l'amour-propre et de l'hypocrisie ! » Le glissement de Bonaparte vers les idées esclavagistes s'affirme, sans aller jusqu'à un revirement total. Le 27 avril 1802, alors que Leclerc achève la reconquête de la Grande Île, il communique à Cambacérès un projet d'arrêté sur les colonies. Là où la liberté générale fut proclamée, on adoptera un système particulier. Seront déclarés libres ceux qui l'étaient avant la loi du 14 février 1794 supprimant la servitude, de ceux qui auront participé à la défense de la République contre ses ennemis ou qui, de toute autre manière, l'ont servie. Sur les individus de la deuxième catégorie pesait une double menace : les non-propriétaires seraient mis à la disposition des planteurs qui leur verseraient un salaire ; mais si ces non-propriétaires se comportaient en insubordonnés et vagabonds, ils perdraient leur liberté. Enfin, seraient rejetés dans l'esclavage tous les Noirs et mulâtres qui ne souscriraient pas aux conditions formulées par le texte. À tous les esclaves, les dispositions du Code noir de Louis XIV et de Colbert s'appliqueraient, comme avant 1789.

Cambacérès, Decrès, ministre de la Marine, le Corps législatif, accommodèrent un texte encore moins libéral. On maintenait l'esclavage dans les colonies que l'Angleterre rendait aux termes du traité d'Amiens, et dans celles où il n'avait jamais été supprimé, comme à l'île de France et à la Réunion. Mais surtout la loi du 30 floréal, 20 mai 1802, ne faisait aucune allusion à la Guadeloupe ni à Saint-Domingue, ne retenait pas les propositions avancées par Bonaparte. Pourquoi ? Par souci d'opportunité, pour ne pas compromettre la reconquête et la pacification que Leclerc mène à la Grande Ile ? En effet, le conseiller d'État Dupuy a révélé les arrière-pensées du gouvernement quand, le 16 mai 1802, il défend le projet de loi devant le Corps législatif. Visant Saint-Domingue et la Guadeloupe, que déclare-t-il ? « Dans les colonies où les lois révolutionnaires ont été mises à exécution, il faut se hâter de susbtituer aux séduisantes théories un système réparateur, dont les combinaisons se lient aux circonstances, varient avec elles et soient confiées à la sagesse du gouvernement. Tel est le vœu des hommes sans prévention, qui ne craignent pas d'avouer que la révision des lois et la réformation de celles qui ont été préjudiciables sont un devoir essentiel du législateur. » Pour parler clairement, l'exécutif demande donc au législateur de voter une loi qui, sans le mentionner expressément, rétablisse le régime servile dans toutes les colonies. Il appartiendra au gouvernement de restaurer l'esclavage à la Guadeloupe et à Saint-Domingue, le moment venu. Imposture juridique, la loi du 20 mai 1802 est un aveu de forfaiture de la part des autorités nationales. Quelle est la responsabilité de Bonaparte dans cette opération ? Il a laissé faire, donc il a approuvé. Son entourage l'a convaincu de renoncer à faire voter les mesures intermédiaires qu'il prévoyait pour la Guadeloupe et Saint-Domingue. Toutefois il aura été le seul à chercher une solution moyenne, à mi-chemin entre l'Ancien Régime et la Révolution, qui laissât une porte entrouverte à la liberté.

À quoi imputer l'évolution radicale du sentiment du Premier Consul, à quoi imputer son revirement ? À plusieurs facteurs de nature différente, semble-t-il. D'abord, il est humilié par Toussaint dont les coups d'État successifs ont allumé en lui une méfiance irrémédiable. Des mobiles économiques ont aussi contribué à sa volte-face. Non seulement l'île ne produit que le cinquième des denrées qu'elle vendait sous l'Ancien Régime, mais encore tout va aux Anglo-Saxons qui jouissent ainsi d'un quasi-monopole du sucre et du café. Les colons et les négociants, les serviteurs de la monarchie et du Corps législatif qui peuplent le ministère de la Marine et le Conseil d'État excitent les alarmes de Bonaparte. Pour éviter le chômage, la mainmise de l'Angleterre sur l'économie d'outre-mer et la hausse des prix sur les produits coloniaux, il n'y a qu'une solution. Il faut administrer Saint-Domingue en y appliquant les principes de fonctionnement des colonies de la zone aride : l'esclavage qui fournit les hauts rendements, l'Exclusif qui enrichit la métropole et son commerce. Ne serait-ce que par anglophobie, Bonaparte ne peut rester insensible à un tel plaidoyer. « Losque la paix fut signée, confiera-t-il à O'Meara, les anciens colons, les marchands et les spéculateurs m'assiégèrent continuellement de leurs demandes. En un mot, la nation avait la rage de recouvrer Saint-Domingue, et je fus obligé d'y céder ; mais si avant la paix j'eusse reconnu les Noirs, je me serais trouvé autorisé par là à refuser de faire aucune tentative pour reprendre cette colonie, puisqu'en cherchant à la recouvrer, j'agissais contre mon propre jugement. »

L'ancien ordre colonial avait été maintenu aux Mascareignes et à la Martinique par les Anglais qui l'occupaient. Dans les Antilles libres, Saint-Domingue et la Guadeloupe, le travail forcé remplace l'esclavage, et le seul acquis révolutionnaire effectif réside dans l'exercice des droits civiques par les propriétaires mulâtres ou noirs qui paient une contribution foncière ou personnelle. En effet, les cultivateurs noirs sont exclus de la catégorie des citoyens par la Constitution de l'an III qui, fidèle à l'esprit de la charte de 1791, a établi un régime censitaire. Et, exprimant la pensée conventionnelle, elle a organisé les possessions en départements. Au total, un bilan qui n'a pas bouleversé les vieilles perspectives : mais il reposait sur un mythe puissant, la liberté, fût-elle enchaînée. Esprit pragmatique, dégoûté des discours, Bonaparte va revenir à la tradition monarcho-révolutionnaire, rejetée de manière illégale par Sonthonax. Dès le 13 décembre 1799, la Constitution consulaire de l'an VIII consacre la spécificité des colonies, dans son article 91 : « Le régime des colonies françaises est déterminé par des lois spéciales. » Après la loi du 20 mai 1802 qui, abolissant le travail forcé, rétablit ouvertement l'esclavage, le Premier consul poursuit la restauration de l'Ancien Régime. Le 2 juillet, un arrêté retire les droits de la citoyenneté aux gens de couleur et leur interdit, ainsi qu'aux Noirs, d'entrer en France. Enfin, le 8 janvier 1803, un règlement remet en vigueur la prohibition des mariages interraciaux, sur le territoire de la métropole.

La fin de la seconde guerre de Cent Ans franco-anglaise

La Révolution a repris la politique étrangère de la monarchie, dès 1792. En déclarant la guerre à l'Autriche, quoique pour des raisons intérieures, elle renoue avec la tradition antihabsbourgeoise du XVII⁰ siècle, à laquelle nombre d'esprits restèrent fidèles sous Louis XV, au désespoir du monarque. Le deuxième partage de la Pologne, qui occupe Russes, Autrichiens et Prussiens, sauve la Révolution. Celle-ci, ayant envahi la Savoie et la Belgique, part à l'assaut de la Hollande et déclare la guerre à l'Angleterre qui s'y préparait. Paris veut *révolutionner* l'Europe et donner à la nation ces frontières naturelles qui ont toujours été une obsession française, même si elles n'ont pas inspiré la politique de la monarchie. Sur le rapport présenté par Brissot, le 1ᵉʳ février 1793, la Convention, en ouvrant les hostilités, contre la Grande-Bretagne reprend le dessein de Louis XIV, de Louis XV. Le 2 février 1793, dans une lettre à Jefferson, Gouverneur Morris, note, au sujet de cet événement : « Aussi étonnant que cela puisse paraître, la guerre actuelle est pour la France une guerre de conquête. Si elle réussit [...] elle commande à l'univers. Je suis convaincu que ses ennemis en jugeront ainsi, et qu'ils déploieront toutes leurs forces pour détruire sa puissance [...] une puissance qu'il ne leur faut pas sous-estimer ! Ce pays représente un vaste territoire, peuplé de plus de vingt millions d'habitants, qui préfèrent le champ de bataille à l'atelier. » Pitt a parfaitement compris que la guerre contre Vienne masque la guerre contre Londres. L'invasion — inacceptable pour la diplomatie anglaise — des Pays-Bas autrichiens (Belgique), et de la Hollande, constitue un attentat contre le capitalisme britannique. Si le pouvoir révolution-naire de Paris s'est autorisé ce que Louis XV et Louis XVI s'étaient interdit, la punition sera terrible. Le 8 avril 1793, les représentants de la 1ʳᵉ coalition, Angleterre, Prusse, Autriche, se réunissent à Anvers. Lord Auckland déclare : « Il s'agit de réduire la France à un véritable néant politique ». On se promet d'écraser la Révolution « par la terreur. » Et l'ambassadeur impérial, Mercy-Argenteau, juge que les alliés ne parviendront à leurs fins qu'en « exterminant une grande partie et la presque totalité de la partie dirigeante de la nation ». Après la victoire, qui ne saurait faire de doute, on dépécera le vaincu et l'on se partagera ses biens. Dunkerque et les colonies à l'Angleterre ; l'Alsace et la Lorraine à la Prusse ; les places de la Barrière à l'Autriche ; la Navarre et le Roussillon à l'Espagne. L'année 1793 est difficile. Toutes les colonies, à l'exception des Mascareignes et de la Guyane, tombent aux mains des Anglais, qui reçoivent Toulon en prime, tandis que la Vendée se soulève et que les frontières cèdent ; mais, à la fin de l'année et en 1794-1795, les Français reprennent la Belgique, s'emparent de la Hollande et de la Rhénanie, et franchissent les Pyrénées. Les traités de paix vont, alors, se succéder. La Prusse, à Bâle, en avril 1795, reconnaît à la France le droit à la frontière du Rhin. La Hollande, à La Haye, en mai 1795, abandonne la Flandre néerlandaise à la France, s'érige en République batave et entre dans le système français. L'Espagne, à Bâle, en juillet 1795, cède la partie orientale de Saint-Domingue à la République, avant de s'allier avec elle, l'année suivante. L'Autriche, vaincue en Italie par Bonaparte, signe le traité de Campo-Formio en octobre 1797, où elle abandonne à Paris la Belgique — devenue département français, dès 1795 —, et la rive gauche du Rhin, renonce au Milanais qui, avec la Lombardie et le duché de Modène, prend le nom de République Cisalpine ; en échange, Vienne reçoit la Vénétie, la Dalmatie et l'Istrie. Comme le souhaitait la monarchie, la territoire national, élargi au nord et à l'est, exerce une double prépondérance : sur le Rhin et, par la volonté de Bonaparte, sur l'Italie.

Dernière puissance en guerre avec la Révolution : l'Angleterre. Pour l'obliger à capituler le gouvernement imagine de rassembler 150 000 hommes sur la Manche, menaçant la Grande-Bretagne, deux armées de 30 000 hommes, l'une destinée à débarquer en Irlande, l'autre en Égypte. Quels seront les effets de cette expédition coloniale ? Bonaparte répond lui-même. « Les établissements anglais en seraient ébranlés. Tippoo-Sahib, les Mahrattes, les Sikhs, n'attendaient qu'un signal. Napoléon parut nécessaire à l'armée d'Orient. L'Égypte, l'Arabie, l'Irak, attendaient un homme. Le gouvernement turc était tombé en décrépitude. Les suites de cette expédition pouvaient être aussi étendues que la fortune et le génie du chef qui la dirigerait. » L'Empereur a inventé plusieurs issues heureuses à sa campagne d'Égypte et de Syrie. Dans le *Mémorial,* il confie à son entourage : « Saint-Jean-d'Acre enlevé, l'armée française volait à Damas et à Alep, elle eût été en un clin d'œil sur l'Euphrate ; les chrétiens de la Syrie, les Druses, les chrétiens de l'Arménie se fussent joints à elle [...] j'aurais atteint Constantinople et les Indes ; j'eusse changé la face du monde. » Jamais cette interprétation *indienne* de l'expédition ne fuira la mémoire de Napoléon, en qui dorénavant la Révolution s'incarne.

Pendant l'aventure orientale, l'Angleterre a réuni autour d'elle la Turquie, l'Autriche, la Russie et la Sardaigne. Bonaparte, revenu en France, à la fin de 1799, prend le pouvoir, puis affronte la deuxième coalition qui a pris possession de la Hollande, de la Suisse et de l'Italie. Les Français, vainqueurs en Italie et en Allemagne, en 1800, préparent les fastes de la paix. Le tsar Paul, en bisbille avec les alliés, se retire de la coalition. L'Autriche signe la paix de Lunéville, en février 1801, cédant toute la rive gauche du Rhin à la France, et acceptant des concessions nouvelles par rapport à celles qu'elle avait consenties à Campo-Formio. L'Espagne, au traité de Saint-Ildefonse, en octobre 1800, puis à la paix d'Aranjuez, en mars 1801, rétrocède la Louisiane à Paris, en échange de la Toscane, qui devient le royaume d'Étrurie. L'Angleterre, aux préliminaires de Londres, en octobre 1801, puis au traité d'Amiens, en mars 1802, restituait ses colonies à la France, fermait les yeux sur le nouvel ordre européen, moyennant l'évacuation de l'Égypte et le rattachement des îles de Ceylan et de la Trinité à son empire. La Grande Nation occupe à ce moment — face à une Grande-Bretagne en pleine crise financière — une position renforcée. Elle s'étend de la Hollande au Rhin, à la Suisse et aux Alpes, entourée d'un glacis protecteur de Républiques sœurs. De plus, Bonaparte, nommé président de la République italienne, dispose d'un domaine colonial agrandi. La République consulaire, qui, en Europe, repose sur deux axes, le premier allant de la mer du Nord au Rhin, le second des Alpes à la Méditerranée, s'appuie, au-delà des mers, sur un arc composé des îles du Vent, de Saint-Domingue et du Mississippi. En fait, l'expansion américaine n'entre pas dans les perspectives de la politique étrangère bonapartiste. Celle-ci cherche, dès le départ, à établir la domination de la France sur la Méditerranée afin, comme l'avaient rêvé Sartine et Castries, de la prolonger à travers l'Égypte jusque dans l'Inde, ressuscitant ainsi la civilisation chère à Alain Daniélou qui, du VIe au IIIe millénaire, s'étendait du Gange aux rivages de l'Europe. À côté de cette construction, sœur des conceptions d'Alexandre, et tout entière dirigée contre l'Angleterre, la Révolution bonapartiste en engendrera une seconde qui n'exclut pas la première. Napoléon l'a exposée devant ses compagnons, à Sainte-Hélène. « Une de mes plus grandes pensées avait été l'agglomération, la concentration des mêmes peuples géographiques qu'ont dissous, morcelés les révolutions et la politique. Ainsi, l'on compte en Europe, bien qu'épars, plus de trente millions de Français, quinze millions d'Espagnols, quinze millions d'Italiens, trente millions d'Allemands : j'eusse voulu faire de chacun de ces peuples un seul et même corps de nation. C'est avec un tel cortège qu'il eût été beau de s'avancer dans la postérité et la bénédiction des siècles. Je me sentais digne de cette gloire. » Ici, le héros de la Révolution dépasse les moyens de la seule France, et conçoit l'union de l'Europe occidentale pour faire échec aux ambitions britanniques... et slaves aussi, et pour donner l'hégémonie mondiale au tuteur français. Pourquoi un tel système ? Parce que, contrairement à la conviction de certains Conventionnels, les frontières nationales naturelles ne constituent pas une garantie de paix, mais l'assurance d'un conflit perpétuel avec Londres, tant sur mer et dans les colonies, que sur le continent. Seule une combinaison « impériale », un ensemble nombreux et puissant de peuples, de richesses et de moyens peut permettre de l'emporter sur l'ennemie héréditaire.

Bonaparte a mesuré, lors de la malheureuse campagne d'Égypte, que la France ne pouvait espérer satisfaire son vœu séculaire de détruire l'Angleterre, en ne mettant en œuvre que ses seuls moyens, car dans certains domaines ils ont été détruits. Il s'en explique à Caulaincourt, pendant la retraite de Russie (1812) : « J'ai pesé d'avance et depuis longtemps, dit-il, tous les sacrifices qu'exige la lutte avec l'Angleterre. En définitive, le fond et la solution de toutes les questions qui agitent le monde et même les individus sont dans cette lutte. Ce n'est pas moi, ajouta-t-il, qui ai perdu les colonies, ni laissé détruire les marines de l'Europe. C'est moi, au contraire, qui ai travaillé sans relâche à les rétablir. J'ai des chantiers partout. Vous serez étonné, dans deux ans, du nombre de mes vaisseaux, du développement et de la force de mes armements. C'est la Révolution qui a fait la puissance de l'Angleterre. J'ai trouvé sa prépondérance établie. » Une dernière fois l'Empereur a pesé l'incapacité à vaincre seul les marchands de Londres : en 1805, 150 000 hommes réunis au camp de Boulogne ne peuvent franchir la Manche, cloués sur le continent par la victoire de Nelson sur les escadres franco-espagnoles et par la formation de la IIIᵉ coalition qui, le 27 août, oblige la Grande Armée à se porter sur le Rhin à marches forcées. Comme au temps de la monarchie, le cabinet de Saint-James utilise deux instruments pour paralyser et, éventuellement, triompher de la France : la Navy qui lui assure la maîtrise des mers et la constitution d'une coalition sur le continent, qui oblige les Français à combattre sur deux fronts, sur mer et sur terre, et à s'enliser dans une ruineuse politique d'emprunts.

Bonaparte, chef du gouvernement, et non plus simple général, s'était employé à compliquer le jeu des Britanniques. Le 10 avril 1803, conscient que le traité d'Amiens ne résistera pas aux exigences stratégiques et commerciales de Londres, il convoque Barbé de Marbois, ancien intendant de Saint-Domingue, et Berthier, ancien officier du corps de Rochambeau pendant la guerre d'Amérique. Le Premier consul ouvre la réunion, souligne le prix qu'il attache à la Louisiane et avoue s'attendre à la perdre. « Les Anglais ont successivement enlevé à la France, le Canada, l'Ile-Royale, Terre-Neuve, l'Acadie, les plus riches parties de l'Asie. Ils travaillent et agitent Saint-Domingue. Ils n'auront pas le Mississipi qu'ils convoitent. La Lousiane n'est rien en comparaison de leurs agrandissements par tout le globe, et cependant la jalousie que leur cause le retour de cette colonie sous la domination française, m'annonce qu'ils veulent s'en emparer, et c'est ainsi qu'ils commenceront la guerre. Ils ont vingt vaisseaux dans le golfe du Mexique, ils parcourent ces mers en souverains, tandis que nos affaires à Saint-Domingue empirent chaque jour depuis la mort de Leclerc. La conquête de la Louisiane serait facile s'ils prenaient seulement la peine d'y descendre. Je n'ai pas un moment à perdre pour la mettre hors de leur atteinte. Je ne sais s'ils n'y sont pas déjà. C'est leur usage, et pour moi, si j'étais à leur place, je n'aurais pas attendu. Je veux, s'il en est encore temps, leur ôter jusqu'à la pensée de posséder jamais cette colonie. Je songe à la céder aux États-Unis. À peine même pourrais-je dire que je la leur cède, car elle n'est point encore en notre possession. Pour peu que je laisse le temps à nos ennemis, je ne transmettrai qu'un vain titre à ces républicains dont je recherche l'amitié. Ils ne me demandent qu'une ville de la Louisiane ; mais je considère déjà la colonie comme perdue tout entière, et il me semble que dans les mains de cette puissance naissante elle sera plus utile à la politique, et même au commerce de la France, que si je tentais de la garder. » Barbé conseille de céder la colonie, Berthier plaide l'avis opposé avec vigueur et conviction. Le lendemain Bonaparte appelle Barbé de Marbois et lui donne ses ordres. « Les incertitudes et la délibération ne sont plus de saison. Je renonce à la Louisiane. Ce n'est point seulement la Nouvelle-Orléans que je veux céder, c'est toute la colonie sans en rien réserver. Je connais le prix de ce que j'abandonne, et j'ai assez prouvé le cas que je fais de cette province, puisque mon premier acte diplomatique avec l'Espagne a eu pour objet de la recouvrer. J'y renonce donc avec un vif déplaisir. Nous obstiner à sa conservation serait folie. Je vous charge de négocier cette affaire avec les envoyés du congrès. N'attendez pas même l'arrivée de M. Monroe : abouchez-vous dès aujourd'hui avec M. Livingston ; mais j'ai besoin de beaucoup d'argent pour cette guerre, et je ne voudrais pas la commencer par de nouvelles contributions. » Devant le diplomate américain Livingston, qui craint une manœuvre, le général balaie d'un propos les considéra-tions interrogatives de son interlocuteur : « C'est aux dangers pré-sents auxquels nous expose la puissance coloniale de l'Angleterre, que je veux porter remède. » La décision de Bonaparte obéit à la philosophie mécanique du rapport de force, que lui-même a résumée de quelques mots. « Pour affranchir les peuples de la tyrannie commerciale de l'Angleterre, il faut la contrepoiser par une puissance maritime qui devienne un jour sa rivale : ce sont les États-Unis. Les Anglais aspirent à disposer de toutes les richesses du monde. Je serai utile à l'univers entier si je puis les empêcher de dominer l'Amérique comme ils dominent l'Asie. » Quand la convention de vente — pour un prix de 60 millions de francs — fut signée, le Premier consul, toujours selon Barbé de Marbois, déclare avec satisfaction : « Cette accession de territoire affermit pour toujours la puissance des États-Unis et je viens de donner à l'Angleterre une rivale maritime qui, tôt ou tard, abaissera son orgueil. » L'Angleterre perdra une seconde guerre contre les États-Unis et surtout reportera ses ambitions sur l'Amérique méridionale où elle contrôle déjà le Brésil portugais. La guerre que l'Empereur déclarera à l'Espagne, en 1808, l'aidera à pousser l'empire ibérique dans la voie de l'indépendance, et à y étendre sa domination.

La vente de la Louisiane, qui officialise sans le dire l'échec de l'expédition de Saint-Domingue, marque la volonté de Bonaparte de tirer un trait sur son rêve d'empire français d'Amérique. Elle traduit aussi son retour aux vieux démons de l'Orient. En 1802, Sébastiani visite le Levant, de Tripoli à Saint-Jean-d'Acre, après des haltes à Alexandrie et au Caire. En 1802, aussi, le général Brune est envoyé comme ambassadeur à Constantinople, et l'ancien conventionnel Cavaignac est nommé résident à Mascate, d'où, à peine débarqué, les Anglais obtiendront son départ (octobre 1803). En 1803 enfin, le capitaine général Decaen reçoit le commandement des Établissements français de l'Inde et des Mascareignes. Il reçoit les instructions du Premier consul le 15 janvier 1803. « Le capitaine général arrivera dans un pays où nos rivaux dominent, mais où ils pèsent également sur tous les peuples de ces vastes contrées. Il doit donc s'attacher à ne leur donner aucun sujet d'alarme, aucun motif de discussion, et à dissimuler le plus possible les vues du gouvernement. Il doit s'en tenir aux relations indispensables pour la sûreté et l'approvisionnement de nos établissements, et il s'étudiera à ne mettre aucune affectation dans les communications qu'il aura avec les peuples ou les princes qui supportent avec le plus d'impatience le joug de la Compagnie anglaise, et à ne lui donner aucune inquiétude. Les Anglais sont les tyrans des Indes ; ils sont inquiets et jaloux, il faut s'y comporter avec douceur, dissimulation et simplicité. » Bonaparte charge donc Decaen de la tâche délicate de préparer l'intervention de la République dans l'Inde. Loin de cacher son dessein, il l'exprime sans ambiguïté. « La mission du capitaine général est d'abord une mission d'observation [...] mais le Premier consul, bien instruit par lui et par l'exécution ponctuelle des observations qui précèdent, pourra le mettre à portée d'acquérir un jour cette gloire qui prolonge la mémoire des hommes au-delà de la durée des siècles. »

Bonaparte abandonne l'Amérique pour l'Asie, avec une stratégie ambitieuse en tête : abattre l'Angleterre en la détruisant à la fois en Europe et dans l'Inde. Il caresse cette idée depuis la campagne d'Italie, et il a essayé de réaliser le volet oriental de son projet à deux reprises déjà. Lors de la campagne d'Égypte d'abord. En association avec Paul Ier de Russie, ensuite. En effet le tsar et le Premier consul étaient convenus d'envahir l'Inde ensemble, en 1801. Une armée de

35 000 Français devait rallier la mer Noire où elle aurait embarqué sur la flotte russe à destination de la Volga et de la Caspienne méridionale. De là Russes et Français, aux ordres de Masséna, devaient traverser la Perse et l'Afghanistan et marcher sur l'Indus. L'assassinat de Paul par son fils Alexandre, avait brisé ce dessein grandiose. À partir de 1803, tandis que l'Amérique sombre et que Leclerc meurt, laissant le premier rang à Decaen, la tentation indienne resurgit, après une brève éclipse de 18 mois ! En 1804, le capitaine général et Napoléon se concertent pour lancer une expédition de quelque 30 000 hommes à l'assaut de l'Inde. Mais les coalitions se succèdent et Decrès, toujours très prudent, déconseille le transport d'une armée par convoi maritime. À Sainte-Hélène, l'Empereur entretient le docteur O'Meara de cette entreprise qui ne vit jamais le jour : « J'eus à une époque jusqu'à cinquante-six vaisseaux de ligne dans le port de Brest, et souvent quarante-six. Mon intention était de répartir trente mille soldats sur quarante de ces vaisseaux ; huit cents sur chacun, et quatre cents matelots seulement. Il devait y avoir un nombre proportionné de frégates et d'autres petits bâtiments. Dix des vaisseaux de ligne auraient été vieux et de peu de valeur. Ils devaient prendre également à bord six à huit cents hommes de cavalerie démontée, et un certain nombre de pièces d'artillerie avec tout ce qui est nécessaire à une armée pour entrer en campagne, et des provisions pour quatre mois. Cette escadre aurait fait la plus grande diligence pour se rendre à l'Île de France. Là, elle aurait renouvelé ses provisions, fait de l'eau, débarqué ses malades et pris des troupes fraîches pour les remplacer, ainsi que trois mille noirs, pour former des régiments coloniaux. De là, elle se serait dirigée vers l'Inde, et le débarquement se fût effectué dans le lieu le plus près possible, de manière à ce que les Mahrattes avec qui je m'entendais, pussent se joindre à mes troupes. Ils devaient former la cavalerie de l'armée. Un petit nombre de Français devaient aussi être montés, et acheter tous les chevaux qu'ils auraient pu trouver. Après le débarquement, les dix vieux vaisseaux devaient être brûlés, et leurs équipages répartis parmi ceux des autres qui, par-là, auraient été au complet. L'armée se fût alors avancée par diverses routes, et eût fait tout le mal qu'elle aurait pu à vos établissements. J'étais d'intelligence avec les Mahrattes et autres peuples de l'Inde, par la voie de Bassora, Bagdad, Moka, Surate ; ils communiquaient avec les consuls à Alep par l'ambassadeur en Perse, etc. Je recevais souvent des nouvelles de l'Inde plutôt que vous en Angleterre. Le roi de Perse était favorablement disposé pour nous. »

La menace de la flotte anglaise, la crainte des effets dévastateurs de la pathologie maritime, le problème de l'eau douce, enfin les affaires continentales ont empêché le départ de l'expédition. Les Anglais tireront la leçon de ce coup manqué, en s'emparant des Mascareignes en 1810. Sinon, il est vrai que Napoléon multiplie ses efforts pour

séduire les Orientaux et obtenir leur alliance contre l'Angleterre :
nomination comme ambassadeurs à Constantinople des généraux
Brune (1802-1804), Sébastiani (1806-1808), désignation à la Cour de
Perse de Jaubert, ancien interprète de l'expédition d'Égypte, qui
remet au monarque oriental une proposition d'alliance avec la France,
enfin départ pour Téhéran de Romieu, officier en mission. Après
quelques hésitations, le Shah se rapproche de la France et signe un
traité d'alliance le 7 mai 1807 : le général Gardane se rend auprès de
lui, comme plénipotentiaire, à la tête d'une mission militaire. Il était
convenu qu'une armée franco-perse marcherait sur l'Inde, tandis que
Paris obligerait Moscou à céder la Géorgie au Shah. Mais, à la fin de la
IVe coalition, conclue par le traité de Tilsitt (juillet 1807), la Russie,
jusque-là ennemie de la France, devient son alliée. Le Shah se sépare
alors de Gardane et le 2 février 1808, l'Empereur propose au tsar le
projet contre lequel des Perses, dupés et cajolés par les Anglais,
s'insurgent maintenant. « Une armée de 50 000 hommes, russe,
française, peut-être même un peu autrichienne, qui se dirigerait par
Constantinople sur l'Asie, ne serait pas arrivée sur l'Euphrate qu'elle
ferait trembler l'Angleterre et la mettrait aux genoux du continent. Je
suis en mesure en Dalmatie : Votre Majesté l'est sur le Danube. Un
mois après que nous en serions convenus, l'armée pourrait être sur le
Bosphore. Le coup retentirait aux Indes et l'Angleterre serait
soumise. [...] Puisqu'enfin l'Angleterre ne veut pas, reconnaissons
l'époque arrivée des grands changements et des grands événements. »
Pour rendre sa proposition alléchante, Napoléon associe la campagne
dans l'Inde à un partage de l'Empire ottoman. Deux problèmes que
l'Empereur de l'Ouest et l'Empereur de l'Est pourraient étudier au
cours d'une entrevue. Elle a lieu dans les derniers jours de septembre
et les premiers d'octobre 1808, à Erfurt, où Talleyrand, connu par
son nom, célèbre par ses escroqueries, se rend illustre par sa trahison,
qu'il essaiera de justifier en invoquant la sauvegarde de l'Europe,
celle de Vienne et de Moscou, grassement payé, une fois encore.
Alexandre s'intéresse au démembrement de la Turquie. Napoléon ne
veut pas installer les Russes à Constantinople, et essaie de berner son
interlocuteur, mais n'y réussit pas. L'Inde anglaise est sauvée. La
politique antibritannique du souverain français perd son volet
oriental, où la Grande Nation se promettait non seulement de chasser
les marchands de Londres mais aussi de se substituer à eux et de se
tailler un empire asiatique.

Où Napoléon localise-t-il la puissance de cette Angleterre que la
France, depuis Louis XIV, rêve d'abattre ? Dans le commerce et dans
sa possession indienne, que protège la marine la plus puissante du
monde, enfin dans son industrie, notamment textile. Aussi, après
avoir vaincu la IIIe coalition, signé le traité de Presbourg, décide-t-il,
en instituant le Blocus continental (21 novembre 1806), de coaliser
l'Europe par la force afin de ruiner l'économie britannique en

stérilisant ses exportations. Ce pari était-il fou ? Non, mais très risqué dans la mesure où le continent, de gré ou contraint, ne fermait pas ses ports, de manière drastique, pour une durée dont seul le succès fixerait la limite. L'Empereur n'ignore pas que si le volume total des exportations anglaises a augmenté rapidement de 1797 à 1802, il a subi une diminution brutale de 1803 à 1805, pour se relever en 1806. Il sait, comme l'a montré François Crouzet, que le commerce anglais est « vulnérable à la fermeture — même partielle — des marchés européens », mais, à travers la conjoncture de 1806, il voit que l'Angleterre peut « résister et même être prospère, en dépit d'une demi-fermeture du continent européen à son commerce ». Napoléon, en engageant une politique collective de coercition peut espérer réussir, car un Blocus effectif et assez long ne peut manquer de provoquer en Grande-Bretagne une crise commerciale et surtout une crise sociale qui, excitée par le chômage et la misère, peut aller jusqu'à la révolte, peut-être à une révolution. Or, l'Europe ne comprend pas que le conflit franco-anglais est, en réalité, celui du continent contre les îles Britanniques, celui dont le vainqueur dominera le monde. Devant Caulaincourt, encore, Napoléon s'explique. « L'Europe ne voit pas ses dangers réels ; elle n'est attentive qu'à la gêne que lui impose la guerre maritime ; on dirait que toute la politique de cette pauvre Europe, que tous ses intérêts sont dans le prix d'une barrique de sucre. Cela fait pitié. Voilà cependant où nous en sommes. On ne crie que contre la France, on ne peut voir que ses armées, comme si l'Angleterre n'était pas partout aussi et bien plus menaçante. Héligoland, Gibraltar, Tarifa, Malte, ne sont-ils pas des citadelles anglaises qui menacent le commerce de toutes les puissances, plus que Dantzig ne menace la Russie ? [...] La jalousie de la France est plus forte que la raison ; on ne veut avoir aucune prévoyance. Sans moi, les cabinets reconnaîtraient demain à l'Angleterre la suprématie qu'elle voudrait. Quand toutes les garanties du commerce seront soumises au bon plaisir du cabinet de Londres, quand on sera réduit à ne manger que le sucre de ses négociants, à ne porter que les bas, que les étoffes de ses fabriques, Pétersbourg, Vienne, Berlin, apercevront le monopole anglais. Jusque-là on fermera les yeux, afin de ne pas convenir que ce sont les intérêts de tous que je défends. Cela saute aux yeux des gens de bonne foi, mais qui est de bonne foi ? La politique, l'aveuglement de l'Europe font pitié. »

L'Europe ne se laisse pas convaincre du danger hégémonique britannique. Au contraire, le continent aristocratique, qui pense à la manière de l'Ancien Régime, selon l'expression de Napoléon, ne redoute rien tant que la Révolution impériale qui renverse l'ordre européen traditionnel, pour en former un autre, sous l'égide de Paris. Aussi Bonaparte, malgré ses moyens et son génie, ne réussit-il pas à souder cette coalition qui, sous son autorité, réaliserait enfin le vieux rêve de la monarchie française. Les coalitions se succèdent, engendrant des alliances qui se défont, et toujours la Grande Nation se retrouve seule. L'anéantissement de l'Angleterre et la construction simultanée ou parallèle d'un empire colonial français en Asie, demeureront-ils un projet inaccessible ? Après les mauvaises années 1803-1805, l'économie britannique connaît des années noires en 1810 et 1811, mais 1812, l'année de la campagne de Russie et de la rupture avec la Suède, relance les exportations, sans pour autant écarter une grave crise sociale, née de la chute des importations, de la hausse des prix et du chômage, qui sévit de 1810 à 1812. Quand l'Empereur s'enfonce en Russie, jamais l'Angleterre n'a été aussi bas, menacée de l'intérieur par l'agitation sociale. Comme l'observe François Crouzet, « les troubles de 1812 sont les plus étendus et les plus longs que l'Angleterre ait connus depuis le xviie siècle ». Malgré ses failles, en France même, mais aussi à l'étranger où elles appellent la guerre, le Blocus entraîne la Grande-Bretagne vers des désordres sociaux graves, dont on ne peut affirmer qu'ils n'auraient emporté l'oligarchie, si les frontières continentales étaient restées fermées deux ou trois ans encore. Pour atteindre ce but, pour imposer à l'Angleterre une paix générale qui eût établi un équilibre maritime et commercial, les États du continent devaient admettre la ruine de l'ancien ordre européen. Devant leur refus d'abandonner « les vieilles routines » et de « s'ouvrir de nouvelles routes », l'empereur a placé son espoir dans la Russie. Là, encore, il s'est trompé, avoue-t-il à Caulaincourt. « L'alliance de la Russie ne m'a pas servi comme je m'en étais flatté. Il ne suffisait pas de fermer le nord de l'Europe au commerce anglais si le Levant lui restait ouvert. Il aurait fallu porter en même temps un grand coup à l'Angleterre, l'attaquer, la menacer dans l'Inde et lui fermer, au moins, les mers du Levant. »

Napoléon, à la veille de franchir le Niémen et de marcher sur Moscou, confie au comte de Narbonne, représentant né de l'Ancien Régime, son attachement à une stratégie, maintenant triangulaire, dont l'Angleterre, la Russie et l'Inde sont les sommets. « Après tout, mon cher, dit-il, comme dans l'exaltation d'un rêve, cette longue route est la route de l'Inde. Alexandre était parti d'aussi loin que Moscou, pour atteindre le Gange, je me le suis dit, depuis Saint-Jean-d'Acre. Sans le corsaire anglais et l'émigré français qui dirigèrent le feu des Turcs et qui, joints à la peste, me firent abandonner le siège, j'aurais achevé de conquérir une moitié de l'Asie, et j'aurais pris l'Europe à revers, pour revenir chercher les trônes de France et d'Italie. Aujourd'hui, c'est d'une extrémité de l'Europe qu'il me faut reprendre à revers l'Asie, pour y atteindre l'Angleterre. Vous savez la mission du général Gardane et celle de Jaubert en Perse ; rien de considérable n'en est apparu ; mais j'ai la carte et l'état des populations à traverser, pour aller d'Erivan et de Tiflis jusqu'aux possessions anglaises dans l'Inde. C'est une campagne peut-être moins rude que celle qui nous attend sous trois mois. Moscou est à trois mille kilomètres de Paris ; et il y a bien quelques batailles, en travers de la route. Supposez Moscou pris, la Russie abattue, le czar réconcilié, ou mort de quelque complot de palais, peut-être, un trône nouveau et dépendant ; et dites-moi, si pour une grande armée de Français et d'auxiliaires partis de Tiflis, il n'y a pas d'accès possible jusqu'au Gange, qu'il suffit de toucher d'une épée française, pour faire tomber dans toute l'Inde cet échafaudage de grandeur mercantile. Ce serait l'expédition gigantesque, j'en conviens, mais exécutable du XIXe siècle. Par là, du même coup, la France aurait conquis l'indépendance de l'Occident, et la liberté des mers. » L'empereur transporté, entraîne le fils présumé de Louis XV dans son rêve apollinien. « Je crois au reste, pouvoir compter pour cette première campagne sur la continuation d'une diversion hostile des Turcs contre la Russie ; non que je doive donner aussi aux Turcs quelque inquiétude, et qu'ils ne m'en veuillent de l'Égypte ; mais les hommes sont toujours dominés par leurs principales craintes et leurs principales haines. La Russie a trop menacé Constantinople, sans la prendre. Depuis les poteaux indicateurs du chemin de Byzance, que Catherine rencontrait partout, sur son passage, en Crimée, les Turcs ont été trop maltraités par la Russie pour ne pas lui être implacables, à la première occasion. Je la leur donne belle, et je me fie à eux. Telle est donc notre entrée de jeu : tout le gros de l'Europe d'Occident confédéré, bon gré, mal gré, sous nos aigles ; une pointe de quatre cent mille hommes pénétrant la Russie et marchant droit sur son palladium ; Moscou, que nous prendrons ; de grandes armées de réserve française et alliées ; le maréchal Gouvion Saint-Cyr et Schwartzenberg couvrant nos flancs et les provinces polonaises ; le peuple moscovite, entre ses grands seigneurs ruinés et ses serfs mécontents, traversé par une invasion, comme il n'y en eut jamais ; un empereur russe qui ne gagne pas lui-même de batailles, qui sera vaincu en personne, s'il combat, et discrédité, s'il fuit : puis, à l'autre extrémité de son empire envahi, la vieille Turquie acharnée pour son alliance, en haine de l'ennemi commun, occupant l'armée de Koutusof avec bien des milliers de spahis contre ses cosaques, et je l'espère même entrant par un coin dans la Russie. Vous voyez donc, mon cher Narbonne, que tout cela est assez sagement combiné, sauf la main de Dieu toutefois qu'il faut toujours réserver et qui, je le pense, ne nous manquera pas. »

Après la monarchie, les Révolutions conventionnelle, consulaire et impériale échouent dans le conflit séculaire qui oppose la France — et même le continent — à l'Angleterre. Ce revers reproduit la nature hybride de la guerre qui développe ses événements depuis Louis XIV : il est à la fois européen et colonial. Napoléon, en ne réussissant pas à abattre la puissance britannique, n'a pu construire l'empire colonial d'Asie dont il rêvait. Tout au plus, lors du rattachement de la

Hollande à l'Empire, la France a-t-elle possédé Java, gouvernée successivement par deux Hollandais, le maréchal Herman W. Deandel et le général Jan Willem Janssens, officiers valeureux et francophiles. Mais en 1811 la Navy s'empare de l'île de la Sonde : de 1795 à cette date, l'Angleterre a pris possession de tout l'empire néerlandais. Quand l'Empereur abdique pour la seconde fois, en 1815, le domaine colonial territorial n'est guère amputé par rapport à 1789. Ne manquent que les îles de Tabago, de Sainte-Lucie, l'île de France et les Séchelles. Saint-Domingue appartient toujours à la Couronne, mais de manière formelle, la Révolution louverturienne y ayant établi un État, la première république noire d'Amérique. Charles X et Louis-Philippe accorderont les faits et le droit en reconnaissant l'indépendance d'Haïti. Malgré les apparences le bilan colonial de la monarchie et celui de la Révolution ne peuvent se comparer. En 1763, le roi a conservé les îles à revenus, avant tout Saint-Domingue, qui nourrissent pour une large part l'activité des ports français, donnent un excédent à la balance des échanges et au-delà, représentent le moteur du capitalisme commercial français. La perte de la Grande Île entraîne, comme l'avaient annoncé les Chambres de commerce dès la fin de 1791, le déclin économique brutal de la façade atlantique de la nation.

DES COLONIES À L'ABANDON

Dès 1789-1790, l'effervescence métropolitaine s'était propagée dans les colonies, opposant souvent les villes aux campagnes et brisant l'esprit de discipline dans les troupes. Les années qui vont suivre, jusqu'aux jours où Bonaparte prendra le pouvoir (9-10 novembre 1799), s'ouvrent sur la lutte civile, les affrontements raciaux et l'occupation étrangère. La France, engagée dans un conflit mondial par la volonté de Brissot et de ses amis, privée par l'insubordination des belles escadres que lui avait léguées Louis XVI, n'est plus en mesure d'assurer la protection de ses possessions.

Saint-Domingue : Révolution noire et Pouvoir noir

À Saint-Domingue, M. de Peinier part pour la France, le 7 novembre 1790 ; le maréchal de camp de Blanchelande assure temporairement son remplacement. Au moment où il prend son commandement le mulâtre libre Ogé et ses amis, qui avaient réclamé, les armes à la main, que leur caste jouisse des droits de la citoyenneté, en application du décret du 8 mars précédent, ont déjà été livrés (29 octobre) par les autorités de la partie espagnole où ils s'étaient réfugiés. Le Conseil supérieur du Cap juge Ogé et ses complices — 244 ont été arrêtés sur 350 — en plusieurs étapes. Le 25 février, il condamne Ogé et Chavannes à être roués vif : c'est chose faite le jour même. Le 5 mars, 17 accusés, dont un Blanc, sont condamnés sur l'heure et suppliciés le 9, à l'exception du frère d'Ogé qui sera exécuté ultérieurement. À ceux qui en doutaient, la solidarité économique qui unit propriétaires européens et métis, ne suffit pas pour les ranger sur le même pied : à l'évidence le décret du 8 mars et les instructions du 28 qui appelaient les *citoyens* à élire une assemblée coloniale, ne procèdent pas de la philosophie égalitaire, « prônée » par la Constituante. Elles sont des mesures prises par des Blancs, pour des Blancs : la Régénération ne modifie pas le régime des personnes dans la colonie. Maintenant que le sang a coulé, les gens de couleur libres, qui peuvent réunir quelque 11 000 hommes armés, se demandent s'il ne leur faudra pas arracher leurs droits par la force. Pour l'heure, à tout le moins, la sanglante répression du Cap les rapproche et les unit.

Désordres blancs, agitation mulâtre, soulèvement noir

Cet affrontement entre Blancs et sang-mêlé, dans le Nord, est bientôt suivi d'un conflit violent entre Européens, au Port-au-Prince. Le 2 mars 1791, la nouvelle station navale de Saint-Domingue aux ordres de M. de Villages, entre dans la rade de la capitale : à son bord, deux bataillons des régiments d'Artois et de Normandie que leur passage à Brest a exaltés, et que Blanchelande a, trop tard et en vain, souhaité dérouter vers le Môle Saint-Nicolas. Les soldats débarquent dans la métropole où l'on savait que l'Assemblée nationale avait cassé le parlement insurrectionnel de Saint-Marc par un décret du 12 octobre 1790. Les partisans des Léopardins distribuent alors un faux décret du 17 octobre, annulant celui du 12 et surtout désavouant le comportement du colonel de Mauduit, commandant du régiment et de la place du Port-au-Prince. Les bataillons d'Artois et de Normandie fraternisent avec les soldats de la capitale, les convainquent de la véracité des accusations portées contre leur colonel. À mesure que les heures passent, la contestation désorganise les troupes, à la grande satisfaction des petits-Blancs de la ville et de certains notables du commerce, comme Lerembourg, affairiste, intrigant de la première heure, qu'une ambition sénile a saisi. Au spectacle du désordre qui submerge la cité, Blanchelande choisit de partir pour le Cap. Mauduit tente d'amadouer la foule de civils et de militaires qui le menace : un de ses grenadiers l'abat d'un coup de sabre. Cet assassinat, accompagné de mutilations honteuses, fait la joie de Lerembourg et des patriotes qui créent une municipalité présidée par le vieux commerçant, à tout jamais déshonoré. La disparition de Mauduit laisse Blanchelande sans tuteur de caractère, prive les Blancs modérés d'un chef et les gens de couleur d'un protecteur et d'un interlocuteur. Ce crime, dirigé par les Léopardins et leurs amis, dont Valentin de Cullion fils, cache la volonté politique des autonomistes extrémistes de reprendre le combat, un moment interrompu, dans le site privilégié du Port-au-Prince. En effet, le Cap condamne l'attentat, où un service religieux à la mémoire du colonel est célébré devant tous les officiers, tandis qu'une cérémonie funèbre est organisée par la loge maçonnique du Môle Saint-Nicolas. Toutefois le régiment du Port-au-Prince sera prochainement rapatrié par une escadre au mouillage aux îles du Vent que Blanchelande avait appelée à l'aide.

Le 30 juin, dans cette atmosphère électrisée, éclate la nouvelle de l'adoption du décret du 15 mai 1791, par lequel la Constituante accordait la citoyenneté aux gens de couleur, nés de parents libres. C'est la consternation et la colère. Le 24 août, le colon Sartre écrit à son correspondant habituel en France, pour l'informer de l'état d'esprit de l'île. L'Assemblée coloniale « prétend faire les lois appropriées à nos localités et si le décret du 15 mai arrive officiellement, il paraît qu'il ne sera mis à exécution qu'après le massacre de tous les Blancs, qui sont très déterminés à s'y opposer. Les personnes raisonnables aimeraient cependant mieux conserver leur existence et leurs biens, mais la crainte de voir rendre un autre décret qui prononce l'affranchissement des Nègres est ce qui les révolte le plus, et d'ailleurs ceux qui sont sans intérêt à la chose et sans propriétés, sont les plus enragés, et par leur obstination, leur supériorité en nombre, ils forceront la détermination de l'opposition générale. » L'opinion blanche condamne dans le décret du 15 mai la violation du décret du 12 octobre 1790, qui promettait aux colonies le gouvernement intérieur, dont l'état des personnes fait partie. Elle n'a plus confiance dans l'Assemblée nationale et redoute sincèrement, semble-t-il, que les Amis des Noirs n'obtiennent l'abrogation de l'esclavage. Elle s'interroge, parvenue à ce point de raisonnement : ne convient-il pas à Saint-Domingue de se séparer de la France, de demander protection à l'Angleterre ? Mme de Rouvray, épouse d'un maréchal de camp planteur dans le Nord, évoque dès le 18 juillet 1791, une « coalition avec la Jamaïque », et le 30, écrivant à nouveau à sa fille, se montre encore plus explicite. « Vous concevez que toutes les puissances qui ont des colonies à esclaves ont intérêt à s'opposer à un décret aussi fou, parce que la contagion de liberté gagnerait bientôt chez eux, surtout à la Jamaïque à laquelle nous touchons. On dit même que l'ambassadeur d'Angleterre a notifié un envoi de vaisseaux et de troupes. Cela serait bien sage et heureux pour nous. Votre père croit fermement que d'ici à peu de temps nous passerons aux Anglais. J'en serais charmée mais je ne pense pas que ce soit aussi tôt qu'il le croit. » Toujours en ce mois de juillet funeste, l'assemblée paroissiale du Gros-Morne ne donne pas dans la confidence ouatée, mais fait connaître sa position avec fracas. Le décret du 15 mai est « une infraction » aux décrets des 8 mars et 12 octobre 1790, « c'est un parjure national et un nouveau crime à ajouter à tant d'autres. » La colonie « indignement abusée par la France, ne peut plus accorder de confiance aux actes » de l'Assemblée nationale. Elle considère « que les principes constitutionnels du Gouvernement de la France sont destructifs de tous ceux qui conviennent à la Constitution des colonies, laquelle est violée d'avance par la Déclaration des droits de l'homme ». Sur quoi les députés de la paroisse naguère paisible du Gros-Morne, « jurent tous sur l'honneur, en présence du Dieu des armées, qu'ils invoquent au pied de son sanctuaire, vers lequel ils sont prosternés, de repousser la force par la force ». Déterminés à défendre la colonie, ils demandent aux députés de l'île à la Constituante de se retirer et de rentrer à Saint-Domingue pour « coopérer au grand œuvre des lois qui doivent la régir dorénavant dans l'indépendance de celles de France ». Refus d'appliquer le décret, tentation d'indépendance et même aspiration à devenir Anglais tel est l'effet que le décret du 15 mai 1790 produit chez les Blancs de toutes les colonies serviles.

Après le supplice d'Ogé et de ses compagnons, les libres se tiennent sur leurs gardes, mais fermement décidés à ne pas se soumettre. L'annonce du décret du 15 mai les met en mouvement. Leur chef Pinchinat forme, le 7 août, une Commune dans la paroisse de Mirebalais, et demande à Blanchelande l'application du décret. En réponse, il reçoit un ordre de dispersion. Les libres du Port-au-Prince, qui s'étaient retirés dans les mornes, se donnent un capitaine général, Bauvais, ancien volontaire de la guerre d'Amérique, comme Rigaud. La capitale détache 500 hommes pour chasser les sang-mêlé, mais ceux-ci les battent à Pernier, avant de prendre langue avec Hanus de Jumécourt et les colons de la Croix-des-Bouquets, que l'agitation de quelques ateliers d'esclaves de la plaine inquiète. Les uns et les autres concluent une entente ou concordat, le 7 septembre ; la garde nationale du Port-au-Prince en fait autant le 11. Ces négociations sont remises en question par l'Assemblée de l'Ouest qui pousse Blanchelande à les condamner et à commander aux libres de rentrer sur leurs terres. Jumécourt, craignant un soulèvement des esclaves de la région, rencontre Pinchinat, le 13 octobre : tous deux rédigent un nouveau texte de concordat, que les représentants de la Croix-des-Bouquets, du Port-au-Prince et de 14 paroisses de l'Ouest examinent le 19 octobre et ratifient le 23. Cet accord stipule que les Blancs acceptent d'appliquer tous les décrets et instructions de l'Assemblée nationale, sans oublier celui du 15 mai, dès qu'il sera parvenu officiellement dans la colonie : il reconnaît donc la citoyenneté aux gens de couleur nés de parents libres. Par ailleurs, il est convenu que les esclaves — surnommés les Suisses —, qui avaient quitté leurs plantations pour servir la cause des libres, seront déportés, au Mexique, pour éviter toute contagion insurrectionnelle. Cet acte, connu sous le nom de concordat de Damiens, marque la victoire des Blancs modérés, conduits par Jumécourt — naguère lié à Mauduit — pour qui l'intégration des mulâtres libres dans la société politique blanche ne fait pas problème.

La bonne volonté des excités du Port-au-Prince et de quelques autres ne traduit pas une révélation soudaine de la justice, mais l'inquiétude dans laquelle les Blancs vivent depuis près de deux mois. Sur le milieu de la nuit du 22 au 23 août 1791, l'insurrection des esclaves du Nord incendie la paroisse de l'Acul, se propage dans la plaine et escalade les mornes. Les sucreries, orgueil, de cette partie de l'île, brûlent par dizaines : au bout d'un mois, 220 sont réduites en cendres, ainsi qu'un demi-millier de caféteries. La seconde Assemblée coloniale se réunit au Cap, à ce moment, le 25 août, et, aussitôt, dépossède Blanchelande de l'autorité militaire, pour instaurer sa dictature. Elle cherche des explications à ce soulèvement qui surprend d'autant plus que jamais la Grande Île n'en a connu, contrairement à la Jamaïque et à Surinam. On en impute la responsabilité aux mulâtres : Ogé a donné l'exemple de la révolte, et le décret du 15 mai, en octroyant la citoyenneté aux sang-mêlé, nés de parents libres, a aboli l'infamie attachée au sang noir et, par voie de conséquence, incité les esclaves à se rebeller. On accuse pêle-mêle les agents des Amis des Noirs, et les contre-révolutionnaires obéissant à la Cour ou aux « Princes de Coblentz ». On s'en prend aussi aux Espagnols qui, il est vrai, se montreront, à l'avenir, fort compréhensifs avec les *brigands*. Quant aux Blancs, arrêtés ou tués au combat, le visage « carbonisé », c'est-à-dire noirci, en qui l'on désigne des émissaires de Grégoire, ou des émigrés, ils appartiennent, en réalité, à ce milieu aigri des petits-Blancs qui, de manière traditionnelle, surgissent au moindre trouble, dans toutes les séditions. Dans cette confusion, on donne la chasse aux gens de couleur du Cap et l'on pend quelques esclaves, sur qui des soupçons se sont abattus par hasard. Du Port-au-Prince, où il a appris l'affreuse nouvelle, le colon Sartre, avoue, le 26 août 1791, dans une lettre, sa colère et son angoisse. « Les philanthropes et les partisans du décret du 15 mai vont nager dans la joie, car bientôt peut-être nous nagerons tous dans le sang. Un courrier extraordinaire du Cap nous annonce que les nègres de plusieurs paroisses se sont révoltés, ont incendié les habitations et qu'il y a eu un choc dans lequel il y a eu beaucoup de nègres de tués et plusieurs blancs. On prend partout des précautions pour éviter le même malheur, mais il y a une si grande disproportion dans les nombres qu'il peut s'accroître d'un moment à l'autre considérablement, et ne faire de ce beau pays qu'un vaste tombeau. Voilà donc ce que nous préparaient nos frères d'Europe ! » Le 24 août, le lendemain du soulèvement, le marquis de Cadusch, ancien, Léopardin et président de la seconde Assemblée coloniale, convainc ses collègues d'envoyer le négociant capois et planteur, Le Beugnet, solliciter des secours à la Jamaïque, auprès du gouverneur Effingham. De son côté, l'Assemblée provinciale de l'ouest dépêche deux négociateurs à la Jamaïque : Marie, négociant au Port-au-Prince, et un certain J. Boyer. À la suite de ces démarches, des bâtiments de la Navy visitent successivement le Cap, le 20 septembre 1791 et le Port-au-Prince, le 28, mais la Jamaïque ne fournit aucune aide, pas plus d'ailleurs que les États-Unis, Cuba et la partie espagnole de Saint-Domingue, également appelés à la rescousse. L'appel des colons à l'Angleterre constitue-t-il un acte de haute trahison ? Bonaparte, que l'on ne peut soupçonner d'anglophilie ni de soumission à l'égard de son épouse créole, a répondu à cette question, comme le rappelle Capefigue dans *L'Europe pendant le Consulat et l'Empire* (1840). « En plein Conseil d'État, Bonaparte s'exprime très vivement sur les colonies et l'esclavage des Noirs. « Voilà comme on rend les choses ! On ne veut voir que des partisans des Anglais dans nos colonies pour avoir le prétexte de les opprimer. Eh bien ! M. Truguet★, si vous étiez venu en Égypte nous prêcher la liberté des Noirs et des Arabes, nous vous eussions pendu en haut d'un mât. On a livré tous les Blancs à la férocité des Noirs, et on ne veut pas même que les victimes soient mécontentes ! Eh bien ! si j'eusse été à la Martinique, j'aurais été pour les Anglais, parce qu'avant tout il faut sauver sa vie. » Réponse crue d'un réaliste qui ne manque pas de bon sens.

Qui est à l'origine de l'insurrection servile de Saint-Domingue, la première dans l'histoire de l'île, qui oblige l'Assemblée coloniale à lever trois régiments de gardes soldées (27 août) et à faire appel aux voisins étrangers, particulièrement aux Britanniques. Il n'existe pas de conspiration des Amis des Noirs — mais on ne peut nier les effets d'une propagande qui ne s'adressait pas aux esclaves, mais à l'opinion blanche —. A l'opposé, il n'y a pas de complot des contre-révolutionnaires, au contraire, les ministres royalistes de la Marine, s'efforceront de faire partir pour la Grande Antille autant d'officiers légitimistes que possible, pour y rétablir la paix. Aux deux extrêmes, on veut garder l'économie de plantation et, dans la tourmente financière, le revenu des sucres et des cafés : au fond de soi, chaque parti, après le décret du 15 mai, souhaite garder les colonies en l'état et en tirer profit. L'explication du soulèvement se trouve donc à Saint-Domingue : dans l'agitation et la révolte des autonomistes, des petits blancs, des villes, qui remontent à 1788-1789 ; dans les revendications égalitaires et la sédition sporadique des gens de couleur libres. Ce double spectacle insurrectionnel ne peut laisser dans l'indifférence, des Noirs dont la moitié débarquent d'une Afrique qui les a rejetés, pour être soumis, sur les plantations insulaires, à un rythme de travail épuisant et auquel seuls les créoles sont familiarisés. Dans le cadre général d'une contestation, violente ou intériorisée, certains, mieux informés, plus déterminés, d'autres très aigris, bref un emmêlement hétérogène d'hommes de toute couleur, de tout état, aux motivations différentes, forme une mèche incendiaire, prête à mettre le feu aux poudres, et à désorganiser l'ordre colonial. Dans une lettre du 9 septembre 1791, Grandmaison, représentant au Cap d'une maison de commerce havraise, esquisse, avec pertinence, une petite sociologie des auteurs du soulèvement. « Les brigands sont un composé de Blancs qui se noircissent, qui ne se montrent que pour incendier et donner des ordres aux ateliers de marcher — cependant quelques-uns ont été tués —, de mulâtres libres peu fortunés, de Nègres libres et esclaves. Ceux-ci sont les commandeurs, ouvriers, domestiques, sucriers, cabrouettiers, c'est-à-dire Nègres de confiance, les mieux instruits, les mieux traités, qui paraissent les plus affidés. Viennent après le gros des ateliers qui ont été recrutés de gré ou de force. Les anciens ateliers qui avaient mérité le plus d'égards ont été les premiers corrompus, ont aidé plus ou moins à détruire et ce sont les chefs. »

Au sein des insurgés, 15 000 dans les premiers jours, dont le nombre va grossissant, quelques chefs se dégagent et s'imposent. Boukman qui semble avoir participé aux préparatifs du soulèvement, peut-être au pacte de sang vaudou du 14 août 1791, Jean-François, le général en chef, Biassou, son lieutenant général, Jeannot et une chaîne de petits commandants, dispersés dans la plaine et dans les mornes. Garran-Coulon, naguère avocat à particule et rédacteur de l'*Encyclopédie méthodique,* esprit de tendance girondine, brosse dans son rapport sur les troubles de Saint-Domingue, un tableau suggestif des *brigands.* « Il est certain que les Nègres s'armèrent au nom du Roi ; qu'ils avaient un drapeau souillé de fleurs de lys et de cette légende, Vive Louis XVI ; qu'ils invoquaient sans cesse l'autorité, et qu'ils se qualifiaient de gens du Roi. » Que veulent ces hommes qui détruisent tout sur leur passage, massacrent et font des prisonniers. Selon Grandmaison, « on a essayé de leur demander la cause de leur guerre. Tantôt ils ont demandé les droits de l'homme, la liberté, l'Ancien Régime, trois jours de la semaine et qu'on les payât. Tantôt qu'ils ne voulaient plus de maîtres puisque les Blancs ne voulaient plus de roi ». Ces insurgés ne font confiance qu'au seul monarque à qui ils doivent toutes les mesures d'humanisation de l'esclavage ; il est leur protecteur contre les colons. Le 4 septembre, Jean-François et Biassou, assistés de Blancs, envoient une adresse à Blanchelande. « Pour vous prouver, respectable général, que nous ne sommes pas aussi cruels que l'on pourrait le croire, nous désirons du meilleur de notre âme de faire la paix, mais aux clauses et conditions que tous les Blancs se retireront par-devers vous soit des mornes ou de la plaine, pour se retirer dans leur foyer sans excepté un seul, et par conséquent abandonner le Cap. Qu'ils emportent leur or et leurs bijoux. Nous ne courrons qu'après cette chère liberté, objet si précieux. Voilà, mon général, notre profession de foi que nous soutiendrons jusqu'à la dernière goutte de notre sang. » Le 23, le gouverneur, soumis à la volonté intransigeante de l'Assemblée coloniale, dominée par les *Crochus*, successeurs des Pompons Rouges, menace les insurgés. « Le représentant du roi vous demande, au nom de la nation, au nom de ce même roi que vous aimez, et de l'humanité, de cesser vos désordres, de rentrer chacun sur vos habitations, et d'y reprendre vos travaux. Vous vous êtes rendus bien criminels ! Vos maîtres massacrés par vos mains, leurs terres et leurs bâtiments incendiés, sont des crimes atroces. [...] J'engage les bons nègres, qui ont été trompés par leurs camarades fourbes et méchants, de s'en emparer sur-le-champ et me les remettre, de rejoindre leurs maîtres qui, malgré le mal qui leur a été fait, les recevront en pères et en bienfaiteurs, et leur feront grâce. [...] Si vous persistez au contraire dans votre affreuse révolte, tremblez malheureux ! plus de grâce pour vous. [...] Ainsi, ou la mort ou votre pardon : choisissez. Je vous donne d'ici à demain au soir pour me répondre. Vous pourrez m'envoyer des nègres pour venir me parler, à qui je vous promets qu'il ne sera rien fait ; je vous en donne ma parole, qui est aussi sacrée que celle du Roi. » Après cette proclamation belliqueuse, tandis que les Blancs lancent des expéditions meurtrières, sans toutefois réussir à atteindre les camps où la révolte entasse ses hommes, leurs familles, les armes, les munitions et les prisonniers français, Jean-François se concerte avec curés et autres Blancs capturés. Il fait part de ses réflexions au procureur Gros. « Ce n'est pas moi qui me suis institué général des nègres. Ceux qui en avaient le pouvoir m'ont revêtu de ce titre : en prenant les armes, je n'ai jamais prétendu combattre pour la liberté générale, que je sais être une chimère, tant par le besoin que la France a de ses colonies, que par le danger qu'il y aurait à procurer à des hordes incivilisées, un droit qui leur deviendrait infiniment dangereux, et qui entraînerait indubitablement l'anéantissement de la colonie ; que si les propriétaires avaient été sur leurs habitations, la révolution n'aurait peut-être pas eu lieu. » Ensuite précise Gros, « il se déchaîna beaucoup contre les procureurs et économes ; il voulait qu'on insérât, comme article fondamental, dans les conventions, qu'il n'en existerait plus à Saint-Domingue ». L'Assemblée coloniale, se voyant abandonnée par les Anglais, les Américains et les Espagnols, alors que la situation de l'île s'aggrave et s'enlise, décide enfin d'informer la métropole et de lui demander des secours pour maîtriser l'insurrection servile. Ses commissaires partent pour Paris dans les premiers jours d'octobre.

Pendant que le soulèvement noir se développe, l'Assemblée coloniale arrête le 20 septembre 1791 qu'elle ne s'opposera pas à l'application du décret du 15 mai, dès que celui-ci lui aura été communiqué officiellement. Mais les événements se précipitent : on apprend par les capitaines marchands le vote du décret constitutionnel du 24 septembre, abrogeant le décret du 15 mai. Dès le 5 novembre, l'Assemblée coloniale, se rétractant, annonce qu'elle légiférera sur l'état des personnes, sitôt la fin des troubles activés par les Noirs. Devant l'émotion des mulâtres, ses alliés indispensables, elle dénonce tous les concordats « arrachés par la force et la perfidie ». On en est là quand, le 22 novembre, les commissaires du roi, les sieurs Roume de Saint-Laurent, et Mirbeck, de Saint-Léger débarquent au Cap. Ils apportent le décret constitutionnel du 24 septembre, où l'Assemblée nationale confie le gouvernement intérieur aux créoles. Les *Crochus* explosent de joie. Au contraire, les *Bossus*, héritiers des Pompons Blancs, c'est-à-dire des modérés, craignent un avenir sombre. Ils ont raison. Les chefs noirs, après une première tentative vaine, envoient une députation au Cap, portant une adresse rédigée avec des Blancs, une fois encore : parmi les signatures, un nom fait son apparition, celui du futur Toussaint Louverture. Gros, toujours prisonnier, se souvient. « Nous devons attester au public, qu'à cette époque les généraux nègres désiraient ardemment la fin des troubles, et personne n'était mieux disposé que Biassou. Ils étaient inflexibles dans les châtiments qu'ils exerçaient sur ceux qui, contre leurs ordres précis, incendiaient dans la plaine ou dans les mornes. » Cependant, leur troupe considère une éventuelle solution pacifique avec défaveur : les Noirs des mornes sont « peinés », ceux de la plaine sont « enragés », au plus grand embarras des dirigeants. Le 16 décembre, les législateurs coloniaux, ivres de leur puissance neuve, écoutent les députés du soulèvement leur demander une cinquantaine d'affranchissements et l'engagement de s'occuper du sort des esclaves, en échange de quoi ils s'engagent à ramener les ateliers sur les plantations. À cette réclamation d'une modestie inespérée, l'Assemblée coloniale répond avec hauteur et inconscience. « Émissaires des nègres en révolte, vous allez entendre les intentions de l'Assemblée coloniale. L'Assemblée, fondée sur la loi et par la loi, ne peut correspondre avec les gens armés contre la loi, contre toutes les lois. L'Assemblée pourrait faire grâce à des coupables repentants et rentrés dans leurs devoirs. Elle ne demanderait pas mieux que d'être à même de reconnaître ceux qui ont été entraînés contre leur volonté. Elle sait toujours mesurer ses bontés et sa justice ; retirez-vous. »

Mirbeck et Saint-Léger rencontrent Jean-François, obtiennent la libération des prisonniers français. Le parlement colonial ne veut rien entendre, refuse d'étendre aux esclaves rebelles l'amnistie décrétée par la Constituante. Il plonge la colonie dans une situation inextricable : après avoir rebuté les gens de couleur, il pousse les esclaves, dont il a refusé les offres de paix, à perpétuer la guerre sociale et raciale, et, ainsi ouvre-t-il deux fronts où quelque 30 000 Blancs devront lutter contre plus de 650 000 hommes exaspérés. Les autorités, gouverneur général et commissaires, tous paralysés, se désolent et redoutent des catastrophes nouvelles : elles se produisent. La politique des concordats, qui avait uni propriétaires blancs et mulâtres dans l'Ouest puis dans le Sud, à l'exception de la Grande Anse, vole en éclats quand l'Assemblée coloniale, s'appuyant sur le décret constitutionnel du 24 septembre 1791, refuse de le ratifier. Le 21 novembre, les gens de couleur évacuent le Port-au-Prince en flammes, où un colon anglophile — Caradeux — et un petit-Blanc d'origine italienne — Praloto — font régner la loi des *patriotes*. Les chefs mulâtres Bauvais, pour l'Ouest, Rigaud, pour le Sud ainsi que le Blanc Hanus de Jumécourt, ancien officier devenu planteur, associent leurs troupes. Les Blancs du Port-au-Prince recrutent des esclaves pour seconder la garde nationale de la capitale dans sa lutte contre les mulâtres libres. Ceux-ci soulèvent aussi les ateliers, dont un jeune hiérarque local du vaudou, Hyacinthe, prend la tête. Le commissaire de Saint-Léger se présente dans l'Ouest et dans le Sud. Il réussit à disperser la bande d'esclaves insurgés, conduite par un sorcier vaudou, Romaine la Prophétesse. Ensuite il court d'échec en échec, ne s'imposant nulle part, ni à personne. Le 8 avril 1792, il s'embarque pour la France, tout comme Mirbeck, l'un et l'autre bousculés par l'Assemblée coloniale, ayant fait la preuve de leur incapacité. Au contraire, Roume, planteur de Grenade puis ordonnateur de Tabago, après le traité de Paris, demeure seul avec Blanchelande, quand au début du mois de mai, on prend officieusement connaissance du décret du 4 avril attribuant la citoyenneté aux Libres. Le parlement capois, sachant qu'il devra s'incliner sur ce point, agit sur d'autres terrains. Aussi, le 15 mai, décide-t-il la perpétuité de l'esclavage.

La proclamation de l'égalité des droits entre Blancs et gens de couleur, affaiblit les *Crochus*, l'Assemblée coloniale, mais renforce les *Bossus* et accroît l'autorité de Blanchelande et de Roume. Aussi ces deux chefs partent-ils en inspection. Le gouverneur se rend par mer au Port-au-Prince, le commissaire par terre, au milieu d'une population où règne l'union des Blancs et des mulâtres. Après quelques péripéties politiques, Blanchelande et Roume entrent dans le Port-au-Prince le 5 juillet 1792, malgré l'action des factieux. Caradeux s'enfuit. Praloto est embarqué et conduit à Saint-Marc où il est assassiné. Les colons rentrent sur leurs plantations où ils achètent la paix en accordant des affranchissements. Puis le gouverneur se rend dans le Sud. Les Blancs, mécontents de ses bonnes relations avec Rigaud, le chef des mulâtres, le poussent à donner l'assaut à une forte bande d'esclaves insurgés, qui se sont réfugiés dans le massif des Platons. Le gouverneur « tombe dans le panneau qu'on lui tendait ». On lui avait promis 1 200 hommes, on lui en donne 600, qui font preuve d'une mauvaise volonté calculée. Les Blancs obtiennent finalement le résultat qu'ils recherchaient : Blanchelande est battu. Le 8 août 1792, il rentre aux Cayes « d'où il s'échappe précipitamment, le lendemain, rassasié des insultes des citoyens, du blâme de ceux qui avaient fui, et des propos des lâches qui n'avaient pas osé partager les risques de cette affaire engagée contre son gré, et uniquement pour satisfaire l'impatience des habitants qui la sollicitaient ».

Blanchelande rejoint Roume au Cap pour accueillir, le 21 septembre 1792, la 2ᵉ commission civile, composée de Sonthonax, avocat girondin, ami de Brissot, Polvérel ancien syndic des États de Navarre, avant d'être nommé accusateur public du premier arrondissement de Paris, et Ailhaud, homme respectueux de la loi, qui préféra regagner la France plutôt que de compromettre son honnêteté. Delpech, secrétaire de la Commission le remplacera de manière illégale. Ces hommes ont reçu des attributions très larges, qui seront encore accrues pendant leur séjour. Ils disposent d'une force armée de 13 à 14 000 hommes, composée de 4 000 gardes nationaux et de 5 à 6 000 soldats, débarqués avant eux. Ils sont accompagnés d'un nouveau gouverneur, le général d'Esparbès. À leur arrivée les nouveaux commissaires, notamment Sonthonax, annoncent qu'ils sont chargés de faire appliquer le décret du 4 avril et que, par ailleurs, il est hors de question de réformer l'esclavage, sans lequel l'économie de plantation ne pourrait exister et encore moins se développer. Si l'opinion coloniale se résout à contrecœur à voir les mulâtres et nègres libres devenir des citoyens, à l'inverse elle est satisfaite de la déclaration esclavagiste de Sonthonax. Mais le fils d'Oyonnax dit-il ce qu'il pense ? On a envie de répondre à une autre question : le commissaire, s'il est négrophile, nourrit son sentiment à la haine presque maladive des colons, des habitants de l'île.

Dictature républicaine et occupation étrangère

Alors qu'ils débarquent dans une colonie démembrée, partagée en fiefs qui se soustraient à la loi commune, les commissaires se comportent non en représentants du roi et de la nation, mais en partisans autoritaires et arbitraires. Ils déportent Blanchelande, renvoient le colonel de Cambefort, commandant du régiment du Cap, ainsi que le lieutenant-colonel Touzard et plusieurs officiers, suspendent le gouverneur général d'Esparbès et le remplacent temporairement par Rochambeau, le fils du maréchal, vainqueur de Yorktown. Sonthonax adopte pour stratégie de s'allier aux mulâtres, les citoyens du 4 avril, contre les Blancs qu'il veut réduire au silence et contre les Noirs qu'il veut remettre au travail sur les plantations. Au Cap même, il choisit pour imposer sa volonté, d'utiliser le club patriotique de la ville, la Société des Amis de la Constitution, dans le rôle d'accusateur public. Ils prononcent la dissolution de l'Assemblée coloniale qu'ils remplacent par une commission intermédiaire à la docilité assurée, ils déportent des « contre-révolutionnaires » et des esprits trop exaltés, enfin se partagent le gouvernement de la colonie : le Nord à Sonthonax, l'Ouest à Polvérel, le Sud à Ailhaud, puis à Delpech. Peut-on, à ce moment, évaluer le nombre des victimes : difficilement, toutefois on estime que les Blancs comptent plus de 2 000 morts et les Noirs plus de 20 000. Du côté des Européens, aux disparus s'ajoutent ceux qui choisissent l'exil : les départs se font nombreux dès après le soulèvement et l'arrivée de Sonthonax, expert en déportation, accélérera ce mouvement d'exode, à la fois forcé et spontané. En effet, l'Assemblée coloniale n'avait-elle pas lu avec effroi la lettre du 20 juillet 1792, envoyée de Londres par Cougnac-Mion, ancien chirurgien-major des milices, marié à une créole et propriétaire d'une indigoterie ? « N'en doutez pas, Messieurs, j'en suis sûr, et je vous le jure sur l'honneur : le travail est fait à l'Assemblée nationale (la Législative), et il sera prononcé aussitôt que les commissaires se seront emparés de toutes les autorités. [...] Le projet de cette Assemblée est d'affranchir tous les nègres, dans toutes les colonies françaises, de poursuivre l'affranchissement dans toutes les colonies étrangères avec les premiers affranchis, et de porter ainsi la révolte, et successivement l'indépendance, dans tout le Nouveau Monde. [...] Repoussez, Messieurs, repoussez ces tigres altérés de sang. » D'autres lettres, envoyées par plusieurs colons, contiennent le même message. Le rapporteur Garran-Coulon, tout en condamnant ces cris d'alarme, admet toutefois que les commissaires partent avec l'idée « si généralement imprimée chez les amis de la liberté, qu'il fallait briser, sans balancer, tout ce qui ne plierait pas immédiatement devant la toute-puissance nationale ». Il serait bien téméraire d'oser avancer que les commissaires viennent dans l'île avec un plan secret à exécuter. Plus intéressant paraît le caractère de Sonthonax et de Polvérel. Tous deux se posent en vengeurs ; par préjugé, ils haïssent les colons — non seulement Blancs, mais métis aussi. Ils semblent animés d'une haine idéologique contre les propriétaires et donnent le sentiment de vouloir les détruire. Ils paraissent conduire une guerre sociale où, obsédés par la détestation intellectuelle des planteurs, ils oublient l'humiliation de la race, tant chez le maître de couleur que chez l'esclave noir. Rien dans ces hommes, Sonthonax et Polvérel, n'indique la charité, la générosité, moins encore la fraternité.

Le 13 octobre 1792, les trois proconsuls se séparent. Sonthonax reste au Cap, Polvérel descend le long de la côte occidentale, jusqu'au Port-au-Prince ; Ailhaud profite de ce déplacement pour rentrer en France. Des opérations militaires sont menées contre les esclaves, tandis que tous les acteurs du rapport de force s'observent et se jaugent. Polvérel, dans la lettre qu'il envoie à la Convention le 22 novembre 1792 est explicite de ce point de vue. Lorsque ses collègues et lui arrivèrent à Saint-Domingue, ils trouvèrent « un foyer de contre-révolution bien établi ». Il rassure aussitôt : « Nous avons abattu la principale tête de l'hydre ». Cette formule empruntée à la mythologie antique désigne deux malheureux : le pauvre Blanche-lande, qui sera guillotiné malgré Brissot, et ce bon général d'Esparbès qu'affaiblissent ses 72 ans. Alors, Polvérel, raisonnant non en chef, en réaliste, mais en idéologue de café parisien, se plaint du nombre abondant des contre-révolutionnaires — partisans d'un ordre réformé ! — et se félicite que « le patriotisme le plus pur domine dans la ville du Port-au-Prince comme au Cap » : un patriotisme qui s'identifie à l'esprit d'autonomie, voire d'indépendance, au refus de tout amendement, dont la citoyenneté des mulâtres et Nègres libres ! Le Béarnais dans son talent lit les faits à l'envers ; heureusement, l'homme se croit doué de « circonspection ». Pour l'heure, plein de zèle, il résume la tactique et la stratégie de la commission. « Nous pouvons compter en général sur tout ce qu'il y a d'hommes éclairés parmi les citoyens de couleur ; mais la masse est sans instruction et la reconnaissance les tient dans la dépendance des contre-révolution-naires qui les ont autrefois protégés. Il est de la plus grande importance de ramener cette classe aux principes de la Révolution française, parce que c'est dans la classe de couleur que réside la principale force de la colonie. Je fais tous les jours parmi eux quelques nouveaux prosélytes et j'espère pouvoir avant peu vous annoncer leur conversion totale. » On a de la peine à suivre le fil qui conduit Polvérel dans son aveuglement. À Paris, loin des réalités, Brissot et ses amis ont décrété que les libres, devenus citoyens, deviendraient leurs mercenaires par reconnaissance. Or, ils restent fidèles aux officiers ou anciens officiers comme Jumécourt, qui, depuis plusieurs décennies, les défendent contre le préjugé des colons. Le proconsul, qui n'appartient pas à l'armée et donc ne représente pas la puissance, se propose de détacher les gens de couleur des militaires en activité ou planteurs, sous prétexte de les rallier à la Révolution. Le métropoli-tain oublie ce que la Révolution signifie pour un mulâtre : le mensonge. Le 8 mars 1790, tous les libres sont citoyens ; le 15 mai 1791, seuls ceux qui sont nés de parents libres jouissent des droits civiques ; le 24 septembre 1791, les libres, dans leur totalité, sont exclus des collèges électoraux ; 4 avril 1792, les gens de couleur redeviennent citoyens ! Palinodie que cette Révolution dont la tête folle change sans cesse d'avis, qui manque à la parole donnée, à l'honneur ! Le décret du 4 avril 1792 est-il le bon ? est-il le dernier ?

rien de moins sûr estiment les gens de couleur, qui se tiennent sur leurs gardes, et n'ont pas l'intention de se compromettre ni de fraterniser avec les agents d'un régime qui, tel un ludion, vole d'une promesse à une abjuration, incapable de se fixer. Cela ni Polvérel, ni Sonthonax, individus sans intuition, sans intelligence politique, ne le comprendront jamais, tant ils ne portent aucune attention à leurs interlocuteurs. Le 1er décembre Sonthonax et Rochambeau se heurtent dans leur volonté de nommer des officiers mulâtres, à l'opposition des régiments du Cap et à l'hostilité violente des patriotes — Léopardins et petits-Blancs — aussi les mulâtres quittent-ils la ville, de crainte d'un massacre, et se rassemblent-ils sur les hauteurs du port. Les factieux sont embarqués, la troupe recouvre son calme, les gens de couleur sont rappelés : les patriotes vouent une haine inextinguible à la commission, les Libres campent sous les frondaisons mêlées de la réserve et de la méfiance. À peine deux mois et demi après son arrivée, l'ami de Brissot, qui assied sa politique sur les gens de couleur pour réduire les Européens à néant, ne peut compter sur la fidélité d'aucune classe. De plus, le Cap, capitale économique des temps de paix et capitale militaire lui est désormais ouvertement hostile : le Club des Amis de la Convention, naguère pivot de l'action du commissaire est fermé, et ses membres les plus notoires, Larchevesque-Thibaud, Daugy, Raboteau, notamment, sont déportés en France.

Au Port-au-Prince, où Polvérel avait décelé, comme au Cap, le patriotisme le plus pur, les patriotes, qui ont perdu leurs chefs, Caradeux et Praloto, depuis l'inspection de Blanchelande et de Roume, en trouvent un troisième en la personne d'un ancien député à l'Assemblée coloniale, le sieur de Borel. Celui-ci, comme tous les patriotes, refuse le décret égalitaire du 4 avril 1792 et par voie de conséquence aspire à débarrasser Saint-Domingue de l'autorité de la commission. Commandant de la garde nationale du Port-au-Prince, il constitue, le 11 janvier 1793, une confédération de l'Ouest avec Jumécourt. Dans l'esprit des deux hommes cette institution ne recouvre pas le même projet : Borel veut en faire un instrument de guerre contre les commissaires, Jumécourt, un outil de pacification contre les soulèvements serviles. Or Hyacinthe et ses compagnons reprennent le chemin de l'insurrection, comme pour inciter Borel à marcher sur la plaine : ce qui se produit. Cette sortie n'est pas marquée par l'écrasement des rebelles, mais par l'arrestation, le 14 janvier, de Jumécourt et du maréchal de camp de Coustard, retiré sur ses terres, qui sont jetés dans les prisons de la capitale. Ce dernier y mourra, tandis que le premier en sera extrait par Sonthonax, au début de 1794. Désormais les choses sont claires : après le Cap, qui a échoué, le Port-au-Prince se prépare à l'affrontement contre les représentants de la nouvelle République, que la Commission a proclamée le 20 décembre précédent. Sonthonax quitte le Cap à la fin du mois de février 1793, et se rend à Saint-Marc où il retrouve Polvérel. Les deux agents s'emploient à convaincre les gens de couleur de se fédérer autour d'eux, puis font voile vers le Port-au-Prince, où ils mouillent, le 5 avril. Le 12, le vieux général de La Salle campe aux abords de la capitale qui refuse de capituler. Alors les navires de la commission la bombardent, et après quelques heures de canonnade, Borel s'échappe vers Jacmel, puis la Jamaïque, alors que la garde nationale met bas les armes et que la ville ouvre ses portes. Le 19 avril, les commissaires rendent publique la déclaration de guerre de la France à l'Angleterre, et, dans les jours suivants, prennent nombre de décisions importantes : injonction au Port-au-Prince de verser une contribution de 500 000 livres, déportation de 250 Blancs, suppression de la garde nationale, création de la Légion de l'Égalité, corps composé uniquement de mulâtres et Noirs libres, négociation heureuse du ralliement de Hyacinthe et d'un autre chef d'insurgés, enfin rappel, le 5 mai, de l'obligation d'appliquer les Codes Noirs de 1685 et de 1724 ainsi que l'ordonnance de 1784 humanisant l'esclavage. Après la défaite du Port-au-Prince, le Sud se soumet, craignant la menace du parti nombreux des gens de couleur : seule Jérémie tient tête.

Sonthonax et Polvérel ont-ils, après 7 mois de lutte, imposé la reconnaissance de leurs pouvoirs par leurs compatriotes, à défaut d'avoir vaincu le soulèvement servile qui tient toujours le Nord et agite les ateliers du reste de la colonie ? On aurait pu le penser, mais l'arrivée du gouverneur général Galbaud, nommé à la place du général d'Esparbès après les remplacements temporaires de Rochambeau et de La Salle, remet tout en question. Ce fils d'une propriétaire domingoise, né lui-même au Port-au-Prince, débarque au Cap le 6 mai 1793, accompagné de forces nombreuses. Le 12 mai le gouverneur écrit aux commissaires, pour leur faire part de ses premières impressions. Le ton est lucide, critique par endroits, dénotant un caractère ferme, plus porté au commandement qu'à la docilité. « Il n'existe dans la colonie aucun esprit public. Toutes les affections sont concentrées dans quelques factions. [...] Les uns regrettant l'Ancien Régime ; ils entreraient volontiers dans tous les projets qui pouraient en amener le retour ; les autres, effrayés des obligations qu'ils ont contractées envers le commerce de la métropole, trouveraient doux de recevoir leurs quittances à la faveur des baïonnettes anglaises ou espagnoles. Ceux-ci, jaloux de la prépondérance dont jouissaient les grands planteurs, voient d'un œil sec la dévastation des propriétés ; ceux-là, et c'est le plus grand nombre, frémissent en songeant que la loi met les citoyens de couleur à leur niveau. Je reprocherai aussi à quelques-uns de ces derniers de trop jouir des bénéfices de la loi, et de persécuter ceux qui, jadis ennemis puissants, sont accablés par le malheur. Au milieu de ces passions diverses, on cherche vainement le patriotisme et l'esprit public. » De nombreux Blancs, dont Thomas Millet et Tanguy La Boissière supplient Galbaud de sauver Saint-Domingue de la tyrannie des deux commissaires qui rêvent de les livrer aux Nègres révoltés. Le général hésite. Sonthonax et Polvérel entrent dans le Cap, escortés de troupes de gens de couleur. Les deux proconsuls, profitant de l'indécision de leur rival, le destituent et le déportent, le 13 juin 1793, « pour cause d'incivisme ». Consigné sur un navire de l'un des deux convois qui occupent la rade du Cap, Galbaud, qui a repris son titre de gouverneur général, descend à terre le 20 juin. À la tête de 2 000 hommes, il marche sur la résidence des agents de la République : les unités de mulâtres repoussent l'assaut. Le lendemain les combats reprennent mais Galbaud se heurte à des esclaves enrôlés par les commissaires. Le 22 dans une ville en feu, livrée au pillage, le général abandonne la partie et s'embarque. Dans la nuit du 23 au 24, la flotte lève l'ancre et s'éloigne. Sonthonax et Polvérel, avec le concours de Villatte et Besse, deux officiers métis, reprennent le contrôle d'une ville en ruines.

La révolte de Galbaud se produit alors que l'Espagne, à qui la France a déclaré la guerre au mois de mars, invite Saint-Domingue à se placer sous la domination du Roi Catholique (7 juin). Les commissaires, pour sauver leur pouvoir, se sont tournés vers la masse servile. Le 21 juin, ils ont publié une déclaration où ils annonçaient « que la volonté de la République et de ses délégués était de donner la liberté à tous les nègres guerriers qui combattraient [...] tant contre les Espagnols que contre les autres ennemis soit de l'intérieur, soit de l'extérieur ». Ils ajoutaient qu'ils avaient aussi pour souci « d'adoucir le sort des autres esclaves ». Cette adresse ne provoque le ralliement que de deux chefs mineurs de l'insurrection : Pierrot, futur général légaliste, et Macaya, un vaudou. Prisonniers d'un engrenage qu'ils ont eux-mêmes mis en marche, Sonthonax et Polvérel rédigent une deuxième proclamation affranchissante, le 11 juillet. « Nous avons fait des libres, nous en ferons encore », affirment-ils avant d'arrêter que les femmes et les enfants des guerriers noirs qui avaient servi la République, recevront la liberté. Puis le mouvement s'accélère. Vers le 20 août 1793, la commune du Cap présente au fils d'Oyonnax une pétition revêtue de 842 signatures, au texte bref mais d'un grand poids politique : « Nous voulons être reconnus libres et Français. » Cette supplique est-elle spontanée ou suggérée ? On ne le sait. Toujours est-il qu'elle précède de quelques jours la proclamation du 29 août, par laquelle l'ami de Brissot abolit l'esclavage. Un préambule révèle à l'opinion la genèse et la portée de cette décision fracassante. « Envoyés par la Nation, en qualité de commissaires civils à Saint-Domingue, notre mission était d'y faire exécuter la loi du 4 avril portant égalité des droits des gens de couleur libres, de la faire régner dans toute sa force, et d'y préparer graduellement, sans déchirement et sans secousse, l'affranchissement général des esclaves. À notre arrivée, nous trouvâmes un schisme épouvantable entre les Blancs [...] pour déjouer les mal intentionnés et pour rassurer les esprits tous prévenus par la crainte d'un mouvement subit, nous déclarâmes que nous pensions que l'esclavage était nécessaire à la culture. » Sonthonax n'avait pas été chargé de préparer l'abolition graduelle de la servitude. Son initiative inattendue, qui détruit la domination des Blancs brutalement et non progressivement, ne provoquera rien d'autre que le vote de sa mise en accusation par la Convention !

Le commissaire, avec une fatuité que rien ne freine, poursuit sa démonstration à deux voix, où le vrai mensonge et la fausse vérité se tiennent la main pour cheminer dans le labyrinthe d'une rhétorique dérisoire. « Nous disions vrai, Citoyens, l'esclavage alors était essentiel, autant à la continuation des travaux qu'à la conservation des colons. Saint-Domingue était encore au pouvoir d'une horde de tyrans féroces qui prêchaient publiquement que la couleur de la peau devait être le signe de la puissance ou de la réprobation. » On ne sait pourquoi, ce qui était vrai en mai quand il réclamait l'application des Codes Noirs, ne l'est plus en août : « Aujourd'hui les circonstances sont bien changées ; les négriers et les anthropophages ne sont plus. Les uns ont péri de leur rage impuissante, les autres ont cherché leur salut dans la fuite et l'émigration. Ce qui reste de Blancs est ami de la loi et des principes français. » Et, emporté par le flux ronflant de sa déclamation, l'avocat lance aux nouveaux citoyens : n'oubliez pas « que de tous les Blancs de l'univers, les seuls qui soient vos amis sont les Français d'Europe ». Après cette discrimination, contraire au principe d'égalité, vient le retour aux réalités : l'impératif final commande de rétablir au plus vite la colonie dans son habituelle richesse. L'ancienne servitude disparaîtra, promet le républicain aux libres du 29 août. « Ne croyez cependant pas que la liberté dont vous allez jouir, soit un état de paresse et d'oisiveté. En France, tout le monde est libre, et tout le monde travaille ; à Saint-Domingue, soumis aux mêmes lois, vous suivrez le même exemple. Rentrez dans vos ateliers ou chez vos anciens propriétaires, vous recevrez le salaire de vos peines. » Sonthonax établit ainsi « l'évangile de la France », non celui d'un ordre universel. La Révolution, issue des événements de 1789, est un phénomène politique nationaliste, français — au demeurant parfaitement respectable — que rien n'autorise à s'exprimer au nom du genre humain.

Le « jacobin » ne cesse de pécher par ambiguïté, parce que la Révolution, elle-même, se réfugie dans l'équivoque, se déclarant ce qu'elle n'est pas. Il organise la sauvegarde des intérêts nationaux à Saint-Domingue, en remplaçant précipitamment la main-d'œuvre servile par un prolétariat, soumis à un régime de travail forcé, dont le salaire est financé par le quart du revenu net des plantations. Il va jusqu'à écarter le système d'accession des Nègres à la propriété des terres vacantes que Polvérel avait adopté dans l'ouest de l'île, le

27 août. Sonthonax, respectueux de l'esprit de la Révolution de 1789, agit au nom d'un peuple élu, d'un peuple messie, légiférant par décrets prétendant à l'universel ! Là se trament le malentendu et le vol. Le « révolutionnaire » ignore la qualité et la liberté des Africains, dont il fait des ouvriers français, pour conserver à la République le profit du commerce de la Grande Ile. La Révolution de 1789 se rétrécit à un vulgaire détournement qui, par contrecoup, ne peut que déchaîner une révolution des Noirs, par les Noirs et pour les Noirs. L'abolition générale de la servitude, proclamée le 29 août 1793, participe du subterfuge, de la tromperie : elle accorde une liberté réglementée à des hommes qui ont conquis la pleine possession de leur destin par la violence ! La Révolution des Blancs français, même quand elle est apparemment poussée jusqu'aux portes de l'illégalité, reste l'ennemie des Noirs : elle leur confisque la propriété des biens et de la souveraineté. Sonthonax, métropolitain, fils de commerçants provinciaux, ne chante pas le bonheur de l'état libre, mais étale, de sa grosse écriture, une vision négative de l'action et de l'avenir. Il ne veut rien construire de neuf, dans la lumière de la pensée nouvelle. Non, il règle des comptes : sa haine pathologique des planteurs le lui commande. Là, il réussit : par milliers, les propriétaires de Saint-Domingue s'enfuient, cherchant refuge dans le voisinage, aux États-Unis notamment, ou meurent, victimes d'assassinats légitimés. L'enfant d'Oyonnax, animé d'envie égalitariste, cherche à anéantir les bénéficiaires immédiats du régime esclavagiste, non à s'attaquer au système qui les enrichit. Il n'est pas le libérateur des Noirs, qu'il méprise : si tout allait à leur gré, ces ennemis du progrès moderne planteraient une Guinée arriérée au milieu de la mer des Antilles. Il est encore moins le démolisseur d'un mode d'exploitation : il cherche à l'arracher à l'agonie, à lui rendre vie. Finalement, Sonthonax se contente de peu : il se repaît de la satisfaction de décapiter la classe des colons. Manquant aux idées dont il se réclame, l'homme est sans rigueur dans la pensée, sans grandeur.

Le 27 août, Polvérel, légiférant pour l'Ouest, avait adopté un système où il associait liberté et propriété : en distribuant les biens des émigrés. Cette méthode s'inscrivait dans le droit-fil révolutionnaire, contrairement à celle de Sonthonax, conservatoire et conservatrice, toute en tape-à-l'œil. Ce provincial, pour qui la détestation du riche tient lieu de doctrine sociale et de raisonnement politique, ne peut sortir de son personnage : un girondin qui se donne des allures de jacobin. L'arrêté du 29 août avait été pris en violation de la loi, de la Constitution et de la volonté exprimée par la Convention. L'Assemblée, par son décret du 5 mars 1793, avait autorisé ses représentants « à faire provisoirement, dans les règlements de police des ateliers, tous les changements qu'ils jugeraient nécessaires au maintien de la paix intérieure et des cultures » : rien de plus. Par ailleurs la mesure d'abolition, étendue à toute l'île, laisse indifférents

Jean-François, Biassou et Toussaint Louverture. Le proconsul, loin d'accroître le nombre de ses adhérents, les réduit à rien. Tous les propriétaires, effrayés de perdre leur main-d'œuvre servile et par conséquent de voir l'exploitation de leurs Habitations grevée par des salaires, des impôts, sans pour autant être assurés du travail régulier, continu et discipliné des citoyens-cultivateurs, ou s'enfuient ou préparent un avenir plus encourageant : sans la République. En 1791 et 1792, l'ancien Léopardin Venault de Charmilly se rend à Londres et rencontre les ministres britanniques. Après le soulèvement des esclaves (23 août 1791) plusieurs émissaires français s'étaient rendus à la Jamaïque, Le Beugnet, Boyer et Marie, Bérault de Saint-Maurice et Raboteau ; et Cadusch, président de l'Assemblée coloniale, avait écrit à Pitt. À Londres, les émigrés dont des propriétaires antillais, grouillent : parmi eux, Malouet, qui s'explique sur son action britannique, dans ses *Mémoires*. « Aussitôt que la guerre fut déclarée, les colons se réunirent, eurent entre eux plusieurs conférences et convinrent de me donner leurs pouvoirs pour solliciter auprès du gouvernement anglais des moyens de protection contre l'insurrection des Nègres, qui étaient très notoirement suscitée par la Convention. [...] J'expliquai bien à l'assemblée qu'il était hors de notre pouvoir et contraire à nos devoirs de disposer de la souveraineté ; que, proscrits en Europe comme royalistes, nous avions eu le droit de venir demander asile et protection à une puissance étrangère ; que nous prenions par là l'obligation de nous conduire envers elle en sujets fidèles tant que nous resterions sur son territoire : proscrits au même titre à Saint-Domingue, nous avions les mêmes droits et contractions les mêmes obligations en échange de la protection qui serait accordée dans cette colonie à nos personnes et à nos propriétés ; mais que nous ne pouvions prendre aucun engagement perpétuel. C'était au traité de paix qui interviendrait entre les deux nations à prononcer sur notre sort ; jusque-là, la colonie devait être considérée comme mise en séquestre et sous la garde du gouvernement anglais. Tel fut l'esprit et l'expression du traité passé quelques jours après entre M. Dundas, aujourd'hui lord Melville, alors ministre des Colonies, et moi en qualité de fondé de pouvoirs des colons de Saint-Domingue. »

En effet, les accords Malouet-Dundas, du 25 février 1793, qui concèdent le statut de colonie anglaise à la Grande Ile, tout en lui conservant ses institutions et sa réglementation d'Ancien Régime, établissent, dans le premier article, un constat du présent et disposent de l'avenir. « Les habitants de Saint-Domingue, ne pouvant recourir à leur légitime souverain pour les délivrer de la tyrannie qui les opprime, invoquent la protection de Sa Majesté Britannique et lui prêtent serment de fidélité, la suppliant de conserver leur colonie et de les traiter comme bons et fidèles sujets jusqu'à la paix générale, époque à laquelle Sa Majesté Britannique, le Gouvernement de la France et les puissances alliées décideront définitivement entre elles de la souveraineté de Saint-Domingue. » Malouet accommode la réalité. Il entame ses pourparlers avec le cabinet britannique dès le mois de septembre 1792 — après la chute de la royauté — et non après la déclaration de guerre de la Convention à l'Angleterre, faite le 1er février 1793. Ce sont les accords qui furent signés postérieurement à l'ouverture des hostilités : le 25 février 1793. Enfin, si l'on peut comprendre que Saint-Domingue sollicite la protection anglaise, comment ne pas être choqué que l'ancien Constituant ne prévoie pas, à la fin du conflit, le retour automatique de la possession à la France : il préfère soumettre son destin à la décision d'une conférence internationale. Le commissaire général de la Marine raisonne davantage en planteur qu'en sujet français. En face de Malouet, le Premier ministre, le Second Pitt, est disposé à promettre la protection britannique à Saint-Domingue, mais dans son esprit, protéger signifie intervenir, occuper, annexer. Il n'est pas seul à partager ce sentiment qui s'alimente à l'esprit de revanche, né de l'Indépendance américaine, et à une géostratégie économique de dimension mondiale. Plutôt que les colons — encore que la peur du soulèvement des esclaves et de l'action de Sonthonax et Polvérel les rende, pour une fois, favorables à l'absorption de la Grande Ile —, le cabinet de Saint-James écoute les partisans de la plus grande puissance du Royaume-Uni. Or qu'écrit un homme averti comme le lieutenant-colonel J. Chalmers ? L'historien anglophone James rapporte l'avis de l'officier, insistant à juste titre sur sa portée. « Les avantages de Saint-Domingue pour la Grande-Bretagne sont innombrables, et lui vaudront le monopole du sucre, de l'indigo, du coton et du café. Pendant des générations cette île fournira à l'industrie de l'aide et de l'énergie qui se feront sentir dans toutes les parties de l'Europe. Elle empêchera toute émigration des trois royaumes vers l'Amérique, qui, sans cette acquisition, établirait la paix et augmenterait avec la prospérité de l'Amérique jusqu'à devenir vraiment alarmante et nuisible. » Et Chalmers conclut son mémoire en soulignant qu'à la paix, l'Angleterre comprendra la nécessité de conserver Saint-Domingue.

Les Français anglophiles écarteront facilement les hispanophiles, représentés par le Léopardin Cougnacq-Mion et par des officiers, fidèles au Pacte de Famille, comme Coustard et Fontanges, tandis que Venault de Charmilly quittant l'Angleterre pour la Jamaïque débarque en juillet. Après des discussions difficiles avec le gouverneur général Williamson, il fait voile vers la Grande Anse d'où il revient avec une procuration pour négocier la protection anglaise avec le gouverneur. Cette fois, les deux interlocuteurs — qui n'ignorent pas l'incendie du Cap et les premières mesures d'affranchissement — signent sans tarder une convention qui invite les Britanniques à s'établir dans la Grande Anse (3 septembre 1793). Les tuniques rouges prennent possession de Jérémie le 20 septembre et du Môle

Saint-Nicolas le 22, port stratégique que les Espagnols, aussi, souhaitaient occuper. Après ces premières opérations, les appels à l'étranger se multiplient. Le port occidental de Saint-Marc se donne aux Anglais, tandis que Lapointe et Labuissonnière, maires sang-mêlé de l'Arcahaie et de Léogane en appellent aussi à la protection britannique. Pendant que la Navy débarque des troupes sur les côtes domingoises, les Espagnols acceptent avec satisfaction la soumission des chefs du soulèvement noir, Jean-François, Biassou et Toussaint Louverture. Ils tiennent ainsi une grande partie intérieure du Nord et de l'Ouest avec deux ports, le Fort-Dauphin et les Gonaïves. Par ailleurs, nombre d'officiers royalistes passent aux Anglais ou aux Espagnols, ou, comme le général de La Salle, demandent un passeport pour les États-Unis. Les républicains sous les ordres du général de Laveaux tiennent la région du Port-de-Paix, tandis que les officiers métis occupent la région du Cap, sous l'autorité de Villatte, et le Sud, à l'exception de la Grande Anse, sous le commandement de Rigaud. Le pouvoir blanc se réduit à peu de chose, à la domination de quelques quartiers pauvres ; Anglais et sang-mêlé se taillent la part du lion, alors que les Noirs et Espagnols se contentent de territoires qui ne comptent pas parmi les plus riches. Devant ce raz de marée, où des propriétaires blancs et de couleur s'allient aux Anglais pour sauver l'économie de plantation, les commissaires descendent vers le Port-au-Prince. Au milieu de l'anarchie, de l'intrigue, les représentants de la Convention s'abandonnent à l'amertume sous l'œil de l'ennemi. Sonthonax, déconfit, brisé, complète sa haine des planteurs blancs d'une terrible aversion pour les gens de couleur, et malgré le royalisme de Jean-François, de Biassou et de Toussaint Louverture, place son dernier espoir dans les Noirs. Bientôt, il faut fuir à travers les mornes, et pendant que le Port-au-Prince applaudit le débarquement des Anglais (5 juin 1794), les proconsuls arrivent à Jacmel où vient les chercher un navire qui les emmène en France, pour y rendre compte de leurs fautes (9 juin). Polvérel mourra bientôt et, Sonthonax, protégé des dieux, est sauvé de l'échafaud par l'exécution de Robespierre (28 juillet). Dans leurs régions d'occupation, les Anglais restaurent l'Ancien Régime, rétablissant l'esclavage des Noirs, retirant leurs droits de citoyen aux gens de couleur.

La deuxième Commission, dirigée par Sonthonax et Polvérel, non seulement n'est pas venue à bout de l'insurrection noire, mais a aussi perdu la plus riche colonie française. Les deux proconsuls, en débarquant, n'ont pas cherché à unir Blancs et gens de couleur, au contraire, ils se sont appuyés sur les seconds pour abaisser les premiers. Quand, déjà privés du soutien des Blancs, même des modérés, ils proclament l'abolition de l'esclavage en août 1794, ils dressent contre eux les propriétaires métis, qui, malgré leur méfiance, ont su se rendre indispensables. La suppression de la servitude, non seulement porte atteinte aux intérêts des gens de couleur, mais aussi, pousse les commissaires, entraînés par le déséquilibre démographique favorable aux esclaves, à chercher et à obtenir l'alliance des Noirs. Pour se sauver, les sang-mêlé passent aux Anglais ou, tout en faisant mine de rester fidèles aux représentants de la Convention, créent un pouvoir mulâtre qui va régner dans le Sud de manière autonome, et, en association avec des républicains plus faibles, dans la ville du Cap et sa plaine. Hommes sans dons, ignorants du commandement et des affaires coloniales, Sonthonax et Polvérel ont ajouté aux désordres de l'insurrection servile, au point d'unir tous les partis contre eux et de créer une situation suffisamment inquiétante pour justifier l'intervention des alliés anglo-espagnols. Quand les deux dictateurs défaits s'embarquent, en juin 1794, personne, ni Noirs, ni Blancs, ni gens de couleur, ne veut de la République qui, pour tous, s'identifie au mensonge.

Toussaint Louverture

Les années qui suivent, jusqu'à l'issue, sont l'histoire dénudée d'un rapport de force. Le Noir Toussaint Louverture*, abandonne l'Espagne et rallie la France — une maigre troupe souffrant de paludisme, sans cesse saignée par la fièvre jaune — à la tête d'une bande de quelque 8 000 hommes. Cet ancien affranchi, maître d'esclaves et de biens, va, en quelques années, éliminer ses chefs et ses rivaux, pour gouverner seul la Grande Antille. Il aide le général de Laveaux à bousculer Jean-François et Biassou, étendant son fief. En 1795, le traité de Bâle met fin à la guerre avec l'Espagne : Jean-François s'exile. En 1796 Toussaint, désormais seul chef noir, seconde Laveaux pour anéantir Villatte, général mulâtre, commandant du Cap. Alors, très habilement, l'ancien esclave fait élire le gouverneur aux Cinq-Cents et le convainc de regagner Paris. Mais Sonthonax est revenu. Comme Laveaux, il décide de s'appuyer sur les Noirs pour dominer les gens de couleur et les Blancs qui ont survécu aux massacres et aux déportations. L'agent du Directoire, toujours brouillon et autocrate, fait à nouveau preuve d'une absence totale de jugement. Prenant Toussaint pour une vieille bête, il le promeut général de division, puis le nomme général en chef, certain qu'ainsi il le dirigera comme une marionnette. En 1797, Louverture apprend la victoire des royalistes au Corps législatif. L'homme, que l'on avait deviné, lors de la chute du général Villatte, puis du départ du gouverneur de Laveaux, jette le masque : il embarque Sonthonax, l'accusant de vouloir proclamer l'indépendance de Saint-Domingue.

* Voir notre biographie *Toussaint Louverture. Un révolutionnaire noir d'Ancien Régime*, Fayard, 1989.

Le commandant en chef, désormais seul, révèle son ambition : fonder un pouvoir noir, l'exercer et gouverner un État noir. Dans l'immédiat, deux obstacles : les mulâtres et les Anglais. Les sang-mêlé, depuis la déportation de Villatte ne représentent plus une force dans le Nord, mais gouvernent le Sud, véritable république autonome dont Rigaud, le chef, n'a pas reconnu l'autorité de Sonthonax, délégué du Directoire, en 1796-1797. Toussaint et Rigaud, chacun se suspectant — à juste titre — des pires intentions, s'associent pour dénoncer les méfaits de Sonthonax. Deuxième obstacle au gouvernement louverturien de Saint-Domingue : l'occupation anglaise, qui coupe le Nord du Sud. Les Britanniques, dont la fièvre jaune décime les troupes — 13 000 victimes dans la Grande Île de 1793 à 1798 selon D. Geggus, 43 000 dans l'ensemble des Antilles, pour la même période, selon M. Duffy — choisissent de se retirer. Calculateur, le général Maitland abandonne les régions occupées à Toussaint personnellement et non au général d'Hédouville, deuxième agent du Directoire, et conclut une alliance secrète avec le chef noir. En 1798, Louverture, fort de sa coalition avec les Anglais, chasse Hédouville qui s'employait à reprendre l'administration de l'île en main et qui avait manifesté de la sympathie au général de couleur Rigaud.

Le commandant en chef, dont la stratégie apparaît clairement aux yeux de tous, conclut un traité avec les États-Unis et confirme son pacte avec les Anglais. Néanmoins, il jure de sa fidélité à Paris. Pour preuve il convoque Roume, agent de la République à Santo-Domingo, dans la partie française pour remplacer Hédouville. Alors, il entreprend d'abattre le dernier obstacle à sa domination sur la partie française : les mulâtres du Sud et leur chef le général Rigaud. Après un soulèvement réprimé dans le sang, parmi les siens, une guerre, où malgré sa supériorité numérique, il piétine, il finit par l'emporter, grâce au concours américain, en 1800, après une lutte acharnée. Des représailles sanglantes suivent la défaite des gens de couleur. Maître absolu de la partie française, Louverture, naguère petit colon, fervent partisan de l'économie de plantation, prend un règlement de cultures proche de celui de Sonthonax : il instaure le servage et confie le contrôle des Habitations à l'armée. Malgré ces mesures la production de café ne se hisse pas à la hauteur de celle de l'Ancien Régime, et les sucreries, qui réclament un personnel spécialisé, végètent. Le monarque créole n'attend pas des jours meilleurs. Afin de fermer le port de Santo-Domingo à un éventuel débarquement de troupes françaises, il prend possession de la partie orientale de Saint-Domingue, cédée par l'Espagne au traité de Bâle, en 1795. Cette guerre, malgré la volonté de résistance d'officiers français, blancs et de sang-mêlé, se réduit à une promenade militaire, tant les Espagnols ont peu envie de se battre. Le 26 janvier 1801, le général noir règne sur toute l'île, au nom de la République française, incarnée par Bonaparte.

Grâce au décret du 4 avril 1792, attribuant la citoyenneté aux gens de couleur, que Sonthonax et Polvérel ont utilisé comme une arme contre les Blancs, au lieu de le faire accepter en s'appuyant sur la majorité des colons modérés, l'insurrection noire s'est pérennisée, poussant les commissaires à abolir l'esclavage dans l'espoir de s'attirer une foule nombreuse de partisans. Les Droits de l'homme noir, reconnus à Saint-Domingue, sont proclamés par la Convention, le 4 février 1794. Grâce à la conjoncture internationale, à la fièvre jaune, dévoreuse de soldats blancs et à l'intelligence politique de Toussaint Louverture, l'insurrection servile est devenue Révolution Noire. Le commandant en chef fait passer les Droits de l'homme nègre dans la réalité domingoise : il exerce la souveraineté et distribue la propriété des Blancs à ses officiers, sous couvert de fermage. La race noire s'empare de tous les leviers de la société insulaire, chassant celle qui l'avait dominée pendant un siècle, et n'acceptant que le concours soumis des anciens tenants du pouvoir mulâtre.

Quand, à son retour d'Égypte, Bonaparte prend le pouvoir, les 9 et 10 novembre 1799, des problèmes très urgents se posent à lui. La politique intérieure et la guerre contre la IIe coalition, qui menace les deux axes géostratégiques sur lesquels repose la République : les Alpes et le Rhin. Néanmoins le Premier consul pacifie aussitôt les relations de la France avec les Américains et les neutres, désigne trois commissaires pour se rendre à Saint-Domingue, le général Michel, le colonel Vincent, tous deux connus de Toussaint, et l'ancien chef parisien des libres, Julien Raimond. Ces trois agents, munis de papiers datés du 25 décembre 1799, ne partent qu'au mois de mai 1800, car Bonaparte, désirant leur éviter les mésaventures de Sonthonax et d'Hédouville, essaie, sans y réussir, de leur adjoindre un petit corps de 3 000 hommes. Toussaint reçoit fort mal les représentants consulaires : il pousse le divisionnaire Michel à repartir pour la France, fait rosser son ami Vincent avant de le recevoir, et refuse de publier les décisions gouvernementales garantissant la liberté des Noirs, le confirmant au commandement en chef et Roume à l'Agence de la République. Le général, passant outre les instructions parisiennes, poursuit sa guerre contre les mulâtres, jusqu'à la fuite de Rigaud, puis s'empare de la partie orientale de l'île et, de Santo-Domingo, annonce qu'il demande à une « assemblée constituante », à sa dévotion, d'établir une constitution afin de sortir la colonie des désordres où la Révolution l'a plongée.

Bonaparte ne semble pas avoir nourri de préjugé sur la politique coloniale qu'il mènerait. Ce réaliste, qui bâtit un empire français d'Amérique, dont la cession de la Lousiane par l'Espagne constitue la première étape, n'a pas d'idée arrêtée, d'*a priori* exprès. Dans les premiers temps, il voit en Toussaint un chef noir qui a rétabli un ordre — arbitraire certainement — là où les Blancs, autonomistes ou républicains, ont allumé troubles et désordres. Il voit un vieil homme, — une cinquantaine d'années — qui s'est entouré d'une force armée de quelque 40 000 hommes, dont il sait se faire obéir. Ce point ne manque pas d'intérêt dans la perspective quasiininterrompue de la guerre avec l'Angleterre. Sur place, sous les tropiques, à proximité de la Jamaïque, non loin de la Floride, des États-Unis, de la Louisiane, il dispose d'une armée noire à la tête de laquelle l'ancien affranchi pourrait accomplir de beaux exploits au service de la République consulaire. Les conseils de son entourage, la tentation de briser le monopole des sucres et des cafés que les Anglais ont ravi aux Français depuis l'effondrement de Saint-Domingue, et surtout la désinvolture du chef noir, qui le traite comme un fantoche directorial : insultes à ses délégués, refus de publier ses proclamations, d'interrompre la guerre contre les mulâtres et d'envahir la partie espagnole, cela fait trop. Néanmoins, tout en ordonnant le départ d'un corps de troupes, dont il confie le commandement au général Michel, le vainqueur de Marengo nomme Toussaint à l'emploi de capitaine général de la partie française de Saint-Domingue. C'est alors que Paris apprend la décision de Louverture de réunir une « constituante » coloniale. Le Premier consul réagit sur le coup à ce qu'il considère comme un affront à la nation : le 29 mars 1801 il donne instruction de rayer secrètement le chef noir des cadres de l'armée.

Dès lors, le mouvement s'accélère des deux côtés de l'Océan. Toussaint approuve sa constitution le 3 juillet. Cette charte, s'inscrivant dans la tradition autonomiste, érige Saint-Domingue en État-associé de la métropole, instaure une dictature militaire au bénéfice du commandant en chef, qui prend le titre de gouverneur à vie et reçoit le droit de nommer son successeur. Bonaparte, après la signature des préliminaires de Londres, écrit le 18 novembre à Louverture, lui signifiant qu'il envoie son beau-frère le général Leclerc, « en qualité de capitaine général, comme premier magistrat de la colonie [...] accompagné de forces respectables pour faire respecter la souveraineté du peuple français ». Le 20 décembre 1801, Toussaint qui s'était toujours posé en sujet fidèle et loyal de la mère patrie, lance une proclamation, annonçant l'arrivée d'une armée française, chargée d'anéantir les droits des habitants de Saint-Domingue, et commandant à ses troupes de résister. « Vous êtes soldats, vous devez, fidèles observateurs de la subordination et de toutes les vertus militaires, vaincre ou mourir à votre porte. » Un mois plus tard, le 29 janvier 1802, Leclerc se présente devant le Cap-Français. Le général noir Christophe refuse de recevoir les troupes françaises, qui vont débarquer à l'ouest du grand port. Le 7 février, les soldats entrent dans la ville incendiée, tandis que des unités de l'escadre forcent l'entrée du port et jettent l'ancre dans la rade. Le lendemain Leclerc fait publier une proclamation de Bonaparte où il assure aux anciens esclaves : « La République vous a donné la liberté, la République ne souffrira pas qu'elle vous soit enlevée ». Pendant ce temps, la flotte débarque des troupes en divers points de l'île. Au nord, le 4 février, le Fort-Dauphin était tombé aux mains de Rochambeau, alors que, le 5, à l'ouest, Boudet s'emparait du Port-au-Prince et qu'à l'est, Kerverseau prenait possession de Santo-Domingo. Ces Blancs, qu'accompagnent de nombreux officiers mulâtres, tiennent aussitôt les ports, les unités noires refluant vers l'intérieur, incendiant les plaines, pour se réfugier dans les mornes. Révolution française et Révolution domingoise, les armes à la main, combattent chacune au nom de principes inconciliables, de réalités antagoniques : Pouvoir blanc contre Pouvoir noir. Après une résistance brève, mais parfois violente, les insurgés capitulent, à l'exception de Toussaint, de Dessalines et quelques autres. Toutefois, le 6 mai, le gouverneur à vie, abandonné des siens, fait sa soumission à Leclerc.

Contrairement aux apparences, la guerre de reconquête n'est pas gagnée. Un ennemi, invulnérable et meurtrier, entre en scène : la fièvre jaune. Les 31 000 hommes de Leclerc tombent chaque jour par centaines, comme ont complètement disparu les 15 000 soldats, envoyés de 1789 à 1792. Alors que l'épidémie fait rage, que les hôpitaux débordent de malades, que les vivres manquent, la colonie apprend que la loi du 20 mai 1802 rétablit l'esclavage. À cette nouvelle, comme à la décision de désarmer la population, des foyers d'insurrection apparaissent, que la déportation de Toussaint en France ne décourage pas. La situation se dégrade. Les Blancs se déchirent : les colons accusant les officiers de pillage et de négrophilie. En octobre, les généraux Pétion, Clairvaux, Christophe et Dessalines passent à la rébellion qui se répand, s'étend et devient un soulèvement de masse. Le 2 novembre, Leclerc, dégoûté d'une guerre dont la finalité contrariait ses principes, meurt. Rochambeau lui succède qui, malgré ses 12 000 hommes de renfort, est assiégé dans les divers ports de l'île, par l'armée indigène que les Anglais fournissent en armes. La mort de Toussaint, dans la nuit du 6 au 7 avril, au fort de Joux, dans le Jura, ne freine pas le raz de marée de l'insurrection qui chasse les troupes des villes maritimes, les unes après les autres. Le 19 novembre, Rochambeau, défait la veille, capitule. Il s'enferme dans le Cap où il embarque avec ses hommes sur l'escadre anglaise qui les conduit vers les pontons de la Jamaïque et de la Grande-Bretagne où mourra la presque totalité des 8 000 survivants des « événements » de Saint-Domingue, commencés le 22 août 1791. Un petit contingent, sous les ordres des généraux Ferrand, puis Barquier, résistera dans Santo-Domingo jusqu'au mois de juillet 1809. Là encore l'escadre anglaise sera présente, bloquant le port, prête à sa tâche de déportation. Depuis longtemps, depuis le 1er janvier 1804, Dessalines avait proclamé l'indépendance de la Grande Île — lui rendant son nom indien *Hayti* — sous la double égide de l'Angleterre et des États-Unis. Désormais Saint-Domingue entre dans une légende contrastée. Illustration des îles de plantations, image des massacres et des destructions qui étend son ombre menaçante dans toutes les colonies serviles, jusqu'aux Mascareignes et au Brésil, première République noire soumise au droit international et deuxième État d'Amérique.

La Martinique : la Révolution escamotée

La fin de l'année 1790 laisse la Martinique figée dans son conflit entre la Ligue de Saint-Pierre et du Fort-Royal d'un côté, le gouverneur, l'Assemblée coloniale et les colons de l'autre. Chaque parti tente vainement de s'imposer à son adversaire, Damas lance des appels à la conciliation que les deux villes ne veulent pas entendre : sans autorité capable de s'imposer à tous, l'île croupit dans le désordre et la contestation sociale et économique. La Constituante, informée de cette situation, casse l'Assemblée coloniale, et désigne quatre commissaires pour rétablir l'ordre aux îles du Vent, Lacoste, Magnytot, Mondenoix, favorables aux colons, et Linger. Ils sont accompagnés d'un nouveau gouverneur général, le comte Béhague, qui avait passé quelques années de sa carrière à la Guyane au temps de Choiseul, et de 6 000 hommes. Le 12 mars 1791, Damas voit avec plaisir arriver l'escadre qui porte son successeur. La masse de l'armada qui jette l'ancre — 21 navires — et le débarquement des troupes calment les esprits. Le Fort-Royal fait sa soumission, au grand dépit des Pierrotins.

Les nouvelles autorités prennent les choses en main, appliquent le décret et les instructions des 8 et 28 mars 1790, renvoient les volontaires des îles voisines dans leurs foyers : la vie reprend un cours normal. En réalité, cette pacification n'est qu'apparence. Le commerce et son mercenariat de petits-Blancs ambitionnent toujours d'imposer leur loi aux Cultures et à leurs alliés mulâtres. Ceux-ci, d'ailleurs, se font toujours molester quand ils sont autorisés à entrer dans Saint-Pierre et, malgré le rétablissement de l'Exclusif, l'interlope fleurit, l'indiscipline perpétue ses effets désorganisateurs, et le marronage se développe. Tandis que le gouverneur général et les commissaires éprouvent quelque difficulté à dominer leur susceptibilité et à agir dans l'union la plus harmonieuse, Saint-Pierre n'en fait qu'à sa tête et les planteurs se préparent à restaurer le pouvoir créole. Aux mois de juillet et d'août 1791, à la suite d'une manifestation meurtrière des Pierrotins contre les gens de couleur, Béhague prend position contre Saint-Pierre, et se solidarise avec les colons et les mulâtres. Les commissaires tentent d'empêcher la répétition de la crise qui avait affecté le gouvernement de Damas. Malgré la mauvaise humeur du général, ils obtiennent la suppression de postes que les mulâtres tenaient dans les campagnes, ainsi que l'entrée d'un détachement de troupes à Saint-Pierre. Après avoir imposé ces mesures qui contrarient tout le monde, les représentants du roi et de la Constituante partent pour la Guadeloupe. Une fois seul, Béhague renonce à jouer les équilibristes entre les deux partis martiniquais. Aussi en revient-il au système que les événements avaient contraint Vioménil et Damas à adopter : l'alliance avec les planteurs et les mulâtres. Au spectacle de cette coalition reconstituée, Saint-Pierre pousse les hauts cris, prétendant défendre seule la Régénération, et accusant le gouverneur et ses amis de servir la contre-révolution, d'obéir aux ordres des princes en exil. De fait, Béhague s'efforce de tenir la colonie à l'abri de l'effervescence révolutionnaire dont il ne partage pas les idées, ce qui ne l'empêche de condamner la cocarde blanche et de faire respecter la cocarde tricolore. À cet homme, de personnalité commune, plus porté à suivre l'événement qu'à le faire, on prête cependant de mystérieux desseins, dont celui de vouloir entraîner les îles du Vent vers l'indépendance, pour que, libérées de la tyrannie parisienne, elles puissent offrir un refuge au roi et à ses fidèles. Au cours de l'année 1791, période de stabilisation relative, marquée par des troubles à Saint-Pierre et des entreprises de séduction des patriotes sur les soldats, le gouverneur général a l'occasion, par deux fois, de répondre aux appels angoissés de Blanchelande, chef de Saint-Domingue. Au mois d'avril, après l'assassinat du colonel de Mauduit par les troupes du Port-au-Prince, et au mois d'octobre, après le soulèvement des esclaves de la plaine du Nord.

Béhague et l'Assemblée coloniale, qui a repris ses travaux en décembre 1791, mesurant la difficulté de la Martinique à s'approvisionner en farines, décident d'ouvrir les ports aux étrangers. Une mesure facile que d'autres, plus délicates, ne suivent pas. Se contentant d'exercer ses fonctions dans un équilibre instable que bousculent l'intrigue et les actes d'indiscipline, le gouverneur heurte le royalisme et la détermination de la Marine, que le comte de Rivière, chef de division, commande avec énergie. Dans ses *Mémoires*, le lieutenant de vaisseau de Valous ne cache pas son mépris pour le chef des îles du Vent. Évoquant les premiers mois de 1792, il en brosse un portrait, surprenant de sévérité, tant il diffère de l'image dont l'histoire l'a gratifié. « Je ne puis m'empêcher d'observer ici que depuis quelque temps M. de Béhague, mieux informé que nous de la situation de la France, avait singulièrement changé de manière de voir et d'agir et qu'on ne reconnaissait plus en lui l'homme sur lequel les royalistes de ce pays avaient fondé leurs espérances. D'un autre côté le corps de la marine n'avait pas vu avec indifférence ce changement de système qui le compromettait chaque jour davantage et dont l'impunité était le résultat. [...] En un mot M. de Béhague devenait ici plus nuisible qu'utile. » Un autre officier de marine, le vicomte d'Aché, indigné de la crainte de son chef à faire respecter l'autorité, lui écrit son sentiment avec violence et insolence. « Vous serez bientôt forcé pour sauver ce pays et votre tête, d'en venir aux mains avec ces factieux. Prenez garde que ce ne soit trop tard. »

Au milieu de cette confusion consentie, arrive le décret du 4 avril 1792, attribuant la citoyenneté aux libres. Il est enregistré le 1er juin et une assemblée coloniale est élue par le nouvel électorat. L'obéissance des Blancs de l'île inspire au gouvernement, de connivence avec les colons, une requête relative à l'envoi de troupes prévu par le décret. « Le maintien de la colonie va donc dépendre de la conduite des commissaires du roi qui sont annoncés. Si, après s'être assurés de son état de tranquillité et d'adhésion à la volonté nationale, ils ont la sagesse de faire filer ailleurs les troupes qu'ils amènent, la colonie continuera à jouir de cette paix qu'elle y voit renaître depuis un an, et l'isle est conservée ; s'ils exigent le débarquement des troupes l'inquiétude prend aussitôt la place de la tranquillité, et la conservation de la colonie deviendra un problème. Son sort va donc être dans leurs mains ; puisse-t-il être tel que je le désire. » En guise de réponse, la Législative décrète le général d'accusation publique, le 3 juillet. Le même jour, Rochambeau est désigné pour le remplacer. Le 15 septembre, le convoi portant le nouveau gouverneur et ses troupes arrive en vue de la Martinique. Le lieutenant de vaisseau de Valous décrit cet événement en quelques mots. « Dans un instant cette nouvelle se répand partout, la plus vive alarme naît dans tous les cœurs et enfin l'armement le plus prompt des habitants est effectué : ils arrivent en toute hâte auprès de M. de Béhague pour le déterminer à ne pas recevoir les troupes qu'il contenait. " Nous sommes perdus, lui disent-ils, si vous les admettez. La France ne nous les vomit que pour notre anéantissement et vous-même vous serez la première victime de leur rage ! " Mais ces représentations justement fondées devenant inutiles et rien enfin ne pouvant ébranler la ferme résolution de ce gouverneur à les recevoir, les créoles s'emparèrent de sa personne et la constituèrent momentanément prisonnier de guerre dans le fort Saint-Louis où était en garnison la majeure partie de l'incorruptible régiment de la Martinique. »

Après ce coup de force, qui oblige Rochambeau à filer sur Saint-Domingue, marins et colons franchiront-ils le Rubicon ? C'est chose faite quelque temps plus tard. Le commandant de Mallevault, au mouillage à la Basse-Terre (Guadeloupe), prend connaissance d'une rumeur venue des colonies anglaises, selon laquelle les Austro-Prussiens étaient entrés dans Paris. Aussitôt, cet officier, royaliste convaincu, fait hisser le drapeau blanc sur sa frégate, la *Calypso* : au milieu de l'euphorie générale, la Guadeloupe rompt avec la Révolution. Le 2 octobre, à la Martinique, le comte de Rivière fait arborer le drapeau sur tous ses navires, plongeant le gouverneur dans l'inquiétude comme le note Valous. « M. de Béhague à son réveil demeura si consterné de cette détermination faite sans sa participation qu'il protesta hautement contre elle, mais inutilement, car en dépit de ses ordres aux commandants des forts Bourbon et Saint-Louis de conserver le drapeau tricolore, ces officiers firent également arborer sur ces forteresses la couleur royale de France. » Les assemblées coloniales des deux possessions, jouant le royalisme pour mieux faire triompher leurs ambitions autonomistes, protestent contre le décret de suspension du roi et déclarent « ne reconnaître aucun ordre expédié par les ministres nommés en application du dit décret et persister dans la fidélité à la personne du roi et la soumission à Sa volonté ». Jusqu'au mois de décembre, Assemblée coloniale, principaux habitants et dames de la Martinique envoient des serments de fidélité au monarque déchu : sous couvert de loyalisme monarchique, les colons réalisent leur vieux rêve d'autonomie. D'ailleurs, à ce même moment, le sieur de Curt, pour la Guadeloupe et Louis-François Dubuc, président de l'Assemblée coloniale et fils du premier commis sollicitent, à Londres, la protection anglaise, mais à la différence des Domingois Malouet et de Venault de Charmilly, prévoient dans leur convention, qu'à la paix, les deux îles reviendront aux Bourbons. De son côté, Béhague fait savoir la soumission des îles du Vent au roi et aux princes ses frères, avec une prudence inquiète et prête au désaveu. Soupçonne-t-il la fragilité du ralliement ? Toujours est-il qu'au mois de novembre, où la présence de la Marine pèse moins qu'à la Martinique, la Pointe-à-Pitre entre en effervescence, proclamant sa fidélité à Paris. À son tour, la Basse-Terre s'émeut. Les officiers royalistes mesurent alors leur solitude, et comme Valous, se laissent aller à d'amères conclusions. « La peur et l'avarice s'étaient emparées de ces malheureux créoles. Lâchement ils avaient abandonné nos troupes dans le moment même où leur sûreté personnelle et celle de leurs fortunes particulières étaient les plus intéressées à leur conservation et comment compter aujourd'hui sur leur bravoure et leurs largesses. » Les monarchistes se retirent et, au début du mois de janvier, la Guadeloupe adhère à la Révolution.

Comment s'est opéré ce renversement de situation ? Le 1er décembre une frégate républicaine, précédant une escadre aux ordres de l'amiral Morard de Galles arrive aux Îles. Son commandant, Lacrosse, n'en croit pas ses yeux : le drapeau blanc flotte sur la Martinique. Il apprend que les royalistes ont pris le pouvoir, gouverneur en tête. Il essaie d'approcher Béhague, mais en vain. S'appuyant sur Sainte-Lucie, Marie-Galante et Tabago, qui sont restées fidèles à la République, il mène, depuis la Dominique, une guerre psychologique efficace à coups de proclamations tantôt menaçantes, tantôt apaisantes. Ainsi plonge-t-il la Guadeloupe dans une fermentation qui la conduira à revenir dans le giron révolutionnaire. Ainsi sème-t-il le trouble à la Martinique même ; les régénérateurs reprennent courage, et surtout, le 9 janvier 1793, les gens de couleur envoient une adresse à l'Assemblée coloniale où ils rejettent la contre-révolution pour se fédérer autour de la République égalitaire. « Un grand événement vient de fixer l'attention de l'Europe ; la France a changé son gouvernement ; une seconde révolution, moins étonnante mais plus heureuse que la première a fait succéder à une monarchie qui n'en avait que le nom et qui n'était qu'une source éternelle de regret de la part du Roi, de défiance de la part de la Nation, une République fondée sur la liberté et l'égalité. Reconnaîtrons-nous cette forme de gouvernement, ou demeurerons-nous sous un pavillon également ennemi de la constitution détruite et de celle qui l'a remplacée. [...] Nous serons toujours prêts à combattre et s'il le faut à mourir pour la défense des lois, pour la sûreté des personnes et des propriétés, mais nous ne voulons pas nous sacrifier pour une cause qui nous est également étrangère et qui est même contraire à nos communs intérêts ; car, qu'avons-nous à gagner à une contre-révolution si elle pouvait avoir lieu, et devons-nous la désirer ? Vous verriez renaître les ordres privilégiés et nous la démarcation humiliante qui nous séparait des citoyens blancs. » Le lendemain de cette prise de position, le 10 janvier 1793, Béhague abandonne son commandement, à l'indignation des marins, dont Valous, plein de mépris. « Certes, sous un gouverneur général, homme ferme, attaché à la dignité de son caractère autant qu'à l'importance de la conservation du seul point du globe sur lequel flottait encore l'étendard royal, il eût bientôt fait cesser toutes ces craintes pusillanimes et se serait rendu l'objet de l'admiration générale. Mais M. de Béhague, mettant de côté cette vaine gloire et d'ailleurs aucunement doué de la force morale suffisante pour supporter plus longtemps le poids d'un rôle pour lequel il n'était pas fait, abandonna furtivement et pendant la nuit son poste. Il se réfugia sous la protection des Anglais dans l'île Saint-Vincent. Cette fuite criminelle parut confirmer dès lors les fâcheuses nouvelles répandues par le capitaine Lacrosse ; et dès cet instant tous les moyens de persuader aux colons qu'elles étaient dénuées de fondement devinrent inutiles. » Alors que le gouverneur général se réfugie chez les Anglais, la station navale, toujours aux ordres du comte de Rivière, se rend à la Trinité où la protection espagnole lui est accordée.

Les colons, privés de l'alliance des gens de couleur, mais sachant que leurs représentants négocient la protection britannique à Londres, peuvent se jeter, sans grand risque, dans les bras de Lacrosse : l'avenir n'appartient-il pas aux escadres anglaises ? Toujours le 9 janvier 1793, l'Assemblée coloniale fait porter le témoignage de sa satisfaction au citoyen de Lacrosse. « La Martinique peut enfin à son tour se flatter de vous voir dans son sein ; les obstacles qui s'y opposaient finissent. Béhague, la Marine et plusieurs officiers des troupes ont abandonné cette malheureuse colonie. Maintenant, réunis sous le drapeau national, tous les colons ont fixé sur vous leurs regards inquiets. Vous seul pouvez faire proposer avec succès dans la métropole, les serments qu'ils ont faits de vivre et de mourir sous ses lois ; vous seul pouvez cimenter l'union et la paix qu'ils désirent. Soyez le conducteur de cette famille égarée ; présentez-la à sa mère qu'elle a toujours adorée ; venez ; que votre heureuse influence achève de nous rendre un bien si désirable et qu'à notre voix patriotique, tous les propriétaires qui avaient quitté leurs foyers à la Martinique, y reviennent. Jamais plus belle circonstance ne s'offrit au zèle d'un bon citoyen. » Menterie brochée de flagornerie, en attendant la Navy ! À peine Béhague a-t-il quitté la colonie que Lacrosse, déjà proclamé gouverneur de la Guadeloupe, est élu au commandement de la Martinique par l'Assemblée coloniale. L'aventure du drapeau blanc se résume à une banale histoire de propriétaires, disposés à servir n'importe quel régime qui leur assure le maintien de l'économie servile de plantation. À ce prix, les colons, contrairement aux petits-Blancs, escorte haineuse du négoce, acceptent cette révolution sociale que constitue l'attribution de la citoyenneté aux gens de couleur. Blancs et mulâtres, les uns et les autres propriétaires, sont solidaires dans le domaine économique où cultures et esclavage sont liés, mais affichent des différences flagrantes dans le domaine politique. Les planteurs penchent pour un système qui, à terme, rétablira leur suprématie, ce à quoi les Anglais seront condamnés pour que leurs sang-mêlé ne réclament pas, à leur tour, l'égalité des droits. Dans ce choc de revendications, de combinaisons et d'arrière-pensées, l'esprit américain ne laisse aucune place au sentiment national français.

Aussitôt alerté, le gouverneur général de Rochambeau quitte Saint-Domingue pour les îles du Vent. Après une escale à la Guadeloupe, il s'installe au Fort-Royal, devenu Fort-la-République, le 3 février 1793. Il dissout l'Assemblée coloniale, crée des comités de surveillance pour remplacer les municipalités royalistes, autorise les clubs, enfin pousse à l'intégration effective des gens de couleur dans la société politique européenne. Rochambeau, esprit modéré, cherche les voies de la conciliation générale plutôt que d'abattre le parti colon par la terreur. Cette politique de pacification n'est pas récompensée. Au mois d'avril 1793, les contre-révolutionnaires relèvent la tête. Un créole, Percin, réussit un coup de main sur la batterie de la Case-Navire. Les colons affluent et se regroupent au Camp-Décidé, y accumulent armes et munitions. Bientôt, ils contrôlent la partie orientale de la Martinique et menacent la capitale, le Fort-la-République. Rochambeau espère juguler cette insurrection, même si la certitude d'un prochain débarquement anglais décuple sa foi et son énergie. Il tente de renforcer la discipline de la troupe, et s'appuyant sur les gens de couleur, désormais républicains, recrute plusieurs bataillons parmi eux, tandis qu'il promet la liberté aux esclaves qui déserteront l'insurrection. Puis, sans attendre davantage, il marche sur le Camp-Décidé : c'est l'échec. Percin en profite pour pousser son avantage plus loin. Il coupe les communications de Saint-Pierre et du Fort-la-République, enfin occupe le Gros-Morne. Pendant ces heures délicates l'alliance des planteurs et des Anglais remporte sa première victoire : Tabago est prise le 14 avril. La signature et l'application si rapide de l'accord de protectorat conclu entre les sieurs Dubuc, de Curt et le cabinet anglais, contraignent Rochambeau à durcir son gouvernement. Il enlève, grâce à sa coalition avec les gens de couleur, un camp établi sur l'Habitation Le Vassor, puis celui du Gros-Morne, enfin le 21 juin il met en fuite une troupe d'Anglais et de colons, qui s'échappent vers la Barbade. Le 2 juillet 1793, il met sous séquestre les biens des émigrés, fait voter la nationalisation des biens des religieux et installe les municipalités. Il s'efforce d'organiser une surveillance stricte du commerce : les ports du Fort-la-République, de la Trinité et du Marin ne sont ouverts qu'en septembre et pour quelques mois seulement. À l'émigration, vers les îles voisines, des patriotes Pierrottins de 1792, succède celle des planteurs. Le gouverneur sait que l'ennemi reviendra bientôt et plus en force que le 21 juin dernier. Aussi, fait-il réparer les fortifications et lève-t-il de nouveaux combattants. Mais quels effets peuvent avoir ces mesures ultimes, quand une fraction importante de la population, les colons blancs, a l'intention de se dérober à l'instant fatidique ?

Le 5 février 1794, 30 bâtiments anglais, aux ordres de l'amiral Jervis, abordent l'île. Le général Grey et ses 6 000 hommes descendent sur trois points : au sud, au bourg de Sainte-Luce, à l'est à la baie du Galion, à l'ouest à la Case-Navire. Rochambeau, qui a vivement mais vainement demandé des renforts à la Convention, n'a pas 2 000 hommes à opposer à l'envahisseur, d'autant que Bellegarde, chef des mulâtres, s'est rendu pour 200 000 livres et son transport aux États-Unis. Hors le général et Saint-Pierre, personne n'a véritablement envie de se battre, personne n'est possédé de cette haine violente de l'ennemi, sans laquelle disait l'amiral Castex, l'on ne peut remporter de victoires. Le fils du vainqueur de Yorktown résiste, malgré la solitude et les obstructions. Le 6 février 1794, la municipalité du Fort-la-République demande au gouverneur de cesser la lutte. Devant son refus, le Comité de salut public de la capitale lui en fait sommation, le 20 mars. Le lendemain, Rochambeau, n'ayant plus que 300 hommes, se rend avec les honneurs de la guerre, puis fait voile vers les États-Unis. De Newport, le 10 mai suivant, il envoie une lettre au vitriol, au gouvernement. « Le général Ricard est arrivé ici le dix-neuvième de ce mois (8 mai), citoyens ministres, après avoir été obligé de rendre la colonie de Sainte-Lucie aux armées britanniques ; il était attaqué par cinq mille hommes et avait à peu près cent hommes pour la défendre. Je ne crois pas que vous soyez étonnés du délabrement de nos garnisons aux Indes Occidentales. Vous en étiez instruits depuis longtemps par moi, vous n'y avez porté aucun remède et vous êtes restés spectateurs tranquilles d'une scène aussi horrible ; oui depuis que je suis dans ces climats j'ai la mesure de vos talents et de votre capacité, je connais même l'exiguïté de votre prévoyance. Plaignez donc ceux que votre inertie a réduits à la triste situation de prisonniers puisque vous n'avez pu leur offrir que des regrets impuissants. Allez ! vous vous êtes couverts d'ignominie. » Dans la défaite républicaine que l'histoire n'a pas à examiner avec les yeux de la morale, les comportements locaux ne sont pas également compréhensibles. Les colons ont sauvé l'ancien ordre colonial et leur prééminence, en se plaçant sous la protection britannique. Mais l'on ne s'explique pas l'attitude des gens de couleur. Après avoir longuement expliqué les causes de leur ralliement à la République, le 9 janvier 1793, pourquoi préfèrent-ils l'Anglais à Rochambeau, sachant que l'occupant ne leur reconnaîtra pas ces droits politiques, naguère objet de leurs vœux et de leurs réclamations ? On ne voit qu'une raison à leur choix : la crainte de voir la politique d'émancipation générale de Sonthonax s'étendre aux îles du Vent.

L'occupation prend, à la Martinique, les mêmes formes qu'ailleurs. Maintien de l'esclavage, d'autant que le décret d'abolition du 4 février 1794, inconnu de la colonie n'y a pas été appliqué, retrait de la citoyenneté aux mulâtres. Sinon les institutions et la législation françaises sont respectées : simplement, comme à Saint-Domingue, il est créé aux côtés du gouverneur général un Conseil privé, recruté parmi les notables dont Dubuc-fils. Ce régime, respectueux de l'organisation sociale et économique de l'Ancien Régime, ne prendra fin qu'en 1802, après la paix d'Amiens, quand la Martinique, Sainte-Lucie et Tabago furent rendues à la nation. Le Consulat et l'Empire conserveront ces possessions en l'état, ne modifiant que leur gouvernement : sous l'autorité d'un capitaine-général, un préfet colonial, Bertin puis Laussat, préfet malheureux de la Louisiane, et un grand-juge se partagent les pouvoirs de l'intendant du roi. Cette hiérarchie ne consacre pas le passage du bicéphalisme administratif, si néfaste, de la monarchie, à un commandement à trois. Au contraire, le capitaine général est le maître absolu, le chef, dont les collaborateurs n'auraient pas l'idée de contester les décisions au plus haut de l'État, comme les intendants coloniaux en avaient l'habitude.

La Martinique, administrée avec une fermeté militaire par l'amiral Villaret de Joyeuse, traverse les premières années de la reprise des hostilités européennes dans le calme. Le 30 janvier 1809 — Napoléon est en pleine guerre d'Espagne et se prépare à vaincre la Ve coalition, écrasant l'Autriche —, deux escadres anglaises, aux ordres de l'amiral Cochrane, débarquent près de 6 000 hommes au Marin, à Sainte-Luce et au Robert, sous le commandement du général Beckwith. En face, le vieux général d'Houdetot dispose de 6 000 hommes aussi, parmi lesquels ne figurent que 2 400 soldats de ligne. Vite abandonnée par les quelque 3 500 gardes nationaux martiniquais, la troupe s'enferme dans le fort Desaix où, assiégée, il ne lui reste plus qu'à capituler le 24 février. L'occupation anglaise, qui va se prolonger jusqu'en 1814, pour reprendre sous les Cent-Jours, n'offre plus les charmes d'antan. La colonie n'est pas assimilée aux possessions britanniques et, jusqu'en 1813, année qui marque l'échec du Blocus et la reprise des exportations anglaises vers le continent, l'économie insulaire traverse une mauvaise période. Quand, en 1815, les tuniques rouges partent pour la dernière fois, que dégager d'un quart de siècle d'histoire martiniquaise. De 1789 à 1794, la chronique d'une dispute économique entre Blancs, opposant les commissaires aux colons, compliquée d'un conflit social et racial, entre leurs alliés, petits-Blancs et gens de couleur, sans pour autant que les deux castes dirigeantes, négociants et planteurs, se soient dépouillées du préjugé de couleur qui contient les mulâtres dans une situation d'infériorité, dans un état d'humiliation que ne corrige pas l'égalité des droits politiques, reconnue pendant deux ans, bref entracte à quoi se résume la Révolution. Sur la longue période de l'Ancien Régime, la Régénération n'a rien transformé en profondeur, apparaissant et disparaissant, ride invisible sur une mer étale. N'était-ce par le vœu des Constituants, restaurateurs des droits naturels du citoyen blanc ?

La Guadeloupe : la Révolution trahie

À la fin de 1790, la volonté régénératrice de la Basse-Terre d'imposer sa loi à l'archipel est tenue en échec par l'alliance traditionaliste de l'Assemblée coloniale et du gouverneur de Clugny, qui décident de s'établir à la Pointe-à-Pitre. Face à cette victoire de l'Ancien Régime, la capitale manifeste son attachement aux idées nouvelles en soutenant l'insurrection de Saint-Pierre. Quand, en mars 1791, le gouverneur général et les quatre commissaires du roi, débarquent à la Martinique, Clugny tient le pays en mains, à l'exception de la Basse-Terre. Il obtient des nouveaux chefs des îles du Vent que le décret de l'Assemblée nationale, cassant les assemblées coloniales, déjà suspendu pour la Martinique, le soit aussi pour la Guadeloupe. Après une attente patiente, il profite, au mois d'août 1791, de désordres causés par la fraternisation entre matelots et soldats, pour entrer dans la Basse-Terre dont il fait suspendre la municipalité par le parlement colonial. Des fédérations de « bons citoyens » couvrent la Guadeloupe pour aider le gouverneur dans sa politique de fermeté : l'Ancien Régime écrase la Régénération. Les commissaires, débarqués le 25 août, déjà mécontents de la conduite de Béhague, s'émeuvent des mesures prises par Clugny, et les désapprouvent. Le conflit entre Blancs dégénère en bataille entre les autorités : l'Assemblée coloniale, entrant en scène, rappelle à l'ordre les représentants de la métropole, conteste leur pouvoir et finalement n'accepte qu'une concession, la dissolution des fédérations. C'est alors au gouverneur de se froisser : il refuse de signer ce compromis et démissionne. Les commissaires, ne sachant que faire, repartent pour la Martinique, où Béhague a commandé à Clugny de reprendre ses fonctions. Les délégués parisiens s'étonnent, puis se divisent : Lacoste et Magnytot réclament la révocation du gouverneur de la Guadeloupe, tandis que Montdenoix et Linger obtiennent son maintien et s'allient à Béhague. Bientôt les deux vaincus rentrent en France où Lacoste sera nommé ministre de la Marine en mars 1792 !

L'archipel vit dans la paix de l'ordre ancien. Clugny, et après sa mort en juillet 1792, le maréchal de camp d'Arrot expatrient les perturbateurs — comme on le fait à la Martinique — et maintiennent les esclaves dans la soumission avec le concours actif des colons et des mulâtres. Le décret du 4 avril 1792, est promulgué et appliqué — comme à la Martinique encore — sans tempête à la domingoise, car personne aux îles du Vent, contrairement à Sonthonax, esprit vaniteux et aigri, ne songe à utiliser la loi de la Législative comme une arme de revanche et d'abaissement contre les Blancs. C'est dans ce climat où les privilégiés se préoccupent avant tout de sauver l'économie de plantation que M. de Mallevault, commandant la frégate la *Calypso*, annonce l'effondrement du pouvoir révolutionnaire, sur la foi de journaux anglais, au début du mois de septembre 1792. Il fait hisser le pavillon blanc sur son navire, et, le vicomte d'Arrot, entraîné, l'arbore sur tout l'archipel. À l'instar de Béhague, le gouverneur interdit l'accès de l'île au convoi portant Rochambeau, le général Collot, désigné pour le remplacer, les nouveaux commissaires et près de 1 500 hommes de troupe. Cet acte de sécession, loin de souder l'opinion, la divise. Aussi la propagande, que Lacrosse, arrivé aux îles, le 1er décembre, fait diffuser depuis son refuge de la Dominique, rencontre-t-elle un écho favorable auprès d'une partie de la population. Le 20 décembre une foule composite de mulâtres, de Noirs, de Blancs, de soldats et de matelots se rassemble à la Pointe-à-Pitre, amène le drapeau blanc qu'elle remplace par les trois couleurs. La Basse-Terre emboîte le pas, dès le 4 janvier. Le vicomte d'Arrot, abandonné par les planteurs et par ses troupes, s'enfuit le 10 janvier 1793, pour se réfugier à la Trinité, où il trouve le comte de Rivière, commandant de la station navale.

Les colons, suivant la foule, acclament Lacrosse, qui entre à la Pointe-à-Pitre le 5 janvier 1793. Le bouillant commandant de la *Félicité*, abolit l'Ancien Régime, instaure la Révolution, créant des clubs, prononçant le séquestre des biens des religieux et plantant des arbres de la liberté. Il remplace les anciens corps élus par de nouveaux : ainsi une Commission générale et extraordinaire succèdet-elle à l'Assemblée coloniale qui porte le jeune officier républicain au gouvernement de l'archipel. Les événements prennent un cours rapide : le 28 janvier, Rochambeau débarque à la Basse-Terre et fait aussitôt enregistrer son brevet de gouverneur général par la Commission, puis part pour la Martinique, en compagnie de Lacrosse. En quelques jours, moins d'un mois, l'ordre traditionnel, fidèle aux Bourbons, s'est désintégré : on a eu peur des représailles auxquelles l'escadre de l'amiral Morard de Galles, annoncée par Lacrosse, aurait pu se livrer. Les îles ne verront jamais cette flotte dont on a noirci à loisir les desseins. Le pouvoir créole, issu des campagnes, et l'autorité de l'administration se sont effondrés comme un château de cartes sous les coups de boutoir des villes, grandes propagatrices de rumeurs et d'épouvantes, encore qu'il y ait beaucoup d'opportunisme dans l'abdication des colons.

Revenant de la Martinique, Lacrosse a la mauvaise surprise d'apprendre l'arrivée du général Collot, gouverneur en titre de la Guadeloupe. Celui-ci ne prend pas ses fonctions, fréquente les cercles modérés qu'inquiète le zèle révolutionnaire du marin. Bientôt, les partisans de l'ancien système, sortent de leur discrétion et s'assemblent autour du général. Lacrosse, surpris par la résurrection si rapide de ses ennemis, est pris de court : quelques jours plus tard, le 10 mars, il démissionne. La Commission refuse de prendre acte de ce geste d'abandon, mais Rochambeau, la désavouant, confirme Collot dans son commandement. Alors, pendant un an, une bataille oppose le gouverneur pacificateur à la Commission révolutionnaire, où après assassinats et proscriptions, le général, destitué, est mis en état d'arrestation. L'esprit nouveau va-t-il bouleverser tout l'archipel, comme il y a réussi à Saint-Domingue ? Non. Le 25 mars, on apprend la capitulation de la Martinique. Le 12 avril, après s'être emparée de Sainte-Lucie et des Saintes, l'escadre de l'amiral Jervis mouille devant la Pointe-à-Pitre. Le fort « Fleur d'Épée » est emporté d'assaut et les autres ouvrages tombent et se rendent. Collot, qui ne dispose pas même de 150 soldats, capitule entre les mains du général Grey, le 20 avril 1794. Toutes les îles françaises du Vent, y compris Tabago, sont aux mains de l'ennemi, à la demande des propriétaires, représentés par les sieurs Dubuc et de Curt, qui ont négocié la protection anglaise à Londres. Les colons, après s'être rangés derrière les généraux de Béhague, d'Arrot et le chef de division navale de Rivière, après les avoir abandonnés pour rallier Lacrosse, Rochambeau et Collot, arrivent au port : ils sauvent définitivement l'économie de plantation et l'ancien ordre colonial, en se donnant à l'Anglais. Quant au parti des villes, celui de la Révolution, qui pourchassait les contre-révolutionnaires et s'apprêtait à se défaire de Collot, il a brillé par son absence lors du débarquement anglais. Aux Antilles, chez les uns ou les autres, le sentiment national et le civisme ne sont pas les vertus cardinales.

À Paris, où l'on ignore la chute des îles du Vent, on décide de répondre aux demandes de renforts de Rochambeau. Une petite escadre, aux ordres du capitaine de vaisseau de Leissègues, ayant à son bord les commissaires Victor Hugues et Pierre Chrétien, les généraux Aubert, Cartier, Rouyer et 1 100 hommes, découvre la Guadeloupe le 2 juin 1794, où flotte le drapeau britannique. Que faire ? Continuer vers Saint-Domingue, filer vers les États-Unis ? Naguère accusateur public aux tribunaux révolutionnaires de Rochefort et de Brest, protégé, semble-t-il, par l'amiral Martin et par Jean Bon Saint-André — ancien officier marchand ayant une connaissance pratique des Antilles — le commissaire Victor Hugues convainc ses compagnons d'attaquer la Guadeloupe, malgré les 4 000 hommes du général Dundas. Un millier de soldats débarque dans la nuit du 2 au 3 juin 1794, surprend les Britanniques et s'empare, dès le 6, du fort « Fleur d'Épée ». Le lendemain les Français entrent dans la Pointe-à-Pitre, sous les acclamations de la population. Après nombre de péripéties — blocus de la Pointe-à-Pitre par l'amiral Jervis, débarquement de tuniques rouges qui prennent les Français en tenaille — Hugues, mauvais stratège, mais excellent meneur d'hommes, lève des troupes chez les Noirs et jette deux de ses généraux, Pélardy et Boudet, à la conquête de la Basse-Terre. À la surprise générale, ces deux officiers réussissent si bien, que les Anglais, bousculés et décimés, fuient sur leur escadre dans la nuit du 10 au 11 décembre 1794. Le général Graham, malgré la promesse qu'il avait faite à ceux de l'île qui l'avaient servi, d'être considérés comme Britanniques, abandonne 1 200 royalistes, dont 865 Blancs et 335 mulâtres et Nègres libres. Le commisaire en fait guillotiner 27, à la Pointe-à-Pitre, dans des conditions destinées à frapper les esprits, les autres sont fusillés, noyés, à nouveau envoyés au « rasoir national », qui devient itinérant, enfin emprisonnés. Cette Terreur, si elle n'avait frappé que les traîtres et si elle avait sévi pendant la reconquête, aurait pu justifier la volonté de fédérer les énergies contre l'ennemi. Mais de la manière dont elle a été conduite, comment y voir autre chose sinon un de ces moments de barbarie dont les guerres civiles aiment à se salir.

Qui est ce Victor Hugues, cet inconnu en qui se révèle un chef redoutable, sachant par son patriotisme et sa volonté, transformer une opération suicidaire en une victoire magnifique ? Cet homme de trente-deux ans est un Marseillais, naguère petit-Blanc à Saint-Domingue. Cadre de plantation, à son arrivée dans la Grande Ile, puis boulanger au Port-au-Prince, caboteur, semble-t-il, franc-maçon certainement, il a surtout vécu en ville, et n'a jamais accédé à la classe des colons, pas même par mariage. Malgré son passé de jacobin et de justicier dans deux grands ports de France, Rochefort et Brest, il n'est pas un idéologue, mais un homme d'action. Il est aux Antilles parce qu'il a voulu revenir sur le théâtre d'une jeunesse ignorée de la réussite. Ce réaliste veut prendre sa revanche, effacer le souvenir des heures besogneuses, se tailler une belle place au soleil, commander et jouir des plaisirs de la vie. Mélange d'orgueil et de vanité, d'impétuosité et de calcul, de raideur et d'intrigue, d'intelligence et d'instinct, ce despote voluptueux, que ne rebute aucune fatigue, appartient à la race fascinante des aventuriers, des grands fauves qui vivent par-delà le bien et le mal. Le chansonnier Ange Pitou, qui avait appris à le connaître, écrira de lui : « C'est un excellent homme dans les crises difficiles ou il n'y a rien à ménager. » Envoyé pour annoncer l'abolition de l'esclavage, Hugues lance une proclamation dès son entrée à la Pointe-à-Pitre, le 7 juin. La Convention vient de décréter la liberté des Nègres et lui a confié le mode d'exécution de cette loi. Dès le 13, le commissaire, qui n'oublie pas son passé domingois et ne renie pas son attachement à l'économie de plantation, interdit aux nouveaux libres de toucher aux vivres des Habitations. La liberté n'est pas le pillage. L'intention de la Convention explique-t-il, « en brisant vos fers, a été de nous procurer une plus grande somme de bonheur en vous faisant jouir de vos droits. Nous serions responsables envers la nation et l'humanité si nous ne prévenions les désordres dont la malveillance des ennemis de la chose publique veut nous rendre les victimes ». Les avertissements se succèdent : la liberté est labeur, il faut travailler sans relâche, à peine d'être considéré comme traître à la patrie. Les cultivateurs ont droit à un salaire, mais le propriétaire peut l'acquiter de bien des manières : en vivres ou par deux jours de congé tous les dix jours. Le révolutionnaire interprète le décret d'abolition à sa façon. Les nouvelles citoyennes ne veulent pas travailler à la terre ? Il arrête, le 22 avril 1795, qu'elles seront conduites « sous escorte, au Port-de-la-Liberté où on les emploiera aux travaux de l'Arsenal ». Ensuite, « puisqu'elles veulent se modeler sur leurs nonchalantes et paresseuses maîtresses [...] elles seront déportées à Saint-Martin, à la Désirade ou tel autre endroit que nous désignerons, pour y recevoir le traitement mérité de leur conduite ». Les anciens esclaves ne s'y trompent pas : cette abolition n'est que fiction, ils sont des citoyens condamnés au travail forcé jusqu'à leur mort. Pour que le doute ne s'insinue pas dans leurs esprits, le commissaire décide le 28 août 1795 : « Les citoyens et les citoyennes attachés à la culture de la terre demeurent en réquisition ». Quand son collègue Goyrand s'empare momentanément de Sainte-Lucie, Hugues lui écrit le 21 juin 1795 pour le féliciter et pour lui donner un cours de colonisation. « Tu dois t'attacher à organiser les campagnes, faire des actes de sévérité contre les malveillants et les paresseux ; de là dépend le bonheur et l'existence des colonies. Il ne faut pas hésiter entre quelques hommes et la patrie. Sois bien convaincu que les travaux de la guerre sont moins pénibles que ceux qui leur succèdent. »

Victor Hugues se comporte chaque jour un peu plus en homme

d'Ancien Régime, ressemblant en cela à Toussaint Louverture, le chef noir de Saint-Domingue. À ses yeux, la sauvegarde de l'économie de plantation a priorité sur l'abolition effective de l'esclavage. Ainsi, le 9 août 1796, il explique au ministre de la Marine que la Constitution directoriale est inapplicable dans les colonies, et qu'il ne la mettra pas en vigueur à la Guadeloupe. « La Constitution qui offre tant d'avantages en France, ne présente que des difficultés dans ces contrées ; la promulguer, la mettre aujourd'hui en activité et le lendemain il n'y a plus de colonies. En effet, qui pourra contenir 90 000 individus forts et robustes, aigris par de longs malheurs, par des tourments horribles et par des supplices affreux ? Qui pourra contenir la férocité naturelle des Africains, accrue par le désir de vengeance. Qui empêchera les funestes effets de l'ignorance et de l'abrutissement où l'esclavage les a plongés ? Sera-ce 3 000 personnes, dont 2 000 détestent autant l'ordre de choses actuel que le gouvernement républicain et dont 500 sont enfants et valétudinaires ? À l'exception de 200 à 300 hommes à principes, venus d'Europe, le reste des Blancs est aussi ennemi juré des Noirs, que les Noirs le sont des Blancs. Les passions et les haines ont été contenues jusqu'à présent parce que nos proclamations, en recommandant l'union et l'oubli des anciennes querelles, ont prononcé des peines sévères contre ceux qui y contreviendraient, et parce que toujours en présence de l'ennemi, menacés à chaque instant d'être attaqué par lui, on s'est uniquement occupé de le repousser et de le vaincre. Nous vous le répétons, Citoyen Ministre, la Constitution loin d'être un bienfait pour la Colonie, dans la situation où elle se trouve, sera sa perte. Saint-Domingue n'est-il pas une preuve de ce que nous avançons ? Ici, comme dans ce malheureux pays, les nombreux amis des Anglais intrigueraient dans les Assemblées primaires ils chercheraient à faire renaître les partis, à ranimer les ferments de divisions à peine apaisés, et profiteraient de ce moment pour livrer la colonie une seconde fois. Mais quand même nous n'aurions pas à craindre les dangers que nous prévoyons, pouvons-nous contrevenir à l'article 8 de la Constitution : " Est citoyen français, qui paye une contribution directe foncière ou personnelle ". Personne ne paie de contribution dans la colonie ; par qui les Assemblées primaires y seront-elles formées, puisqu'une des qualités essentielles pour y être admis et pour être citoyen français est de payer une contribution ? L'article 314 de la Constitution nous ôtant le pouvoir d'en établir, il nous est impossible de remédier à cet inconvénient. Le Directoire exécutif peut seul le lever par un message au Corps Législatif ; alors, citoyen Ministre, ne penserez-vous pas qu'il serait juste d'exempter d'impositions pendant un certain temps les habitants de cette colonie, pour les indemniser de la perte qu'ils ont éprouvé par le décret du 16 pluviose ? »

Le commissaire, non seulement propose de réparer le préjudice causé aux victimes du décret abolissant l'esclavage, mais encore met en garde le Directoire contre l'évolution trop rapide de la condition des Noirs. « Ce n'est donc que par gradation qu'on peut amener ces infortunés, par l'instruction, par le besoin, par les vices mêmes de la société, à l'état où le gouvernement vient de les appeler. » On croirait entendre le vieil argument de l'ordre esclavagiste d'Ancien Régime, selon lequel la liberté est si étrangère aux Noirs, qu'ils ne peuvent la pratiquer si les Blancs ne la leur ont pas enseignée. Véritable roi de l'archipel — agrégé à la société créole par son mariage, le 16 mars 1797, avec Louise Jacquin, fille d'un avocat au parlement, née à Saint-Pierre et possédant 600 000 livres —, Victor Hugues ne démord pas de son hostilité à l'encontre de la Constitution directoriale. Au début de l'année 1798, il le répète au ministre de la Marine, du ton agacé du planteur expérimenté qui fait la leçon à un interlocuteur ignorant de ces activités si particulières que sont les affaires colo-niales. « L'ordre de choses pour la culture est tel qu'il n'a pu être changé jusqu'à ce jour. La volonté du Gouvernement serait-elle de distribuer les propriétés nationales aux Africains ? Nous croyons devoir vous dire avec assurance, que la République perdrait de grands capitaux et n'en retirerait aucun avantage, par la paresse naturelle à tous les individus qui habitent nos pays où les besoins de la vie sont comptés pour rien. L'homme attaché aux travaux de la terre peut, sans se gêner, se procurer en dix jours l'existence d'une année ; il n'a pas de besoins ; les vêtements lui sont inutiles ; l'indolence et la paresse sont le suprême bonheur pour lui ; il n'est pas mû par aucune des passions qui peuvent porter l'homme au travail ; l'ambition lui est inconnue ; le retour dans sa patrie ou dans tout autre climat loin d'être une récompense serait un châtiment. Or, il ne peut s'adonner aux travaux de la culture du sucre et du café que par la contrainte. Est-ce là l'esprit de la Constitution ? Ne présumez pas, Citoyen Ministre, lorsque nous parlons de contrainte, que nous voulions nous servir de nouveau de celle qu'on exerçait dans le cruel ancien régime : loin de nous cette pensée ! Nous entendons par contrainte les moyens à employer en se conformant aux principes qui nous sont dictés par la Constitution, pour empêcher le cultivateur de rester dans l'oisiveté. » À force de n'en vouloir faire qu'à sa tête, Victor Hugues lasse Paris, d'autant que le ministère ne cesse de recevoir des plaintes contre le proconsul. En 1798, c'en est fini. Un ancien général de Saint-Domingue, Desfourneaux, emprisonné par Sonthonax, et libéré par Toussaint Louverture est désigné pour le remplacer.

Avec la destitution du petit-Blanc marseillais — en rien compara-ble à Sonthonax, le petit-Blanc d'Oyonnax — la colonie, privée de la poigne ferme de celui qui avait été le serviteur zélé de la Grande Nation, tombe de convulsions en désordres. Ici, comment le taire : le personnel colonial de la Révolution était formé d'un ramassis d'incapables, pour lesquels un homme qui connaissait bien la nature humaine, Barras, crapule intelligente et ancien officier dans l'Inde, disait son mépris. Seul Hugues, au milieu de la foule empanachée des Gribouilles, a prouvé des qualités de chef : chassant l'Anglais, établissant l'ordre social nouveau jusqu'où le Comité de salut public le lui a demandé, le contrôlant toujours, ne se laissant jamais menacer, faisant éclater les contradictions qui opposent idéologie et politique. Qu'avait commandé Robespierre dans ses instructions de février 1794 aux commissaires ? « De faire jouir cette portion du peuple français des colonies du Vent des lois bienfaisantes de la régénération nationale », sans aucune allusion à la liberté générale. Viennent ensuite les dispositions qui semblent les plus importantes aux yeux du Comité de salut public, à savoir : de « défendre ces colonies de toute consumation intérieure et de toute agression étrangère, de resserrer par tous les moyens des liens qui les unissent à la République française et d'y faire exécuter ses lois ». La Révolution, dès le 1er février 1793, regarde les colonies comme des positions avancées de la nation, qu'il faut sauver de l'inévitable agression de l'impérialisme anglais : ayant donné la citoyenneté aux libres, elle considère, à l'exception de quelques individualités qui n'engagent ni les Comités ni la Convention, que l'ère des bouleversements dans l'outre-mer est close.

Le général Desfourneaux, après onze mois d'agitation impuissante, est expulsé et remplacé par trois commissaires, le général de Laveaux, les citoyens Baco et Jeannet — le premier a échoué à Saint-Domingue, le second aux Mascareignes, le troisième à la Guyane —, qui débarquent le 12 décembre 1799. Les trois hommes se disputent, mais bientôt Baco et Jeannet font arrêter Laveaux et l'embarquent pour la France, où Bonaparte, inquiet de la dégradation de l'île, leur donne un successeur, le 19 avril 1801, le capitaine général Lacrosse, l'homme qui avait mis fin à la contre-révolution aux îles du Vent. On ne sait plus où l'on en est. Les gouverneurs royalistes et les Anglais s'étaient appuyés sur les colons et les mulâtres. Victor Hugues, homme de la Grande Île, familier des mœurs coloniales, ne s'était inféodé à aucun milieu. Il avait des amis et des ennemis partout, mais disposait d'une armée prétorienne noire pour se maintenir et faire respecter son pouvoir dictatorial. Après son départ, les anciens antagonismes ont réapparu, que le machiavélisme trop élémentaire des agents successifs de la République n'a su ni réduire, ni exploiter. Lacrosse, dont les médecins contemporains ont analysé la paranoïa, conduit l'île à l'insurrection ouverte. Cet officier, naguère révolutionnaire bouillant, brûle ce qu'il adorait, et se comporte en conservateur maladroit et sectaire. Après quelques mesures préparatoires qui ont assuré son impopularité, le général Béthencourt étant mort, il s'arroge le commandement militaire, pour ne pas le confier à l'officier le plus ancien dans le grade le plus élevé, un sang-mêlé, le colonel Pélage. Après cette faute, Lacrosse en commet d'autres, s'aliène les gens de couleur, tandis que la Pointe-à-Pitre se soulève et nomme

Pélage commandant militaire. À la suite d'un enchaînement de péripéties, auxquelles le colonel dira avoir été étranger, le capitaine-général s'enfuit pour la Dominique (5 novembre 1801). Jamais on n'a vu telle anarchie : troupes mutinées, villes en fermentation et durcissement de l'attitude de certains officiers métis, comme Massoteau, Delgrès, Gédéon et Ignace. À Paris, où Lacrosse réclame l'envoi d'une expédition pour empêcher un soulèvement général, Bonaparte, décidé à rétablir la souveraineté de la nation dans les Antilles, ordonne le départ d'une armée aux ordres de Leclerc pour Saint-Domingue et d'une seconde, sous l'autorité de Richepanse, pour la Guadeloupe.

À l'île du Vent, que se passe-t-il depuis que Lacrosse s'est réfugié à la Dominique ? Le 15 novembre 1801, le colonel Pélage a établi un conseil de gouvernement où sont réunis des Blancs, majoritaires, et des gens de couleur. Le pouvoir mulâtre que les généraux Villatte et surtout Rigaud avaient illustré à Saint-Domingue, apparaît aux Iles du Vent dans des conditions délicates, révélant la division des sang-mêlé, plutôt que leur convergence de vues. Connaissant les décisions consulaires, sachant leur énorme infériorité numérique par rapport aux Noirs, la marge de manœuvre de Pélage et de ses amis est si réduite qu'elle les condamne à une alliance avec les Blancs. Le colonel a conscience de la difficulté de la situation, aussi se dépense-t-il à convaincre, mais en vain, le préfet Lescallier, nouvellement débarqué à la Dominique, de venir exercer ses fonctions à la Guadeloupe. Il multiplie les tentatives de rapprochement, tant en direction de Leclerc et du Premier consul, convaincus contrairement à certains de ses amis, qu'une indépendance proclamée par les sang-mêlé ne résisterait pas aux événements, persuadé aussi, contrairement à d'autres, de la vanité d'une négociation avec l'armée blanche.

L'expédition du général Richepanse, forte de 3 500 hommes, arrive devant la Guadeloupe, le 2 mai 1802. Une députation du Conseil de gouvernement provisoire va saluer le jeune chef qui, après avoir écouté avec méfiance, commande à ses troupes de débarquer, et invite Pélage à tenir ses soldats hors de la ville. Rapidement, la Pointe-à-Pitre est occupée, les hommes de Pélage désarmés et certains d'entre eux arrêtés. Quelques officiers, dont Ignace et Massoteau s'enfuient et rejoignent Delgrès à la Basse-Terre. Richepanse les suit à vive allure. Alors la résistance s'organise. Ignace revient à la Grande-Terre avec sa troupe. Ils sont pris : sur 675 prisonniers, 250 sont fusillés ; Delgrès s'enferme au Matouba. Le 28 mai, avant que Richepanse ne donne l'assaut, il met le feu aux munitions du retranchement, et meurt dans l'explosion avec ses 300 compagnons. Pélage, que le général en chef a utilisé sans prêter attention à ses avis, est déporté en France, ainsi que les membres de son Conseil. La population, dont on craint d'autant plus les mouvements que la fièvre jaune décime l'expédition, est désarmée. Il ne reste plus qu'à proclamer le rétablissement de l'esclavage, en application de la loi du 20 mai 1802 : c'est chose faite par arrêté du 16 juillet. Richepanse, frappé par l'épidémie, meurt le 3 septembre. Tous les protagonistes du drame ont perdu la vie : un seul survit, Lacrosse qui, à la veille d'être mis à l'écart, recouvre son pouvoir. Il l'utilise, non sans dureté, à restaurer l'ancien ordre social, avant d'être relevé, le 8 mai 1803, par le capitaine-général Ernouf.

À la Guadeloupe, les Français ont pu imposer leur loi parce qu'ils n'ont pas eu à combattre une Révolution Noire, comme à Saint-Domingue, mais seulement quelques officiers mulâtres. Les ateliers ne se sont pas soulevés, pas même à la nouvelle du rétablissement de l'esclavage! Pourquoi? Parce que la Révolution, concrétisée par l'abolition de l'esclavage, n'a jamais investi l'archipel, qui en est au même point que la Martinique! Parce que la politique de travail forcé instaurée par Victor Hugues, qui maintenait les horaires de travail et les conditions de vie de l'Ancien Régime, a tenu lieu d'occupation anglaise. Richepanse, en réalité, n'a pas rétabli la servitude : il n'a que confirmé son maintien. Si le proconsul marseillais avait détruit l'esclavage, la masse noire se serait insurgée à un certain moment et, alliée à la fièvre jaune, aurait triomphé de l'expédition Richepanse, comme la Révolution Noire domingoise l'a emporté sur l'expédition Leclerc. Proportionnellement, les Noirs de la Guadeloupe — 100 000 — contre 3 500 soldats blancs, n'étaient-ils pas plus nombreux que les 500 000 Noirs de la Grande Ile contre 30 000 soldats métropolitains? Tout bien pesé, la Révolution ne représente rien dans l'histoire des Noirs de la Guadeloupe, pas même un quart d'heure de liberté vraie. Victor Hugues a parfaitement accompli le dessein jacobin qu'il s'était fixé, et a laissé un héritage appréciable à un pouvoir capable de gouverner. Une fois que la Terreur l'a assuré de l'obéissance de tous, il a, dans sa colonie, réduit la Révolution au traditionnel conflit franco-anglais, ajoutant même aux ennemis de la Grande Nation, les États-Unis qui, dès le 22 avril 1793, ont proclamé leur neutralité en violation de l'alliance de 1778, et qui, par le traité Jay du 22 avril 1794, se sont soumis à la politique anglaise de blocus de la France et de ses possessions. Le 8 août 1796, il écrit au Directoire toute la haine que lui inspire la trahison de la jeune république. « Les liens d'amitié et de reconnaissance envers la nation française sont totalement rompus avec le Gouvernement américain. Il ne s'est pas contenté de recevoir la loi de l'Angleterre, en faisant un traité honteux avec cette nation; il vient de la seconder d'une manière puissante en lui fournissant des bâtiments, des vivres, des chevaux et des hommes. [...] Le nom d'Américain n'inspire ici que mépris et horreur, les traits d'infamie qu'ils ont commis dans ces parages envers les Français, leur bassesse et leur servilité envers la nation anglaise les ont assez fait apprécier. La République française laissera-t-elle tant de forfaits impunis? » Paris réagit et, de 1797 à 1799, la France et les États-Unis s'affrontent dans ce que l'on appelle la Quasi-Guerre. Derrière l'écran des hostilités, Hugues, non seulement monopolise l'économie publique — gestion des propriétés séquestrées et vente des prises procurées par une intense guerre de course —, mais ausi, il s'emploie, dans le bassin antillais, à organiser une coalition anti-anglaise, pour mieux faire oublier le décret de la Convention abolissant l'esclavage et le gouvernement noir de Toussaint Louverture. Dans ces conditions, point de prosélytisme et la volonté de ne pas faire de la Guadeloupe une vitrine de la Révolution. Habilement, il invoque les principes nouveaux pour établir un ordre exigeant de la part des Noirs la même obéissance et la même soumission que le système en vigueur sous l'Ancien Régime. Par là, Louverture et Hugues mènent une politique comparable, l'un pour le succès de sa race, l'autre pour celui de la Grande Nation, voulue par les jacobins des Comités. Le chef noir n'ayant pas de comptes à rendre à une idéologie qu'il assimile à une perversion, pourra aller plus loin encore : jusqu'à rétablir l'esclavage dans l'article 17 de sa Constitution ! La stratégie noire du proconsul marseillais a laissé le terrain libre à la restauration officielle de l'esclavage ; elle a été conçue et appliquée à cette fin ; elle implique de la part de son auteur la conviction que les Africains sont incapables d'assumer un destin d'hommes libres. Une fois la révolte d'une fraction des mulâtres écrasée, l'Ancien Régime sera rétabli sans avoir à affronter un soulèvement général des cultivateurs : simplement au prix d'un certain nombre de déportations.

Le capitaine-général Ernouf, après avoir pris ses fonctions au mois de mai 1803, poursuit l'action de Lacrosse pour faire revenir les propriétaires, proscrits par les Montagnards de la Commission générale extraordinaire au temps du général Collot (1792-1793), puis par Victor Hugues, dans les premières années de son règne. Ce retour s'avère indispensable pour rendre sa vitalité économique à l'île. En effet, pendant la Révolution, si la production de café, tout en diminuant, ne s'est pas effondrée, il en va différemment pour le sucre : sa production traverse une crise, faute d'une direction et d'un encadrement compétents et continus, et du travail régulier d'ouvriers spécialisés et d'artisans. Mais à peine l'administration de l'île avait-elle repris un cours normal, favorable à un redressement de ses cultures, que la guerre franco-anglaise éclatait. Comme la Martinique, la Guadeloupe ouvre ses ports au commerce étranger et les Britanniques, disposant de la maîtrise des mers, attend leur assaut, non sans réarmer ses corsaires. Au début de 1809, mauvaise nouvelle : la population apprend que la Martinique a capitulé le 24 février. Un an plus tard, le 27 janvier 1810, le général Beckwith et ses troupes débarquent au Gosier, s'emparent de la Pointe-à-Pitre toute proche, puis marchent sur la Basse-Terre, qui capitule le 5 février. À nouveau, l'archipel passe sous administration anglaise, dans des conditions plus dures que naguère. Restituée à la France en

1814, elle sera à nouveau occupée pendant les Cent-Jours, puis définitivement rendue à Louis XVIII. En 1815, les îles du Vent émergent des événements qui ont agité l'Europe, telles qu'elles étaient en 1789. Comme sous Louis XVI, elles sont des colonies commerciales, dont l'économie de plantation est actionnée par des esclaves noirs. Vingt-cinq ans de tumulte, de lutte civile, d'occupation étrangère pour rien. La structure sociale n'a pas subi de transformation, la production principale demeure le sucre. De l'abolition de l'esclavage, il reste le souvenir d'une loi inappliquée. De même flotte dans les mémoires une réminiscence vague : les îles ont été érigées en départements dès 1793 mais en restant des colonies... Finalement, de l'Ancien Régime à la Restauration, quelque chose de neuf a-t-il surgi ? Oui, dans des domaines inattendus. L'apparition et la culture d'une nouvelle canne à sucre : la *Créole* est abandonnée au profit de la canne d'*O'Taïti*, ou de clones venus de Java. Également on remarque que les paysages se sont peuplés d'une espèce nouvelle et utile à l'alimentation servile : l'arbre à pain, originaire d'Indonésie, que l'on rencontrait aussi à Tahiti. C'est dans ces années, en 1791, au cours d'une expédition dans l'île de Bougainville où le *Bounty* chargeait des plants de cannes et d'arbres à pain pour la Jamaïque, qu'une partie de l'équipage se mutina contre son chef, le commandant Bligh, remarquable marin. Une affaire inscrite dans l'histoire de la Navy, dans celle de la navigation, et entrée dans la légende avant d'être projetée sur les écrans du cinématographe.

La Guyane : les malheurs d'une colonie

Le gouverneur de Bourgon, après avoir supporté la dictature de l'Assemblée coloniale pendant près d'une année, quitte la Guyane au mois de janvier 1791, confiant le « gouvernement » de la colonie à son second. Celui-ci adopte le comportement de son ancien chef et laisse faire. C'est durant son remplacement, les 4 et 5 avril 1791, que le parlement de Cayenne décrète que tous les Indiens de la Guyane seront réputés citoyens. Il assortit, toutefois, cette mesure d'une restriction marquée au coin du préjugé : « N'entendons point comprendre dans cette classe les individus métis provenant du commerce des Indiens avec les Négresses, et des Indiennes avec les Nègres, à quelque degré que ce soit, même au septième mariage ». Une exigence à laquelle, disaient des administrateurs comme Lescallier, bien des Blancs ne satisfaisaient pas ! L'Assemblée coloniale règne, assistée de deux compagnies de gardes nationaux, d'une municipalité dans la capitale et d'une commission chargée des proscriptions. L'arrivée, au milieu du mois de septembre 1792, du commissaire Guyot, qu'accompagnent le gouverneur d'Alais et 700 hommes, met fin à la domination des autonomistes qui assistent, avec inquiétude à la création d'un club. Mais après une apparition de sept mois Guyot s'en va et, en mai 1793, arrive son successeur : un dénommé Jeannet-Oudin qui a pour lui d'être le neveu de Danton. Avec lui, une deuxième dictature prend naissance. Cet homme, âgé d'une quarantaine d'années, donne de l'ampleur à la guerre de course, lève des impôts extraordinaires, proscrit les officiers royalistes ou prétendus tels, multiplie les sociétés populaires, bref assied son pouvoir et les moyens de le financer, ne tolérant aucune opposition. À l'expérience, cet autocrate ne déplaît pas : avec lui, la colonie vit dans l'ordre. Quand la nouvelle de l'abolition de l'esclavage atteint Cayenne, Jeannet-Oudin ne cache pas son appréhension. Il juge cette loi catastrophique et souhaite n'avoir pas à la faire publier et placarder. Que deviendra la Guyane, pays vide où végètent de petites plantations, si l'on abolit la servitude ? Ne courra-t-on pas à la misère et aux troubles ? Les 11 000 esclaves noirs ne voudront-ils pas se venger des quelque 1 300 Blancs et 400 libres que compte la colonie, quand ils seront affranchis ? Le jour fatidique et si redouté arrive : le 13 mai 1794, l'*Apolline* entre dans la rade de Cayenne et son commandant remet le décret libérateur à Jeannet. Le lendemain, à 6 heures du matin, devant les troupes assemblées, le délégué de la République, contrarié, proclame que les esclaves sont désormais libres et citoyens. Aussitôt les Noirs désertent les plantations et les maîtres refluent vers Cayenne pour fuir la colonie. Malgré cette explosion et cette panique, le commissaire empêche l'irréparable : le massacre et les destructions. Dans ce moment difficile, éclate l'étonnante information : Danton a été guillotiné.

Jeannet, craignant que la Terreur qui sévit dans la métropole, ne l'atteigne, remet ses pouvoirs à Cointet, son second, au mois de novembre 1794, et s'embarque pour les États-Unis. Pendant 16 à 17 mois, ce commissaire impromptu s'acquitte de sa tâche, sans gloire, mais sans moyens. Il prend des mesures qui ne s'ancrent pas dans la réalité : c'est l'échec dans l'anarchie, mais sans drame. Toutefois, une révolte d'anciens esclaves alarme l'opinion : il la réprime grâce à un bataillon de Noirs qu'il a recruté pour maintenir l'ordre et la paix. Sinon, les colons continuent de se sauver et les Habitations sont plus ou moins bien exploitées pour le compte du Trésor, ou affermées à des personnages en cour. C'est dans cette anarchie, épargnée des grandes secousses, que le neveu de Danton, entré dans les bonnes grâces du Directoire, fait sa seconde entrée à Cayenne, au mois d'avril 1796. Il arrive pour briser une conspiration de nouveaux libres, poussés, dit-on, par Collot d'Herbois et Billaud-Varenne, conventionnels déportés après l'exécution de Robespierre. Sauveur de la colonie, Jeannet n'a que plus de facilité pour imposer une troisième dictature à la Guyane. Sous le proconsulat de ce petit-

Blanc métropolitain, débarquent, en novembre 1797, seize hommes politiques favorables au royalisme, que le Direction a bannis à la suite du coup d'État de fructidor. Parmi eux, des hommes de premier plan, comme Barthélemy, ancien diplomate, naguère Directeur, les généraux Pichegru et Ramel, des législateurs éminents comme Lafond de Ladébat, Barbé de Marbois et Bourdon de l'Oise, enfin une personnalité originale, le chansonnier Ange Pitou.

Barthélemy, qui raisonne comme Vergennes, malgré sa haine pour ce ministre et sa fidélité au clan Choiseul, regarde Jeannet dans l'exercice de ses fonctions de chef de la colonie comme une monstruosité politique et administrative. Longtemps après, quand il rédige ses *Mémoires*, ce souvenir résiste, indestructible. « Il se vantait de n'être pas sanguinaire et de n'avoir jamais fait périr personne ; mais il était si jaloux de son autorité que, s'il eût rencontré quelque opposition, il serait devenu féroce. Cette opposition ne pouvait exister en aucune manière. Il réunissait tellement tous les pouvoirs dans sa main que, de sa propre volonté et n'ayant auprès de lui aucune espèce de conseil, il cassait les membres du département, de la mairie, tous les employés civils enfin, et les remplaçait de même. L'emploi de la force armée de terre et de mer était uniquement à sa disposition. Il est inconcevable que, dans un État qui se dit libre, un de ses agents réunisse ainsi dans ses mains tous les moyens de l'Administration et de la force publique, sans la moindre apparence de contrôle et de contradiction. Aussi, autant Jeannet était méprisé pour son immoralité et sa cupidité (car il était toujours occupé des moyens d'acquérir des richesses), autant il était redouté par la promptitude avec laquelle il employait son autorité despotique et par l'appui qu'il accordait aux Nègres contre les Blancs. »

Ange Pitou, que *l'Esprit des Lois* n'obsède pas, et qui a la plume infiniment plus alerte qu'un ambassadeur, croque un portrait juste et très vivant. « Jeannet, chef suprême de la colonie, sous le nom d'agent, commande en sultan, aux noirs, aux habitants comme aux soldats ; sa volonté fait la loi, rien ne contre-balance son autorité, il ne doit compte qu'au Directoire qu'il représente ; il ne reste en place que pendant 18 mois, et il peut être réélu ; il nomme toutes les autorités, les influence toutes, les renouvelle toutes, les fait mourir toutes ; enfin, quand un agent sourcille, tout doit trembler devant lui. Voilà sa puissance ; quel usage en fait-il ? Jeannet, d'un physique avantageux, dans sa trente-sixième année, fils d'un fermier de la Beauce, est manchot du bras gauche, qu'un cochon lui a mangé quand il était au berceau. Il doit son avancement à ses talents, à son oncle Danton, et un peu à ses maîtresses qui ont payé sa complaisance et sa vigueur. Son abord est prévenant, la gaieté siège plus sur son front que la franchise, ses manières sont aisées, il débite avec une égale effusion tout ce qu'il pense comme tout ce qu'il ne pense pas ; son grand plaisir est d'être impénétrable en paraissant ouvert, il se pendrait si on pouvait lire dans son cœur, et je ne sais pas s'il en connaît lui-même tous les replis. Il fait autant de bien que de mal, et toujours avec la même indifférence. Il met chacun à son aise, il pardonne de dures vérités et même des injures ; il manie le sarcasme et la répartie avec esprit ; il écoute volontiers les reproches, les remontrances, les plaintes, et ne les apostille jamais que de grandes promesses. La prodigalité, la galanterie, la soif de l'or, sont ses organes, ses esprits moteurs, ses éléments, son âme. Il est brave et prévoyant dans le danger, peu sensible à l'amitié, encore moins à la constance, blasé sur l'amour, très facile au pardon, et peu enclin à la vengeance. La vertu pour lui, est la jouissance et le plaisir, il ne fait jamais de mal sans besoin, mais un léger intérêt lui en fait naître la nécessité. C'est un homme de plaisir et de circonstance, qui aime l'argent et puis l'honneur, les hommes pour ses intérêts, ses amis pour la société, et qu'on a regretté par ses successeurs. » Le général Ramel, pour qui la vie ne se réduit pas une méchante bouffonnerie, reconnaît que Jeannet a sauvé la colonie d'un embrasement éventuel, mais se fâche contre sa cupidité, à laquelle il consacre quelques lignes de son *Journal*. « Les soins que prend Jeannet de faire respecter les propriétés, ne sont pas désintéressés, on l'accuse de rapacité ; il lève arbitrairement les impositions et ne rend aucun compte : il saisit impitoyablement tous les bâtiments qui tombent entre ses mains, amis, neutres, ennemis, il confisque en corsaire, il partage en voleur, il s'est approprié comme biens nationaux la jouissance des plus belles habitations confisquées ou séquestrées, il fait surtout très bien cultiver la belle habitation du général La Fayette, *la Gabrielle*, qui lui rapporte, dit-on, près de 300 000 livres, l'habitation des jésuites, *la Royale*, et celle de Beauregard, grossissent aussi le trésor de ce satrape. » Ce portrait du neveu de Danton illustre le comportement ordinaire du commun des commissaires de la République, pas nécessairement mauvais hommes, mais sans tradition — héritée ou innée —, possédant rarement le sens de l'État, même quand ils se dépensent à étendre la puissance de la Grande Nation : tel Hugues, par exemple.

Deux convois, portant 257 prêtres, prélevés sur les 1 400 détenus à l'île de Ré, arrivent, en 1798, toujours sous le règne de Jeannet. La Guyane fait figure de pénitencier dont Paris attend que le climat, *la guillotine sèche*, accomplisse sa tâche au plus vite. Ces malheureux sont rassemblés à Counamama, savane insalubre. Il en mourra 156, avant que Bonaparte n'anmistie ces hommes condamnés à périr sous les coups des complications palustres ou de la terrifiante fièvre jaune. Malgré l'horreur des jours et la mort promise, les proscrits, sans distinction, s'acharnent à vivre. L'un d'eux, Lafond de Ladébat, grand négociant huguenot de Bordeaux, propriétaire d'une Habitation à Saint-Domingue, destitué de la présidence du Conseil des Anciens, épuisé par le climat et la maladie, trouve néanmoins la force de lire Montesquieu, Goldsmith et Condorcet, ainsi que de tenir son *Journal*. Le 4 février 1798, comme chaque jour, il prend sa plume et note ses réflexions. « Aujourd'hui, anniversaire de la liberté des Noirs, la fête a été annoncée par le canon du port. Il s'en faut de beaucoup que ce soit une fête pour les habitants. Il n'y a point de milieu pour eux. L'esclavage ou la perte des colonies, voilà ce qu'on leur entend sans cesse répéter. Je suis loin de partager cette opinion ; malheureusement, ce n'est pas ainsi que la liberté devait être donnée. Lorsqu'en 1788, j'ai fait imprimer un discours sur la nécessité de s'occuper des moyens de détruire l'esclavage, j'ai dit expressément que si on donnait la liberté tout d'un coup, on ferait une grande injustice, on perdrait les colonies et les Noirs eux-mêmes. Les événements n'ont que trop cruellement justifié mes principes. Il est en politique, comme dans la nature, des mouvements que toutes les puissances humaines ne peuvent pas empêcher, tous les efforts humains doivent se diriger vers les moyens de rendre ces mouvements moins désastreux. Il était impossible que le mot de liberté ne retentît dans les colonies, il fallait la préparer et prévenir tous les dangers qui menaçaient à la fois et les colons et leurs esclaves. L'orgueil et les préjugés ont résisté à tout changement, la résistance a produit des effets contraires, et les scélérats, qui ne voyaient que le bouleversement de tout ordre public, pour s'assurer l'impunité de leurs pillages et de leurs crimes, ont tout renversé, tout souillé de sang et de forfaits. Aujourd'hui, les colonies sont-elles perdues ? Et si un gouvernement sage et humain succédait enfin à la tyrannie, n'y aurait-il plus ici et dans nos îles des moyens de culture, des moyens de population ? Voilà les grandes questions qu'il faut courageusement aborder : mais, en les examinant, il faut également se tenir en garde contre les préjugés des habitants et contre les systèmes hasardés que crée l'ignorance, sans connaître les objets sur lesquels elle prononce. » Le 13 août 1789, Lafond de Ladébat avait, en effet, dédié à la Constituante un *Discours sur la nécessité et les moyens de détruire l'esclavage dans les colonies*, et une *Déclaration des droits de l'homme*. Dans son projet de Déclaration il disposait à l'article 53 : « La servitude est un abus de la force, une infraction aux lois sociales. » L'article 54 précisait : « Un homme peut consentir à remplir des devoirs particuliers envers un autre homme pour un prix fixé, pour un temps déterminé ; mais jamais il ne peut aliéner sa liberté, elle est sans prix. » Ces prescriptions, comme celles qui émanèrent des abolitionnistes réputés, manquent de clarté : elles ne visent pas explicitement l'esclavage, et semblent plutôt condamner le servage, et les engagements encore utilisés de manière abusive et spécieuse par les Anglais. À l'inverse des philanthropes prudents ou dissimulateurs, un autre protestant, le pasteur Rabaut Saint-Étienne, ne craint pas l'éclat des mots et n'a pas peur d'appeler un chat un chat. Dans son projet de Déclaration de droits, présenté le 17 août par le Comité *ad hoc,* il prévoit : « Que l'esclavage des personnes est à jamais défendu, même envers les étrangers qui pourraient être transportés dans l'Empire. » Enfin, un homme qui a le courage de ses opinions, jusqu'au terme de leur logique, à qui le service de Dieu et l'appartenance à une minorité encore incomplètement intégrée, ont enseigné l'horreur du masque !

Si Lafond de Ladébat demeure fidèle à ses convictions, malgré le malheur, Jeannet gouverneur despotique, à la fois attaché à l'ordre et avide d'argent, étanche son ambition de l'instant en se faisant élire représentant de Cayenne aux Cinq-Cents. Un tyran mesquin et écervelé, Burnel, lui succède le 5 novembre 1798. Ce petit-Blanc, originaire de Bretagne, chassé des Mascareignes où il avait été désigné pour faire appliquer le décret abolissant l'esclavage, a conservé de sa mésaventure, une haine solide pour les habitants des colonies. Les vicissitudes de son existence, juge Pitou, « lui ont donné un caractère fluide, une âme faible, des passions vives, un cœur ardent, des vues bornées, des moyens compliqués, des aperçus faux, des essais téméraires, des plans incohérents, des résultats aussi pernicieux pour lui que pour les autres ». Outre s'enrichir, Burnel cultive une méthode de gouvernement et une stratégie guyanaises. Pour asseoir son arbitraire, il choisit de flatter, voire d'exciter les Noirs, pour tenir les Blancs dans sa main. Lafond de Ladébat, pourtant négrophile, s'indigne de ce procédé. « Je serais tenté de me faire teindre en noir pour obtenir les faveurs de l'agent ; j'ai vu une lettre par laquelle il fait recommander trois jeunes Africains à l'hôpital, il est impossible d'exprimer un plus grand intérêt ; je ne blâmerai jamais celui qu'on prendra à des êtres souffrants, quelle que soit leur couleur, mais il ne faudrait pas que cet intérêt fût exclusif pour la caste noire, et que les persécutions fussent réservées à la caste blanche. Jamais on n'a rampé plus bassement devant le pouvoir arbitraire, que je vois ramper ici. » L'objectif stratégique de Burnel n'est autre que Surinam, où les représentants de Paris ont pris l'habitude de faire vendre les prises que procure la guerre de course. En liaison avec Malenfant, ancien propriétaire de Saint-Domingue, devenu « délégué de la République » dans la colonie hollandaise, l'agent envoie des émissaires dans la possession batave pour y susciter un soulèvement des esclaves, prélude à un rattachement à Cayenne. Lafond de Ladébat, affolé se rend compte, après que Surinam s'est donné aux Anglais, que le dessein conquérant du chef de la colonie — colporté par l'opinion — n'était pas un rêve de la Chimère. Découverte qu'il note dans son *Journal.* « Le projet qu'avait Burnel sur Surinam n'est pas douteux ; il mande au ministre : " Je vous l'ai dit, Surinam doit être le comptoir dont Cayenne doit être le poste avancé. " Et cela était écrit, lorsque cette colonie appartenait à une république alliée ! Le représentant du Directoire travaillait à dépouiller cette république de sa plus belle possession, en y fomentant des insurrections ! » Le Bordelais n'invente rien, mais fait ici allusion à une lettre envoyée le 7 mai 1799, par Burnel au ministre, qu'une seconde suit, le 13 août !

L'opinion guyanaise regimbe devant les initiatives de Burnel. Outre l'aventure extérieure, on lui reproche une fiscalité arbitraire, une gestion financière désordonnée et le massacre du détachement qui tenait le poste des Îlets, en face de Cayenne, par la marine britannique. L'agent ne conçoit d'autre moyen pour réduire l'hostilité blanche, que de s'appuyer sur les anciens esclaves, de les mettre au service de son pouvoir. À cette fin, il décide d'ajouter un bataillon de Noirs aux troupes déjà existantes. À la date du 9 octobre 1799, le ponctuel Lafond de Ladébat, revenu dans la capitale coloniale avec Marbois, observe que l'opposition contre le jacobin se durcit. « Les officiers sont allés hier en grand nombre chez l'agent, ils ont demandé que le nouveau bataillon de Noirs ne fût pas formé ; l'agent a répondu que son intention n'était pas de les garder rassemblés, mais seulement d'organiser les compagnies pour les réunir au besoin. [...] Les officiers du bataillon continuent leurs réunions, et une partie de ceux de la marine, ceux de l'artillerie et du génie s'assemblent avec eux. » Une lutte ouverte s'engage, dès lors, entre la coalition de tous les Blancs de la colonie, habitants, militaires, déportés et le représentant de la République. Le 4 novembre 1799, Lafond de Ladébat note une rumeur annonçant une issue prochaine. « On dit ce matin que l'agent doit partir dans dix jours : il a demandé aux médecins de certifier que sa santé exigeait qu'il quittât la colonie : il veut absolument partir, et ce sera fort heureux pour la colonie qu'il parte. On pourra alors l'administrer avec beaucoup plus d'économie. » La Guyane, que les exigences médicales de Burnel semblent entraîner vers le vaudeville, côtoie, en réalité, une tragédie sanglante. Le ci-devant président du Conseil des Anciens, témoin objectif, évoque, le 10 novembre, les instants où la colonie a failli plonger dans le drame. « Vers onze heures, ma négresse est venue me dire qu'il y avait du tumulte en ville ; les Noirs, m'a-t-elle dit, parlent de massacrer tous les Blancs, parce qu'on leur a dit qu'on payait les soldats blancs pour désarmer et rétablir l'esclavage. » L'ancien législateur suit l'évolution des événements, heure par heure. Il apprend que l'agent s'est rendu aux casernes, rappelant aux soldats européens, qu'ils n'avaient pas le droit de délibérer et assurant aux Noirs que l'on ne voulait pas attenter à leur liberté, « et qu'il la défendrait lui-même au péril de sa vie ». La fermentation continue et une troupe de Noirs au sein de laquelle on remarque des gendarmes veut s'emparer de canons. Un capitaine de grenadiers s'avance, suivi d'une partie de sa compagnie et ordonne à ce rassemblement de se dissiper. « Les Noirs n'obéissaient pas, il a fait charger les armes et enfin mettre en joue ; alors les Noirs se sont dispersés. » Lafond de Ladébat, homme prudent et mesuré, n'en accuse pas moins Burnel et son entourage d'avoir suscité et attisé l'inquiétude des Noirs pour provoquer une conflagration qui lui eût rendu son autorité. Une enquête est ouverte : « Les dépositions se dirigent contre l'agent lui-même » (13 novembre) et contre Malenfant, son séide, qui, sous la Restauration, commettra un ouvrage sur les colonies où il se révèlera royaliste et se posera en doctrinaire de la colonisation !

Les gazettes anglaises annoncent alors que les autorités constituées de la Guadeloupe ont renvoyé le général et agent Desfourneaux. Aussitôt l'union des habitants et de la troupe, que conseillent des déportés politiques, particulièrement Lafond de Ladébat et Barbé de Marbois, incarnations arbitrairement exilées de la légitimité républicaine, décide d'imiter les Guadeloupiens. Le 25 novembre, il est signifié à Burnel de s'embarquer pour rentrer en France. Il s'exécute contraint et forcé, tandis que les auteurs de ce coup d'État écrivent lettres, mémoires et adresses pour expliquer leur geste aux autorités nationales. Le proconsulat du Breton se termine piteusement, à la manière d'une mauvaise farce, comme s'achève la mission coloniale de plusieurs représentants de la Révolution. La République, pressée par la conjoncture militaire européenne, n'a pas choisi ses meilleurs éléments pour administrer ses possessions d'outre-mer. Paradoxalement, elle, qui s'érigeait en championne de la liberté, aura fait regretter le despotisme militaire des gouverneurs généraux de l'Ancien Régime qui, comparés à leurs successeurs, ressemblent à de bons pères de famille, indulgents et trop patients. À ce titre, la Guyane s'offre comme une galerie exemplaire du gouvernement des colonies au temps de la Convention et du Directoire, car elle a été décrite par des hommes des Lumières, philosophes et gens d'expérience, tels Lafond de Ladébat et Barthélemy. Or qu'avoue le Bordelais, nourri de littérature libérale et régénératrice, quand il évoque la gestion d'un Jeannet et d'un Burnel. « Chaque agent, ayant dans sa colonie un pouvoir arbitraire et suprême, ne connaît d'autre loi que sa volonté, je ne serais pas étonné de les voir se déclarer la guerre entre eux : il est impossible d'être témoin sans frémir d'une pareille anarchie ; tous les liens de l'ordre social se brisent, et ces colonies où l'on voulait abolir l'esclavage sont aujourd'hui assujetties au despotisme le plus extravagant et le plus absolu. » Jamais un régime, autant que la Révolution, n'a invoqué la Loi si fort, jamais, néanmoins, l'expression de la volonté nationale n'a été aussi bafouée par les commissaires envoyés dans les colonies. Au milieu de la tourbe de ces administrateurs, un seul nom se détache, celui de Victor Hugues. Le Marseillais, malgré tous les reproches qu'on peut lui faire, a fondé son action sur une norme souveraine : non pas sur la loi, texte d'application, mais sur ce critère, impératif, premier et révolutionnaire, que représente la victoire de la Grande Nation. Seul, ce petit-Blanc, qui ignorait tout des conseils législatifs et du prétoire, a placé ses actes, non sous les auspices d'un arbitraire personnel, mais dans la lumière d'un droit nouveau, répudiant les habitudes anciennes, fondé sur la volonté de puissance collective qui prépare l'hégémonie de la France, le Grand Empire dont Napoléon entreprendra bientôt la construction, sans réussir à l'achever.

Caprice de l'histoire, c'est Victor Hugues qui succède à Jeannet et Burnel. Débarqué à Cayenne, au mois de janvier 1800, c'est lui qui rapatriera les déportés en France, dont le départ sonne le glas du pénitencier politique et aussi de la colonisation de la Guyane par la transportation de condamnés de droit commun. Cette technique de mise en valeur, fondée sur l'utilisation de mendiants et de repris de justice, que le ci-devant abbé de Montlinot, devenu chef de division au ministère de l'Intérieur, a développé sous le Directoire, compte la *France équinoxiale* parmi ses destinations. Dès 1791, Leblond, médecin et naturaliste que Louis XVI avait naguère envoyé à Cayenne pour y chercher du quinquina, publie une *Description abrégée de la Guyane* et prononce une conférence devant la Société royale d'Agriculture de Paris. Il expose ses idées colonisatrices en partant d'une observation sur la société française. « La mendicité est effrayante dans Paris. Partout des œuvres de charité pour faire subsister les indigents sans travail ! Mais ce ne sont que des secours momentanés et dispendieux. J'ai pensé que l'émigration libre pouvait offrir à cette classe d'hommes des moyens avantageux capables d'améliorer leur sort. Une propriété foncière, des travaux peu pénibles, et une perspective de fortune pour les hommes laborieux et intelligents : voilà ce que la patrie peut leur offrir à peu de frais dans ses immenses possessions de la Guyane française. » Leblond négligeait de préciser que Surinam devait sa richesse à l'esclavage et au drainage des terres, c'est-à-dire, à l'investissement de gros capitaux. La colonisation, considérée comme un divertissement champêtre pour pauvres, relève de l'utopie : au contraire, rien n'est envisageable sans abondance d'argent.

Au même moment, en 1791, l'ancien ordonnateur Lescallier présentait des vues comparables, aussi irréalistes. « Nos rivaux anglais ont dû à l'infortune et aux vices la population de leurs plus vastes colonies. C'est ainsi que se fonde actuellement Botany-Bay. Plusieurs légistes français sont d'avis de supprimer la peine de mort, et de rendre les punitions des criminels utiles à la société : c'est en partie de cette vue que sont d'ailleurs établies les galères. Mais on a longtemps entassé dans les galères aussi bien les criminels atroces que ceux dont les fautes légères ne devaient les condamner que pour un temps. Ces lieux sont des cloaques, au moral comme au physique, où l'humanité déchue achève de se perdre. En fait, les galères avaient été abandonnées en 1748, et remplacées par des bagnes dans les ports. Faire renaître à la vertu les hommes que les besoins impérieux, ou les mauvais exemples ont corrompus, tel est l'emploi qu'on peut faire de cette partie de la Guyane. Le point central de l'établissement pénitentiaire, avec 240 hommes de garde, sera sur les bords de la rivière de Mana. » Le futur conseiller d'État oublie d'ajouter que les Britanniques colonisaient l'Australie en utilisant la main-d'œuvre pénale des Convicts, mais surtout en recrutant des propriétaires aux moyens financiers importants. Le 21 août 1792, Cambon reprenait les idées de Lescallier et de Leblond non pour mettre en valeur la Guyane, mais pour la transformer en un pénitencier politique. Devant la Convention qui s'inquiète du sort à réserver aux prêtres non sermentés, le futur financier de la République s'écrie : « Nous avons un pays qui appartient à la France, et qui manque de bras. Je demande qu'il soit armé des vaisseaux pour porter ces prêtres à la Guyane française. Ils iraient sans cela grossir l'armée des émigrés, ou propager en Espagne, en Italie, en Allemagne, des principes contraires à notre liberté. » Une proposition qui est adoptée et qui devient décret le 26 août 1792. Sur les 331 déportés du Directoire, 173 meurent sur place, 25 ont la chance de s'évader, dont Pichegru, Barthélemy et Ramel, 132 rentrent en France en 1800 et 1801, tandis que Billaud-Varenne va mourir au Port-au-Prince, à quelques dizaines de kilomètres du petit port méridional de Jacmel où s'était réfugié Horace Camille Desmoulins, le fils de l'ennemi de Brissot et de Lucile.

La Guyane, dans la poigne ferme de Victor Hugues, recouvre son visage d'antan. En 1802, l'esclavage est rétabli, au prix de quelques expéditions pour détruire des camps de Noirs retournés à leur tradition. L'économie connaît une prospérité nouvelle et encourageante, mais bientôt compromise par la guerre avec l'Angleterre. En 1808, un an avant de s'emparer de la Martinique, la Navy bloque le port de Cayenne et les Britanniques, alliés aux Portugais, occupent l'Oyapoc, puis l'Approuague. Le 12 janvier 1809, les Lusitaniens menaçant Cayenne, Victor Hugues capitule. Il est embarqué et ramené en France avec ses 600 hommes. La France attendra l'évacuation portugaise jusqu'au 8 novembre 1817.

Saint-Pierre et Miquelon, l'Afrique, l'Inde : la grand rafle anglaise

L'archipel aux trois îles, Saint-Pierre, la Grande et la Petite Miquelon — reliées par une chaussée de sable depuis 1783 — et leurs entours d'îlots, est entré en Révolution avec modestie. Les habitants demandent seulement à pouvoir survivre et pour cela que le roi les approvisionne, remette leurs dettes et rétablisse la prime à l'exportation de la morue, afin de raviver la pêche à la morue, qui s'est effondrée en 1790, et de pouvoir résister à la concurrence anglaise. Requêtes justifiées, car la production des terres embrumées de l'Amérique septentrionale, atteignait, en 1789, les 100 000 quintaux de morue sèche, ce qui représentait un bon résultat. La Constituante répondra pour partie aux doléances de l'archipel, en restaurant, le 10 avril 1791, la prime aux armateurs, la relevant même pour la morue vendue aux Antilles.

L'Assemblée générale et son président, M. d'Anseville, commandant de la marine et gouverneur de l'archipel n'ont pas affronté de tumultes politiques. Toutefois au début de 1792, quelques troubles, provoqués par de jeunes pêcheurs métropolitains passant l'hiver à terre, sont à l'origine d'une mort et du renvoi en France d'une poignée d'esprits échauffés. La Législative rapportera cette mesure despotique et remplacera M. d'Anseville par un chef de la colonie qui se gardera de présider l'Assemblée générale. Dans cet archipel qui vit sous la loi du climat et du travail, et dans la proximité dangereuse des Anglo-Américains, le club des Amis de la Révolution ne convertit pas les îliens à l'agitation révolutionnaire. Dès le 21 mai 1793, la question ne se pose même plus : le général Ogilvie s'empare des îles, et les Britanniques déportent les quelque 1 500 habitants à Halifax, avant de les laisser partir pour la France.

Au mois d'août 1802, la marine française reprend possession de l'archipel, mais le ministre Decrès reporte le retour de la population à l'année suivante : en 1803, encore une fois, les îles tombaient entre les mains des Anglais et ne reviendront à la nation qu'au mois de mai 1816. Le premier commandant français, le commissaire de la marine Bourrilhon, débarquait dans un archipel où tout était à reconstruire, et se mettait au travail avec enthousiasme. Déjà assuré du retour de 645 habitants, formant 130 familles, il fondait sa confiance dans l'avenir sur sa connaissance du passé, qu'il avait résumé dans un mémoire à l'intention du ministre, en 1815. Rappelant l'état de Saint-Pierre et Miquelon de la fin de la guerre d'indépendance américaine au début des guerres révolutionnaires, il rappelait : « Pendant les dix années de paix, il est venu tous les ans de nos ports de France à Saint-Pierre de 80 à 100 bâtiments de commerce, montés par 2 500 à 3 000 hommes, tant en équipages qu'en passagers. Ces derniers servaient à armer des chaloupes et des warys* qui restaient dans la colonie. On équipait donc, par le moyen de passagers venus d'Europe, 150 chaloupes de pêche, montées chacune par trois ou quatre hommes, et à peu près 300 warys, montés par deux hommes chacun. Toutes ces embarcations faisaient la pêche jusqu'à la fin du mois de septembre. Il restait en outre dans la colonie, pour faire le sevice de la grave [grève] et sécher la morue, plus de 400 hommes qui étaient presque tous des novices à la mer. Dans le mois d'octobre et de novembre, tous ces bâtiments faisaient leur retour dans les ports d'Europe. Cela faisait

---

* Hérité de l'occupation anglaise pendant la guerre de Sept Ans, le wary est une petite embarcation de 6 à 7 mètres de long, au fond plat, aux flancs évasés et aux extrémités pointues.

par conséquent deux traversées, que les garçons de grave faisaient dans l'année, s'habituant ainsi au service de la mer et finissant par être de très bons matelots. »

Dans ce même mémoire, Bourrilhon fait aussi revivre la Miquelon des années 1783-1793. « Cette île est habitée par des habitants au nombre de 500. Ils sont très laborieux. La plus grande partie des femmes travaillent sur les graves. Ces habitants étaient parvenus par leur industrie à armer en 1791, environ 20 chaloupes pontées de 25 à 40 tx et 30 chaloupes non pontées de 10 à 15 tx. Ces armements leur donnaient un profit de 12 à 15 000 quintaux de morue sèche et environ 80 barriques d'huile. Ils ne se servaient presque pas de warys et ne prenaient parmi eux presque pas de marins de France. On peut dire à leur avantage que les habitants de Miquelon n'ont jamais été à la charge du magasin du Roi pour leur subsistance pendant l'hiver. » Enfin, le commandant évoque, en quelques lignes, ce que l'archipel procurait au commerce métropolitain, aux dernières heures de l'Ancien Régime. « La pêche des deux îles était un produit annuel de 100 à 110 000 quintaux de morue sèche, de 100 à 150 000 morues vertes et de 350 à 400 barriques d'huile, ce qui donne une recette d'environ 3 millions et un mouvement de navigation de plus de 3 000 hommes. » Faisant partie de l'aire de Terre-Neuve — française jusqu'au traité d'Utrecht en 1713 —, rendu à Louis XV, au traité de Paris, en 1763, par l'Angleterre qui ajoutait le Canada à ses conquêtes précédentes, dont l'Acadie, l'archipel a payé cher son attachement à la nation. Tout conflit — guerre d'Indépendance américaine, guerres de la République et de l'Empire — constitue pour la Grande-Bretagne, qui veut s'approprier tous les droits de pêche de la région, l'occasion de saccager, d'incendier maisons, dépôts, chaloupes, et de déporter les îliens laborieux et pauvres, que la fidélité et le malheur associent aux Acadiens.

Si les événements de 1789 ont agité quelques esprits à Gorée, ce phénomène s'est dissipé rapidement. Après que les doléances des habitants du Sénégal et la déclaration des habitants de Saint-Louis ont été adoptées sous la présidence de Cormier, maire mulâtre de Saint-Louis, Blanchot, successeur du chevalier de Boufflers au gouvernement, se rend à Paris en 1790, pour en revenir au début de 1792. Entre-temps, la colonie aura vécu un temps fort : la suppression du privilège de la Compagnie du Sénégal et l'établissement de la liberté du commerce, que la Constituante a décrétés, le 23 janvier 1791. À son retour, le commandant et administrateur général trouve les établissements de l'Afrique occidentale dans un état déplorable. En effet, la Compagnie, qui les faisait vivre, subvenant à toutes les dépenses, dont les vivres, les traitements, les armes et les munitions, n'a pas été relayée par l'administration royale, lors de son abrogation. Après de premières démarches, qui se soldent par un maigre crédit, le

30 décembre 1792, Blanchot, à bout de ressources, implore Monge, mathématicien éminent, égaré à la tête du ministère de la Marine. « La colonie française du Sénégal se trouve dans le plus pénible dénuement. Oubliée, en quelque sorte par le Gouvernement, elle est exposée à périr dans les horreurs de la famine ou à chercher à surprendre chez des voisins les secours dont elle ne peut plus se passer et conséquemment à entrer en guerre avec les Africains, qui détruiront un établissement qui, secouru et bien dirigé, peut offrir de grands avantages à notre commerce. » La République, occupée sur ses frontières et en proie à des convulsions intérieures, a d'autres soucis que le Sénégal : elle l'oublie jusqu'en 1799. Entre-temps, elle envoie le décret du 4 février 1794, qui abolissait l'esclavage, mais n'interdisait pas la traite ! Cette décision incomplète est reçue sans enthousiasme par la colonie où traite et esclavage appartiennent à la vie quotidienne africaine. Aussi ne bouleversera-t-elle pas la société locale.

Blanchot dut toutefois éprouver quelque surprise, quand en 1799, il reçut des instructions étranges et pour le moins contournées où il est parlé, sans le dire, de traite et d'esclavage. Ces ordres, donnés le 13 mars 1799, portent une signature éclairante : celle de Talleyrand, qui assure l'intérim de Bruix au ministère de la Marine. Que dit l'ancien évêque d'Autun ? « Le commandant du Sénégal saisira toutes les occasions de rappeler l'article 15 de la Déclaration des droits de l'homme : " Tout homme peut engager son temps et ses services, mais il ne peut se vendre ni être vendu : sa personne n'est pas une propriété aliénable. " D'un autre côté le Directoire exécutif reconnaissant combien il serait utile de procurer des cultivateurs à vos colonies, le citoyen Blanchot acquerrait de nouveaux droits à la bienveillance et à l'estime du gouvernement, s'il parvenait à ce but louable, en conciliant les principes d'humanité avec les lois constitutionnelles. [...] Le Directoire est informé que les princes africains regardent les Noirs comme leur propriété, qu'ils ne permettent d'en traiter qu'en leur payant des coutumes. Il reconnaît la nécessité de continuer à payer ces coutumes* ; mais en même temps, s'il est un moyen de pouvoir engager les nègres par l'attrait de la liberté, par la persuasion et par la promesse d'un sort plus heureux, le Directoire autorise le commandant du Sénégal à en faire usage. Dans le cas où ces moyens seraient insuffisants, les motifs de bienveillance et d'utilité publique qui dirigent le gouvernement français semblent devoir faire regarder les objets d'échange donnés pour prix d'un esclave comme un véritable rachat ; dans l'une et l'autre hypothèse, les principes d'humanité seront toujours la règle de conduite du citoyen Blanchot. » La Révolution, les années passant, ne cesse

---

* Les coutumes sont les droits que le négrier verse aux chefs africains pour recevoir l'autorisation d'acheter des captifs.

d'utiliser le langage fallacieux cher à Robespierre : oui à l'esclavage, nécessaire au fonctionnement de l'économie coloniale, mais à la condition que n'apparaisse pas la terminologie esclavagiste, contraire à l'égalité, principe central de l'idéologie sur laquelle repose la nouvelle société. Les Droits de l'homme sont ceux de l'individu blanc : sous la Constituante et plus encore sous le Directoire, qui prêche l'expansion coloniale, ils s'appliquent de manière discrimina-toire, et établissent l'infériorité de la race noire, autorisant par là traite et esclavage. Ce propos ne relève pas du sophisme, sinon comment expliquer que l'article 15 de la Déclaration des droits — que les instructions esclavagistes envoyées à Blanchot ont l'audace d'invoquer ! — n'ait pas entraîné l'abolition de la servitude, le jour même où l'Assemblée nationale l'adopta ?

Les Anglais préoccupent davantage l'administrateur général du Sénégal, que la littérature ministérielle. Ne s'emparent-ils pas de Gorée le 5 avril 1800 ? Ne tentent-ils pas, en janvier 1801, de contraindre Saint-Louis à la capitulation ? Après leur échec, Blanchot s'en va demander des secours à Paris. Le Premier Consul, peu reconnaissant, le remplace par un protégé du général de Laveaux, ancien soldat au régiment du Port-au-Prince, le colonel Laserre qui, de 1801 à 1802, plonge Saint-Louis dans un tel désordre que la population se soulève, destitue son chef, l'arrête, l'embarque sur une goëlette et le fait déposer à Gorée que les Anglais occupaient depuis deux ans ! Blanchot, rappelé au service, arrive à Saint-Louis peu après le départ forcé et mouvementé de son prédécesseur. Pourquoi la colonie, si calme à l'ordinaire, en était-elle arrivée à de pareilles extrémités ? Il semble que le colonel, en créant, de son propre fait, une société à monopole dont il était actionnaire, ait dressé contre lui tous les Blancs, anciens et nouveaux libres, qui, depuis 1791, commerçaient librement la gomme. À ce grief principal, paraît se greffer l'inquiétude que la nouvelle de la loi du 20 mai 1802, rétablissant la traite et l'esclavage, suscita chez les affranchis. Mais pendant son dernier gouvernement 1802-1807 Blanchot, après avoir apaisé les esprits et établi les troupes qui l'accompagnaient, doit faire face aux Anglais qui, malgré la paix d'Amiens, n'ont pas restitué Gorée à la France. Dès le 17 janvier 1803, au terme d'une opération combinée qui associe les efforts et les hommes de Victor Hugues, alors gouverneur de la Guyane et Blanchot, les Français prennent l'îlot. Mais, comme toujours, les Britanniques ayant la maîtrise des mers, dépêchent une de leurs divisions sur Gorée qui y déverse ses troupes : le 8 mars, le capitaine Renaud capitule, après une quinzaine de jours de souveraineté française. Un événement prévisible, qui porte un coup aux ambitieuses instructions consulaires, qui inti-maient au commandant du Sénégal d'élever « ses pensées au-dessus de ce cercle trop circonscrit », que représente « l'exploitation de quelques branches de commerce indigène au pays ». Le général

Blanchot, quoique manquant de tout, réussit à maintenir la domination française, jusqu'à sa mort, en 1807. Son successeur, le capitaine Levasseur ne peut résister à l'offensive qui, de 1809 à 1811, dépouille la France de l'essentiel de ses possessions : la capitale sénégalaise capitule le 13 juillet 1809. Gorée et le Sénégal ne reviendront à la France qu'en 1817, indemnes de toute cicatrice révolutionnaire. Visiblement, Londres, dont le drapeau flotte sur tous les continents, s'apprête à intégrer largement l'Afrique, dans sa stratégie d'expansion coloniale.

Pendant la Révolution, l'Afrique reste à l'affiche. L'idée d'une mise en valeur du continent par une main-d'œuvre noire, mais libre, qu'Adanson, Baudeau, Dupont de Nemours et Frossard avaient lancée, rencontre de plus en plus de partisans, d'autant que l'on peut invoquer l'exemple — qui n'est pas un succès — de l'établissement de Sierra-Leone que l'Angleterre a fondé, en grande partie, à l'intention d'esclaves affranchis, ramenés des États-Unis. Justement, le 22 janvier 1796, Mgr Grégoire lit une *Notice sur la Sierra Leone*, devant les membres assemblés de l'Institut. L'honorable évêque, évoquant les ravages de la traite négrière, observe que quelques philanthropes avaient imaginé que l'un des moyens d'extirper l'horrible trafic « serait de porter graduellement la civilisation en Afrique, en organisant sur les côtes de ce continent, des sociétés politiques de nègres libres ». Ainsi, pour abolir les méfaits du commerce des Noirs, l'ancien abbé d'Embermenil, comme bien d'autres, en arrive-t-il à proposer la « colonisation libre en Afrique », citant notamment Wadstrom, il rappelle qu'il revient à un Français d'avoir le premier pensé à cette solution. « Dès 1771, le citoyen Dupont de Nemours avait inséré dans le sixième volume des *Éphémérides du Citoyen* le projet d'un établissement à la côte d'Afrique, pour engager les nègres libres à y cultiver le sucre. Par un calcul détaillé, il prouvait que le sucre en reviendrait de beaucoup à meilleur marché. En 1774, il écrivit à Turgot sur cet objet [...] et de concert ils firent ensuite un mémoire ministériel qui fut présenté au Conseil, et qui eut le sort de tant d'idées utiles. » Civiliser l'Afrique, organiser sur ce continent une colonisation libre qui produirait les denrées exotiques à meilleur marché, assurant ainsi de plus gros profits à l'Europe, ce projet que le Directoire a mis à l'honneur connaît le succès.

En 1801, Grandpré, expert en matière de traite négrière, qui décrit et réfléchit dans son *Voyage à la côte occidentale d'Afrique,* conclut, à propos du littoral du Congo et de l'Angole : « C'est de là que nous nous obstinions à transporter des malheureux sur un sol étranger qui les tuait, tandis qu'avec moins de dépense et plus de succès, nous aurions pu cultiver le leur. » Malgré les apparences, un fossé infranchissable sépare Dupont de Nemours et Grégoire, de Grandpré. Celui-ci, par colonisation libre entend l'occupation de l'Afrique et la direction du travail des Africains par les Blancs en position de dominateurs : point d'États noirs indépendants et producteurs, point non plus d'association de Blancs et de Nègres, sur un pied d'égalité, dans des exploitations agricoles ou autres. Sur la côte d'Angole, les habitants « sont façonnés à servir, industrieux, tranquilles, doux et trop lâches pour s'opposer à un établissement chez eux. Ils regardent comme des dieux bienfaisants ceux qui venant occuper avec eux le pays, leur apprendront à le cultiver au lieu de les vendre ». Parmi les conditions de succès de l'installation des Européens, l'ancien marin retient que les Africains sont « habitués à nous aimer, à nous obéir ». Et pour rémunération de ce qui apparaît comme une variété de servage, il propose « le modique salaire d'une pagne par semaine », c'est-à-dire « cinq pieds de toile bleue ». Cette année 1801 voit aussi apparaître dans les librairies, un petit ouvrage, dû à la plume d'un ancien directeur de la Compagnie du Sénégal, le Marseillais Pelletan. Cet homme averti ne perd pas son temps en fioritures. Dès l'épître dédicatoire, il dit au Premier consul : « Vous ne trouverez peut-être pas indigne de votre gloire de créer l'Afrique occidentale en instruisant, en civilisant, et surtout en rendant utiles et heureux ses simples et nombreux habitants. » Dans le cours de sa brochure, l'auteur se fait plus précis. « Ce serait bien mériter de la République, que de lui proposer d'acquérir sans moyens violents, sans aucune surcharge de dépense pour le Trésor public, un espace de deux cents lieues de côtes sur une profondeur de plus de trois cents, d'un pays propre à toutes les cultures, coupé par de superbes rivières navigables et dont la population, quoique très diminuée, est suffisante pour la mettre en valeur. [...] Tous les bons esprits sentiront combien ce nouveau système de colonie est préférable à celui qu'on a suivi jusqu'à ce jour. » Tandis que certains veulent reconstituer l'économie antillaise en Égypte, Pelletan préconise de le faire en Négritie. Les plantes commerciales, qui ont porté les Îles à l'opulence, enrichiraient pareillement l'Afrique occidentale. En effet, « cultivées par des mains libres, mais simples et accoutumées de vivre de peu, on les aurait vraisemblablement à bon compte ». Par réalisme, et non par philanthropie, Pelletan trace des perspectives qui préparent la relève du premier empire colonial français.

Le Marseillais et Grandpré sont rejoints dans leurs conceptions de l'avenir national outre-mer, par un petit colon du Sud de Saint-Domingue, le sieur Page, esprit turbulent, intrigant, mais homme d'intelligence et de culture. Dans son *Traité d'économie politique et de commerce des colonies*, paru en 1801 encore, ce personnage étrange se pose en promoteur de l'Afrique. Attitude inattendue de la part d'un habitant des Antilles ! « Il fut tout à la fois ridicule et odieux d'aller chercher le nègre en Afrique, pour cultiver, en Amérique, la canne à sucre, le café, le coton etc. C'est en Afrique qu'il faut établir nos colonies agricoles. Nous ne nous dissimulons pas que cette colonisation blessera les préjugés, les préventions, les intérêts de plusieurs :

mais le gouvernement sera judicieux assez pour voir l'économie, l'étendue de cette opération. Il sera fort assez pour ne pas être arrêté par les vaines clameurs de l'ignorance, qu'il est facile de reconnaître, quoique souvent retranchée derrière une grande réputation et les prestiges de l'esprit. » Le Domingois se garde de définir la méthode colonisatrice à utiliser en Afrique, esquivant le problème de l'esclavage. En même temps précis et imprécis, il écrit : « Une colonie agricole, sous les tropiques, ne peut avoir d'autres laboureurs que des nègres ; et ces nègres ne peuvent donner un résultat utile que par leur subordination à la volonté de l'homme qui les dirige. [...] Ils doivent être, dans leurs rapports avec les colons, ce que le soldat est envers son général. » À l'appui de sa thèse, Page apporte le poids d'un éclairage politique original. « L'Amérique et l'Asie se partagent toutes les combinaisons colonisatrices de l'Europe : l'Angleterre seule a connu l'importance de l'Afrique sous ce point de vue, parce que l'immensité de ses relations, sur toutes les parties de la terre, environne son gouvernement de toutes les connaissances, qui peuvent lui faire apprécier l'importance de tel ou tel autre genre d'établissement. » La fondation de la colonie de Sierra Leone et la création, en 1788, de l'*African Society,* sont autant de signes supplémentaires de l'intérêt nouveau que Londres porte au continent noir. Au nom de la curiosité scientifique, de la lutte contre la traite, les explorateurs britanniques rapportent des moissons de renseignements à leur gouvernement et dressent des cartes. Le chevalier consul Bruce, après avoir observé la Barbarie, visite l'Égypte et l'Éthiopie. La Guinée n'est pas oubliée : Mungo Park livrera au public son *Voyage à l'intérieur de l'Afrique,* en 1796. Les Français, si l'on excepte l'expédition de Le Vaillant en Afrique australe, s'enferment dans l'antique tradition sénégalaise, laissant au siècle suivant la tâche de la faire fructifier.

Page, par méfiance instinctive à l'égard de l'Anglais, cherche et trouve une région africaine à la fois fertile et protégée, où les Français peuvent établir une colonie comparable à la plus productive des Antilles. « Tel est le fleuve Sénégal, qu'il est inaccessible à toutes les puissances de l'Europe. Une barre * indestructible en ferme l'entrée à toute espèce de bâtiments de guerre. L'île Saint-Louis, jetée en dedans de cette barre la défend contre les petits bâtiments qui oseraient y pénétrer. On se plaint que la côte maritime y est frappée de stérilité ; qu'elle est occupée par des marais et des lagunes insalubres ; tant mieux : c'est là le meilleur boulevard qu'on puisse donner à un établissement qu'il importe d'isoler du reste du monde. » Ce terroir merveilleux où tout ce que l'homme sème ou plante, croît spontanément, Page en révèle enfin le nom : c'est l'*île à Morphil,* que le Sénégal enserre dans ses eaux. « Cette île a soixante lieues de long

---

* Lame déferlante.

sur quatre de large ou 240 lieues quarrées, qui donnent 408 000 carreaux de terre de 350 pieds sur chaque côté. Elle est susceptible de recevoir 4 080 sucreries : la colonie entière de Saint-Domingue n'en avait que 793. Ces sucreries seraient d'autant plus productives que cette île est composée de terres d'alluvion : leur produit pourrait être de 1 600 000 pesant de sucre brut. On ne peut se défendre d'un sentiment d'admiration quand on considère les richesses immenses que pourrait déverser en France, un point jeté sur le globe, au milieu d'un fleuve du second ordre. » Le rêve de l'économiste domingois, qui possède une information précise et juste, ne sera jamais réalisé. Toutefois le meilleur connaisseur de la région, le Directeur Pierre David qui séjourna, de 1732 à 1746, au Sénégal qu'il visita, n'aurait pas désavoué le projet de l'Antillais, car lui-même songeait à la mise en valeur de l'Île à Morphil. De celle-ci, Adanson, protégé du père de David, n'a-t-il pas, dans son *Histoire naturelle du Sénégal*, écrit l'éloge ? « Le terrain gras et argileux de ce pays favorise beaucoup les travaux de jardinage. Aussi les Français cultivent-ils avec un grand avantage plusieurs variétés d'oranges, de citrons, de limons, la figue, la grenade, la goyave et beaucoup d'autres fruits excellents comme l'ananas, la papaye et le pignon. [...] Tous les légumes d'Europe y réussissent en perfection. »

Les Établissements français de l'Inde, essentiellement Pondichéry et Chandernagor, après s'être ébroués dans les vapeurs lointaines de la Révolution, la capitale prenant goût aux assemblées et comités, publiant ses doléances et envoyant des députés aux États généraux, le comptoir du Bengale renvoyant son gouverneur, se donnant un organe élu et l'anarchie, bref, ces vestiges d'une gloire déchue, rêvent de puissance, oubliant l'état de misère et de dépendance dans lequel les Anglais les ont réduits et où Vergennes et Louis XVI puis les ultimes ministres de Versailles, les ont abandonnés définitivement. Ces comptoirs désarmés s'imaginent un destin rédempteur à accomplir dans le souvenir de Dupleix, mais, oubliant le sang mêlé de la bégum Jeanne, ils réservent la citoyenneté aux seuls Blancs. Emportés par cette paranoïa spécifique des terres de l'outre-mer, qui, de bonne foi, se croient le cœur du monde, ces fantômes d'empire ne veulent pas se résoudre à la réalité humiliante de n'être qu'une épine dans la musculature puissante du géant britannique.

Les mirages illuminés et brûlants s'effondrent bientôt, s'effacent derrière les criailleries, les disputes mesquines, paralysant le représentant du pouvoir national pour courir d'élection en élection, multiplier les centres de délibération, ériger le dérèglement en ordre politique. Longtemps après avoir appris la suppression de la dernière Compagnie des Indes et le retour à la liberté du commerce, Pondichéry accueille le commissaire Lescallier, le 30 octobre 1792. L'ancien ordonnateur en chef de la Guyane, homme à l'expérience coloniale ancienne et variée, ne manque pas de faire désigner une nouvelle assemblée coloniale et, petite vengeance, d'annuler le gouverneur de Fresne qui, désormais, passe ses jours à attendre son successeur. Celui-ci, le gouverneur de Chermont, arrive le 16 février 1793, en compagnie de Dumorier le second commissaire. Bientôt l'on apprend l'inimaginable : le roi a été destitué, la France a aboli l'antique monarchie ! Aussitôt, on s'assemble, on s'embrasse, on plante des arbres de la liberté, et l'on s'habitue à crier *Vive la République !* Les commissaires étrennent leur lustre neuf en passant les troupes en revue, en se rendant à un *Te Deum,* en offrant au peuple l'illumination de la ville et aux notables un dîner magnifique. Pendant que les citoyens oublient leurs ambitions des premiers jours, Tippou Sahib, sultan du Mysore, fils d'Haïder Ali, le vieil allié de Versailles, à la tête d'une armée importante et d'un corps de partisans français, s'empare du Travancore dont le prince était l'ami des Anglais (1790). Mais, l'année suivante il se heurte à la coalition du gouverneur Cornwallis, des Marhattes, du Nizam d'Aurengabad : après quelques succès il doit se replier sur sa capitale, Seringapatam où, assiégé, il se résoud à capituler (16 mars 1792). Au fil des années la position de la France dans l'Inde s'effrite, et les souverains locaux, que la résistance aux Britanniques aurait tentés, croient de moins en moins dans une alliance éventuelle avec Paris : aussi négocient-ils leur soumission aux meilleures conditions financières.

Un an après la reddition de Tippou Sahib, Pondichéry apprend que la guerre a éclaté entre la France et l'Angleterre. Le 7 juin, le général de Chermont réunit un conseil. Que faire avec 600 soldats français et un millier de cipayes contre une armée anglaise forte de 6 000 Blancs et de 23 000 cipayes ! On échafaude des projets qui excitent l'enthousiasme, mais dont l'examen révèle l'irréalisme. Ainsi pense-t-on à faire appel à de ces aventuriers que la France n'a jamais su utiliser. Rendant compte au gouvernement, Lescallier évoque ces hommes, appartenant à la tradition du colonel Gentil, des Madec, des Hügel, des Russel, des Lallée, des Gardé, des Sombre, des Rousseau et des Lanois, que perpétueront Boigne, Perron, et enfin Allart à partir de 1822 ! « Les Princes les plus considérables de l'Inde ont tous, à la tête de quelques corps de détachements étrangers qui s'appellent des *partis,* des officiers français dont quelques centaines d'Européens, la plupart aussi Français, sous leurs ordres. Quelques-uns de ces commandants de partis m'écrivirent dès qu'ils surent mon arrivée pour me témoigner leurs sentiments patriotiques : ils demandèrent le pavillon national. Un d'eux nommé Raymond, qui commande le parti européen de Nizam Ali et qui a à ses ordres 15 000 hommes dont 300 Européens artilleurs, m'a fait dire dans le temps du siège de Pondichéry qu'il offrait au gouverneur Chermont de venir au secours de la place ; mais la grande distance et l'interruption des communications ont empêché que cela ne s'effectuât : je lui avais écrit pour l'y encourager. Ce parti nous serait d'un grand secours au cas d'une entreprise dans l'Inde, et Raymond, son chef, a annoncé les meilleurs sentiments pour la Patrie, désirant l'occasion de lui être utile. Il en est de même de celui qui est chez Tippou Sultan, commandé par Veuillet d'Anières, autrement nommé Vigi, et de quelques autres partis qui sont chez divers petits princes de l'Indoustan. Il y en a un très considérable chez les Marhattes avec lequel je n'ai pu avoir aucune communication, mais je sais que les Marhattes sont très bien disposés pour les Français. »

La Navy commence à bloquer Pondichéry, par mer, le 24 juin 1793, alors que le général Bratwaithe en entreprend le siège le 12 juillet. La ville résiste pendant 42 jours. Tandis que les divergences de vues divisent les Français, les dressant les uns contre les autres, les Anglais commencent à bombarder la capitale, le 13 août. Le général de Chermont, ne recevant aucune réponse du Nizam ni de Tippou Sahib, ne voyant venir aucune escadre libératrice de l'île de France, décide, le 22 août, avec l'accord de l'assemblée coloniale, de capituler. Pour la troisième fois, la ville tombe aux mains des Anglais, ainsi que les comptoirs de Chandernagor, Mahé, Karikal et Yanaon. Les Français des Établissements, désormais gouvernés par l'Angleterre, frémissent en 1798, à la nouvelle du débarquement en Égypte de l'armée d'Orient, dont Bonaparte proclame qu'il la conduira dans l'Inde. L'expédition tourne court, mais alarme le gouverneur général Wellesley, frère du futur duc de Wellington, qui, aussitôt, somme Tippou Sahib de faire sa soumission. Le prince indien refuse, intrigue de tout côté, envoie une ambassade au Directoire et n'obtient rien. Contraint à la guerre l'année suivante, en 1799, il essuie une défaite sévère qui l'oblige à s'enfermer dans Seringapatam pour la seconde fois. Assiégé, le prince tombe sous les balles des Anglais, entrés en force dans sa capitale. Tippou mort, la France n'a plus d'allié déclaré dans le sous-continent. Décidé à prévenir de fâcheuses éventualités, comme la campagne d'Égypte en a fait craindre, Wellesley renforce l'emprise britannique : il réduit l'État du Nizam à un protectorat (1800) et démembre le royaume d'Aoudh, entre le Gange et l'Himalaya, patrie de la race aryenne selon les légendes locales (1801).

En juin 1803 le capitaine Binot et quelque 150 hommes débarquent à Pondichéry, sans que l'occupation prenne fin. Le 11 juillet, le capitaine général Decaen entre dans Pondichéry, mais comprenant la situation, s'éloigne dans la nuit vers l'île de France. En septembre 1803, la rupture de la paix d'Amiens livre la poignée de soldats français à l'ennemi. L'Inde, désormais solidement garrottée par les Anglais, telle une fièvre quarte obsède l'esprit de Bonaparte qui construit plan sur plan pour y conquérir une gloire mythique et y briser la domination mondiale du cabinet de Saint-James. Plan Decaen de 1804, dont l'Empereur entretint le docteur O'Meara, plan franco-perse de 1807, enfin le deuxième plan franco-russe de 1808, venant après celui arrêté avec Paul Ier, en 1801. Pas plus que les rois, ses prédécesseurs, Napoléon ne ceindra la couronne des Grands Moghols, ni n'abattra la Tour de Londres. La France ne recouvrera ses Établissements qu'en 1817.

Les Mascareignes : paranoïa et psychodrame

Les Mascareignes, comme toutes les possessions françaises, se sont enflammées aux idées et aux événements de 1789. Elles ont pris le goût des élections, des assemblées, des adresses et du pouvoir. Comme toutes les colonies, sauf Saint-Pierre et Miquelon, elles ont contesté et paralysé les autorités qui, tout à la fois représentent le roi, la métropole et le ministre de la Marine. Les Îles Sœurs, toutefois, se sont écartées du train général et ont marqué leur originalité en versant le sang d'un chef, le capitaine de vaisseau comte Macnemara, commandant de la station navale de l'océan Indien. Cependant, malgré ce geste insurrectionnel — même si ses auteurs considèrent avoir assassiné un Anglais —, les Mascareignes éviteront les grandes commotions, grâce à la neutralité du gouverneur général Charpentier de Cossigny (1790-1792), puis grâce à l'habileté du gouverneur général de Malartic (1792-1800), qui sut n'intervenir que dans les moments délicats où des problèmees graves exigeaient une réponse prompte.

Carnaval sous les tropiques

Dans une première phase, allant de 1790 à 1793, les assemblées coloniales, composées de notables, gouvernent. Elles dotent les îles, explique Claude Wanquet, d'un « régime intérieur dont la finalité est de remplacer l'ancienne administration par un pouvoir local collégial et électif ». On réussit à la mer des Indes, ce que l'on a gâché dans la mer des Antilles : on met en place un système autonomiste, avec d'autant plus de facilité que les gens de couleur ne constituent ici, ni un obstacle aux réformes émanées d'organes locaux, ni un enjeu entre factions politiques. Cette première période de la Révolution permet à Bourbon, plus précisément, de se dégager de la contrainte ministérielle, mais aussi de se libérer de la tutelle de l'île de France, toujours privilégiée jusque-là. Cet amendement des institutions insulaires s'accompagne, comme dans toutes les possessions, d'un renouvellement de la vie sociale urbaine. Ainsi en 1791, se forme à l'île de France une Société des Amis de la Constitution. Pendant cette période d'organisation de l'autonomie, les Îles Sœurs, que l'impôt épargne, traduisent leurs revendications dans les faits. Comme dans toutes les colonies, on affirme la permanence de l'esclavage, on établit des assemblées coloniales, des commissions intermédiaires et des municipalités et l'on arrête un train de mesures : généralisation des principes électif et représentatif, création d'une justice nouvelle, suppression du Conseil supérieur, ouverture d'un collège, nationalisation des biens religieux, substitution de la garde nationale à la milice, en résumé un cortège de décisions plus communes que hardies, laissant intacts le problème économique et la défense. La nation de plus en plus boutée hors de l'Inde, l'île de France, malgré la libération du commerce d'Asie, ne peut espérer une plus grande prospérité de son négoce, mais au contraire, prévoir son déclin. Bourbon, l'île nourricière, même si elle peut exporter ses vivres librement, se contente de vendre un peu de café et de coton en France où les ports ont les yeux tournés vers les greniers antillais. Quant aux questions militaires, seule la métropole est en mesure de leur apporter une réponse. C'est dire que la Révolution a permis aux Mascareignes de changer de costume, sans bouleverser les réalités d'hier. Aussi, seule l'île de France peut espérer ne pas sombrer dans la grisaille où Bourbon a toujours végété : en devenant un relais puissant du capitalisme dans la mer des Indes, en ne se contentant pas du revenu d'une spéculation fragile, vulnérable. La Révolution des Mascareignes, comme ses sœurs, refusant le principe d'égalité exprimé par la Déclaration des droits, et à défaut de bâtir une société nouvelle dans tous ses aspects, se livre à l'agitation urbaine ; pour se persuader de son importance elle ouvre les portes d'un psychodrame collectif où les acteurs successifs excellent à friser l'abîme qu'ils évitent avec talent après s'être fait peur.

L'année 1793, celle de l'excécution du roi et de la déclaration de guerre à l'Angleterre, marque — comme partout — un tournant. Maintenant que les notables assemblés ont construit les nouvelles institutions, la pression populaire, que les événements métropolitains exaltent, donne naissance à une multiplicité de clubs patriotiques appelés vulgairement les *Chaumières*, qui occupent la scène politique de juin 1793 à novembre 1794. Bêtes noires des jacobins, deux monarchistes, le vice-amiral de Saint-Félix, successeur de Macnemara à la tête de la station navale, et le gouverneur de Bourbon, le comte Vigoureux du Plessis, originaire de Chandernagor : ces deux aristocrates sont destitués vivement, le marin sera même gratifié de 16 mois de prison. Toutefois les sans-culottes poussent leur entreprise au-delà d'un règlement de comptes avec les aristocrates : en arrêtant, dans la nuit du 11 au 12 avril 1794, non seulement le maréchal de camp du Plessis, mais aussi son remplaçant, le commandant Fayolle, nommé à la hâte par Malartic, et le commissaire de la République Tirol, ils entrent dans le chemin de l'insurrection, faisant figure de rebelles aux délégués du pouvoir national. Ces hommes, aussi bien métropolitains que créoles, souvent issus de l'échoppe, du port, des campagnes et de l'armée, sont généralement de petite condition. Leur mouvement, minoritaire mais déterminé, communie dans une idéologie simple : la Sainte Égalité, dont la République représente l'accomplissement. De cette foi, où l'envie, l'amertume, la rancœur, le refus de toute autorité se mêlent et se côtoient, découle une action politique qui se réduit au terrorisme. Là encore rien de spécifique aux Mascareignes. Les petits-Blancs de toutes les colonies n'adhèrent-ils pas, des Antilles à la mer des Indes, au programme des Chaumières qui commandent à leurs membres « de travailler constamment et par tous les moyens légitimes au maintien de la liberté et de l'égalité républicaines, de se pénétrer de l'esprit des décrets de la Convention, de combattre les abus, dénoncer les traîtres, déjouer les projets des malveillants, surveiller les corps politiques » ?

Face à la vague populaire et égalitariste qui submerge l'ordre nouveau, à peine étrenné, les modérés, les plus nombreux, décident de faire face. Ils fondent la Société des Amis de l'Ordre, au mois de février 1794. Ce club de pères de famille, soucieux de sauvegarder ce qui leur appartient avant de songer à des acquisitions supplémentaires, déteste le désordre, l'anarchie et les excès où conduit la haine de toute hiérarchie. S'agit-il là d'une association contre-révolutionnaire ? Il ne semble pas : la sécurité des personnes et des biens, la paix civile, le respect des institutions et de la loi, le réalisme bonhomme, fuyant le danger des utopies et la menace des sectarismes, la tolérance honnête, ce programme, qui convient parfaitement à une démocratie à la manière américaine, ne contient pas les ingrédients qu'exige une contre-révolution. Cette association de bourgeois, qui s'accommoderait parfaitement d'une république de notables, réunit les siens, fait connaître ses positions. L'un d'eux, Ronsin, regrette que le Parisien de 1789 ait influé sur la colonie : « Au lieu d'attendre paisiblement le résultat des événements ultérieurs, nous avons voulu être imitateurs, sans considérer qu'il ne pouvait y avoir pour nous aucune parenté avec le régime de l'État. » Les Amis de l'Ordre, inquiets du tumulte qu'entretiennent les jacobins, reviennent à l'argument originel des colonies : ils défendent la localité, non plus contre le despotisme ministériel, mais cette fois contre l'Égalité, contre la modernité, destructrice aveugle des principes traditionnels, au point de remettre, inconsciemment, en question la sacro-sainte autonomie.

Les sans-culottes, emportés par leur patriotisme d'importation, balaient tout devant eux : au mois de juillet 1794, ils obtiennent la dissolution des Amis de l'Ordre, et enfin, règnent seuls. Alors, ils se livrent à une farce, mais ils ne se contentent pas d'y ridiculiser l'élite sociale, ils l'abaissent, l'humilient, lui font craindre le pire. Dans cette espèce de thérapie de groupe, comme diraient les médecins de l'esprit et du bien vivre ensemble, ils adoptent, comme l'a excellement montré Claude Wanquet, les symboles et les modes d'expression des nouveaux maîtres parisiens. Bonnet rouge, cocarde tricolore, arbres de la liberté, chants, discours, dons et fêtes patriotiques, cérémonie mortuaire à l'occasion de la mort de Marat sont à l'honneur, ainsi que des techniques intimidantes, pétitions, dénonciations, dissolutions, destitutions, arrestations. Quant à l'ennemi, il appartient aussi à cette mythologie en noir et blanc : anonymes, d'abord, les complots, les machinations ; personnalisés, ensuite, si l'on peut dire, les aristocrates, les royalistes, les agitateurs, les suspects. Tous ceux qui bafouent les lois de la République, font preuve d'incivisme, sont susceptibles d'être accusés du crime de lèse-nation et de faire l'objet de la sévérité républicaine. Le gouvernement des sans-culottes, malgré ses déclamations menaçantes, ne versera pas le sang. Pendant dix-huit mois il aura utilisé les procédés révolutionnaires dans une parodie bouffonne mais dénonciatrice, à la façon du carnaval cher à Emmanuel Le Roy Ladurie. Comment expliquer ce comportement ? Macnemara a été assassiné à l'île de France, les colonies de la mer des Antilles ont fait des victimes, et Victor Hugues n'a pas joué à Guignol, mais son « jacobinisme » a l'excuse de s'être déployé pour châtier les traîtres qui avaient servi sous les Anglais. Les Îles Sœurs se seraient-elles satisfaites de la non-violence si leur structure sociale avait présenté des contrastes aussi forts qu'aux Antilles ? on peut se poser la question. Le planteur des Mascareignes, toujours modeste, ne ressemble-t-il pas à un petit-blanc qui a réussi ? Les habitants des Îles Sœurs, homogènes dans une certaine médiocrité, étaient-ils prêts aux combats dialectiques et sanglants ? La même volonté de maintenir l'esclavage ne les unissait-elle pas tous, plus forte que leurs divergences, bien minces, en comparaison ? Les sans-culottes commencent à perdre de leur influence à la fin de 1794, quand les deux colonies apprennent successivement que la Convention a aboli l'esclavage en février, et qu'elle a envoyé Robespierre à la guillotine, en juillet. La première nouvelle renforce la solidarité de tous ceux qui n'appartiennent pas à la classe servile — toutefois, par prudence on suspend la traite —, la seconde information, qui annonce la fin de la Montagne, et l'avènement des Thermidoriens, affaiblit l'influence des Jacobins des Mascareignes et réhabilite les anciens Amis de l'Ordre. Les prisonniers sortent de prison, le renversement du rapport de force s'effectue au cours des mois, au fil des délibérations des Assemblées coloniales. De juillet 1795 à janvier 1796, époque à laquelle l'Assemblée de la Réunion enregistre le décret du 23 août 1795, supprimant les clubs et les sociétés populaires, les Chaumières déclinent jusqu'au dépérissement. L'élection des Assemblées coloniales, en 1796, consacrent la victoire des modérés. Ceux-ci affrontent, simultanément, plusieurs problèmes : la guerre, l'insuffisance de vivres, la pénurie monétaire, la difficulté permanente des relations entre l'île de France et Bourbon. Enfin, au-dessus de toutes les têtes pèse, menaçante, l'éventualité de la communication officielle du décret abrogeant la servitude. Par sûreté, afin d'éviter tout conflit entre les Blancs, on se sépare des sans-culottes trop exaltés : certains prennent le chemin de l'exil, d'autres entrent dans les équipages de la guerre de course où des capitaines comme Ripaud de Montaudevert, Deschiens de Kerulvay, Dutertre, Hodoul, Lemême, Malroux, Le Nouvel... et les frères Surcouf, s'illustrent ou se rendront célèbres. Pour l'heure, l'activité, dont ils font preuve, procure une réelle prospérité au Port-Louis, où les Américains — présents, tant à Saint-Domingue et à la Guadeloupe, qu'à l'île de France ! — ont nommé un consul, William Macarty.

À Paris, le Directoire, irrité que les deux possessions de la mer des Indes ignorent le gouvernement national, ne lui rendant pas compte de l'application des lois qui leur sont envoyées, décide qu'une escadre, aux ordres du contre-amiral de Sercey, conduira au Port-Louis : deux commissaires, Baco, ancien maire de Nantes, et Burnel, ancien journaliste à l'île de France, chargés de mettre fin à l'esclavage si ce n'est déjà fait, le général de division Magallon de la Morlière et 800 hommes de troupe. Sercey et ses passagers arrivent en vue du Port-Louis, le 18 juin 1796. Le 21, les agents qui ont annoncé l'objet de leur mission et fait part de leur intention de la remplir avec fermeté, sont embarqués sur la corvette le *Moineau*, dont le commandant reçoit l'ordre de les conduire à Manille : en réalité, les deux proconsuls ne découvriront pas les Philippines et rentreront en France directement. Le gouverneur général de Malartic, qui a approuvé le renvoi des deux représentants du Directoire, expliquera au ministre — comme à l'accoutumée et non sans habileté — qu'il a agi sous la pression de l'Assemblée coloniale et surtout de la foule. Quelles sont les conséquences immédiates de cette insurrection ? Les Îles Sœurs se sont placées en dehors du champ de la souveraineté nationale, néanmoins elles affirment leur appartenance à l'Empire français, mais dans le respect de leur autonomie, que commande leur spécificité, la localité. Autre résultat de la rébellion : l'inapplication du « fatal décret », s'il maintient l'esclavage, permet à la France de conserver la clef des mers de l'Inde. Quant aux esclaves, en faveur de qui on accepte de prendre des mesures d'humanisation, la conservation de leur état leur épargnera les plus grands malheurs, comme l'explique un mémoire de l'époque. « Nègres infortunés, qu'un enthousiasme délirant place au rang de nos égaux, vous éprouverez un jour quels étaient vos amis déclarés. On vous flatte d'une liberté dont vous ne jouirez pas, parce qu'on ne sait pas vous la préparer. L'abus que vous en ferez fatiguera l'autorité, et par des règlements que la nécessité autorisera, les bayonnettes, les balles et la guillotine prendront la place des châtiments domestiques et souvent paternels de vos anciens maîtres. Liberté précieuse, en effet, que celle qui vous tuera pour vous former au travail ! Tel est pourtant le régime de la

Guadeloupe, de Sainte-Lucie, et voilà ce qu'on appelle le Saint-Amour de l'Humanité. » Au fond d'eux-mêmes, pensent les colons, mieux vaut la servitude sous l'autorité paternelle des propriétaires, que le travail forcé dans l'ombre de l'arbitraire. Et à haute voix, ils ne craignent pas de le dire : les Mascareignes ne rééditeront pas le système guadeloupéen, ni surtout l'enfer de Saint-Domingue, le soulèvement général des Noirs, les incendies, les massacres, la dictature meurtrière et honteuse d'un Africain. Dans l'instant la conclusion qui s'impose aux esprits est simple : rester Français contre la France. « Préparons-nous donc braves colons, mes frères, entend-on, à lutter jusqu'au dernier moment contre l'orage, avec l'intrépidité des âmes fortes et innocentes, et si notre perte est inévitable, que le dernier de nous périsse sans reproches et sans faiblesse ! »

Les Mascareignes, dans leur révolte, peuvent se réclamer de la légitimité de la première Révolution, de celle des décrets des 8 mars 1790 et 24 septembre 1791, qui accordaient l'autonomie intérieure aux colonies, ainsi que le droit exclusif de légiférer sur l'état des personnes. Le mouvement de la sédition passé, les deux îles, observe justement Claude Wanquet, sont envahies d'incertitudes multiples, politiques, — comment va réagir la métropole ? — économiques, — pénurie financière, crise du commerce au Port-Louis, à la suite de la quasi-guerre franco-américaine — et réveil de l'antagonisme qui oppose l'île de France à l'économie d'échanges, et la Réunion, dont l'agriculture nourrit la première, qui en retour lui apporte peu mais lui impose sa domination. Tandis qu'à l'île de France, le gouvernement général connaît la stabilité grâce à Charpentier de Cossigny (1790-1792) et à Maurès de Malartic, ancien officier au Canada et aux Antilles (1792-1800), qui l'un et l'autre se maintiennent en sachant « absorber » l'événement, à Bourbon, devenue la Réunion, en 1793, les gouverneurs particuliers se succèdent à un rythme rapide, mais pour des raisons différentes, de 1790 à 1800 : M.M. de Chermont, qui partira pour Pondichéry, Vigoureux du Plessis, l'éphémère Fayolle, Roubaud et enfin Jacob de Cordemoy. Cette instabilité reflète les tensions qui traversent l'île et la secouent. Le marasme des années 1796-1797, que des échecs accentuent et que des violences agitent, se prolonge en 1798, par le refus de payer l'impôt qu'accompagne l'insurrection jacobine du Sud, en mars et avril. À la demande du gouverneur Jacob, l'Assemblée coloniale, soucieuse d'ordre, réprime cette sédition. Quatorze insurgés sont condamnés, et, le meneur, le curé Lafosse, est déporté. Le vieux conflit du Sud et du Nord, se prolonge, couve sous la cendre, pour exploser le 13 février 1799 : la garde nationale de Saint-Denis se mutine, réclamant la dissolution de l'Assemblée coloniale, dominée par les « contre-révolutionnaires ». Après un moment de flottement, les conservateurs réagissent : on tire des coups de feu, on déporte 65 jacobins. Toutefois cette répression, qui instaure le régime que souhaitaient les

Amis de l'Ordre, cache la volonté des partisans des *Chaumières* d'imposer un ordre assurant la prééminence de la République — ou de l'État — sur la colonie. Une telle démarche rejoint de manière paradoxale le vœu du gouverneur qui aspire à rétablir son autorité, c'est-à-dire celle de la nation. Une coalition pour le moins inattendue, mais inorganique.

La Réunion vit l'inapplication du décret abolitionniste dans une tension croissante, qui aggrave ses difficultés intérieures et son antagonisme avec l'île de France, et qui la pousse à envisager les solutions constitutionnelles les plus extrêmes. De novembre 1799 à novembre 1800, une proclamation éventuelle de l'indépendance domine la vie publique réunionnaise et par voie de conséquence, celle de l'île de France, afin d'éviter un bouleversement du système social et économique. De manière parallèle et complémentaire, point mis en évidence par Claude Wanquet, les Mascareignes reçoivent, dans les derniers jours de décembre 1799, l'agent du gouvernement américain Samuel S. Cooper, avec qui elles s'entretiennent d'un projet de traité commercial aux termes duquel les États-Unis assureraient — mais on ne le dit pas — l'approvisionnement de l'archipel, c'est-à-dire son autonomie économique. Mais les pourparlers n'aboutissent pas et le négociateur américain quitte l'île de France, le 23 février 1800. En marge de la chronologie française, apparaît le souci de la jeune République d'aménager une escale sur la route du thé. Dans ses conditions, chacun nourrissant ses arrière-pensées, le discours séparatiste de la Réunion inquiète. Le président de l'Assemblée coloniale de l'île de France, le baron d'Unienville et le gouverneur général de Malartic se rendent à Saint-Denis, au mois de janvier 1800, et obtiennent de la majorité conservatrice de l'Assemblée de la Réunion qu'elle renonce à son projet de sécession. L'avènement de Bonaparte, contrairement à ce que l'on aurait cru pouvoir imaginer, ne rassure pas les habitants de l'archipel de la mer des Indes. Au mois de mars 1800, le Premier Consul, désignant l'amiral Villaret de Joyeuse et Lequoy-Montgiraud, futur collaborateur de Leclerc à Saint-Domingue, leur remet des instructions explosives. Il leur commande de rétablir l'autorité nationale, de veiller au rôle stratégique des îles, mais quand il aborde la servitude, il abandonne le langage d'Ancien Régime. « L'intention du gouvernement est que tout traitement qui ressemble à l'esclavage à l'égard de ces individus cesse ; que le nom même n'en soit pas prononcé ; mais ils seront maintenus en bonne discipline ; il ne faut pas non plus que le mot de liberté soit prononcé pour eux avant que les dispositions générales de la colonie y amènent la totalité de la population. »

Bonaparte prescrit d'humaniser la condition des esclaves, de « bannir toute punition barbare et arbitraire », d'accorder « une paye modique avec une ration de vivres convenable ». Il ne s'arrête pas là. Adoptant les vues des physiocrates, il juge nécessaire d'évoluer vers une émancipation progressive ou graduelle, « sans dérangement des propriétés particulières et surtout sans désordre social ». On croirait lire des directives rédigées par des « négrophiles réfléchis », comme le marquis de Condorcet ou M. Dupont de Nemours. Le discours consulaire, que naguère Brissot et Grégoire eussent applaudi, assure que le passage des esclaves à la liberté s'opérera « sans choc et sans commotion ». En effet, « aucune grande propriété ne sera dérangée, la population augmentera sous un régime plus humain, des familles créoles et anciennes [noires] seront encouragées à s'établir de temps en temps pour leur propre compte et à sortir de cette espèce de servitude de la glèbe substituée dans les premiers temps à l'esclavage. Les cultivateurs s'habituant progressivement à une certaine aisance fondée sur leur bonne conduite et activité, il ne se fera aucune révolution trop subite dans leurs idées qui puisse faire craindre aucun mauvais effet. Les familles qui auront fait sur leurs profits les épargnes suffisantes et ainsi prouvé leur capacité et la bonne conduite dont elles seraient capables dans l'état de liberté, auront alors la faculté d'acheter des terrains ou d'en obtenir en concession ». Bonaparte aurait-il pu appartenir aux Amis des Noirs ? Sans la pression du personnel administratif de l'Ancien Régime, qui l'entourait, et loin des plaintes des colons, peut-être. Toujours est-il que les consignes aux futurs commissaires, qui ne partiront jamais pour le Port-Louis, sont vraisemblablement de la plume d'un ancien membre de la Société, haïe des planteurs : le tout nouveau conseiller d'État, Daniel Lescallier, responsable des colonies au ministère de la Marine.

La connaissance de ces instructions ne provoque aucun élan, aucune adhésion philosophique de la part des habitants des Îles Sœurs qui rejettent tous les modes d'application du décret abolitionniste. Toutefois, la Réunion affiche une détermination plus intransigeante, plus brutale dans son hostilité à la réforme de février 1794. À ce moment difficile meurt le général de Malartic (26 juillet 1800). Tout au long de son gouvernement, cet officier, conscient de l'inexistence de ses moyens pour faire respecter l'autorité nationale, a eu deux soucis : éviter les affrontements, la guerre civile, empêcher la victoire des mouvements séparatistes, ne pas faire des Mascareignes de nouvelles Antilles. Il a satisfait à cette double et délicate préoccupation, démontrant de brillantes qualités politiques. Sa disparition porte au commandement suprême le général Magallon de La Morlière, époux d'une créole. Il va, de novembre 1800 à mars 1801, assister au dernier soubresaut qui secoue la Réunion.

L'île nourricière, que les projets consulaires épouvantent, cherche les moyens de faire obstacle à leur mise en œuvre. Après avoir échoué dans sa tentative sécessionniste, elle choisit de réformer sa constitution. L'Assemblée coloniale adopte, le 30 décembre 1800, un préambule à la nouvelle charte, où elle exprime sa position sans ambiguïté. « L'Assemblée déclare que la volonté de la colonie est de ne point rompre ses liens qui, jusqu'à ce jour, l'ont inviolablement attachée à la France ; mais elle déclare en même temps qu'elle n'adoptera jamais le décret du 4 février 1794, sous quelque forme et avec quelque modification qu'il puisse être présenté, et qu'elle le repoussera de tous ses moyens. » La loi constitutionnelle, qui suit, donnant le pouvoir à la colonie, est votée le 18 janvier 1801. Après avoir refusé de la sanctionner, le gouverneur Jacob de Cormoy, reprenant à son compte la politique de Malartic, l'approuve le 28 février, pour éviter des affrontements, mais après avoir obtenu le retrait du préambule. Tandis que le gouverneur général Magallon de La Morlière blâme son subordonné avec une hauteur et une sévérité impolitiques, les Anglais croisent au large des îles, accentuant leur pression. La commune de Saint-André profite de la fragilité de la situation insulaire pour se soulever, pour obliger l'Assemblée coloniale à réclamer la protection de la Grande-Bretagne. L'insurrection fait long feu. À la fin du mois d'avril 1801, les agitateurs sont déportés, et les chefs de la faction anglophile arrêtés et emprisonnés au Port-Louis. Le gouverneur Jacob de Cormoy, qui a su temporiser, sans abdiquer complètement, a empêché les partis d'en venir aux mains et d'entraîner la Réunion dans des déchirements civils dont l'ennemi eût été l'arbitre.

À cette époque, au mois de mars 1801, l'île de France accueille Bory de Saint-Vincent, qui accompagne le capitaine de vaisseau Baudin, chargé d'une mission qui le conduira en Australie. Bory, officier d'état-major et naturaliste, rapporte avec fidélité son arrivée au Port-Louis, et ses réflexions. « Quel motif les amène ? fut la première question que les colons se firent les uns aux autres. Il faut avouer que pendant un temps, les principes du gouvernement de France ont été si erronés, que les Français qui avaient eu le bonheur de se mettre à l'abri de leurs funestes conséquences n'avaient pas tort de trembler à la vue d'un pavillon, qui jusqu'alors avait été pour eux le signal de quelques nouvelles craintes. Témoins des malheurs de Saint-Domingue, convaincus qu'il n'était pas possible de briser les fers de leurs esclaves, sans s'exposer à ces mêmes malheurs, les habitants des îles de France et de Bourbon firent, dès le commencement de la révolution, le serment d'être fidèles à la métropole ; mais en même temps ils jurèrent de mourir plutôt que de se voir exposés eux, leurs femmes et leurs enfants à la licence barbare des Nègres à demi-sauvages, qui eussent signalé une liberté dont ils n'auraient pas senti le prix, en inondant l'île du sang de leurs maîtres. S'étant mis, par cette résolution, en contradiction avec les lois de la France qui ne reconnaissait pas de servitude, les colons furent bientôt réduits à redouter également et leur patrie qui les menaçait d'une ruine totale, et les ennemis de leur patrie, qui les menaçaient de les subjuguer. Huit ans ils vécurent dans une position précaire... » L'appréhension, que Bory a fort bien discernée chez les habitants, s'évanouira un an plus tard, au mois de février 1802. À cette date, Magallon reçoit le texte officieux des préliminaires de paix avec l'Angleterre, ainsi que les lettres de Decrès, successeur de Forfait à la Marine, l'autorisant à donner « l'assurance positive et solennelle », de « la résolution ferme du gouvernement de ne rien changer à l'état actuel des Noirs et au régime rural. » Aussitôt la joie éclate : spectacles, érection d'un obélisque, *Te Deum*, coups de canon et illuminations. À un carnaval l'autre ! À Paris Lescallier, l'Ami des Noirs, a remis la direction des colonies à Guillemin de Vaivre, ancien intendant de Saint-Domingue, naguère intendant général des colonies, partisan ferme et serein de l'ordre servile. Les Mascareignes, un moment sorties du temps, y rentrent. Dans quel état. D'une phrase courte, Claude Wanquet, historien de la Révolution à Bourbon, répond : « Et nulle part la Révolution ne marque une coupure durable. » Pendant une douzaine d'années, les habitants des Îles Sœurs ont joué à la Régénération. Par ces jours de 1802, ils reprennent leurs habitudes, regrettant certaines innovations, mais heureux de conserver leurs esclaves et de pouvoir en disposer ... comme sous l'Ancien Régime.

Le capitaine général Decaen : l'obsession indienne

L'île de France et la Réunion attendent désormais les chefs que le Premier consul leur aura choisis. Examinant la position française dans la mer des Indes, Bonaparte décide d'abandonner le système administratif mis en place sous Louis XVI — un gouvernement général unique, établi au Port-Louis, flanqué de deux gouverneurs particuliers, l'un à la Réunion, l'autre dans l'Inde. Il revient à l'organisation en vigueur sous Louis XV, composée de deux gouvernements généraux : celui des Mascareignes et celui de l'Inde. Ainsi, Decaen ne part-il point en proconsul de tous les Établissements français de la mer des Indes, mais seulement comme capitaine général des comptoirs du sous-continent, avec la mission, il est vrai, de préparer la venue dans l'Inde d'une puissante expédition, à la tête de laquelle il devra jeter les Anglais à la mer. Mais le jour même de son arrivée à Pondichéry — le 11 juillet 1803 — un aviso venant de France lui remet une lettre du 11 mars où Decrès lui précise de nouvelles instructions. « Le Gouvernement apprend que l'Angleterre fait un armement extraordinaire ; ce n'est pas une rupture, mais cela jette un nuage sur ses intentions. Dans cet état de choses, l'expédition ne doit pas aller à Pondichéry s'exposer inconsidérément aux chances des événements. L'amiral Linois reçoit l'ordre de la conduire immédiatement à l'île de France. Vous y débarquerez et attendrez les ordres. » D'où le départ précipité de Decaen qui fuit Pondichéry quelques heures après y avoir jeté l'ancre. Il débarque au Port-Louis, un mois plus tard, en août, sans commandement. Il rend visite au gouverneur général Magallon de La Morlière, toujours pas relevé, et attend. Le 25 septembre, un navire apporte un courrier officiel : le Premier consul nomme Decaen capitaine général des Mascareignes. Il prend ses fonctions dès le lendemain, et comme il lui est ordonné, dissout les assemblées coloniales, réorganise la justice, etc. Quant à Magallon, il en fait son gouverneur à la Réunion.

Les Mascareignes, à partir de 1803, vivent dans l'attente et la guerre. Après une reprise en main politico-administrative énergique, qui abolit les institutions révolutionnaires, à commencer par les assemblées coloniales, le capitaine général tout en améliorant la défense de l'île de France, codifie, à l'image du Premier consul — phénomène d'imitation qui avait également touché Leclerc, à Saint-Domingue — crée des établissements d'enseignement, développe l'utilisation de la vaccine pour réduire les épidémies de variole, fonde le port de Mahébourg. Si les cultures sont éprouvées par des cyclones successifs et une sécheresse sévère, le commerce, au contraire, prospère grâce aux navires neutres et dans une certaine mesure grâce aux prises des corsaires, qui ont repris leurs activités. Le blocus anglais ne portera un coup à ce trafic qu'à partir de 1808, quand l'ennemi occupera Rodrigue. Decaen sait qu'il réside aux Mascareignes par malchance, à cause de la rupture précipitée de la paix d'Amiens, et n'oublie pas la raison de sa présence dans cette partie du monde : préparer une grande expédition pour s'emparer de l'Inde, couper l'Angleterre de l'Asie, partant frapper le capitalisme britannique au cœur. Malgré les escadres de la Navy, il entretient des relations avec le sous-continent. En 1807, il reçoit un mémoire que lui envoie le lieutenant Muller, que Binot avait envoyé chez les Marhattes, en 1803, et qui depuis n'a cessé de sillonner la péninsule. De même, en 1806 et 1807, il lit les renseignements que le capitaine Dufayel, installé, sur l'ordre de Binot, dans le port danois de Trinquebar, lui fait parvenir. Il a également pris connaissance des informations réunies par Binot lui-même et entendu au Port-Louis, le lieutenant Delahr, qui avait réussi à fausser compagnie aux Anglais après la capitulation de Pondichéry. Le Normand — il est originaire de Caen —, quoique investi des fonctions suprêmes dans un archipel, n'a pas autorité sur le commandant de la division navale, l'amiral de Linois. Il doit cette gracieuseté à Decrès qui, par mesquinerie corporative, a séparé les commandements, laissant entendre à Bonaparte que ce faisant il exécutait ses ordres. « Les instructions du capitaine général, ont ceci de particulier que, conformément à vos vues présumées et à l'intérêt du service maritime, je n'ai pas cru devoir lui subordonner le commandement des forces navales. La même observation a lieu en ce qui est prescrit à l'amiral, à qui je ne recommande que le concert avec le capitaine général. » Le chef des Mascareignes, comme il était prévisible, ne réussira pas à imposer une unité de vue stratégique et entretiendra de mauvaises relations avec le marin. Et, jusqu'en 1806, année de sa capture par les Anglais, les forces navales françaises de la mer des Indes furent de peu d'utilité : même dans la guerre commerciale, les corsaires obtenaient de meilleurs résultats. Decaen, homme d'autorité, bon général, a beau dire son irritation au « misérable » Linois, rien n'y change. « Toutes les expéditions sur mer qui ont été entreprises depuis que je suis à la tête du Gouvernement ont toujours manqué, parce que les amiraux voient double et ont trouvé, je ne sais où, qu'on peut faire la guerre sans courir aucune chance. »

Malgré ce frein à son action, Decaen recueille sans discontinuer des indications sur l'Inde. Le 4 novembre 1803, il dépêche deux de ses officiers, le capitaine Courson et le lieutenant Durhône, sur la côte orientale du sous-continent. Ils sont porteurs de deux lettres : l'une pour Sindhia, chef des Mahrattes, l'autre pour son chef des armées, le « général » Perron, aventurier français, successeur de Boigne. Au prince, le capitaine général dit la puissance du « grand Consul de France », véritable « Ange exterminateur » des Britanniques, hommes pleins de « mensonges » et de « fourberies ». Il lui prêche l'union des rois indiens et prend des engagements au nom de Paris. « La discorde, la seule arme qui puisse arrêter vos succès, les Anglais feront tous leurs efforts, pour la faire renaître entre les chefs et les soldats marhattes, mais il faut écraser la discorde et les Anglais. Croyez qu'aussitôt que le Grand Consul sera informé de vos nobles dispositions, que je lui ai déjà fait connaître, il enverra par devers vous des hommes et des armes, pour vous seconder dans vos travaux. Je prie le général Perron de vous entretenir plus particulièrement de cet objet et de vous offrir, en mon nom, l'alliance de la République Française... » À Perron, à qui il envoie un brevet de général de division, il explique que les princes indiens doivent profiter de la guerre qui retient les Anglais en Europe, pour se soulever et briser le joug d'Albion. Le ton traduit une sympathie chaleureuse, et reflète l'ardeur lyrique des jeunes généraux issus de la Révolution, la volonté brûlante, après un siècle de pacifisme, d'abattre l'ennemi héréditaire par les armes, dans la gloire. « Je voudrais, mon cher Perron, être acteur aussi rapproché que vous l'êtes des Sindhia, des Holkar, des Bonsla et de tous les Indiens magnanimes qui vous ont accordé leur confiance ! Que je serais heureux ! Mais saisissez ce bonheur. Vous avez jusqu'à présent, tout fait pour le goûter. Empêchez les Marhattes de reposer leurs armes. Voilà pour vous la route de l'immortalité ! Qu'il n'y ait point de trêve avec l'orgueilleux Breton* ! Que dans l'Inde, comme en Europe, il paie aux peuples qu'il a opprimés le juste tribut de ses forfaits ! Perron et les armées marhattes doivent être dans ce siècle les vengeurs de l'Hindoustan. » Ce discours enflammé évoque la violence de Diderot. Mais la comparai-

---

* C'est-à-dire l'Anglais.

son s'arrête là : le jeune général veut la révolution indienne pour asseoir la domination française. L'homme se révèle déjà plus réaliste qu'idéologue : mais il ignorait qu'au moment même où il écrivait à Perron celui-ci, vaincu et disgracié, était aux mains des Britanniques.

Courson, Durhône et l'interprète Doubles, sont déposés sur la côte occidentale de l'Inde par le corsaire Dutertre, mais, peu après, celui-ci est capturé par les Anglais. Un brahmane court prévenir les trois émissaires que l'ennemi les recherche. Les Français détruisent les messages de Decaen avant de n'être arrêtés, puis enfermés à Bombay et Chandernagor. Ils seront renvoyés en France en 1805. Malgré les difficultés le capitaine général des Mascareignes ne pense qu'à l'Inde, objet de la mission pour laquelle il s'était porté volontaire. N'ayant pu accomplir sa mission préparatoire sur place, il se dépense à la mener à bien depuis le Port-Louis. Bonaparte lui avait commandé de lui faire porter ses observations par l'un de ses officiers, après six mois de séjour à Pondichéry. « Il fera connaître, prescrivaient ses instructions, ses vues et les espérances qu'il aurait de trouver de l'appui en cas de guerre, pour pouvoir se maintenir dans la presqu'île, en faisant connaître la quantité et la qualité des troupes, d'armements et approvisionnements dont il aurait besoin pour nourrir la guerre pendant plusieurs campagnes au centre des Indes. Il doit porter la plus grande attention dans toutes les phases de son mémoire, parce que toutes seront pesées et pourront servir à décider, dans des conditions imprévues, de la marche et de la politique du gouvernement. » Après avoir réuni tout ce qu'il est possible de savoir sur la péninsule, Decaen, qui a rejoint Bonaparte dans son obsession de l'expédition indienne exécute les directives de 1803, avec un retard insignifiant. En 1804, il envoie plusieurs hommes rendre compte à Napoléon : son frère, le lieutenant René Decaen, son aide-de-camp Barois, Cavaignac, consul interdit à Mascate, et enfin le capitaine Lefèvre, neveu de Mgr Pigneau de Béhaine, évêque d'Adran et père spirituel de la future Fédération française de l'Indochine.

Le Premier consul étudie avec faveur le projet d'expédition dans l'Inde, que Decaen lui propose de réaliser dès 1804. Mais, occupé par les préparatifs de Boulogne, il préfère retarder la concrétisation de ce plan. Decrès, qui a administré à contre-cœur la campagne de Saint-Domingue, achevée par un désastre, et que l'idée de grandes opérations navales mécontente, se fait un plaisir d'envoyer à ce Decaen, trop imaginatif, une réponse à la perfidie distillée. « Vos projets sur l'Asie, les plans que vous avez communiqués, la noble impatience qu'exprime votre correspondance de sortir de l'état d'observation où vous avez dû vous renfermer pour figurer sur un théâtre plus digne de votre ambition et pour attaquer et détruire l'Empire britannique dans cette partie du monde, sont appréciés autant qu'ils doivent l'être. Ils seront pris en considération quand les événements que mûrit le génie d'un grand homme et que le temps doit faire éclore, seront arrivés. » Au mois de janvier 1805, l'Empereur demande à son ministre de la Marine de préparer l'exécution du dessein de Decaen. Mais, à ce moment l'amiral de Villeneuve ne se dispose-t-il pas à entamer la grande manœuvre qui doit attirer la Navy vers les Antilles et permettre à l'armée de Boulogne de franchir la Manche et de débarquer en Angleterre ? Cette objection de Decrès rejette dans la nuit l'envoi d'une expédition dans le sous-continent. Le ministre fait part de cette décision à Decaen avec une satisfaction hautaine et ironique. « Continuez, Monsieur, à avoir les yeux ouverts sur la péninsule de l'Inde, à m'instruire promptement des événements politiques et militaires qui méritent l'attention de la France. » Bientôt, Nelson écrase Villeneuve à Trafalgar : plus que jamais l'Angleterre possède la maîtrise des mers. Désormais toute action sur l'Inde ne pourra être menée que par voie de terre.

Au long de son gouvernement, dont il s'acquitte avec conscience, Decaen ne pense qu'à l'Inde et aux Anglais qui l'occupent. Dans la péninsule, Wellesley, qui n'avait pas restitué Pondichéry et les autres comptoirs au Premier consul, raisonne de la même manière que le capitaine-général : il est temps de chasser tous les Français d'Asie. Dès 1803, Perron est défait, et les aventuriers ne constituent plus une menace. Les Mahrattes sont battus et, sanction finale, les troupes britanniques entrent dans Delhi. En ayant fini dans la péninsule, les Anglais concentrent leurs efforts sur la périphérie. En 1806, ils s'emparent du Cap, qu'ils avaient rendu aux Hollandais. L'étau se resserre. Lord Minto met la main sur Rodrigue, au mois de mars 1809 et organise le blocus des Mascareignes. Après une tentative avortée en 1809, 4 000 tuniques rouges débarquent à la Réunion le 7 juillet 1810 : le 9, l'île capitule. À partir du Port-Louis, Decaen, débarrassé de Linois, tire parti de l'intelligence et du courage de trois jeunes officiers de marine : Hamelin, Duperré et Bouvet. Mais que faire contre l'escadre ennemie et les 15 000 hommes qu'elle porte. Le 22 novembre, les troupes anglaises commencent à envahir l'île de France. Le capitaine-général, qui ne dispose que de 1 800 hommes, se rend, le 2 décembre. Les Anglais ne restitueront que la Réunion à Louis XVIII, et garderont l'île de France, et les Séchelles où leur commandant Quéau de Quinssy avait conclu un accord de neutralité avec la Navy, en 1805, comme il l'avait déjà fait, avec plus de bonheur, en 1794. Fidèle à son plan d'élimination de toute présence française en Asie, l'Angleterre s'établit à Java, en 1811, quand l'intégration de la Hollande dans le Grand Empire livre les possessions néerlandaises à la France.

La Révolution, après avoir déclaré la paix au monde, sous la Constituante, lui a déclaré la guerre sous la Législative et sous la Convention. Ce conflit est vite devenu, ce qu'il avait été, de manière dissimulée sous les Stuart, ouvertement depuis l'avènement des

Hanovre, depuis la Ligue d'Augsbourg : un combat entre la France et l'Angleterre pour l'hégémonie européenne puis mondiale. À l'exception des hostilités déclarées à l'Autriche, monstruosité passionnelle, la Révolution, dans sa lutte contre l'Angleterre, renoue avec la tradition de la monarchie. Mais elle reprend ce flambeau dans les pires conditions : avec une marine que le départ des officiers paralyse et condamne à la dégradation ; avec les dirigeants éloignés des réalités économiques et de leur évolution, ignorant tout du grand commerce, propriétaires de biens fonciers, hommes de routine, titulaires d'offices, idéologues, tous inaptes à comprendre la nature et l'enjeu de la partie engagée contre le capitalisme impérialiste britannique. En 1802, quand les assauts successifs de la Révolution conventionnelle et de la Révolution consulaire imposent la paix d'Amiens à Londres, la victoire se traduit pour la France par une régression économique. La perte de Saint-Domingue, donc du monopole du trafic des sucres et des cafés, le délabrement de la marine marchande, noircissent un bilan que ne peuvent masquer l'acquisition sans profit de la partie orientale de Saint-Domingue, de la Louisiane, et une redistribution de la géographie politique européenne tellement à l'avantage de la République, qu'elle appelle une troisième guerre générale.

Les Révolutions consulaire et impériale, cherchant à abattre Albion tantôt par un débarquement, tantôt par un blocus, tantôt par l'assujettissement de toute l'Europe et par une expédition dans l'Inde, dressent finalement tout le monde contre Napoléon. Aussi l'Angleterre coalise-t-elle, sans peine, autour d'elle le tsar, l'Europe traditionnelle, la Sublime Porte et le Shah ! De cette épopée — qui, toutefois, faillit aboutir — la nation sort plus abattue encore qu'à la fin de la guerre de Sept Ans. Sur le continent, elle ne garde que ce que l'on ne peut lui ôter, et au-delà des mers il ne lui reste que le souvenir de rêves grandioses. La Révolution — 1789-1815 — juge Maurice Lévy-Leboyer, a été une « catastrophe économique nationale » qui, malgré des progrès sectoriels, a alourdi le retard de la France d'une génération, poussant derrière l'impérialisme britannique, de nouvelles grandes puissances qui émergeront au début du XXᵉ siècle : États-Unis, Allemagne et plus tard la Russie et le Japon. Sur ce premier bilan, la plupart des historiens s'accordent : François Crouzet, Jean Tulard, Michel Devèze, Jean-Charles Asselain, etc. Ce désastre se traduit par une désorganisation de l'économie, une redistribution des terres, qu'une révolution agraire n'accompagne pas, d'où une France de petits propriétaires et un ralentissement de la productivité agricole. Il se manifeste encore par l'effondrement du grand commerce maritime, que le trafic colonial actionnait, par la ruine de la France atlantique, que l'apparition d'un axe industriel allant du Nord à l'Est ne compense pas. Enfin, on peut lui faire grief d'avoir tourné le dos au capitalisme qui, à la fin de l'Ancien

Régime, apparaissait dans tous les domaines de l'économie. Ce faisant, elle a accru l'écart qui la séparait de la Grande-Bretagne.

La Révolution, faillite économique, est aussi une catastrophe politique nationale. L'ennemi stratégique sort vainqueur d'un conflit qui s'est éternisé de 1793 à 1815. L'Angleterre, obstacle à l'hégémonie française depuis Louis XIV, agressée de manière stupide par Vergennes, lors de la guerre d'Amérique, n'a pas été entamée dans sa puissance comme le conseillait le comte de Broglie à Louis XV. À l'aube de la Régénération, le problème britannique reste donc entier. La Révolution, malgré un chef de génie, des moyens en hommes deux fois plus importants que ceux mis en œuvre jusque-là et des succès étonnants, se heurte à la même difficulté que la monarchie : une guerre à deux fronts, maritime et continental. La France qui, en 1789, comptait de 70 à 80 vaisseaux, perd ses cadres et l'utilisation pleine de sa flotte, d'autant que la Marine ne produit pas de grands amiraux, comme l'armée de terre a fourni une pléiade de bons généraux. En 1799, elle ne possède plus que 47 vaisseaux, dont E. Taillemite précise que seuls 37 sont en état de naviguer. En 1803, on tombe à 30 vaisseaux, dont 13 à peine peuvent aller au combat. Napoléon, prenant les affaires maritimes d'une main ferme, fait ouvrir les arsenaux et, de la Hollande à Venise, on construit navire après navire, sous l'autorité de brillants ingénieurs, comme Sané, Tupinier et Rolland. En 1814, l'Empire thésaurise 103 vaisseaux que la Navy, deux fois plus nombreuse, bloque dans leurs havres, capture ou coule quand ils sortent des ports. Le ministre de la Marine, Decrès, bon gestionnaire, ne veut pas de conflit naval et, peut-être pour conserver son emploi, ne met aucune ardeur à découvrir des chefs de guerre, malgré les ordres réitérés et les colères de l'Empereur. « Quand donc trouverai-je un amiral qui consente à perdre quatre ou cinq vaisseaux pour gagner une bataille ? [...] Où donc les amiraux français ont-ils appris qu'on pouvait faire la guerre sans courir un risque ? » Sans flotte, ou avec une marine perpétuellement à l'ancre, la Révolution impériale, se retrouve, face à l'Angleterre dans la même situation que Louis XV, et son avantage sur terre — pourtant extraordinaire — ne suffit pas pour venir à bout du vieux système européen, dont Albion guérit les défaillances à coups de subsides. Au terme de vingt-deux ans de batailles, la nation est, sur le continent même, une puissance menacée. Un ralentissement démographique frappe le pays, naguère le plus peuplé d'Europe qui, en 1800, est devancé par la Russie, à égalité avec l'Autriche et talonné par l'Allemagne : ce phénomène ira s'aggravant, et, au xxe siècle, permettra à l'Angleterre de distancer la France.

La faillite politique de la Révolution dépasse le Vieux Continent : elle atteint des dimensions mondiales. Tandis que la France ne possède plus que des miettes de soleil, les « vieilles colonies », l'Empire britannique exprime, lui, l'hégémonie de Londres sur la planète. La Grande-Bretagne dispose en Europe de points d'observation et de surveillance bien choisis : les îles de Héligoland et de Malte, et le port de Gibraltar. En Amérique, elle possède le Canada, la Guyana, la Jamaïque, Trinité, Tabago et une foule d'îles, enfin elle exerce son protectorat sur les Amériques portugaise et espagnole. En Afrique, elle a en propre la Gambie, la Sierra Leone, le cap de Bonne-Espérance, ainsi que les îles Maurice et Seychelles — qui ont gagné un *y* à changer de nationalité. En Asie, elle tient l'Inde, Ceylan et Penang, tandis qu'au sud du monde jaune, elle s'est adjugé l'Australie et la Tasmanie. Les XIXe et XXe siècles lui confieront de vastes possessions : en Afrique orientale, la dorsale menant du Caire au Cap, en Afrique occidentale, la Côte-de-l'Or et le Nigéria, en Asie, la Birmanie, la Malaisie et au Proche-Orient de vastes zones d'influence. L'Empire britannique, puissance à l'échelle du monde, présent sur tous les continents et toutes les mers — pour partie, enfant de la Révolution de 1789 — permettra à l'Angleterre, dont l'industrie et le commerce rayonnent sur toute la planète, de tenir la France dans sa dépendance jusqu'à la Deuxième Guerre mondiale : tout comme elle humiliait la monarchie par sa présence à Dunkerque et ses injonctions navales et coloniales. De nombreux souvenirs blessants pour la fierté nationale cachent leur origine dans le désastre politique de la Révolution : Fachoda n'est pas le premier, ni le dernier.

Dégradation de la puissance politique et économique de la nation, la Révolution française se solde enfin par une faillite idéologique : la Régénération, entreprise au nom de l'égalité et de la liberté, n'a pas apporté ce qu'elle avait promis. Au nom de la liberté du commerce, elle a supprimé les compagnies à monopole, mais s'est gardée d'abolir l'Exclusif qui frappe les échanges entre la métropole et les colonies. Au nom de l'égalité, l'Africain échappe à la protection de la Déclaration des droits de l'homme, qui ne s'étend qu'à l'humanité des Blancs, de préférence citoyens actifs ! Le servage, que l'Assemblée nationale naissante a anéanti en France, dans ses ultimes séquelles, forme le droit commun dans les possessions tropicales ! Ce manquement à l'exigence idéologique s'achève dans le reniement : la Révolution consulaire restaure l'esclavage et, du même coup, retire la citoyenneté aux gens de couleur. Ce mouvement de retour à un passé aggravé, que les autorités et les maîtres appliquent avec rigueur, s'accompagne du maintien du système des plantations. Ainsi après vingt-cinq ans de tumulte ou d'occupation étrangère, la société et l'économie des colonies n'offrent guère d'autre changement au regard, sinon l'avènement d'un conservatisme jusque-là inconnu.

Une île, toutefois, a échappé à ce destin : Saint-Domingue. Dans cette possession un phénomène original s'est développé jusqu'à un terme neuf : la Révolution noire, ennemie par nature de la Révolution blanche, dont elle ignore les arrêtés faussement libérateurs, arrache le pouvoir aux Français, pour établir le sien. La Révolution noire de

Saint-Domingue n'est pas fille de la Régénération, qui voulait conserver la domination blanche : née dans le désordre européen, dont elle a su tirer profit, elle inscrit sa spécificité dans la couleur de ceux qui l'ont conduite à bien. Naguère humiliés, les Noirs ont recouvré la dignité de leur race, non par la vertu d'une déclaration formelle, mais dans la violence réparatrice. Malgré cette défaite retentissante, l'idéologie égalitaire des Blancs n'a de cesse de revendiquer la paternité d'une victoire qui lui est étrangère, qu'elle s'est même acharnée à étouffer.

La nation clôt le chapitre de sa première histoire coloniale, qu'elle a conduite sans cette passion qui habite l'Angleterre, mais le plus souvent entraînée par des francs-tireurs. Ces aventuriers, explorateurs, conquérants, gens du commerce et des cultures que leur énergie a fait marcher plus que l'État ne les a aidés, lèguent leurs succès et leurs ambitions gâchées à l'oubli. Car l'axiome selon lequel les Français ont pour destin de borner leur regard aux haies qui ceignent leurs champs préside pareillement le passé et l'avenir de ce que l'on appellera plus tard l'Hexagone. Pour commenter cette loi, Alexis de Tocqueville, héritier légitime de Montesquieu et découvreur disert, prend sa meilleure plume et cisèle des contrevérités avec une assurance docte et distinguée : « La France, par sa position géographique, son étendue, sa fertilité, a toujours été appelée au premier rang des pouvoirs continentaux. C'est la terre qui est le théâtre naturel de sa puissance et de sa gloire. Le commerce maritime n'est qu'un appendice de son existence ; la mer n'a jamais excité chez nous et n'excitera jamais ces sympathies nationales, cette espèce de respect fifiale qu'ont pour elle les peuples navigateurs et commerçants. Jamais des entreprises maritimes n'attireront chez nous les regards et n'appelleront la richesse et le talent à leur aide. En général, on ne verra s'y engager que des hommes auxquels la médiocrité de leurs talents, le délabrement de leur fortune ou les souvenirs de leur vie antérieure interdisent l'espérance d'un bel avenir dans leur patrie. » Commises en 1833, ces lignes, où l'histoire tourne en ridicule la rigueur de raisonnement du maître du libéralisme, résument les préjugés qui ont présidé à la première colonisation française et même à la seconde.

Bilan

La monarchie a possédé un empire colonial au XVIIe siècle, qui est allé se réduisant au siècle des Lumières, pour ne survivre, en 1815, qu'au travers de minuscules possessions.

L'Ancien Régime a-t-il mis en œuvre une stratégie de conquête, pour réunir un ensemble colonial aussi important que celui que gérèrent les Colbert ? Non. Des théoriciens ont prêché la plus grande gloire du roi, et les nouveaux royaumes : le pouvoir, très continental dans ses vues, n'a pas appliqué leur enseignement. Des individus à la personnalité puissante, des marginaux de la Couronne, ont bâti les nouveaux royaumes avec des moyens, davantage empruntés à l'aventure qu'aux arsenaux et garnisons. Des noms survivent dans quelques mémoires : Cartier, Champlain, Cavelier de la Salle, Esnambuc, Poincy, La Ravardière, André Brüe, Flacourt, Martin, Dupleix et Bussy.

La monarchie a-t-elle élaboré une stratégie de mise en valeur des terres neuves dont on la comblait ? Pas vraiment. D'abord elle songe à « provigner » de Nouvelles France. Ensuite, quand elle remarque que le profit exotique naît de la dissemblance économique, de la fourniture par les colonies de denrées et produits complémentaires de ceux de la métropole, elle néglige le Canada, trop européen, et porte son intérêt sur les colonies de plantation — les Antilles essentiellement — et sur les établissements où, dans l'immédiat, le profit commercial ne nécessite pas une mise en valeur — l'Inde, au premier chef. Qu'il s'agisse du peuplement — qui ne doit pas saigner la population métropolitaine — ou de l'exploitation, ici encore, l'État, après l'échec des compagnies au Canada et dans les Îles, s'en remet aux particuliers. Ainsi aux Antilles, l'initiative privée recrute des engagés blancs, organise la traite négrière, et développe l'économie de plantation, dans le cadre de réseaux familiaux, provinciaux et professionnels à l'ombre des règlements. Tandis qu'à l'Amérique l'individu fait tout, en Asie, le maintien de la compagnie des Indes orientales, jusqu'à la fin de la guerre de Sept Ans réserve à l'État l'expression de la volonté française. Or la puissance publique nationale, loin de refléter la détermination d'une association de capitalistes, comme en Angleterre et aux Provinces-Unies, a le tempérament des rentiers, et le goût du profit sans risque : d'où l'échec de l'empire français dans l'Inde, imputable, par ailleurs, non à Machault, qui, conseillé par Bussy, avait su garder le Deccan, mais à ses successeurs. Enfin les planteurs antillais donnent 90 % du revenu colonial contre quelque 10 %, les bonnes années, à la Compagnie.

La monarchie, propriétaire d'un domaine, au-delà des mers, a-t-elle conçu une stratégie de défense ? Non. D'une manière plus générale, les possessions manquent tout à la fois, de protection navale, de fortifications valables — non du genre de Louisbourg — d'artillerie et de troupes, plus particulièrement de régiments adaptés aux conditions locales. Cette absence de politique de défense est d'autant plus incompréhensible que le phénomène colonial français s'inscrit dans les violences d'une seconde guerre de Cent Ans avec l'Angleterre. Enfin, les colonies ont souffert du commandement des officiers généraux métropolitains qui, tels Dieskau, Montcalm et Lally, ont démontré dans la défaite leur incapacité à quitter le théâtre d'opérations européen. À l'inverse, plusieurs chefs coloniaux ont fait merveille : Ducasse, Lemoyne d'Iberville, Bussy, Bouillé.

La monarchie avait-elle, au moins, médité une idéologie coloniale ? Oui, trois fois oui. Elle se résume en une formule brève : les possessions n'existent que pour et par la métropole. Si la mère patrie impose peu les planteurs, elle encaisse le revenu commercial qui occupe une part croissante du commerce extérieur, et finit par considérer les colonies comme des vaches à lait. Marâtre accomplie, la France prend tout, sans jamais rien donner, cas unique dans l'histoire européenne de la colonisation. Pas d'établissements d'enseignement, pour obliger les petits créoles à venir sucer les vertus de l'éducation nationale dans les frontières continentales de la mère patrie ! Point d'université, comme dans toutes les possessions étrangères ! Point de bibliothèques publiques, pour éviter les dangers de la lecture ! Des écoles professionnelles pour apprendre la construction, l'agronomie (qui eût enseigné de généraliser l'usage de la charrue), l'art vétérinaire, fi donc ! Une institution de crédit pour dégager les planteurs de l'emprise stérilisante du commerce national, que non ! Pas même une Bourse ! Un urbanisme qui, à la manière de l'Amérique continentale, aurait fait apparaître des villes classiques au plan bien dessiné et à l'ornementation simple, mais soignée, pour remplacer les rues rarement pavées, où chiens et cochons galopent dans l'eau et la boue, renversant les tas d'immondices ? À quoi bon ! À la rigueur, après des décennies d'attente, on construit une fontaine, mais surtout on répète les règlements de police, année après année !

La monarchie, davantage, la France, comprend-elle le monde

colonial ? La mère patrie refuse d'admettre que les colonies deviennent des patries nouvelles, quand ce ne sont des nations neuves. Aussi se dépense-t-elle à réprimer toute revendication d'autonomie formulée au nom de la spécificité sociale et économique. Elle qui n'a jamais été capable d'envoyer au-delà des mers que quelques malheureux, le plus souvent destinés à la mort, ne comprend pas la genèse de ces patries créoles, en avance sur la société métropolitaine, par leur comportement démocratique et leur économie capitaliste et semi-industrielle. Les Français se dissolvent dans l'irréalité, quand ils évoquent le Nouveau Monde colonial. Ignorant les secrets dévastateurs de la pathologie exotique, ils imaginent la colonisation comme un exercice de débrouillardise, au cœur d'une nature généreuse qui offre gratuitement le toit, le boire et le manger, récompensant le moindre effort par des récoltes abondantes et d'un grand bénéfice. Le colon, qui, imagine-t-on, n'a qu'à se baisser pour s'enrichir, devient un mythe — à la fois séduisant et détesté — le second *dorado*, nouvel homme couvert d'or. En réalité, la colonisation fonctionne comme une gigantesque entreprise, où pour accéder à la propriété, au statut d'Habitant, pour fonder un établissement, il faut des capitaux que le pionnier se procure dans sa famille, en s'associant, en empruntant. Plusieurs années après les débuts, les premières denrées produites deviennent monnaie d'échange, numéraire permettant d'affronter et de résoudre, progressivement, les problèmes de la main-d'œuvre, des constructions et du matériel que soulèvent l'extension et l'entretien de l'Habitation. Consommatrice de capitaux, la plantation coloniale dévore aussi les hommes et, à travers eux, le temps.

La colonisation est œuvre de longue haleine, où se créent des paysages, des types humains, où se construisent des systèmes de valeurs, des traditions, qui font du créole un individu pour qui le métropolitain n'est plus qu'un cousin. L'ascension de Saint-Domingue — véritables mines du Pérou ! — semble fulgurante : rien de plus faux. Les Français s'installent dans la Grande Île en 1665 et ce n'est qu'en 1776 qu'Adam Smith salue son succès, dans *La Richesse des nations* : « Elle est maintenant la plus importante des îles à sucre des Indes occidentales, et on assure que son produit excède celui de toutes les colonies à sucre de l'Angleterre, prises ensemble. » En 1713, l'ancien refuge des boucaniers et flibustiers comptait 138 sucreries, 439 en 1751, 793 en 1790 : plus d'un siècle pour mettre près de 800 sucreries en état de marche ! La colonisation, pour aboutir, réclame l'investissement régulier, et le temps long des vies qui se succèdent et s'ajoutent.

La nation a-t-elle su guider les colonies dans leur évolution ? Fort peu. Elle leur a emprunté la richesse, des plantes alimentaires — pomme de terre, maïs, haricot, potiron, tomate —, des habitudes — tabac, chocolat, café, thé —, elle a appris chez elles le Bon Sauvage et Confucius, le relativisme des religions, des régimes politiques et des lois, elle a succombé aux trésors de l'Asie, au point de « s'enchinoiser » pendant deux siècles, mais elle n'a pas su apporter une solution au problème posé par l'esclavage, ressort de l'économie coloniale. Alors l'élite française partagée entre la paralysie et la répulsion, est prise de méfiance pour le capitalisme. Le système sur lequel repose l'économie de plantation, même s'il est productif, même s'il séduit quelques propriétaires de mines, d'entreprises métallurgiques et de grands domaines agricoles, heurte les sensibilités parce qu'il utilise une main-d'œuvre servile. On condamne le dépeuplement de l'Afrique, on flétrit les horreurs de la traite, on stigmatise les malheurs de l'esclavage. Pour défendre le capitalisme, dans lequel ils voient un instrument de progrès, certains, dont Dupont de Nemours et quelques économistes, joignent leur voix au réquisitoire contre l'esclavage. Mais comme ils demeurent partisans de la division du travail, ils s'épuisent en démonstrations chiffrées pour prouver que le prolétariat libre et rétribué coûte moins cher que les ateliers serviles. Cet exercice d'origine britannique a immédiatement convaincu la générosité des Anglais, à qui la rentabilité a commandé de débarrasser les campagnes de la foule des petits propriétaires, et de fournir une masse d'ouvriers à bon marché pour exploiter les mines, actionner la métallurgie et l'industrie textile. Le Français, conservateur, souhaitant demeurer dans sa région natale, y exercer un métier connu de sa famille, n'a pas le goût des raisonnements où on le réduit à l'état anonyme, d'agent économique interchangeable. Aussi le capitalisme, qui se développera au XIXe siècle en France, dans des conditions pourtant infiniment moins dures qu'en Grande-Bretagne, sera-t-il toujours considéré par les sujets de la monarchie orléaniste, du Second Empire et de la République comme une forme nouvelle de l'esclavage. Et l'on annoncera, à nouveau, la révolte de Spartacus, qui a effrayé l'inébranlable Rome antique, et qui, sous les traits de Toussaint Louverture, a entretenu la peur dans tous les États et colonies où la servitude n'avait pas été abrogée : jusqu'à la fin du XIXe siècle ! Le capitalisme, pour les Français, s'inscrira dans deux images : la dépossession de soi au profit d'une petite engeance d'exploiteurs cruels et insatiables, ou la menace de l'insurrection de brutes sauvages, de monstres massacreurs et dévastateurs.

Malgré ses négligences, ses lacunes, ses faiblesses, malgré ses fautes stratégiques de ne s'être jamais pourvue d'une marine puissante, pour la guerre comme pour le commerce, de n'avoir pas suivi le mouvement capitaliste, qui eût élargi ses marchés intérieur et extérieur, la France monarchique déconcerte et stupéfie. Elle, ce peuple de paysans, a délaissé son empire territorial américain et l'ébauche d'un empire territorial indien, pour se consacrer à un empire commercial ! Les Antilles, mieux Saint-Domingue. L'expansion du trafic des colonies prend un essor vigoureux au temps du cardinal de Fleury. Ce phénomène inhabituel, *anormal*, s'ajoutant à la fermeture des ports de l'Amérique ibérique, déchaîne la colère du capitalisme anglais, qui, répudiant Walpole et sa diplomatie modérée, relance la nouvelle guerre de Cent Ans pour anéantir ses rivales. De 1716-1720 à 1784-1788, le commerce colonial français, on pourrait presque dire les échanges franco-antillais, décuple, multipliant par cinq la valeur totale du commerce extérieur du royaume. De plus, ce commerce extérieur, qui représentait à peine un peu plus de la moitié du trafic britannique en 1720, se trouve à peu près à égalité avec lui en 1780. Les colonies, loin de grever la France de charges épuisantes, lui permettent de tenir tête à la Grande-Bretagne, en même temps qu'elles constituent le moteur du capitalisme commercial, dont les effets ne se font que faiblement sentir sur l'armement maritime, mais rayonnent sur l'agriculture et aussi sur cette activité de pointe que forme l'industrie cotonnière, laquelle entraîne dans son sillage un grand nombre d'entreprises complémentaires. La population des places maritimes du royaume croît de manière très sensible sous l'effet des échanges avec les colonies et des réexportations. De 1700 à 1790, celle de Bordeaux passe de 45 000 à 111 000 habitants ; celle de Nantes, de 40 000 à 80 000 ; celle de Rouen, de 57 500 à 72 500 ; celle de Marseille, de 75 000 à 110 000 ; celle du Havre, de 9 000 à 18 000. Au contraire, à La Rochelle, où le commerce négrier ne suffit pas à compenser le déficit engendré par la perte du Canada, la population stagne.

Grâce à son empire commercial antillais, la France de Louis XV et de Louis XVI n'a pas concédé la prépondérance commerciale globale et plus généralement économique à l'Angleterre, dont l'avance technique est incontestée. Sans l'intrusion des bouleversements révolutionnaires, on ne peut savoir comment aurait évolué la vieille rivalité d'autant que le royaume disposait d'un marché considérable : à ses pieds, en son intérieur.

L'anticolonialisme des Lumières avait trouvé un maître à la plume brûlante en Diderot. On adhérait avec fougue aux plaintes du directeur de l'*Encyclopédie* qui, sous les traits d'un vieux Tahitien, dénonçait le péril blanc, la menace européenne. « Pleurez, malheureux Tahitiens ! pleurez ; mais que ce soit de l'arrivée et non du départ de ces hommes ambitieux et méchants ; un jour, vous les connaîtrez mieux. Un jour, ils reviendront, le morceau de bois que vous voyez attaché à la ceinture de celui-ci dans une main, et le fer qui pend à la ceinture de celui-là dans l'autre, vous enchaîner, vous égorger, ou vous assujettir à leurs extravagances et à leurs vices ; un jour vous servirez sous eux, aussi corrompus, aussi vils, aussi malheureux qu'eux. Mais je me console ; je touche à la fin de ma carrière ; et la calamité que je vous annonce, je ne la verrai point. Ô Tahitiens ! ô mes amis ! vous auriez un moyen d'échapper à un funeste avenir ; mais j'aimerais mieux mourir que de vous en donner le conseil. Qu'ils s'éloignent, et qu'ils vivent. » Puis, s'adressant à Bougainville, il ajoutait : « Et toi, chef des brigands qui t'obéissent, écarte promptement ton vaisseau de notre rive : nous sommes innocents, nous sommes heureux ; et tu ne peux que nuire à notre bonheur. Nous suivons le pur instinct de la nature ; et tu as tenté d'effacer de nos âmes son caractère. »

Les nouveaux maîtres, qui, aux temps du pacifisme de Louis XV et de Louis XVI, adoraient Diderot, le brûlent dès 1795. Les révolutionnaires, les durs, préfèrent entendre les discours exaltant la puissance toujours plus redoutable et jamais assez étendue de la Grande Nation. Déjà, ils sont les apôtres du second empire colonial. Mais, caprice de l'histoire, c'est l'Ancien Régime qui posera la première pierre du nouvel édifice. Avant que les Bourbons ne s'éloignent définitivement du gouvernement de la nation, Charles X donne Alger à la France, réussissant là où le duc de Beaufort, M. de Gadagne et 5 000 hommes, débarqués à Djidjelli, en 1664, pour y fonder un établissement militaire, avaient échoué après quelques mois d'opérations. Cet ultime sursaut de la monarchie rend sa vocation impériale à la Révolution qui, revenue au pouvoir, invoque les Lumières, et trahit le principe d'égalité sur lequel elle est fondée, pour s'attribuer la mission de civiliser ceux des peuples qui en ont besoin. Les idéologies ne tuent pas le vieux rapport de force, inhérent à l'histoire de l'humanité : elles changent son vêtement. Les Gaulois, pour leur part, n'ont pas à regretter d'avoir porté la toge romaine.

Dans l'immédiat, la France a perdu sa seconde guerre de Cent Ans. Désormais, et pour longtemps, l'Angleterre capitaliste et impérialiste imposera sa loi à la nation, à l'Europe, au monde. Richelieu avait prévu de quel assujettissement la France était menacée, si elle ne se dotait pas d'une puissante marine. Il l'a écrit dans le *Testament,* et aussi dans les *Mémoires.* « Le roi d'Angleterre ne laissa pas de dire à Chateauneuf que le Roi ne lui pouvait mieux témoigner désirer vivre en paix et bonne amitié avec lui qu'en se départant du dessein qu'on lui disait qu'il avait de se rendre maître de la mer ; qu'il se trouvait dans les trésors de la chancellerie de feue la reine Élisabeth une lettre par laquelle elle ordonna à un sien ambassadeur de dissuader le dessein du roi Henri IV, même de lui déclarer la guerre par mer au cas qu'il s'y voudrait fortifier davantage. » Une autre fois, Charles Iᵉʳ déclare « que de perfides amis voulaient ravir à la Grande-Bretagne l'empire de la mer, mais qu'il ne le souffrirait pas ». *Rule Britannia !*

Annexes

MINISTRES CHARGÉS DE LA MARINE
ET DES COLONIES

1 — Richelieu : nommé grand maître, chef et surintendant général de la Navigation et du Commerce, en octobre 1626 ; il conserve cette charge jusqu'à sa mort en 1642.

Secrétaires d'État des Affaires étrangères chargés de la Marine.
2 — C. de Bouthillier : 29 septembre 1628.
3 — L. de Bouthillier : 18 mars 1632.
4 — M. de Loménie : 23 juin 1643.
5 — H. de Lyonne : 20 avril 1663.
6 — L.-H. de Lyonne : février 1667.

Secrétaires d'État de la Marine
7 — Colbert : février 1669.
8 — Seignelay : 6 septembre 1683.
9 — L. de Pontchartrain : 6 novembre 1690.
10 — J. de Pontchartrain : 6 septembre 1699.
11 — Comte de Toulouse : septembre 1715.
12 — Fleuriau d'Armenonville : octobre 1718.
13 — Fleuriau de Morville : 9 avril 1722.
14 — Maurepas : août 1723.
15 — Rouillé : 24 avril 1749.
16 — Machault : 28 juillet 1754.
17 — Peyrenc de Moras : 1er février 1757.
18 — *Massiac*, lieutenant général des Armées navales : 1er juin 1758.
19 — Berryer : 1er novembre 1758.
20 — *Choiseul*, lieutenant général : 13 octobre 1761.
21 — *Choiseul-Praslin*, lieutenant général : 8 avril 1766.
22 — Abbé Terray : 24 décembre 1770 (par intérim).
23 — Bourgeois de Boynes : 8 avril 1771.
23 — Turgot : 20 juillet 1774.
25 — Sartine : 24 août 1774.
26 — *Castries*, maréchal de France : 7 octobre 1780.
27 — *La Luzerne*, lieutenant général : 26 décembre 1787.
28 — *Claret de Fleurieu*, capitaine de vaisseau : 24 octobre 1790.
29 — *Thévenard*, chef d'escadre : 6 mai 1791.
30 — Valdec de Lessart, par intérim : 18 septembre 1791.

* N.B. : Figurent en italique, les ministres issus des Armées.

31 — Bertrand de Molleville : 7 octobre 1791.

32 — Lacoste : 15 mars 1792.

33 — *Gratet Du Bouchage,* maréchal de camp : 21 juillet 1792.

34 — Monge : 12 août 1792.

35 — *Dalbarade,* capitaine de vaisseau : 10 avril 1793.

36 — Redon de Beaupréau : 2 juillet 1795.

37 — *Truguet,* vice-amiral : 4 novembre 1795.

38 — Benezech, ministre de l'Intérieur, chargé de la Marine par intérim : du 13 décembre 1796 au 30 décembre 1796.

39 — *Pléville le Pelley,* vice-amiral : 16 juillet 1797.

40 — *Bruix,* amiral : 28 avril 1798.

41 — Lambrechts, ministre de la Justice, chargé de la Marine par intérim : 4 mars 1799.

42 — Talleyrand Périgord, ministre des Relations extérieures, chargé de la Marine par intérim : 7 mars 1799.

43 — Bourdon de Vatry : 3 juillet 1799.

44 — Forfait : 14 novembre 1799.

45 — *Decrès,* vice-amiral : 1er octobre 1801.

46 — Malouet, ancien intendant de la Marine et conseiller d'État : avril 1814.

47 — *Decrès :* les Cent-Jours.

CONTRÔLEURS GÉNÉRAUX DES FINANCES,
RESPONSABLES DES ÉTABLISSEMENTS FRANÇAIS
EN LOUISIANE DE 1719 À 1731 EN AFRIQUE
ET DANS LA MER DES INDES JUSQU'EN 1763,
ET DU COMMERCE D'ASIE
AU TEMPS DES TROIS COMPAGNIES DES INDES

Servien : 1653-1659, surintendant général des Finances.
Fouquet : 1653-1661, surintendant général des Finances.
Colbert : 1665-1683.
Cl. Le Peletier : 1683-1689.
L. Phelypeaux de Pontchartrain : 1689-1699, contrôleur général des Finances.
Chamillart : 1699-1708.
Desmaretz : 1708-1715.
Duc de Noailles : 1715-1718, président du Conseil de finance.
M. R. D'Argenson : 1718-1720.
Law de Lauriston : janvier 1720-mai 1720.
F. Le Pelletier de La Houssaye : 1720-1722.
Dodun : 1722-1726.
M. Le Peletier Des Forts : 1726-1730.
Orry : 1730-1745.
Machault d'Arnouville : 1745-1754.
Moreau de Séchelles : 1754-1756.
Peyrenc de Moras : 1756-1757.
Boullongne : 1757-1759.
Silhouette : mars 1759-novembre 1759.
Bertin : 1759-1763.
L'Averdy : 1763-1768.
Maynon d'Invault : 1768-1769.
Terray : 1769-1774.
Turgot de Brucourt : 1774-1776.
Clugny de Nuits : mai 1776-octobre 1776.
Taboureau des Réaux : 1776-1777.
Necker : 1776-1781, directeur général des Finances, avec entrée au Conseil.
Joly de Fleury : 1781-1783, administrateur général des Finances.
Lefèvre d'Ormesson : mars 1783-novembre 1783.
Calonne : 1783-1787.
Bouvard de Fourqueux : avril 1787-mai 1787
Loménie de Brienne : 1787-1789.
Necker : 1789-1790, directeur général des Finances, avec entrée au Conseil.
Lambert : 1789-1790.

POPULATION DE LA NOUVELLE-FRANCE

Années	Canada
1632	60
1636	400
1640	500
1645	600
1653	1 500
1661	2 500
1663	3 035
1675	7 850
1681	9 677
1698	13 815
1706	16 418
1712	18 761
1718	23 325
1724	27 159
1730	34 118
1736	39 496
1739	42 701
1744	55 000
1754	62 000
1760	65 000
1765	69 810

Au XVIIIᵉ siècle, la population ennemie des Treize Colonies (futurs États-Unis) évolue dans des proportions incomparables.

1700	250 888
1710	331 711
1720	466 185
1730	629 445
1740	905 563
1750	1 170 760
1760	1 593 625
1770	2 148 076
1780	2 780 369

POPULATION COMPARÉE
DES COLONIES FRANÇAISES ET ANGLAISES EN 1788

Colonies françaises	Blancs	Mulâtres ou Nègres libres	Esclaves	TOTAUX
Saint-Domingue	27 717	21 808 ★	405 564 ★★	455 089
île de la Martinique	10 603	4 851	73 416	88 870
la Guadeloupe	13 466	3 044	85 461	101 971
Sainte-Lucie	2 159	1 588	17 221	20 961
Cayenne	1 307	394	10 748	12 549
Tabago	425	231	13 295	13 951
île Bourbon	8 182	1 029	47 195	56 406
île de France	4 457	2 456	37 915	44 828
Saint-Pierre et Miquelon	1 500			1 500
Inde	4 000			4 000
TOTAUX ★	73 816	35 501	690 815	800 125

★ En 1803, les Séchelles comptent, 215 Blancs, 86 libres, 1 820 esclaves. Total : 2 121 personnes.

Colonies anglaises	Blancs	Mulâtres ou Nègres libres	Esclaves	TOTAUX
la Jamaïque	30 000	11 400 ★★	250 000	291 400
la Barbade	16 167	835	62 160	79 162
la Grenade	1 000	1 218	23 926	26 141
Saint-Vincent	1 450		11 880	13 330
la Dominique	1 236	445	14 967	16 648
Saint-Christophe	4 000	303	26 000	30 303
Antigua	2 590		37 808	40 398
Montserrat, etc.	2 300		18 420	20 720
îles Vierges	1 200		9 000	10 200
TOTAUX ★	59 943	14 198	454 161	528 302

★ On estimait à l'époque, que les libres étaient, en réalité, plus nombreux que les Blancs.
★★ Selon les administrateurs de l'île, il convient de relever le nombre officiel des esclaves d'un cinquième pour connaître le nombre réel de la population servile.
★★★ Dont 1 400 marrons ou fugitifs.

D'après le *Traité d'économie politique* de P. F. Page, Paris, an IX.

TABLEAU DES HABITATIONS
AUX ANTILLES FRANÇAISES EN 1786*

	Saint-Domingue	Martinique	Guadeloupe	Sainte-Lucie	Tabago
Sucreries	749	315	339	43	35
Caféières	2 572	891	734	603	
Indigoteries	2 424		1	1	1
Cotonneries	317	193	682		113
Cacaotières		122	44		
Carreaux, vivres	77 880	6 603	9 883	1 234	3 769
Carreaux, élevage	30 236	12 280	20 118	3 041	5 882
Poteries et briqueteries	45	12	14		
Fours à chaux	156	66	62		
Tanneries	1	8	5		
Guildeveries	121	251	144		31

STRUCTURE ÉCONOMIQUE DES ANTILLES FRANÇAISES
ENTRE 1788 ET 1790**

	Saint-Domingue	Martinique	Guadeloupe
Superficie totale cultivée	384 492 ha	38 702 ha	51 279 ha
Sucreries	793 ***	324	367
Indigoteries	3 171		
Caféières	3 117	949	787
Cotonneries	787	251	652
Cacaoteries	182	100	41
Poteries, briqueteries	65	11	6

* D'après les Archives nationales (SOM).
** D'après Ch. Schnakenbourg et les Archives nationales.
*** Dont 431 en blanc.

PORTS ET NAVIRES FRANÇAIS
ASSURANT L'IMPORTATION DE DENRÉES ANTILLAISES
ET L'EXPORTATION DE PRODUITS NATIONAUX EN 1788

Ports importateurs	Nombre de navires	Tonneaux
Bordeaux	242	71 492
Nantes	131	46 563
Marseille	133	33 640
Le Havre	107	25 607
La Rochelle	10	6 912
Dunkerque	26	6 115
Bayonne	16	2 415
TOTAL	665	192 744

Ports exportateurs	Vers les Antilles		Traite négrière et commerce du Sénégal (vers les Antilles)		TOTAL	
	Navires	Tonneaux	Navires	Tonneaux	Navires	Tonneaux
Bordeaux	253	75 439	13	4 634	266	80 073
Nantes	100	36 038	32	11 113	132	47 151
Marseille	141	36 199	7	1 987	148	38 186
Le Havre	107	24 548	31	6 288	138	30 836
La Rochelle	6	3 681	6	5 065	12	8 746
Dunkerque	30	7 261			30	7 261
Honfleur	6	1 110	10	2 794	16	3 904
⟨Saint-Malo	7	1 780	2	1 364		
⟨Saint-Servan	2	380			11	3 524
Bayonne	15	2 402			15	2 402
Divers ports *	10	1 915	4	1 982	14	3 897
TOTAL	677	190 753	105	35 227	782	225 980

* Ports exportateurs vers l'Amérique : Cherbourg, 2 navires ; Granville, 2 ; Dieppe, 2 ; Saint-Valéry-sur-Somme, 1 ; Redon, 1 ; Rochefort, 1 ; La Ciotat, 1.

Ports exportateurs vers le Sénégal : Port-Louis, 1 navire ; et pour la traite : Rochefort, 3 navires.

D'après P. F. Page et J. Tarrade.

VALEUR COMPARÉE DES EXPORTATIONS
DES ANTILLES FRANÇAISES ET ANGLAISES
VERS LEUR MÉTROPOLE EN 1788
En livres tournois

Colonies françaises	TOTAL	TOTAL	Colonies anglaises
Saint-Domingue	175 990 000	51 274 628	la Jamaïque
la Martinique	25 640 000	12 950 520	la Barbade
la Guadeloupe	13 053 000	14 747 792	la Grenade
Tabago	3 289 000	4 474 816	Saint-Vincent
la Guyane	539 000	7 271 705	la Dominique
		12 240 336	Saint-Christophe
		14 332 304	Antigua
		5 139 384	Montserrat
		34 609 088	îles Vierges
TOTAL GÉNÉRAL	218 511 000	157 040 573	

VALEUR DES RÉEXPORTATIONS
DE DENRÉES COLONIALES FRANÇAISES À L'ÉTRANGER EN 1788
En livres tournois

Nations	Valeur des réexportations	Valeur totale des exportations et des réexportations antillaises
Espagne	1 416 000	
Portugal	3 000	
Italie	23 872 000	
Angleterre	4 939 000	218 511 000
Hollande	33 577 000	
Allemagne	21 755 000	+
Pays du Nord et Russie	66 532 000	157 734 000
États-Unis	63 000	
Empire ottoman et Barbarie	5 577 000	
TOTAL	157 734 000	376 245 000 *

* Les denrées antillaises ont fourni 376 245 000 livres au commerce extérieur français auquel les produits de la métropole n'ont procuré que 255 921 000 livres tournois.

D'après le *Traité d'économie politique* de P. F. Page, Paris, an IX.

EXPORTATIONS DE LA FRANCE
VERS LA MER DES INDES EN 1788

Pays	Valeur	Nombre de navires
Mascareignes	5 908 000	69
Inde Chine	9 955 000	9 navires particuliers
TOTAL	15 863 000	78 ★

★ Selon Ph. Haudrère, le tonnage annuel moyen du commerce français au-delà du cap de Bonne-Espérance n'atteint ou ne dépasse les 20 000 tonneaux qu'en 1788 (22 500), 1789 (20 600) et 1792 (24 500).

IMPORTATIONS EN FRANCE DE MARCHANDISES
DE LA MER DES INDES, EN 1788

Pays	Valeur	Nombre de navires
Mascareignes	5 680 000	69 (hypothèse)
Inde	25 141 000	9 particuliers
Chine	8 146 000	14 de la Compagnie
TOTAL	38 967 000	92

D'après le *Traité d'économie politique* de P. F. Page, Paris, an IX.

CROISSANCE DU COMMERCE COLONIAL DE LA FRANCE
AU XVIIIᵉ SIÈCLE (en livres tournois)

Valeur et provenance des importations		
	1716	1787
Europe	67 702 000	342 193 000
Levant et Barbarie	3 342 000	37 725 000
Asie	6 368 000	34 726 000
Amérique	16 711 000	192 107 000
Afrique	500 000 *	4 252 000 **
Total du commerce extra-européen ou colonial ***	28 921 000	307 810 000

* À quoi on ajoute le produit de la traite négrière : 2 000 000.
** À quoi on ajoute le produit de la traite négrière : 39 000 000.
*** Le total intègre le produit de la traite en 1716 et 1787.

Valeur et destination des exportations		
	1716	1787
Europe	85 840 000	242 451 000
Réexportations coloniales	17 816 000	156 369 000
Levant et Barbarie	2 016 000	25 609 000
Asie	2 852 000	17 429 000
Amérique	9 164 0000	77 913 000
Afrique	650 000	22 833 000
Total du commerce extra-européen ou colonial	32 498 000	300 153 000

Note : *Asie = îles de France et de Bourbon, Inde, commerce de Canton.*
D'après A. Arnould, *De la balance du commerce*, Paris, 1791.

CROISSANCE DU COMMERCE COLONIAL DE LA GRANDE-BRETAGNE
AU XVIIIᵉ SIÈCLE

Valeur et provenance des importations en milliers de livres sterling			
	1716-20	1786-90	1796-1800
Europe	3 663	7 940	10 061
Asie	742	3 310	4 834
Afrique	100	790	965
Amérique : Antilles	1 047	3 474	5 898
États-Unis	448	869	1 685
Canada	21	45	271
Total du commerce extra-européen ou colonial	2 358	8 488	13 653

Valeur et destination des exportations en milliers de livres sterling			
	1716-20	1786-90	1796-1800
Europe	5 870	9 761	17 914
Asie	87	1 914	2 211
Afrique	24	100	72
Amérique : Antilles	430	1 405	4 379
États-Unis	396	2 106	5 722
Canada	10	802	1 063
Total du commerce extra-européen ou colonial	947	6 327	13 447

D'après Elizabeth Schumpeter, *English overseas trade. Statistics 1697-1808*, Oxford, 1960.

GÉNÉRALITÉS DANS LESQUELLES SONT ÉTABLIES
DES FABRIQUES D'INDIENNES, EN 1785

Provinces ou généralités	Lieux où sont établies les manufactures de toiles peintes	Noms des entrepreneurs	Quantité approximative des pièces imprimées annuellement
Auvergne	Clermont.........	Fayolles.............	1 200
Bordeaux	Agen	Lamoureux et Marcot	5 000
		Veuve Guitard.........	3 000
		Lauzun	3 000
	Bordeaux.........	Hégner	10 000
		Moutet et Henry	3 200
Bourgogne	Giey-sur-Aujon à une lieue 1/2 de la ville d'Arc et à 4 de celle de Langres.	Weisbeck...........	6 000
Bourges	Bourges	Le Sage	4 000
Bretagne	A Nantes sur les ponts à un quart de lieue de la ville.	Dubern et Cie..........	25 000
		Petitpierre frères	25 000
		Gorgerat frères.........	15 000
		Simon et Roques	20 000
		Rother et Cie.........	6 000
		Veuve Davier	6 000
		Scholl et Cie..........	6 000
		Jacob et Outziger	6 000
		Huart et Cie..........	3 000
Champagne	Troyes	Veuve Morlet et Cie	6 000
		Geoffroy-Prieur	2 000
	Courcelles-sur-Blaise ..	Zéler et Vespiser	11 000
		Joly et Garnier	
Grenoble	Vizille.............	Perrier.............	6 000
	Valence............	Dupont	10 000 dz. de mouch.
	Orange	Partis	
Languedoc	Nîmes	Rigault	200
		Prat	60
		Avis	100
Limoges	Limoges	Ruaud frères	1 500 dz. de mouch.
	Brives.............	Leclerc	150 pièces
Lyon	Tarare	Andrieu.............	5 500
	à la Chaussée-Perrache	Gagnères	2 000
	à la Mouche Paroisse d'Outtins	Pourrières	3 000
	Pierre-Bénite	Lefier	2 000
	Faubourg de Vaise	Gosserand	1 800
	Collange	Stomf	1 800
	Fontaines	Althénian...........	2 400
	Royes............	Bochage et Bonnefoy.....	2 600
	Villers-Bonne.......	Landry	2 500
	St-Symphorien d'Ozon-en-Bresse	(Nouvel établissement) ...	
	Villefranche........	Brown.............	1 800
	Villefranche........	Dardelle............	600

Lors de l'arrêt du 10 juillet 1785, interdisant l'importation de cotonnades blanches à imprimer dans le royaume, à l'exception de celles livrées par la Compagnie des Indes, il existe une centaine de manufactures, imprimant plus de 500 000 pièces par an. A la fin de l'Ancien Régime le nombre de fabriques s'est accru et la production s'élève à près de 700 000 pièces. Ne figurent pas dans ce tableau Mulhouse et sa région — qui imprime près de 400 000 pièces — ni le Comtat Venaissin qui se rattacheront à la France pendant la Révolution. Absente, également, Marseille, qui jouit d'une franchise. La valeur de la seule production nationale oscille entre 16 et 17 millions de livres tournois. D'après E. Depitre.

Provinces ou généralités	Lieux où sont établies les manufactures de toiles peintes	Noms des entrepreneurs	Quantité approximative des pièces imprimées annuellement
Orléans	Mainville..........	Mainville	40 000 pièces
Paris	Arcueil	Fraise	9 000
	Beauvais	Baron et Sallé	20 000
		Guérin..............	12 000
		Garnier, Danse, Thévart ..	20 000
		Tiquet..............	4 000
	Corbeil	Oberkampf..........	10 000
	Clos Payen	Mlle Bivert, Dejan et Cie ...	3 000
	Jouy.............	Demaraise et Oberkampf ..	30 000
	Melun	Pernod	8 000
	St-Denis	Brégnier.............	
		Villé	
		Hébingre	
		Frick...............	
Provence	Aix	Béliard frères.........	21 000
		Michel, Meyer et Perrin ...	14 700
		Turcas frères.........	16 800
		Imbert Pastourel	6 300
	Barret, à un mille d'Aix	Congourdan	
	La Torce, à un mille d'Aix	Germain.............	
	Géménos	Establiss. que l'on forme ...	
	St-Zacarie	Etablissement projeté	
	Ville et banlieue de Rouen	David Vaugat	4 000
		Roland	2 000
		Torcat et Long........	12 000
		Torquet.............	8 000
		Hekler..............	1 000
		Lincle	1 000
		Jacquet	4 000
		Bonnetot père et fils	4 000
		Tellier.............	1 500
		Pouchet et Bellemare.....	3 000
		Rose	2 400
		Stroubler	1 500
	Bapaume à 3/4 de lieue de Rouen.	Le Lièvre, Heutte, Gabory,	12 000
		Cie Joubert	3 000
		Belle Richard	2 400

Provinces ou généralités	Lieux où sont établies les manufactures de toiles peintes	Noms des entrepreneurs	Quantité approximative des pièces imprimées annuellement
Rouen	Maromne à une l. de Rouen.....	Fichet.............	3 000
	Deville	De la Porte...........	1 200
	à 3/4 de lieue.......	Fray..............	4 000
	Leshommes	Simon.............	1 500
	à 2 lieues	Lambert, Vimeux.......	5 000
	Darnétal	Roger fils...........	10 000
	à 3/4 de lieue........	Gosselin et Clotat.......	1 200
	Charleval bourg	Juillard	1 500
	à 5 l. de Rouen	Liesse l'aîné	8 000
		Jacques Pouchet........	6 000
		Neveu et Detouilly	6 000
		Ch. Fouquier et Vᵉ Lemaître.........	6 000
		Louis Pouchet.........	3 000
		Dupré..............	2 000
	Bolbec	Le Lièvre............	2 000
		P. Fauquet fils.........	4 000
		Jean Lecoq	4 000
		Jacob Lecoq	2 000
		P. Fauquet et Cⁱᵉ	4 000
		J. Fauquet	3 000
		Louis Lavot	2 000
	Gruchet village à une lieue 1/2 de Bolbec	Daniel Le Maître	8 000
		Pierre Pouchet........	4 000

QUANTITÉS COMPARÉES DES DENRÉES EXPORTÉES
DES ANTILLES FRANÇAISES ET ANGLAISES VERS LEUR MÉTROPOLE EN 1789

Colonies françaises	Sucre brut	Sucre terré	Café	Cacao	Coton	Indigo
Saint-Domingue	822 628	612 375	679 827	7 516	68 353	10 997
la Martinique	18 795	257 398	68 161	9 821	11 550	10
la Guadeloupe	11 194	140 847	37 300	559	7 411	7
Tabago	20 250		159		12 318	45
la Guyane		20	159	210	925	50
TOTAL	872 867	1 010 640	785 447	18 106	100 557	11 109

Les quantités sont indiquées en quintaux de 100 livres.

Colonies anglaises *	Sucre (q)	Café (q)	Cacao (q)	Coton (liv.)	Indigo (liv.)
la Jamaïque	840 548	6 395	82	1 905 467	27 623
la Barbade	131 766			2 705 975	
la Grenade	175 548	2 716	8 812	2 062 427	2 810
Saint-Vincent	65 128	634	143	761 880	
la Dominique	71 302	18 149	1 194	970 816	11 250
Saint-Christophe	235 528			484 640	318
Antigua	284 526			160 510	26
Montserrat	110 284			92 472	140
îles Vierges	709 242			1 026 699	484
TOTAL	2 623 872	27 894	10 231	10 170 886	42 651

* En réalité les quantités exportées comprennent non seulement les productions des Iles anglaises mais aussi les denrées étrangères vendues dans les ports francs que les Britanniques avaient ouverts dans leurs colonies en 1766, puis en 1774 et 1775. Par ailleurs, les Antilles anglaises exportent 6 842 441 gallons de rhum vers leur métropole.
D'après le *Traité d'économie politique* de P. F. Page, Paris, an IX.

POSSESSIONS DE LA GRANDE-BRETAGNE EN 1815

I — Héligoland
Gibraltar
Malte

II — Canada, jusqu'au Pacifique.
Honduras
Antigua, Barbade, Dominique, Grenade, Grenadines,
Jamaïque, Saint-Christophe, Nevis, Sainte-Lucie,
Saint-Vincent, Tabago et Trinité.
Bahamas
Guyana

III — Gambie
Sierra Leone
Cap de Bonne-Espérance
Ascension
Île Maurice
Seychelles
Ceylan
Inde
Penang

IV — Australie
Tasmanie

DÉCRET DE L'ASSEMBLÉE GÉNÉRALE DE LA PARTIE FRANÇAISE DE SAINT-DOMINGUE RENDU, À L'UNANIMITÉ EN SA SÉANCE DU 28 MAI 1790. BASES CONSTITUTIONNELLES DE SAINT-DOMINGUE

L'Assemblée générale considérant que les droits de la partie française de Saint-Domingue, pour avoir été longtemps méconnus et oubliés, n'en sont pas moins demeurés dans toute leur intégrité ;

considérant que l'époque d'une régénération générale dans l'empire français est la seule où l'on puisse déterminer, d'une manière juste et invariable, tous ses droits, dont les uns sont particuliers et les autres relatifs ;

considérant que le droit de statuer sur son régime intérieur appartient essentiellement et nécessairement à la partie française de Saint-Domingue, trop peu connue de la France, dont elle est séparée par un immense intervalle ;

considérant que les représentants de Saint-Domingue ne peuvent renoncer à ce droit imprescriptible, sans manquer à leur devoir le plus sacré, qui est de procurer à leurs constituants * des lois sages et bienfaisantes ;

considérant que de telles lois ne peuvent être faites qu'au sein même de cette île, d'abord en raison de la différence du climat, du genre de la population, des mœurs, des habitudes, et ensuite, parce que ceux-là seulement qui ont intérêt à la loi peuvent la délibérer et la consentir ;

considérant que l'Assemblée nationale ne pourrait décréter de lois concernant le régime intérieur de Saint-Domingue sans renverser les principes qu'elle a consacrés par ses premiers décrets et notamment par la déclaration des droits de l'homme ;

considérant que les décrets émanés de l'Assemblée des représentants de Saint-Domingue ne peuvent être soumis à d'autre sanction qu'à celle du roi, parce qu'à lui seul appartient cette prérogative inhérente au trône et que nul autre, suivant la constitution française, ne peut en être dépositaire ; que conséquemment le droit de sanctionner ne peut être accordé au gouverneur général, étranger à cette contrée, et n'y exerçant qu'une autorité précaire et subordonnée ;

considérant qu'en ce qui concerne les rapports commerciaux et les autres rapports communs entre Saint-Domingue et la France, le nouveau contrat doit être formé d'après les vœux, les besoins et le consentement des deux parties contractantes ;

considérant que tout décret qui aurait pu être rendu par l'Assemblée nationale et qui contrarierait les principes qui viennent d'être exposés, ne saurait lier Saint-Domingue qui n'a point été consulté et n'a point consenti à ces mêmes décrets ;

considérant enfin que l'Assemblée nationale, si constamment attachée aux principes de justice et qui vient de manifester le dessein d'assurer la prospérité des îles françaises de l'Amérique, n'hésitera pas à reconnaître les droits de Saint-Domingue par un décret formel et authentique ;

après avoir délibéré dans ses séances des 22, 26, 27 et dans celle de ce jour a décrété et décrète à l'unanimité ce qui suit :

* Par constituants, il faut entendre commettants.

ARTICLE PREMIER. — Le pouvoir législatif, en ce qui concerne le régime intérieur de Saint-Domingue, réside dans l'assemblée de ses représentants, constitués en assemblée générale de la partie française de Saint-Domingue.

ART. II. — Aucun acte du Corps législatif, en ce qui concerne le régime intérieur, ne pourra être considéré comme loi définitive, s'il n'est fait par les représentants de la partie française de Saint-Domingue, librement et légalement élus, et s'il n'est sanctionné par le roi.

ART. III. — Tout acte législatif, fait par l'Assemblée générale, dans le cas de nécessité urgente et en ce qui concerne le régime intérieur, sera considéré comme loi provisoire, et, dans ce cas, ce décret sera notifié au Gouverneur général, qui, dans les dix jours de la notification, le fera promulguer et tiendra la main à son exécution, ou remettra à l'assemblée générale ses observations sur le contenu dudit décret.

ART. IV. — L'urgence, qui déterminera l'exécution provisoire, sera décidée par un décret séparé qui ne pourra être rendu qu'à la majorité des deux tiers des voix prises par l'appel nominal.

ART. V. — Si le Gouverneur général remet des observations, elles seront aussitôt inscrites sur le registre de l'assemblée générale. Il sera alors procédé à la révision du décret d'après ces observations. Le décret et les observations seront livrés à la discussion dans trois différentes séances ; les voix seront données par *oui* ou par *non*, pour maintenir ou annuler le décret. Le procès-verbal de la délibération sera signé par tous les membres présents et désignera la quantité de voix qui auront été pour l'une ou l'autre opinion. Si les deux tiers des voix maintiennent le décret, il sera promulgué par le gouverneur général et exécuté sur le champ.

ART. VI. — La loi devant être le résultat du consentement de tous ceux pour qui elle est faite, la partie française de Saint-Domingue proposera les plans concernant les rapports commerciaux et autres rapports communs ; et les décrets, qui seront rendus à cet égard par l'Assemblée nationale, ne seront exécutés dans la partie française de Saint-Domingue que lorsqu'ils auront été consentis par l'Assemblée générale de ses représentants.

ART. VII. — Ne seront point compris dans la classe des rapports communs de Saint-Domingue avec la France les objets de subsistance que la nécessité forcera d'introduire ; mais les décrets qui seront rendus à cet égard par l'Assemblée générale seront aussi soumis à la révision si le gouverneur général présente des observations sur le contenu auxdits décrets dans le délai fixé par l'article III, et seront au surplus observées toutes les formalités prescrites par l'article V.

ART. VIII. — Tout acte fait par l'Assemblée générale et exécuté provisoirement dans le cas de nécessité urgente, n'en sera pas moins envoyé sur le champ à la sanction royale ; et si le roi refuse son consentement audit acte, l'exécution en sera suspendue, aussitôt que ce refus sera légalement manifesté à l'Assemblée générale.

ART. IX. — Chaque législature de l'Assemblée générale sera de deux ans et le renouvellement des membres de chaque législature sera fait en totalité.

ART. X. — L'Assemblée générale décrète que les articles ci-dessus, comme faisant partie de la constitution de la partie de Saint-Domingue, seront incessamment envoyés en France pour être présentés à l'acceptation de l'Assemblée nationale et du roi ; seront en outre envoyés à toutes les paroisses et districts de la partie française de Saint-Domingue. Seront en surplus lesdits articles notifiés au gouverneur général.

CHRONOLOGIE DE LA COLONISATION FRANÇAISE
(DES ORIGINES A 1815)

1066 Conquête de l'Angleterre par Guillaume, duc de Normandie.

1099 Première croisade : prise de Jérusalem, que suit une politique de création de monarchies franques en Orient.

1187 Fin du premier royaume franc de Jérusalem.

1192 Troisième croisade : établissement du second royaume franc de Jérusalem.

1204-1669 Domination de la Crète par les Vénitiens que chassent les Turcs, en 1669.

1244 Deuxième chute de Jérusalem et disparition des États francs d'Orient. Effondrement général des États croisés : seuls quelques établissements subsistent.

1270 Saint Louis meurt devant Tunis : c'est la seule mort « coloniale » d'un chef d'État français.

1291 Les Arabes s'emparent de Saint-Jean-d'Acre : les Francs sont chassés d'Orient, où ils ne gardent que le royaume de Chypre, en Méditerranée.

1402-1404 Tentative de colonisation des Canaries par Gadifer de La Salle et Jean de Béthencourt.

1453 Les Turcs s'emparent de Constantinople.

1456 Bulle de Calixte III *Usque ad Indos*, accordant aux Portugais le monopole général de la colonisation.

1470-1570 Poussée sucrière dans les îles atlantiques.

1487 Diaz franchit le cap de Bonne-Espérance, après que les Portugais ont exploré toute la côte occidentale d'Afrique.

1489-1571 Domination de Chypre par les Vénitiens, que les Ottomans chassent en 1571, date de leur défaite navale à Lépante devant les chrétiens.

1492 Colomb découvre : San Salvador, Cuba, Haïti. Débuts de la colonisation espagnole en Amérique.

1493 Dans la bulle antidatée *Inter Coetera*, le pape espagnol Alexandre VI Borgia réserve aux Espagnols les terres se trouvant à l'ouest du méridien passant à cent lieues à l'ouest des Açores.

1494 Traité de Tordesillas déplaçant vers l'ouest la ligne de partage lusitano-espagnole. Ainsi le Brésil sera portugais.

1498 Vasco de Gama découvre la route des Indes. Débuts de l'empire portugais d'Asie.

1500 Débuts de la colonisation portugaise au Brésil.

1503 Paulmier de Gonneville au Brésil. Il ramène un Indien.

1506 Jean Denis, de Honfleur, à Terre-Neuve. Dès cette époque les pêcheurs bretons et basques se rendent dans cette région.
Gamart de Rouen et Thomas Aubert, de Dieppe, entrent dans l'estuaire du Saint-Laurent.

1508   Les Normands Gamart et Aubert au Brésil.

1517   François Ier arrête la décision de créer Le Havre de Grâce.

1520-1540   Jean Ango lance ses marins au-delà du cap de Bonne-Espérance et entre ainsi en conflit avec les Portugais.

1523-1524   François Ier envoie Verazzano en Amérique pour y découvrir un passage vers l'Asie. Il explore les côtes orientales des États-Unis actuels.

1526   Jean Parmentier, de Rouen, dans les îles de la Sonde.

1526-1546   Actions de course française contre les établissements portugais du Brésil, dont Pernambouc.

1534-1536   Cartier se rend deux fois dans l'estuaire du Saint-Laurent.

1538   Les corsaires français détruisent San Cristobal, à La Havane.

1540   Lettres patentes nommant le sire de Roberval vice-roi et lieutenant général au Canada et dans tous les pays reconnus par Jacques Cartier : il échoue.

1544   Traité de Crépy interdisant à la France d'armer pour les Indes occidentales.

1555-1567   Échec de Villegagnon et des colons français, dans la baie de Rio.

1559   Paix du Cateau-Cambrésis. Henri II reconnaît le monopole espagnol sur les Indes occidentales.

1562-1563   Jean Ribault fonde Charles Fort, en Floride, et Laudonnière, Fort Caroline, puis ils se font jeter à la mer, par les Espagnols.

1563   Première expédition de l'aventurier anglais Hawkins dans la mer des Antilles. D'autres suivront en 1565, 1567 et 1568.

1565   Les Espagnols aux Philippines.

1568   Action de représailles de Gourgues contre les Espagnols de Floride.

1570-1670   Poussée sucrière au Brésil sous l'impulsion des Portugais.

1571   Première expédition de l'aventurier anglais Drake dans la mer des Antilles. D'autres suivront, en 1572, 1573, annonçant ses actions sur la mer du Sud 1576-1577, à nouveau aux Antilles en 1585, 1586 et 1595.

1581   Les Provinces-Unies se déclarent indépendantes de l'Espagne.

1584   Walter Raleigh crée la Virginie, première colonie anglaise d'Amérique du Nord.

1588   Échec de l'Invincible Armada. Les Espagnols voulaient débarquer en Angleterre pour empêcher la poursuite des opérations de course anglaise dans les Indes occidentales, qui durent pendant tout le dernier quart du XVIe siècle.

1594   Jean Riffault et ses hommes — dont La Ravardière — fondent l'établissement français de Saint-Louis de Maragnan, au sud de l'Amazone.

1597   Le marquis de La Roche qu'Henri III, puis Henri IV avaient choisi pour coloniser le Canada, reçoit les mêmes titres et attributions que Roberval (1540).

1598   Traité de Vervins. Par un article secret, Henri IV spécifie que les particuliers français pourront agir au-delà de la ligne des Amitiés, sans menacer la paix entre la France et l'Espagne.
Fondation de la Compagnie du Canada et de l'Acadie.

1600   Pierre Chauvin, armateur d'Honfleur, fonde Tadoussac, sur le Saint-Laurent.

1600-1630   Guerre de course hollandaise dans la mer des Antilles ; elle fait suite à celle menée par les Anglais, à la fin du XVIe siècle.

1602   Création de la Compagnie hollandaise des Indes orientales.

1603   Henri IV accorde une concession au Canada à Aymar de Chastes.
Pontgravé et Champlain remontent le Saint-Laurent jusqu'au grand Saut Saint-Louis, près de Montréal.

1604   Le chevalier de Monts est nommé vice-roi et lieutenant général du Canada.

1605   Fondation du Port-Royal, en Acadie.
De retour de la Guyane, La Ravardière reçoit le titre de lieutenant général en Amérique depuis la frontière des Amazones jusqu'à l'île de la Trinité.
Débuts de la colonisation hollandaise en Asie, au détriment des Portugais et contre les Anglais.

1608 Fondation de Québec par Champlain nommé lieutenant général, qui garde ce titre jusqu'en 1632.

1609 Champlain s'allie aux Hurons contre les Iroquois.
Création de la Banque d'Amsterdam.

1610-1611 Troisième expédition de Poutrincourt en Acadie.

1611 Envoi des premiers missionnaires jésuites au Canada (Biard et Massé).
Fondation d'une Compagnie française pour les Indes orientales.

1612-1615 Les Anglais prennent possession de la Barbade.
Échec de Razilly et de La Ravardière dans leur tentative de fonder un établissement durable, dans l'île de Saint-Louis de Maragnan.

1613 Les Anglais enlèvent le Port-Royal, en Acadie.

1615 Fondation de la Compagnie des Indes orientales ou des Moluques.

1619-1620 Le Normand Beaulieu débarque à Madagascar, et négocie avec le chef indigène de Saint-Augustin.

1621 Guillaume et Émeric de Caen fondent la *Compagnie privilégiée du Canada*.
Création de la Compagnie hollandaise des Indes occidentales.

1622 Rome crée la Congrégation de la Propagande.

1624-1630 Après les Anglais, les Hollandais partent à l'assaut de la mer des Antilles.

1625 Les Anglais partagent Saint-Christophe avec les Français, conduits par Esnambuc et du Roissey. Saint-Christophe sera le berceau de la colonisation française dans la mer des Antilles.

1626 Lettres patentes donnant à Richelieu le titre de « grand maître, chef et surintendant général de la navigation et du commerce en France ».
À l'initiative d'Esnambuc, Richelieu crée la Compagnie de Saint-Christophe.
Formation d'une Compagnie de Dieppois et de Rouennais qui jettent les fondements du premier établissement français sur une île du fleuve Sénégal, qui est appelée Saint-Louis.
Richelieu crée la Compagnie du Morbihan, au capital de 1 600 000 livres. Elle est pourvue du monopole sur la Nouvelle-France, les îles d'Amérique, la Moscovie, la Norvège, la Suède et Hambourg : échec.
Richelieu fonde la Compagnie de la Nacelle de Saint-Pierre Fleurdelysée, qui échouera.

1626 et **1635** Édits créant le Jardin du Roi de Paris. Des savants travaillant outre-mer y rapportent des collections : Adanson, Commerson, Sonnerat, Dombey, Michaux, Sonnini de Manoncourt, Tournefort, Joseph de Jussieu.

1627 Création de la Compagnie des Cent Associés, agissant au Canada : elle sera dissoute en 1663.

1629 Ordonnance relative à la Marine, qui constitue un véritable Acte de navigation. Les Anglais enlèvent Québec, par surprise.

1630 Les boucaniers français à l'Île de la Tortue.

1630-1654 Colonisation hollandaise au Brésil.

1632 Traité de Saint-Germain-en-Laye qui rend le Canada et l'Acadie à la France.

1633 Champlain retourne à Québec et construit le fort Richelieu pour protéger la traite avec les Indiens.
Création de la Compagnie du Cap du Nord, ayant privilège à la Guyane. La Compagnie d'Afrique, fondée en 1626, cède la place à une Compagnie royale (Cap-Vert, Sénégal, Gambie).

1633-1664 Échec des essais de colonisation française en Guyane (Poncet de Brétigny, etc.).

1634 Les Hollandais à Curaçao.
Exploration de Nicolet dans la région des Grands Lacs et de l'Illinois.

1635 Richelieu remplace la compagnie de Saint-Christophe par la Compagnie des Îles d'Amérique, le 12 février : naissance du système de l'exclusif.
Prise de possession de la Martinique par Esnambuc et de la Guadeloupe par Olive et Du Plessis.

1637-1654 Les Hollandais au Brésil : poussée sucrière.

1638 Une compagnie de Dieppe, sous la direction de Cauche, de Rouen, fonde l'établissement de Sainte-Luce à Madagascar.
Goubert de Dieppe prend possession de la Réunion.

1639 Les Anglais à Madras.
Débuts de la colonisation anglaise dans l'Inde.

1639-1660 Poincy, commandant des îles françaises de l'Amérique.

1640 Début de l'industrie sucrière à la Barbade ; le 31 août, Levasseur, envoyé par Poincy, sur la demande des Français de la Tortue, prend l'île aux Anglais de la Compagnie de la Providence.

1641 Poincy fait prendre possession de la Tortue, au nom de Louis XIII.

1642 Fondation de Montréal.
Louis XIII autorise la traite des Nègres et l'esclavage.
Pronis aux Mascareignes et à Madagascar.

1648 Flacourt à Madagascar.

1650 Début de l'industrie sucrière dans les îles françaises.
Expansion sucrière des Anglais de la Barbade.

1650-1664 Liquidation de la Compagnie des Îles d'Amérique en 1650 et vente des îles à des seigneurs-propriétaires dont le gouvernement cessera en 1664.

1651 Cromwell promulgue l'Acte de navigation, contre les Hollandais.

1652-1653 Fondation à Paris de la Compagnie de l'Amérique équinoxiale avec Royville et l'abbé de Marivaux : échec.

1654 Les Anglais reprennent l'Acadie.
Expulsion des juifs du Brésil, où ils avaient apporté l'industrie sucrière de Madère et des Canaries. Ils émigrent vers les Antilles et l'Amérique du Nord.

1654-1655 Les Espagnols chassent les Français de la Tortue.

1655 Les Anglais s'emparent de la Jamaïque.

1656 Établissement effectif des Français à Cayenne : les Anglais reprennent la Tortue.

1658-1659 Exploration de la région ouest du lac Supérieur par Radison et Groseillers.

1660 La Dominique et Saint-Vincent sont reconnus îles caraïbes (îles neutres).

1663 Louis XIV place le Canada sous l'administration directe de la Couronne.
Fondation de la deuxième Compagnie de la France équinoxiale (Guyane).

1664 Colbert crée : la Compagnie des Indes occidentales, par suppression de la concession des îles aux seigneurs-propriétaires, qui prend la gestion des territoires français de l'Amérique ; elle sera supprimée en 1674.
La Compagnie des Indes orientales, chargée de la colonisation de Madagascar, la Réunion, de fonder des établissements dans l'Inde, à Ceylan, à l'île de Banca (Indonésie) et de faire le commerce français de l'Asie.
Ces deux Compagnies sont chargées de l'administration et de l'exploration de toutes les colonies françaises, Barbarie comprise.
Bertrand d'Ogeron, premier gouverneur pour le roi et la Compagnie, prend possession de la Tortue et étend son autorité sur les boucaniers de la partie occidentale de Saint-Domingue.
Les Français occupent effectivement Cayenne, la Guyane (La Barre).

1666 Montdevergue à Madagascar.

1666-1667 Guerre de Dévolution, échec des attaques anglaises, paix de Breda. Les Anglais donnent leur Guyane aux Hollandais qui, en échange, leur cèdent New-Amsterdam (New York).

1669 Colbert crée une Compagnie du Nord.
Fondation du Fort-Royal, à la Martinique.

1669-1670 Première sédition des Blancs de Saint-Domingue, contre le privilège de la Compagnie ; pour les mêmes motifs, les îles du Vent s'étaient agitées, en 1665.

1672 Marquette et Joliette explorent le Wisconsin et le Mississippi jusqu'à l'Arkansas.

1672-1678 Guerre de Hollande. Ruyter échoue devant la Martinique. Binckes s'empare de Cayenne que reprend Estrées, avant de mettre la main sur Tabago, et d'échouer son escadre sur l'archipel des Aves ; traité de Nimègue qui donne à la France Tabago et un droit sur la partie occidentale de Saint-Domingue.

1673-1681 Première Compagnie du Sénégal.

1674 Suppression de la Compagnie des Indes occidentales, et rattachement de l'Amérique au domaine royal.
Exploration de la Guyane par les P.P. Grillet et Béchanel.
Les derniers Français de Madagascar vont s'établir à l'île de Bourbon.

1676 François Martin crée le comptoir français de Pondichéry.

1678 La fin de la guerre de Hollande accélère l'expansion sucrière des îles du Vent, qui avait commencé en 1660.

1682 Cavalier de La Salle prend possession de la Louisiane.
Arrêt autorisant les raffineries dans les îles françaises.

1684 Interdiction de créer des raffineries de sucre aux Antilles.

1685 Promulgation du Code Noir, code de police des Antilles.
Louis XIV envoie à Pékin une mission de jésuites mathématiciens.

1688 François Martin crée le comptoir de Chandernagor.

1689-1697 Guerre de la ligue d'Augsbourg ; les Anglais échouent devant les îles du Vent, mais chassent les Français de Saint-Christophe, de Saint-Eustache et de Sainte-Croix vers Saint-Domingue. Deux attaques meurtrières des Anglo-Espagnols à Saint-Domingue, descente de Ducasse à la Jamaïque, prise de Carthagène par Pointis et Ducasse ; les Anglais s'emparent de Gorée et les Hollandais de Pondichéry. Traité de Ryswick par lequel l'Espagne cède officiellement la partie occidentale de Saint-Domingue à la France ; les Anglais restituent Gorée et Saint-Christople, et les Hollandais Pondichéry.

1694 Création de la Banque d'Angleterre.

1698-1702 Le Moyne d'Iberville et son escadre découvrent les bouches du Mississippi : la décision de fonder une colonie française en Louisiane est prise. Au cours de deux autres voyages, les premiers forts louisianais sont construits (Biloxi, la Mobile).

1700 L'*Amphitrite*, premier navire français à pratiquer le commerce de la Chine, rentre au Port-Louis, venant de Canton.

1701 Traité de l'*asiento*. L'Espagne accorde à la France (Compagnie de Guinée) le monopole d'approvisionnement des colonies madrilènes, en esclaves africains.

1701-1713 Guerre de Succession d'Espagne ; les Anglais s'emparent de Saint-Christophe, de Marie-Galante, de Terre-Neuve et de l'Acadie maritime ; prise de Rio de Janeiro par Duguay-Trouin ; le traité d'Utrecht attribue à l'Angleterre Saint-Christophe, Terre-Neuve, l'Acadie maritime dont les limites ne sont pas fixées, la baie d'Hudson, l'*asiento,* le droit d'envoyer à Porto-Bello un « vaisseau de permission » ; la France renonce, en Guyane, à ses prétentions entre la rivière des Amazones et le Yapoc.

1702 Fusion des compagnies anglaises des Indes orientales, sous le nom de : *United East India C°.*

1703 Traité anglo-portugais d'alliance et de commerce (Methuen).

1707 Limitation du privilège affranchissant de la terre de France, qui sera supprimé en 1716.

1710 L'Italien Procope installe à Paris le premier café luxueux ; en 1716, *la Civette* premier magasin de tabac de Paris ouvre ses portes à côté du *Procope.*

1712 Pontchartrain concède la colonie de la Louisiane au financier Crozat.

1714 Prise de possession de l'île de France.
Saint-Domingue est érigée en gouvernement général.

1715 Introduction du café de Moka aux Mascareignes.

1716 Création de la Banque générale de Law : elle sera convertie en Banque royale en 1718 et cessera ses activités en 1720.

1717 Insurrection des Blancs de la Martinique contre l'exclusif (Gaoulé).
Crozat, à la demande du Régent, remet sa concession de la Louisiane à la Compagnie d'Occident de Law, la future grande Compagnie des Indes.
Lettres patentes établissant l'exclusif, répétées en 1727.

1718 Fondation de La Nouvelle-Orléans par Bienville.

1719 Guerre anglo-française contre l'Espagne de Philippe V.

1720 Fondation de Louisbourg dans l'île du Cap-Breton.
Introduction du café en Guyane.

1722 Labat publie ses *Nouveaux Voyages aux îles de l'Amérique.*

1722-1723 Deuxième sédition des Blancs de Saint-Domingue ; elle est dirigée contre la seconde Compagnie des Indes.

1723 Introduction du café à la Martinique.

1724 Création de la Bourse de Paris.
Publication du Code Noir de la Louisiane.

1726 Édit autorisant les Antilles à exporter en Espagne, pourvoyeuse de métaux précieux, toute espèce de marchandises y compris les sucres, sauf les bruts, réservés aux raffineries françaises.

1730 La Compagnie des Indes rétrocède la Louisiane au domaine royal. Succès des Nègres marrons de la Jamaïque.

1733 *Molasses Act* prévoyant des taxes sur les mélasses, sirops et tafias importés des colonies étrangères en Nouvelle-Angleterre.

1735-1748 La Bourdonnais, gouverneur des Mascareignes : le Port-Louis est tranformé en place maritime et base navale dotée d'un arsenal.

1738-1739 Voyage dans les mers australes de Bouvet de Lozier, qui découvre l'île de la Circoncision, aujourd'hui île Bouvet.

1739 Guerre anglo-espagnole. L'Angleterre déclare la guerre à l'Espagne pour faire échec au protectionnisme colonial de Madrid et au développement du commerce français.
Prise de possession de Karikal.

1740-1748 Guerre de Succession d'Autriche ; la France prend Sainte-Lucie et Madras, mais perd Saint-Barthélemy, Saint-Martin et Louisbourg ; l'amiral Knowles s'empare de Saint-Louis du Sud, à Saint-Domingue ; le traité d'Aix-la-Chapelle attribue Sainte-Lucie à la France ; Louisbourg et Madras sont restitués à leur métropole.

1742-1754 Dupleix gouverneur des Établissements français de l'Inde.

1749 Fondation du Port-au-Prince, capitale de Saint-Domingue.

1750 Émilien Petit publie *Le Patriotisme américain.*

1755 Les Acadiens déportés par les Anglais : le Grand Dérangement.

1756 Prise de possession de l'archipel des Séchelles.

1756-1763 Guerre de Sept Ans ; les Anglais s'emparent de la Guadeloupe, des Saintes, de Marie-Galante, de la Martinique, de la Grenade, de Saint-Vincent, de Sainte-Lucie, de Louisbourg, du Canada, de Pondichéry, Saint-Louis du Sénégal et Gorée. Le traité de Paris retire la Grenade et les Grenadines à la France qui, par ailleurs, perd le Canada, l'île Royale, la vallée de l'Ohio et celle du Mississippi, tandis qu'elle cède la Louisiane à l'Espagne qui a perdu la Floride. L'Angleterre restitue à la France, Pondichéry — détruite — et dépouillée de sa zone d'influence, l'îlot de Gorée et Sainte-Lucie.

1757 Victoire de Clive à Plassey : l'Inde commence à passer entièrement sous la domination britannique.

1759 Arrêt du Conseil d'État créant des chambres mi-parties d'agriculture et de commerce aux Antilles.

1761 Pacte de Famille, signé entre les Bourbon, de France, d'Espagne, de Naples et de Parme.

1763 Création de chambres d'agriculture, en remplacement des chambres mi-parties de commerce et d'agriculture, fondées en 1759.

1763-1764 Tentative de colonisation du Kourou par les Choiseul. Échec : 10 000 morts.

1764 *Sugar Act* réduisant de 50 % les taxes prévues par le Molasses Act de 1733, resté lettre morte, car trop excessif ; le *Sugar Act* développe à son tour le mécontentement et la contrebande. Dubuc, premier commis des colonies, jusqu'en décembre 1770.

La Compagnie des Indes orientales, ayant cédé ses territoires au domaine royal, devient Compagnie commerçante des Indes orientales.

1766 *British Free Ports Act*, ouvrant aux étrangers quatre ports à la Jamaïque et deux à la Dominique, bases traditionnelles de l'interlope anglais dans la mer des Antilles.

1766-1769 Voyage autour du monde de Bougainville.

1767 Établissement d'un régime commercial plus libéral pour les colonies : l'exclusif mitigé. Le 29 juillet, ouverture de l'entrepôt du Môle Saint-Nicolas, à Saint-Domingue, dont le statut sera étendu, le 3 juin 1769 ; ouverture de l'entrepôt du carénage à Sainte-Lucie ; parution des *Farmer's Letters*, où Dickinson critique la tutelle de la métropole sur ses colonies ; Petit de Viévigne édite le Code de la Martinique.

1768-1769 Troisième sédition des Blancs de Saint-Domingue : contre le rétablissement des milices (1er avril 1768) ; les milices avaient été supprimées en 1763.

1769 La Chambre de représentants de Virginie affirme que le droit de fixer l'impôt n'appartient qu'aux assemblées locales.

1771 Émilien Petit publie : *Le Droit public ou gouvernement des colonies françaises.*

1772 Soulèvement des Nègres de Surinam.

Dans les mers australes : Marion-Dufresne découvre l'archipel Crozet (îles du Prince-Édouard, Marion et Crozet). Kerguelen de Trémarec découvre les îles de la Fortune qui, aujourd'hui, portent son nom.

Création des régiments des colonies, relevant du secrétariat d'État de la Marine.

1773 *Tea Act* et *Boston Tea Party*. L'année suivante, les troupes britanniques occupent Boston.

1776 La Convention américaine adopte la Déclaration des droits, puis proclame l'Indépendance des États-Unis.

Mémoire de Turgot sur les colonies américaines, sur leurs relations politiques avec leurs métropoles, et sur la manière dont la France et l'Espagne doivent envisager les suites de la Déclaration d'indépendance des États-Unis de l'Amérique ; il sera imprimé en 1791.

1777 Déclaration du roi interdisant l'entrée en France des Nègres, mulâtres et gens de couleur.

Traité d'Aranjuez fixant la frontière franco-espagnole de l'île de Saint-Domingue.

1778 Interdiction des mariages interraciaux en France.

1778-1783 Guerre d'Indépendance américaine, suivant la signature, entre la France et les États-Unis, d'un traité d'amitié et de commerce. Lauzun enlève Saint-Louis du Sénégal, Bouillé prend la Dominique, et Barrington Sainte-Lucie, Estaing s'empare de Saint-Vincent et de la Grenade, avant d'échouer au siège de Savannah. Rodney prend Saint-Eustache aux Hollandais, mais Bouillé reprend l'île. Grasse bat Hood. Bouillé s'empare de Tabago. Hood et Rodney battent de Grasse aux Saintes. Bussy et Suffren, sans moyens, échouent dans l'Inde. Au traité de Versailles, la France rend ses conquêtes, reprend Sainte-Lucie, conserve Tabago et garde Saint-Louis du Sénégal et Gorée.

L'indépendance des Treize Colonies, maintenant États-Unis, est reconnue.

1784 Arrêt du 30 août, constituant des entrepôts : Saint-Pierre (Martinique), Pointe-à-Pitre (Guadeloupe) ; le Cap Français, le Port-au-Prince, les Cayes

(Saint-Domingue); Scarborough (Tobago); Le Carénage (Sainte-Lucie); ordonnance royale du 3 décembre, sur la gestion des plantations; elle sera remaniée le 23 décembre 1785.

Arthaud, médecin du roi à Saint-Domingue, fonde le Cercle des Philadelphes qui, en 1789, devient Société royale des Sciences et des Arts du Cap-Français, la seule académie créée dans les colonies françaises de l'Ancien Régime.

1784-1790 Moreau de Saint-Méry publie *Les loix et constitutions des colonies françaises de l'Amérique sous le vent.*

1785 Fondation de la troisième Compagnie des Indes orientales, par Calonne.

1786 Traité de commerce franco-anglais.

1787 Les États-Unis d'Amérique se donnent une constitution démocratique et fédérale. Les Conseils supérieurs du Cap et du Port-au-Prince sont fusionnés sous le nom de Conseil supérieur de Saint-Domingue; création, aux îles du Vent, d'assemblées coloniales, chargées de délibérer sur l'assiette et la répartition de l'impôt ordonné par le roi, en remplacement des chambres d'agriculture.

Traité d'alliance signé à Versailles, entre la France et le roi de Cochinchine : il n'aura pas de suite officielle.

Création d'un port-franc au Port-Louis à l'île de France.

1788 Création de la Société des Amis des Noirs.

Les États généraux sont convoqués pour le 5 mai 1789 à Versailles, à l'exclusion des Colonies.

À l'initiative de Gouy d'Arsy et de Moreau de Saint-Méry, 9 grands propriétaires de Saint-Domingue, résidant en France, et souhaitant représenter la colonie aux États généraux se forment en Comité des Colons de Saint-Domingue ou Comité colonial. Ces commissaires demandent aux Domingois de ratifier leur nomination à la représentation de l'île aux États généraux.

À la demande du Comité colonial, trois comités provinciaux se constituent à Saint-Domingue au début de 1789 : ils élisent, pendant le premier trimestre 1789, une députation de 37 membres où figurent 8 des 9 membres du Comité colonial de France. Ces Comités prennent l'appellation d'assemblées provinciales.

1789 Déclaration des droits de l'homme et du citoyen.

Des propriétaires de Saint-Domingue, résidant en France, se forment, à Paris, en « Société correspondante des colons Français », communément appelée Club Massiac. Ces hommes, hostiles à toute représentation des colonies à l'Assemblée nationale, souhaitent traiter des affaires coloniales, directement avec le ministère, et dans la discrétion.

Soulèvement d'esclaves à la Martinique.

1790 Sur la proposition d'Alexandre de Lameth, membre des Amis des Noirs et lié à Barnave, l'Assemblée nationale crée en son sein un Comité colonial où figurent notamment des colons et les négociants Garesché et Bégouën.

Liberté du commerce avec l'Inde.

Élection illégale d'une assemblée générale de la partie française de Saint-Domingue qui vote des Bases constitutionnelles où elle s'octroie un statut à mi-chemin de l'autonomie et de l'indépendance. Début de la quatrième sédition de l'île; dissolution de l'assemblée. Agitation à la Martinique, à la Guadeloupe et à la Guyane.

1791 *13 mai :* l'Assemblée nationale vote un décret constitutionnel, inspiré par Barnave et approuvé par Robespierre, qui stipule : « Aucune loi sur l'état des personnes non libres ne pourra être faite par le Corps législatif, pour les colonies, que sur la demande formelle et spontanée des Assemblées coloniales. » Cette mesure qui maintient solennellement l'esclavage dans les colonies, précise la portée réelle de la Déclaration des droits de l'homme.

15 mai : sur la proposition de Reubell, et malgré l'opposition de Barnave, l'Assemblée nationale décrète que les gens de couleur, nés de parents libres, possèdent la qualité de citoyen et l'exercice des droits civiques qui y sont attachés : droit de participer aux élections dans les colonies et d'entrer dans les assemblées paroissiales et coloniales. Ce décret amende celui du 13 mai précédent.

20-21 juin : Louis XVI s'enfuit vers Montmédy pour y rejoindre les troupes du lieutenant général de Bouillé, brillant gouverneur des îles du Vent pendant la guerre d'Indépendance d'Amérique. Arrêté à Varennes, le roi est ramené à Paris le 25.

22 août : dans la nuit du 21 au 22 août, les esclaves du Nord de Saint-Domingue se soulèvent contre les colons français.

24 septembre : décret constitutionnel de l'Assemblée nationale abrogeant le décret du 15 mai précédent qui accordait l'exercice des droits civiques aux gens de couleur libres, fils de parents libres : il établit dans les colonies un régime général d'autonomie intérieure, où les colons blancs seront seuls maîtres.

28 septembre : l'Assemblée nationale décrète que « tout individu est libre aussitôt qu'il est rentré en France... de quelque couleur qu'il soit ». Cette mesure restaure l'antique « privilège de la Terre de France », mis à mal sous Louis XIV, puis bafoué par l'ordonnance du Régent d'octobre 1716, ainsi que par celle prise par Louis XV, le 15 décembre 1738.

La Législative supprime les troupes des colonies, remplacées par celles du ministère de la Guerre.

1791-1792 Domination des contre-révolutionnaires à la Martinique et à la Guadeloupe.

1792 Crise du sucre à Paris.

Le 4 avril, la Législative accorde l'égalité des droits aux gens de couleur libres.

20 juin : l'insurrection parisienne envahit les Tuileries.

10 août : suspension du roi.

21 septembre : CONVENTION NATIONALE : abolition de la royauté.

1793 La Convention entre en guerre contre l'Angleterre et la Hollande, s'isolant ainsi de ses colonies.

4 février : Louis François Dubuc et Régis de Curt signent un accord avec les Anglais prévoyant que les îles du Vent se placent sous domination britannique et qu'elles reviendront à la France, au retour des Bourbons.

25 février : au nom des propriétaires de Saint-Domingue, réfugiés en Angleterre, le commissaire général de la Marine, Malouet demande la protection anglaise sur la Grande Île, jusqu'à la fin de la guerre.

4 juin : la Convention refuse d'abolir l'esclavage, comme le lui demande une délégation, conduite par Chaumette, procureur de la Commune de Paris, et soutenue, notamment, par l'abbé Grégoire.

juin : Soulèvements fédéralistes et vendéen.

août : Toulon est livré aux Anglais.

Victoire des régénérateurs à la Martinique et à la Guadeloupe (Rochambeau).

Anglais et Espagnols envahissent Saint-Domingue.

décembre : Les républicains reprennent Toulon.

1794 Le 4 février, la Convention abolit l'esclavage, ce qui avait déjà été proclamé à Saint-Domingue en août, septembre et octobre 1793 ; Rochambeau et Collot capitulent : la Martinique et la Guadeloupe passent aux Anglais ; Victor Hugues débarque à la Guadeloupe et reprend l'île.

Toussaint Louverture se rallie à la France.

Exécution de Robespierre et de Saint-Just, le 28 juillet 1794.

1795 Traité de Bâle par lequel l'Espagne se retire du conflit et abandonne la partie orientale de Saint-Domingue à la France ; soulèvement de Nègres à la Jamaïque.

juin : Échec du débarquement royaliste de Quiberon.

octobre : Bonaparte écrase l'insurrection royaliste à Paris.

1796 *mai :* Arrestation des babouvistes.

1797 Toussaint Louverture, commandant en chef des troupes de Saint-Domingue, chasse le commissaire Sonthonax et entame une dictature qui s'achèvera en 1802.

Décret du Directoire autorisant les navires français à visiter les navires de commerce américains et à leur confisquer les marchandises d'origine anglaise qu'ils transporteraient. Cette mesure sera prorogée par le Directoire, le 18 janvier 1798.

septembre : coup d'État des Directeurs contre les royalistes des Conseils.

1797-1799 Occupation des îles Ioniennes et des possessions continentales de la République de Venise, passée elle-même sous la domination française : premiers pas vers l'expédition d'Égypte.

1798 *mai :* Coup d'État des Directeurs et des Conseils contre les jacobins.

7 juillet : les États-Unis abrogent leurs traités avec la France.

1798-1800 La Guyane, pénitencier politique.

1798-1801 Campagne d'Égypte ; la Turquie déclare la guerre à la France.

1799 La Constitution de l'an VIII, établissant le Consulat, dispose : « Le régime des colonies françaises est déterminé par des lois spéciales. » Les colonies ne possèdent plus de représentation au sein du Corps législatif.

Bonaparte nomme au Conseil d'État de nombreux agents de la monarchie, partisans de l'ancien système colonial, comme : Barbé de Marbois, Guillemin de Vaivre, Moreau de Saint-Méry, etc.

Bonaparte abroge le décret directorial du 18 janvier 1798 contre le commerce maritime américain et plus généralement neutre : c'est la fin de la « quasi-guerre » franco-américaine, que consacrera le traité de Mortefontaine (1er octobre 1800) qui rétablira des relations maritimes normales entre les deux républiques.

1800 Par le traité de Saint-Ildefonse, que confirmera la convention d'Aranjuez (21 mars 1801), l'Espagne rétrocède la Louisiane à la France. Le traité de Mortefontaine met solennellement fin à la « quasi-guerre » maritime franco-américaine. Autant cette convention satisfait les États-Unis, autant le traité de Saint-Ildefonse, rendant la Louisiane à la France, les inquiète. Dès ce moment Bonaparte nourrit des visées sur les Florides et rêve de construire un empire colonial français en Amérique (Antilles, Guyane, Louisiane, Floride), qui se développerait en association avec l'Amérique espagnole.

1801 18 octobre : la France et l'Angleterre signent les préliminaires de Londres, qui aboutiront à la paix d'Amiens, le 25 mars 1802. La République a les mains libres pour intervenir à Saint-Domingue.

Lacrosse, capitaine général de la Guadeloupe.

1801-1803 Le Français Baudin explore les côtes méridionales et occidentales de l'Australie.

1802 Le capitaine général Leclerc débarque à Saint-Domingue, reçoit la soumission de Toussaint Louverture qu'il déporte en France ; traité d'Amiens ; Richepanse succède à Lacrosse à la Guadeloupe ; chute du Matouba, tenu par les insurgés aux ordres de Degrès ; rétablissement de l'esclavage dans les colonies ; Villaret-Joyeuse, capitaine général de la Martinique ; les affaires coloniales sont exclues du domaine de la loi et confiées à la compétence du gouvernement.

2 juillet : arrêté interdisant l'entrée en France aux Noirs et aux métis. Cette mesure sera levée pour les libres, le 5 août 1818.

4 août : Sénatus-consulte organique de la Constitution de ce jour, établissant que le Sénat règle la constitution des colonies par un sénatus-consulte (art. 54).

1803 Soulèvement général de Saint-Domingue, l'expédition française, sous le commandement de Rochambeau, capitule et évacue l'île.

Le Premier consul, devinant la prochaine ouverture des hostilités avec l'Angleterre et mesurant l'échec de l'expédition de Saint-Domingue, renonce à son rêve d'empire américain et vend la Louisiane aux États-Unis, garantissant leur avenir et donnant ainsi à la Grande-Bretagne « une rivale qui tôt ou tard abaissera son orgueil ».

13 mai : rupture de la paix d'Amiens. La Grande-Bretagne est maîtresse des mers : les colonies françaises vivent, désormais, sous la menace de ses escadres.

1805 La flotte franco-espagnole est défaite par les Anglais à Trafalgar.

1806 Louis Bonaparte, roi de Hollande.

Les colonies hollandaises sous protectorat français. Les Anglais s'emparent de la colonie hollandaise du cap de Bonne-Espérance.

Napoléon décrète le Blocus continental contre l'Angleterre.

1807 Traité d'alliance entre la France et la Perse.

8 juillet : traité de Tilsitt. Les Russes restituent les îles Ioniennes à Napoléon qui laisse entrevoir un partage de l'Empire ottoman, dont il ne veut pas.

1808 Joseph Bonaparte, roi d'Espagne et des Indes ; les colonies espagnoles se soulèvent.

1808-1817 Les Portugais occupent la Guyane.

1809 Les Anglais s'emparent de la Martinique et évacuent la garnison française de Santo Domingo.

1810 Les Anglais s'emparent de la Guadeloupe, des îles de France et de Bourbon. Abdication de Louis Bonaparte, réunion de la Hollande à la France : les colonies hollandaises deviennent colonies françaises.

1811 Les Anglais s'emparent de Java, ex-colonie hollandaise devenue française, des Séchelles et de Tamatave.

1812 Décret impérial en faveur de l'industrie du sucre de betterave.

1814 Traité de Paris qui rend à la France la Martinique, la Guadeloupe, la partie occidentale de Saint-Domingue, Gorée, Saint-Louis et la Réunion, mais qui lui retire Tabago, Sainte-Lucie, l'île de France et les Séchelles ; la France s'engage à abolir la traite des Noirs à compter du 1er juin 1819.

1815 Pendant les Cent-Jours, l'Empereur abolit la traite négrière ; les Anglais s'emparent de la Martinique, de la Guadeloupe, de Gorée et de Saint-Louis du Sénégal ; second traité de Paris, confirmant le premier.

1816 Les Anglais restituent la Martinique et la Guadeloupe à la France.

1817 L'Angleterre restitue Gorée et Saint-Louis du Sénégal à la France.

Orientation bibliographique

SOURCES

Archives nationales. Section d'outre-mer des Archives nationales.
Bibliothèque nationale. Archives de Vincennes. Archives privées.

IMPRIMÉS

Grandes collections

Peuples et Civilisations, ancienne et nouvelle collections, PUF.
Histoire générale des civilisations, PUF.
Les grandes civilisations, Arthaud.
Clio, PUF.
Nouvelle Clio, PUF.
Regards sur l'histoire, SEDES.
Histoire de France, Fayard.
Histoire économique et sociale du monde, Armand Colin.
Histoire économique et sociale de la France, PUF.
Évolution de l'humanité, Albin Michel.
Archives, Gallimard.
La Vie quotidienne, Hachette.
Encyclopédie de la Pléiade.

Biographies « métropolitaines » et Mémoires

ANTOINE (M.), *Louis XV*, Paris, 1989.
ARGENSON (Marquis d'), *Journal* et *Mémoires*, 9 vol., Paris, 1859-1867.
AUBERT (R.), *Journal d'un bourgeois de Paris sous la Révolution*, 2 vol., Paris, 1974.
BABELON (J.-P.), *Henri IV*, Paris, 1982.
BACHAUMONT, *Mémoires secrets*, Paris, 1883.
BARBIER, *Chronique de la Régence et du règne de Louis XV*, 8 vol., Paris, 1885.
BARTHÉLEMY (F.), *Mémoires* publiés par J. de DAMPIERRE, Paris, 1914.
BERNIS (cardinal de), *Mémoires*, Paris, 1986.
BLUCHE (F.), *Louis XIV*, Paris, 1986.
BOITEUX (L. A.), *Richelieu grand maître de la navigation et du commerce de France*, Paris, 1955.

BOMBELLES (marquis de), *Journal*, 2 vol., Genève, 1978.

BUVAT (J.), *Journal de la Régence*, 2 vol., Paris, 1865.

CALMETTES (P.), *Choiseul et Voltaire, d'après les lettres inédites du duc de Choiseul à Voltaire*, Paris, 1983.

CARRIÈRE (Ch.), GOURY (M.), *Georges Roux de Corse*, Marseille, 1990.

CASTRIES (duc de), *Le Maréchal de Castries*, Paris, 1956.

– *Papiers de famille*, Paris, 1977.

CAULAINCOURT (général de), *Mémoires*, 3 vol., Paris, 1933.

CHAUSSINAND-NOGARET (G.), *Mirabeau*, Paris, 1982.

CHEVALLIER (P.), *Louis XIII*, Paris, 1979.

CHOISEUL, *Mémoires*, nouv. édit., Paris, 1982.

CHOISY (abbé de), *Mémoires*, 2 vol., Paris, 1888.

CLOULAS (I.), *Henri II*, Paris, 1985.

CORVISIER (A.), *Louvois*, Paris, 1983.

CROŸ (maréchal duc de), *Journal inédit*, 4 vol., Paris, 1906.

DARD (E.), *Napoléon et Talleyrand*, Paris, 1935.

– *Le Comte de Narbonne*, Paris, 1941.

DESSERT (D.), *Fouquet*, Paris, 1987.

DU DEFFAND (marquise), *Lettres*, 4 vol., Paris, 1824.

DURAND (Y.), « Mémoires de J.-J. de Laborde, banquier de la Cour, fermier général », *Annuaire-Bulletin de la Société d'Histoire de France* (1968-1969), Paris, 1971.

FEUGÈRE (A.), *L'Abbé Raynal*, Paris, 1922, réimpr., Genève, 1970.

GAXOTTE (P.), *La France de Louis XIV*, Paris, 1946.

– *Le Siècle de Louis XV*, Paris, 1974.

HENAULT (président), *Mémoires*, Paris, 1911.

JACQUART (J.), *François Ier*, Paris, 1981.

LABOURDETTE (J. F.), *Vergennes*, Paris, 1990.

LAVAQUERY (E.), *Necker, fourrier de la Révolution*, Paris, 1933.

LEVRON (J.), *Louis XV*, Paris, 1974.

LORDAT (marquis de), *Les Peyrenc de Moras*, Toulouse, 1959.

LOUIS XIV, *Mémoires*, présentés par J. LONGNON, Paris, 1927.

LUYNES, *Mémoires sur la cour de Louis XV, 1735-1758*, publiés par L. DUSSIEUX et E. SOULIÉ, 17 vol., Paris, 1860-1865.

MALOUET (V. P.), *Mémoires*, publiés par son petit-fils, le baron MALOUET, 2 vol., Paris, 1868.

MEYER (J.), *Colbert*, Paris, 1981.

– *Le Régent*, Paris, 1985.

MICHEL (J.), *Du Paris de Louis XV à la marine de Louis XVI. L'œuvre de M. de Sartine*, 2 vol., Paris, 1974.

MONTBARREY, *Mémoires*, 2 vol., Paris, 1827.

MORELLET (abbé), *Mémoires*, Paris, 1988.

MORRIS (Gouverneur), *Journal*, présenté par E. Pariset, Paris, 1901.

MURAT (I.), *Colbert*, Paris, 1980.

NOAILLES (maréchal duc de), *Mémoires*, 4 vol., Paris, 1829.

PARENT (M.) et VERROUST (J.), *Vauban*, Paris, 1971.

PETITFILS (J.-C.), *Le Régent*, Paris, 1986.

RUAULT (N.), *Gazette d'un Parisien sous la Révolution*, Paris, 1976.

SAINT-GERMAIN (J.), *Samuel Bernard*, Paris, 1960.

SAINT-PRIEST, *Mémoires*, 2 vol., Paris, 1929.

SAINT-SIMON, *Mémoires*, 18 vol., Paris, 1977-1979.

SÉGUR (comte de), *Mémoires*, 3 vol., Paris, 1824.

SÉGUR (général comte de), *Histoire et Mémoires*, 3 vol., Paris, 1873.

SILVESTRE DE SACY (J.) et ANTOINE (M.), *Henri Bertin dans le sillage de la Chine (1720-1792)*, Paris, 1970.

SPANHEIM (E.), *Relation de la cour de France*, nouv. éd., Paris, 1973.

SULLY, *Mémoires*, 6 vol., Paris, 1827.

TAILLEMITE (E.), *La Fayette*, Paris, 1989.

TOURZEL (Mme la duchesse de), *Mémoires*, Paris, 1986.

TULARD (J.), *Napoléon*, Paris, 1977.

VAUBLANC (comte de), *Mémoires*, Paris, 1883.

VÉRI (abbé de), *Journal*, 2 vol., Paris, 1933.

VOLTAIRE, Œuvres complètes.

WALPOLE (H.), *Lettres écrites à ses amis pendant ses voyages en France (1739-1775)*, 2ᵉ éd., Paris, 1875.

YOUNG (A.), *Voyages en France 1787-1788-1789*, 3 vol., Paris, 1976.

Biographies « coloniales », Mémoires et Voyages

ABBEVILLE (P. Cl. d'), *Histoire de la mission des Pères Capucins en l'île de Maragnon*, Paris, 1614.

ABD AL-RAHMAN al Jabarti, *Journal d'un notable du Caire durant l'expédition française, 1798-1801*, Paris, 1979.

ACOSTA (J. de), *Histoire naturelle et morale des Indes occidentales*, Paris, 1979.

ADANSON (M.), *Histoire naturelle du Sénégal. Avec la relation abrégée d'un voyage fait en ce pays pendant les années 1749-1753*, Paris, 1757.

ANQUETIL-DUPERRON, *Recherches historiques et géographiques sur l'Inde*, Berlin, 1786.

– *L'Inde en rapport avec l'Europe*, 2 vol., Paris, 1798.

BAILLARDEL (A.) et PRIOULT (A.), *Le Chevalier de Pradel. Vie d'un colon français en Louisiane en XVIIIᵉ siècle, d'après sa correspondance et celle de sa famille*, Paris, 1928.

BAUDRIT (A.), « Charles de Courbon, comte de Blénac (1622-1696), gouverneur général des Antilles françaises (1677-1696) », *Mémoires de la Société d'Histoire de la Martinique*, Fort-de-France, 1967.

BAUFFREMMONT (amiral de), *Journal de campagne dans les pays barbaresques (1766)*, présenté par Mme Marcelle Chirac, Paris, 1981.

BEGOUEN DEMEAUX (M.), *Stanislas Foäche, négociant de Saint-Domingue (1737-1806)*, Paris, 1951.

– *Mémorial d'une famille du Havre*, 3 tomes en 1 vol., rééd., Paris, 1982.

BELLANGER DE LESPINAY (L. A.), *Mémoires sur son voyage aux Indes orientales (1670-1675)*, publiés et annotés par H. FROIDEVAUX, Vendôme, 1895.

BERGASSE DU PETIT THOUARS (amiral), *Aristide Aubert du Petit Thouars, héros d'Aboukir, (1760-1798)*, Paris, 1937.

BERNIER (F.), *Voyages contenant la description des États du Grand Mogol...*, 2 vol., Amsterdam, 1699.

BESSON (M.), *Le Comte d'Estaing*, Paris, 1931.

BESSON (M.) et CHAUVELOT (R.), *Napoléon colonial*, Paris, 1939.

BEZARD (Y.), *Fonctionnaires maritimes et coloniaux sous Louis XIV, Les Bégon*, Paris, 1932.

BIET, *Voyage de la France Équinoxiale en l'Isle de Cayenne*, Paris, 1664.

BIZARDEL (Y.), *Les Américains à Paris sous Louis XVI et pendant la Révolution. Notices bibliographiques*, Paris, 1978.

BONNEFONS (J.-C. B.), *Voyage au Canada fait depuis l'an 1751 jusqu'en l'an 1761*, présenté par Cl. MANCERON, Paris, 1978.

BONREPOS, *Description du Mississipi*, Paris, 1720.

BORY DE SAINT-VINCENT (G.), *Voyage dans les quatre principales îles des mers d'Afrique*, 3 vol., et 1 atlas, Paris, 1804.

BOSMAN (G.), *Voyage en Guinée*, Utrecht, 1705.

BOSSU (J.-B.), *Nouveaux voyages en Louisiane (1751-1768)*, édition et introduction par Ph. Jacquin, Paris, 1980.

BOÜARD (M. de), *Guillaume le Conquérant*, Paris, 1958.

BOUFFLERS (Ch. de), *Correspondance inédite de la comtesse de Sabran et du chevalier de Boufflers (1778-1788)*, Paris, 1875, présentée par E. MAGNIEU et H. PRAT.

– *Journal inédit du second séjour au Sénégal (3 décembre 1786-25 décembre 1787)*, Paris, 1905.

BOUGAINVILLE (L.-A. de), *Mémoires sur la Nouvelle-France, Rapport de l'archiviste de Québec*, 1925.

BOXER (C. R.), *The dutch seaborne empire*, 1600-1800, London, 1965.

BRETON (P. R.), *Relations de l'île de la Guadeloupe*, tome 1, Basse-Terre, 1978.

BRUEYS D'AIGALLIERS (G. F.), *Œuvres* (Saint-Domingue), Nîmes, 1805.

CALMON-MAISON, *L'Amiral d'Estaing*, Paris, 1910.

CARRÉ (Lt. colonel), *François Martin, fondateur de l'Inde française*, Paris, 1946.

CARTIER (J.), *Voyage au Canada*, Paris, 1981.

CHALLES (R.), *Mémoires*, Paris, 1931.

– *Journal d'un voyage aux Indes orientales*, Paris, 1979.

CHAPAIS (Th.), *Le Marquis de Montcalm (1712-1759)*, Québec, 1911.

– *J. Talon, intendant de La Nouvelle-Orléans (1665-1672)*, Québec, 1904.

CHARDIN (J.), *Voyages en Perse et autres lieux de l'Orient*, 10 vol., Amsterdam, 1711.

CHARLES-ROUX (F.), *Bonaparte gouverneur d'Égypte*, Paris, 1935.

CHARLEVOIX (P. P.-F.-X.), *Histoire de l'île espagnole de Saint-Domingue*, 2 vol., Paris, 1730.

– *Histoire et description générale de la Nouvelle-France*, 6 vol., Paris, 1744.

CHARPENTIER DE COSSIGNY (J.-F.), *Voyage au Bengale*, Paris, 1799 (J.-F. C. est l'éditeur mais non l'auteur de cet ouvrage.).

– *Lettre à M. Sonnerat*, Ile de France, 1784.

– *Moyens d'amélioration... des colonies*, Paris, 1803.

CHASSAIGNE (M.), *Le Comte de Lally*, Paris, 1938.

CHASSELOUP-LAUBAT (F. de), *François Fresneau seigneur de la Gataudière père du caoutchouc*, Paris, 1942.

CHÂTILLON (M.), « Le Père Labat à travers ses manuscrits », *Société d'Histoire de la Guadeloupe*, 1979.

– Lettres du R. P. Mongin. L'évangélisation des esclaves aux XVIIe siècle, Bulletin de la Société d'Histoire de la Guadeloupe, 1984.

CHOISY (abbé de), *Journal d'un voyage de Siam fait en 1685 et 1686*, précédé d'une étude de M. Garçon, Paris, 1930.

COTIGNON (chevalier de), *Mémoires*, présentés par le médecin général Carré, Grenoble, 1974.

CREPIN (P.), *Mahé de La Bourdonnais*, Paris, 1922.

– *Charpentier de Cossigny, fonctionnaire colonial*, Paris, 1922.

CULTRU (P.), *Dupleix*, Paris, 1901.

– *Un empereur de Madagascar au XVIIIe siècle*, Benyowszky, Paris, 1906.

DAPPER, *Description de l'Afrique*, Amsterdam, 1686.

DAVID (P.), Journal d'un voyage fait au Bambouc en 1744, Paris, 1774.

DELEURY (G. de), *Les Indes florissantes. Anthologie des voyageurs français (1750-1820)*, coll. Bouquins, Paris, 1991.

DELOCHE (J.), *Voyage en Inde du comte de Modave, 1773-1776*, Paris, 1971.

– *Les aventures de J.-B. Chevalier dans l'Inde orientale (1752-1765)*, Paris, 1984.

DERMIGNY (L.), *Les Mémoires de Charles de Constant sur le commerce à la Chine*, Paris, 1964.

DIEREVILLE, *Relation du voyage du Port-Royal de l'Acadie ou de la Nouvelle-France*, Paris, 1710.

DOUBLET (J.), *Journal d'un corsaire*, présenté par Ch. Bréard, Paris, 1884.

DUCLOS, *Mémoires secrets*, Paris, 1869.

DUCŒUR-JOLY, *Manuel des habitants de Saint-Domingue*, 2 vol., Paris, 1802.

DUMONT DE MONTIGNY, *Mémoires historiques sur la Louisiane*, 2 vol., Paris, 1765.

DU PUIS (P. P.), *Relation de l'établissement d'une colonie française dans la Guadeloupe isle de l'Amérique et des mœurs des sauvages*. Reproduction de l'édition de 1652, Basse-Terre, 1972.

DURAND (J. B. L.), *Voyage au Sénégal*, Paris, an X, 1802.

DUSSIEUX (L.), *Notices historiques sur les généraux et marins du XVIIIᵉ siècle*, Paris, 1889.

– *Les grands marins du règne de Louis XIV*, Paris, 1888.

DUTERTRE (R. P.), *Histoire générale des Antilles habitées par les Français*, Paris, 1667-1671, rééd., 3 vol., Fort-de-France, 1973.

ELICONA (A. L.), *Un colonial sous la Révolution en France et en Amérique*, Paris, 1934.

ELISSEEFF-POISLE (D.), *Nicolas Fréret (1688-1749), Réflexions d'un humaniste du XVIIIᵉ siècle sur la Chine*, Paris, 1974.

ÉVREUX (Y. d'), *Voyage au Nord du Brésil, fait en 1613 et 1614*, Paris 1615 et 1985.

FILION (M.), *Maurepas ministre de Louis XV (1715-1749)*, Ottawa, 1967.

– *La Pensée et l'action coloniale de Maurepas vis-à-vis du Canada, 1725-1749.*

– *L'Âge d'or de la Colonie*, Ottawa, 1972.

FLACOURT (E. de.), *Histoire de la Grande Île de Madagascar, avec une relation de ce qui s'est passé ès années 1655, 1656 et 1657*, Paris, 1661.

FREGAULT (G.), *François Bigot, administrateur français*, 2 vol., Montréal, 1948.

– *Le Grand Marquis : Pierre de Rigaud de Vaudreuil et la Louisiane*, Montréal, 1962.

– *Pierre Le Moyne d'Iberville*, Ottawa, 1968.

GAEBELE (Y. R.), *Créole et grande dame Johanna Bégum marquise Dupleix*, 2ᵉ éd., Paris, 1956.

GALARD TERRAUBE, *Tableau de Cayenne ou de la Guyane française*, Paris, an VII.

GENTIL (colonel), *Mémoires sur l'Hindoustan*, Paris, 1822.

GIROD DE CHANTRANS, *Voyage d'un Suisse dans différentes colonies de l'Amérique*, Neuchâtel, 1785, rééd., présenté par P. Pluchon, Paris, 1980.

GLACHANT (R.), *Histoire de l'Inde des Français*, Paris, 1965.

– *Suffren et le temps de Vergennes*, Paris, 1976.

GOLBERY (S.-M.-X. de), *Fragments d'un voyage en Afrique, fait pendant les années 1785, 1786, 1787*, 2 vol., Paris, an X, 1802.

GRÉGOIRE (abbé), *Mémoires*, Paris, 1989.

HAMONT (T.), *Lally-Tolendal*, Paris, 1887.

HÉROLD (Ch.), *Bonaparte en Égypte*, Paris, 1962.

– *L'Heure de Napoléon*, Paris, 1969.

HEULARD (A.), *Villegagnon, roi d'Amérique. Un homme de mer au XVIᵉ siècle*, Paris, 1897.

HILLIARD D'AUBERTEUIL, *Considérations sur l'état présent de la colonie française de Saint-Domingue*, 2 vol., Paris, 1776-1782.

HUET DE FROBERVILLE (chevalier de), *Mémoires pour servir à l'histoire de la guerre de 1780, des Français avec les Français dans l'Inde*, Chailles, 1986.

JOUVEAU-DUBREUIL (G.), *Dupleix ou l'Inde conquise*, Paris, 1942.

KALM (J. O.), *Voyage de Kalm en Amérique*, tome 2, Montréal, 1880.

LABARTHE (P.), *Voyage à la côte de Guinée, contenant des instructions relatives à la traite des Noirs, d'après des Mémoires authentiques*, Paris, 1803.

– *Voyage au Sénégal*, Paris, 1802.

LABAT (R. P.), *Voyage du chevalier des Marchais en Guinée, isles voisines et à Cayenne*, 4 vol., Paris, 1730.

– *Nouvelle relation de l'Afrique occidentale...*, 5 vol., Paris, 1728.

– *Nouveau voyage aux Isles de l'Amérique...*, 4 vol., Paris, 1742.

LA BISSACHÈRE (R. P. de), *La relation sur le Tonkin et la Cochinchine (1807)*, publiée par Ch. B. Maybon, Paris, 1920.

LA CAILLE (N.-L. de), *Journal historique du voyage fait au cap de Bonne-Espérance*, Paris, 1763.

LA CONDAMINE, *Relation abrégée d'un voyage fait dans l'intérieur de l'Amérique, méridionale*, Paris, 1745.

LA COURBE (M. Jajolet de), *Premier voyage du sieur La Courbe fait à la coste d'Afrique en 1685*, publié par P. Cultru, Paris, 1913.

LACROIX (P. de), *Mémoires pour servir à la Révolution de Saint-Domingue*, Paris, 1919.

LA FARELLE (B.-S.-F.), *Deux officiers français au XVIIIᵉ siècle, Mémoires et correspondance du chevalier et du général de la Farelle*, Paris, 1896.

LAFOND LADEBAT, *Journal de ma déportation à la Guyane française*. (Fructidor an V-Ventôse an VIII), Paris, 1912.

LAFITAU (J.-F.), *Mœurs des sauvages Amériquains*, 2 vol., Paris, 1724.

LA FLOTTE (M. de), *Essai historique sur l'Inde*, Paris, 1769.

LA HONTAN (baron de), *Nouveaux voyages dans l'Amérique septentrionale*, 2 vol., La Haye, 1703.

LAMIRAL (D. H.), *L'Affrique et le peuple affriquain*, Paris, 1789.

LAMONTAGNE (R.), *La Galissonnière et le Canada*, Montréal-Paris, 1962.

LANDOLPHE (J.-F.), *Mémoires du capitaine Landolphe contenant l'histoire de ses voyages aux côtes d'Afrique et aux deux Amériques*, 2 vol., Paris, 1823.

LA ROCQUE (J. de), *Voyage à l'Arabie heureuse...*, Paris, 1715.

LAURENT (G. M.), *Toussaint Louverture à travers sa correspondance (1794-1798)*, Madrid, 1953.

– *Le Commissaire Sonthonax à Saint-Domingue*, 4 vol., Port-au-Prince, 1965-1974.

LAW DE LAURISTON, *État politique de l'Inde en 1777*, présenté par A. Martineau, Paris, 1913.

LECLERC (J.), *Le Marquis de Denonville, gouverneur de la Nouvelle-France*, Montréal, 1976.

LECOMTE (L.), *Nouveaux mémoires sur l'état présent de la Chine, 1687-1692*, 2 vol., rééd., Paris, 1990.

LEGENTIL DE LA GALAISIÈRE (J.-B.), *Voyage dans les mers de l'Inde...*, 2 vol., Paris, 1779-1781.

LEGUAT (F.), *Aventures aux Mascareignes*. Amsterdam et Londres, 1708, rééd., Paris, 1984, avec une introduction de J.-M. Racault.

LE MASCRIER, *Mémoire historique sur la Louisiane*, 2 vol., Paris, 1753.

Mahé, Paris, 1887.

LE PAGE DU PRATZ, *Histoire de la Louisiane*, 3 vol., Paris, 1753.

LÉRY (J. de), *Histoire d'un voyage faict en la terre du Brésil*, fac-similé 1580, éd. par J. Cl. MORIZOT, Genève, 1975.

LESCALLIER (D.), *Exposé des moyens de mettre en valeur et d'administrer la Guiane*, Paris, an VI.

LESCARBOT (M.), *Histoire de la Nouvelle-France*, Paris, 1609.

Lettres édifiantes et curieuses envoyées par les Jésuites, 15 vol., Paris, 1776-1791.

LHOMEL (G. de), *Jean-Pierre-Antoine, comte de Béhague, lieutenant général des armées du Roi*, Abbeville, 1907.

LIGON (R.), *Histoire de l'isle des Barbades*, Paris, 1669.

LINYER DE LA BARBÉE (M.), *Le chevalier de Ternay*, 2 vol., Grenoble, 1972.

LORIN (H.), Le comte de Frontenac..., Paris, 1895.

LUILLIER, *Nouveaux voyages aux grandes Indes...*, Rotterdam, 1726.

MADEC, *Mémoire*, annoté et présenté par M. Vignes et J. Deloche, Pondichéry, 1983.

MAHÉ DE LA BOURDONNAIS (B. F.), *Mémoires historiques*, 2ᵉ éd., Paris, 1892.

MALENFANT (colonel), *Des colonies et particulièrement de celle de Saint-Domingue*, Mémoire historique et politique, Paris, 1814.

MALLERET (L.), *Un manuscrit inédit de Pierre Poivre : les mémoires d'un voyageur*, Paris, 1968.

– *Pierre Poivre*, Paris, 1974.

MALOUET (V. P.), *Mémoires*, publiés par son petit-fils, le baron Malouet, 2 vol., Paris, 1868.

MARQUETTE (P.), *Voyages et découvertes de quelques pays et nations de l'Amérique septentrionale*, par le P. Marquette et le sieur Joliet, Paris, 1681.

MARTIN (F.), *Mémoires de François Martin, fondateur de Pondichéry*, publiés par A. Martineau, introduction de H. Froidevaux, 3 vol., Paris, 1931-1934.

MARTIN (R.P.F.), *Le marquis de Montcalm... (1756-1760)*, Paris, 1898.

MARTINEAU (A.), *Dupleix et l'Inde française*, 4 vol., Paris, 1923-1929.

– *Le général Perron, généralissime des armées de Scindia et du Grand Mogol (1753-1834)*, Paris, 1931.

– *Bussy et l'Inde française*, Paris, 1935.

MAURES DE MALARTIC (comte), *Journal des campagnes au Canada, de 1755 à 1760*, Dijon, 1890.

MAUTORT (chevalier de), *Mémoires*, Paris, 1895.

MICHEL (J.), *La Vie aventureuse et mouvementée de Ch.-H. comte d'Estaing*, Paris, 1976.

MILBERT (J.-G.), *Voyage pittoresque à l'île de France, au cap de Bonne-Espérance et à l'île de Ténériffe*, 2 vol., et 1 atlas, Paris, 1812.

MOLLAT (M.) et HABERT (J.), *Giovanni et Girolamo Verrazano, navigateurs de François Ier*, Paris, 1982.

MONTIGNY (J.-F.), *Mémoires historiques sur la Louisiane*, 2 vol., Paris, 1765.

NOLHAC (P. de), *Madame de Pompadour et la politique*, Paris, 1928.

ŒXMELIN, *Histoire des aventuriers qui se sont signalés dans les Indes*, trad., Paris, 1686.

O'HIER DE GRANDPRÉ (L.), *Voyage à la côte occidentale d'Afrique dans les années 1786 et 1787*, Paris, 1801.

OLAGNIER (P.), *Le Gouverneur Dumas*, Paris, 1936.

PANON DES BASSYNS (H.-P.), *Voyage à Paris pendant la Révolution*, introduction et présentation par J.-C. des Sagettes et Mme M.-H. Bourquin, Paris, 1985.

PAULIN DE SAINT-BARTHÉLEMY (J.-Ph.), *Voyage aux Indes Orientales*, 3 vol., Paris, 1808.

PIGAFETTA (A.), *Relation du premier voyage autour du monde effectué par Magellan*, présenté et annoté par L. Peillard, Paris, 1984.

PITOU (L. A.), *Voyage forcé à Cayenne et dans les deux Amériques*, rééd., Paris, 1969.

PLAN CARPIN (J. de), *Histoire des Mongols*, Paris, 1965.

PLUCHON (P.), *Toussaint Louverture. Un révolutionnaire noir d'Ancien Régime*, Paris, 1989.

POIVRE, *Voyage d'un philosophe*, Yverdon, 1768.

POUCHOT (Th.), *Mémoires sur la dernière guerre de l'Amérique entre la France et l'Angleterre*, 3 vol., Yverdon, 1781.

PRUNEAU DE POMMEGORGE, *Description de la Négritie*, Amsterdam, 1789.

PYRARD (F.), Discours du voyage des Français aux Indes Orientales, Paris, 1611.

RAMEL (adjudant général), *Journal*, Paris, 1887 (déportation en Guyane).

RANGAPOULLÉ (A.), *Les Français dans l'Inde. Journal d'Ananda Rangapoullé*, traduit et annoté par J. Vinson, Paris, 1893.

– Traduction anglaise complète sous le titre : *The Private Diary of Ananda Ranga Pillai from 1750 to 1761*, 12 vol., 1918.

RAVENEAU DE LUSSAN, *Journal du voyage fait à la mer du Sud en 1684*, rééd., Paris, 1968.

RINCHON (R. P. D.), *Pierre-Ignace Liévin Van Alstein, capitaine négrier, Gand 1733-Nantes 1793*, Dakar, 1964.

ROCHEFORT (C. de), *Histoire naturelle et morale des Isles Antilles de l'Amérique*, Rotterdam, 1658.

ROCHON (abbé de), *Voyage à Madagascar et aux Indes orientales*, Paris, an X.

RUBROUCK (G. de), *Voyage dans l'empire mongol*, traduction et commentaire de Cl. et R. Kappler, Paris, 1985.

SAGARD, *Le Grand Voyage au pays des Hurons*, Paris, 1632.

SAINT-PIERRE (B. de), *Voyage à l'île de France, à l'île Bourbon, au cap de Bonne-Espérance...*, 2 vol., Paris, 1773.

SAINTE-CROIX DE LA RONCIÈRE, *Victor Hughes le conventionnel*, Paris, 1932.

SAUGNIER (M.), *Relations de plusieurs voyages à la côte d'Afrique...*, Paris, 1792.

SONNERAT, *Voyage aux Indes Orientales et à la Chine, fait par ordre du Roi, 1774-1781*, 3 vol., Paris, 1782.

STEDMAN (J.-G.), *Voyage à Surinam*, Londres, 1794, Paris, an VII, nouv. édit., Paris, 1960.

TAVERNIER (J.-B.), *Les six voyages de J.-B. Tavernier qu'il a faits en Turquie, en Perse et aux Indes*, 2 vol., Paris, 1676.

TERNAUX-COMPANS (H.), *Archives de voyages ou collection d'anciennes relations de lettres, mémoires et autres documents relatifs à la géographie et aux voyages*, 2 vol., Paris, 1840-1841.

THÉVENOT (J.), *Voyages de Mr Thévenot en Europe, Asie et Afrique*, 5 vol., Paris, 1727.

– *Relation d'un voyage au Levant*, Paris, 1664.

THÉVET (A.), *les singularités de la France antarctique. Le Brésil des cannibales au XVIe siècle*, présentation de Frank Lestringant, Paris, 1983.

THIBAULT DE CHANVALLON (J.-B.), *Voyage à la Martinique*, Paris, 1763.

TOMBE (C.-F.), *Voyage aux Indes Orientales pendant les années 1802-1806*, 3 vol., Paris, 1811.

TONTY (chevalier H. de), *Dernières découvertes dans l'Amérique septentrionale de M. de La Salle...*, Paris, 1697.

TOURNEFORT (J. de), *Relation d'un voyage au Levant*, 2 vol., Paris, 1717.

TURGOT (A.-R.-J.), *Mémoire sur les colonies américaines*, Paris, 1791.

VAISSIÈRE (P. de), *Dupleix*, Paris, 1931.

VALOUS (marquis de), *Souvenirs des chevaliers de Valous, 1790-1793*, Paris, 1930.

VIGNES (M.), *L'histoire du nabab René Madec*, Paris, 1983.

VILLÈLE (J. de), *Mémoires et correspondance*, 5 vol., Paris, 1888-1890.

VILLEURNOIS (de La), *Journal*, Paris, 1863 (déportation en Guyane).

VOLNEY (C. F. de), *Voyage en Syrie et en Égypte pendant les années 1783, 1784 et 1785*, Paris, 1787.

WIMPFEN (baron de), *Voyage à Saint-Domingue, pendant les années 1788-1790*, 2 vol., Paris, 1797.

Ports

BARDET (J.-P.), *Rouen aux XVIIe et XVIIIe siècles*, 2 vol., Paris, 1983.

BOIS (sous la direction de P.), *Histoire de Nantes*, Toulouse, 1977.

BUTEL (P.), *Les négociants bordelais, l'Europe et les îles au XVIIIe siècle*, Paris, 1974.

CARRIÈRE (Ch.), *Négociants marseillais au XVIIIe siècle*, Marseille, 1973.

– *Richesse du passé marseillais. Le port mondial au XVIIIe siècle*, Marseille, 1979 (hors commerce).

CORVISIER (A.), *Le Havre*, Toulouse, 1987.

DARDEL (P.), *Navires et marchandises dans les ports de Rouen et du Havre au XVIIIe siècle*, Paris, 1963.

DELAFOSSE (sous la direction de M.), *Histoire de La Rochelle*, Toulouse, 1985.

DUBY (sous la direction de G.), *Histoire de la France urbaine*, tome III, *La ville classique*, dirigé par E. Le Roy Ladurie, Paris, 1981.

GARNAULT (E.), *Le Commerce rochelais au XVIIIe siècle*, 5 vol., La Rochelle, 1887-1900.

HALGOUËT (H. du), *Nantes, ses relations commerciales avec les îles d'Amérique au XVIIIe siècle, ses armateurs*, Rennes, 1939.

HUETZ DE LEMPS (Ch.), *Géographie du port de Bordeaux à la fin du règne de Louis XIV*, Paris, 1975.

LAVEAU (Cl.), *Le Monde rochelais des Bourbons à Bonaparte*, La Rochelle, 1988.

LE GALLO (sous la direction d'Y.), *Histoire de Brest*, Toulouse, 1976.

LESPAGNOL (A.), *Messieurs de Saint-Malo. Une élite négociante au temps de Louis XIV*, Saint-Malo, 1990.

LESPAGNOL (sous la direction d'A.), *Histoire de Saint-Malo*, Toulouse, 1984.
MASSON (P.), *Marseille et la colonisation française*, Marseille, 1906.
– *Histoire du commerce français dans le Levant*, Paris, 1911.
MEYER (J.), *L'Armement nantais dans la deuxième moitié du XVIIIᵉ siècle*, Paris, 1969.
NIÈRES (Cl.), *Histoire de Lorient*, Toulouse, 1988.
PFISTER-LANGANAY (Ch.), *Ports, navires et négociants à Dunkerque (1662-1792)*, Dunkerque, 1985.
RAMBERT (G.), *Histoire du commerce de Marseille*, tome VI : *Les colonies de 1660 à 1789*, Paris, 1959.
ROBERT (H.), « Les Trafics coloniaux du port de La Rochelle au XVIIIᵉ siècle », *Mémoires de la Société des Antiquaires de l'Ouest*, Poitiers, 1960.
TROCMÉ (E.) et DELAFOSSE (M.), *Le Commerce rochelais du XVᵉ siècle au début du XVIIᵉ*, Paris, 1952.

Catalogues

À la découverte de la terre, Paris, 1983.
Quatre siècles de colonisation française, Paris, 1931.
Les missions des jésuites au Canada, XVIIᵉ et XVIIIᵉ siècle, Paris, 1929.
Naissance de la Louisiane (1682-1731), Paris, 1982.
Une autre Amérique, La Rochelle, 1982.
Mémoire d'une Amérique, La Rochelle, 1980.
L'Amérique vue par l'Europe, Paris, 1976.
La Renaissance et le Nouveau Monde, Québec, 1984.
Les Français dans la guerre d'indépendance américaine, Rennes, 1975.
Sublime indigo, Fribourg et Marseille, 1987.
Toiles imprimées, XVIIIᵉ et XIXᵉ siècle, Bibliothèque Forney, Paris, 1982.
Toiles de Jouy, Jouy-en-Josas, 1977.
L'histoire vue à travers la toile imprimée, Jouy-en-Josas, 1981.
Toiles de Nantes des XVIIIᵉ et XIXᵉ siècles, Paris, 1978.
Le tabac dans l'art, l'histoire et la vie, Paris, 1961.
La rape à tabac, Saint-Omer, 1984.
Trésors et histoire de la pipe à tabac, Bibliothèque Forney, Paris, 1976.
Vers l'Orient, Paris, 1983.
L'exotisme oriental dans les collection de la Bibliothèque Forney, Paris, 1983.
Tapis, présent de l'Orient à l'Occident, Paris, 1989.
Images de la Révolution aux Antilles, Basse-Terre, 1989.
Colbert (1619-1683), Paris, 1983.
Vergennes et la politique étrangère de la France à la veille de la Révolution, Paris, 1987.
Miroir d'un port. La Rochelle et l'Atlantique, XVIᵉ-XIXᵉ siècle, La Rochelle, 1985.
Jardins en France (1760-1820), Paris, 1978.
Les îles françaises de l'Amérique, Archives de France, Paris, 1992.

Ouvrages généraux et spécialisés

ABENON (L.), *La Guadeloupe, de 1671 à 1759. Étude politique, économique et sociale*, 2 vol., Paris, 1987.
ABENON (L.), CAUNA (J.), CHAULEAU (Mlle L.), *Antilles 1789. La Révolution aux Caraïbes*, Paris, 1789.
AFTALION (Fl.), *L'Économie de la Révolution française*, Paris, 1987.
ALTHUSSER (L.), *Montesquieu. La politique et l'histoire*, Paris, 1959.
ANTOINE (M.), *Le Conseil du Roi sous le règne de Louis XV*, Paris, 1970.
– *Le Gouvernement et l'administration sous Louis XV*, Paris, 1978.

ANTOINE (R.), *Les Écrivains français et les Antilles*, Paris, 1978.
- *Histoire curieuse des monnaies coloniales*, Nantes, 1986.
ANTONIL (A.-J.), *Cultura e opulencia do Brasil por suas drogas e minas*, texte de l'édition de 1711, traduction française et commentaire critique par Mme Andrée Mansuy, Paris, 1968.
ARDOUIN (B.), *Études sur l'histoire d'Haïti*, 11 vol., Paris, 1853-1865.
ARNOULD, *De la balance du commerce*, Paris, 1791, réimpr., Paris, 1983.
ASSELAIN (J.-Ch.), *Histoire économique de la France du XVIIIe siècle à nos jours*, 2 vol., Paris, 1984.
ATKINSON (G.), *Les Nouveaux Horizons de la Renaissance française*, rééd., Genève, 1969.
AUDET (F.-E.), *Les Premiers Établissements au pays des Illinois*, Paris, 1947.
AZÉMA (G.), *Histoire de l'île Bourbon depuis 1643 jusqu'au 20 décembre 1848*, Paris, 1859.
BAILLARD, *Discours du tabac où il est traité particulièrement du tabac en poudre*, Paris, 1668.
BAIROCH (P.), *Révolution industrielle et sous-développement*, 2e éd., Paris, 1970.
BALLET (J.), *La Guadeloupe, Basse-Terre, 1890-1899*, réimp., tomes 2 à 5, Basse-Terre, 1971-1974
BANBUCK (C. A.), *Histoire politique, économique et sociale de la Martinique sous l'Ancien Régime (1635-1789)*, Paris, 1935.
BARASSIN (J.), *Bourbon, des origines jusqu'en 1714*, Saint-Denis, 1953.
BARBÉ (E.), *Le Nabab René Madec. Histoire diplomatique des projets de la France sur le Bengale et le Penjab (1772-1808)*, Paris, 1894.
BARBÉ DE MARBOIS, *Histoire de la Louisiane*, Paris, 1829.
BARRE DE SAINT-VENANT, *Des colonies modernes sous la zone torride et particulièrement Saint-Domingue*, Paris, 1802.
BEAUDZA (L.), *La Formation de l'armée coloniale*, Paris, 1939.
BÉDARIDA (F.), CROUZET (F.), JOHNSON (D.), *et al.*, *De Guillaume le Conquérant au Marché commun*, Paris, 1979.
BELEVITCH-STANKEVITCH (Mme H.), *Le Goût chinois en France au temps de Louis XIV*, Paris, 1910.
BENOT (Y.), *Diderot. De l'athéisme à l'anticolonialisme*, 2e éd., Paris, 1981.
- *La Révolution française et la fin des colonies*, Paris, 1987.
BERBAIN (S.), *Le comptoir français de Juda (Ouidah) au XVIIIe siècle*, Paris, 1942.
BÉRENGER *et al.*, *L'Europe à la fin du XVIIIe siècle*, Paris, 1985.
BÉRENGER (J.), DURAND (Y.), MEYER (J.), *Pionniers et colons en Amérique du Nord*, Paris, 1973.
BERGERON (L.), *Banquiers, négociants et manufacturiers parisiens du Directoire à l'Empire*, Paris 1978.
BERGIN (J.), *Pouvoir et fortune de Richelieu*, Paris, 1987.
BERTIDE (F. M.), *Bordeaux et les Antilles au début du XIXe siècle, 1800-1830*, TER, Bordeaux, 1987.
BESSON (M.), *Les Aventuriers français en Inde*, Paris, 1932.
- *L'Influence coloniale sur le décor de la vie française*, Paris, 1944.
BIONDI (Mme C.), « Mon frère tu es mon esclave ! », *Theorie schiavisti e dibattiti razziali nel Settecento francese*, Pise, 1973.
- « Ces esclaves sont des hommes », *Lotta abolizionista e letteratura negrofile nella la Francia del Settencento*, Pise, 1979.
BLANCARD (P.), *Manuel du commerce des Indes orientales et de la Chine*, Paris, 1806.
BLUCHE (F.), *Dictionnaire du Grand Siècle*, Paris, 1990.
BODINIER (G.), *Dictionnaire des officiers de l'armée royale qui ont combattu aux États-Unis pendant la guerre d'Indépendance*, Paris, 1982.
- *Les Officiers de l'armée royale combattants de la guerre d'indépendance des États-Unis, de Yorktown à l'an II*, Paris, 1983.

– « La Révolution dans l'armée, 1789-1792 », *Revue historique des armées*, Vincennes, 1989.

– « Les " missions " militaires françaises en Turquie au XVIIIe siècle », *Revue internationale d'histoire militaire*, 1987.

BOISSONADE (P.), *Saint-Domingue à la veille de la Révolution et la question de la représentation coloniale aux États généraux*, Poitiers, 1910.

BOISSONADE (P.) et CHARLIAT (P.), *Colbert et la Compagnie du Nord (1661-1689)*, préface de M. Henri Hauser, Paris, 1930.

BONDOIS (P. M.), *Les Centres sucriers français au XVIIIe siècle*, Paris, 1931.

– *L'Industrie sucrière française au XVIIIe siècle ; la fabrication et les rivalités entre les raffineries*, Paris, 1931.

BONNASSIEUX (P.), *Les Grandes Compagnies de commerce*, Paris, 1892.

BONNAULT (Cl. de), *Histoire du Canada français*, Paris, 1950.

BONNEL (Mme U.), *La France, les États-Unis et la guerre de course*, Paris, 1961.

BOUCHARY (J.), *Les Manieurs d'argent à Paris à la fin du XVIIIe siècle*, 3 vol., Paris, 1939-1943.

BOURDE DE LA ROGERIE (H.), *Les Bretons aux îles de France et de Bourbon*, Rennes, 1934.

BOUVIER (R.), *Les Migrations végétales*, Paris, 1945.

BOUVIER (J.) et GERMAIN-MARTIN (H.), *Finances et financiers de l'Ancien Régime*, 2e éd., Paris, 1969.

BOYER-PEYRELEAU (général E.), *Les Antilles françaises, particulièrement la Guadeloupe depuis sa découverte jusqu'au 1er janvier 1823*, 3 vol., Paris, 1823.

BRAU (P.), *Trois siècles de médecine coloniale française*, Paris, 1931.

BRAUDEL (F.), *La Méditerranée et le monde méditerranéen à l'époque de Philippe II*, 2 vol., Paris, 1966.

– *Civilisation matérielle, économie et capitalisme. XVe et XVIIIe siècle*, 3 vol., Paris, 1979.

– *La Dynamique du capitalisme*, Paris, 1985.

– *L'Identité de la France*, 3 vol., Paris, 1986.

BRAURE (M.), *Histoire des Pays-Bas*, 3e édit., Paris, 1974.

BRESILLION (A.), *De la transportation, étude historique et critique*, Paris, 1899.

BRILLAT-SAVARIN, *Physiologie du goût*, rééd., Paris, 1965.

BROC (N.), *La Géographie des philosophes. Géographes et voyageurs français au XVIIIe siècle*, Lille, 1972.

– *La géographie de la Renaissance*, Paris, 1980, et 2e édition en 1986.

BROMLEX (J.) et MEYER (J.), *La seconde guerre de Cent Ans, 1689-1815*, Paris, 1979.

BRUGUIERE (M.), *Gestionnaires et profiteurs de la Révolution*, Paris, 1986.

BRULEY (G.), *Les Antilles pendant la Révolution française*, 1890, Paris, 1989.

BRUNEAU-LATOUCHE (E. et R.), *Sainte-Lucie, fille de la Martinique*, Paris, 1989.

BRUNET (A.), *Trois cents ans de colonisation : La Réunion*, Paris, 1948.

BUC'HOZ, *Dissertation sur le tabac, le café, le cacao et le thé*, Paris, 1788.

BUISSERET (D.), *Histoire de l'architecture dans la Caraïbe*, Paris, 1984.

BUTEL (P.), – « Le Trafic colonial de Bordeaux, de la guerre d'Amérique à la Révolution », *Annales du Midi*, 1967.

– *Les Négociants bordelais, l'Europe et les Îles au XVIIIe siècle*, Paris, 1974.

– *Le Commerce Atlantique français sous le règne de Louis XVI*, Actes du colloque international, Sorèze, 1976.

CABON (R. P. A.), *Histoire d'Haïti*, Port-au-Prince (s.d.).

CAHEN (Cl.), *Orient et Occident au temps des croisades*, Paris, 1983.

CAHEN (L.), *Une nouvelle interprétation du traité franco-anglais de 1786-1787*, Paris, 193 .

CAMUS (M.), *Correspondance de Bertrand d'Ogeron, gouverneur de l'île de la Tortue et Coste de Saint-Domingue au XVIIIe siècle*, Port-au-Prince, 1985.

CAMUS (M.) et DEBIEN (G.), *Île de la Tortue*, Conjonction, Haïti, 1987.

CAPITAINE (Al.), *La Situation économique et sociale des États-Unis à la fin du XVIIIe siècle*, Paris 1926.

CARRÉ (J.-M.), *Voyageurs et écrivains français en Égypte*, 2 vol., 2e édit., Le Caire, 1956.

CARRIÈRE (Ch.) et COURDURIÉ (M.), *Un sophisme économique, Histoire, économie et société*, 1984.

CARRIÈRE (Ch.), COURDURIÉ (M.), GUTSATZ (M.) et SQUARZONI (R.), *Banque et capitalisme, La lettre de change au XVIIIe siècle*, préface de J. Rueff, Institut historique de Provence, 1976.

CARTEAU (J-F.), *Soirées bermudiennes ou entretiens sur les événements qui ont opéré la ruine de la partie française de Saint-Domingue*, Bordeaux, 1802.

CASAUX (marquis de), *Essai sur l'art de cultiver la canne et d'en extraire le sucre*, Paris, 1786.

CASGRAIN (abbé H. R.), *Collection des manuscrits du maréchal de Lévis*, 12 vol., Québec, 1880-1895.

– *Lettres de la Cour de Versailles*, Québec, 1890.

– *Guerre du Canada, 1756-1760*, 2 vol., Québec, 1891.

CASTEX (R.), *Les Idées militaires de la marine au XVIIIe siècle. De Ruyter à Suffren*, Paris, 1911.

CAUNA (J.), *Au temps des îles à sucre. Histoire d'une plantation de Saint-Domingue au XVIIIe siècle*, Paris, 1987.

CAVIGNAC (J.), *Jean Pellet, commerçant de gros, 1694-1772. Contribution à l'étude du négoce bordelais au XVIIIe siècle*, Paris, 1967.

CEARD (J.), *La Nature et les prodiges. L'insolite au XVIe siècle en France*, Genève, 1977.

CÉLERIER (P.), *Histoire de la navigation*, 2e éd., Paris 1968.

CHAILLEY-BERT (J.), *Les Compagnies de colonisation, sous l'Ancien Régime*, Paris, 1898.

CHALINE (J.-P.), *Les manufactures de toiles peintes et de serges imprimées à Rouen et à Bolbec aux XVe et XVIIIe siècles*, Rouen, 1940.

CHAPTAL (J.-A.-C.), *De l'industrie française*, 2 vol., Paris, 1819.

CHARBONNEAU (H.) et al., *Naissance d'une population. Les Français établis au Canada au XVIIe siècle*, INED, Presses de l'Université de Montréal, PUF, Paris, 1987.

CHARLES-ROUX (F.), *Les Origines de l'expédition d'Égypte*, Paris, 1910.

– *L'Angleterre, l'isthme de Suez et l'Égypte au XVIIIe siècle*, Paris, 1922.

– *Le Projet français de conquête de l'Égypte sous le règne de Louis XVI*, Le Caire, 1929.

CHARLIAT (P.), *Trois siècles d'économie maritime française*, Paris, 1931.

CHARNY (F.), *Le Sucre*, Paris, 1965.

CHARPENTIER (G.), *Les Relations économiques entre Bordeaux et les Antilles au XVIIIe siècle*, Bordeaux, 1937.

CHASSAGNE (S.), *La Manufacture de toiles imprimées de Tournemine-lès-Angers*, Paris, 1971.

– *Oberkampf. Un entrepreneur capitaliste au siècle des Lumières*, Paris, 1980.

CHASSIGNEUX (E.) et MAYBON (Ch. B.), *Histoire moderne du pays d'Annam*, Paris, 1920.

CHÂTILLON (M.), *La Diffusion de la gravure du Brooks...*, Colloque de Nantes, 2 vol., Nantes-Paris, 1988.

CHAULEAU (L.), *Histoire antillaise. La Martinique et la Guadeloupe du XVIIe siècle à la fin du XIXe siècle*, Pointe-à-Pitre, 1973.

CHAUNU (P.), *Les Philippines et le Pacifique des Ibériques (XVIe-XVIIIe siècle)*, 2 vol., Paris, 1960.

– *L'Amérique et les Amériques*, Paris, 1964.

CHAUSSINAND-NOGARET (G.), *Les Financiers du Languedoc au XVIIIe siècle*, Paris, 1970.

– *La Noblesse au XVIIIe siècle*, Paris, 1976.

CHEVALIER (A.) et EMMANUEL (F.), *Le Tabac*, Paris, 1942.

CHEVALLIER (P.), *Histoire de la franc-maçonnerie française*, tome 1, Paris, 1974.

CHINARD (G.), *Les Réfugiés huguenots en Amérique*, Paris, 1925.
- *Éd. des Dialogues curieux entre l'auteur et un sauvage de bon sens qui a voyagé et Mémoires de l'Amérique septentrionale*, Baltimore, Paris, Londres, 1931.
- *L'Exotisme américain dans la littérature française au XVIᵉ siècle*, rééd., Genève, 1970.
- *L'Amérique et le rêve exotique dans la littérature française au XVIIᵉ siècle et au XVIIIᵉ siècle*, rééd., Genève, 1970.
CLÉMENT (P.), *Lettres, instructions et mémoires de Colbert*, 7 vol., Paris, 1871-1873.
- *Histoire de Colbert et de son administration*, 2 vol., Paris, 1874.
CLÉMENT (R.), *Les Français d'Égypte aux XVIIᵉ et XVIIIᵉ siècles*, Le Caire, 1960.
CLOUZOT (H.) et FOLLOT (C.), *Histoire du papier peint en France*, Paris, 1935.
COBBAN (A.), *Le sens de la Révolution française*, préface d'E. Le ROY LADURIE, trad. fr., Paris, 1984.
COHEN (W. B.), *Français et Africains. Les Noirs dans le regard des Blancs, 1530-1880*, traduction, Paris, 1980.
Colloque d'Ottawa, *Conflits de sociétés au Canada pendant la guerre de Sept Ans*. Service historique de l'armée de terre, Vincennes, 1978.
Colloque de Nantes, *De la traite à l'esclavage du Vᵉ au XVIIIᵉ siècle, 2 vol., Nantes-Paris, 1988*.
COMMUNAY (A.), *Les Grands Négociants bordelais au XVIIIᵉ siècle*, Bordeaux, 1888.
CONAN (J.), *La Dernière Compagnie française des Indes (1785-1875)*, Paris, 1942.
COQUERY (C.), *La Découverte de l'Afrique*, Paris, 1965.
CORDIER (H.), *La Chine en France au XVIIIᵉ siècle*, Paris, 1910.
- *Histoire générale de la Chine et de ses relations avec les pays étrangers*, 4 vol., Paris, 1920-1921.
CORNEVIN (R. et M.), *La France et les Français outre-mer*, Paris, 1990.
COSTE (G.), *Les anciennes troupes de la Marine*, Paris, 1893.
COTTERILL (R.-S.), *Histoire des Amériques*, Paris, 1946.
COTTIAS (Mme M.), *Trois-Ilets de la Martinique au XIXᵉ siècle : Essai d'étude d'une marginalité démographique. Population, 1985*.
- *Ordre de raison ou raison d'ordre ? Les dénombrements des habitations de la Martinique aux XVIIIᵉ et XIXᵉ siècles, Population, 1988*.
- *La Famille antillaise du XVIIᵉ au XIXᵉ siècle : Étude anthropologique et démographique, Enracinements créoles*, thèse EHESS, Paris, 1990, 2 tomes.
CRÈVECŒUR, *Lettres d'un cultivateur américain*, 1784, 2 tomes, Genève, 1979.
CROKAERT (J.), *Histoire de l'Empire britannique*, Paris, 1947.
CROUBOIS (sous la direction de Cl.), *Histoire de l'officier français des origines à nos jours*, Saint-Jean-d'Angély, 1987.
CROUZET (F.), *L'Économie britannique et le Blocus continental*, rééd., Paris, 1984.
- *De la supériorité de l'Angleterre sur la France. L'économique et l'imaginaire, XVIIᵉ-XXᵉ siècle*, Paris, 1985.
CROUZET (sous la direction de F.), *Le Négoce international XIIIᵉ-XXᵉ siècle*, Paris, 1989.
CULTRU (P.), *Les origines de l'Afrique occidentale. Histoire du Sénégal, du XVᵉ siècle à 1870*, Paris, 1910.
- *Histoire de la Cochinchine française, des origines à 1883*, Paris, 1910.
CURTIN (Ph. D.), *The Atlantic Slave Trade : a Census*, Milwaukee, 1969.
DAGET (S.), *La Traite des Noirs*, éd. Ouest-France, 1990.
DAGET (S.) et RENAULT (F.), *Les Traites négrières en Afrique*, Paris, 1985.
DAGNAUD (G.), *L'Administration centrale de la Marine sous l'Ancien Régime*, Paris-Nancy, 1912.
DAHLGREN (E. W.), *La France et les côtes de l'Océan Pacifique*, tome I : *Le commerce de la Mer du Sud jusqu'à la paix d'Utrecht*, Paris, 1909.
DAINVILLE (F. de), *La Géographie des humanistes*, Paris, 1940.
- *Le Langage des géographes*, Paris, 1964.
DAIRE (E. de), *Économistes-financiers du XVIIIᵉ siècle*, Paris, 1843.

DANEY (S.), *Histoire de la Martinique, depuis la colonisation jusqu'en 1815*, Fort-Royal, 1846, réimp., 3 vol., Fort-de-France, 1963.

DANIÉLOU (A.), *Histoire de l'Inde*, 2ᵉ édit., Paris, 1983.

DAUBIGNY (E.), *Choiseul et la France d'Outre-Mer après le traité de Paris*, Paris, 1892.

DAVID (B.), « *Les origines de la population martiniquaise au fil des ans (1635-1902)* », *Annales des Antilles*, numéro spécial, 1973.

DAZILLE, *Observations sur les maladies des Nègres*, Paris, 1776.

– *Observations générales sur les maladies des climats chauds*, Paris, 1785.

DEBBASCH (Y.), *Le Marronnage. Essai sur la désertion de l'esclave antillais. L'année sociologique*, 1962.

– *Couleur et liberté. Le jeu du critère ethnique dans un ordre juridique esclavagiste*, Paris, 1967.

DEBIEN (G.), *Les Engagés pour les Antilles*, Paris, 1952.

– *Les Colons de Saint-Domingue et la Révolution. Essai sur le Club Massiac (août 1789-août 1792)*, Paris, 1953.

– *Études antillaises. XVIIIᵉ siècle*, Paris, 1956.

– *Les Esclaves aux Antilles françaises*, Basse-Terre-Fort-de-France, 1974.

– *Engagés pour le Canada au XVIIᵉ siècle, vus de La Rochelle*, Notes d'Histoire coloniale, XXI.

Ces titres ne représentent qu'une partie de l'œuvre de G. Debien, dont les très nombreux articles, réunis en volumes, se trouvent à la Bibliothèque nationale.

DECHÊNE (Mme L.), *La Correspondance de Vauban relative au Canada*, présentation de L. Dechêne, Québec, 1968.

– *Habitants et marchands de Montréal au XVIIᵉ siècle*, Paris, 1974.

DEERR (N.), *The History of Sugar*, 2 vol., Londres, 1950.

DELACROIX (Mgr S.), *Histoire universelle des missions catholiques*, 4 vol., Paris, 1956-1958.

DELAFOSSE (M.), *Les Nègres*, Paris, 1927.

DELALEU (J.-B.-E.), *Code des Isles de France et de Bourbon*, 2ᵉ éd., Port-Louis, 1783.

– *Premier supplément au Code de l'Isle de France*, 1783.

DELAVEAU (P.), *Histoire et renouveau des plantes médicinales*, Paris, 1982.

– *Histoire des épices*, Paris, 1987.

DELCOURT (A.), *La France et les établissements français au Sénégal entre 1713 et 1763*, IFAN-Dakar, 1952.

– *Gorée, six siècles d'histoire*, Dakar, 1984.

DEPITRE (E.), *La Toile peinte en France aux XVIIᵉ et XVIIIᵉ siècles*, Paris, 1912.

DEPPING (G.), *Correspondance administrative sous le règne de Louis XIV*, 4 vol., Paris, 1850-1856.

DERMIGNY (L.), *Cargaisons indiennes. Solier et Cie, 1781-1793*, 2 vol., Paris, 1960.

– *La Chine et l'Occident. Le commerce à Canton au XVIIIᵉ siècle 1719-1833*, 3 vol., et 1 album, Paris, 1964.

– « Circuits de l'argent et milieux d'affaires au XVIIIᵉ siècle », *Revue historique*, 1954.

– « La France à la fin de l'Ancien Régime. Une carte monétaire », *Annales ESC*, 1955.

DESCHAMPS (H.), *Les Méthodes et les doctrines de la France (du XVIᵉ siècle à nos jours)*, Paris, 1953.

– *Histoire de Madagascar*, Paris, 1960.

– *Les Européens hors d'Europe de 1434 à 1815*, Paris, 1972.

DESCHAMPS (L.), *Histoire de la question coloniale en France*, Paris, 1891.

– *Les Colonies pendant la Révolution*, Paris, 1898.

– *La Constituante et les colonies*, Paris, 1898.

DESCHARD (B.), *L'Armée et la Révolution*, Paris, 1989.

DESSALLES (A.), *Histoire générale des Antilles*, 5 vol., Paris, 1847-1848.

DESSALLES (P.), *Histoire des troubles survenus à la Martinique pendant la Révolution*, Fort-de-France, 1982.

DESSERT (D.), *Argent, pouvoir et société au Grand Siècle*, Paris, 1984.
– *Louis XIV prend le pouvoir, Naissance d'un mythe*, Paris, 1989.
DEVEAU (J. M.), *Le commerce rochelais face à la Révolution*, Paris, 1989.
DEVÈZE (M.), *Cayenne, déportés et bagnards*, Paris, 1965.
– *L'Europe et le monde à la fin du XVIIIᵉ siècle*, Paris, 1970.
– *Antilles, Guyanes, la mer des Caraïbes de 1492 à 1789*, Paris, 1977.
DEYON (P.), *Le Mercantilisme*, Paris, 1969.
DIDEROT, *Lettres à Sophie Volland*, 2 vol., 5ᵉ éd., Paris, 1938.
DONIOL (H.), *Histoire de la participation de la France à l'établissement des États-Unis d'Amérique, Correspondance diplomatique et documents*, 5 vol., Paris, 1886-1892.
DOUVILLE (R.) et CASANOVA (J.-D.), *La Vie quotidienne en Nouvelle France. Le Canada de Champlain à Montcalm*, Paris, 1964.
DROZ (J.), *Histoire diplomatique de 1648 à 1919*, Paris, 1972.
DUARTE (A.), *Les Premières Relations entre les Français et les princes indigènes dans l'Inde au XVIIᵉ (1666-1706)*, Paris, 1932.
DUBE (J.-C.), *Les intendants de la Nouvelle-France*, Montréal, 1984.
DUBY (sous la direction de G.), *Histoire de la France de 1348 et 1852*, rééd., Paris, 1988.
DUCHÊNE (A.), *La Politique coloniale de la France. Le ministère des Colonies depuis Richelieu*, Paris, 1927.
– *Histoire des finances coloniales de la France*, Paris, 1937.
DUCHET (Mme D.), *Anthropologie et histoire au siècle des Lumières*, Paris, 1971.
DUFFY (M.), *Soldiers, Sugar and Seapower. The British Expeditions to the West Indies and the War against Revolutionary France*, Oxford, 1987.
DUFOUR (Ph.-S.), *Traité nouveau et curieux du café, du thé et du chocolat*, Lyon, 1685.
DUFRENOY (Mme M.-L.), *L'Orient romanesque en France, 1704-1789*, Montréal, 1946.
DUGUIT (L.) et MONNIER (H.), *Les Constitutions et les principales lois politiques de la France, depuis 1789*, 2ᵉ éd., Paris, 1908.
DU HALDE (Père), *Description de l'empire de la Chine*, 4 vol., Paris, 1735.
DUMONT (Ét.), *Souvenirs sur Mirabeau*, nouvelle édition, Paris, 1951.
DUNMORE (J.), *Les Explorateurs français dans le Pacifique. XVIIIᵉ sièle*, trad., Papeete, 1978.
DUNN (R. S.), *Sugar and Slaves*, The University of North Carolina Press, Chapel Hill, 1972.
DUPÂQUIER (J.), *La population française aux XVIIᵉ et XVIIIᵉ siècles*, Paris, 1979.
DUPÂQUIER (sous la direction de J.), *Histoire de la population française*, tome II, Paris, 1988.
DURAND (Y.), *Les fermiers généraux au XVIIIᵉ siècle*, Paris, 1966.
DUSSIEUX (L.), *Le Canada sous la domination française*, Paris, 1883.
DUTRONE DE LA COUTURE (J.F.), *Précis sur la canne..., suivi de plusieurs mémoires sur le sucre, le vin de canne, l'indigo, sur les Habitations, et sur l'état actuel de Saint-Domingue*, Paris, 1970.
EDWARDS (B.), *Histoire civile et commerciale des colonies anglaises dans les Indes Occidentales*, traduction, Paris, 1801.
EHRARD (J.), *L'idée de nature en France à l'aube des Lumières*, Paris, 1970.
ÉLISABETH (L.), *La Société martiniquaise aux XVIIᵉ et XVIIIᵉ siècles, 1664-1789*, 2 vol., thèse d'État, 2 vol., Paris, 1989.
– *Saint-Pierre, août 1789*, Colloque de Saint-Pierre, 1973.
ÉTIEMBLE (R.), *L'Orient philosophique au XVIIIᵉ siècle*, (CDU), Paris, 1956-1959.
– *Les Jésuites en Chine : la querelle des rites*, Paris, 1966.
– *Confucius*, Paris, 1986.
– *L'Europe chinoise*, 2 vol., Paris, 1988, 1989.
FAIVRE (J.-P.), *L'Expansion française dans le Pacifique*, Paris, 1953.
FARCHI (J.), *Petite histoire de l'île Bourbon*, Paris, 1937.

FARGE (A.) et FOUCAULT (M.), *Le Désordre des familles. Lettres de cachet des Archives de la Bastille*, Paris, 1982.

FAURE (A.), *Les Français en Indochine au XVIIIe siècle*, Paris, 1891.

FAURE (E.), *La Banqueroute de Law*, Paris, 1977.

FAŸ (B.), *L'Esprit révolutionnaire en France et aux États-Unis à la fin du XVIIIe siècle*, Paris, 1925.

– *Louis XVI ou la fin d'un monde*, Paris, 1955.

– *La Franc-maçonnerie et la révolution intellectuelle du XVIIIe siècle*, Paris, 1961.

– *L'Aventure coloniale*, Paris, 1962.

FEBVRE (L.) et MARTIN (H.-J.), *L'Apparition du livre*, Paris, 1958 et 1971.

FIECHTER (J.-J.), *Un diplomate américain sous la Terreur*, Paris, 1983.

FILLIOT (J.-M.), *La Traite des esclaves vers les Mascareignes au XVIIIe siècle*, Paris, 1974.

FLASSAN (J.-B. de Rakis de), *Histoire générale et raisonnée de la diplomatie française*, 6 vol., Paris, 1811.

FORTESCUE (J.-W.), *History of the British Army*, Londres, 1906.

FOUBERT (B.), *Les Habitations Laborde à Saint-Domingue dans la seconde moitié du XVIIIe siècle*, thèse d'État, 4 vol., Paris, 1990.

FOURY (B.), « Maudave et la colonisation de Madagascar », *Revue d'Histoire des Colonies*, 1954-1956.

FRANKLIN (A.), *La Vie privée d'autrefois : café, thé, chocolat*, Paris, 1893.

FRÉGAULT (G.), *La Civilisation de la Nouvelle-France, 1713-1744*, Montréal, 1955.

– *La Société canadienne sous le régime français*, Ottawa, 1954.

– *Le XVIIIe siècle canadien*, Montréal, 1968.

– *La Guerre de la conquête 1754-1760*, Montréal, 1975.

FRÉGAULT (G.) et TRUDEL (M.), *Histoires du Canada par les textes*, 2 vol., Ottawa, 1963.

FREYRE (G.), *Maîtres et esclaves*, trad., Paris, 1952.

FROSSARD (M.), *La Cause des esclaves et des habitants de la Guinée*, 2 vol., Lyon, 1789.

FROSTIN (Ch.), *Les Révoltes blanches à Saint-Domingue aux XVIIe et XVIIIe siècles*, Paris, 1975.

– « Les Colons de Saint-Domingue et la métropole », Revue Historique, 1967.

– « Les Pontchartrain et la pénétration commerciale en Amérique espagnole (1690-1715) », *Revue historique*, 1971.

– « Les " enfants perdus de l'État " ou la condition militaire à Saint-Domingue au XVIIIe siècle », *Annales de Bretagne*, 1973.

– « Saint-Domingue et la révolution américaine », *Bulletin de la Société d'Histoire de la Guadeloupe*, 1974.

– « L'Intervention britannique à Saint-Domingue en 1793 », *Revue française d'Histoire d'Outre-Mer*, 1962.

FURBER (H.), *Rival empires of Trade in the Orient 1600-1800*, 2 vol., Oxford, 1976.

FURET (Fr.) et RICHET (D.), *La Révolution française*, rééd., Paris, 1973.

GADOURY (V.) et COUSINE (G.), *Monnaies coloniales françaises, 1670-1988*, 2e éd., Monte-Carlo, 1988.

GAFFAREL (P.), *Histoire du Brésil français au seizième siècle*, Paris, 1878.

GARNEAU (F.-X.), *Histoire du Canada*, 6e édit., 2 vol., Paris, 1920.

GARRAN-COULON, *Rapport sur les troubles de Saint-Domingue...* 4 vol., Paris, an V-VII.

GASTON-MARTIN, *L'Ère des négriers (1714-1774)*, Paris, 1931.

– *Histoire de l'esclavage dans les colonies françaises*, Paris, 1848.

GAUTIER (Mme A.), *Les sœurs de solitude. La condition féminine dans l'esclavage aux Antilles du XVIIe au XIXe siècle*, Paris, 1985.

GAXOTTE (P.), *La Révolution française* (édition revue par J. Tulard), Paris, 1975.

GAY (J.-P.), *Fabuleux maïs. His[.]oire et avenir d'une plante*, Pau, 1984.

GAYOT (G.), *La Franc-maçonnerie française. Texte et pratique (XVIIIᵉ-XIXᵉ siècle)*, Paris, 1980.

GEGGUS (D.), *Slavery, War, and Revolution : The British Occupation of Saint-Domingue 1793-1798*, Oxford, 1982.

GENTILINI (M.) et DUFLO (B.), *Médecine tropicale*, Paris, 1982.

GERBAUD (O.), *Les premiers vétérinaires français aux colonies entre 1770 et 1830*, IEMVT, Maisons-Alfort, 1986.

GERNET (J.), *Le monde chinois*, 2ᵉ éd., Paris, 1987.

GEYL (P.), *La Révolution batave (1783-1798)*, Paris, 1971.

GILBERT (C.N.P.), *Histoire médicale de l'armée de Saint-Domingue*, Paris, 1803.

GILLE (B.), *Les Sources statistiques de l'histoire de France*, Genève, Paris, 1964.

GILLE (sous la direction de B.), *Histoire des techniques*, Paris, 1978.

GIRAUD (M.), *Le Métis canadien*, Paris, 1945.

– *Histoire de la Louisiane française*, 4 vol., Paris, 1953-1974.

GIRAULT (A.), *Les Colonies françaises avant et depuis 1815*, Paris, 1943.

GISLER (A.), *L'Esclavage aux Antilles françaises*, Fribourg, 1965.

GOUBERT (P.), *Louis XIV et vingt millions de Français*, Paris, 1966.

– *L'Ancien Régime. La Société. Les Pouvoirs*, 2 vol., Paris, 1969-1973.

– *Initiation à l'histoire de la France*, Paris, 1984.

GOUBERT (P.) et ROCHE (D.), *Les Français et l'Ancien Régime*, 2 vol., Paris, 1984.

GOUHIER (P.), *Les Militaires*, Paris, 1983.

GOYAU (G.), *Une épopée mystique. Les origines religieuses du Canada*, Paris, 1924.

– *La France missionnaire dans les 5 parties du monde*, 2 vol., Paris, 1948.

GRANDIDIER (A. et G.), *Histoire physique, naturelle et politique de Madagascar*, Paris, 1885.

GRANDIDIER (G.) et DECARY (R.), *Histoire politique et coloniale de Madagascar*, tome I, Paris, 1942.

GRELCAN (colloque du), *La Période révolutionnaire aux Antilles dans la littérature française (1750-1850)...*, CNRS-Université Paris-Sorbonne, 1988.

GRIMOD DE LA REYNIÈRE, *Écrits gastronomiques*, Paris, 1978.

GROULX (Chanoine L.), *Histoire du Canada français*, 4 vol., Ottawa, 1960.

GROUSSET (R.), *Histoire de la Chine*, édition mise à jour par V. Elisseeff, Paris, 1962.

– *L'Épopée des croisades*, Paris, 1939, rééd., 1968.

GUÉRIN (J.), *La Chinoiserie en Europe au XVIIIᵉ siècle*, Paris, 1911.

GUÉRIN (L.), *Histoire maritime de la France*, 2ᵉ éd., 2 vol., Paris, 1844.

GUET (M.), *Les Origines de l'île Bourbon et de la colonisation à Madagascar*, Paris, 1888.

GUILLAUME (Mme M.) et ESCALLE (Mlle E.), *Francs-maçons des loges françaises aux Amériques*, Paris, 1991.

GUSDORF (G.), *Les Révolutions de France et d'Amérique*, Paris, 1988.

GUYON (Abbé), *Histoire des Indes Orientales*, 3 vol., Paris, 1744.

GUYOT (A. L.), *Origine des plantes cultivées*, Paris, 1949.

HALGOUËT (H. du), *Au temps de Saint-Domingue et de la Martinique*, Rennes, 1941.

HAMELIN (J.) (sous la direction de), *Histoire du Québec*, Toulouse, 1976.

HANOTAUX (G.) et MARTINEAU (A.), *Histoire des colonies françaises et de l'expansion de la France dans le monde*, 6 vol., Paris, 1929-1933.

HARLAN (J. R.), *Les Plantes cultivées et l'homme*, traduit de l'américain, Paris, 1987.

HAUDRÈRE (Ph.), *La Compagnie française des Indes (1719-1795)*, 4 vol., Paris, 1989.

HAUDRICOURT (A.-G.) et HÉDIN (L.), *L'Homme et les plantes cultivées*, Paris, 1987.

HAUG (H.), « L'Influence de la Chine sur la céramique européenne du XVIᵉ siècle au XVIIIᵉ siècle », *Cahiers de Bordeaux*, 1960-1961.

HAUSER (H.), *Les Débuts du capitalisme*, 2ᵉ éd., Paris, 1931.

– *La Pensée et l'action économique du Cardinal de Richelieu*, Paris, 1944.

– *La Modernité du XVIᵉ siècle*, Paris, 1963.

HAYEM (J.), *Mémoires et documents pour servir à l'histoire du commerce et de l'industrie en France*, Paris, 1917.

HAYOT (E.), *Les Gens de couleur libres du Fort-Royal 1679-1823*, Paris, 1971.

HAZARD (P.), *La Pensée européenne au XVIIIᵉ siècle*, 2 vol., Paris, 1931.

– *La Crise de la conscience européenne*, Paris, 1963.

HEERS (J.), *Gênes au XVᵉ siècle. Activité économique et problèmes sociaux*, Paris, 1961.

– *Esclaves et domestiques au Moyen Âge, dans le monde méditerranéen*, Paris, 1981.

– *Précis d'histoire du Moyen Âge*, Paris, 1983.

HEINRICH (P.), *La Louisiane sous la Compagnie des Indes (1717-1731)*, Paris, s.d.

HENRIPIN (J.), *La Population canadienne au début du XVIIIᵉ siècle*, Paris, INED, 1954.

HENRY (A.), *La Guyane française. Son histoire, 1604-1946*, Cayenne, 1974.

HERBETTE (M.), *Une ambassade turque sous le Directoire*, Paris, 1902.

– *Une ambassade persane sous Louis XIV*, Paris, 1907.

HOFFMANN (L.), *Le Nègre romantique. Personnage littéraire et obsession collective*, Paris, 1973.

HOUDAILLE (J.), « Trois paroisses de Saint-Domingue au XVIIIᵉ siècle. Étude démographique », *Population*, 1963.

– « Quelques données sur la population de Saint-Domingue au XVIIIᵉ siècle », *Population*, 1973.

– « Origines provinciales des Français décédés aux Mascareignes et en Inde au XVIIIᵉ siècle », *Population*, 1975.

– « La Réunion, des origines à 1766 : étude démographique », *Annales de démographie historique*, 1980.

– « Quelques aspects de la démographie ancienne de l'Acadie », *Population*, 1980.

– « Le Métissage dans les anciennes colonies françaises », *Population*, 1981.

– « Reconstitution des familles de Saint-Domingue (Haïti), au XVIIIᵉ siècle », *Population*, 1991.

HURAULT (J.-M.), *Français et indiens en Guyane*, Paris, 1972.

JACOB (H. E.), *L'épopée du café*, traduit de l'allemand, Paris, 1953.

JACQUES-FÉLIX (H.), *Le Café*, 2ᵉ éd., Paris, 1979.

JACQUIN (Ph.), *Histoire des Indiens d'Amérique du Nord*, Paris, 1976.

– *Les Indiens Blancs. Français et Indiens en Amérique du Nord (XVIᵉ-XVIIIᵉ siècle)*, Paris, 1987.

JAMES (P.I.R.), *Les Jacobins noirs. Toussaint Louverture et la Révolution de Saint-Domingue*, Paris, 1949.

JARRY (M.), *Chinoiseries. Le rayonnement du goût chinois sur les arts décoratifs des XVIIᵉ et XVIIIᵉ siècles*, Paris, 1981.

JENKINS (H. E.), *Histoire de la Marine française*, Paris, 1977.

JONES (J. R.), *Britain and the world, 1649-1815*, London, 1980.

JORE (H. E.), *Les Établissements français sur la côte occidentale de l'Afrique de 1758 à 1809*, Paris, 1965.

JULIEN (Ch.-A.), *Les Voyages de découverte et les premiers établissements (XVᵉ-XVIᵉ siècle)*, Paris, 194.

– *Les Français en Amérique*, rééd., 2 vol., SEDES, 1957.

KAEPPELIN (P.), *Les Escales françaises sur la route de l'Inde, 1638-1731*, Paris, 1908.

– *Les Origines de l'Inde française. La Compagnie des Indes orientales. Étude sur l'histoire du commerce et des établissements français dans l'Inde sous Louis XIV (1664-1719)*, Paris, 1908.

KASPI (A.), *Les Américains. Les États-Unis de 1607 à nos jours*, Paris, 1986.

KIEFFER (J. L.), *Anquetil-Duperron. L'Inde en France au XVIIIᵉ siècle*, Paris, 1983.

KUPCIK (I.), *Cartes géographiques anciennes*, Paris, 1981.

LABERNADIE (Mme M.), *La Révolution et les établissements français dans l'Inde*, Pondichéry, 1930.

– *Le Vieux Pondichéry*, Pondichéry, 1936.

LABORIE (P.-J.), *The Coffee Planter of Saint-Domingo*, Londres, 1793.

LABROUSSE (E.), *La crise de l'économie française à la fin de l'Ancien Régime et au début de la Révolution*, Paris, 1944.

LACOMBE (R.), *Histoire monétaire de Saint-Domingue et de la République d'Haïti jusqu'en 1874*, Paris, 1958.

LACOUR (A.), *Histoire de la Guadeloupe*, 3 vol., Basse-Terre, 1851-1858.

LACOUR-GAYET (G.), *La Marine militaire de la France sous le règne de Louis XV*, Paris, 1902.

– *La Marine militaire de la France sous le règne de Louis XVI*, Paris, 1905.

LACROIX (J. B.), *Les Français au Sénégal au temps de la Compagnie des Indes de 1719 à 1758*, Service Historique de la Marine, Vincennes, 1986.

LAMONTAGNE (R.), *Aperçu structural du Canada au XVIIIe siècle*, Montréal, 1964.

– *Ministère de la Marine, Amérique et Canada d'après les documents Maurepas*, Montréal, 1966.

LA MORANDIÈRE (Ch. de), *Histoire de la pêche de la morue dans l'Amérique septentrionale*, 3 vol., Paris, 1957-1966.

LANCTOT (G.), *Histoire du Canada*, 3 vol., 1966.

LANE (Frédéric C.), *Venise, une république maritime*, trad., Paris, 1985.

LANIER (L.), *Étude historique sur les relations de la France et du royaume de Siam*, Versailles, 1883.

LA RONCIÈRE (C. de), *Histoire de la marine française*, 19 vol., Paris, 1906 et suiv.

LAROUQUÈRE (A.), *Les Idées coloniales des physiocrates*, Paris, 1927.

LAS CASES, *Mémorial de Sainte-Hélène*, rééd., Paris, 1968.

LASSERAY (A.), *Les Français sous les treize étoiles, 1775-1783*, 1935, 2 vol.

LAUNAY (A.), *Histoire générale de la société des Missions Étrangères*, 3 vol., Paris, 1894.

– *Histoire de la mission de Siam. Documents historiques*, 2 vol., Paris, 1920.

LAURENS (H.), *L'expédition d'Égypte 1798-1801*, Paris, 1989.

LAUVRIÈRE (E.), *Histoire de la Louisiane française*, Paris, 1940.

– *Brève histoire tragique du peuple acadien*, Paris, 1947.

LAVOISIER, *De la richesse territoriale du Royaume de France*, Paris, 1988.

LEBEL (R.), *Les Établissements français d'outre-mer et leur reflet dans la littérature*, Paris, 1952.

LE BIHAN (A.), *Loges et chapitres de la Grande Loge et du Grand Orient de France (deuxième moitié du XVIIIe siècle)*, Paris, 1967. (Les loges coloniales figurent dans cet ouvrage).

LECLERC (général), *Lettres du commandant en chef de l'armée de Saint-Domingue en 1802*, présentées par P. Roussier, Paris, 1937.

LECLERC DE MONTLINOT (abbé Ch.), *Essai sur la transportation... et la déportation...* Paris, an V.

LE GENTIL (G.), *Découverte du monde*, Paris, 1954.

LE MERCIER DE LA RIVIÈRE, *Mémoires et textes inédits sur le gouvernement économique des Antilles*, avec un commentaire et des notes de L. Ph. May, Paris, 1978.

LÉON (P.), *Marchands et spéculateurs dauphinois : les Dolle et les Raby*, Paris, 1963.

– *Économies et sociétés pré-industrielles*, 2 vol., Paris, 1970.

LÉON (sous la direction de P.), *Aires et structures du commerce français au XVIIIe siècle*, Paris, 1973.

– *Histoire économique et sociale du monde*, 3 vol., Paris, 1977-1978.

LÉON (R.), *La Pratique médicale à Saint-Domingue*, Paris, 1928.

LÉONARD (E.-G.), *L'armée et ses problèmes au XVIIIe siècle*, Paris, 1958.

LE ROY LADURIE (sous la direction d'E.), « La ville classique », *in Histoire de la France urbaine*, Paris, 1981.

– *Histoire de la France rurale*, tome 2, Paris, 1975.

LERY (Fr.), *Le Cacao*, Paris, 1971.

LESTRINGANT (Fr.), *André Thévet, cosmographe*, thèse d'État, 5 vol., Paris, 1988.

– *De Virgile à Jacob Balde, Hommage à Mme Andrée Thill*, Mulhouse, 1987.

– *Le Huguenot et le Sauvage. L'Amérique et la controverse coloniale au temps des guerres de religion*, Paris, 1990.

– *L'atelier du cosmographe ou l'image du monde à la Renaissance*, Paris, 1991.

– *André Thévet, cosmographe des derniers Valois*, Genève, 1991.

LEVASSEUR (E.), *Histoire du commerce de la France*, 2 vol., Paris, 1911.

LÉVY (Cl.-Fr.), *Capitalistes et Pouvoir au siècle des Lumières*, 3 vol., Paris, 1969-1980.

LÉVY-LEBOYER (M.), *Les Banques européennes et l'industrialisation internationale*, Paris, 1964.

LIGOU (sous la direction de D.), *Histoire des Francs-maçons en France*, Toulouse, 1981.

– *Dictionnaire de la Franc-maçonnerie*, Paris, 1987.

LIVET (G.), *L'Équilibre européen de la fin du XVe à la fin du XVIIIe siècle*, Paris, 1976.

LOMBARD (D.), *La Chine impériale*, 2e éd., Paris, 1974.

LOUGNON (A.), *Documents concernant les îles Bourbon et de France pendant la régie de la Compagnie des Indes*, Nérac, 1953.

– *L'île Bourbon pendant la Régence : Desforges Boucher, les débuts du café*, Paris, 1956.

– *Sous le signe de la Tortue. Voyages anciens à l'île Bourbon (1611-1725)*, Paris, 1958.

LOUIS-JARAY (G.), *L'Empire français d'Amérique*, Paris, 1938.

LUTHY (H.), *La Banque protestante en France, de la révocation de l'édit de Nantes*, 2 vol., Paris, 1961.

McCLELLAN (J.E.), *Science Reorganized. Scientific Societies in the Eighteenth Century*, Columbia University, New York, 1985.

MACKAY (D.) and SCOTT (H. M.), *The rise of the Great Powers, 1648-1815*, London, 1983.

MAC PHERSON (D.), *Annals of commerce*, 4 vol., Londres, 1805.

MADIOU (Th.), *Histoire d'Haïti*, tomes I, II, III, Haïti, 1989.

MAHAN (A. T.), *Influence de la puissance maritime dans l'histoire (1660-1783)*, trad. de l'américain par E. Boisse, Paris, 1899.

MALLESON (lieutenant-colonel), *Histoire des Français dans l'Inde*, Paris, 1874.

MALOUET (V. P.), *Mémoire sur l'esclavage des nègres*, Neufchâtel, 1788.

– Collection de mémoires et correspondances officielles sur l'administration des colonies, 5 vol., Paris, an X.

MANTOUX (P.), *La Révolution industrielle au XVIIIe siècle*, traduit de l'anglais, Paris, 1973.

MARGRY (P.), *Relations et mémoires inédits pour servir à l'histoire de la France dans les pays d'outre-mer*, Paris, 1867.

– *Découvertes et établissements des Français en Amérique septentrionale*, 6 vol., Paris, 1876-1886.

MARION (S.), *Relation des voyageurs français en Nouvelle France au XVIIe siècle*, Paris, 1923.

MARTIN (E.), *Les Exilés acadiens en France au XVIIIe siècle et leur établissement en Poitou* (1936), rééd. Poitiers, 1979.

MARTIN (G.), *Le Papier*, Paris, 1975.

MARTINO (P.), *L'Orient dans la littérature française au XVIIe et au XVIIIe siècle*, Paris, 1906.

MASSON (P.), *Histoire du commerce français dans le Levant au XVIIe siècle*, Paris, 1897.

– *Histoire du commerce français dans le Levant au XVIIIe siècle*, Paris, 1911.

– *Histoire des établissements et du commerce français dans l'Afrique barbaresque, 1560-1793*, Paris, 1903.

MASSON (Ph.), *Histoire de la Marine*, tome I, *L'Ère de la voile*, Paris, 1981.

– *De la mer et de la stratégie*, Paris, 1986.

– *Grandeur et misère des gens de mer*, Paris, 1986.

MATHIEU (J.), *Le Commerce entre la Nouvelle-France et les Antilles au XVIIIe siècle*, Montréal, 1981.

– *La Nouvelle France. Les Français en Amérique du Nord. XVIe-XVIIIe siècle*, Paris, 1991.

MATHIEZ (A.), *La Vie chère et le mouvement social sous la Terreur*, Paris, 1927.

– *L'Affaire de la Compagnie des Indes*, Paris, 1920.

MAURE (A.), *Souvenirs d'un vieux colon de l'île Maurice*, La Rochelle, 1840.

MAUREL (Mlle B.), *Cahiers de doléances de la colonie de Saint-Domingue, pour les États Généraux*, Paris, 1933.
– *Saint-Domingue et la Révolution française*, Paris, 1943.
– « Un député de Saint-Domingue à la Constituante : J.-B. Gérard », *Revue d'Histoire moderne*, 1934.
– « Une société de pensée à Saint-Domingue, le " Cercle des Philadelphes " au Cap Français », *Revue française d'Histoire d'outre-mer*, 1961.
MAURO (F.), *Le Portugal et l'Atlantique au XVIIᵉ siècle, 1570-1670. Étude économique*, Paris, 1960.
– *Le Brésil du XVᵉ au XVIIIᵉ siècle*, Paris, 1977.
– *Histoire du café*, Paris, 1991.
MAUZI (R.), *L'idée de bonheur au XVIIIᵉ siècle*, Paris, 1960.
MAY (L. Ph.), *Histoire économique de la Martinique*, Paris, 1930, rééd., 1972.
– *Le Mercier de La Rivière (1719-1801). Aux origines de la science économique*, Paris, 1975.
– *Le Mercier de La Rivière. Mémoire et textes inédits sur le gouvernement économique des Antilles*, Paris, 1978.
MAYBON (A.), *L'Indochine*, Paris, 1931.
MEILLASSOUX (Cl.), *L'Esclavage en Afrique pré-coloniale*, Paris, 1975.
– *Anthropologie de l'esclavage*, Paris, 1986.
MERCIER (R.), *L'Afrique noire dans la littérature française. Les premières images (XVIIᵉ-XVIIIᵉ siècle)*, Dakar, 1962.
– « Les Français en Amérique du Sud au XVIIIᵉ siècle : la mission de l'Académie des Sciences (1735-1745) », *Revue française d'histoire d'outre-mer*, 1969.
MERLE (M.), *L'anticolonialisme européen de Las Casas à Marx*, Paris, 1969.
METTAS (J.), *Répertoire des expéditions négrières françaises au XVIIIᵉ siècle*, édité par S. Daget, 2 vol., Paris, 1978-1984.
MEYER (J.),
– *Les Européens et les autres. De Cortès à Washington*, Paris, 1975.
– *La Vie quotidienne au temps de la Régence*, Paris, 1979.
– *Les Capitalismes*, Paris, 1981.
– *Le Poids de l'État*, Paris, 1983.
– *La France moderne*, Paris, 1985.
– *L'Histoire du sucre*, Paris, 1989.
MICHEL (J.), *La Guyane sous l'Ancien Régime*, Paris, 1989.
MICHEL (N.), *Recherche sur les marchands martiniquais de la Régence à la guerre de Succession d'Autriche*, TER, Bordeaux, 1986-1987.
MINCHINTON (W. E.), *The growth of english overseas trade in 17 th and 18 th centuries*, London, 1969.
Ministère de la Marine, *Précis historique de l'expédition du Kourou (1763-1765)*, Paris, 1842.
Ministère de la Marine et des Colonies, *Notices statistiques sur les colonies françaises imprimées par ordre de M. le Vice-amiral de Rosamel*, Paris, 1837.
MINTZ (sous la direction de S.), *Esclave = facteur de production*, Paris, 1981.
MIQUEL (A.), *L'Islam et sa civilisation*, Paris, 1977.
MOLLAT (M.), *Le Commerce maritime normand à la fin du Moyen Âge*, Paris, 1952.
– *Le Navire et l'économie maritime du XVIIᵉ au XVIIIᵉ siècle*, Paris, 1957.
– *Les Explorateurs du XIIIᵉ au XVIᵉ siècle*, Paris, 1957.
– *Les Explorateurs du XIIIᵉ au XVIᵉ siècle*, Paris, 1984.
MOLLAT (sous la direction de M.), *Histoire des pêches maritimes en France*, Toulouse, 1987.
MONNEREAU (E.), *Le Parfait indigotier, suivi d'un Traité sur la culture du café*, Marseille, 1765.
MONTCHRÉTIEN (A. de), *Traicté de l'Œconomie politique dédié en 1615 au Roy et à la Reyne Mère du Roi*, nouv. édit., Paris, 1889.
MOREAU (J. P.), *Navigation européenne dans les petites Antilles au XVIᵉ et début du*

XVIIe siècle. Sources documentaires et approche archéologique, thèse, 2 vol., Paris, 1985.

– *Un flibustier français dans la mer des Antilles, 1618-1620*, Paris, 1990.

– *Guide des trésors archéologiques sous-marins des petites Antilles*, Clamart, 1988.

– « Navigation européenne dans les petites Antilles aux XVIe et début du XVIIe siècle », *Revue française d'histoire d'outre-mer*, 1987.

MOREAU DE JONNÈS (A.), *Essai sur l'hygiène militaire des Antilles*, Paris, 1816.

MOREAU DE SAINT-MÉRY, *Loix et constitutions des colonies françaises de l'Amérique sous le Vent*, 6 vol., Paris, 1784-1790.

– *Description topographique, physique, civile, politique et historique de la partie française de l'île de Saint-Domingue*, rééd., présentée par Mlle Bl. Maurel et E. Taillemite, 2 vol., Paris, 1958.

MORGAN (K.), *Histoire de la Grande-Bretagne*, traduction, Paris, 1985.

MORINEAU (M.), *Incroyables gazettes et fabuleux métaux. Les retours des trésors américains d'après les gazettes hollandaises (XVIe-XVIIIe siècle)*, Paris, 1984.

– Budgets de l'État et gestion des finances royales au XVIIIe siècle, Revue Historique, 1980.

MORRISSON (C.), *Les Croisades*, Paris, 1984.

MOUGEL (F. Ch.), *L'Angleterre du XVIe siècle à l'ère victorienne*, 2e éd., Paris, 1985.

MURAT (I.), *Napoléon et le rêve américain*, Paris, 1976.

NAPOLÉON, *Campagnes d'Italie, d'Égypte et de Syrie*, 3 vol., Paris, 1872.

NARDIN (J.-C.), *La Mise en valeur de l'île de Tobago (1763-1785)*, Paris, 1969.

NAUDON (P.), *Histoire, rituels et tuileur des hauts grades maçonniques*, Paris, 1984.

NEEDHAM (J.), *Science and civilisation in China*, 7 vol., Cambridge University Press, 1954-1971.

NEMOURS (Colonel), *Histoire militaire de la guerre d'indépendance de Saint-Domingue*, 2 vol., Paris, 1925.

NICOLAS (L.), *Histoire de la marine française*, Paris, 1973.

OLICHON (Mgr A.), *Les missions. Histoire de l'expansion du catholicisme dans le monde*, Paris, 1936.

PAGE (P. F.), *Traité d'économie politique et de commerce des colonies*, 2 vol., Paris, an IX.

PAJOT (E.), *Simples renseignements sur l'île Bourbon*, Saint-Denis, 1887.

PARADIS (W. H.), *L'Influence de l'archevêque de Rouen sur la Nouvelle-France, 1640-1674*, Thèse, Paris, 1952.

PARES (R.), *War and Trade in the West Indies 1739-1763*, Oxford, 1936.

PARISET (E.), *Histoire de la soie*, Paris, 1862.

PARNY (chevalier de), *Œuvres complètes*, 2 vol., Paris, an VII.

PAULIAT (L.), *Madagascar sous Louis XIV. Louis XIV et la compagnie des Indes Orientales de 1664*, Paris, 1886.

– *La Politique coloniale sous l'Ancien Régime*, Paris, 1887.

PAYEN (J.), *Capital et machine à vapeur au XVIIIe siècle*, Paris, 1969.

PETIT (E.), *Le Patriotisme américain*, 1750.

– *Droit public ou gouvernement des colonies françaises*, 2 vol., 1771.

– *Traité sur le gouvernement des esclaves*, 2 tomes en un volume, Paris, 1777 (réed.).

– *Dissertation sur le droit public des colonies françaises, espagnoles et anglaises, d'après les lois des trois nations comparées entre elles*, Paris, 1788.

PETIT DE VIEVIGNE, *Code de la Martinique*, Saint-Pierre, 1767.

– *Supplément*, 1772.

– *Second Supplément*, 1786.

PETIT JEAN ROGET, *Le Gaoulé. La révolte de la Martinique en 1717*, Fort-de-France, 1966.

– *La Société d'habitation à la Martinique. Un demi-siècle de formation (1635-1685)*, 2 vol., Lille-Paris, 1980.

PEUCHET (J.), *État des colonies et du commerce des Européens dans les deux Indes depuis 1783 jusqu'en 1821*, 2 vol., Paris, 1821.

PEYREFITTE (A.), *L'Empire immobile ou le choc des mondes*, Paris, 1989.

PEYTRAUD (L.), *L'Esclavage aux Antilles françaises avant 1789*, Paris, 1897.

PIANZOLA (M.), *Des Français à la conquête du Brésil (XVIIe siècle)*, Genève, Paris, 1991.

PIDOU DE SAINT-OLON, *État présent de l'empire de Maroc*, Paris, 1694.

PINOT (V.), *La Chine et la formation de l'esprit philosophique en France (1640-1740)*, Paris, 1932.

– *Documents inédits relatifs à la connaissance de la Chine en France de 1685 à 1740*, Paris, 1932.

PITOT (A.), *L'Île de France : Esquisses historiques (1715-1810)*, Port-Louis, 1899.

PLUCHON (P.), *La Route des esclaves. Négriers et bois d'ébène au XVIIIe siècle*, Paris, 1980.

– *Nègres et Juifs au XVIIIe siècle. Le racisme au siècle des Lumières*, Paris, 1984.

– *Vaudou, sorciers, empoisonneurs. De Saint-Domingue à Haïti*, Paris, 1987.

– *Le Cercle des Philadelphes du Cap Français à Saint-Domingue : seule Académie coloniale de l'Ancien Régime*, Mondes et Cultures, Paris, 1985.

PLUCHON (sous la direction de P.), *Histoire des Antilles et de la Guyane*, Toulouse, 1982.

– *Histoire des médecins et pharmaciens de la marine et des colonies*, Toulouse, 1985.

POIRIER (sous la direction de J.), *Ethnologie régionale*, tome II, « Encyclopédie de la Pléiade », Paris, 1978.

POUGET DE SAINT-ANDRÉ (H.), *La colonisation de Madagascar sous Louis XV, d'après la correspondance inédite du Comte de Maudave*, Paris, 1886.

POULIQUEN (M.), *Doléances des peuples coloniaux à l'Assemblée nationale constituante 1789-1790*, Paris, 1989.

POYEN (colonel de), *Histoire militaire de la Révolution de Saint-Domingue*, Paris, 1899.

– *La Guerre des Antilles, de 1793 à 1815*, Paris, 1915.

– *La Guerre aux îles de France et de Bourbon (1809-1810)*, Paris, 1896.

PRADT (abbé de), *Des colonies et de la révolution actuelle de l'Amérique*, 2 vol., Paris, 1827.

PRÉCLIN (E.), *Histoire des États-Unis*, Paris, 1937.

PRENTOUT (H.), *L'Île de France sous Decaen (1803-1810)*, Paris, 1901.

QUEIROS MATTOSO (K. de), *Être esclave au Brésil XVIe-XIXe siècle*, Paris, 1979.

RAGATZ (L. J.), *The Fall of the Planter Class in the British Caribbean 1763-1833*, New York, 1928.

RAIN (P.), *La Diplomatie française d'Henri IV à Vergennes*, Paris, 1945.

– *La Diplomatie française de Mirabeau à Bonaparte*, Paris, 1930.

RAYNAL (G.-Th.), *Histoire philosophique et politique des établissements et du commerce des Européens dans les deux Indes*, 17 tomes en 9 vol., Londres, 1792.

RENAULT (F.) et DAGET (S.), *Les Traites négrières en Afrique*, Paris, 1985.

RENAUT (F.-P.), *La Question de la Louisiane (1796-1806)*, Paris, 1918.

– *Le Pacte de famille et l'Amérique de 1760 à 1792*, Paris, 1922.

RENNARD (J.), *Baas, Blénac ou les Antilles françaises au XVIIe siècle*, Fort-de-France et Thonon-les-Bains, 1935.

– *Histoire religieuse des Antilles françaises des origines à 1914*, Paris, 1954.

RENOU (L.) et FILLIOZAT (J.), *L'Inde classique*, Paris, 1953.

RENOUVIN (sous la direction de P.), *Histoire des relations internationales :* tomes 2 et 3 par G. ZELLER, tome 4 par A. FUGIER, Paris, 1953-1955, 1954.

Révolution française et l'abolition de l'esclavage (La), Textes et documents, 12 vol., Paris, 1968.

Révolution française, esclavage, colonisation, libérations nationales, Actes du colloque de février 1989, Université de Paris VIII, Paris, 1990.

RIBAULT (J-Y.), *Histoire des îles de Saint-Pierre et Miquelon, des origines à 1814*, Saint-Pierre, 1962.

RICE (H. C.), *Le Cultivateur américain. Étude sur l'œuvre de Saint-John de Crèvecœur*, Genève, 1978.

RICHARD (G.), *Noblesse d'affaires au XVIIIe siècle*, Paris, 1974.

RICHARD (J.), *Le Royaume latin de Jérusalem*, Paris, 1953.

RICHARD (R.), « À propos de Saint-Domingue : la monnaie dans l'économie coloniale, 1674-1803 », *Revue d'histoire des colonies françaises*, 1954.

RICHELIEU (cardinal A. de), *Testament politique*, édition critique de Louis André, Paris, 1947.

RICHET (D.), *La France moderne : l'esprit des institutions*, Paris, 1973.

RINCHON (R. P. D.), *Les Armements négriers au XVIIIe siècle, d'après la correspondance des armateurs et des capitaines nantais*, Bruxelles, 1956.

ROCHEMONTEIX (R. P. C. de), *Les Jésuites et la Nouvelle-France au XVIIe siècle*, 3 vol., Paris, 1895.

– Joseph Amiot et les derniers survivants de la mission française à Pékin (1750-1795), Paris, 1915.

RUNNER (J.), *Le Thé*, Paris, 2e éd., 1974.

SAINT-ELME LE DUC, *Île de France. Documents pour son histoire civile et militaire*, Paris, 1844.

SAINT-JUST, *L'esprit de la Révolution*, rééd., Paris, 1963.

– *Théorie politique*, Paris, 1976.

SAINTOYANT (J.), *La Colonisation française sous l'Ancien Régime*, 2 vol., Paris, 1929.

– *La Colonisation française pendant la Révolution*, Paris, 1930.

– *La Colonisation française pendant la période napoléonienne*, Paris, 1931.

SALONE (E.), *La Colonisation de la Nouvelle-France*, Paris, 1905.

SATINEAU (M.), *Histoire de la Guadeloupe sous l'Ancien Régime*, Paris, 1928.

SAVARY, *Le Parfait négociant*, Paris, 1675, 1757, 1777.

SAVARY DES BRUSLONS, *Dictionnaire universel du commerce*, 3 vol., Paris, 1723-1730, 1761.

SCHEFER (Chr.), *Instructions générales données de 1763 à 1870 aux gouverneurs et ordonnateurs des établissements français en Afrique occidentale*, 2 vol., Paris, 1921-1927.

SCHERER (A.), *La Réunion*, 2e éd., Paris, 1980.

SCHNAKENBOURG (C.), « Statistiques pour l'histoire de l'économie de plantation en Guadeloupe et en Martinique », *Bulletin de la Société d'histoire de la Guadeloupe*, 1977.

SCHONE (L.), *La politique coloniale de Louis XV et de Louis XVI*, Paris, 1907.

SCHUMPETER (E. B.), *English Overseas Trade. Statistics 1697-1808*, Oxford, 1960.

SÉE (H.), *L'évolution commerciale et industrielle de la France*, Paris, 1925.

– *La France économique et sociale au XVIIIe siècle*, Paris, 1925.

SHERIDAN (R. B.), *Sugar and Slavery*, The John Hopkins University Press, Baltimore, Maryland, 1973.

SLESIN (Mme S.) et CLIFF (S.) et al., *L'Art de vivre aux Antilles*, traduit de l'américain, Paris, 1987.

SOBOUL (A.), *Histoire de la Révolution française*, 2 vol., Paris, 1962.

– *La Civilisation et la Révolution française*, 2 vol., Paris, 1978.

SOREL (A.), *L'Europe et la Révolution française*, 8 vol., Paris, 1895-1904.

SOULIE DE MORANT (G.), *L'Épopée des Jésuites français en Chine*, Paris, 1928.

SOUTY (Fr.), « La Révolution française, la République batave et le premier repli colonial néerlandais (1784-1814) », *Revue française d'Histoire d'outre-mer*, Paris, 1989.

STOURM (R.), *Les Finances de l'Ancien Régime et de la Révolution*, 2 vol., Paris, 1885.

Tabac et des fumeurs (Encyclopédie du), Paris, 1975.

TABOULET (G.), *La Geste française en Indochine*, 2 vol., Paris, 1955-1956.

TAILLEMITE (E.), *Colbert, secrétaire d'État de la marine et les réformes de 1669*, Paris, 1970.

– *Dictionnaire des marins français*, Paris, 1982.

– *L'Histoire ignorée de la marine française*, Paris, 1988.

– *La Fayette*, Paris, 1989.

TARDIEU (J.-P.), *Le destin des Noirs aux Indes de Castille. XVIe-XVIIIe siècle*, Paris, 1984.

TARRADE (J.), *Le commerce colonial de la France à la fin de l'Ancien Régime. L'évolution du règne de « l'Exclusif » de 1763 à 1789*, 2 vol., Paris, 1972.

– « L'Administration coloniale en France à la fin de l'Ancien Régime : projets de réforme », *Revue historique*, 1963.

– « Les Intendants des colonies à la fin de l'Ancien Régime », in *La France d'Ancien Régime*, études réunies en l'honneur de Pierre Goubert, 2 vol., tome II, Toulouse, 1984.

TERNAUX-COMPANS (H.), *Bibliothèque asiatique et africaine*, Paris, 1841.

– *Notice historique sur la Guyane française*, Paris, 1843.

TEYNAC (Mme Fr.) *et al.*, *Le Monde du papier peint*, Paris, 1981.

THÉSÉE (Mme F.), *Négociants bordelais et colons de Saint-Domingue (1783-1793)*, Paris, 1972.

– *Les Assemblées paroissiales des Cayes à Saint-Domingue (1774-1793)*, Conjonction, Port-au-Prince, 1982.

THIRIET (Fr.), *Histoire de Venise*, Paris, 1985.

TING TCHAO-TS'ING, *Les Descriptions de la Chine par les Français (1650-1750)*, Paris, 1928.

TOCQUEVILLE (A. de), *L'Ancien Régime et la Révolution*, Paris, 1952.

TOLOSAN (de), *Mémoire sur le commerce de la France et de ses colonies*, Paris, 1789.

TOUSSAINT (A.), *La Route des îles. Contribution à l'histoire maritime des Mascareignes*, Paris, 1967.

– *Histoire de l'île Maurice*, Paris, 1971.

– *Histoire des îles Mascareignes*, Paris, 1972.

– *Histoire de l'Océan Indien, au XVIIIe siècle*, Paris, 1974.

– *Le Mirage des îles : le négoce français aux Mascareignes au XVIIIe siècle*, Aix-en-Provence, 1977.

TOUSSAINT-SAMAT (Mme M.), *Histoire naturelle et morale de la nourriture*, Paris, 1987.

TRAMOND (J.), *Manuel d'histoire maritime de la France, des origines à 1815*, Paris, 1937.

– « Sur les relations entre l'île de France et Buenos-Ayres au XVIIIe siècle », *Revue d'histoire des colonies*, 1930.

TRIGGER (B. G.), *Les Indiens et la fourrure*, trad. de l'anglais, Paris, 1990.

TRUDEL (M.), *L'Esclavage au Canada français*, Québec, 1960.

– *Histoire de la Nouvelle-France :*

– Vol. I, *Les Vaines Tentatives (1524-1603)*, Montréal, 1963.

– Vol. II, *Le Comptoir (1604-1627)*, Montréal, 1966.

– Vol. III, *La Seigneurie des Cent-Associés (1627-1663)*
        tome 1 : *Les événements, Montréal, 1979.*
        tome 2 : *La société, Montréal, 1983.*

– *L'Esclavage au Canada français*, Québec, 1960.

TULARD (J.), *Les Révolutions*, Paris, 1985.

– *Dictionnaire Napoléon*, Paris, 1987.

TURGOT, *Œuvres*, présentée par G. SCHELLE, 5 vol., Paris, 1913-1923.

TURMEAU DE LA MORADIÈRE, *Appel des étrangers dans nos colonies*, Paris, 1763.

VACON (A.), *L'Administration de la Nouvelle-France*, Québec, 1970.

VAISSIÈRE (P. de), *Saint-Domingue. La Société et la vie créole sous l'Ancien Régime*, Paris, 1909.

VAN DER CRUYSSE (D.), *Louis XIV et le Siam*, Paris, 1991.

VAUCHER (P.), *Robert Walpole la politique de Fleury*, Paris, 1924.

VAULX (B. de), *Histoire des missions catholiques françaises*, Paris, 1951.

VERGÉ-FRANCESCHI (M.), *Les Officiers de la Marine royale, 1715-1774*, 7 vol., thèse d'État Paris, 1990.

– « Marine et Révolution », *Revue historique des Armées*, Vincennes, 1989.

VERGER (P.), *Flux et reflux de la traite des Nègres entre le golfe de Bénin et Bahia de todos os Santos du XVIIe au XIXe siècle*, Paris, 1968.

VIGIÉ (M. et M.), *L'Herbe à Nicot*, Paris, 1989.

VIGUERIE (J. de), *Le Canada du XVIe au XVIIIe siècle*, cours d'agrégation pour le CAPES.

VILAR (P.), *Or et monnaie dans l'histoire*, Paris, 1974.

− *Histoire de l'Espagne*, 12e éd., Paris, 1983.

VILLIERS (M. de), *L'Expédition de Cavalier de La Salle dans le golfe du Mexique (1684-1687)*, Paris, 1931.

− *La Louisiane. Histoire de son nom et de ses frontières successives*, Paris, 1929.

VOLNEY, *Considérations sur la guerre actuelle des Turcs*, Londres, 1788.

WALLERSTEIN (I.), *Le Système du monde du XVe siècle à nos jours*, 2 vol., Paris, 1980-1984.

WANQUET (Cl.), *Histoire d'une Révolution : La Réunion (1789-1803)*, 3 vol., Marseille, 1981.

− *Mouvements de population dans l'Océan Indien*, Actes du quatrième colloque de l'Océan Indien, Paris, 1979.

− « Quelques remarques sur les relations des Mascareignes avec les autres pays de l'Océan Indien à l'époque de la Révolution française », *Annuaire des pays de l'océan Indien*, 1980.

− « Le mouvement des idées dans l'Océan Indien occidental », *Association historique de l'Océan Indien*, Saint-Denis, 1982.

WANQUET (sous la direction de Cl.), *Fragments pour l'histoire des économies et sociétés de plantation à la Réunion*, Saint-Denis, 1989.

WEBER (H.), *La Compagnie française des Indes (1604-1875)*, Paris, 1904.

WEULERSSE (G.), *Le Mouvement physiocratique en France de 1756 à 1770*.

− *La Physiocratie à la fin du règne de Louis XV*, Paris, 1959.

WHEATON (Mme B. K.), *L'Office et la bouche. Histoire des mœurs de la table en France, 1300-1789*, Paris, 1984.

WILLIAMS (E.), *De Christophe Colomb à Fidel Castro : l'histoire des Caraïbes (1492-1969)*, traduction, Paris, 1975.

WORONOFF (D.), *La République bourgeoise de Thermidor à Brumaire*, Paris, 1972.

− *L'industrie sidérurgique en France, pendant la Révolution et l'Empire*, Paris, 1984.

WROTH (L. C.) et ANNAN (G. L.), *Acts of French Royal Administration Concerning Canada, Guiana, The West Indies and Louisiana, prior to 1791*, New York, 1930.

YACONO (X.), *Histoire de la colonisation française*, 3e éd., Paris, 1979.

ZAY (E.), *Histoire monétaire des colonies françaises*, Paris, 1892.

Divers

BEHN (Mme A.), « Oronoko », in *La belle infidèle*, traduit de l'anglais, Paris, 1990.

LESAGE (A.-R.), *Aventures du chevalier de Beauchêne*, rééd., Paris, 1969, 2 vol.

PRÉVOST (abbé), *Manon Lescaut*, rééd., Paris, 1965.

SAINT-PIERRE (B. de), *Paul et Virginie*, rééd., Paris, 1964.

Cartes

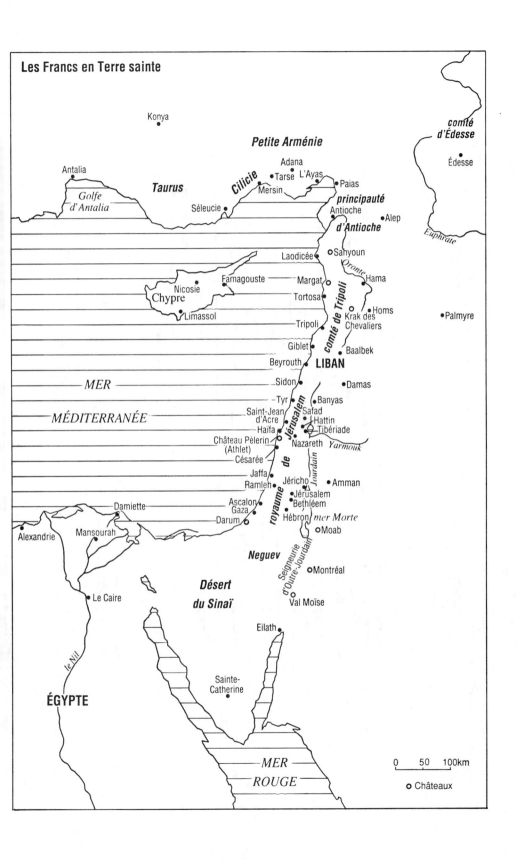

Les Francs en Terre sainte

Konya

Petite Arménie

comté d'Édesse

Édesse

Antalia

Taurus

Cilicie

Adana
Tarse L'Ayas
Mersin   Paias

principauté

Golfe d'Antalia

Séleucie

Antioche

d'Antioche

Alep

Euphrate

Laodicée Sahyoun

Oronte

Nicosie
Chypre

Famagouste   Margat   Hama

comté de Tripoli

Tortosa

Limassol

Homs
Krak des Chevaliers

Tripoli

MER

MÉDITERRANÉE

Giblet   Baalbek

Beyrouth   LIBAN

Sidon   Damas

Tyr   Banyas

Saint-Jean d'Acre   Safad
Haïfa   Hattin
Château Pèlerin   Tibériade
(Athlet)   Nazareth

Palmyre

Jérusalem

Oronte

Yarmouk

Césarée

Jaffa
Ramleh   Jéricho   Amman
Jérusalem
Ascalon   Bethléem
Gaza
Darum   Hébron mer Morte

Moab

royaume de

Jourdain

Damiette

Alexandrie   Mansourah

Neguev

Seigneurie d'Outre-Jourdain

Montréal

Le Caire

Désert du Sinaï

Val Moïse

Eilath

le Nil

ÉGYPTE

Sainte-Catherine

MER
ROUGE

0   50   100km

◦ Châteaux

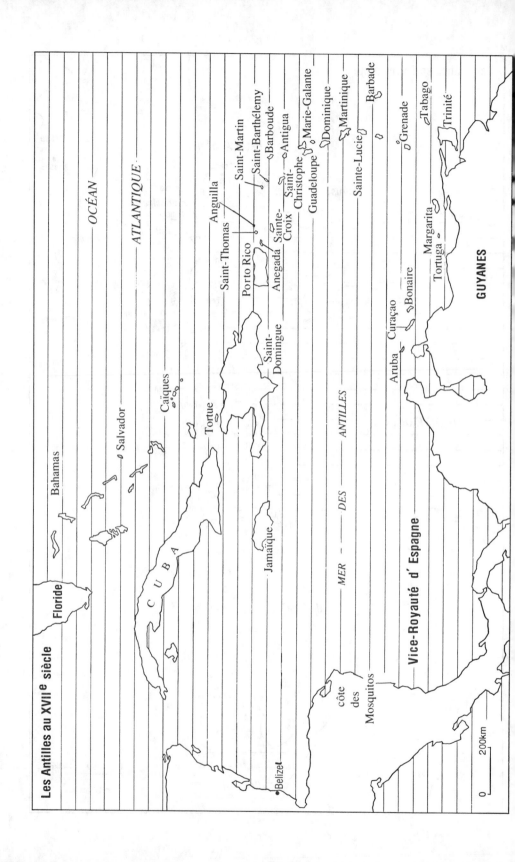

Les Antilles au XVIIᵉ siècle

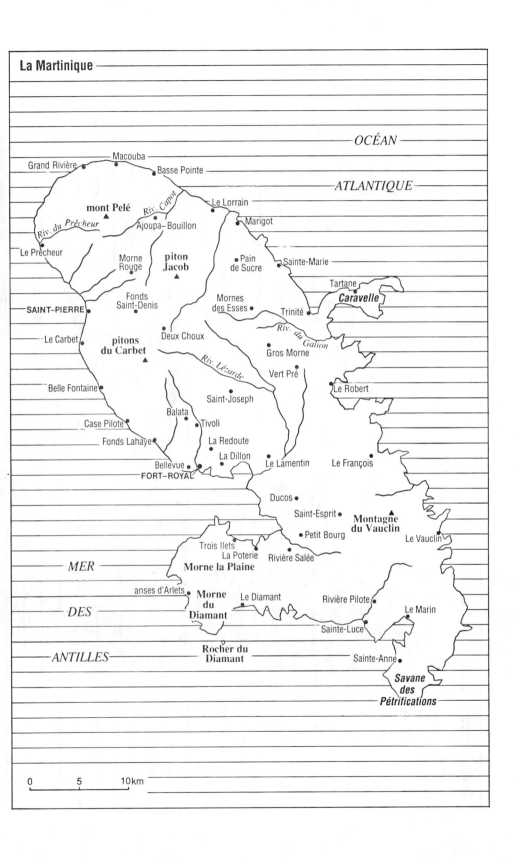

La Martinique

OCÉAN

ATLANTIQUE

Grand Rivière
Macouba
Basse Pointe

Riv. du Prêcheur
mont Pelé
Riv. Capot
Le Lorrain

Ajoupa–Bouillon
Marigot

Le Prêcheur
Morne
Rouge
piton
Jacob
Pain
de Sucre
Sainte-Marie

Tartane

Caravelle

SAINT-PIERRE
Fonds
Saint-Denis
Mornes
des Esses
Trinité

Le Carbet
pitons
du Carbet
Deux Choux
Riv. du Galion
Gros Morne

Riv. Lézarde
Vert Pré

Belle Fontaine
Le Robert

Saint-Joseph

Balata
Tivoli

Case Pilote
La Redoute

Fonds Lahaye
La Dillon
Le Lamentin
Le François

Bellevue
FORT–ROYAL

Ducos

Saint-Esprit
Montagne
du Vauclin

Petit Bourg
Le Vauclin

Trois Ilets
La Poterie
Rivière Salée

MER
Morne la Plaine

anses d'Arlets
**Morne
du
Diamant**
Le Diamant
Rivière Pilote
Le Marin

DES
Sainte-Luce

ANTILLES
**Rocher du
Diamant**
Sainte-Anne

**Savane
des
Pétrifications**

0   5   10km

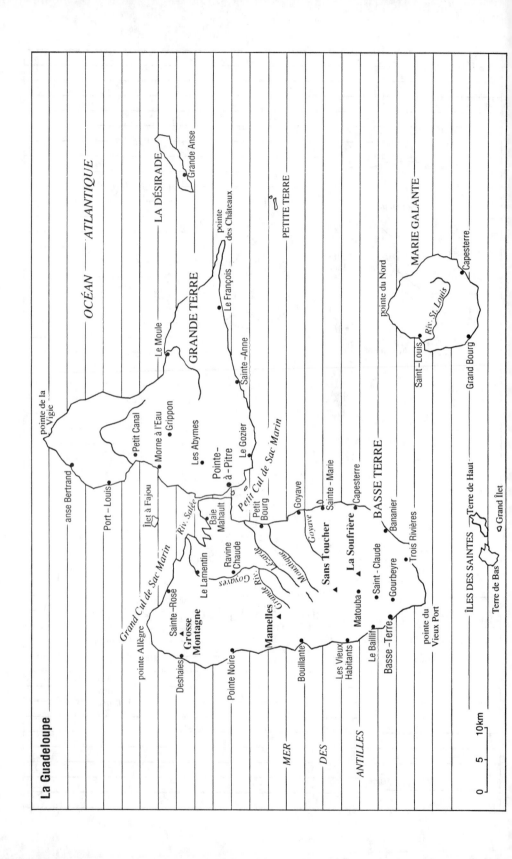

La Guadeloupe

OCÉAN — ATLANTIQUE

LA DÉSIRADE

Grande Anse

GRANDE TERRE

pointe des Châteaux

PETITE TERRE

Le Moule

Le François

Sainte-Anne

Le Gozier

MARIE GALANTE

Capesterre

pointe de la Vigie

anse Bertrand

Port – Louis

Petit Canal

Morne à l'Eau

Grippon

Les Abymes

Pointe-à-Pitre

Îlet à Fajou

Riv. Salée

Baie Mahault

Petit Cul de Sac Marin

Petit Bourg

Goyave

Sainte-Marie

Capesterre

pointe du Nord

Saint – Louis

Grand Bourg

Riv. St. Louis

Grand Cul de Sac Marin

pointe Allègre

Deshaies

Sainte–Rose

Grosse Montagne

Le Lamentin

Ravine Chaude

Riv. Salée

Goyave

Goyave

La Lézarde

Moustique

BASSE TERRE

Bananier

Trois Rivières

Pointe Noire

Bouillante

Mamelles

Sans Toucher

Saint – Claude

Gourbeyre

pointe du Vieux Port

Les Vieux Habitants

Matouba

La Soufrière

MER

DES

ANTILLES

Le Baillif

Basse–Terre

ÎLES DES SAINTES — Terre de Haut

Terre de Bas

Grand Îlet

0   5   10km

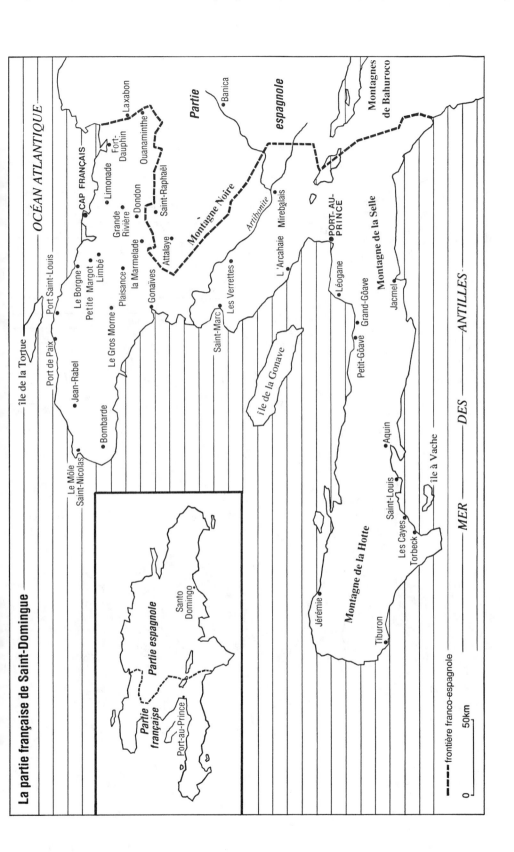

La partie française de Saint-Domingue

OCÉAN ATLANTIQUE

île de la Tortue

Le Môle
Saint-Nicolas

Port de Paix

Port Saint-Louis

Jean-Rabel

Bombarde

Le Borgne

Petite Margot

Limbé

Le Gros Morne

Plaisance

la Marmelade

Gonaïves

CAP FRANÇAIS

Limonade

Grande
Rivière

Dondon

Fort-
Dauphin

Laxabon

Ouanaminthe

Saint-Raphaël

Attalaye

Montagne Noire

Partie
espagnole

Banica

Montagnes
de Bahuroco

Saint-Marc

Les Verrettes

Artibonite

L'Arcahaie

Mirebalais

PORT-AU-
PRINCE

Léogane

Grand-Gôave

Petit-Gôave

Montagne de la Selle

Jacmel

île de la Gonave

Aquin

Saint-Louis

Les Cayes

Torbeck

île à Vache

Montagne de la Hotte

Jérémie

Tiburon

MER — DES — ANTILLES

Partie espagnole

Santo
Domingo

Partie
française

Port-au-Prince

▪▪▪ frontière franco-espagnole

0   50km

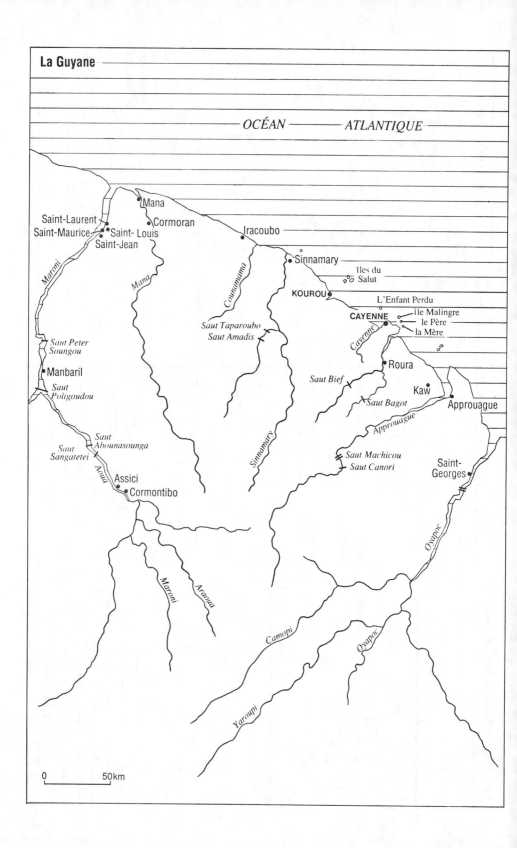

La Guyane

OCÉAN — ATLANTIQUE

Mana
Saint-Laurent
Saint-Maurice
Saint-Jean
Saint- Louis
Cormoran
Iracoubo
Sinnamary
îles du Salut
KOUROU
L'Enfant Perdu
CAYENNE
île Malingre
le Père
la Mère
Maroni
Mana
Counamama
Saut Taparoubo
Saut Amadis
Cayenne
Saut Peter Soungou
Manbaril
Saut Poligoudou
Roura
Saut Bief
Kaw
Saut Bagot
Approuague
Saut Abounasounga
Saut Sangatetei
Aoua
Assici
Cormontibo
Sinnamary
Saut Machicou
Saut Canori
Approuague
Saint-Georges
Maroni
Araoua
Ovapoc
Camopi
Ovapoc
Yaroupi

0   50km

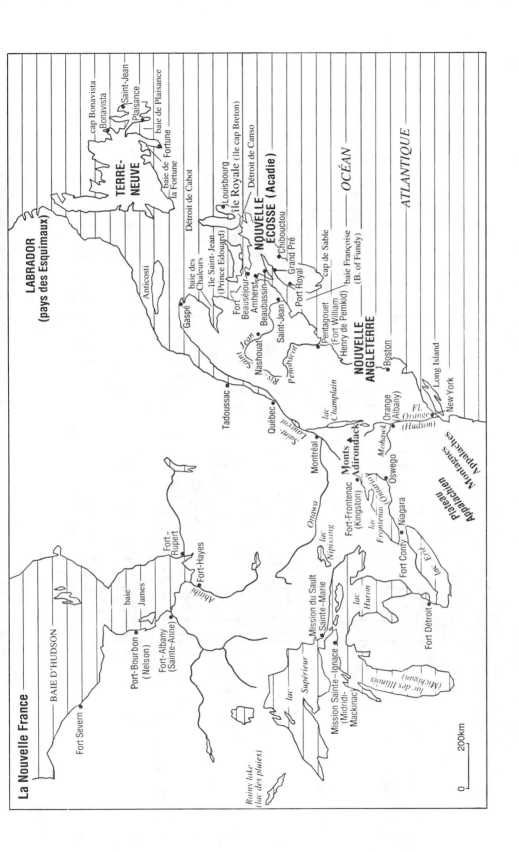

La Nouvelle France

BAIE D'HUDSON

Fort Severn

Port-Bourbon (Nelson)

Fort-Albany (Sainte-Anne)

baie James

Fort-Rupert

Fort-Hayes

Abitibi

Rainy lake (lac des pluies)

lac Supérieur

Mission du Sault Sainte-Marie

Mission Sainte-Ignace (Midridi-Mackinac)

lac des Illinois (Michigan)

lac Huron

lac Nipissing

Ottawa

lac Frontenac (Ontario)

Fort-Frontenac (Kingston)

Oswego

Fort Conty

Niagara

lac Érié

Fort Détroit

0   200km

LABRADOR (pays des Esquimaux)

Anticosti

Saint Jean

Gaspé

baie des Chaleurs

île Saint-Jean (Prince Edouard)

Fort Beauséjour

Amherst

Beaubassin

Saint-Jean

Penobscot

Nashouat

Riv. Saint Jean

Tadoussac

Québec

Montréal

Saint Laurent

lac Champlain

Monts Adirondack

Orange Albany

Fl. Orange (Hudson)

Mohawk

Boston

NOUVELLE ANGLETERRE

Plateau Appalachien

Montagnes Appalaches

Long Island

New York

TERRE-NEUVE

cap Bonavista

Bonavista

Saint-Jean

Plaisance

baie de Plaisance

baie de Fortune

la Fortune

Détroit de Cabot

Louisbourg

île Royale (île cap Breton)

Détroit de Canso

NOUVELLE ECOSSE (Acadie)

Chibouctou

Grand Pré

Port Royal

cap de Sable

baie Françoise (B. of Fundy)

Pentagouet (Fort William Henry de Pemkid)

OCÉAN

ATLANTIQUE

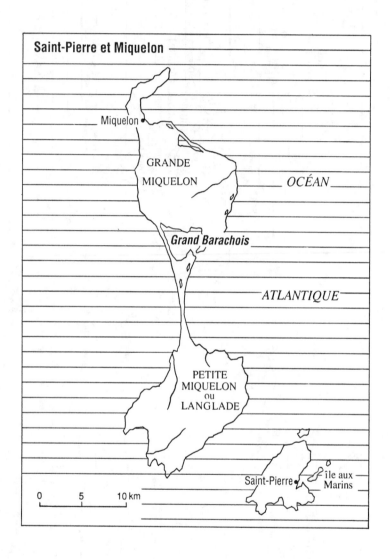

Saint-Pierre et Miquelon

Miquelon

GRANDE
MIQUELON

OCÉAN

Grand Barachois

ATLANTIQUE

PETITE
MIQUELON
ou
LANGLADE

Saint-Pierre

île aux
Marins

0   5   10 km

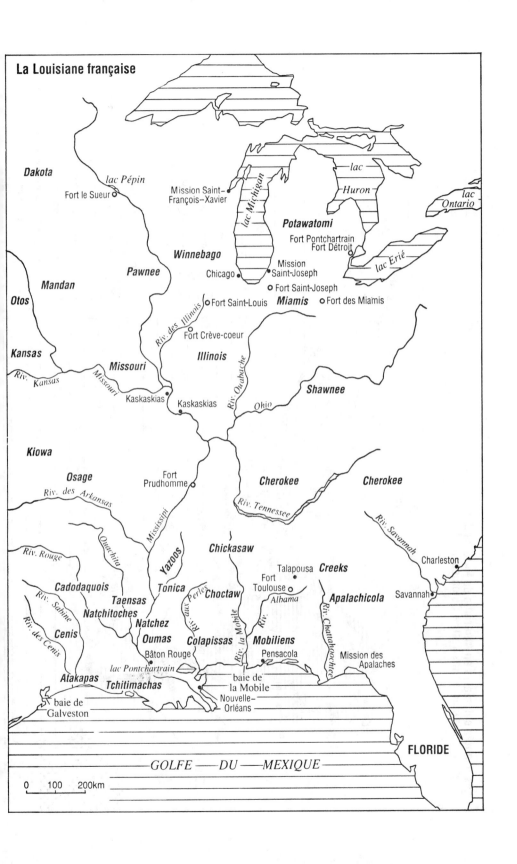

La Louisiane française

Dakota

lac Pépin

Fort le Sueur

Mission Saint–
François–Xavier

lac Michigan

lac Huron

lac Ontario

Potawatomi

Fort Pontchartrain
Fort Détroit

lac Erié

Winnebago

Pawnee

Chicago

Mission
Saint-Joseph

Mandan

Fort Saint-Joseph

Otos

Fort Saint-Louis

Miamis

Fort des Miamis

Kansas

Riv. des Illinois

Fort Crève-coeur

Riv. Kansas

Missouri

Illinois

Riv. Ouabache

Kaskaskias

Kaskaskias

Ohio

Shawnee

Kiowa

Fort
Prudhomme

Cherokee

Cherokee

Osage

Riv. des Arkansas

Riv. Tennessee

Mississipi

Riv. Savannah

Charleston

Ouachita

Chickasaw

Riv. Rouge

Yazos

Talapousa

Creeks

Cadodaquois

Tonica

Fort
Toulouse

Savannah

Riv. Sabine

Taensas

Perles

Choctaw

Albama

Apalachicola

Natchitoches

Natchez

Riv. la Mobile

Riv. Chattahoochtee

Cenis

Oumas

Colapissas

Mobiliens

Riv. des Cenis

Bâton Rouge

Pensacola

Mission des
Apalaches

Atakapas

Tchitimachas

lac Pontchartrain

baie de
la Mobile

baie de
Galveston

Nouvelle–
Orléans

FLORIDE

GOLFE — DU — MEXIQUE

0   100   200km

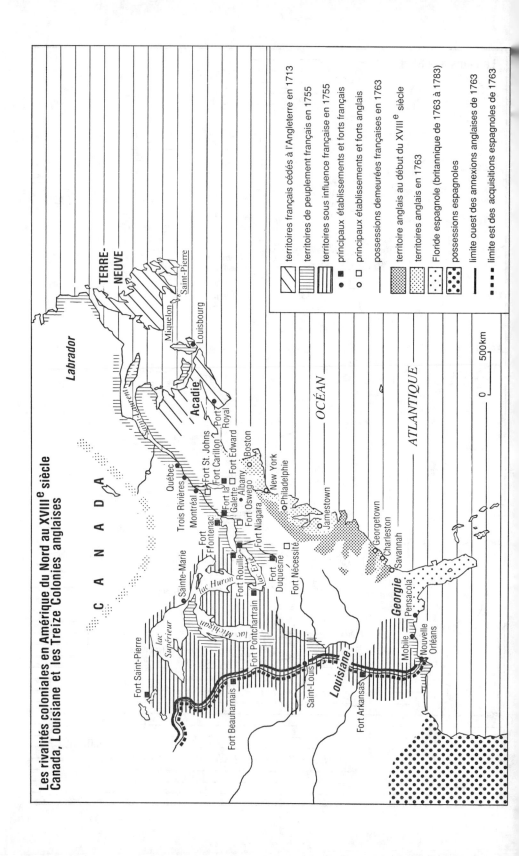

Les rivalités coloniales en Amérique du Nord au XVIIIe siècle
Canada, Louisiane et les Treize Colonies anglaises

Légende :
- territoires français cédés à l'Angleterre en 1713
- territoires de peuplement français en 1755
- territoires sous influence française en 1755
- principaux établissements et forts français
- principaux établissements et forts anglais
- possessions demeurées françaises en 1763
- territoire anglais au début du XVIIIe siècle
- territoires anglais en 1763
- Floride espagnole (britannique de 1763 à 1783)
- possessions espagnoles
- limite ouest des annexions anglaises de 1763
- limite est des acquisitions espagnoles de 1763

Labrador
TERRE-NEUVE
Miquelon
Saint-Pierre
Louisbourg
Acadie
Port Royal
CANADA
Québec
Trois Rivières
Montréal
Fort St. Johns
Fort Carillon
Fort Edward
Fort la Galette
Boston
Fort Oswego
Albany
Fort Niagara
New York
Philadelphie
Fort Frontenac
Sainte-Marie
lac Supérieur
lac Huron
lac Michigan
Fort Rouillé
lac Érié
Fort Duquesne
Fort Nécessité
Fort Pontchartrain
Jamestown
Georgetown
Charleston
Savannah
Géorgie
OCÉAN ATLANTIQUE
Fort Saint-Pierre
Fort Beauharnais
Saint-Louis
Fort Arkansas
Louisiane
Mobile
Pensacola
Nouvelle Orléans

0   500 km

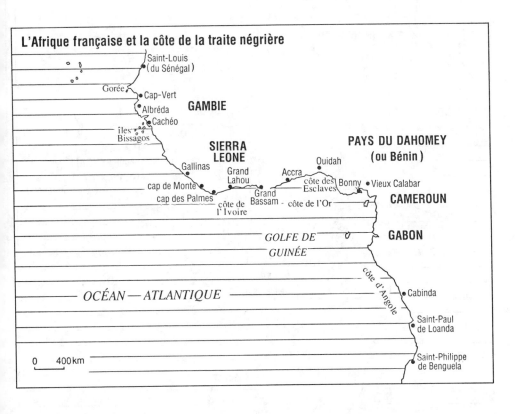

L'Afrique française et la côte de la traite négrière

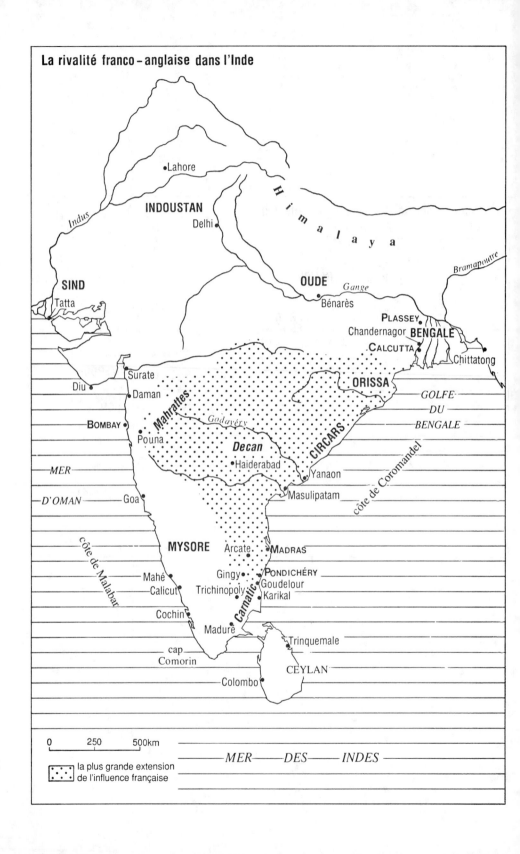

La rivalité franco-anglaise dans l'Inde

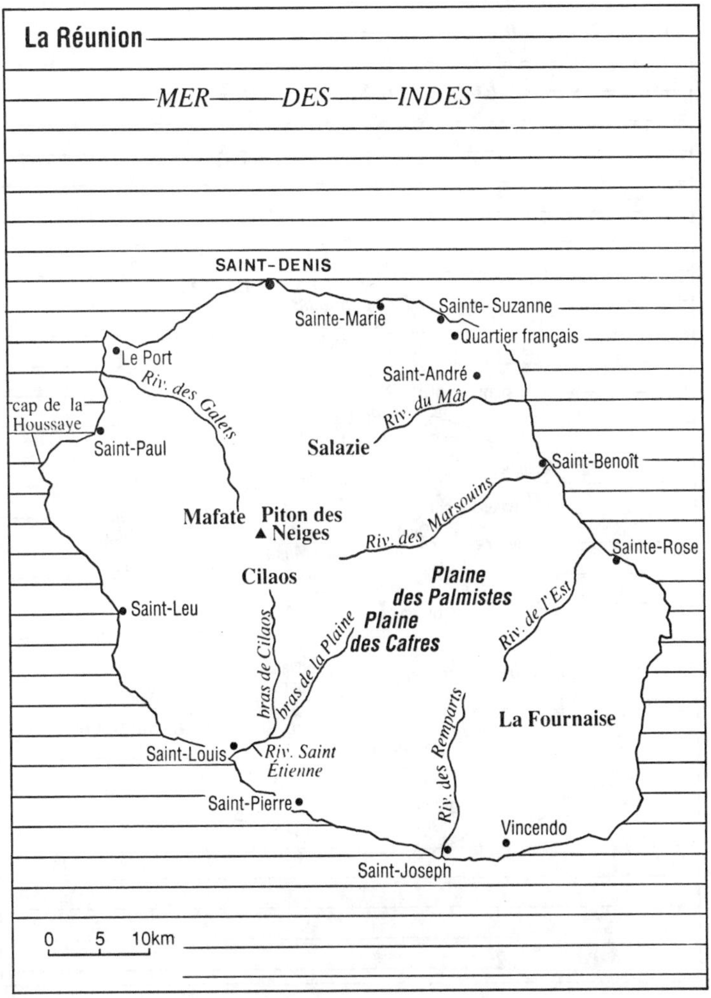

La Réunion

MER — DES — INDES

SAINT-DENIS

Sainte-Marie
Sainte-Suzanne
Quartier français

Le Port

Riv. des Galets

Saint-André

cap de la Houssaye

Riv. du Mât

Saint-Paul

Salazie

Saint-Benoît

Mafate **Piton des**
▲ **Neiges**

Riv. des Marsouins

Sainte-Rose

Cilaos

Plaine des Palmistes

Saint-Leu

bras de Cilaos

bras de la Plaine

Plaine des Cafres

Riv. de l'Est

La Fournaise

Saint-Louis

Riv. Saint Étienne

Riv. des Remparts

Saint-Pierre

Vincendo

Saint-Joseph

0   5   10km

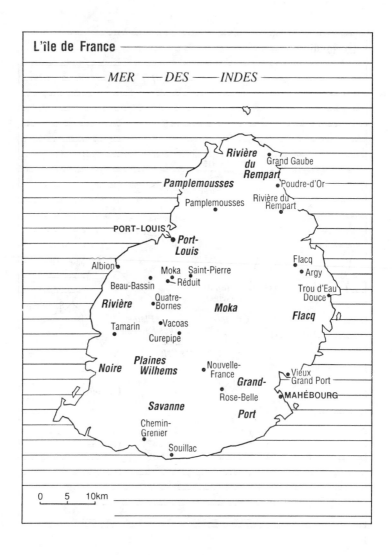

L'île de France

MER — DES — INDES

Rivière du Rempart
Grand Gaube
Pamplemousses
Poudre-d'Or
Pamplemousses
Rivière du Rempart
PORT-LOUIS
Port-Louis
Albion
Flacq
Argy
Moka Saint-Pierre
Réduit
Beau-Bassin
Trou d'Eau Douce
Quatre-Bornes
Rivière
Moka
Flacq
Tamarin
Vacoas
Curepipe
Plaines Wilhems
Nouvelle-France
Noire
Vieux Grand Port
Grand-Port
MAHÉBOURG
Rose-Belle
Savanne
Chemin-Grenier
Souillac

0   5   10km

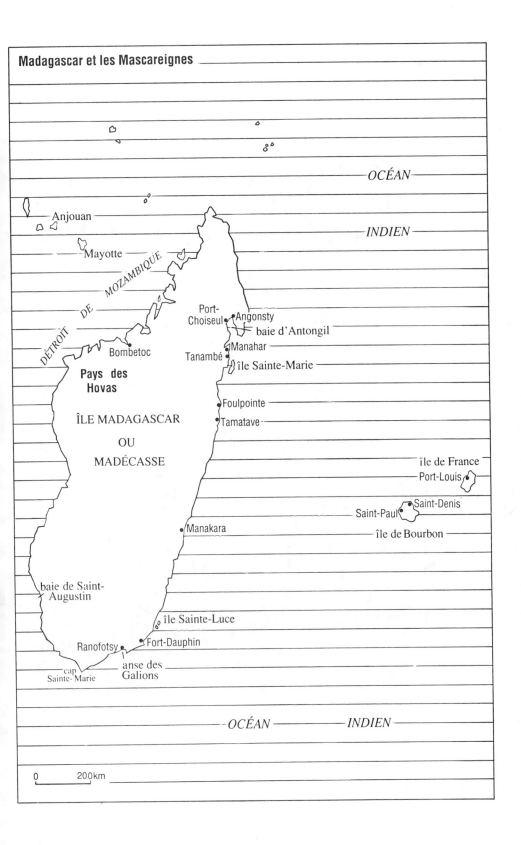

Madagascar et les Mascareignes

OCÉAN

INDIEN

Anjouan

Mayotte

DÉTROIT DE MOZAMBIQUE

Port-Choiseul • • Angonsty

baie d'Antongil

Bombetoc

Manahar

Tanambé • île Sainte-Marie

Pays des Hovas

Foulpointe

ÎLE MADAGASCAR

Tamatave

OU

MADÉCASSE

île de France

Port-Louis

Saint-Denis

Saint-Paul

île de Bourbon

Manakara

baie de Saint-Augustin

île Sainte-Luce

Ranofotsy • Fort-Dauphin

cap Sainte-Marie

anse des Galions

OCÉAN   INDIEN

0   200km

Index sommaire des noms, des lieux
et des thèmes

Table des matières